MW00354606

ENCICLOPEDIA DE LA
SALUD
FAMILIAR

LA PRIMERA GUÍA QUE COMBINA LOS TRATAMIENTOS DE **LAS MEDICINAS ALTERNATIVAS** CON LA **MEDICINA CONVENCIONAL**

DR. R. SHARMA

integral

NOTA IMPORTANTE

En ocasiones las opiniones sostenidas en «Los libros de Integral» pueden diferir de las de la medicina oficialmente aceptada. La intención es facilitar información y presentar alternativas, hoy disponibles, que ayuden al lector a valorar y decidir responsablemente sobre su propia salud, y en caso de enfermedad, a establecer un diálogo con su médico o especialista.

La *Enciclopedia de la salud familiar* no pretende, en ningún caso, ser un sustituto de la consulta médica personal.

Aunque se considera que los consejos e informaciones son exactas y ciertas en el momento de su publicación, ni el autor ni el editor pueden aceptar ninguna responsabilidad legal por cualquier error u omisión que se haya podido producir.

Enciclopedia de la salud familiar
Título original: The Element Family Encyclopedia of Health
Autor: Dr. R. Sharma
Traducción: Línea médica, Servicios editoriales
Revisión técnica: Nuria Viver Barri
Fotografías de cubierta: Becky Lawton, Jordi García, AGE Fotostock, Index
Ilustraciones: Michael Courtney, Deborah Maizels, Anthony Warne, Michael Cole y David Woodroffe
Compaginación: María Torres

© del texto: 1998, Dr. R. Sharma
© de la versión inglesa: 1998, Element Books Limited
© de la versión española: 1999, RBA Libros, S.A.

Reservados todos los derechos.
Ninguna parte de esta publicación
puede ser reproducida, almacenada
o transmitida por ningún medio
sin permiso del editor.

Ref: GO-21 / ISBN: 84-7901-436-9
Dep. Legal B-2021-03
Impreso por: BIGSA

Sumario

PRIMERA PARTE

SEGUNDA PARTE

TERCERA PARTE

Todos los capítulos de la primera parte tratan sobre temas
relacionados con la salud en el siguiente orden:

GENERAL, CABEZA Y CUELLO, TÓRAX, SISTEMA DIGESTIVO,
SISTEMA UROGENITAL, APARATO LOCOMOTOR, PIEL,
SISTEMA NERVIOSO, ASPECTOS PSICOLÓGICOS.

Para cualquier referencia relacionada con alguna materia concreta,
consultar el índice analítico al final de la obra.

SUMARIO

PRIMERA PARTE

1. SEXO, FERTILIDAD Y CONCEPCIÓN

2. EMBARAZO Y PARTO

3. INFANCIA Y NIÑEZ

4. ADULTO JOVEN

5. ADULTO

6. EDAD MADURA Y AVANZADA

SEGUNDA PARTE

7. NUTRICIÓN

8. TÉCNICAS DIAGNÓSTICAS

9. TERAPIAS ALTERNATIVAS

10. MEDICAMENTOS

Este capítulo describe una serie de los medicamentos más usados habitualmente, con una breve descripción de sus beneficios potenciales y de sus efectos.

AGRADECIMIENTOS

Gracias a mi difunto padre, Chandra, que era y es el mejor maestro que jamás he tenido, y a mi madre Rosemary, por apoyarme siempre y creer en mí. Gracias a Justin (mi amado y muy querido hermano) y a Frankie (y a Vivian) por su amor y la formación recibida.

Sin Emily no existiría este libro. Mi mujer lo ha transcrito y lo ha convertido en un texto legible mientras llevaba la casa y cuidaba de los niños con amor. Muchísimas gracias.

Gracias a mis amigos, que me apoyaron y estimularon, en especial a la compañera de Tib (Alon), que llegará a ser el gigante literario que merece ser. Gracias también a Ian Fenton, que se molestó en encontrarme, y a Matthew Cory de Element Books, que llevó a cabo todo el trabajo pesado.

Gracias a todos aquellos que me inspiraron y enseñaron, especialmente a los doctores Issac Mathai Nooranal, Harald Gaier, Anthony Soyer y Laurens Holve.

Un agradecimiento especial para los compañeros con los que he trabajado a lo largo de los años, especialmente el 101 Group of Practitioners. Gracias a Fiona Harrold por su apoyo a lo largo de mi trayectoria profesional. También gracias a mis nuevos colegas de las clínicas Hale, Castle Street y Kailash. Gracias a mis apoyos norteamericanos, especialmente al doctor Woodson Merrell (y, por supuesto, a Gaye), al doctor Timothy Lynch, a Laura Gabbe y a Kathy Dunn.

Un agradecimiento especial para John Pipper (y Becky) y para Malcom por mantenerme cuerdo.

Un agradecimiento especial para mi equipo: Chan y Mary (y su equipo de apoyo: Wendy, Debbie y Jim) por protegerme y Robin por ayudarme a ajustarlo todo. Gracias a los amigos que creen en mí y me ayudan a escapar de vez en cuando de la medicina, en particular a Tina Turner, David Pugh, Kevin y Susie, John Vos, Richard Berenson y ¡el equipo de fútbol del Arsenal!

Estoy en deuda con James y Sheelagh Colton, el doctor Stephen Davies, el doctor Julian Jessel-Kenyon, Agnes Kernan y Annette Wilkinson, por proporcionarme material para este libro, y también con la Science Photo Library, por permitirme utilizar sus fotografías.

Finalmente, una excusa para los pacientes que encuentren en este libro informaciones o instrucciones que no les he proporcionado en la consulta. En los últimos tres años, mientras preparaba este libro, he adquirido muchos conocimientos, que evidentemente no pude proporcionar a los pacientes atendidos con anterioridad. Gracias por ayudarme a aprender.

PREFACIO

La medicina y, en particular, la neurología, han progresado durante las dos últimas décadas impulsadas por los avances tecnológicos, la ciencia, los ordenadores y, en menor grado, la siempre creciente batería farmacológica. Como resultado, la medicina se ha convertido cada vez más en una ciencia y menos en un arte.

Cuando éramos estudiantes, tanto el doctor Sharma como yo, aprendimos el «arte» de la medicina con diagnósticos fundamentados en la práctica y tratamientos basados en el «sentido común». Pienso –y la mayoría de los médicos estarán de acuerdo– que el arte de la medicina se está desvaneciendo. Así, se ha dicho que nuestras maneras y nuestra capacidad profesional como médicos de cabecera se están deteriorando. Aunque creo que la mayoría de los avances tecnológicos benefician al paciente, el público en general no tiene por qué estar de acuerdo y es posible que eche de menos unas relaciones más humanas con los médicos.

La mayoría de los médicos tradicionales son escépticos a cualquier tratamiento que no se haya sometido a una estricta prueba científica. Faltan informes fiables sobre la eficacia de los tratamientos alternativos, aunque recientemente han aparecido algunos artículos sorprendentes, como un estudio que demuestra el beneficio del magnetismo en el dolor de tipo reumático, y otro que indica que la exposición a la luz de la parte posterior de las rodillas puede alterar el ciclo de sueño de la persona. Estos resultados deben confirmarse. Con el propósito de aplicar un «análisis racional» a los tratamientos alternativos, en 1997 se fundó una revista médica alternativa, *The Scientific Review of Alternative Medicine*.

La medicina alternativa ha disfrutado de un gran apoyo popular, que ha forzado a la medicina tradicional a reconsiderar las técnicas alternativas. Es interesante que las escuelas de la American Ivy League estén en la actualidad replanteándose su actitud frente a los tratamientos alternativos, y que la Universidad de Columbia abriera en 1996 un centro de medicina alternativa. El doctor Sharma y yo hemos discutido sobre este tema durante años y no dudo de que recomienda y promueve el estudio científico de los tratamientos alternativos.

Este libro será útil no sólo para los pacientes y médicos alternativos, sino también para los médicos tradicionales, ya que la mayoría de sus pacientes siguen tratamientos combinados, tradicionales y alternativos.

Un estudio británico realizado en 1986 demostró que había 13,5 millones de consultas a médicos alternativos. Este número puede haber crecido desde entonces en vista del interés de los medios de comunicación y la promoción de este tipo de enfoque.

El doctor Sharma ha dividido su obra en capítulos en función de la edad del paciente. Explica que en cada etapa de la vida pueden producirse diferentes afecciones. He escuchado conferencias del doctor Sharma y creo que es claro, lógico y fácil de seguir. Su libro mantiene la misma línea, con conceptos bien meditados. Es importante que los pacientes no pierdan su tiempo y su dinero en tratamientos no comprobados promovidos por médicos equivocados. Con acierto, el doctor Sharma diferencia las conjeturas y los datos anecdóticos de las medidas de eficacia comprobada y de los tratamientos avalados por estudios. Su libro explica las cosas de forma sencilla y, aún más importante, recomienda la seguridad por encima de la experimentación.

Los medios de comunicación y los médicos alternativos han difundido una gran cantidad de información. Es posible que estos últimos hayan tenido interés en promover su propio trabajo y hayan omitido mencionar otras prácticas quizá más beneficiosas. Los periodistas se interesan a menudo por este campo, pero no tienen formación médica y la información que proporcionan puede estar a veces influida por la necesidad de aumentar la tirada de su periódico o su audiencia.

Esta obra no presenta enfoques tendenciosos y me ha enseñado muchos conceptos de medicina alternativa que considero seguros y valiosos. En mi opinión, el libro será una referencia de gran valor para los médicos y las familias que precisen ayuda para optar por tratamientos beneficiosos y seguros que conduzcan a los pacientes por el mejor camino.

Cuanto más se haga para estimular el conocimiento de los médicos, tanto en el campo ortodoxo como en el alternativo, mayores serán las ventajas para la salud individual y social.

Timothy Lynch.
Neurólogo consultor del
Hospital Mater Misericordiae.
Dublín, Irlanda.

INTRODUCCIÓN

Esta obra surgió por la necesidad de disponer de un libro de consulta de fácil manejo que tratara los problemas que, probablemente, todos afrontaremos en algún momento de nuestras vidas. El libro analiza las dolencias más comunes y frecuentes, pero también enfermedades como el cáncer (una de cada tres personas lo sufrirán), el sida, la diabetes o la psoriasis.

Hay una enorme cantidad de libros de primeros auxilios, ortodoxos y alternativos, generalmente enfocados hacia un tipo determinado de tratamiento: la homeopatía, la fitoterapia o la dietética. Sería necesario disponer de una verdadera biblioteca para acceder a una información razonable sobre un problema concreto. Mi objetivo es que este libro simplifique la tarea.

ENFOQUE UNIFICADO DE LA SALUD

Soy el primero en admitir que es imposible conocer todos los tratamientos, ortodoxos y alternativos, disponibles para cada afección, objetivo que sólo podría plantearse el ordenador más potente. Sin embargo, saber cuáles son las posibilidades que ofrece cada terapia es factible y divertido. Durante mi vida he entrado en contacto con terapeutas de la mayor parte de campos de la medicina, y de la lectura y la discusión de cada especialidad he aprendido lo suficiente para saber qué tratamiento recomendar y cuándo hacerlo.

En las consultas donde trabajo hay expertos en varios campos de gran credibilidad. Estas prácticas ciertamente holísticas ofrecen a los pacientes una visión completa de su salud y ponen a su disposición cualquier tratamiento necesario para restablecer su bienestar.

El uso de este libro permitirá al lector compartir mi experiencia.

Este libro no sustituye en ningún caso la consulta al médico. Sin embargo, la información que proporciona puede ayudar no sólo al lector sino también al médico responsable de su cuidado.

¿QUÉ ES LA MEDICINA HOLÍSTICA?

Antes del advenimiento de la «ciencia moderna» occidental, hace 150 años, la medicina y el cuidado de la salud se basaban predominantemente en el método de ensayo-error y en la observación.

Al desarrollarse el mundo occidental, se dejaron de lado miles de años de sabiduría tradicional tibetana, china, ayurvédica (hindú) y de otras culturas antiguas. Se perdió el necesario equilibrio entre el científico moderno y el sanador tradicional, primando los fármacos industriales y los métodos de alta tecnología.

Actualmente, por fortuna, nos estamos acercando al punto medio, lo que permitirá una actitud equilibrada con respecto a la atención sanitaria en un futuro. Hay un lugar para el bisturí del cirujano y los antibióticos, pero también para las manos del sanador y los brebajes del herbolario.

Los nombres «alternativo» y «marginal» referidos a la medicina han sido reemplazados en gran medida por el término «complementario». Fue un intento por parte de los profesionales del arte de la medicina no científica de persuadir al poderoso médico de que existían ayudas adecuadas para la medicina ortodoxa. Sin duda, esta actitud era imprescindible para llevar a cabo el cambio necesario y, a medida que se comprueban fallos crecientes en el sistema sanitario moderno, el médico complementario sugiere ahora el término «medicina integrada» para intentar adquirir un reconocimiento equiparable al de la medicina ortodoxa. En mi opinión es tan erróneo que un acupuntor sostenga que tiene mayores conocimientos que los médicos ortodoxos como que un catedrático de cirugía presuma de un aire de superioridad.

El término «holístico» (derivado del griego *holos*, que significa «completo») se aproxima más a la dirección en que creo que la medicina y la sanación deben ir. Por desgracia, este término se ha asociado al misticismo y el curanderismo, y ningún médico ortodoxo querría verse designado de esta manera.

Todos debemos aprender que no puede haber diferencias por más tiempo. El arte de sanar debería ser común a todas las filosofías y escuelas para así crear un sistema de asistencia sanitaria único. Las divisiones se producirán porque nadie puede retener y aplicar todos los procedimientos terapéuticos disponibles, pero llegará el día en que los médicos tendrán un amplio conocimiento de las terapias posibles y así podrán recomendar el tratamiento más efectivo y rápido a sus pacientes. Un médico de cabecera debería estar enterado de opciones de tratamiento como la acupuntura y la osteopatía, y un homeópata debería conocer el uso potencial de los antibióticos. En este momento disponemos de un sistema sanitario que no contempla el cambio. Espero que este libro ayude a conseguirlo.

SALUD Y CURACIÓN

No es mi intención infravalorar el trabajo de nuestros médicos formados a la usanza occidental. Sin embargo, cada vez es mayor el número de pacientes desencantados y alarmados por los consejos que reciben de los médicos y especialistas cuando piden asesoramiento sobre la salud en general o sobre situaciones que no entrañan un riesgo vital.

CASO CLÍNICO

La señora J.B., de 62 años, abuela y ama de casa activa, sufrió un accidente cerebrovascular tres años antes de acudir a mi consulta. La embolia había afectado seriamente a su capacidad de habla y tenía menos del 10% de movilidad en la parte izquierda del cuerpo.

Durante este período había conseguido que el habla fuera prácticamente normal gracias a la logopedia, pero sólo había recuperado el 30% del movimiento y de la fuerza de su brazo izquierdo.

La señora J.B. era hipertensa (hasta el momento de sufrir la embolia, cuando «milagrosamente» se normalizó) y había estado sometida a un control de la presión arterial durante años.

Después de examinarla le sugerí que probara la fitoterapia china junto con la osteopatía y la acupuntura. Al cabo de dos meses, la señora J.B. era capaz de caminar más de 200 m, mientras que previamente 20 m la dejaban exhausta. Su estado mental mejoró notablemente y era capaz de jugar y disfrutar con sus nietos.

Cuando volvió a visitar a su médico de cabecera, que se había mostrado como una persona muy amable durante los años anteriores, su actitud no fue de sorpresa o interés sino más bien de oposición. Advirtió a la paciente de los riesgos de la fitoterapia, del incierto éxito de la acupuntura y del peligro de la osteopatía.

Con sus falsas afirmaciones, el médico de cabecera logró atemorizar a la paciente y provocar una reacción negativa hacia los tratamientos que en dos meses habían hecho más que tres años de medicina ortodoxa.

Ésta es, en mi opinión, una situación típica del sistema sanitario en Occidente. Los médicos ortodoxos memorizan hechos y cumplen determinados protocolos específicos hasta que el tiempo y los estudios demuestran que los tratamientos y las técnicas empleados son seguros y efectivos o, por el contrario, resultan peligrosos. Ello conduce a menudo a que el médico ortodoxo carezca totalmente de responsabilidad y deje en manos de la industria farmacéutica la solución del problema asistencial.

El ejemplo más notorio es el de la talidomida. Se dijo a los médicos que la administración de talidomida durante el embarazo era segura, pero luego se comprobó que no era cierto. Una vez causado el daño, los que la habían prescrito se encogieron de hombros y dijeron: «No es culpa nuestra, hicimos lo que nos dijeron». Si los médicos hubieran leído la información o cuestionado las pruebas de seguridad, se podría haber evitado un gran desastre. Esta escena se repite de una forma constante.

Mientras escribo este libro, en sólo un año se ha comprobado que siete píldoras anticonceptivas son peligrosas. Durante el verano de 1996 no superó la prueba de seguridad un fármaco para dolencias cardíacas frecuentemente empleado. La eficacia del AZT, utilizado solo, en el tratamiento del sida fue refutada en 1995, y el año anterior se retiraron del mercado dos de las tres vacunas contra el sarampión. La tercera está aún en fase de investigación, y la lista sigue.

Por descontado, recomendar tratamientos que no han sido comprobados «científicamente» (aunque se hayan practicado durante miles de años) está formalmente desaconsejado.

La Organización Mundial de la Salud (OMS) ha definido la buena salud como «un estado libre de enfermedad en el que se disfruta de bienestar físico, emocional y espiritual». Es decir, goza de buena salud quien está sano:

- Física-psicológica-bioquímicamente
- Psicológica-conscientemente
- Espiritual-subconscientemente

Durante miles de años los médicos y sanadores de muchas disciplinas han trabajado siguiendo estos principios. Se acerca el día en que sea necesaria la especialización, pero sólo en el plano físico. Necesitamos información de las tres áreas. Hemos llegado a un punto en que los médicos *salvavidas* pueden trabajar en tándem con los sanadores *salvasalud*.

La medicina holística intenta tratar estos tres ámbitos de forma sencilla y efectiva. Todos necesitamos entender el proceso del mantenimiento y restitución de la salud y aprender a usar las disciplinas ortodoxas y alternativas.

Los tres ámbitos de la salud

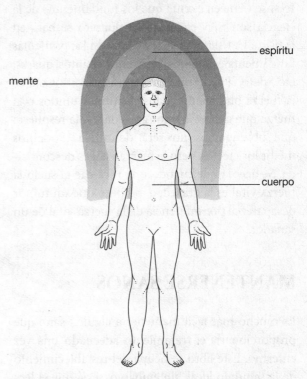

El bienestar de un individuo depende de la salud no sólo de su cuerpo y su mente, sino también de su espíritu, que aquí se ha representado por un aura alrededor de la cabeza.

El cuerpo dispone de un «relleno» mental y anímico, pero no es un fetiche etéreo. Los médicos no han dicho todavía demasiado sobre los firmes indicios científicos que apoyan los conceptos mente-cuerpo. El ejemplo más llamativo es el del paciente psiquiátrico con múltiples personalidades, publicado por los doctores Braun y Goldman. Este paciente, que padecía una alteración denominada personalidad múltiple, presentaba distintas enfermedades en función de su personalidad dominante. Una de ellas padecía diabetes, y cuando este personaje se manifestaba, los niveles de azúcar eran muy altos. En el momento en que la personalidad cambiaba, desaparecía la diabetes. En otro caso tenía urticaria frente a ciertas sustancias, reacción que también desaparecía cuando lo hacía el personaje.

La hipótesis de que las células vivas contienen una fuerza vital está presente en la mayoría de las filosofías del mundo. En Occidente se ha perdido de vista este concepto debido a una dependencia excesiva de la ciencia. Esto resulta incluso más curioso si se tiene en cuenta que los fundamentos de la ciencia son muy endebles. La química se basa en la física. La física a su vez se centra en las partículas fundamentales: átomos, electrones, cuantos, quarks, etc., pero si se le pregunta a un físico: «¿Cuál es la fuerza que mantiene los electrones unidos o la fuerza que denominamos gravedad?», la respuesta que obtengamos no será definitiva. Podemos medir los efectos, pero la fuerza vital es desconocida. Se acepta que cuando una roca cae al suelo la fuerza vital es la gravedad, pero no que un tumor desaparezca por influencia de la fuerza vital de un sanador.

MANTENERSE SANOS

Es mucho más fácil mantener a alguien sano que proporcionarle el tratamiento adecuado una vez enfermo. Este libro se ocupa del restablecimiento de la salud; lo ideal, sin embargo, sería que el lector no necesitara mirar los apartados correspondientes y siguiera un estilo de vida saludable. Una buena distribución de las 24 horas del día ayuda a conseguirlo:

Sueño	8 horas
Trabajo, divertido y productivo	8 horas
Ejercicio	40-60 minutos
Meditación	1-2 horas
Higiene básica	0,5-1 hora
Preparación e ingestión de la comida	1,5-2 horas
Diversión	Resto del día

Desde luego, estos tiempos son variables: 10 minutos de ejercicio es mejor que nada y lo mismo puede decirse de la meditación.

El sueño no debería interrumpirse en beneficio de cualquier otra actividad, ya que es esencial para el bienestar y la recuperación.

En lo posible, el trabajo debería ser agradable y, si no lo es, habría que pensar seriamente en cambiar de oficio.

Un día saludable

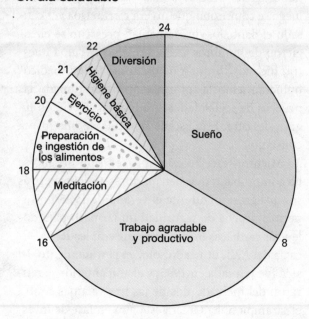

El ejercicio y la meditación, que deben formar parte de las actividades diarias, están tratados ampliamente en otras partes de este libro. Los temas de la preparación de la comida y su ingestión, por su parte, están tratados en el capítulo 7, dedicado a la nutrición.

La higiene básica se pasa por alto muy a menudo en Occidente, pero está integrada en las filosofías del Lejano Oriente y el Oriente Medio. A un hindú, por ejemplo, jamás se le ocurriría comer sin hacer sus abluciones.

Todas las partes del cuerpo deben ser repasadas, empezando por la limpieza de la piel y el pelo, el vaciado intestinal y urinario y el lavado de nuestros VIP (siglas de *Very Important Places* –lugares muy importantes–), es decir, la boca, los genitales, las orejas, la nariz y el ano. Hay que prestar especial atención a los pies, que habitualmente son olvidados hasta que aparece algún problema en ellos.

En un intento de hacer la vida más sencilla, sugiero a mis lectores que rellenen el esquema de la página siguiente y adjudiquen de 0 a 5 puntos a cada concepto, intentando sobrepasar la puntuación de 40 y asegurando al menos 3 puntos en cada categoría.

¡Si no practica el sexo, concédase otros 5 puntos en cualquier otra actividad que considere gratificante!

Actividades	0	1	2	3	4	5
• Higiene básica						
• Actividad creativa						
• Comida						
• Ejercicio						
• Diversión						
• Oración y/o meditación						
• Sexo						
• Sueño						
• Relaciones sociales						
• Trabajo						

SALUD Y ENFERMEDAD

Hay una gran diferencia entre estar enfermo y tener una salud deficiente. La falta de educación sanitaria y un estilo de vida inadecuado provocan, sin duda, un estado de salud deficiente. La falta de salud puede enmendarse reeducando y corrigiendo el estilo de vida, mientras que la enfermedad habitualmente requiere medidas terapéuticas. Un ejemplo claro es el de los fumadores. Fumar 20 cigarrillos al día aumenta las posibilidades de tener tos, resfriados, sinusitis y dolores de garganta, síntomas que pueden corregirse si se abandona el tabaco. Si estos signos precoces de alarma se pasan por alto, la destrucción del tejido pulmonar es inevitable y pueden desarrollarse dolencias como la bronquitis crónica, el enfisema y el cáncer. Llegados a esta situación, la persona precisa tratamiento.

Encontrarse bien y mantenerse en buen estado es cuestión de buena educación. Si sabemos lo que

Estar y permanecer bien

estamos haciendo y cómo animar a quienes nos rodean a hacer lo mismo, mantenerse sanos no es tan difícil. Persuadir a nuestros allegados puede ser relativamente fácil, pero intentar que las grandes corporaciones, los gobiernos y las industrias nos aparten de las toxinas y la polución es, por desgracia, mucho más difícil. Este libro hará lo posible para que usted evite algunos de los «venenos» presentes en los alimentos y la atmósfera.

El cuerpo dispone de tres tipos de respuesta para combatir la enfermedad:

- **Eliminación.** Es un proceso que expulsa cosas del cuerpo. La producción de moco durante un resfriado, el vómito y la diarrea, el sudor y la orina, son reacciones de eliminación.
- **Reacción.** Se produce cuando el cuerpo presenta síntomas que no parecen expulsar nada. Las erupciones cutáneas como el eccema, el asma, los cólicos abdominales o los calambres son algunos ejemplos.
- **Retención.** Ocurre cuando el organismo responde a los problemas persistentes formando bultos o piedras en la vesícula o el riñón.

La buena salud reside en un equilibrio entre estos tres procesos, aunque las personas tienden más a uno de ellos que a los otros.

Ninguna de estas respuestas es más saludable o mejor que las otras, porque cada una de ellas es más efectiva frente a ciertas dolencias y menos frente a otras. Una persona retentiva será capaz de vencer problemas que persistan en el organismo y se enfrentará mejor a las células cancerosas que un eliminador. Sin embargo, este último expulsará con más facilidad las toxinas. Además, la intoxicación alimentaria o una enfermedad como el cólera, que favorecen la pérdida de líquidos a través de vómitos y diarrea, pueden ser mucho más dañinas en organismos que habitualmente tienden a expulsar que en los que tienden a retener las cosas en su interior. En contraste, una infección en una persona retentiva es más probable que se mantenga en su organismo durante más tiempo que en el de un eliminador.

Las reacciones habitualmente son señales de alarma, y el inicio de un proceso de reparación depende de una respuesta de eliminación o de la capacidad del organismo para afrontar el problema en su interior.

Todas las personas deberían conocer el grupo al que pertenecen y usar este conocimiento para favorecer cualquier opción de tratamiento. De esta forma, calmará también la ansiedad: si usted es del tipo retentivo, probablemente no producirá bultos cancerosos; si usted es un eliminador, una molestia estomacal no durará mucho tiempo porque expulsará rápidamente el problema.

CURARSE Y MEJORAR

Este libro trata sobre el proceso de la curación, que es una forma de estar mejor. Frente a una agresión o dolencia, el organismo responde de tres maneras distintas:

- Manifiesta síntomas.
- Provoca procesos de reparación.
- Pierde el control.

Las dos primeras respuestas ponen en marcha el proceso de curación del cuerpo, y la tercera demuestra el fracaso del mismo.

Para facilitar el proceso de curación es muy importante ser capaz de diferenciar estos tres tipos de respuestas.

SÍNTOMAS DE ADVERTENCIA
El organismo utiliza ciertos síntomas para alertar al paciente de que una acción determinada puede causar problemas. El siguiente caso clínico es un buen ejemplo.

CASO CLÍNICO
Al señor N.F., de 38 años, se le había diagnosticado una úlcera de estómago. Un interrogatorio específico indicó que el dolor, localizado en la parte superior del abdomen, empeoraba al tomar café. Si no tomaba café, no tenía dolor. Un dato interesante es que en una entrevista posterior se descubrió que el paciente era muy sensible a la cafeína, que

podía mantenerlo despierto hasta cuatro horas si la tomaba durante la cena.

Este sencillo ejemplo ilustra cómo el estómago advertía al paciente que el uso continuado de cafeína sobreestimulaba su organismo y podía provocar complicaciones graves en el futuro. La mayoría de los dolores son signos de advertencia, y si éstos se tienen en cuenta, los problemas pueden curarse.

RECOMENDACIÓN
- *Preste atención a los síntomas. Es la manera que tienen su cuerpo, su mente y su alma de aconsejarle.*

PROCESOS DE REPARACIÓN
Muy a menudo los síntomas son provocados por los procesos de reparación del organismo. El dolor causado por un corte es un síntoma de advertencia que indica al sujeto que debe proteger el área dañada. Sin embargo, el dolor también envía información al sistema nervioso, el cual, a su vez, responde mandando órdenes para que se abran los vasos sanguíneos y acudan más leucocitos, células cicatrizantes y nutrientes necesarios para reparar deprisa el área lesionada. En este ejemplo, el dolor no es sólo un síntoma de advertencia sino también una manifestación que favorece la reparación. Por lo tanto, tomar un analgésico no sólo no previene futuras lesiones, puesto que disminuirá la percepción de ellas, sino que además interfiere en el proceso reflejo de reparación.

Respuesta curativa
Un problema común a todos los textos de autoayuda asociados a la medicina alternativa es el concepto de «respuesta curativa». La medicina ortodoxa se dirige sobre todo a eliminar los síntomas desagradables, sin reparar en los efectos sobre la enfermedad subyacente. La medicina holística intenta curar el problema, aliviando los síntomas desde un plano más profundo. Muchos tratamientos alternativos activan reacciones que son inicial-

mente desagradables o que empeoran los síntomas que se supone que el tratamiento ha de curar. Es esencial entender este concepto, que el siguiente caso clínico ilustra claramente.

• *No suprima ni encubra los síntomas: pueden producir la curación.*

CASO CLÍNICO

La señora J.D., de 22 años, presentaba síntomas persistentes y recurrentes de «resfriado» cuando acudió a mi consulta. En la primera entrevista describió sus síntomas con gran precisión: estornudaba unas 10-20 veces por hora, tenía fiebre que jamás sobrepasaba los 38 °C y, cuando sus síntomas eran muy intensos, no podía tragar sólidos y sólo aceptaba líquidos templados. En ese momento, el resfriado se hallaba en el punto más agudo. La paciente me explicó que su estado mejoraba lentamente durante la semana siguiente hasta que el problema desaparecía, para volver al mes siguiente.

Realicé una exploración completa, estudié su historia médica e inicié el tratamiento apropiado, pero olvidé explicar a la paciente los principios de la reacción curativa. Al cabo de tres días volvió a mi consultorio: «No sé qué me ha dado, doctor, pero ahora estornudo más de 30 veces a la hora, mi temperatura alcanza los 39 °C y no puedo tragar ni siquiera líquidos».

Le expliqué que sus síntomas habían empeorado porque su organismo estaba expulsando el virus a través de unos estornudos más frecuentes, que la inflamación de la garganta se debía a una mayor cantidad de sangre en el área que llevaba más leucocitos para destruir los virus y que ella podía vivir a 39 °C, ¡mientras que los virus no sobreviven con esta temperatura!

Esta reacción curativa acortaría el tiempo de la enfermedad. Le expliqué que su sistema inmunológico estaba librando una batalla mayor y que ello indicaba que el tratamiento funcionaba. La señora J.D. mejoró en las 24 horas siguientes y desde entonces ha sufrido sólo dos «resfriados» al año durante los últimos cinco años.

Las cinco reacciones curativas

En el proceso de recuperación se destacan cinco reacciones, que son particularmente relevantes cuando se sigue un tratamiento homeopático, pero también para los restantes procesos curativos naturópatas.

• Los síntomas pueden empeorar inicialmente antes de mejorar.
• A pesar del empeoramiento de los síntomas, la persona mejorará en el plano psicológico. Este factor reviste gran importancia en el proceso de curación mientras se espera que se produzcan los efectos físicos.
• Los problemas a menudo abandonan el organismo en sentido descendente. Por ejemplo, un dolor de cabeza puede transformarse en un dolor de espalda, un malestar estomacal puede eliminarse como diarrea, una erupción en el pecho puede salir por las extremidades inferiores.
• Los problemas se resuelven de adentro hacia fuera. Las enfermedades internas pueden eliminarse en forma de erupción, como en el caso del sarampión o la varicela; la intoxicación alimentaria puede causar vómitos; las toxinas pueden exteriorizarse, por ejemplo, a través de los pelos o las uñas.
• Una enfermedad puede involucionar. Esto se describe como «estados actuales que pasan a estados previos». Una enfermedad aguda como la neumonía, rara vez aparece de forma súbita, sino que se presenta con síntomas de resfriado, gripales y una infección respiratoria leve, que evoluciona hacia una neumonía. Lo mismo ocurre en la situación inversa: el paciente con neumonía no se encuentra repentinamente en perfecto estado, sino que pasa por la infección respiratoria leve, los síntomas gripales, los síntomas de resfriado y luego alcanza la recuperación. Los estados crónicos pueden seguir el mismo patrón, aunque la relación no sea tan directa o evidente.

Por ejemplo, en un individuo de 30 años con artritis reumatoide, el cuadro de la enfermedad puede mejorar y, al mismo tiempo, aparecer una erupción similar a la que padeció cuando tenía 15 años. A menudo, la desaparición de la erupción indicará que la enfermedad se encuentra en proceso de resolución. Esta situación puede plantearse al cabo de muchos años.

Es importante entender estos hechos porque, al explicar una enfermedad al médico alternativo, la descripción será más exacta si se incluye cualquier síntoma teniendo en cuenta este marco de referencia y, además, aumentará la confianza del paciente aunque la mejoría sea lenta.

PÉRDIDA DE CONTROL

Cuando el organismo pierde el control de sus síntomas, la situación exige una intervención médica. Un cáncer puede crecer en un órgano de gran tamaño sin dar síntomas hasta que es demasiado tarde para intentar un tratamiento. Otras situaciones silentes, como el sida y la diabetes, pueden no manifestarse hasta que el proceso está muy avanzado. Tener una enfermedad sin presentar síntomas es un signo de mala salud, lo cual puede resultar irónico. Por ejemplo, un resfriado fuerte puede llevar a un paciente a decir a su médico que está «muy enfermo» o «al borde de la muerte», cuando en realidad sus síntomas lo están curando. A la inversa, una persona que acude al médico para hacerse un chequeo general cuando se encuentra bien y «en plena forma» puede descubrir que tiene un cáncer o que sus arterias están muy deterioradas a causa de la arteriosclerosis.

RECOMENDACIÓN

- *No crea que una vida sin síntomas es una vida saludable. Visite a un médico regularmente y sométase a una revisión completa cada año.*

ACERCA DE ESTE LIBRO

Este libro es el fruto de mi experiencia en ayudar a las personas a encontrar las técnicas y los procedimientos sanitarios más adecuados. Hasta que llegue el día en que todos los profesionales de la salud se animen a ampliar sus horizontes, este libro les permitirá conocer las técnicas disponibles, tanto modernas como tradicionales, para sentirse bien.

Dada la velocidad con que los tratamientos médicos, ortodoxos o alternativos, llegan al gran público, cabe suponer que cuando lea esta frase ya habrán aparecido nuevos conceptos de tratamiento. Pese a mi extensa investigación, el tema es tan amplio que no es posible incluir todos los tratamientos. Cualquier persona o profesional sanitario que haya tenido éxito con tratamientos no mencionados en esta obra no debe dudar en describirme sus experiencias a fin de que pueda actualizarla en el futuro.

El índice de materias permite acceder fácilmente a los temas pertinentes en cada situación particular. Cada tema se explica brevemente desde el punto de vista médico ortodoxo y oriental, cuando es apropiado, y se mencionan los tratamientos más efectivos.

He seleccionado sólo los medicamentos y las terapias más practicadas, y cuando hago hincapié en la necesidad de acudir a un médico o a un profesional alternativo es porque, aunque existan muchos otros tratamientos posibles, éstos pueden ser difíciles de seguir o requieren una prescripción juiciosa.

Espero que este libro les permita a las personas cuidar de sí mismas y les ayude a escoger la mejor opción sin tener que experimentar varios tratamientos hasta hallar el más adecuado. Creo que este libro puede ser un compañero de valor incalculable para médicos de cabecera, especialistas y médicos alternativos, cuya formación —estoy seguro de que coincidirán conmigo— no contempla necesariamente las opciones de otras especialidades distintas.

El propósito de esta obra es ser una referencia de primeros auxilios y una minienciclopedia para los recién iniciados en la medicina alternativa. No es posible abarcar todos los campos de la salud en un solo volumen, ni tampoco necesario. Hay muchos libros que describen en detalle problemas de salud específicos.

Proporciono muchas recomendaciones para las dolencias más frecuentes en nuestra vida personal o familiar. Sería necesario otro libro del mismo número de páginas para indicar todas las fuentes de donde procede la información. En un centro de documentación me dijeron que poseían más de 40.000 referencias de artículos y ensayos de medicina alternativa.

Cuando doy algún consejo, lo hago basándome en mi experiencia personal o en otras fuentes autorizadas. No indico todas las razones por las que un componente puede ser efectivo en una dolencia determinada. Aunque fascinante, no es el objetivo de este libro, que debería servir como referencia a la medicina domiciliaria, para sugerir tratamientos adecuados –ortodoxos y alternativos–, y ayudar a comprender qué hacen los médicos y por qué.

UTILIZACIÓN DEL LIBRO

En esta enciclopedia las enfermedades se han agrupado de acuerdo con el momento de la vida en que *habitualmente* aparecen. Por ejemplo, la mejor nutrición durante el embarazo se describe en el capítulo dedicado al embarazo y el parto. Sin embargo, algunas situaciones pueden darse en grupos de distinta edad. El eccema puede afectar a cualquier época de la vida, pero se analiza al principio del capítulo dedicado a la infancia porque es durante esta etapa cuando se consulta al médico con mayor frecuencia. Tras la exposición de cada dolencia, el epígrafe RECOMENDACIÓN sugiere las acciones apropiadas.

RECOMENDACIÓN

- *Para buscar cualquier dolencia o afección específica utilice el índice de materias al final del libro. Es posible que sea remitido a un grupo de edad distinto al suyo, pero el tratamiento será el mismo.*

MEDICINA ALTERNATIVA

Los consejos sobre medicina alternativa para las diversas dolencias serán curativos en el mejor de los casos, y en el peor, serán inocuos. Algunos tratamientos pueden tener efectos desagradables y provocar «respuestas curativas» mientras el cuerpo se recupera (*véase* **Curarse y mejorar**). Ciertas enfermedades como la meningitis pueden evolucionar rápidamente, por lo que deben ser tratadas por médicos ortodoxos. *No pase por alto el consejo de recurrir a un tratamiento ortodoxo cuando así se indique en el texto.*

RECOMENDACIÓN

- *Cuando inicie una automedicación por cualquier dolencia, consulte con un profesional si a las 24 horas no hay mejoría o antes si el paciente empeora. En caso de duda, consulte con su médico inmediatamente.*

REMEDIOS

Cuando se mencionan remedios homeopáticos, es posible que la lista no incluya el mejor remedio para usted. La prescripción homeopática es más adecuada si se tienen en cuenta todos los síntomas, tanto agradables como desagradables, en cada persona. El típico enfoque moderno de escoger *un* solo remedio para *un* síntoma es incorrecto y, la mayoría de las veces, ineficaz. Es improbable que se produzca una reacción negativa cuando se utiliza el remedio correcto, aunque sí es posible que no se produzca ningún cambio. Usar el remedio recomendado es, por lo tanto, seguro.

RECOMENDACIÓN

- *La mayoría de los medicamentos y terapias mencionados son de amplio espectro, pero cuando se detallan los remedios homeopáticos, sepa que la selección correcta depende de un cuadro sintomático específico y que es indispensable consultar un manual homeopático.*

DOSIS

Cuando no se indica una dosis específica para un remedio homeopático, deben tomarse 4 píldoras, 2 tabletas o 4 gotas cada 2 horas (excepto durante las horas de sueño) hasta observar una mejoría. A partir de entonces se toman cada 4 horas, interrumpiendo el tratamiento 24 horas después de cesar los síntomas.

Cuando recomiendo extractos de hierbas, indico las cantidades y las dosis. Si aconsejo una terapia, su duración será determinada por la respuesta del paciente y por el terapeuta.

SU BOTIQUÍN DE MEDICINAS

En esta obra he descrito las dolencias y enfermedades más comunes y los tratamientos más accesibles y fáciles de seguir. Cuando ha sido posible, he incluido en las recomendaciones las dosis adecuadas. Sin embargo, algunas recomendaciones se refieren a nutrientes, vitaminas y minerales presentes en los alimentos. A menudo indico la necesidad de consultar un manual de homeopatía.

EL BOTIQUÍN

Es conveniente tener a mano ciertos remedios homeopáticos y naturopáticos. Recomiendo los siguientes para un botiquín de primeros auxilios.

Lociones

- Extracto líquido de árnica
- Extracto líquido de caléndula
- Extracto líquido de hipérico
- Extracto líquido de eufrasia

Cremas

- Árnica en crema
- Caléndula en crema
- Cualquier crema que contenga ambas plantas

Aceites de esencias

- Aceite de clavo
- Aceite de lavanda
- Aceite de gordolobo
- Aceite de olbas
- Aceite de menta

Remedios homeopáticos

Debería disponerse de los siguientes remedios en las potencias 6 y 30:

- *Aconitum*
- *Agnus castus*
- *Argentum nitricum*
- *Arsenicum album*
- *Baryta carbonica*
- *Bellis perennis*
- *Bryonia*
- *Calcarea phosphorica*
- *Cantharis*
- *Caulophyllum*
- *Chamomilla*
- *China arsenicum*
- *Coffea*
- *Euphrasia*
- *Gelsemium*
- *Hypericum*
- *Ipecacuanha*
- *Kali bromatum*
- *Lachesis*
- *Magnesia carbonica*
- *Mercurius corrosivus*
- *Natrum carbonicum*
- *Natrum sulphuricum*
- *Nux vomica*
- *Phosphorus*
- *Pothos foetidus*
- *Rhus toxicodendron*
- *Secale cornutum*
- *Silica*
- *Staphysagria*
- *Sulphur*
- *Urtica urens*

- *Agaricus muscarius*
- *Allium cepa*
- *Arnica*
- *Baptisia*
- *Belladonna*
- *Berberis*
- *Calcarea carbonica*
- *Calendula*
- *Carbo vegetalis*
- *Causticum*
- *Chelidonium*
- *Cimicifuga*
- *Drosera*
- *Ferrum phosphoricum*
- *Hepar sulphuris*
- *Ignatia*
- *Kali bichromicum*
- *Kali carbonicum*
- *Lycopodium*
- *Magnesia phosphorica*
- *Mercurius solubilis*
- *Natrum muriaticum*
- *Nitricum acidum*
- *Pertussin*
- *Phytolacca*
- *Pulsatilla*
- *Ruta graveolens*
- *Sepia*
- *Spongia*
- *Streptococcinum*
- *Thuya*
- *Veratrum album*

PRIMERA PARTE

SEXO, FERTILIDAD Y CONCEPCIÓN

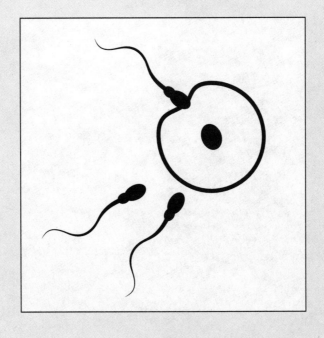

Sexo, fertilidad y concepción

«Los niños son un anhelo de la Naturaleza.»

Estas palabras fueron escritas por Khalil Gibran en su magnífica obra *El profeta*. La naturaleza quiere que concibamos. Sin embargo, no desea genes insanos o débiles y, por lo tanto, hará lo posible para desechar a todos los que no sean fuertes o no tengan las mayores probabilidades de sobrevivir.

Existe una filosofía oriental que cree que es el espíritu del niño el que escoge a sus padres. Si éste fuera el caso, cuanto más sanos físicamente y más seguros psicológicamente fueran los padres, más competirían los espíritus infantiles por estos padres, desarrollándose así –a través de la selección natural y a partir de la unión de los padres– los niños más sanos y mejor adaptados. Desde un punto de vista más terrenal y menos etéreo, cuanto más sanos, dispuestos y seguros física, psicológica y espiritualmente estén los padres, mayor será la probabilidad de que nazca un niño sano.

ELECCIÓN DE LA PAREJA

Existen dos extremos en la elección de una pareja. La filosofía oriental de matrimonios acordados se sitúa en uno de ellos, y la noción romántica del enamoramiento se halla en el otro. En el primer extremo está la juiciosa apreciación de los padres de los jóvenes, de sus atributos y de lo que aportarían a una asociación o a las respectivas familias. En el otro extremo está el tan emocionalmente intenso método del «amor ciego». Como en la mayoría de los casos, en el punto medio residiría la virtud.

No deseo cambiar las inclinaciones éticas o religiosas, pero creo firmemente que la elección de pareja es una decisión tan importante que no debería dejarse a la determinación de los demás, pero tampoco basarse completamente en las vaguedades del estado emocional.

En las siguientes páginas hay una lista de las preguntas que debería contestar toda pareja que se esté planteando tener un niño.

Ideas equivocadas con respecto a la concepción

Las razones por las que tenemos relaciones sexuales son múltiples. Las sensaciones que se derivan de la interacción sexual con otro ser humano proporcionan placer y bienestar. La mayoría de las personas disfrutan del sexo y, las que no lo hacen, a menudo usan el sexo para obtener respeto, seguridad u otros beneficios. Sin embargo, el galanteo, la excitación y el placer sexual son distorsiones sociales de nuestra necesidad de crear la siguiente generación de nuestra especie.

La gran mayoría de las mujeres se plantea en algún momento de su vida si desea quedarse embarazada. Si no lo hiciera, no estaríamos aquí. Se llega a tal decisión cuando se alcanza la edad física correcta y se piensa que es el momento –psicológico y espiritual– de ser padre.

Hay más de 750.000 nacimientos anuales en Gran Bretaña y cinco veces más en Estados Unidos (en España hay 350.000). Sin embargo, se estima que dos de cada cinco embarazos no llegan a madurar (al parto).

Esto significa que en Gran Bretaña y en Estados Unidos hay, respectivamente, 2,5 y 12,5 millones de concepciones cada año (y cerca de un millón en España). Muchas de ellas pasan inadvertidas. Los huevos fertilizados no llegan a implantarse en la matriz o a sobrevivir por causas como defectos en los espermatozoides o en los mismos óvulos, o problemas de salud de la madre. El huevo fertilizado se expulsa entonces en el siguiente período. Los problemas de la concepción, sin embargo, no se deben sólo a dificultades una vez el óvulo ha sido fertilizado. Muchas parejas no pueden concebir porque las células sexuales masculinas y femeninas no llegan a encontrarse. Alteraciones en la formación ovárica de los óvulos o la existencia de espermatozoides sin capacidad de fecundar o en número insuficiente pueden ser también causa de infertilidad.

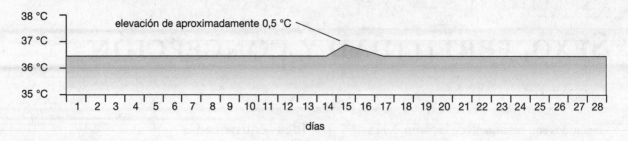

La temperatura de una mujer se eleva cuando el óvulo está listo para ser fertilizado.

Una minoría de 10 millones de mujeres en Gran Bretaña, 50 millones en Estados Unidos y al menos 2 millones en España, que podría concebir en cualquier momento, puede tener problemas para ello. Pero ¿qué consejos y tratamientos suelen recibir aquellas mujeres que no pueden concebir?

Aproximadamente unas 30.000 mujeres, solas o con pareja, acuden cada año a clínicas o especialistas en Gran Bretaña porque no pueden tener hijos. Además, hay que considerar que sólo una tercera parte de las que tienen problemas para quedarse embarazadas acuden al médico. Por lo tanto, puede estimarse que cada año 90.000 mujeres británicas son incapaces de concebir.

A principio de los años ochenta la medicina ortodoxa estimó que sólo el 15% de las pacientes infértiles responden de modo favorable a los tratamientos ortodoxos, aunque esta cifra posiblemente se haya duplicado a la luz de los avances científicos. También se estableció entonces que varios de los métodos alternativos existentes proporcionan un resultado similar. La medicina holística actual, combinación de métodos ortodoxos y tratamientos alternativos, puede duplicar las probabilidades de que una pareja tenga un niño.

El problema de la infertilidad, como cualquier tema sanitario, debería estudiarse y tratarse en los tres ámbitos del bienestar: cuerpo, mente y espíritu. Las causas de infertilidad pueden dividirse en problemas del hombre o de la mujer, aunque muchos factores son compartidos.

ELECCIÓN DEL MOMENTO ADECUADO

El ciclo menstrual es de 28 días. Hay, desde luego, grandes variaciones: algunas mujeres tienen ciclos de 40 días y otras de 3 semanas. En principio, el óvulo está dispuesto para ser fertilizado alrededor de 14 días antes de la regla. Para las mujeres con ciclos regulares, esto puede calcularse de forma bastante sencilla; en otros casos, los análisis de orina o de secreciones vaginales pueden indicar con precisión el mejor momento para llevarse a su compañero a la cama. Los equipos para realizar estas pruebas pueden adquirirse en las farmacias.

Otro método comúnmente empleado consiste en medir la elevación de 0,5 °C en la temperatura corporal. Sólo se tiene que tomar y registrar la temperatura cada mañana colocando el termómetro bajo la lengua; se anota el resultado en un gráfico (como el que reproducimos en esta página) y se observa cuándo se produce la elevación de medio grado.

Las parejas deben recordar que no se produce la salida de un óvulo del ovario en cada período, y no deberían preocuparse si la prueba es negativa durante algunos meses.

Test para los futuros padres

GENERAL

- Estoy satisfecho/a con la forma en que resolvemos nuestras diferencias.
- Confío en nuestra salud física y mental.
- Estoy de acuerdo con mi pareja en la forma de llevar la casa.
- Estoy de acuerdo con los objetivos y planes de mi pareja.
- Deseo estar con mi pareja y no estoy con ella a la fuerza.
- Nunca tengo dudas de que obramos rectamente uno con respecto al otro.
- Tenemos intereses comunes.
- Me hace feliz hablar con mi pareja.
- Estoy contento/a con lo que mi pareja espera de mí.
- Confío en la compatibilidad de nuestra educación e inteligencia.
- Me es fácil explicar mis sentimientos a mi pareja.
- Me preocuparía pensar que pudiéramos no estar juntos.
- Creo que tenemos las mismas ideas con respecto al estilo de vida.
- Estamos de acuerdo en la forma de decorar y amueblar nuestra casa.
- Nuestros trabajos no interfieren en nuestra relación.
- No hay objeciones a nuestra convivencia.
- Comprendo que hay circunstancias que podrían acabar con nuestra relación.
- Estamos de acuerdo en casarnos y en cuándo hacerlo.

COSTUMBRES Y AFICIONES

- Mi pareja no presta demasiada atención a la limpieza.
- Mi pareja no me genera preocupación por el consumo de alcohol, tabaco o drogas.
- Mi pareja no está tan ocupado/a como para no hacer suficientes cosas juntos.
- La conducta de mi pareja no suele molestarme.
- Mi pareja no necesita más actividades fuera de casa.
- Nuestro ocio es compatible.

FAMILIA Y AMIGOS

- Las creencias de mi pareja son aceptables para mí.
- Las creencias de mi pareja son aceptables para mi familia.
- Nuestras familias tienen valores culturales, sociales, económicos y étnicos similares.
- Compartimos criterios con respecto a los valores.
- Compartimos criterios con respecto a los niños y a las actitudes que desearíamos que tuvieran.
- Me gustan los amigos de mi pareja.
- Me hace feliz que mi pareja pase tiempo con sus propios amigos.
- Me gusta pasar el tiempo con los amigos de mi pareja.

- No estoy preocupado/a porque alguna de nuestras familias pueda producir fricciones entre nosotros.
- Tenemos las mismas opiniones con respecto al embarazo, el nacimiento y la adopción.
- Estamos de acuerdo en nuestros respectivos papeles en la crianza de los hijos, si los tenemos.
- Creo que, si tenemos niños, mi pareja será un buen padre/una buena madre.
- Estamos de acuerdo en cuándo debemos hablar de nuestros problemas con nuestros amigos íntimos.
- Creo que hablamos de nuestros problemas lo correcto.
- Estamos de acuerdo en cuándo debemos hablar de nuestros problemas con nuestras familias.
- Mi pareja no es demasiado dependiente de su familia.
- La familia de mi pareja no es demasiado dependiente de él/ella.
- Mi familia está de acuerdo con mi elección de pareja.
- Gusto a los padres de mi pareja.
- Estoy a gusto con la familia de mi pareja.
- Estamos de acuerdo en si tendremos hijos.
- No estoy preocupado/a porque mi propia infancia pueda afectar negativamente mi relación con nuestros hijos, si los tenemos.

PERSONAL

- Mi pareja no está deprimida ni tiene grandes cambios de humor.
- Es muy poco probable que mi pareja hiera mis sentimientos.
- Tenemos el mismo sentido del humor.
- Mi pareja es un buen compañero/a.
- Mi pareja expresa bien sus sentimientos.
- Mi pareja no tiene problemas de temperamento.
- No dudo de ser una buena elección para mi pareja.
- No dudo de que mi pareja sea una buena elección.
- Mi pareja no tiene prejuicios que me molesten.
- La mayor parte del tiempo estoy satisfecho/a con la vida.
- Me siento a gusto con mi pareja la mayor parte del tiempo.
- Intento seriamente evitar discusiones con mi pareja.
- Mi pareja intenta seriamente evitar discusiones conmigo.
- Siempre siento seguridad con mi pareja.
- Mi pareja soluciona bien los problemas personales.
- Mi pareja no es excesivamente posesivo/a.
- No me enfado con ninguna de las peculiaridades de mi pareja.
- Nunca siento incomodidad por la conducta de mi pareja.
- Mi pareja no es testaruda.
- Mi pareja está conmigo cuando me desmoralizo.
- Estoy a gusto con el estado de ánimo de mi pareja.
- Mi pareja sabe escuchar.
- Cuando es necesario somos capaces de hablar de temas sobre los que no estamos de acuerdo.
- Mi pareja no es excesivamente agresiva.

COMPATIBILIDAD SEXUAL

- Me siento a gusto con mi sexualidad.
- Me siento a gusto con la sexualidad de mi pareja.
- Estamos de acuerdo en las relaciones sexuales.
- Me gusta mi aspecto.
- No creo que el sexo sea la manera de solucionar nuestros problemas.
- La relación sexual con mi pareja no me provoca incomodidad.
- Me gusta cómo se inicia la relación sexual.
- No me preocupa ser incapaz de satisfacer sexualmente a mi pareja.
- No me preocupa no obtener satisfacción sexual de mi pareja.
- Confío en mi pareja con respecto a los miembros del sexo opuesto.
- Soy feliz por la manera en que nos demostramos afecto.
- No estoy preocupado/a por la posibilidad de ser impotente/frígida.
- No estoy preocupado/a por la posibilidad de que mi pareja sea impotente/frígida.
- Comprendo que si yo fuera infiel podría destruir nuestra relación.
- A veces necesito mi espacio vital y mi pareja me lo concede.
- Puedo hablar sobre el sexo con mi pareja.
- Tenemos la misma perspectiva sobre las relaciones prematrimoniales.
- El método anticonceptivo o su ausencia no son un problema entre nosotros.
- A veces, si mi pareja no quiere que la toque o tener relaciones, no me importa.

RECOMENDACIÓN

Cuando los miembros de la pareja tienen visiones opuestas o diferentes, deberían discutir los puntos de desacuerdo; también pueden hablarlo con sus amigos íntimos y sus familiares. Si la solución no es satisfactoria, entonces aconsejo firmemente una sesión con un especialista o, en caso de desavenencias religiosas, un consejero espiritual adecuado.

PREPARACIÓN FÍSICA PARA LA CONCEPCIÓN

Todas las escuelas orientales de medicina establecen categóricamente que el uso de tabaco, alcohol o cualquier compuesto que afecte al sistema nervioso alterará los niveles de energía, y si esto no afecta directamente a la concepción, sí afectará al embarazo. En concreto, las toxinas disminuyen el chi del riñón, que se considera que es el almacén de energía corporal y el principal proveedor de energía durante la concepción y el embarazo. Cada persona puede tener sus preferencias y aversiones, o sufrir intolerancias e incluso alergias que deben excluirse antes de la concepción (*véase* **Medicina china y oriental**).

Una concepción con éxito se basa en un espermatozoide sano que encuentra un óvulo sano. El estado nutricional de ambos progenitores es primordial. El número de toxinas que afectan tanto al espermatozoide como al óvulo es limitado: tabaco, alcohol, medicamentos (incluso la píldora anticonceptiva) y drogas.

Tabaco

El tabaco es una sustancia tóxica conocida (capaz de alterar la estructura celular). Muchos estudios han demostrado que los hijos de madres fumadoras a menudo son prematuros y de bajo peso. No hay excepción. Si fuma, su hijo se verá afectado de alguna manera y este efecto puede aparecer en cualquier momento de la concepción o el embarazo. Alguien que intenta ser padre y que fuma puede causar más defectos posnatales que una futura madre fumadora, al alterar los espermatozoides antes de que salgan de él. La motilidad (movimiento) del espermatozoide se ve asimismo afectada.

RECOMENDACIÓN

• *Las mujeres no deberían fumar, por lo menos, desde el ciclo menstrual previo a intentar la concepción y los hombres deberían abstenerse durante al menos 10 días.*

Alcohol

En 1984 fui coautor de un estudio sobre el síndrome alcohólico fetal en el que se sugería que el efecto potencialmente letal y devastador del alcohol para el feto con frecuencia se infradiagnostica, cuando en realidad puede ser causado por una pequeña cantidad de alcohol. A lo largo de este libro incidiré sobre los peligros y placeres del alcohol y, sobre todo, no recomendaré la abstinencia. Cuando me refiero a la concepción y a la parte inicial del embarazo, sin embargo, sí que soy defensor estricto de la abstinencia. En el varón, el alcohol afecta desfavorablemente a la motilidad del espermatozoide.

RECOMENDACIÓN

• *No beba alcohol desde al menos 10 días antes de intentar la concepción.*

Drogas y medicamentos

Las drogas son perjudiciales siempre, pero especialmente en el embarazo. Hay muy pocos fármacos ortodoxos recetados por el médico que hayan demostrado ser totalmente seguros durante el embarazo. Se dispone de muy pocas pruebas sobre los efectos de los fármacos durante la concepción, pero se sabe mucho sobre los peligros de los medicamentos durante la fase inicial del embarazo.

Estudios sobre drogas empleadas con fines recreativos han demostrado claramente que son nocivas. Pueden alterar el material genético y afectar a la capacidad de la madre para nutrir al niño. También afectan negativamente a la motilidad de los espermatozoides.

RECOMENDACIÓN

• *No consuma drogas ni medicamentos excepto si es absolutamente esencial, durante al menos un mes antes de intentar la concepción.*

DESINTOXICACIÓN ANTES DE LA CONCEPCIÓN

Una vez determinados el ciclo ovulatorio y los días fértiles, es recomendable seguir una dieta desintoxicadora.

RECOMENDACIÓN

- *Véase* **Dieta de desintoxicación** *(3 días) en el capítulo 7. Esta dieta debería iniciarse al menos una semana antes de la regla y mantenerse hasta 10 días antes del siguiente período.*
La **Dieta Hay** *(véase capítulo 7) debe seguirse durante los días en que se está intentando la concepción para que el cuerpo se mantenga predominantemente alcalino y libre de toxinas.*

Vitaminas y suplementos

Una dieta debería proporcionar todas las vitaminas y los suplementos energéticos que una persona necesita. No existe un consejo específico para los varones aparte de seguir una alimentación sana; las mujeres deben añadir algunos suplementos a su dieta durante al menos un mes antes de la concepción.

RECOMENDACIONES

- *El ácido fólico (400 mg diarios) reduce el número de defectos del tubo neural (problemas en la formación de la médula espinal).*

- *Debería usarse un complejo polivitamínico y mineral natural para evitar problemas debidos a la deficiencia de oligoelementos.*

- *Visite a un nutricionista para establecer un régimen dietético tras las dietas de desintoxicación y semigrasa recomendadas anteriormente.*

- *Visite a un médico general para una revisión completa ortodoxa.*

- *Visite a un homeópata para establecer su tipo constitucional (véase* **Homeopatía***).*

ENERGÍA DE LA CONCEPCIÓN

El «vaso de la concepción» y el «vaso gobernante» son, según los chinos, términos que designan el flujo de energía que pasa sobre o a través de la hipófisis, el tiroides, el páncreas y el útero. Este vaso se describe con mayor detalle más adelante (*véase* **El vaso de la concepción**). Si la madre de una mujer que intenta quedarse embarazada tiene diabetes o problemas con el tiroides o el útero, dicha mujer debería visitar a un acupuntor tibetano o chino, independientemente de seguir o no un tratamiento a base de hierbas. Una debilidad en cualquiera de estos órganos representa una debilidad en el flujo central de energía y ello puede significar que la aspirante a madre esté predispuesta a desarrollar una diabetes o un hipotiroidismo durante el embarazo.

POSICIÓN Y TÉCNICA SEXUAL

Desde el punto de vista físico, el arte de hacer el amor es importante para tener éxito en la concepción. El orgasmo masculino indica el éxito en la eyaculación, y una técnica poco depurada puede llevar a un «disparo» fallido. El orgasmo femenino se asocia a un aumento de la irrigación sanguínea genital preorgásmica, lo cual asegura que todo está a punto para recibir el esperma. El orgasmo causa la dispersión de la sangre, que descongestiona el área y permite que el semen viaje libremente. Por lo tanto, cuando se intenta concebir, es preferible sincronizar el orgasmo mutuo.

Los orgasmos mutuos no son un requisito para un concepción con éxito, pero seguramente ayudan. Los orgasmos son momentos de felicidad física, psicológica y espiritual: que ambos miembros de la pareja los compartan a la vez representa —desde el punto de vista espiritual y energético— un buen comienzo para crear una vida.

Desde un punto de vista más práctico, la posición en el coito puede ser de vital importancia. Las personas (y algunos peces) son los únicos animales que copulan frente a frente. La mayoría de los coitos animales se llevan a cabo con la hembra sobre las cuatro patas y el macho introduciendo el semen desde atrás. Dado que el ser humano desarrolló la posición bípeda, la naturaleza tuvo que establecer algunos cambios para que el semen tuviera más posibilidades de alcanzar el óvulo. La única hembra entre todas las especies que experi-

Útero normal y en retroversión

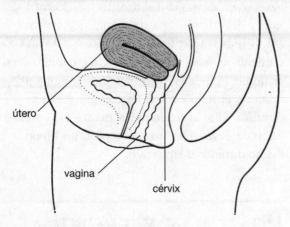

Útero inclinado en posición normal.

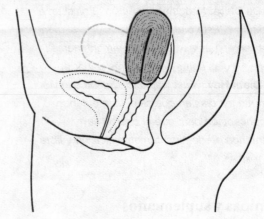

Posición casi vertical del útero en retroversión.

menta un orgasmo es la mujer, y la intención de la naturaleza es agotarla y mantenerla estirada durante al menos algunos minutos. En esta posición el útero se encuentra en el plano horizontal y el semen no tiene que vencer la fuerza de la gravedad, como debería hacer si la mujer se levantara inmediatamente después del coito.

Existe una disposición del útero, sorprendentemente habitual, llamada «útero en retroversión», en la que el cuerpo del útero apunta o se orienta hacia atrás, en dirección a la columna. El cérvix, la abertura del útero, presiona hacia delante y puede empujar la pared anterior de la vagina. Durante el coito, el semen se expulsa a una velocidad de 130 km/hora. Si impacta directamente en el cérvix, el espermatozoide tiene un acceso directo en su viaje desde la abertura cervical hasta el óvulo. Pero si el útero se halla en retroversión y el cérvix se ve empujado en sentido anterior, entonces el espermatozoide puede ser depositado en el fórnix posterior, donde tiene que nadar hasta encontrar el cérvix, debiendo recorrer una distancia mucho mayor. Curiosamente, durante el orgasmo femenino, el cérvix «chupa» el semen para ayudar a los espermatozoides en su viaje, pero incluso en este caso los espermatozoides están en desventaja.

El útero puede tener también tendencia a dirigirse hacia la derecha o a la izquierda, y en ese caso el cérvix empujará contra la pared del lado correspondiente de la vagina. Un examen básico

a cargo de un médico cualificado permite determinar claramente la posición del cérvix. Si el cérvix empuja hacia un lado de la vagina, entonces la mujer debería adoptar durante el coito una posición que aproveche la fuerza de la gravedad sobre el útero para separar el cérvix de la pared vaginal.

CASO CLÍNICO
La señora J.O. acudió a ver a mi difunto padre hace más de 15 años. Procedía de Camerún, donde se le habían practicado pruebas sobre su posible infertilidad, así como en Suiza y Londres, sin ningún resultado. Como último recurso decidió consultar a un médico alternativo y se quedó muy sorprendida cuando mi padre, tras una exploración completa, le dio una fórmula homeopática y le recomendó que se tendiera sobre su lado derecho cuando ella y su esposo intentaran concebir. Actualmente, cuido de ella y de su familia de cuatro hijos, todos ellos concebidos mientras estaba tendida sobre su lado derecho.

Un pene largo puede sobrepasar el cérvix y eyacular en la cúpula vaginal. Para conseguir la fertilización, es mejor mantener dentro de la vagina sólo 5 o 7 cm, para así intentar eyacular sobre la abertura cervical.

Infertilidad masculina

El siguiente consejo sólo es relevante cuando haya transcurrido un año de relaciones bien sincronizadas y sin protección, aunque conceptualmente sea cierto aplicado a cualquier momento.

Aproximadamente el 30% de los casos de infertilidad se deben a defectos en los espermatozoides (los espermatozoides se crean en los testículos y pasan al líquido seminal, que se produce en otra parte de los testículos y en la próstata; este líquido nutre las unidades móviles que transportan los genes masculinos o espermatozoides). Además, los hombres pueden padecer patologías raras, como tumores testiculares y trastornos hormonales. En ocasiones, las infecciones también pueden disminuir la producción y la motilidad de los espermatozoides.

Genitales masculinos

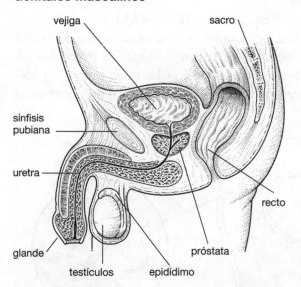

vejiga
sacro
sínfisis pubiana
uretra
recto
glande
próstata
testículos
epidídimo

La primera medida terapéutica en caso de una pareja infértil es estudiar al varón y asegurarse de que tiene un recuento espermático adecuado. Las pruebas no son invasivas y su realización es sencilla. El varón proporciona una muestra de semen y, a la vez, se le practica un análisis de sangre para controlar la situación hormonal si el recuento o la motilidad de los espermatozoides son anormales.

RECOMENDACIONES

- *Obtenga una muestra de semen tras 3 días sin eyacular.*

- *No use pantalones o ropa interior ceñidos.*

- *Ingiera ginseng coreano, tibetano o chino en dosis de 2 g 2 veces al día.*

- *Créase o no, media docena de ostras, la carne roja magra y el cangrejo pueden ser de ayuda. Todos ellos contienen un alto nivel de cinc, que es esencial para la motilidad y producción de espermatozoides. Como alternativa, puede probar una dosis de 5 mg de cinc por cada 30 cm de altura antes de irse a dormir.*

- *Los siguientes nutrientes deben tomarse cada día con las comidas en dosis fraccionadas (por kilogramo de peso): betacaroteno, 200 UI; vitamina C, 70 mg; vitamina E, 7 UI.*

- *Reduzca el estrés (véase **Estrés**). La adrenalina disminuye la producción de esperma.*

- *La reflexoterapia puede ser beneficiosa. Se aplica una suave presión en las áreas del pie que representan los testículos, las glándulas suprarrenales y la hipófisis.*

- *Alargue los preliminares antes de la eyaculación.*

- *La infertilidad de más de un año de duración debe ser estudiada y tratada por un médico alternativo con conocimientos sobre el tema.*

Si todas las pruebas realizadas en el varón resultan negativas, deben iniciarse pruebas de infertilidad en la mujer.

Infertilidad femenina

Igual que en el caso de los hombres, no hay que preocuparse hasta que transcurra un año intentando concebir sin éxito. Si desea concebir y tiene más de 38 años de edad, solicite consejo al cabo de seis meses.

Genitales femeninos

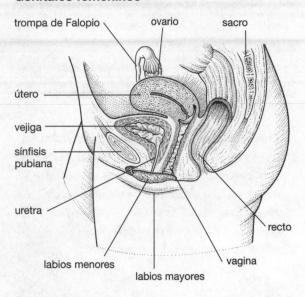

trompa de Falopio — ovario — sacro
útero
vejiga
sínfisis pubiana
uretra
recto
labios menores
labios mayores
vagina

Las mujeres pueden tener la misma dificultad para producir óvulos viables que los hombres para producir espermatozoides. Las niñas nacen con un número limitado de óvulos en cada ovario, los cuales permanecen dormidos mientras el ovario y el resto de la mujer maduran. Cuando llega la menarquía (el inicio de las reglas), los cambios químicos que se producen en las jóvenes provocan la maduración y eclosión de los óvulos. Debido a un particular proceso químico, sólo un óvulo de cualquier ovario madura cada mes, siendo liberado a la abertura de la trompa de Falopio. Diversos factores pueden determinar el fracaso de la maduración del óvulo: problemas nutricionales e infecciosos, estrés e infelicidad y trastornos hormonales o enfermedad ovárica. Algunos aspectos prácticos pueden ser también peligrosos. Una vez que el óvulo ha pasado a la trompa de Falopio, debe viajar una distancia enorme (la que para un humano representaría andar desde Londres hasta Munich). Las ondas peristálticas ayudan al óvulo empujándolo hacia el útero. La mayoría de las fertilizaciones se producen en el tercio externo de la trompa de Falopio, y se necesitan espermatozoides más móviles que puedan recorrer una distancia mayor. Existe un campo muy amplio de problemas estructurales que generan una barrera entre los dos gametos. Las cicatrices de infecciones previas en las trompas y trastornos como la endometriosis (tejido uterino fuera de su lugar habitual, situado alrededor de las trompas de Falopio, en los ovarios o en la cavidad abdominal) pueden detener el movimiento microscópico de los óvulos y espermatozoides.

ASPECTOS HORMONALES

Una vez comprobada la salud básica de ambos miembros de la pareja, el médico puede realizar pruebas más específicas. Las mujeres pueden padecer problemas como la diabetes o disfunciones ti-

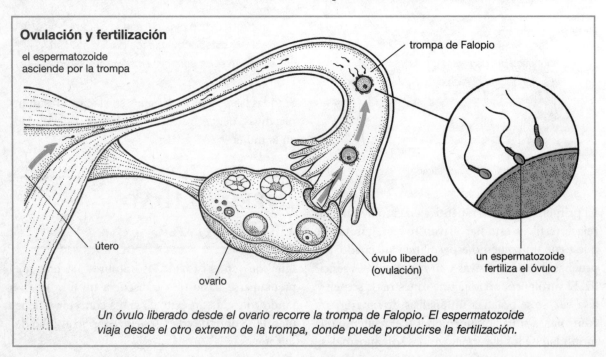

Ovulación y fertilización

el espermatozoide asciende por la trompa

trompa de Falopio

útero

ovario

óvulo liberado (ovulación)

un espermatozoide fertiliza el óvulo

Un óvulo liberado desde el ovario recorre la trompa de Falopio. El espermatozoide viaja desde el otro extremo de la trompa, donde puede producirse la fertilización.

roideas; también se suele practicar un examen hemático completo para establecer los niveles hormonales. Si no se encuentra anomalía alguna, se practican pruebas hemáticas en ciertos momentos del ciclo para establecer el patrón hormonal. Las hormonas estudiadas son:

- Estrógenos y progesterona.
- Hormona foliculostimulante.
- Hormona luteinizante.
- Prolactina.

Los estrógenos y la progesterona preparan el útero y permiten la implantación del óvulo. La hormona foliculostimulante (FSH) provoca la maduración y eclosión del óvulo en el ovario, y la hormona luteinizante (LH) la apertura de la envoltura ovárica, que permite la liberación del óvulo a la trompa de Falopio. La prolactina prepara las mamas para la lactancia; el exceso de prolactina, que en la mayoría de los casos se debe a un tumor benigno de la hipófisis, puede impedir el embarazo.

RECOMENDACIONES

- *Los problemas hormonales detectados no deberían ser tratados sin la guía de especialistas en este campo, ortodoxos o alternativos.*

- *Cualquier problema hormonal debe ser controlado por un ginecólogo.*

- *La fitoterapia y las medicinas nutricional y homeopática pueden ayudar (véase capítulo 9). Asegúrese de que el terapeuta tiene conocimientos sobre los estrógenos y la progesterona naturales.*

- *La visualización y la meditación pueden ser útiles.*

- *En caso de estrés o ansiedad, acuda a un psicoterapeuta.*

OBSTRUCCIONES

Una de las causas más frecuentes de infertilidad es la obstrucción de las trompas de Falopio y, por esta razón, uno de los primeros pasos del especialista será practicar una laparoscopia. Esta técnica suele requerir anestesia general. Se realiza una pequeña

incisión por debajo del ombligo, introduciendo por ella un visor flexible que permite al cirujano observar los ovarios, las trompas de Falopio y los tejidos vecinos. Se instila un colorante en el cérvix uterino y se observa si sale por los extremos de las trompas de Falopio. Este procedimiento recibe el nombre de histerosalpingograma. Si se descubre una obstrucción, ésta puede curarse mediante una intervención quirúrgica, como en el caso del ovario poliquístico (se trata de una enfermedad familiar, a veces asociada a trastornos hormonales, en la que los ovarios tienen múltiples quistes rellenos de líquido que obstruyen las trompas).

De modo ideal, antes de este estadio invasivo, recomendaría que se valorasen otras alternativas. Aunque sin esta prueba no se puede estar seguro del diagnóstico de obstrucción de las trompas, una historia de las infecciones puede orientar al respecto. Los buenos tomadores del pulso afirman ser capaces de diagnosticar esta obstrucción, que también se detectaría con la fotografía de Kerlian (véanse los apartados correspondientes).

RECOMENDACIONES

- *Las hierbas tibetanas y chinas recomendadas por expertos pueden ser de utilidad.*

- *Silica 30, 2 veces al día durante únicamente 14 días, puede reducir la cicatriz tubárica obstructiva durante un período de 3 meses.*

- *Visualice un enano con una piqueta viajando por el túnel tubárico.*

- *La osteopatía puede ser muy útil.*

- *Teóricamente, la terapia de la polaridad y la técnica de Alexander pueden disminuir la obstrucción.*

MÉTODOS ORTODOXOS CONTRA LA INFERTILIDAD

Debería esperarse unos meses antes de evaluar el resultado de cualquier técnica. Sin embargo, una vez transcurrido este tiempo, si la pareja sigue siendo infértil debería recurrirse a alguno de los métodos ortodoxos para conseguir un mayor éxito, ya que todas las técnicas holísticas mejoran automáticamente la salud general de la persona y del área que ha de ser tratada con medicinas o cirugía.

Ciertos trastornos estructurales como obstrucciones o cicatrices de las trompas, puede tratarse con cirugía. Así como los procedimientos científicos son cada vez más complejos, también lo son las técnicas para desobstruir las trompas de Falopio. Los trastornos hormonales pueden corregirse químicamente, y es posible administrar medicamentos fertilizantes, como el clomifeno, que suelen tener efectos colaterales pero que pueden resultar efectivos. La mayoría de las mujeres reaccionan con disgusto ante estos medicamentos, los cuales deben considerarse como último recurso. En cualquier caso, los métodos complementarios pueden ser beneficiosos para reducir sus efectos adversos.

RECOMENDACIÓN

• *En el caso de que los medicamentos ortodoxos son imprescindibles, procure visitar a un médico naturópata para recibir consejo sobre cómo evitar sus efectos colaterales.*

FERTILIZACIÓN ARTIFICIAL

Una vez que han fallado los tratamientos iniciales y el especialista percibe que la paciente es candidata para técnicas artificiales, entran en juego conceptos como el de «bebé probeta». La ensayada y comprobada técnica de la fertilización *in vitro* (FIV) es una opción. Esta técnica, tras la inducción farmacológica de la producción ovárica de óvulos, requiere la obtención de óvulos maduros de los ovarios de la mujer mediante un procedimiento laparoscópico especial. Los óvulos maduros son posteriormente fertilizados en el laboratorio con los espermatozoides del padre o de un donante. Los óvulos fertilizados se reintroducen en el útero en espera de que la naturaleza siga su curso. La matriz se prepara para recibir el implante mediante un programa de tratamiento hormonal.

Otro método de éxito es la transferencia intratubárica de gametos (TITG), que también requiere la obtención de un óvulo del ovario; el óvulo se sitúa en la trompa de Falopio con una cantidad de espermatozoides donados. Si se produce la fertilización, los óvulos fertilizados transcurren por la trompa de forma natural hasta el útero, donde se implantan.

El éxito de estas técnicas varía mucho de una clínica a otra. La tasa de fertilización es del 15-20% y uno de cada siete embarazos mediante fertilización artificial termina en un recién nacido vivo. Con seguridad estas cifras mejorarán cuando lo hagan las técnicas.

Siempre existen riesgos con cualquier procedimiento, pero el más debilitante (y potencialmente mortal) es el conocido como «hiperestimulación ovárica». Ésta es causada por los fármacos utilizados para estimular la producción de óvulos, que provocan hinchazón del abdomen y de la vulva, dolor abdominal y, un signo grave, vómitos.

RECOMENDACIONES

• *Intente seguir técnicas médicas alternativas, como las comentadas anteriormente, antes de pensar en la fertilización artificial.*

• *Consulte con su médico alternativo preferido mientras siga un tratamiento de fertilidad ortodoxo, con el fin de asegurar el nivel de salud más elevado posible.*

• *Antes de cualquier procedimiento invasivo, véase el apartado dedicado a operaciones y cirugía.*

PSICOLOGÍA DE LA CONCEPCIÓN

Al tomar la decisión de tener un hijo, hay que afrontar muchos factores psicológicos. Tanto para el hombre como para la mujer, la decisión de tener un hijo es un verdadero «envejecimiento». Dejamos de ser los hijos de nuestros padres para ser los padres de nuestros hijos. Hay que soportar una mayor responsabilidad y una pérdida de libertad, así como restricciones económicas. Hay que afrontar también un período vital de compromiso, no sólo con el hijo sino con la pareja.

Las hormonas foliculostimulante (FSH) y luteinizante (LH), que controlan el ciclo ovulatorio, son producidas por una glándula del tamaño de una avellana, la hipófisis, que está situada junto al cerebro. Por lo tanto, es anatómicamente aceptable que los centros emocionales que rodean esta glándula le aporten sustancias químicas que puedan bloquear la producción y liberación de FSH y

El vaso de la concepción

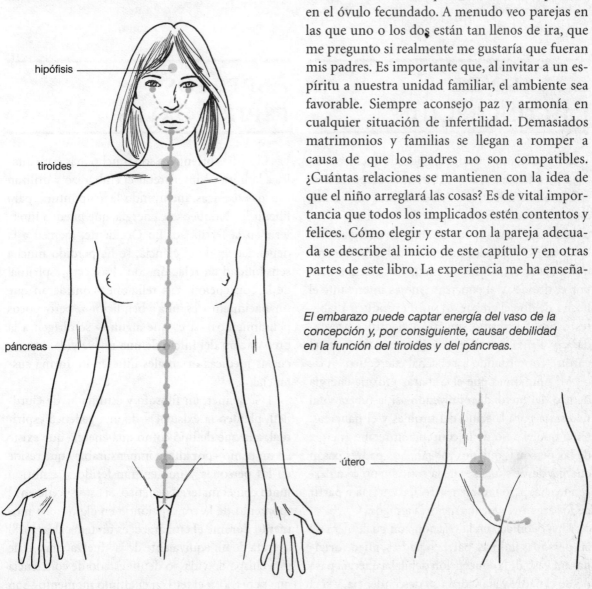

LH. La infelicidad prolongada, como la que se produce en una pareja mal avenida, puede ejercer una presión persistente sobre esta glándula y perjudicar su producción normal. El estrés puede causar problemas en los hombres de modo similar. Así, la felicidad de la pareja puede afectar químicamente a las posibilidades de la mujer de quedar embarazada.

Sin embargo, a pesar de todas las teorías sobre la concepción, no debe olvidarse que nadie está realmente seguro de qué es lo que hace que el fenómeno se produzca. ¿Cuál es la fuerza vital que da vida a una célula en concreto? Los hindúes creen que los espíritus escogen a sus padres o, de modo más científico, que una fuerza vital penetra en el óvulo fecundado. A menudo veo parejas en las que uno o los dos están tan llenos de ira, que me pregunto si realmente me gustaría que fueran mis padres. Es importante que, al invitar a un espíritu a nuestra unidad familiar, el ambiente sea favorable. Siempre aconsejo paz y armonía en cualquier situación de infertilidad. Demasiados matrimonios y familias se llegan a romper a causa de que los padres no son compatibles. ¿Cuántas relaciones se mantienen con la idea de que el niño arreglará las cosas? Es de vital importancia que todos los implicados estén contentos y felices. Cómo elegir y estar con la pareja adecuada se describe al inicio de este capítulo y en otras partes de este libro. La experiencia me ha enseña-

El embarazo puede captar energía del vaso de la concepción y, por consiguiente, causar debilidad en la función del tiroides y del páncreas.

hipófisis

tiroides

páncreas

útero

do que los problemas de la concepción disminuyen cuando uno está con la mejor pareja o con la más adecuada.

RECOMENDACIONES

- *Si en cualquier momento las emociones negativas de un miembro de la pareja entran en escena, no dude en pedir consejo a un especialista.*

- *No intenten concebir cuando estén rodeados de energía negativa.*

- *Aprendan una técnica de meditación y practíquenla diariamente durante un tiempo adecuado.*

vaso de la concepción no está bien repleto desde el inicio o no se rellena de vez en cuando, cada embarazo vaciará el meridiano de los padres y ocasionará problemas con los hijos siguientes.

Es esencial tener una fuerte relación con la pareja cuando se piensa en concebir, y la conexión entre el padre potencial y sus propios padres debería ser fuerte y positiva.

RECOMENDACIÓN

- *Resuelvan los malentendidos, solucionen las desavenencias e involucren a sus padres, especialmente a la madre, en las decisiones que conciernen a la concepción y el embarazo.*

EL VASO DE LA CONCEPCIÓN

Todas las escuelas de medicina que incluyen un flujo de energía a través del sistema corporal describen un meridiano o canal en la línea media. Los chinos lo denominan «vaso de la concepción», porque esta línea supone un flujo de energía entre la hipófisis (regulador hormonal del ciclo femenino) y el útero. La línea de energía atraviesa o pasa por el tiroides y el páncreas (¿no es interesante el hecho de que el embarazo pueda producir diabetes o hipotiroidismo sin razón científica aceptada?), y luego por el útero (los testículos en el varón), completando así el canal energético.

Mi opinión es que el embarazo forma energía dentro del útero, disminuyendo así la fuerza vital necesaria para la salud del tiroides y el páncreas. Creo que el vaso de la concepción recibe energía de las personas que nos rodean. Los padres pasan energía desde sus vasos de la concepción a su descendencia, pero también se recibe energía a partir de los amantes y de los mejores amigos.

Una debilidad en la relación con cualquiera de las personas íntimas, pareja o padres, puede originar un vaso de la concepción débil. La energía pasa desde el padre y la madre a su descendencia, y si el

ASPECTOS ESPIRITUALES

Las filosofías orientales son mucho más espirituales a la hora de interpretar el embarazo y utilizan muchas técnicas, incluyendo la acupuntura, para liberar los bloqueos de energía, que pueden interferir en la fertilidad. En Occidente, merced a la dependencia de la ciencia, se ha perdido mucha sensibilidad en relación con el aspecto espiritual de la concepción. Las religiones consideran que un nacimiento es una «bendición», pero pocos pensamientos –si es que alguno– se dirigen a la preparación del inicio de una nueva vida. Las escuelas médicas orientales difieren de forma sustancial.

J.G. Bennet, un filósofo y estudiante de Gurdjieff, planteó la existencia de una genética espiritual, a la que definió como una energía que existe en un plano –por ahora inmensurable– que reside en las personas y que es transferido al embrión junto con el material genético. Si esto sucede en el momento de la concepción, o en algún otro momento durante el embarazo, es un tema abierto. Si se trata de un equivalente de la «fuerza vital» o de una chispa de vida –o de un estado de conciencia que penetra en el feto en el último momento– son cuestiones filosóficas. Sin embargo, es aconsejable asegurarse de que, al concebir, ambos progenitores:

• No están alterados por medicamentos, drogas o alcohol.
• Desean un niño.
• Se quieren.

Éstos son los tres componentes emocionales que los filósofos tradicionales orientales creen que el espíritu humano debe ofrecer, y a éstos es posible añadir las creencias asociadas a cualquiera que sea la religión que se profese.

RECOMENDACIONES

• *Siéntese con su consejero espiritual y háblele.*

• *Quienes no cuenten con tal maestro deberían pedir a un médico ayurvédico o tibetano que diseñara los aspectos médicos asociados a una correcta preparación espiritual.*

ASTROLOGÍA

Finalmente, y a pesar de las insuficientes pruebas de su eficacia, ¿por qué no considerar los patrones astrológicos? Si el Sol y la Luna pueden mover enormes cantidades de agua a lo largo de muchos kilómetros –como testifican las mareas en todo el mundo–, ¿por qué las débiles influencias de Plutón y Júpiter no podrían ocasionar cambios en las microscópicas cantidades de líquidos del óvulo y del espermatozoide?

Vale la pena comprobar que las cartas astrales de ambos miembros de la pareja son compatibles y cuál es el mejor momento para el nacimiento del bebé. Un hecho interesante es que el tiempo entre la concepción y el parto es igual al que tardan los astros en volver a tener la misma posición en el firmamento. Quizá las cartas astrales puedan determinar el momento de la concepción más que el del parto. ¿Podría esto descartar las posibles inexactitudes?

Embarazo y parto

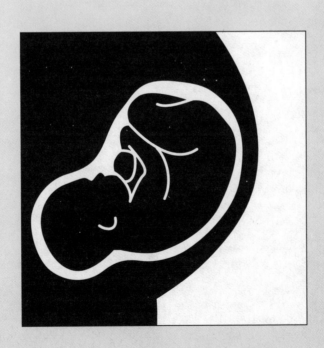

EMBARAZO Y PARTO

EMBARAZO

El embarazo no es una enfermedad que precise atención médica. Tres de cada cinco embarazos en el mundo son controlados por personal no cualificado, amigos y familiares, el sentido común y la naturaleza.

En Occidente, debido a la falta de cultura nutricional, con las toxinas introducidas en el organismo de forma consciente o involuntaria y con un deficiente estado físico, los embarazos pueden resultar molestos y problemáticos aunque sean seguros en comparación con otros países. Los problemas en esos otros países se deben a la desnutrición, la asistencia sanitaria deficiente y la red de servicios de urgencia insuficiente, si bien los embarazos son llevados de forma más natural. Como siempre, la situación ideal no se halla en los países muy desarrollados ni en los más pobres. Los embarazos más cómodos y con más éxito reúnen lo mejor de ambos modelos. Existe la necesidad de combinar la alta tecnología que ofrece la ciencia moderna con la intuición y la experiencia de las medicinas tradicionales.

DESCUBRIMIENTO DEL EMBARAZO

Si se está intentando la concepción o esperando el embarazo o éste es motivo de felicidad, su confirmación es un momento que despierta sentimientos y emociones contradictorios. La alegría de haber concebido se ve atenuada por la preocupación de que algo vaya mal. En un primer embarazo, el miedo a lo desconocido se ve compensado por el espíritu aventurero. Los síntomas físicos del inicio del embarazo habitualmente se funden con una profunda sensación de bienestar. ¡Pero no siempre!

La mayoría de las parejas descubre que la mujer está embarazada cuando la regla no se produce. La mujer puede presentar:

- Náuseas.
- Cambios de humor.
- Molestias y dolores.
- Pies y manos hinchados.

Náuseas

En algún momento del día las náuseas pueden estar ocasionadas por la reacción a la gonadotropina coriónica humana (HCG), un compuesto químico esencial para la supervivencia y fertilización del óvulo.

RECOMENDACIONES

- *Jengibre: en forma de galletas comer 2 o 3, antes de levantarse de la cama; diluido en té, machacar un trozo de 0,5 cm de grosor en el agua caliente; diluido en zumo, licuar una rebanada de 0,5 cm junto con una manzana.*

- *Evitar los niveles bajos de azúcar en sangre (véase* **Hipoglucemia**).

- *La acupresión puede ser beneficiosa.*

- *Chupar despacio un terrón de azúcar con una gota de aceite de menta. No hay que seguir este método si se está usando un remedio homeopático, porque la menta de cualquier tipo puede inhibir la acción del tratamiento.*

- *Comer un palito de cardamomo fresco desmenuzado en un yogur.*

- *Remedios homeopáticos: Ipecacuanha 6, Nux vomica 6 o Cocculus indicus 6 cada 15 minutos.*

- *Si las medidas anteriores fracasan, la acupuntura y la reflexología pueden ser remedios efectivos para eliminar las náuseas.*

Cambios de humor

Los cambios de humor pueden ser tanto positivos como negativos. ¡No hay que poner freno a la alegría! Los estados de malhumor pueden aliviarse hablando con amigos, parientes ¡o incluso con la pareja!

RECOMENDACIONES

- *En caso de depresión, llanto, miedo o irritación, use un remedio cuidadosamente seleccionado (lo ideal sería por un homeópata). Debe tenerse en cuenta que muchos tratamientos pueden no ser recomendables durante el embarazo.*

- *La depresión o la ira pueden tratarse con D-fenilalanina o L-fenilalanina (7 mg/kg de peso, 3 veces al día).*

- *El masaje hace maravillas.*

- *Verter una gota de aceite de rosas en el cuello.*

- *Imprégnese los pies con aceite de sésamo durante 5 minutos antes de lavarlos.*

- *Evite los niveles bajos de azúcar en sangre.*

- *Practique o aprenda una técnica de meditación adecuada. La autohipnosis es útil antes, durante y después del parto.*

Molestias y dolores

Las molestias y los dolores están motivados fundamentalmente por los efectos hormonales en los ligamentos, y pueden aparecer incluso al principio del embarazo.

RECOMENDACIONES

- *Baños calientes con aceites esenciales de manzanilla, lavanda o romero.*

- *Vitamina B_6 (50 mg diarios) y cobre (2 mg diarios) durante 5 días como máximo.*

- *Masajes, especialmente shiatsu.*

- *La terapia de polaridad es beneficiosa en cualquier momento del embarazo.*

- *Yoga. Cuanto antes se aprenda y practique, mejor.*

- *Arnica 6 o Magnesia phosphorica 6, 4 veces al día durante 5 días como máximo.*

Pies y manos hinchados

La hinchazón de pies y manos es un efecto colateral de las hormonas del embarazo, pero puede ser útil para diluir los efectos químicos en los tejidos corporales. Deben evitarse los tratamientos diuréticos. Si el varón experimenta el «embarazo por simpatía», es posible que encuentre también útiles las siguientes recomendaciones.

RECOMENDACIONES

- *Meter las manos y los pies hinchados en agua caliente y fría alternativamente.*

- *Tomar Natrum muriaticum 6. Puede usarse 4 veces al día durante 3 días.*

- *Aumentar la ingestión de proteínas en cada comida.*

- *El drenaje linfático es estupendo.*

EMBARAZO POR SIMPATÍA

El varón a menudo experimenta los síntomas que presenta su mujer embarazada. Es posible que encuentre útiles todas las recomendaciones anteriores. Por qué ocurre este fenómeno es incierto; puede ser algo puramente psicológico, aunque también es posible que esté inducido por las feromonas (inhaladas).

PRUEBAS DE EMBARAZO

En la actualidad, las pruebas de embarazo tienen una exactitud del 98%. Dos pruebas con el mismo resultado habitualmente son concluyentes. Las opciones son las siguientes:

- Pruebas domiciliarias.
- Pruebas a cargo del farmacéutico.
- Pruebas a cargo del médico de cabecera o de la clínica.

Se vierte una gota de orina en una pequeña gasa, o se agita una pequeña muestra de orina, añadiendo un producto químico que mide la presencia de gonadotropina coriónica humana (HCG). El cambio de color o la aparición de una línea indica una prueba de embarazo positiva.

Prueba casera del embarazo

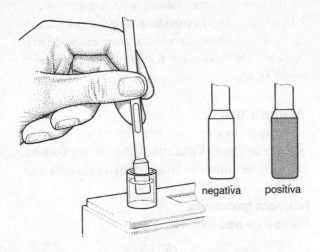

negatïva   posítiva

Hay muchos dispositivos para realizar pruebas del embarazo en el domicilio. En general, siguen el mismo principio: una línea de color indica la presencia de gonadotropina coriónica (HCG).

Una prueba de embarazo puede ser llevada a cabo a partir de las 2 semanas de la posible fertilización. Cuanto más precoz es la prueba, mayor es la posibilidad de un resultado «falso», ya sea en sentido positivo o negativo. Es mejor esperar 2 semanas tras la falta de la regla.

CÁLCULO DE LA FECHA PROBABLE DE PARTO

La estimación de la fecha del parto es siempre una adivinanza y jamás un cálculo exacto. En Occidente, este cálculo se considera un problema matemático. La técnica más sencilla es sumar 7 días al primer día de la última regla y restarle 3 meses. Por ejemplo, si el primer día de la última regla fue el 14 de julio, se suman 7 días y se obtiene el 21 de julio, al que se le restan 3 meses. La fecha de parto es el 21 de abril. Puede decirse que el nacimiento ocurrirá alrededor de esa fecha.

Se considera que la luna influye mucho en el ciclo hormonal de la mujer, especialmente con respecto al parto. Es útil conocer la fase de la luna en la presunta fecha de la concepción. Si se concibió con luna llena, es más probable que el parto ocurra alrededor de la luna llena. A la inversa, una concepción con luna nueva favorecerá un parto con luna nueva.

ELECCIÓN DEL EQUIPO MÉDICO

El embarazo y el parto son dos de las experiencias vitales más excitantes y reconfortantes. Como cualquier acontecimiento, habitualmente son mejores si se comparten. La elección de los asesores médicos es importante, ya que compartirán esta época maravillosa con los interesados. Si no se congenia con ellos, gran parte de la alegría puede irse al traste casi de la misma forma que un chuletón puede arruinar una comida con un vegetariano estricto.

Es esencial visitar la maternidad y conocer el mayor número posible de comadronas. Cualquiera puede estar de guardia el día del parto. El obstetra no estará directamente implicado si todo va bien, pero siempre ayuda tener una buena relación con el especialista, aunque no hace falta que sea en el mismo grado que con las comadronas.

Hay que asegurarse de que la opinión con respecto a la postura de parto, el parto en el agua y el alivio del dolor es compartida por las comadronas; si no, pueden aparecer dudas y roces.

Aunque en menor medida, el padre también debería estar contento con el equipo, porque éste formará parte del acontecimiento. En todos los oficios hay profesionales buenos y malos, y es muy difícil para el paciente y, en este aspecto también para el médico, saber elegir los triunfos de la baraja. Una conversación con el médico de cabecera o con médicos alternativos probablemente facilitará en gran medida este proceso de selección.

ELECCIÓN DEL HOSPITAL

Idealmente, cada maternidad debería combinar la mejor tecnología ortodoxa con las comodidades de una habitación individual. Esta clínica tendría personal médico experimentado en el trato personal. Debería contar con una unidad de urgencias cerca de la sala de partos y Dios debería estar en la sala de espera en caso de que algo fuera mal. Pero ésta no es precisamente la situación y, hasta que lo sea, se deben adaptar las circunstancias a la conveniencia personal. No creo mucho en la seguridad de los partos en el domicilio, y menos aún para un parto primerizo. Para embarazos posteriores, en los que no haya habido problemas, la comadrona y el médico de cabecera tienen suficiente experiencia para llevar a cabo un parto domiciliario y, si hay servicios de urgencia próximos, el riesgo es mínimo.

Prefiero considerar el nacimiento como un acontecimiento poco habitual de la vida y no como una actividad domiciliaria. Aunque parezca contradictorio con esta última afirmación, si los servicios hospitalarios no son suficientemente «familiares», el parto domiciliario puede ser preferible siempre y cuando sea fácil acceder a servicios de urgencia. Como mencionaré en varias ocasiones a lo largo de este libro, cada caso debería juzgarse en función de las condiciones particulares.

El lugar del parto debería ser, preferentemente, una habitación con atmósfera acogedora. Se necesita una cama con una altura correcta que permita a la madre sentarse en el borde mientras apoya los pies en el suelo, así como una bañera grande en la que poder relajarse cómodamente. Debe disponerse de acción médica inmediata si algo va mal.

Este tipo de hospitales es escaso y, además, se hallan distantes entre sí, aunque su número está aumentando enormemente. El acceso a este tipo de unidades cada día es más fácil en las grandes ciudades, pero sigue estando fuera de alcance en las áreas rurales.

RECOMENDACIONES

• *Busque su maternidad ideal en su lugar de residencia. Debería localizarla a través de su médico de cabecera.*

• *Si el hospital está a más de 30 minutos (considerando la hora punta) es aconsejable avisar a otro hospital de la posibilidad de su llegada en caso de que los dolores empiecen inesperadamente o el parto se precipite.*

ELECCIÓN Y DISFRUTE DE UNA CLÍNICA ALTERNATIVA

Idealmente, tanto el médico de cabecera como el equipo obstétrico deberían tener relación con médicos o clínicas de medicina alternativa. Si éste es el caso, simplemente siga las directrices establecidas por el equipo al completo.

Por desgracia, es difícil encontrar una clínica dotada con todos los servicios desde un punto de vista alternativo. La mejor forma de elegir una clí-nica –que no se halle muy lejos de su casa o lugar de trabajo– es preguntando a los amigos que ya han tenido relación con clínicas de la zona o a médicos alternativos. La clínica alternativa debería disponer de médicos y terapeutas especializados en las técnicas siguientes.

Acupuntura

La acupuntura es muy beneficiosa en el tratamiento de vómitos matutinos, molestias y dolores, cambios de humor y otros síntomas del embarazo.

Náuseas matutinas.
Puntos de acupuntura

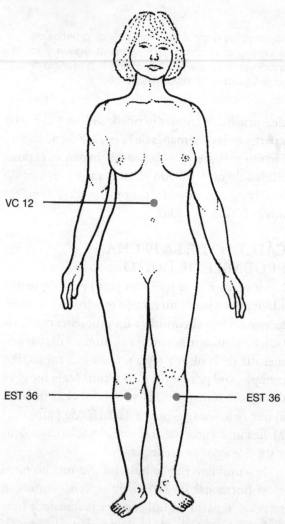

VC 12

EST 36   EST 36

Puede ser útil el tratamiento con acupuntura o acupresión en el punto 12 del meridiano del vaso de la concepción (VC 12) y en el punto 36 del meridiano del estómago (EST 36) para aliviar las náuseas matutinas.

En manos adecuadas, la acupuntura puede ser muy útil en el momento del parto para acelerar el proceso y reducir el dolor.

Homeopatía

Durante los últimos 150 años ha habido muchas pruebas que demuestran los beneficios de la homeopatía tanto en el tratamiento de los problemas del embarazo como en la atención al parto. Sin embargo, dada la desconocida constitución del feto-niño, sólo recomiendo seguir esta forma de medicina bajo control médico. No obstante, cabe señalar que el uso de la homeopatía no entraña peligro alguno para la madre o el feto. Muchos remedios pueden favorecer la contracción del útero, entre ellos el *Caulophyllum* y el *Secale cornutum*. Deben tomarse de potencia 30 tan pronto como se inicien las contracciones. El *Secale cornutum* puede usarse también tras el nacimiento del niño para favorecer la tercera fase del parto. Para los problemas asociados al embarazo, como dolores de espalda, náuseas, flujo o dolor mamario, pueden utilizarse muchos remedios. Tener un homeópata en el equipo es una gran idea.

Hipnoterapia

En los años ochenta se realizó y publicó un trabajo en el *Journal of Obstetrics and Gynaecology*, que demostró que la hipnosis podía reducir hasta en un tercio la duración del parto y la necesidad de analgesia hasta en un 50%.

Distintos hipnoterapeutas emplean técnicas diferentes, pero mi recomendación es un curso de autohipnoterapia 2 o 3 meses antes del parto para aprender el patrón de sueño, que a menudo se ve alterado por las molestias de la etapa final del embarazo y por el mismo parto.

Masajes

El masaje debería formar parte de las actividades que se realizan durante el embarazo. Cualquier técnica de masaje produce beneficios, especialmente para los inevitables dolores de espalda asociados a la excesiva carga de peso. Los espasmos musculares se alivian mediante el masaje. El shiatsu es un masaje aún más beneficioso, ya que usa tanto los puntos de acupresión y los meridianos como la presión muscular. Es bueno que el compañero de la futura madre aprenda algunos puntos de presión básicos, que pueden ser útiles en el momento del parto.

RECOMENDACIONES

- *Busque un masajista próximo o que pueda ir a su domicilio. Lo ideal es realizar un masaje semanal a partir de los 3 meses. Ayuda a mantener los músculos flexibles y también aumenta la liberación de endorfinas, las cuales tranquilizan mentalmente a la madre y al niño. Debería enseñar a su pareja algunas técnicas básicas de masaje y realizarlas diariamente.*

- *El shiatsu es un masaje muy beneficioso. No sólo es sedante, sino que también puede ser beneficioso durante el parto (pueden enseñarse al compañero puntos de acupresión de ayuda en el parto). Algunas técnicas de shiatsu y puntos de presión no deben aplicarse en el embarazo, por lo que asegúrese de que el profesional al que haya acudido está cualificado y conoce los lugares que han de evitarse.*

- *Si aparecen molestias y dolores, puede utilizar otras técnicas de masaje, como la polaridad, la osteopatía y la quiropraxia.*

Nutrición

La importancia de una nutrición correcta ya se ha expuesto en el apartado **Preparación física para la concepción** (*véase* también **Nutrición en el embarazo**).

Psicoterapéutica o asesoría

Véanse **Psicología de la concepción** y **El vaso de la concepción**.

Yoga o polaridad

Véase **Ejercicio en el embarazo**.

No siempre es imprescindible contar con todos los recursos anteriores, pero es conveniente poder disponer de ellos en caso de tener necesidad. Todas las técnicas anteriores tienen utilidades específicas en embarazos normales y complicados.

CASO CLÍNICO

La señora E.B., de 38 años, refiere su historia: «Mis primeros intentos de quedar embarazada empezaron a los 24 años y fueron infructuosos. Tras varios meses de intentarlo, visité a mi médico de cabecera, quien me dijo que no me preocupara hasta que no transcurriera un año. Cuando se cumplió este lapso de tiempo, acudí de nuevo y fui rápidamente empujada al sistema ortodoxo. Mi esposo y yo nos sometimos a varias pruebas, que culminaron en una laparoscopia bajo anestesia general seis meses después. En ningún momento me aconsejaron un tipo de dieta, ni me hablaron de posibles carencias nutricionales o de medicinas alternativas, aunque me ofrecieron un tratamiento con medicamentos que seguí durante tres meses hasta que los efectos colaterales fueron insoportables. Sin ninguna razón evidente fui incapaz de concebir hasta los 32 años, cuando, tras un embarazo con muchos problemas, alumbré a una niña de muy bajo peso. Después sufrí dos abortos, y dos años después pude dar a luz felizmente a un niñito, también con muy bajo peso al nacer.

»Hace dos años, por consejo de una amiga, acudí a una clínica de medicina alternativa, donde me descubrieron un déficit mineral y una pelvis inclinada que, según el practicante de shiatsu, afectaba el riego sanguíneo de los órganos de la pelvis. Me trataron con remedios homeopáticos para mejorar mi capacidad de absorción y evitar así futuras deficiencias. Durante el siguiente embarazo –y a causa de lo impresionada que estaba por mis experiencias previas– usé una técnica de hipnoterapia. Realicé psicoterapia y recibí un par de lecciones de yoga que me ayudaron a relajarme y a actuar mejor durante el parto. Mi tercer bebé nació tras cinco horas de parto y su peso estaba en el límite superior de normalidad. No tuve problemas durante el embarazo y estoy en perfectas condiciones para decidirme a tener otro hijo en un futuro próximo.»

La mayoría de las clínicas de medicina alternativa tienen un director o terapeuta jefe que atenderá sus principales necesidades. Su propio médico puede tener alguna aprensión al respecto; en las siguientes páginas despejaremos algunas dudas.

ESTUDIOS

El médico de cabecera realizará análisis de orina y controles de presión arterial y, en fases más avanzadas del embarazo, comprobará los niveles de hemoglobina para descartar una anemia.

Recomiendo a mis pacientes que comprueben pronto su hemoglobina durante el embarazo y, si el nivel es bajo, que inicien un tratamiento. El enfoque ortodoxo consiste en mantener el nivel de hemoglobina dentro de los «límites normales» y no aportar suplementos de hierro hasta que los niveles desciendan por debajo de 10 mmol/l. Cada persona tiene características diferentes y si su hemoglobina inicial es de 14 mmol/l, éste es el nivel en que debería mantenerse. Todas las pacientes deberían someterse a la siguiente batería de pruebas:

- Rubéola.
- Toxoplasmosis (especialmente si tiene gatos en la casa).
- Pruebas capilares u otras para deficiencias (*véanse* **Biorresonancia** y **Exploraciones diagnósticas alternativas/Análisis de cabello**). Leves deficiencias minerales y vitamínicas pueden ser perjudiciales en un embarazo sano.

La ecografía no es una técnica completamente segura. Una investigación llevada a cabo a principios de los años noventa sugirió que más de 11 ecografías en un embarazo pueden provocar bajo peso en el bebé. La medicina ortodoxa considera, por lo tanto, que hasta diez ecografías no hay peligro. Mi experiencia y mi sentido común me impiden estar de acuerdo. Creo que los beneficios de la ecografía para el diagnóstico de ciertos problemas son enormes, pero que hay que limitar a tres las ecografías en cada embarazo, excepto si hay problemas: a las 11-16 semanas para confirmar que el feto es viable, a las 20-24 para descartar defectos y a las 30-34 para comprobar un correcto crecimiento.

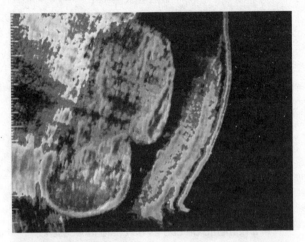

Ecografía fetal.

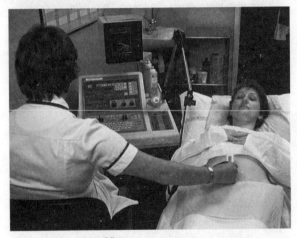

Exploración ecográfica.

OTROS ESTUDIOS ORTODOXOS
Amniocentesis
La amniocentesis es una prueba que consiste en la inserción de una aguja para obtener una muestra del líquido que baña al feto. Se puede obtener mucha información del análisis de este líquido, incluyendo el diagnóstico del síndrome de Down y otras anomalías cromosómicas. Sin embargo, actualmente existe una prueba sanguínea cuya precisión y disponibilidad son cada vez mayores, aunque no tanto como las de la amniocentesis. La amniocentesis tiene una tasa de complicaciones

del 0,5% (1 de cada 200 de estas exploraciones puede originar problemas), mientras que la prueba hemática es inofensiva.

Amniocentesis

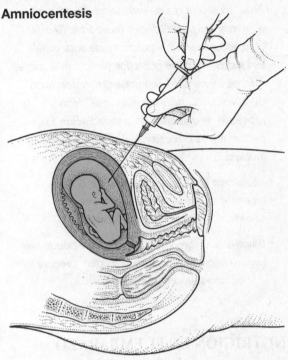

La extracción de líquido amniótico con una jeringa a través del abdomen se utiliza para diagnosticar anomalías genéticas.

RECOMENDACIONES

- *Discuta cualquier sugerencia de practicar esta prueba con más de un obstetra y asegúrese de que es realmente necesaria. ¿Abortaría si algo fuera mal?*

- *Biopsia coriónica. Las vellosidades coriónicas se encuentran en el lado fetal de la placenta y, por lo tanto, sus células provienen de los componentes genéticos del feto. Puede extraerse una biopsia o muestra de este tejido para estudiar defectos congénitos o hereditarios. Las complicaciones y los problemas son los mismos que los de la amniocentesis.*

ENTORNO
Durante el embarazo hay que tener en cuenta las siguientes recomendaciones con respecto al entorno domiciliario.

- *Embarazada o no, nunca se siente a menos de 2 m del televisor.*

- *Evite los monitores de ordenador. Pueden hacer aumentar las posibilidades de abortar. Si está obligada a usar o a estar cerca de uno, evite sus lados y la parte posterior. No lo use durante más de 20 minutos seguidos sin un descanso de 20 minutos, evite las máquinas viejas y provéase de unidades de baja radiación sin confiar en los protectores de pantalla (son casi inútiles).*

- *La música fuerte puede perjudicar al feto. La música clásica, en cambio, parece ser beneficiosa, ¡especialmente Mozart!*

- *Salga al aire libre y camine descalza donde sea seguro hacerlo. Si vive en la ciudad, procure ir al campo siempre que pueda.*

NUTRICIÓN EN EL EMBARAZO

Una vez confirmado el embarazo, la primera medida, y posiblemente la más importante, es asegurarse de que la dieta es adecuada e incluye los suplementos adecuados. Una dieta bien equilibrada seguramente no necesitará nutrición extra, pero las mujeres que se encuentran bajo presión, padecen una enfermedad, se saltan comidas, se alimentan de comida rápida o se nutren de forma inadecuada deberían tomar suplementos nutritivos.

No hay una dieta establecida para el embarazo y la intuición es extremadamente importante. Los antojos extraños puede que sean indicio de requerimientos corporales. Los frecuentes antojos por las sustancias calcáreas se atribuyen al aumento de las necesidades corporales de calcio y otros minerales. El cerebro sabe lo que necesita, pero no siempre lo manifiesta de forma correcta.

Muchas de las recomendaciones en este campo ya se han descrito en el capítulo 1. Las recomendaciones nutricionales indicadas durante el período en que se intenta concebir deberían mantenerse a lo largo del embarazo, especialmente en lo que se refiere a:

- *Tomar ácido fólico (400 mg) diariamente, si bien éste es más importante al intentar concebir.*

  Las otras recomendaciones no están del todo demostradas. Sin embargo, es mejor equivocarse por exceso de precaución, y cualquiera que no sea un experto en alimentación equilibrada debería tomar suplementos para compensar las crecientes demandas de la madre y el niño.

- *Complejos vitamínicos: la mayoría de los obstetras y médicos de cabecera que no aconsejan tomar suplementos, lo hacen con el argumento de que es un gasto innecesario, y no porque sean perjudiciales. Dicho esto, por supuesto que un exceso de cualquier cosa puede ser dañino, como ha demostrado recientemente el exceso de vitamina A en las embarazadas que comían mucho hígado.*

- *Compuestos de oligoelementos y minerales (para cubrir las necesidades de cinc, manganeso y cobre).*

- *Recuerde seguir sus instintos, pero sólo si sus antojos van en un sentido saludable. Si se inclina por comidas que no son necesariamente saludables, como patatas fritas o comidas precocinadas, examine los grupos de alimentos (véase **Dieta Hay**) y seleccione los saludables de cada grupo, coma un poco y compruebe si el antojo insano va cediendo.*

- *No son aconsejables los cambios drásticos en la dieta. Hacerse vegetariano o comer más carne no es más beneficioso ni necesario. Busque el equilibrio.*

- *Los alimentos que debería añadir a su dieta incluyen comidas ricas en soja o tofu, verduras semicocidas alguna vez al día, algas de vez en cuando y jengibre.*

- *Debería tomar una cucharada de miel diaria.*

- *Evite los cacahuetes, las avellanas y la avena por su contenido en alfatoxinas (y su capacidad para favorecer su producción). Las alfatoxinas pueden lesionar el feto.*

Evitar el exceso de vitamina A

A diferencia de los suplementos de ácido fólico para prevenir defectos en el feto, sería perjudical un exceso de vitamina A. El contenido de vitamina A en los alimentos no causa problemas, aunque comer hígado o zanahorias en exceso puede ser dañino. Se ha demostrado que el consumo de más de 10.000 UI de vitamina A al día puede aumentar el riesgo de aparición de problemas en el desarrollo del feto, por lo que debería evitarse.

EJERCICIO EN EL EMBARAZO

Es extremadamente importante mantenerse ágil y en buena forma física durante el embarazo. Una embarazada acarreará un exceso de peso que incidirá en sus articulaciones, músculos y ligamentos. Cuanto más fuerte y en forma esté la estructura muscular, más fácil será trajinar este peso.

RECOMENDACIONES

- *Los estiramientos son muy importantes y permitirán un parto más fácil.*

- *No inicie un programa de ejercicios intensivo por el hecho de estar embarazada. Si ya lleva una vida activa, no hay razón para detenerla, excepto si el ejercicio es de contacto, como el baloncesto o el judo, o un deporte que sacuda el cuerpo. Es mejor evitar los juegos como el squash, en el que se apoya un pie hacia atrás con fuerza y se golpea contra la pared, y actividades como el jogging, porque se ejerce una fuerza bastante acusada hacia abajo en el bajo vientre y la pelvis.*

- *Es preferible andar, practicar aerobic y, sobre todo, natación. Bailar es un ejercicio excelente, pero ¡no vaya a la disco! Muchas culturas antiguas incorporan la danza en el período del embarazo. Moviendo intuitivamente el cuerpo*

con su pieza de música favorita conseguirá un efecto beneficioso en su cuerpo y en el del bebé.

- *Recomiendo encarecidamente aprender algunas de las técnicas de Alexander para asegurar una postura correcta. La polaridad es igualmente efectiva.*

- *El yoga es, en mi opinión, el mejor ejercicio durante el embarazo. El yoga incorpora técnicas de relajación y respiración profunda, estiramientos y fortalecimiento muscular, junto con ejercicios posturales. Pero como ciertas técnicas de yoga no deberían utilizarse durante el embarazo, es conveniente realizar una o dos sesiones particulares con un profesor para asegurarse de que se practica correctamente.*

ASPECTOS PSICOLÓGICOS

El embarazo debería ser un tiempo de alegría, pero de forma casi invariable, en un momento u otro, aparecen sentimientos no positivos, que van desde la indiferencia y la ambivalencia hasta la irritación y la ansiedad, pasando por la depresión.

Por muy estrecha que sea la relación, a menudo el compañero no es la persona más indicada para hablar de este tipo de emociones, pero éstas deben expresarse. Sentirse culpable por un estado de ánimo es perjudicial para la salud y para el propio estado de ánimo. El compañero, sin embargo, vive su propia «crisis» y se halla atrapado entre proporcionar el mejor consejo y el consejo que él cree que le gustaría oír a su compañera. Es una situación difícil que suele superar la experiencia intuitiva del compañero.

Es mejor afrontar las dudas con un «amigo profesional» y hablar de las conclusiones con la pareja. No hay que ocultar los sentimientos a las personas cercanas, pero tampoco esperar respuestas por su parte. Puede ponerse en contacto con las unidades de obstetricia, medicina general, clínicas alternativas o por recomendación de los amigos. Es mejor tratar con una mujer psicoterapeuta que haya estado embarazada, para así obtener una opinión profesional y personal.

Ejercicios de yoga durante el embarazo

*Las técnicas de yoga
para relajación y
estiramiento muscular
son el mejor ejercicio
durante el embarazo.*

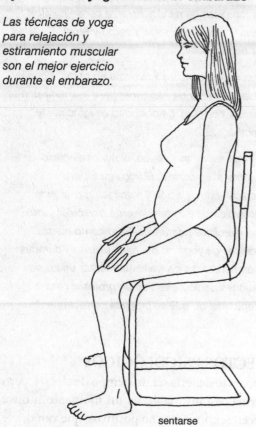

sentarse

levantar el brazo

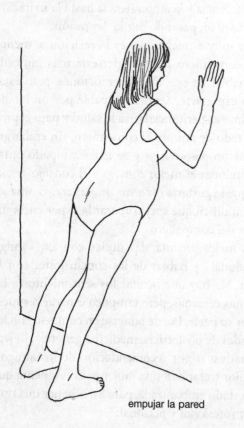

empujar la pared

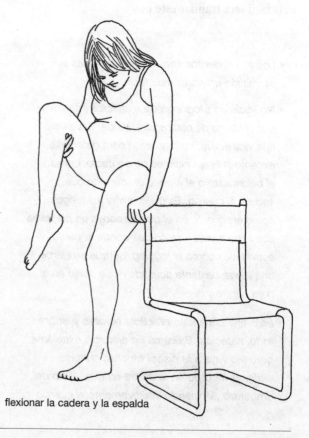

flexionar la cadera y la espalda

No hay que avergonzarse de pedir ayuda. El embarazo es una época de grandes cambios y la ayuda psicológica de la familia es menor aquí, en Occidente. Recibir información sólo puede ser beneficioso.

- *Consulte a un asesor.*

- *Beba infusiones de manzanilla fuertes. Es un gran relajante psicológico y puede hacer que los problemas sean más fáciles de resolver.*

- *Aceites esenciales específicos, como el de romero y lavanda, pueden usarse en masajes, en el baño o aplicados al cuello.*

- *Los remedios homeopáticos sobre los que debe informarse son: Aconitum, si aparece el miedo; Aurum metallicum, si está triste o desesperada; Ignatia, si ha perdido su sentido de la libertad y su sentido de la responsabilidad es demasiado grande; Pulsatilla, si llora con facilidad, aunque este remedio no debe tomarse durante más de 3 días porque puede favorecer las contracciones. Otros preparados pueden ser de gran utilidad y su homeópata es el indicado para escogerlo. Todos deben tomarse a la potencia 30.*

- *Los remedios florales de Bach son maravillosos y debería consultar a un terapeuta para elegir el más conveniente.*

PROBLEMAS HABITUALES DURANTE EL EMBARAZO

El embarazo es un proceso natural que, en general, no requiere medicaciones. Sin embargo, algunas circunstancias pueden necesitar tratamiento.

ABORTO

Tristemente, algunos embarazos no llegan a feliz término. Una escuela oriental cree que el embarazo que acaba en aborto es una enorme bendición para los padres que han albergado un espíritu con muy poca necesidad de reencarnación, lo cual con frecuencia se asocia a un alma avanzada. Sin embargo, esto no excluye la devastadora tristeza que produce la pérdida de un niño. Si el aborto ocurre, pueden ser útiles las recomendaciones siguientes.

- *Si sospecha que puede sufrir un aborto, intente evitarlo contactando con su médico alternativo para que le recomiende a un experto en el tema dentro del campo de la medicina alternativa. Esta persona o su propio médico pueden prestarle ayuda, ya que el botiquín de su casa podría no ser suficiente.*

- *Visite a un psicoterapeuta aunque piense que está sobrellevando bien la situación.*

- *El cambio súbito en la composición hormonal es tratado mejor por un profesional. Acuda a un médico alternativo.*

- *Si el aborto se ha consumado y el sangrado persiste, tome el remedio homeopático Phosphorus 6 o Secale cornutum 6 (4 píldoras cada hora) hasta que el sangrado y las pérdidas desaparezcan. Cuando esto ocurra, tome Arnica 200 (una dosis 2 veces al día durante 5 días).*

- *La pareja también debería tomar Arnica 200 (una dosis 2 veces al día durante 5 días) y visitar a un psicoterapeuta.*

ANEMIA DURANTE EL EMBARAZO

La anemia es el término médico con que se designan diversas situaciones caracterizadas por la disminución de los niveles de hemoglobina —compuesto que transporta el oxígeno y que se halla contenido en los glóbulos rojos—. La valoración de los niveles normales de hemoglobina varían de un laboratorio a otro, pero la cantidad presente en el torrente circulatorio es de 11,5-16 mmol/l.

La anemia es relativamente frecuente en el embarazo, debido a que el feto utiliza los depósitos de hierro y ácido fólico de la madre. Los síntomas de la anemia varían: van desde el cansancio, la somnolencia, la dificultad para respirar y la irritabilidad, hasta las palpitaciones y los mareos. Los signos son piel pálida, palidez de los lechos ungulares y, a veces, hormigueo en los pies y las manos. Un análisis de sangre determinará el nivel de hemoglobina.

RECOMENDACIONES

- *La medicina ortodoxa sólo considera que una persona está anémica si sus niveles de hemoglobina descienden por debajo del nivel «normal». Es más importante medir la hemoglobina en las fases iniciales del embarazo y, posteriormente, si los niveles descienden por debajo y aparecen los síntomas citados, considerar el tratamiento adecuado.*

- *Aumente la ingesta de verduras, especialmente de espinacas, y de cordero. Puede usar melaza en lugar de azúcar.*

- *El remedio homeopático Ferrum phosphoricum 30 debería tomarse 2 veces al día durante 10 días.*

- *Hay que establecer la causa de la anemia mediante análisis de sangre. Por lo común se debe a la falta de hierro, ácido fólico o vitamina B$_{12}$, pero también puede estar causada por el déficit de otra vitamina o aminoácido. Una vez establecida la causa, sustituya el nutriente implicado con alimentos naturales y pida consejo a un médico alternativo con respecto a la cantidad que debe tomar.*

- *El té de fresas con media cucharadita de tomillo por jarra puede tener un sabor un poco terroso, pero es útil si se toma 3 veces al día.*

- *Si los síntomas persisten, la acupuntura y, especialmente, la moxibustión pueden ser administrados por un especialista en estas técnicas.*

CALAMBRES

RECOMENDACIONES

- *Aumente el consumo de agua.*

- *Beba infusión de manzanilla fuerte.*

- *Tome calcio (500 mg/día), cobre (2 mg/día), cinc (15 mg por la noche) y magnesio (400 mg/día) hasta un máximo de una semana. Si el problema persiste, contacte con su profesional sanitario.*

- *El masaje, el shiatsu y las técnicas de yoga aliviarán los calambres.*

DIABETES DURANTE EL EMBARAZO

La diabetes mellitus está causada por una producción insuficiente de insulina por parte del páncreas. Produce un aumento de los niveles de azúcar en sangre, que es perjudicial para la mayoría de los órganos y sistemas del organismo.

Al igual que los problemas del tiroides, la diabetes puede aparecer durante el embarazo en una mujer, aunque antes de quedar embarazada la diabetes no supusiera un problema. Los chinos describen un meridiano o línea de energía que atraviesa el cuerpo, desde la parte superior de la cabeza. Este meridiano, denominado vaso de la concepción o vaso gobernante, tiene una importancia decisiva en el sistema reproductor, tanto del hombre como de la mujer. La medicina ortodoxa considera que los problemas del páncreas y del tiroides se deben al aumento de la demanda bioquímica, pero las escuelas médicas orientales consideran que la línea de energía que representa el vaso de la concepción conecta la hipófisis (control del ciclo), el tiroides, el páncreas y el útero (*véase* **El vaso de la concepción**).

La debilidad de este canal de energía se produce por una salud deficiente a lo largo del sistema, pero también por la falta de energía recibida a partir de las relaciones de la mujer embarazada con su pareja y sus padres.

RECOMENDACIONES

- *Comente el estado de su diabetes con un nutricionista para planificar una dieta correcta.*

- *Dada la asociación de la diabetes con el vaso de la concepción, visite a un médico chino o tibetano para seguir un tratamiento con hierbas y acupuntura.*

- *Una vez que el nutricionista haya establecido una dieta, puede tomarse diente de león en forma de extracto fluido (5 gotas en agua) 10 minutos antes de cada comida.*

ESTREÑIMIENTO

El estreñimiento se produce por diversos motivos: por efecto directo de las hormonas en la musculatura intestinal, que disminuye el tiempo de tránsito (el tiempo que tarda la comida en viajar desde el estómago hasta el recto) para mejorar el proceso de absorción; por menor actividad física, por deshidratación y por la toma de suplementos de hierro.

El sentido común indica medidas como beber más agua o mantener los niveles de actividad. Si el problema persiste, las siguientes recomendaciones pueden ser de utilidad.

RECOMENDACIONES

- *Reduzca los derivados lácteos, las carnes y los huevos. Aumente la ingesta de fibra vegetal (véase capítulo 7) y tome compuestos vitamínicos, porque los déficit de vitaminas pueden empeorar el problema.*

- *Lactobacillus acidophillus: 2 millones de bacterias en cada comida estimularán la flora intestinal para fraccionar las heces.*

- *Mezcle 50 g de yogur, 2 cucharaditas de aceite de oliva y un diente de ajo y tome esta preparación con obleas de pan integral.*

- *Un plato de verdura ligeramente especiada (india, thai, etc.).*

- *Masajes en general; el masaje abdominal puede ser de gran alivio.*

- *Ingiera regaliz puro en forma de barras blandas, que difiere de la goma de regaliz que consumen los niños. Tome 10-20 g antes de acostarse.*

- *Las melazas, en sustitución de otros edulcorantes, son eficaces y también pueden tomarse en dosis de 2 cucharaditas antes de acostarse.*

- *Beba al menos 1 litro de agua al día.*

- *Los laxantes no son una opción. Si el estreñimiento persiste a pesar de las medidas anteriores, consulte a un profesional sanitario alternativo.*

HEMORRAGIA VAGINAL

El sangrado por la vagina durante el embarazo requiere una consulta inmediata con el médico de cabecera o el equipo de obstetricia. El sangrado, antes de la semana 28, se considera amenaza de aborto, y después de esta semana se denomina hemorragia preparto.

Muy a menudo se producen pequeñas hemorragias de corta duración que no han de preocupar y que probablemente se deben a la rotura de una vena en la vagina o en el cérvix a causa de los cambios hormonales.

RECOMENDACIÓN

- *No recomiendo ningún tratamiento en el domicilio, aunque los tratamientos de un homeópata o de un herbolario suelen tener éxito; es imprescindible, sin embargo, consultar a su médico.*

HINCHAZÓN Y EDEMA

Este tema ya se ha tratado en este capítulo, pero si las recomendaciones dadas no mejoran el problema, hay que visitar al médico para recibir su consejo experto. Véanse **Polihidramnios** y **Pies y manos hinchados**.

HIPOTIROIDISMO

El hipotiroidismo es poco frecuente durante el embarazo.

La medicina ortodoxa cree que está causado por algún tipo de inhibición del tiroides por sustancias químicas producidas por el niño o por la misma madre. Las escuelas orientales consideran que la energía es captada por el útero, quedando poca para los restantes órganos asociados con el vaso de la concepción (*véase* **El vaso de la concepción**).

Cualquier síntoma de hipotiroidismo, en especial fatiga excesiva, sensación de frío, dificultad de concentración y exceso de retención de líquidos, debe provocar la sospecha.

A la mayoría de las embarazadas les gusta dormir más, pero un sueño excesivo junto con un cansancio crónico a pesar del descanso experimentado, debe ser sospechoso.

RECOMENDACIONES

- *Pida consejo a su médico de cabecera y a su médico alternativo.*

- *Siga las advertencias y recomendaciones indicadas, a lo largo de este libro, sobre el hipotiroidismo.*

MAREOS Y DESMAYOS

Los mareos y los desmayos se deben habitualmente a bajos niveles de azúcar en la sangre, déficit nutricionales o, simplemente, agotamiento. Si las recomendaciones siguientes no son de ayuda o se produce más de un desmayo, debe consultarse al médico de cabecera o a un médico alternativo.

RECOMENDACIONES

- *Coma pequeños tentempiés entre las comidas si está mareada o tiene desmayos aislados (véase **Hipoglucemia**).*

- *Consulte con un nutricionista para establecer una dieta correcta.*

- *No utilice prendas demasiado ceñidas en la cintura.*

- *Tome el remedio homeopático Aconitum 6 (4 píldoras cada 15 minutos). Si los mareos o los desmayos se asocian a sofocos, tome Belladonna 6, y si el mareo se produce al levantarse de la cama o de una silla, tome Bryonia 30 (una dosis 3 veces al día durante 5 días).*

NÁUSEAS E HIPEREMESIS GRAVÍDICA

La hiperemesis gravídica es el término que designa unos vómitos muy intensos durante el embarazo. Los tratamientos más efectivos para combatirla se han mencionado al inicio de este capítulo, en el apartado dedicado al descubrimiento del embarazo; si éstos no son efectivos, pueden considerarse los siguientes.

RECOMENDACIONES

- *Las visitas regulares a un acupuntor pueden proporcionar una técnica adecuada.*

- *Las náuseas y los vómitos intensos pueden ocasionar malnutrición y requerir un control mediante medicamentos ortodoxos prescritos por el médico de cabecera.*

POLIHIDRAMNIOS

El polihidramnios es la presencia de una cantidad excesiva de líquido amniótico, por lo general asociada a la diabetes o al embarazo de gemelos. Se manifiesta por presión y distensión abdominales, con un abdomen más tenso y amplio de lo esperado.

RECOMENDACIONES

- *Ninguna técnica alternativa parece corregir esta situación, aunque el reposo en cama y el masaje pueden proporcionar cierto alivio.*

- *No use tratamientos con plantas medicinales, porque cualquier agente que afecte a la producción del líquido amniótico puede afectar al feto.*

- *El ginecólogo puede drenar el exceso de líquido con control ecográfico, lo que comparativamente es un procedimiento seguro y efectivo.*

PREECLAMPSIA Y ECLAMPSIA

La preeclampsia es un cuadro caracterizado por el aumento de la presión arterial y la presencia de proteínas en la orina de la madre. Estos dos parámetros se deben controlar continuamente ya que el desarrollo de eclampsia es muy peligroso. La eclampsia se caracteriza por la aparición de convulsiones causadas por edema cerebral.

RECOMENDACIONES

- *Un estado de preeclampsia debe ser controlado por un médico de cabecera y un ginecólogo.*

- *Debería consultarse con un médico naturópata. Los tratamientos con homeopatía, plantas medicinales, acupuntura y meditación o relajación pueden ser efectivos y reducir el tiempo de hospitalización. Si el estado de preeclampsia no está controlado, el parto suele llevarse a cabo mediante cesárea.*

PROBLEMAS CUTÁNEOS

En todos los embarazos se producen cambios en la piel, habitualmente para mejor. Quienes padecen psoriasis o eccema observan con frecuencia que su estado mejora, lo cual es una buena noticia porque los medicamentos usados para tratar la psoriasis y las cremas con corticoides empleadas en el eccema deberían suspenderse si es posible. Si está siguiendo tratamiento para la psoriasis en forma de medicación oral, debería interrumpirlo durante unos meses antes de su embarazo (*véase* capítulo 1).

Estrías

La distensión de la piel puede provocar la aparición de marcas evidentes en las mamas y el abdomen.

RECOMENDACIÓN

- *Aplique una dosis alta de vitamina E en forma de crema o mezcle vitamina E (1.000 UI vaciadas de las cápsulas) en una cucharada de aceite de oliva y dése un masaje 2 veces al día.*

Picor de piel

Muy a menudo el picor de piel es un problema en algún momento del embarazo. La causa es incierta, aunque hay dos posibilidades: niveles hormonales alterados y liberación de histamina en la piel a causa de los productos de desecho producidos por el bebé.

RECOMENDACIONES

- *Sustituya el jabón, los productos de higiene y las sales de baño por productos hipoalergénicos. Utilice prendas de vestir de fibras naturales, como lana o algodón, y evite las sintéticas.*

- *Añada extractos de manzanilla, aceite de coco y almendra al agua del baño. Los extractos de manzanilla suelen ser muy beneficiosos.*

- *El aceite de borraja puede aplicarse tanto de forma directa como en el baño.*

- *Use 1 g de aceite de onagra 3 veces al día durante 5 días. Los extractos de regaliz pueden*

ser notablemente calmantes cuando se aplican en la piel.

- *La loción de calamina puede usarse si no funcionan los remedios anteriores.*

PROBLEMAS DE LAS VÍAS URINARIAS
Flujo vaginal

El flujo vaginal es frecuente y habitualmente se debe a los cambios hormonales que afectan a las células que tapizan las paredes vaginales. Si se observa un flujo hemático o pardusco (sangre antigua), debe comunicarse al médico de cabecera o al ginecólogo. Los flujos de menor cantidad deben considerarse normales.

Si el flujo es irritante, abundante, coloreado y maloliente, se puede proceder a una simple irrigación, como se describe a continuación. Puede tratarse de una infección candidiásica (*véase* el capítulo 4).

En ocasiones, se han puesto objeciones a la irrigación vaginal durante el embarazo porque ésta puede producir infecciones. Hasta cierto punto esto es cierto, pero si el coito está permitido, con la consiguiente introducción de bacterias y líquidos corporales de otra persona, no hay razón para considerar que la siguiente técnica antiséptica no sea segura.

RECOMENDACIONES

- *Coloque una jeringa de 20 o 50 ml en un recipiente con agua recién hervida durante 5 minutos. Mezcle una cucharada de yogur en una gran jarra de agua hervida y deje enfriar hasta que esté tibia. Llene la jeringa con esta solución lechosa e introdúzcala no más de 5 cm en la vagina, empujando a continuación el émbolo con suavidad. Irrigue la cúpula vaginal. Siga este procedimiento cada mañana durante una semana. El procedimiento debe repetirse por las noches añadiendo una cucharada de vinagre de sidra en el agua.*

- *Los siguientes remedios homeopáticos pueden ser útiles: Hydrastis 6, si el flujo es espeso y persistente; Mercurius 6, si es amarillo verdoso, pruriginoso, con inflamación y empeoramiento nocturno; Stannum metallicum 6, para una mucosidad blanca y flujo abundante, en especial si duele la espalda. Como siempre, consulte un buen texto de homeopatía para una descripción más exacta.*

Infecciones

Durante el embarazo hay que realizar análisis de orina. A la vez que se controla el azúcar en busca de diabetes, la orina puede analizarse para detectar proteínas o nitritos. Su hallazgo debe hacer sospechar una infección de las vías urinarias, frente a la cual los médicos ortodoxos se dividen entre los partidarios de iniciar el tratamiento antibiótico y los que no lo recomiendan. No debe permitirse que una infección de la vejiga urinaria progrese hasta los riñones, puesto que podría ocasionar un aborto. Por otro lado, no hay que propiciar el tratamiento antibiótico que puede afectar al crecimiento bacteriano intestinal normal y, por lo tanto, provocar problemas de absorción.

Análisis de orina

pH	7,0
Proteínas	+ (0,3 g/l)
Glucosa	Negativa
Acetona	Negativa
Sangre	+

Examen microscópico

Leucocitos	> 100 por campo
Hematíes	Negativos
Cilindros	Negativos
Células epiteliales	+
Cristales	Negativos
Bacterias	++
Cultivo	Negativo

Ejemplo de los resultados de un análisis de orina en el que se indican los datos bioquímicos y biológicos.

RECOMENDACIONES

- *Si se detectan proteínas y nitritos en la muestra de orina, insista en que ésta sea llevada a un laboratorio para cultivo y antibiograma. Esto significa que se probarán diversos antibióticos frente a las bacterias halladas con el fin de escoger el más adecuado si es preciso usarlo.*

- *Cualquier molestia en la vejiga o en la parte inferior de la espalda (el área de los riñones) debe comentarla con su médico.*

- *En la fase inicial de cualquier molestia puede usar pastillas o polvos de arándanos, bajo control de su médico. No hay una potencia estándar para los preparados de arándanos. No tome zumos de arándanos edulcorados. El contenido de azúcar favorecerá el crecimiento bacteriano.*

- *Los extractos líquidos de enebro o agracejo vulgares (10 gotas en agua 4 veces al día) pueden ser curativos.*

- *Según los síntomas, considere los siguientes remedios homeopáticos: Cantharis, Pulsatilla, Equisetum, Staphysagria, Phosphorus y Mercurius.*

- *Aplique la reflexoterapia en los puntos de los pies correspondientes a la vejiga y los riñones (véase* **Reflexoterapia***).*

- *Añada 20 gotas de aceites esenciales de eucalipto y sándalo a un baño de agua caliente.*

- *Beba un vaso (200-250 ml) de agua o de té de hierbas cada hora y añádale una cucharadita de bicarbonato de sodio (máximo 2 litros diarios).*

Polaquiuria y urgencia

La necesidad de orinar con frecuencia (síntoma denominado polaquiuria) y la dificultad para mantener la vejiga llena pueden aparecer muy pronto durante el embarazo. Estos síntomas se deben al aumento de la presión ejercida sobre la vejiga por el peso del bebé.

RECOMENDACIONES

- *Son esenciales el yoga y los ejercicios para la pelvis.*

- *Intente no beber demasiado en las 2 horas previas a acostarse.*

- *Pueden tomarse dos remedios menos conocidos: Chimaphila umbellata 6 y Linaria 6, en dosis de 4 píldoras cada 4 horas, pero si no obtiene mejoría al cabo de 5 días, interrúmpalos.*

- *La acupuntura, la terapia craneosacra y la osteopatía pueden ser beneficiosas.*

PROBLEMAS MAMARIOS

En respuesta a los cambios hormonales del embarazo se producen importantes modificaciones en las mamas: se vuelven más sensibles, pesadas y molestas, hasta el punto de ser dolorosas.

El área alrededor de los pezones (la aréola) puede presentar pequeños bultos denominados tubérculos de Montgomery, los cuales producen la secreción necesaria a fin de preparar los pezones para la lactancia. La aréola puede oscurecerse y el pezón alargarse en relación con el resto de la mama. Esto es normal y no precisa tratamiento.

RECOMENDACIONES

- *Los conductos galactóforos pueden obstruirse y volverse duros y dolorosos, mientras que el tejido mamario puede originar hinchazones dolorosas. Aplique compresas frías y calientes de modo alternativo y dése un suave masaje desde el bulto hacia el pezón. El bulto puede enrojecerse un poco, pero si se vuelve muy rojo o se inflama o aparece una línea roja, siga la siguiente recomendación.*

- *Si el bulto mamario se vuelve rojo o inflamado, tome Belladonna 6 cada 15 minutos (en 3 dosis) y luego cada 2 horas hasta que el proceso se estabilice. Si no lo hace en 24 horas, acuda a un médico, pero evite los antibióticos como tratamiento principal.*

- *Utilice un sujetador de algodón con un diseño correcto. Pase tanto tiempo como sea posible con los pechos expuestos al aire y al sol.*

- *Los dolores de las mamas pueden aliviarse con baños calientes.*

PARTO Y PUERPERIO

El aspecto más importante de las filosofías médicas orientales es el concepto de equilibrio entre la energía que fluye a través del cuerpo y la que está contenida en éste. Los chinos se refieren al yin y al yang como factores complementarios opuestos. A continuación, se citan algunos ejemplos de yin y yang.

YIN	YANG
Inferior	Superior
Frontal	Dorsal
Órganos internos	Órganos externos (piel)
Estructura	Función
Agua	Fuego
Silencio	Ruido
Húmedo	Seco
Lento	Rápido
Almacenamiento	Distribución
Rizado	Estirado

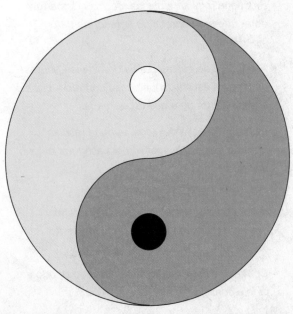

Círculo yin/yang que ilustra la relación dinámica entre el yin y el yang.

De estos ejemplos se deduce que el proceso de desarrollo del bebé en el útero está influido predominantemente por el yin. Sin embargo, la vida es equilibrio y, a medida que se acerca el parto, cobra mayor importancia la energía, factor más dominado por el yang.

Por lo tanto, al final del embarazo hay que apoyar la progresión del yang. Una deficiencia puede originar problemas en el parto.

UN MES ANTES DEL PARTO

Un mes antes del parto puede surgir un fuerte deseo de que todo se acabe de una vez. En algunas clínicas de Estados Unidos se cuelgan pesos del pecho y el abdomen del marido y se le pide que deambule de esta manera durante un rato. Los hombres no somos conscientes del esfuerzo que implica la fase final del embarazo. Además, aunque afortunadamente habrá disfrutado de la salud que suele acompañar al embarazo, una madre embarazada debe alimentarse con restricciones.

Es en este momento cuando los pensamientos se dirigen a la preparación del parto. Desde luego, no se necesita de grandes cosas, pero hay que hacer algunos preparativos para intentar evitar retrasos en el momento del parto.

durante 7 días, tome antes de acostarse el remedio homeopático Caulophyllum 30, mientras que durante los 3 últimos días debe tomar, también antes de acostarse, Caulophyllum 200. Este preparado de mayor potencia puede tomarse hasta una semana si se ha pasado la fecha de parto.

TÉCNICAS ALTERNATIVAS PARA LA INDUCCIÓN DEL PARTO

Rara vez hay una buena razón para inducir el parto, pero si no hay signos de él dos semanas después de la fecha prevista (recuerde que la fecha calculada a partir de la última regla y la sugerida por las ecografías pueden diferir a causa de la duración del ciclo de la madre), debe presionarse a las comadronas y al médico. Las razones son simples: el bebé puede crecer de forma que su tamaño dificulte su encajamiento en el desfiladero pelviano, y la placenta puede ser incapaz de mantener los requerimientos de oxígeno y nutrientes del feto.

Si el obstetra y las ecografías concluyen que el tamaño del niño es correcto, las técnicas alternativas para inducir el parto pueden aplicarse a partir de 10 días después de la fecha esperada de parto.

RECOMENDACIONES

- *Practique regularmente las técnicas de parto sin dolor que haya aprendido anteriormente por hipnoterapia.*

- *Asegúrese de que su pareja domina los puntos de presión del shiatsu; en caso contrario, envíelo al especialista para que los aprenda.*

- *La práctica diaria del yoga, aunque resulta molesta, debe proseguirse para asegurar el tono muscular.*

- *Continúe con la relajación, las técnicas respiratorias o la meditación, para obtener una sensación de calma hasta el momento del parto.*

- *Contacte con su médico alternativo preferido y pídale consejo.*

- *Los días previos a la fecha prevista del parto, y*

RECOMENDACIONES

- *Tome el remedio homeopático Secale cornutum 30 (4 píldoras cada 3 horas).*

- *Pueden estimularse los puntos específicos de acupuntura o acupresión (shiatsu). Estos puntos –junto con las áreas que no deberían masajearse, en circunstancias normales, en ningún momento durante el embarazo– se ilustran en el dibujo adjunto. Los puntos específicos son los siguientes:*

  – VB 21 (vesícula biliar 21): en la intersección del punto más alto del hombro con una línea perpendicular trazada desde el pezón.

  – IG 4 (intestino grueso 4): en el punto medio de la piel situada entre el primero y el segundo metacarpianos (en la mano).

  – HIG 3 (hígado 3): en la depresión situada entre el primer y segundo dedo del pie.

– *VEJ 67 (vejiga 67): en la cara lateral del dedo pequeño del pie al nivel de la base de la uña.*

– *BA 6 (bazo 6): tres dedos sobre el lado interno del tobillo, por detrás de éste.*

• *Pueden tomarse extractos líquidos de Pulsatilla o Caulophyllum (10 gotas diluidas en agua cada 3 horas).*

• *Beba té de hojas de frambuesa (una bolsita de té en un jarra grande, 4 veces al día).*

• *Puede aplicarse reflexoterapia en los puntos uterinos e hipofisarios de los pies.*

• *Camine rápidamente.*

• *Relaciones sexuales.*

Puntos de shiatsu para inducir el parto

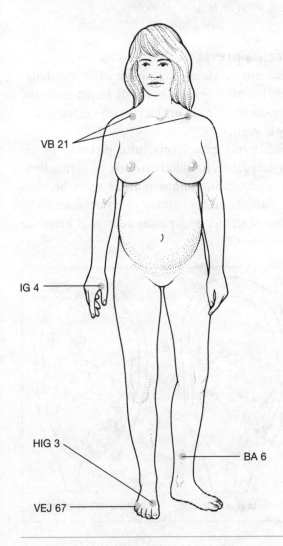

VB 21

IG 4

HIG 3

BA 6

VEJ 67

Nutrición

No hay motivos para alterar la dieta, particularmente si todo ha ido bien durante los primeros ocho meses del embarazo. Siga siempre su intuición y sus antojos como mejores guías. Para estimular la energía yang mientras espera el parto, añada a su dieta los alimentos que se indican a continuación. No debería tomarlos en exceso, ni muy pronto durante el embarazo, porque, como se ha explicado, el entorno uterino es predominantemente yin, y un exceso de yang puede causar problemas. Los alimentos cuyo consumo debe aumentar son:

• Cordero.
• Gambas y bogavante.
• Albahaca, eneldo, salvia, canela, tomillo, clavo, nuez moscada, ajo, jengibre e hinojo.

Ejercicio

RECOMENDACIONES

• *Practique ejercicios de estiramiento a lo largo del día. Un ejercicio excelente es separar al máximo las rodillas, con la espalda apoyada en el compañero o en la pared.*

• *Practique las posiciones que utilizará en el parto y manténgalas el mayor tiempo posible.*

• *Camine y nade: 15 minutos de natación y 40 minutos de caminar (siempre y cuando su espalda esté en condiciones).*

Medicación

No es necesario pensar en usar medicamentos para provocar el parto, ni tampoco mientras éste tenga lugar. Sin embargo, si aparecen síntomas o problemas leves pueden aplicarse algunas medidas terapéuticas, que deben escogerse en función de los síntomas y siempre en contacto con el médico.

RECOMENDACIONES

• *Véase el uso de Caulophyllum explicado anteriormente en este capítulo.*

• *Tome extracto líquido de Pulsatilla (una cucharadita en agua 4 veces al día, empezando la víspera del día previsto del parto).*

• *Aplique una crema que contenga árnica, caléndula y ortiga en la parte externa de la vagina, el perineo y alrededor del ano. Hágalo 3 o 4 veces al día a fin de preparar el área para el estiramiento que va a experimentar. Si dicha combinación no está disponible, son suficientes las cremas con árnica o caléndula, así como el aceite de oliva.*

CONTRACCIONES DE BRAXTON HICKS

Estas contracciones, que reciben el nombre del ginecólogo que consideró que merecían atención, pueden aparecer a partir de las seis semanas previas al parto. En general, son poco frecuentes, lo cual las diferencia de las contracciones de la primera fase del trabajo del parto, aunque las contracciones de Braxton Hicks pueden ser muy potentes y preocupar por la posibilidad de un parto prematuro.

RECOMENDACIONES

• *En caso de duda, consulte con su médico de cabecera o su ginecólogo.*

• *Si las contracciones crean ansiedad, puede tomar Aconitum 6 (3 dosis de 4 píldoras cada hora).*

PARTO Y TRABAJO DE PARTO

El parto es el momento del alumbramiento. Antes de discutirlo en detalle, vamos a tratar otros aspectos.

Inicio del trabajo de parto

Cuando el parto parece inminente –por la expulsión del tapón de moco, por la rotura de aguas o por contracciones frecuentes– hay que tener en cuenta las recomendaciones siguientes.

RECOMENDACIONES

• *Camine. La energía yang se estimula con el movimiento.*

• *Aumente los niveles de glucosa a fin de prepararse para el gasto de energía. Coma alimentos ligeros, preferiblemente hidratos de carbono complejos (pan integral, arroz integral, miel).*

• *Duerma todo lo posible, especialmente durante los períodos entre contracciones.*

• *Llore si lo desea y pida amor y apoyo en una situación de tanta inseguridad.*

Placenta previa

La placenta previa es el término médico que designa la placenta que está situada de forma anómala, de modo que tapa el orificio uterino entre el cérvix y la vagina.

Según mi experiencia, una placenta previa completa jamás ha sido corregida mediante terapias alternativas, aunque muchas veces he visto una placenta previa «moverse» tras el tratamiento. No obstante, esto puede ocurrir al crecer la matriz.

Placenta previa

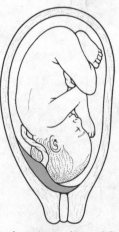

En la figura de la izquierda la placenta está en posición normal; en la figura central cubre parcialmente el orificio uterino, mientras que en la de la derecha lo cubre completamente.

posición normal   placenta previa parcial   placenta previa total

RECOMENDACIONES

• *La osteopatía en combinación con la acupuntura china o tibetana y los tratamientos con hierbas han tenido éxito muy a menudo.*

• *No permita que le practiquen excesivas ecografías. Una vez identificada una placenta previa, no repita la exploración; hágase otra ecografía un mes antes del parto y, si la situación no ha cambiado, considere un tratamiento ortodoxo (véase Ecografía).*

Parto acuático

El parto acuático ha sido motivo de mucha publicidad. Una valoración reciente ha sugerido que muchas madres prefieren estar en el agua en la primera parte del trabajo de parto, pero que más del 50% escoge parir fuera de la bañera.

Esta forma de parto no presenta ventajas ni inconvenientes, aunque algunos pediatras han cuestionado la higiene de los partos bajo el agua. En un entorno sano y limpio, no debería haber problemas.

Laboyer

Frederick Laboyer hizo hincapié en una observación de sentido común: la atmósfera impersonal de las salas de partos hospitalarias no favorece un parto agradable o saludable. Este punto de vista se ha extendido desde el inicio de los años setenta en Occidente, aunque durante miles de años ha sido el principio inspirador del parto en todas las escuelas orientales. Escoja su música, iluminación y aromas preferidos en la habitación o sala de partos.

PRIMERA FASE DEL TRABAJO DE PARTO

La primera fase del trabajo de parto comprende el «borramiento» del cérvix y la primera dilatación de 4 cm. En este momento puede producirse la expulsión del tapón de moco, que ha sido el principal factor protector en el orificio del cérvix uterino. Las «aguas» (el líquido protector del saco amniótico) pueden romperse antes de la primera fase del trabajo de parto o en la parte inicial del parto. Esta lubricación natural es una importante señal de parto y debe evitarse una desecación excesiva. Las contracciones deberían aparecer en intervalos de 10-20 minutos y durar hasta 30 segundos.

La dilatación de 4-10 cm puede tardar desde unos minutos hasta varias horas. Las siguientes recomendaciones pueden ayudar a acortar este lapso. Durante esta dilatación, las contracciones durarán 20-90 segundos, serán muy intensas y dolorosas y pueden ocurrir en cualquier momento en intervalos de 30 segundos a 10 minutos.

El instinto natural de la mujer con respecto a la respiración y el entrenamiento que haya recibido durante los cuidados prenatales y las clases de yoga son más importantes que nunca en este momento. El deseo de empujar y expulsar al niño está en su fase culminante, pero empujar demasiado pronto puede desgarrar el cérvix y causar dificultades. La comadrona será de gran ayuda dada su enorme experiencia y dejará poco margen de duda sobre cómo debe ser el parto. ¡No se preocupe!

Alivio del dolor

Parir es doloroso. El dolor es relativo y algunas madres están mejor preparadas anatómica y fisiológicamente para sobrellevar las molestias. ¡Sin embargo, nadie tiene un parto indoloro, excepto si dispone de una técnica de meditación de alto nivel!

RECOMENDACIONES

• *No se avergüence de pedir alivio del dolor.*

• *Use las técnicas de autohipnoterapia que le hayan enseñado durante el embarazo. Use los puntos de acupresión.*

– VEJ 31 (vejiga 31): es un punto sensible en la base de la columna vertebral, aproximadamente 5 dedos sobre las nalgas. Sea consciente de que el uso de estos puntos de alivio del dolor puede acortar las contracciones y, por lo tanto, sólo debería emplearlos cuando el dolor es más fuerte, pues de otra manera el parto puede alargarse.

– EST 36 (estómago 36): 4 dedos por debajo de la corva y un dedo hacia fuera.

– *VEJ 60 (vejiga 60): en la depresión equidistante entre el punto más prominente del maléolo externo y el tendón de Aquiles.*

• *Use Chamomilla 6 (4 píldoras cada 15 minutos) para los dolores intolerables, especialmente los localizados en la espalda. Si experimenta miedo o estremecimientos considere el uso de Aconitum 6 (4 píldoras cada 15 minutos).*

• *Emplee el «gas» (óxido nitroso) tanto como quiera.*

• *Si estas medidas no son efectivas, no dude en solicitar anestesia epidural. Es posible que el anestesiólogo tarde en llegar, por lo que llame al mejor amigo que tendrá jamás más pronto que tarde.*

La salida de la cabeza es la parte más difícil y lenta de esta fase. La sensación más desagradable es que el perineo (el área comprendida entre la vagina y el ano) parece desgarrarse. Esto no sucede a menudo y el empleo de crema mixta de árnica, caléndula y ortiga reduce habitualmente el riesgo. La comadrona presionará sobre esta área para evitar desgarros.

RECOMENDACIÓN

• *Comunique a la comadrona las sensaciones que experimenta y pídale más apoyo o que presione más.*

Puntos de shiatsu relacionados con el parto

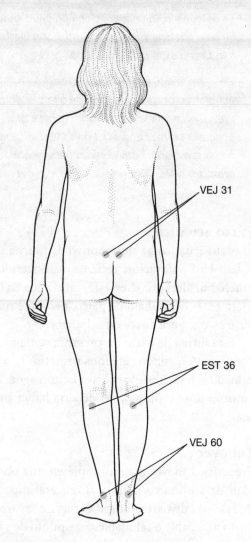

VEJ 31

EST 36

VEJ 60

Pida a su compañero que presione sobre estos puntos de acupresión.

Fases del parto

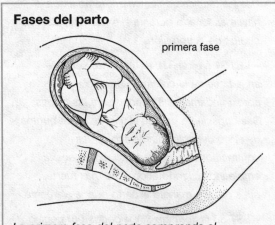

primera fase

La primera fase del parto comprende el «borramiento» y la dilatación inicial del cérvix.

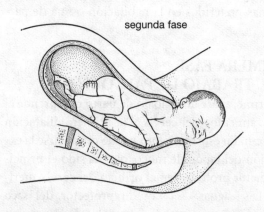

segunda fase

La segunda fase finaliza con la salida del niño.

Posiciones durante el parto

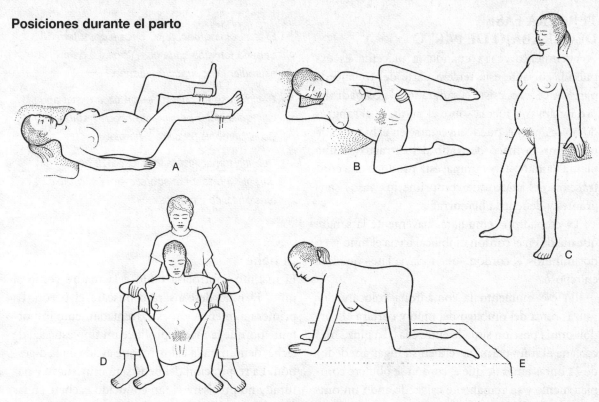

Las cinco principales posiciones durante el parto (véase descripción en el texto).

SEGUNDA FASE DEL TRABAJO DE PARTO

Ahora se acerca el fin; la espera está casi acabando. Puede haber un descanso entre la primera y la segunda fases, especialmente en un parto primerizo. Si esto sucede, descansen. La segunda fase empieza cuando el cérvix está completamente dilatado y termina con la salida del bebé.

Posición durante el parto

No hay una posición correcta o incorrecta para dar a luz. El instinto en combinación con la anatomía particular tomará esa decisión por usted (*véanse* los dibujos superiores). Las opciones principales son:

A   Tendida en decúbito semiprono sobre la espalda con los pies juntos y las rodillas separadas o los pies en estribos.

B   Tendida sobre un lado con la pierna situada arriba elevada.

C   De pie con las nalgas apoyadas en la cama.

D   En cuclillas utilizando las rodillas y los muslos de la pareja como los brazos de un sillón.

E   Con las rodillas sobre la cama o «a cuatro patas».

Puede utilizarse cualquiera de estas posiciones e intercambiarlas en función de cómo se sienta mejor.

RECOMENDACIONES

• *Escoja bien el ambiente. No hay nada correcto o equivocado.*

• *Siéntese a gusto con quien vaya a ayudarla. Si la abuela, la madre, la hermana o el lechero le dan apoyo, invítelos a estar presentes. ¡Sin embargo, no atosigue a la comadrona con tanta gente!*

• *Evite los monitores, excepto que exista alguna razón médica. La presencia del moderno equipo médico crea la sensación de que algo puede ir mal. Tanto el padre como la madre tienen sus propios miedos, en especial si es el primer parto y se lanzan a lo desconocido; además, si no hay un riesgo especial, así no hay que pedir a las comadronas que estén pendientes de los aparatos. Es mejor que atiendan la esfera psicológica.*

TERCERA FASE DEL TRABAJO DE PARTO

El nacimiento acaba cuando la placenta es expulsada durante esta tercera parte del trabajo de parto. A veces persiste el sangrado y la comadrona presionará con fuerza sobre el pubis. Si el sangrado no se detiene, puede inyectarse en el brazo de la madre un fármaco derivado del extracto de una planta llamado ergotamina; ésta produce una contracción del útero que comprime los vasos sangrantes y detiene la hemorragia.

La comadrona empujará suavemente la sangre que queda en el cordón umbilical hacia el niño y, en dos minutos, el cordón –que todavía late– quedará en reposo.

En ese momento la comadrona colocará dos pinzas cerca del ombligo del niño y cortará el cordón por la porción situada entre ellas. La pinza más cercana al niño permanecerá en su lugar alrededor de 24 horas antes de que el cordón se oblitere completamente y su remanente caiga, dejando un ombligo sellado o botón umbilical.

En ocasiones, se produce sangrado y, si éste es abundante, puede inyectarse ergotamina.

RECOMENDACIONES

- *Siga las instrucciones de la comadrona y, si hay algún problema, deje que los profesionales hagan su trabajo.*

Pinza umbilical

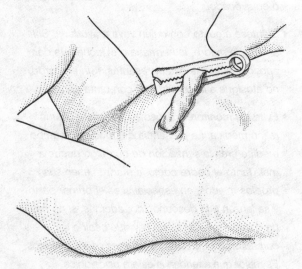

Colocación de la pinza umbilical.

- *El remedio homeopático Secale cornutum 30 debería tomarse cada hora (3 dosis) para estimular la contracción uterina.*

- *Rehidrátese en cuanto le apetezca tomar agua. Cualquier dolor persistente puede tratarse con Bellis perennis 30 cada 3 horas.*

- *Debería tomar Arnica 200 (cada 12 horas durante 3 días) para sobrellevar la inevitable tensión física y nerviosa.*

El bebé

El instinto controlará tanto a la madre como al niño. El niño descansará o buscará el pezón. La primera alimentación es extremadamente importante porque la madre produce un tipo especial de leche, denominada calostro, que ayuda en la digestión. La respiración del bebé será muy suave y natural y no precisará el tan conocido cachete en las nalgas. No es ésta una bonita manera de empezar una vida y hay que pedir a la comadrona que no lo haga. Hoy en día, la mayoría de las comadronas ni siquiera pensarían en ello, pero algunas reaccionarias pueden aún usar esta técnica.

RECOMENDACIONES

- *Amamante al niño lo antes posible pero no lo fuerce.*

- *Rechace el uso de antibióticos para los ojos del bebé y, preferentemente, cuando haya acabado su primera alimentación, exprima unas gotas de leche de los pechos sobre los ojos del recién nacido para limpiarlos.*

- *Hasta que se aclare la controversia, prescinda de la inyección de vitamina K. La forma inyectable de esta vitamina puede causar problemas y provocar una tendencia a la ictericia.*

- *Antes del parto ya existe un vínculo entre el bebé y su madre y, posiblemente, también con el padre al oír su voz. El tiempo que transcurran juntos en esta fase inicial es muy valioso.*

La primera tetada

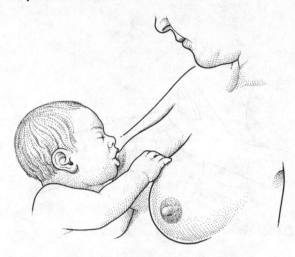

*El niño debe ponerse al pecho cuanto antes
después del parto.*

PROBLEMAS FÍSICOS
DESPUÉS DEL PARTO

La mayoría de los problemas físicos que pueden
producirse en el embarazo se describen en los
apartados correspondientes de este libro, ya que
éstos también pueden ocurrir en otras circunstancias. Por ejemplo, la mastitis es más habitual durante la lactancia, pero, dado que puede aparecer
en otros momentos, se describe en un apartado específico. A continuación se mencionan algunos
problemas que son específicos del posparto.

Episiotomía

A veces, se producen desgarros en el perineo simplemente porque el feto es demasiado grande y el
canal vaginal es demasiado pequeño. Una vez producidos, no puede hacerse gran cosa, pero sí favorecer el proceso ulterior de sanación. Más adelante se mencionan las técnicas apropiadas.

En ocasiones, es necesaria la episiotomía yatro-
génica («causada por el médico» o, en este caso, la
comadrona). El procedimiento consiste en la inyección de un anestésico local (aunque a menudo
no es necesario) y en una incisión quirúrgica
desde la vagina hacia un lado. Es un procedimiento sucio y sangrante que puede representar un
duro golpe para la madre y su pareja si no están
preparados. Si se realiza cuidadosamente, el área se
sutura después del parto y no causa complicacio-

nes. A veces es más seguro someterse a una episiotomía quirúrgica que sufrir un desgarro natural, si
bien se cree que éste cicatriza antes. Si se realiza
una episiotomía de cualquier tipo, tras el parto
deberían seguirse algunas recomendaciones.

RECOMENDACIONES

- *Realice baños de asiento calientes y fríos de
  forma alternada durante 2 minutos, 4 veces
  al día, hasta que la cicatrización sea completa.*

- *Aplique cremas de árnica o caléndula en el área
  afectada y practique irrigaciones de la cúpula
  vaginal con una solución diluida de extracto
  líquido de árnica o caléndula.*

- *Use el remedio homeopático Bellis perennis 6
  (4 píldoras 4 veces al día) hasta la cicatrización.
  Si al quinto día la herida no se ha cerrado
  completamente o persisten las molestias o
  la secreción, consulte al ginecólogo y al médico
  alternativo.*

Pezones dolorosos

Aunque el dolor en los pezones como consecuencia del rozamiento puede producirse en cualquier
época de la vida, los pezones dolorosos se asocian
más comúnmente con la succión.

RECOMENDACIONES

- *Mezcle una cucharada de aceite de oliva con
  el jugo de medio limón y aplíquelo 4 veces al
  día (limpiándolo cada vez antes de amamantar
  al bebé) ante el primer signo de dolor en el
  pezón. Si los pezones tienen tendencia a
  agrietarse, de modo profiláctico, debe repetirse
  el procedimiento 2 veces al día.*

- *Para los pezones agrietados son útiles los
  remedios homeopáticos Graphites o Silica,
  potencia 6, tomados cada 2 horas al principio
  y cada 4 horas cuando haya comenzado la
  cicatrización.*

- *Puede ser necesario exprimir la leche a mano
  o mediante un sacaleches para que el pezón
  cicatrice sin que la boca del bebé lo altere.*

• *Pueden usarse protecciones para el pezón (cubiertas de plástico transparente) hasta que el problema se resuelva.*

Musculatura abdominal

Más que ningún otro efecto, el embarazo produce un estiramiento de los músculos abdominales. Idealmente, el embarazo debería iniciarse con una buena musculatura abdominal para que ésta retornara con mayor facilidad a su estado previo al embarazo.

RECOMENDACIÓN

• *Practique gimnasia abdominal suave en el período inicial del embarazo y vuelva a estos ejercicios tan pronto como sea capaz después del parto.*

Mamas ingurgitadas

Las mamas pueden ingurgitarse por dos motivos: a causa de una producción de leche mayor de la requerida o por una retención de líquido en el tejido mamario, favorecida por los niveles de hormonas femeninas persistentemente altos.

RECOMENDACIONES

• *Asegúrese de que el bebé toma toda la leche que desea; el exceso de leche debe ser extraído a mano o con un sacaleches y puede mantenerse en la nevera hasta 12 horas. Esto permite que el padre tenga una oportunidad de alimentar al bebé y que la madre descanse.*

• *Bañe los pechos con agua caliente o aplique compresas calientes. Si el calor no produce una mejoría, tal vez consiga alivio aplicando cubitos de hielo envueltos en un paño.*

• *Los suplementos nutritivos pueden ayudar a disminuir la retención de líquidos y deben tomarse sin miedo de alterar la leche materna. La madre debería tomar los siguientes nutrientes: vitamina B_6, 50 mg; aceite de onagra, 1 g, 2 o 3 veces al día, y cinc, 15 mg antes de acostarse.*

Mamas ingurgitadas

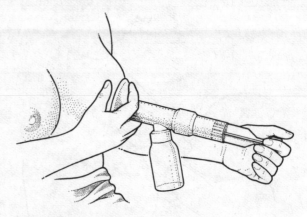

Extracción de la leche con un sacaleches

• *Pueden ser útiles los remedios homeopáticos Phytolacca 6 o Natrum muriaticum 6, tomados cada 15 minutos.*

• *La acupuntura y la fisioterapia pueden ser beneficiosos en situaciones recurrentes. Consulte con un médico alternativo.*

• *Se puede usar paracetamol como último recurso, pero debería tomarse después de alimentar al bebé, para que el organismo materno lo metabolice antes de la siguiente tetada.*

Estrías

El aumento del tamaño abdominal durante el embarazo puede estirar la piel y producir unas marcas similares a cicatrices.

RECOMENDACIONES

• *La mejor medida es la prevención. Para ello, aplique aceite de oliva con zumo de limón (medio limón exprimido con una cucharada de aceite de oliva virgen).*

• *Un suave masaje de modo regular puede aumentar el flujo sanguíneo y reparar las fibras elásticas sobreestiradas.*

• *Vuelva a sus ejercicios abdominales tan pronto como el niño haya nacido y usted se encuentre bien.*

> • Aplique una crema de árnica y caléndula (si no dispone de esta combinación, use cualquiera de ellas) 4 veces al día.
>
> • El aceite de vitamina E puede ser también beneficioso si se aplica con regularidades.

Lactancia natural

Muchas mujeres piensan que dar el pecho es difícil y desagradable y yo soy reticente a decirles «el pecho es lo mejor» a las madres que pudieran tener sentimientos de culpa o de minusvalía, pero...

La naturaleza ha diseñado la composición de la leche materna durante miles de años, en contraposición a la industria farmacéutica, que lo ha hecho durante los últimos 40 años. La leche materna contiene nutrientes bien equilibrados para un bebé.

Las fórmulas artificiales se acercan a la composición, pero la mayoría de ellas toman como base la leche de vaca, que es más difícil de digerir y, a pesar de su compleja composición, no contiene todas las sustancias de la leche materna.

La leche materna contiene, además, altos niveles de inmunoglobulinas, que son defensas de primera línea contra las infecciones del recién nacido. Por otra parte, no desencadena intolerancias o reacciones alérgicas. El eccema, el asma y la rinitis alérgica son menos frecuentes en niños que han recibido lactancia natural, y diversos estudios han demostrado que estos niños pueden tener un coeficiente de inteligencia ligeramente más alto. Los cólicos se asocian a menudo a reacciones alérgicas y, por lo tanto, los niños alimentados con leche materna pueden sufrirlos menos.

El vínculo entre la madre y el niño es más estrecho si el niño mama, y la lactancia natural es mucho más cómoda en cuanto a los viajes y al instrumental se refiere. La esterilización, por supuesto, no es un problema. Una ventaja aún mayor para la madre es el menor riesgo de padecer cáncer de mama.

Leche insuficiente

No es infrecuente que una madre perciba que su hijo tiene hambre tras la tetada. Esto se debe a menudo a una insuficiente cantidad de leche, que puede estar causada por deshidratación, deficiencias en la alimentación materna o, simplemente, al agotamiento de la mama.

RECOMENDACIONES

• Asegúrese de beber 2 litros de agua a lo largo del día.

• Siga una dieta equilibrada y consulte con un profesional de medicina alternativa los suplementos adecuados.

• Intente dormir la mayor cantidad de tiempo posible.

• La galega, una planta también llamada ruda cabruna, puede usarse en dosis de una cucharadita de extracto líquido 3 veces al día en leche endulzada con una cucharadita de miel. (La galega puede ocasionar bajos niveles de azúcar.)

Destete

No hay un tiempo establecido para el destete (dar al bebé unos alimentos distintos a la leche materna), pero una buena guía es hacerlo cuando al niño le resulta insuficiente la leche de la madre, lo cual se manifiesta porque no gana peso o se queda con hambre tras la toma.

Las mamas producirán todavía leche y se ingurgitarán, por lo que éste será un período bastante incómodo.

RECOMENDACIONES

• Si puede escoger, amamante al bebé al menos durante 4 meses después del parto.

• Reduzca una tetada diaria durante una semana.

• Vea la sección **Mamas ingurgitadas**.

• Intente obtener un poco de jazmín, ya sea en extracto líquido, aceite esencial o incluso la flor del jardín. Frote 3 gotas del aceite o del extracto o beba 3 veces al día una cucharadita del agua en que hayan macerado las flores durante un día.

EL PADRE Y LOS HERMANOS

En algún momento, el padre se dará cuenta de cuán inútil es durante el parto. Apretar y dar masajes en algunos puntos de acupresión no parece que sea compartir realmente la carga y el dolor que sufre la madre. Padres, no se desanimen demasiado. Cada pequeño estímulo ayuda y «estar allí» significa mucho.

Hoy en día, los hermanos están presentes en muchos partos; los beneficios de esta participación dependen mucho del carácter de cada niño en concreto. Un niño tímido o pequeño que no entienda el proceso no debería estar presente, porque la aparente angustia de su madre será muy difícil de comprender. Recuerden que los niños son muy egocéntricos y que los niños pequeños creerán que su madre tiene dolor por su causa.

Sin embargo, es importante presentar al recién nacido a sus hermanos cuanto antes. Es difícil imaginar que el amor es una emoción infinita y que el nuevo hermano no supondrá una menor cantidad de amor de la madre hacia los demás. La lógica los golpea y es muy importante que los hermanos sientan que el bebé es una parte de ellos, al igual que ellos lo son del padre y de la madre. De todas formas, el vínculo debería iniciarse pronto durante el embarazo y los niños deben ser presentados al bebé tan pronto como sea posible. Es inevitable que aparezcan celos y es importante no culpar a los hermanos mayores a causa de esta emoción.

RECOMENDACIONES

- *Involucre a los miembros de la familia desde el principio del embarazo y especialmente en el parto, si es posible.*

- *No involucre a niños tímidos o pequeños que probablemente no entenderán lo que sucede.*

- *Hay amor suficiente para todos. Siga repartiéndolo equitativamente.*

- *El recién nacido sufrirá muchos golpes en la vida, por lo que no sea demasiado crítica con una manipulación del niño aparentemente brusca por parte de sus hermanos. Acaba de pasar por un trauma y resistirá un empujón.*

DESPUÉS DEL PARTO

El primer mes después del parto es extenuante, tanto física como psicológicamente. Aunque suene cruel, debe recordarse que el embarazo es una infestación parasitaria y que el niño había acaparado muchos nutrientes de su madre mientras iba creciendo, y continuará haciéndolo mientras se alimente al pecho. La madre verá su sueño alterado y deberá adecuarse a un nuevo tipo de vida. La situación no diferirá, se trate del primero o del vigésimo hijo.

RECOMENDACIONES

- *Hable con familiares o amigos que hayan pasado antes por esta situación.*

- *Lea tanto como pueda sobre recién nacidos y compruebe que es una experiencia bien documentada, que todo lo que va a hacer ya ha sido hecho anteriormente y que hay alguien por ahí con suficiente experiencia para echar una mano.*

- *Altas dosis de vitaminas, preferiblemente en forma de alimentos naturales, junto con el seguimiento estricto de una dieta que incluya 5 raciones de verduras y fruta fresca al día, deben reponer su organismo en 2 semanas. Consulte con su médico alternativo si no se recupera en dicho plazo de tiempo.*

DEPRESIÓN POSPARTO

En cuanto el niño nace se produce un brusco descenso de los niveles hormonales y el subconsciente detectará que algo «malo» pasa. Las cosas son sencillamente distintas, pero el cerebro las traducirá en ansiedad o depresión. Hay una sensación de anticlímax cuando los padres advierten que el parto es el inicio de un largo compromiso para toda la vida y no meramente el final de un proceso de nueve meses. Las lágrimas vienen fácilmente; la ira y la irritación estarán a flor de piel, pero serán contrarrestadas por oleadas de gran alegría y las lágrimas desaparecerán. El padre tendrá los mismos sentimientos, pero sobre todo sufrirá el peso de los cambios de humor y de la depresión de la madre.

Esta situación debería pasar a los pocos días, y sólo si no ocurre en este tiempo puede hablarse de depresión posparto. Esta situación puede continuar durante años, sin ser reconocida o tratada. He visto pacientes que han tenido varios embarazos y han pasado décadas con depresión posparto sin saber qué les pasaba.

RECOMENDACIONES

- *Hable siempre libremente con un consejero psicoterapeuta sobre cualquier estado emocional indeseado, pero especialmente después de un nacimiento. Los familiares y amigos intentarán decir lo que creen que usted desea oír, y la solución de una depresión es más lenta de esta manera.*

- *Nunca acepte que «ya debería haberlo superado». Los cambios químicos pueden ser permanentes si no se reajustan.*

- *Consulte con un médico homeópata para obtener el remedio adecuado.*

- *Considere el uso de los remedios florales de Bach, prestando especial atención a los siguientes: alerce, pino, olmo, castaña dulce, sauce, estrella de Belén, roble y manzana silvestre. Son excelentes para la desesperación y el abatimiento. Si las emociones afectan a la responsabilidad, puede recurrir a la achicoria, la verbena, la vid, el haya y el agua de roca. Emplee unos minutos en leer algo al respecto en un buen manual y escoja lo más apropiado.*

- *Tome suplementos polivitamínicos y multiminerales en dosis diarias dobles a las recomendadas, porque la depresión puede asociarse a estas deficiencias.*

- *Tome fenilalanina en dosis triples a las recomendadas en el envase durante 3 días y luego reduzca la dosis a la mitad durante 2 semanas.*

- *La depresión persistente debería ser tratada por un médico alternativo y un psicoterapeuta (definitivamente, es preferible una mujer y, si es posible, que haya tenido hijos).*

- *Los estrógenos artificiales parecen ser beneficiosos tomados por vía sublingual. Antes de probarlos, asegúrese de haber explorado otros caminos y considere primero el uso de estrógenos naturales.*

INFANCIA Y NIÑEZ

INFANCIA Y NIÑEZ

En condiciones normales, los niños, y en particular los lactantes, tienen una notable capacidad de recuperación espontánea. Sólo en unas pocas circunstancias, por otra parte habituales en la infancia, se debe recurrir a la intervención médica. Sin embargo, un niño enfermo puede empeorar muy rápidamente. Unos padres hábiles serán aquellos que sepan distinguir entre las situaciones que pueden tratarse en casa y las que requieren atención médica.

Supongo que todos los profesionales de la medicina alternativa coincidirán conmigo en que nuestra preparación con respecto a los niños generalmente es deficiente. Agradezco mucho haber pasado un considerable período de tiempo en salas de pediatría, tanto cuando estudiaba en la facultad de medicina como después. Los principios del tratamiento de los niños son más o menos idénticos a los del adulto, pero el niño es mucho más sensible, especialmente a las medicinas alternativas y, además, su situación puede agravarse con rapidez. Los médicos que no tienen hijos o que carecen de conocimientos y experiencia en el trato con niños pueden subestimar la velocidad con que un niño puede desarrollar un problema grave. Es una paradoja para los padres: nos gustaría que nuestros hijos crecieran lo más libres de medicamentos posible, pero debemos ser cautelosos con los médicos alternativos puesto que pueden carecer de la experiencia necesaria. Desearíamos evitar la medicación, pero no errar el diagnóstico.

RECOMENDACIONES

- *No dude en obtener la opinión de un médico general experto o de un pediatra si su hijo no está bien.*
- *Una vez establecido que el niño no está gravemente enfermo, utilice tratamientos alternativos 24 horas antes de iniciar medicaciones ortodoxas.*

RECONOCIMIENTO DE UN NIÑO ENFERMO

Los padres, especialmente los primerizos, tienen a menudo la idea preconcebida de que los síntomas indican enfermedad y no recuperación. Un lactante que gimotea puede tener alguna molestia pero, como norma, no estará enfermo. En general, un lactante requiere tratamiento cuando:

- Está decaído.
- Duerme mucho.
- Rechaza el alimento.
- Está inactivo.
- Los síntomas persisten.

Un niño que presenta momentos de llanto e irritabilidad intercalados con períodos de normalidad probablemente se recuperará con rapidez. Los síntomas como la fiebre de hasta 37,8 °C, la nariz tapada y con mocos, la tos y la mayoría de las erupciones pueden parecer graves y preocupar a los padres, pero si el niño está activo, rara vez entrañan gravedad.

RECOMENDACIÓN

- *Ante la mínima duda, consulte a su médico.*

GENERAL

ACCIDENTES

Por definición, un accidente se supone que escapa a nuestro control y es algo que sucede por casualidad. Puede no ser siempre así. Un niño propenso a tener accidentes puede presentar una situación médica tratable. Por ejemplo, la mayoría de los accidentes de tráfico ocurren a primera hora de la mañana o dos horas después de comer; esto sugiere que la fatiga y la hipoglucemia (azúcar sanguíneo bajo) podrían favorecerlos. Ciertas dietas predisponen a la hipoglucemia, y los niños propensos a los accidentes quizá consuman demasiados azúcares refinados.

Los niños que se sienten presionados para realizar algo pueden forzar sus capacidades y su cuerpo para impresionar a la familia y los amigos exigentes, y esto puede tener repercusiones psicológicas. La hiperactividad, habitualmente relacionada con la dieta, hace pensar que «quien actúa precipitadamente, se arrepiente durante mucho tiempo». Éste es el caso de los traumatismos en los niños hiperactivos. La escasa concentración puede provocar accidentes y estar directamente relacionada con deficiencias e intolerancias alimentarias.

RECOMENDACIONES

- *En los niños propensos a los accidentes hay que reducir los azúcares y buscar el consejo dietético de un nutricionista experimentado. También puede ser necesario investigar intolerancias o alergias alimentarias.*

- *Si la dieta no es la causa, hay que solicitar la opinión de un psicólogo o un terapeuta especializado.*

- *Sospechar hipersensibilidad a aditivos o conservantes causantes de hiperactividad en niños propensos a accidentes.*

Para el tratamiento de accidentes específicos véanse las lesiones específicas en los apartados correspondientes de este libro.

ASFIXIA

La asfixia es la incapacidad de un individuo para respirar debido a la obstrucción de las vías respiratorias. Todo adulto debería aprender la técnica para reanimar a un niño (*véase* **Reanimación del lactante y del niño**).

CAÍDAS

Las caídas se producen, por supuesto, a cualquier edad, pero se incluyen en el capítulo de la infancia porque cuando son frecuentes o repetidas pueden reflejar problemas más importantes de pérdida de concentración, falta de coordinación o una propensión general a los accidentes (*véase* **Accidentes**).

Una caída puede provocar un hematoma, una fractura o un shock emocional, todo ello asociado quizás a pérdida de sangre y lesión de órganos internos. Cada uno de estos temas se trata en un apartado específico de esta obra.

La diabetes, la hipoglucemia y el uso de fármacos (prescritos o no) pueden provocar caídas.

RECOMENDACIONES

- *Toda lesión evidente, pérdida de conciencia o cambio de carácter en un individuo que ha sufrido una caída requiere la valoración de un médico.*

- *Las lesiones pueden tratarse con el remedio homeopático Arnica, potencias 6-12, cada 2 horas.*

- *Tras sufrir una caída grave debe consultarse inmediatamente con un osteópata, porque otras partes del cuerpo pueden descargar la tensión sobre la zona lesionada y provocar problemas posteriores.*

CRECIMIENTO
Retraso del crecimiento

El retraso del crecimiento en un niño puede presentarse en cualquier momento y se define como una talla o un peso por debajo de lo establecido, según las tablas de crecimiento (véanse gráficos de la página siguiente).

Es muy importante señalar que el tamaño de un niño puede depender de sus características genéticas, heredadas de sus padres. Un niño con padres bajos o delgados puede no presentar un desarrollo deficiente y es importante considerar este hecho al evaluarle. El crecimiento está condicionado por una correcta ingesta nutricional y también por diversas hormonas. Específicamente, los niveles de hormona del crecimiento (segregada por la hipófisis), de tiroxina y de insulina deben estar equilibrados. La malabsorción o malnutrición determina una falta de proteínas, vitaminas, minera-

Valoración del crecimiento

NIÑAS

NIÑOS

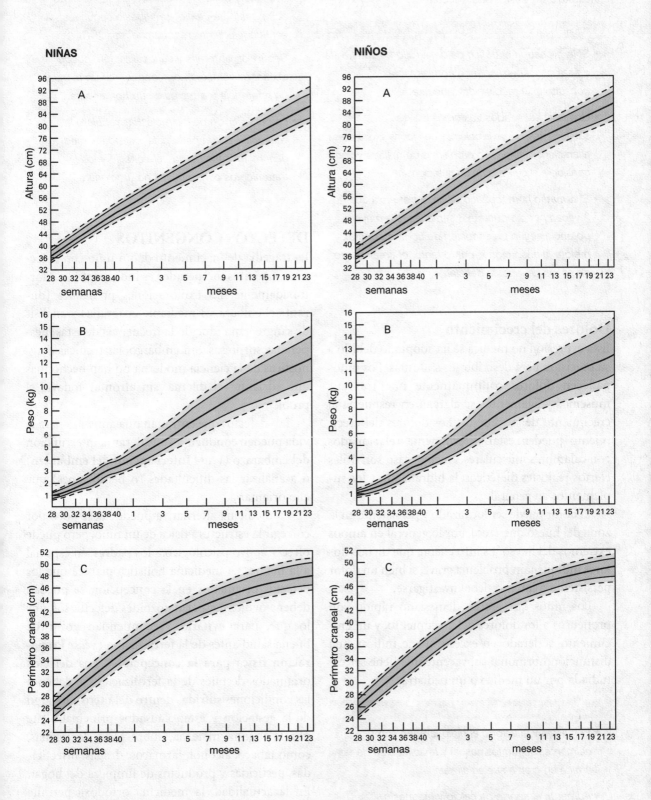

Los gráficos muestran las medidas ideales en altura (A), peso (B) y perímetro craneal (C) en niños y niñas durante los primeros dos años de vida.

les y oligoelementos en el niño, todos ellos esenciales para un desarrollo adecuado.

RECOMENDACIONES

- *Si le preocupa el déficit de desarrollo de su hijo o éste no se corresponde con las tablas, consulte a su médico de cabecera.*

- *Una vez descartados trastornos graves subyacentes, como problemas de hipófisis, diabetes, alteraciones tiroideas o problemas de malabsorción, considere el consejo de un nutricionista.*

- *El remedio homeopático Silica, a potencia 30, 2 veces por día durante 3 semanas (o a mayor potencia según prescripción de un homeópata), mejora la absorción y, por lo tanto, el crecimiento en casos de ingesta deficiente.*

Dolores del crecimiento

Esta expresión no médica se ha adoptado debido a su precisión para describir los síntomas. Los niños padecen dolores continuamente mientras sus músculos y ligamentos se alargan en respuesta al crecimiento de sus huesos. Los dolores del crecimiento pueden estar directamente relacionados con calambres musculares, en cuyo caso son útiles ciertos reajustes dietéticos, la hidratación y los suplementos en general.

El dolor puede ser localizado y persistente en la zona del hueso que crece, por lo general en ambos extremos del hueso. Es infrecuente que dichos dolores indiquen un problema grave, si bien un dolor persistente o intenso debe investigarse.

Los niños que crecen demasiado rápido son propensos a los dolores del crecimiento, y un crecimiento acelerado en exceso puede indicar una disfunción hormonal subyacente que debe ser estudiada por un médico o un pediatra.

RECOMENDACIONES

- *El masaje y el calor o el hielo (ambos son calmantes según los casos) y la aplicación de árnica en crema suelen aliviar.*

- *Aumente el aporte de calcio y magnesio mediante semillas de sésamo, nueces, verduras,*

pescado y pollo, o administre un suplemento compuesto de calcio y magnesio según las cantidades diarias recomendadas (CDR).

- *Según los síntomas y su localización, puede buscar un remedio homeopático en un manual de referencia o a través de un homeópata.*

- *La persistencia de las molestias requiere la valoración de un osteópata y acuda al médico general en caso de que el consejo y los tratamientos osteopáticos no funcionen.*

DEFECTOS CONGÉNITOS

La tragedia del nacimiento de un niño con defectos congénitos inesperados es indescriptible. Afortunadamente, las exploraciones prenatales (durante el embarazo) mediante ecografías y análisis de sangre han reducido la frecuencia de estas inesperadas sorpresas. Sin embargo, las técnicas diagnósticas de la ciencia moderna no han hecho más que adelantar el dilema, sin afrontar todavía el problema.

Los defectos que entrañan una amenaza para la vida pueden conducir a considerar la interrupción del embarazo (*véase* **Interrupción del embarazo**) o a analizar las dificultades (o bendiciones) que ello originaría.

La medicina alternativa puede hacer poco por corregir la estructura física de un niño, pero puede ofrecer apoyo psicológico a los padres, en especial a la madre. La medicina holística plantea que los defectos originados en la concepción se pueden deber a óvulos o espermatozoides defectuosos, por lo que, para evitarlos, recomiendan gozar de buena salud antes de la fertilización (*véase* **Preparación física para la concepción**). Los defectos originados después de la fertilización se deben a las condiciones sufridas dentro del útero a lo largo de la gestación y están causados principalmente por la ingesta materna, sobre todo de toxinas, como tabaco, alcohol, fármacos, drogas, insecticidas, pesticidas y productos de limpieza del hogar. En la actualidad, la medicina ortodoxa permite realizar complejas intervenciones dentro del útero capaces de corregir anomalías estructurales.

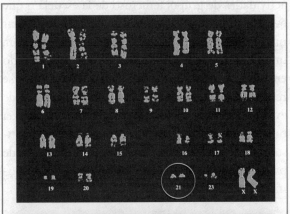

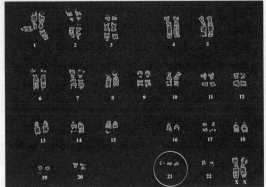

El síndrome de Down está causado por la presencia de un cromosoma extra (señalado con un círculo en las imágenes).

Los defectos bioquímicos, los déficit neurológicos y los problemas asociados con el período del embarazo o del parto en que han dejado de practicarse ecografías, son difícilmente detectables antes de que nazca el niño.

Problemas como el síndrome de Down, la espina bífida y otros se exponen en sus respectivos apartados en este libro. Las anomalías congénitas que causan retraso mental o del crecimiento son tan numerosas (y, afortunadamente, raras) que escapan del alcance de este libro. Sin embargo, en la medicina ortodoxa a menudo se describen los síntomas y se explica a los padres cuáles son las probabilidades de que aparezcan. Por ejemplo, la infrecuente afección conocida como síndrome de Angelman (causado por un defecto cromosómico) producirá epilepsia en el 80% de los niños afectos hacia los dos años de edad. La hiperactividad es otro síntoma principal de dicho síndrome. La medicina ortodoxa no ofrece explicaciones, pero una visión holística establecería la hipótesis de que a medida que el niño crece y recibe más influencias sensoriales, el sistema nervioso puede sobrecargarse. En cualquier caso, si el niño tiene tendencia a la hiperactividad, ello puede ser la causa de la epilepsia.

Presumiblemente, el 20% de los niños que no tienen ataques presentan algún mecanismo neuronal que inhibe la hiperactividad. No existen estudios que demuestren esta hipótesis, pero quizá la homeopatía, las plantas medicinales y los remedios de la medicina alternativa puedan estimular la secreción de serotonina, dopamina y otros mediadores químicos tranquilizantes que beneficien al niño y consigan que sea uno de esos cinco niños que no tienen ataques.

Las filosofías orientales, particularmente la religión hindú, tienen presente el concepto de karma. Quizá sea necesario que un individuo sufra discapacidades neurológicas o estructurales para que aprenda lecciones que lo acerquen a su Dios. De la misma manera que un aborto espontáneo puede ser una bendición otorgada por un espíritu que sólo necesitaba una breve encarnación, un niño con una minusvalía puede brindar a los padres muchas enseñanzas emocionales, desde afrontar la decepción, la ira y la frustración, hasta profundizar en el conocimiento, la responsabilidad y, lo más sorprendente, la felicidad.

A menudo, cuanto más grave es la discapacidad, más libre se ve el individuo de emociones negativas, como la ira, el odio o la culpabilidad. Pueden ser necesarias muchas vidas para alcanzar el estado de felicidad que el deficiente mental tiene como norma.

RECOMENDACIONES

- *Hay que someterse siempre a los estudios de embarazo. Las ecografías y los análisis de sangre son esenciales.*

- *Consulte con un profesional con experiencia en el trato con padres de niños con problemas congénitos. Hay suficientes apoyo, amor y pericia externos que no justifican luchar solo en esta batalla.*

- *Consulte con un médico alternativo experto para asegurarse de que la nutrición durante el embarazo y la nutrición del lactante son las óptimas (muchas dolencias se exacerban por deficiencias o toxicidad).*

- *Los remedios homeopáticos, tanto para los padres como para el niño, pueden incidir de modo importante en los problemas físicos y psicológicos.*

- *Dedique tiempo a un guía espiritual o religioso y aprenda el máximo posible sobre las dificultades que entraña un niño con defectos congénitos. Las lecciones pueden ser de muy diverso tipo.*

- *Investigue la presencia de pesticidas y otras toxinas en la sangre de ambos padres para determinar si han sido la causa de un defecto que pueda afectar a futuros a embarazos.*

DISLEXIA

La dislexia es una alteración en un individuo que ya sabía o se supone debería saber leer y entender las letras y los números. El coeficiente de inteligencia (CI) es normal, lo que diferencia este trastorno de los casos de lesión cerebral o CI bajo.

La dislexia pasa a menudo inadvertida. Se manifiesta desde en una leve incapacidad para diferenciar, por ejemplo, las letras p y q o los números 6 y 9, hasta en la dislexia transgresional entre la letra E y el número 3. El lenguaje es normal, pero hay transposición de palabras o letras en la escritura.

La dislexia no es por sí misma necesariamente un gran problema, pero sus consecuencias sociales, sobre todo si no se detecta, pueden ser devastadoras. Un niño puede sentirse ridiculizado en clase y llegar a aborrecer las letras y los números. No sólo afecta a los resultados académicos, sino que también puede conducir al rechazo social y a dificultades para forjar amistades. Los niños ridiculizados en clase pueden decidir no participar en los deportes por miedo a la humillación. Por lo tanto, pueden verse privados de los logros motores precoces, lo que empeora su posterior sentido de adecuación.

Todo padre que crea que su hijo es excesivamente tímido, introvertido, reticente a participar en actividades de grupo, temeroso de la escuela o que evita los libros y los números, debería sospechar una dislexia de inmediato. El ser humano presenta una notable capacidad de adaptación, y a menudo encontrará mecanismos de defensa, como volverse revoltoso en la escuela, que es una manera útil de evitar afrontar la dislexia. Por esta razón, la dislexia puede pasar inadvertida hasta edades tardías, incluso hasta la edad adulta. No obstante, nunca es tarde para utilizar con gran éxito los tratamientos disponibles.

RECOMENDACIONES

- *Hable con el maestro o el tutor del niño, que debería poseer un buen conocimiento de esta alteración.*

- *Existen pruebas de que ciertas deficiencias pueden causar o empeorar la dislexia. Consulte con un nutricionista los posibles cambios dietéticos y suplementos adecuados: aumente el consumo de cinc, lecitina y aminoácidos, intervienen en la neurotransmisión; sobre todo, evite la deshidratación.*

- *Se dispone de técnicas terapéuticas bien documentadas y, en casos graves, de una escolarización especial que permitirá al disléxico funcionar perfectamente bien en la sociedad.*

- *En todo niño que evita las letras y los números, es especialmente tímido o antisocial o tiene un mal rendimiento escolar, debería investigarse la dislexia. Cualquiera de estas características asociadas a la torpeza también debería investigarse.*

- *Es fundamental acudir a un psicólogo especializado en el tema, a través del médico de cabecera o de una asociación de dislexia.*

- *Se deben realizar programas especializados, ejercicios terapéuticos y técnicas de entrenamiento en unidades especiales, que los mismos padres deberían ser capaces de practicar en el hogar.*

- *Los tratamientos homeopáticos, escogidos según la constitución del niño, son potencialmente beneficiosos.*

ESCARLATINA

El nombre de esta enfermedad se debe a la coloración rojiza brillante que presentan los individuos que la padecen. Está causada por una infección estreptocócica y a menudo se asocia a dolor de garganta. Como el riesgo de que desencadene una fiebre reumática es pequeño, aunque puede suceder, las recomendaciones se incluyen en el apartado de fiebre reumática.

FIEBRE

La fiebre en un niño requiere más atención que en un adulto, porque si es persistente o muy elevada puede provocar convulsiones febriles (*véase* **Convulsiones**). La temperatura corporal normal a cualquier edad es de aproximadamente 36,7 °C.

Conocer la causa de la fiebre es un requisito para su tratamiento, aunque hay que recordar que la fiebre es una amiga. La mayoría de los virus y las bacterias son inhibidos por las temperaturas elevadas: ciertas reacciones químicas defensivas del organismo se llevan a cabo a mayor velocidad en presencia de fiebre y se sabe que las sustancias químicas producidas ocasionan fiebre. Suprimir la fiebre desde el interior es, por lo tanto, poco inteligente. Debería mantenerse fría la superficie externa del cuerpo sin interrumpir las reacciones químicas, lo cual posiblemente resulte menos perjudicial para el sistema inmunológico.

La fiebre puede ser un aviso precoz de una infección subyacente grave. Los niños con edad suficiente para expresarse por sí mismos pueden dar algunas pistas, pero los lactantes con fiebre alta persistente deben ser evaluados por un médico.

RECOMENDACIONES

- *Toda fiebre persistente, recurrente o muy alta requiere una consulta médica. El tratamiento específico, por ejemplo para una infección, debería iniciarse siguiendo criterios alternativos u ortodoxos.*

- *Deje al niño con ropa ligera si está sudando o quítesela si está seco.*

- *Aplique compresas frías en el cuello, el estómago y los tobillos.*

- *No se recomiendan las plantas medicinales en niños, excepto que se conozcan con certeza su potencia y calidad. Las preparaciones ortodoxas, como el paracetamol, para los niños deben administrarse si la temperatura es superior a 39 °C. En esta situación debe consultarse al médico.*

- *Recuerde que la fiebre es una amiga, para la curación y como señal de alerta, y como tal debe tratarse.*

- *El tratamiento homeopático debe dirigirse a los síntomas, y es preciso acudir a un manual homeopático. Preste especial atención a remedios como Aconitum, Arsenicum, Belladonna, Gelsemium y Mercurius.*

Fiebre reumática

La fiebre reumática se caracteriza por dolores articulares, fiebre y malestar general tras una infección estreptocócica, habitualmente de la garganta. Los dolores articulares se deben a una reacción (reacción antígeno-anticuerpo) entre la bacteria y los mecanismos de defensa del organismo.

El organismo reconoce la infección y envía anticuerpos para atacar las bacterias (antígenos); en algunos casos, esto desencadena una respuesta inflamatoria que afecta a las articulaciones y, a menudo, a las válvulas cardíacas. Estos complejos antígeno-anticuerpo pueden afectar al delicado tejido renal, por lo que un dolor de garganta acompañado de síntomas renales (*véase* **Dolor de garganta**) debe tratarse urgentemente.

El enfoque ortodoxo consiste en administrar antibióticos ante el primer signo de dolor de garganta estreptocócico, pero las medidas alternativas pueden ser igualmente efectivas. Si se sospecha afectación renal o cardíaca (dolores torácicos, latido cardíaco irregular o soplos cardíacos) el tratamiento debe considerarse urgente. Muchos médicos ortodoxos prescriben el uso prolongado de penicilina para evitar la reinfección de las válvulas cardíacas lesionadas. También deben administrarse antibióticos en caso de intervenciones quirúrgicas, incluidas las dentales.

RECOMENDACIONES

- *El dolor de garganta, en especial el de origen estreptocócico, no debe tomarse a la ligera y requiere un tratamiento alternativo inmediatamente (véase Dolor de garganta).*

- *Si se confirma la fiebre reumática, consulte con un médico homeópata, pero ya puede iniciarse el tratamiento con Streptococcinum 30 cada 4 horas.*

- *Administre los siguientes suplementos en dosis fraccionadas durante el día (indicadas por kilogramo de peso): vitamina A, 70 UI, o betacaroteno, 130 mg; vitamina C, 30 mg; vitamina E, 10 UI, y cinc, 350 mg antes de acostarse.*

- *Utilice equinácea (raíz seca), 15 mg/kg de peso. Tenga en cuenta que el extracto de polvo seco no es lo mismo que la raíz seca; en este caso, se debe administrar la cuarta parte de la dosis.*

- *Asegúrese de que la hidratación sea adecuada, especialmente si hay afectación renal.*

- *Ante la menor sospecha de lesión crónica de las válvulas cardíacas (según diagnóstico médico) acuda a un especialista para que le aconseje una cobertura herbaria u homeopática a lo largo de la adolescencia como alternativa al uso diario de penicilina. Más de dos ataques a pesar de ese tratamiento, justifican el uso profiláctico de antibióticos para prevenir daños graves. Si éste es el caso, consulte con un especialista en medicina alternativa los efectos secundarios de estos fármacos (véase Antibióticos).*

ICTERICIA DEL RECIÉN NACIDO

La ictericia del recién nacido es frecuente en los neonatos en los primeros cinco días de vida y suele desaparecer durante las primeras dos semanas. Esta ictericia se debe al desarrollo incompleto de las vías metabólicas de las células hepáticas que determinan una disminución de la capacidad de unir la bilirrubina (uno de los productos de desecho de las células sanguíneas) con un ácido determinado. En condiciones normales, una vez que se ha producido esta unión, los productos de dese-

cho pasan a la vesícula biliar y se expulsan con la bilis, confiriendo a las heces su color marrón característico. Si este proceso no se lleva a cabo, la cantidad de bilirrubina aumenta y refluye al torrente sanguíneo, se deposita en el organismo y provoca la coloración amarillenta de la piel.

Esta ictericia es habitualmente leve y autolimitada y no provoca síntomas molestos para el recién nacido, pero en ocasiones puede mostrarse persistente. Los recién nacidos prematuros son más propensos a presentar una ictericia más grave y prolongada que puede conducir a una situación denominada «kernicterus». Ésta es una afección neurológica grave, incluso mortal, causada por la degeneración de las células nerviosas cerebrales debido al efecto tóxico de la bilirrubina.

Otro trastorno grave que provoca ictericia en el recién nacido es la eritroblastosis fetal, que tiene lugar cuando en la sangre del neonato existe un anticuerpo materno que ataca sus propios glóbulos rojos.

Véase también **Ictericia** en el capítulo 5.

RECOMENDACIONES

- *Un lactante ictérico suele ser evaluado antes de que abandone el hospital. Los que desarrollan la ictericia después de llegar a casa o tras un parto domiciliario deben ser reconocidos por un pediatra.*

- *El tratamiento sólo es necesario en situaciones graves, en cuyo caso debe consultarse a un homeópata experimentado.*

- *Un recién nacido ictérico puede estar afectado por una incompatibilidad sanguínea. El pediatra establecerá el diagnóstico mediante un análisis en el hospital. No suele ser necesario el tratamiento, pero el recién nacido permanecerá ingresado y puede requerir una transfusión sanguínea.*

- *Consulte con el pediatra con respecto a futuros embarazos.*

- *El lactante debe recibir los remedios homeopáticos Lycopodium 30 y Ferrum metallicum 30 en forma líquida, alternativamente cada 3 horas durante el inicio de la enfermedad y 2 veces al día durante 2 semanas tras su recuperación.*

INCOMPATIBILIDAD SANGUÍNEA ABO Y RHESUS

Al nacer un niño ictérico es posible que se informe a los padres de que madre e hijo tienen tipos sanguíneos incompatibles. Esto se debe a dos situaciones conocidas como incompatibilidad sanguínea ABO y Rhesus, que se producen cuando las células sanguíneas del feto son diferentes de las de la madre y algunas de aquéllas pasan a través de la placenta al torrente sanguíneo materno.

Los mecanismos de defensa maternos las reconocen como un cuerpo extraño y forman anticuerpos contra ellas. Estos anticuerpos pasan de nuevo a través de la placenta y atacan a las células sanguíneas del niño. Cabe destacar que esto no constituye un gran problema para el primer hijo, pero los siguientes fetos con un grupo sanguíneo distinto del de la madre se encontrarán en el útero de un individuo cuyo sistema inmunológico está preparado para atacar sus glóbulos rojos. Por este motivo es tan importante conocer el grupo sanguíneo materno.

La mayoría de la gente conoce los grupos sanguíneos A, B y O. Si uno es del grupo A, tendrá anticuerpos del grupo B, y viceversa. Si un individuo pertenece al grupo O se dice que es donante universal, lo que significa que puede donar sangre a cualquiera.

El grupo O tiene ambos anticuerpos, A y B, pero la cantidad que pasa en una transfusión es mínima. Las personas del grupo AB son las denominadas receptores universales puesto que no tienen anticuerpos A ni B. Para complicar más las cosas, existe otra proteína principal de los glóbulos rojos, denominada factor Rhesus, que puede tenerse (Rhesus positivo) o no (Rhesus negativo). Si un recién nacido tiene factor Rhesus pero su madre no, ésta formará anticuerpos contra esta proteína de las células sanguíneas y, como se ha mencionado antes, las atacará.

La incompatibilidad Rhesus es un hallazgo muy frecuente y se trata administrando a la madre una inyección con una dosis elevada de proteína Rhesus después de nacer el niño. Los anticuerpos maternos atacarán la proteína y, efectivamente, la «limpiarán». Esta inyección, conocida como suero anti-D, puede administrarse antes de que se produzca un nuevo embarazo o en cuanto éste se inicie, en un intento de proteger al feto. En general, es un procedimiento eficaz, aunque pueden surgir problemas.

RECOMENDACIÓN

- *Consulte sobre el suero anti-D con las comadronas y el pediatra. Existe cierta preocupación sobre la seguridad de su proceso de elaboración con respecto a la transmisión de infecciones como la «enfermedad de las vacas locas», el sida o la hepatitis. Esto no se ha tenido en cuenta hasta hace muy poco tiempo y puede adquirir mayor importancia en un futuro próximo.*

INSOMNIO

En el capítulo 5 se analiza en detalle el insomnio (*véase* **Problemas del sueño**), aunque en los niños éste rara vez es un proceso patológico.

La mayoría de los lactantes y niños duermen lo necesario, aunque su patrón puede no coincidir con el paterno. Un bebé puede comer cada dos-tres horas durante la noche y, durmiendo períodos de dos-tres horas durante el día, tiene cubierta su

Compatibilidad del grupo sanguíneo

	A	B	AB	O
A	✔	✘	✘	✔
B	✘	✔	✘	✔
AB	✔	✔	✔	✔
O	✘	✘	✘	✔

cuota de sueño necesaria (de hasta 16 horas) y es perfectamente normal. Esto puede dejar a los padres agotados y a menudo convencidos de que su hijo no duerme.

En el insomnio influyen los cólicos y la ingesta inadvertida de estimulantes, ya sea por una alergia alimentaria o porque la leche materna contiene cafeína u otros estimulantes –como drogas, si la madre las toma–.

RECOMENDACIONES

- *Las causas más frecuentes de patrones de sueño alterado en el lactante son el hambre, el cólico o la incomodidad –por ejemplo, por un pañal sucio–; por lo tanto, cambie, alimente y reconforte al niño.*

- *Asegúrese de que el ambiente no está demasiado caliente ni demasiado frío y que las ropas de cama del niño son las adecuadas para la temperatura ambiente. Es evidente que un edredón en verano o una sábana en invierno no serán apropiados.*

- *Recuerde que los lactantes y niños están constantemente aprendiendo y que si los padres responden ante su más mínima queja se les estará enseñando un modo incorrecto de atraer la atención. Si le parece que el niño está aprovechándose de la ansiedad de los padres, déjelo llorar durante 5 minutos, después consuélelo hasta que se calme y salga de la habitación. La próxima vez, espere 10 minutos. Repita la operación y verá que el niño cae dormido mientras gimotea. La experiencia se adquiere deprisa y la mayoría de los padres conseguirán diferenciar un llanto para llamar la atención de uno asociado a un verdadero problema.*

- *Los padres deberían alimentar a su hijo antes de irse a la cama, aunque para ello haya que despertarlo.*

- *Paradójicamente, un lactante o un niño demasiado cansado puede dormir mal. Intente ponerlo en la cama unos 15 minutos antes y es posible que duerma más tiempo. Si este truco no funciona, use el sentido común y deje que se quede un rato más.*

- *Si el niño está irritable puede calmarse con el remedio homeopático Chamomilla, especialmente si le están saliendo dientes. Coffea 6 (3 dosis empezando una hora antes de acostarse) puede ser útil en el niño hiperexcitado.*

- *En niños mayores de 2 años, Nux vomica 200 durante 3 noches consecutivas, seguido al cabo de una semana de Sulphur 200, ¡puede ser un remedio mágico! Si el niño responde a cualquiera de las dosis de Nux vomica, posponer Sulphur hasta que vuelva a alterarse el patrón de sueño. Este proceso puede repetirse hasta una vez al mes pero, si no responde, consultar con un homeópata para un remedio más específico.*

- *El té de manzanilla, si es necesario endulzado con un poco de miel, puede tener cualidades soporíficas.*

- *No acueste al niño durante las 2 horas siguientes a la última comida (en caso de los lactantes o de que el niño se duerma después de comer, por supuesto no lo despierte) y evite las actividades intensas o excitantes durante ese período.*

LENGUAJE

La capacidad de hablar es la combinación de la coordinación anatómica y la neurológica junto con respuestas aprendidas. Desde la edad más temprana posible los padres deben «enseñar» a los niños a relacionar objetos con palabras. A medida que el niño crece se desarrollan las complejidades del lenguaje y se adquieren conceptos como verbos y adjetivos.

Desarrollo del lenguaje

Durante el primer mes de vida, el bebé se comunica mediante sonidos guturales y lloros. A partir del segundo mes el lactante empieza a vocalizar, haciendo arrullos y sonidos vocálicos, pero continúa comunicándose principalmente mediante el llanto.

Al tercer mes se observa un intento de comunicación mediante breves chillidos dirigidos a un individuo. Aparecen los sonidos consonánticos y el niño es capaz de repetir combinaciones de sílabas. En este momento el niño obtendrá cierto placer de las vibraciones de sus labios y estará entusiasmado con sus gorjeos.

A los cuatro-cinco meses empezará a mantener largas «conversaciones» combinando sonidos vocálicos y consonánticos. El balbuceo del niño aumentará, especialmente si se le habla.

A los seis-siete meses se produce un incremento de la fonética. El niño empezará a balbucear mientras está realizando una tarea sencilla o se le hacen cosas como vestirlo.

A partir del séptimo mes el niño empezará a vocalizar para llamar la atención y a hablar más alto si no se le hace caso.

Alrededor de los ocho-nueve meses aparecerán las primeras palabras. Papá y mamá suelen ser las primeras (padres, ¡no os ofendáis si el niño dice primero el nombre de vuestra pareja!; es realmente más fácil decir «mamá» que «papá» y, a menudo, el niño la oye muchas más veces en los primeros meses de vida). A los 10-15 meses el niño empezará a construir frases de una o dos palabras con sentido: «Papá está» y «Más leche» son ejemplos habituales.

De los quince meses a los dos años, los avances son evidentes, aparecen frases con sentido. «Mira el pajarito» y «Oso en el suelo» son claros ejemplos de que el niño utiliza el lenguaje correctamente.

Entre los dos y los tres años se forman frases completas y, en fases posteriores será posible una conversación.

A partir de los tres años, la egocentricidad del niño crece y aumenta el uso de los términos «yo» y «a mí».

Cualquier problema en la audición o la visión impedirá este desarrollo, pero hay que recordar que estas edades son orientativas y que debe aceptarse un margen de dos-tres meses antes de catalogar al niño como adelantado o retrasado en este ámbito.

RECOMENDACIONES

- *Si su hijo no sigue las pautas básicas mencionadas, consulte a un pediatra para evaluar la audición, la visión y la capacidad mental.*

- *La medicina ortodoxa puede infravalorar la importancia de deficiencias nutricionales en el desarrollo. Debería considerarse un preparado multivitamínico y mineral tras retirar el biberón o el pecho.*

- *Mantenga una constante y perfecta comunicación entre los aspectos visual y verbal durante esos precoces años formativos.*

- *No critique a un niño si no consigue pronunciar correctamente o no llama las cosas por su nombre. La crítica puede causar introspección y timidez a estas edades precoces, mucho más que en fases posteriores.*

Desarrollo del lenguaje

Gu, ra — 3 meses

Ga-ga — 6 meses

Papá, mamá — 9 meses

Mira el gato — 15 meses

Falta de fluidez y tartamudeo

La falta de fluidez es una alteración del lenguaje caracterizada por titubeos involuntarios, repetición de palabras o de trozos de palabras, transposición o mala pronunciación de ciertas consonantes o una combinación de cualquiera de estos defectos. El tartamudeo es un trastorno del lenguaje caracterizado por la incapacidad intermitente para pronunciar un grupo fonético de una sílaba sin repetirlo, esforzándose por superarlo.

El tartamudeo es habitual en los niños hasta los cinco años, pero si persiste más allá de esta edad, en la mayoría de los casos provocará dificultades en la edad adulta. Alrededor del 1% de los adultos presentan falta de fluidez o tartamudeo. Suele ser un trastorno familiar y es más frecuente en los varones y en los zurdos.

La falta de fluidez o el tartamudeo en el niño suele ser un hábito y muy a menudo se asocia al estrés. Su inicio en la edad adulta generalmente indica lesión o enfermedad del sistema nervioso central.

Todo el mundo puede tartamudear cuando se encuentra en una situación de tensión debido a que los músculos del cuello y, en especial, las cuerdas vocales se tensan, siendo menos controlables en circunstancias embarazosas o difíciles. Esto no supone un problema a menos que interfiera en la vida social, en cuyo caso requiere tratamiento.

RECOMENDACIONES

- *La aparición de cualquier problema del lenguaje en la edad adulta requiere la evaluación de un neurólogo.*

- *El consejo de un experto en el tema, quien también debe tratar con los padres, puede ser beneficioso para el niño. En edades posteriores deben enseñarse técnicas de relajación y meditación.*

- *Pueden usarse numerosos remedios homeopáticos, en función del tipo de problema de lenguaje. Tenga presentes los remedios Stramonium, Agaricus muscarius, Cuprum y Arsenicum. El remedio adecuado a la potencia 30, tomado 3 veces por día durante una semana, puede ser muy beneficioso.*

- *El déficit de cinc puede ser importante y debe contrarrestarse mediante el aporte de 350 mg/kg de peso, cada día antes de acostarse durante 2 semanas. Si el problema se resuelve pero reaparece, hay que considerar que existe una*

carencia de cinc en la dieta o una malabsorción. Acuda a un experto en nutrición.

- *Realice pruebas de toxicidad por metales. Se ha demostrado que el cobre y el plomo son perjudiciales y otros metales tienen efectos similares.*

- *El remedio floral de Bach Trumpet Vine es útil para las dificultades del lenguaje cuando se habla en público.*

MAREOS POR VIAJES

Los mareos por viajes ocurren a cualquier edad pero son más molestos en los niños. El ser humano no ha sido diseñado para viajar a mayor velocidad que la que permiten sus piernas, por lo que el uso de animales y máquinas para el transporte a mayor velocidad no encaja en el sistema nervioso del hombre. El movimiento de objetos pasando a gran velocidad, combinado con el movimiento irregular en el conducto vestibular o en el centro del equilibrio del oído medio, provoca un tipo de impulsos neurológicos extraños e inesperados en el cerebro. La respuesta es el intento de detenerse, y una buena manera de conseguirlo es sentirse enfermo. A medida que uno crece, se acostumbra a los viajes, el cerebro acepta que no se trata de una situación peligrosa y, por lo tanto, la necesidad de las náuseas disminuye.

RECOMENDACIONES

- *Véase* **Náuseas**.

- *Persevere en los viajes puesto que el cuerpo y el cerebro acabarán por acostumbrarse.*

- *El remedio homeopático Cocculus indicus 6 puede tomarse cada 15 minutos durante el viaje y cada 2 horas antes de su inicio, empezando el día antes. Otros remedios incluyen Tabacum y Rhus toxicodendron.*

- *Evite los olores fuertes de comida o tabaco durante el trayecto y procure respirar aire fresco.*

ORDENADORES DOMÉSTICOS

Hoy en día, los ordenadores se encuentran al alcance de todos los niños, tanto en la escuela como en casa; por ello se debe estar alerta ante los posibles problemas asociados a estas máquinas, unos problemas que todavía no están bien documentados.

Al igual que los televisores, los ordenadores emiten una radiación que puede ser dañina. Se sabe que la intensidad del uso y el tiempo empleado ante el ordenador pueden determinar problemas de visión, dolores de cabeza y síntomas psicológicos como depresión, pérdida de concentración e insomnio.

La radiación emitida por los ordenadores procede de toda la máquina, no sólo del monitor. Usar un protector de pantalla puede ser beneficioso para el usuario, pero inútil para quienes están cerca.

RECOMENDACIONES

- *Asegúrese de que la posición de la pantalla es la adecuada en relación con el asiento para evitar problemas posturales y estructurales.*

- *Asegúrese de que la luz natural incide sobre los ojos colocando el ordenador de espaldas a la ventana.*

- *Emplee una pantalla que reduzca las emisiones del ordenador.*

- *Procure utilizar el ordenador durante períodos cortos, de hasta media hora, con intervalos de descanso de por lo menos 10-15 minutos.*

- *Sitúese lo más lejos del ordenador que su visión le permita.*

- *Las personas que utilizan continuamente ordenadores deberían tomar a diario suplementos antioxidantes adecuados para contrarrestar la producción de radicales libres causada por la radiación.*

- *Véase* **Radiación**.

PAROTIDITIS

La parotiditis es una infección vírica que afecta a varias glándulas del organismo, sobre todo las glándulas salivales submandibulares y la glándula parótida, situada por delante del oído. Es una enfermedad infecciosa que se contagia por la tos, los estornudos y el contacto físico; es más frecuente en época de calor y a veces cursa con fiebre. Habitualmente, la infección confiere inmunidad de por vida. En niños sanos la parotiditis representa un problema breve, puesto que suele durar unos diez días, durante los cuales es contagioso. Por desgracia, la parotiditis tarda dos-cuatro semanas en manifestarse, período durante el cual el niño probablemente disemina la enfermedad.

Las complicaciones son raras, pero cuanto mayor es el individuo, mayores son las probabilidades de infección de testículos, cerebro o páncreas, lo que conlleva consecuencias muy graves.

La medicina ortodoxa recomienda la vacuna sistemáticamente, pero deberían tenerse en cuenta ciertas consideraciones generales antes de su administración (*véase* **Vacunaciones**).

RECOMENDACIONES

- *Véase* **Fiebre**.

- *En un manual homeopático de referencia consulte las indicaciones sobre los remedios homeopáticos Belladonna, Aconitum, Mercurius, Hepar sulphuris calcarium y Phytolacca. Deben administrarse a una potencia 6 cada 2 horas en la fase aguda.*

- *Si un individuo ha estado expuesto a la parotiditis, administre como prevención el remedio homeopático Parotidinum 30, 2 veces al día durante 2 semanas.*

- *Evite los alimentos aromáticos que estimulan la salivación (aumentan el dolor).*

- *Administre un suplemento multivitamínico (vitamina C y betacaroteno) en dosis triples a las cantidades diarias recomendadas según la edad o el tamaño del niño.*

POLIOMIELITIS

La poliomielitis es una enfermedad vírica habitual que suele tener un curso asintomático o leve, caracterizado por síntomas del tracto respiratorio superior y gastrointestinales. El virus puede progresar y afectar al sistema nervioso central provocando la parálisis.

En la actualidad, y desde hace varios años, no se registran casos de poliomielitis en Europa Occidental; sí se dan en América Central y del Sur, Asia y África. Como la mayoría de las enfermedades transmisibles, se contagia a través de la tos, pero también por vía fecal-oral (un portador del virus de la poliomielitis en el intestino puede preparar comida sin haberse lavado las manos después de defecar). Otros vectores son las moscas y las aguas fecales contaminadas.

En el mundo occidental se dispone de vacunas contra la poliomielitis, pero en la mayoría de las personas el propio sistema inmunológico es la única defensa. Como en toda enfermedad contagiosa, el estado de salud previo es un factor decisivo para superar la poliomielitis y adquirir inmunidad de por vida o, por el contrario, resultar afectado y padecer el temido resultado neurológico.

El 95% de los infectados presentan una poliomielitis subclínica. El sistema inmunológico gana la batalla y la infección pasa inadvertida. Esta forma se caracteriza por un cuadro leve inespecífico de tos y síntomas gripales o síntomas gastrointestinales tipo diarrea.

La forma no paralítica es un cuadro de tipo meníngeo (*véase* **Meningitis**) que cursa con fiebre, cefalea y rigidez de nuca. Menos del 10% de niños afectados pueden sufrir una parálisis, que se inicia con cefaleas, malestar general y dolor muscular. Puede aparecer fiebre, rigidez de nuca y debilidad muscular. Posteriormente, aparecen dolor muscular importante, parálisis de las partes afectadas y, si hay alteración cerebral, dificultad para deglutir y hablar. En el peor de los casos puede producirse parálisis respiratoria, con sus complicaciones secundarias (esto supone el 5% de los casos). Incluso en caso de parálisis muy graves es posible la recuperación en un par de años. Sólo en casos excepcionales la parálisis es permanente.

RECOMENDACIONES

- *Véase* **Vacunaciones**.

- *Véanse* **Gripe** *y* **Herpes simple**, *puesto que los consejos antivíricos básicos para estos procesos son también recomendables para la poliomielitis.*

- *En caso de que vaya acompañada de meningitis, véase* **Meningitis**.

- *Tan pronto como se establezca el diagnóstico, será útil para la recuperación el remedio homeopático constitucional Lathyrus 30, 4 veces al día, hasta que se inicie un tratamiento más adecuado.*

- *En la fase de convalecencia han resultado beneficiosos la osteopatía, la quiropraxis, el rolfing y el método de Feldenkrais.*

- *Si queda una parálisis residual, deberían valorarse la técnica de Alexander, la terapia de polaridad, el yoga y el chi kung.*

- *También pueden emplearse la terapia de marma y la neuroterapia, ramas de la terapia física ayurvédica.*

PUBERTAD

La pubertad es el período en que los órganos sexuales adquieren la capacidad de realizar su función reproductiva. Los aumentos de andrógenos (hormonas masculinas, entre las cuales la más conocida es la testosterona) y de hormonas femeninas (sobre todo estrógenos y progesterona) determinan los cambios de los caracteres sexuales. En el varón, la voz se vuelve más grave y aumenta el desarrollo muscular, especialmente alrededor de los hombros. Las erecciones son más frecuentes y el orgasmo puede seguirse de eyaculación. Las chicas empezarán con las reglas y presentarán contornos redondeados, sobre todo en las caderas. Los pechos comienzan a desarrollarse a mayor velocidad.

Pubertad retrasada

El momento en que se producen estos cambios suele ser entre un año antes o un año después de la edad de inicio de la pubertad en el progenitor del mismo sexo. Un retraso de más de dos años o la ausencia de pubertad a los 15 años se denomina pubertad retrasada. Las enfermedades crónicas o el uso de corticoides en procesos como el asma pueden retardar la pubertad.

RECOMENDACIONES

- *Si no se ha iniciado la pubertad a los 15 años, consulte con un médico, quien quizá remita al niño a un especialista pediátrico.*

- *Consulte a un homeópata para administrar el remedio constitucional adecuado.*

- *Si no existe una enfermedad subyacente, acuda a un naturópata para descartar déficit nutricionales a través de análisis de sangre y cabello, y corregirlos, si procede.*

- *Considere algún tipo de terapia, preferiblemente terapia artística, puesto que este retraso puede provocar una notable falta de autoestima en un momento muy importante para el desarrollo de la personalidad. Además, ofrezcan todo su apoyo como padres y no menosprecien las ansiedades del niño.*

Pubertad precoz

Si aparecen signos de pubertad precozmente, deben descartarse algunos problemas. Se ha establecido, de modo arbitrario, que el inicio de la pubertad antes de los ocho años en las niñas y de los diez en los niños requiere la evaluación de un especialista pediátrico. Se trata de niños con una madurez física y mental superior a la propia de su edad, lo que puede ser simplemente un desarrollo normal aunque precoz.

Es posible que «genios» musicales o matemáticos hayan sido sólo niños que desarrollaron unas facultades antes de lo esperado de acuerdo con la edad. No debe considerarse una enfermedad. Sin embargo, puede haber un rechazo social que debe ser evaluado.

Aunque excepcionales, algunos tumores de la hipófisis producen hormonas que estimulan el crecimiento precoz o excesivo (*véase* **Acromegalia**), pero este cuadro puede descartarse mediante análisis de sangre y, si es preciso, una tomografía cerebral.

RECOMENDACIONES

- *Un crecimiento excesivo o cualquier otro signo de desarrollo precoz debería ser evaluado por un médico adecuadamente cualificado o por un pediatra.*

- *Debe ofrecerse apoyo moral a los padres cuyos hijos son diferentes de sus compañeros. Puede utilizarse un asesoramiento psicológico, especialmente el basado en la terapia artística.*

- *Las reglas precoces en las niñas entrañan el riesgo de déficit de hierro y proteínas, inhibiendo el crecimiento. Un desarrollo acelerado suele asociarse a un aumento del apetito, pero deben recomendarse alimentos ricos en proteínas, vitaminas, minerales y oligoelementos, y administrar suplementos si el niño es caprichoso con la comida.*

- *Consulte con un homeópata para un remedio constitucional.*

RESFRIADOS

Los resfriados, así llamados debido a la incorrecta presunción de que son causados por el clima frío o por enfriarse, son infecciones causadas por uno de los aproximadamente 120 virus conocidos como rinovirus (del latín *rhinus*, nariz).

De hecho, el resfriado propiamente no existe; se trata de un conjunto de síntomas: dolor de cabeza, dolor en los senos paranasales, secreción, obstrucción de la nariz o molestias nasales, dolor de garganta, tos, malestar, letargia y cansancio. El resfriado es, por lo tanto, una combinación de numerosos síntomas.

Estamos más lejos de encontrar la curación del resfriado común que la del cáncer, y sospecho que así seguiremos porque los virus del resfriado mutan y cambian y nuestro sistema inmunológico no actúa tan deprisa, por lo que no es una lucha fácil. Es interesante el hecho de que a medida que envejecemos nos resfriamos menos, porque nos vamos inmunizando frente a estos 120 rinovirus.

Los resfriados raras veces requieren una intervención médica, si bien puede ser necesario el consejo de un homeópata sobre el tratamiento correcto o la consulta con el médico de cabecera en caso de resfriados demasiado frecuentes o recurrentes (para descartar un problema subyacente).

Los resfriados son un método del organismo para desencadenar el mecanismo de defensa estacional y deberíamos esperar y «disfrutar» del resfriado al inicio del invierno y al llegar la primavera.

RECOMENDACIONES

- *Consulte en un manual de homeopatía las características de los siguientes remedios homeopáticos: Allium cepa, Gelsemium, Byronia, Pulsatilla, Dulcamara y Mercurius. Una vez escogido el remedio, utilice la potencia 6 cada 2 horas.*

- *Tome con las comidas cantidades elevadas de vitaminas C y A, bioflavonoides, cinc y magnesio (el doble de las dosis recomendadas en el prospecto). El cinc debe tomarse al acostarse y debe administrarse en dosis de 350 mg/kg de peso.*

- *La equinácea debe administrarse en las dosis recomendadas en el prospecto.*

- *Pueden tomarse infusiones de jengibre (con limón y miel), elaboradas con raíz de jengibre fresca (1 cm desmenuzado) y agua caliente; también es bueno hacer vahos con los vapores de esta cocción.*

- *Evite el ejercicio intenso. La idea de que hay que sudar el resfriado es incorrecta.*

- *Asegure una buena hidratación bebiendo el doble de agua de la habitual. Las mucosidades y el sudor duplican la pérdida insensible de agua.*

- *Un buen caldo de gallina repone líquidos y proporciona proteínas. Además, el cartílago de pollo parece tener un efecto antivírico.*

- *El lavado nasal con soluciones salinas puede acelerar la descongestión y la eliminación de virus.*

- *No utilice fármacos descongestionantes inhalados ni por vía oral, porque detienen la destrucción del virus por parte el sistema inmunológico y aumentan las posibilidades de infecciones más graves, como infecciones del oído, laberintitis, sinusitis e, incluso, meningitis.*

RUBÉOLA

La rubéola es una infección inocua que cursa con fiebre leve, letargia y una erupción característica. Ésta se inicia en el cuello y la cara, se extiende al tronco y las extremidades, es de un color característicamente rojo pálido y a menudo se acompaña de manchas rosadas en el paladar y la garganta. La erupción suele durar pocos días y puede ir asociada a rigidez en las articulaciones e inflamación de los ganglios. El diagnóstico exige un análisis de sangre, pero la mayoría de los médicos de cabecera tienen suficiente experiencia para realizar el diagnóstico clínico. La incubación es de 14-21 días y el paciente es contagioso desde una semana antes y hasta una semana después del inicio de la erupción. Sin embargo, en principio, la rubéola no es un problema para el niño.

El peligro de la rubéola es su capacidad, superior a la de la mayoría de los virus, para causar malformación fetal. Es, pues, una infección peligrosa para la embarazada. La medicina ortodoxa, con su predilección por las vacunaciones y su indiferencia por los riesgos que éstas entrañan, solía recomendar la vacuna contra la rubéola a todas las chicas adolescentes. Desde hace un tiempo, en un vano intento de erradicar la enfermedad, todos los niños y niñas de entre 5 y 15 años son sistemáticamente vacunados contra la rubéola, así como contra el sarampión y la parotiditis. Esta vacuna, denominada triple vírica, se describe y desacredita en el apartado dedicado a las vacunaciones (*véase* **Vacunaciones**).

RECOMENDACIONES

- *Considere seriamente la necesidad de vacunar a sus hijos pero, en el caso de la rubéola, las chicas que llegan a la edad de procrear deberían realizarse un análisis de sangre para investigar su inmunidad al respecto (a menudo la infección es subclínica en edades precoces) y, si existe inmunidad natural, no se requiere ninguna intervención. Si no está inmunizada, debería vacunarse (véase **Vacunaciones**).*

- *El tratamiento sintomático de la rubéola es similar al del sarampión (véase **Sarampión**).*

SARAMPIÓN

El sarampión es una enfermedad muy contagiosa que se caracteriza por fiebre alta y una erupción eritematosa con manchas sobreelevadas. A menudo provoca tos, secreción nasal, letargia y cansancio y, según las áreas afectadas por el virus, conjuntivitis e irritación en la región genital. En los casos típicos se observan manchas en la boca, que se conocen como manchas de Koplik, las cuales aparecen al segundo o tercer día de la infección. La erupción suele aparecer al cuarto día, a menudo en el cuello y luego se extiende a otras áreas. El exantema persiste durante dos-cuatro días.

El sarampión no suele ser por sí mismo una enfermedad grave, aunque en los niños inmunodeprimidos puede tener consecuencias mortales debido a infecciones secundarias y otras complicaciones. Los niños malnutridos o con déficit inmunológicos subyacentes pueden presentar bronquitis, neumonía, otitis media y una forma rara de encefalitis (inflamación del cerebro). Son estas complicaciones graves las que han empujado al mundo occidental a hacer gran hincapié en los programas de vacunación.

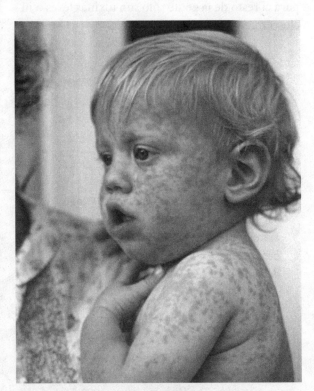

La erupción de color rojo y las manchas sobreelevadas son los signos característicos del sarampión.

Actualmente, soy un opositor acérrimo de la vacunación sistemática de todos los niños. En el apartado **Vacunaciones** se comenta la vacuna del sarampión con detalle.

RECOMENDACIONES

- *El diagnóstico del sarampión es clínico, aunque pueden realizarse análisis de sangre en casos graves. Cabe destacar que, debido a los programas de vacunación, muchos médicos de cabecera pueden iniciar su práctica asistencial sin haber visto jamás un sarampión. ¡Hay que consultar a la abuela!*

- *Véase **Vacunaciones**.*

- *La molestia de la erupción puede aliviarse aplicando una solución de bicarbonato de sodio. Añada una cucharada de bicarbonato de sodio (bicarbonato de sosa) a 500 ml de agua. El agua fría puede ser más calmante.*

- *Puede administrarse el remedio homeopático Pulsatilla 6 cada 30 minutos y, en casos de gran irritación, Rhus toxicodendron 6, con la misma pauta.*

- *El betacaroteno (70 mg/kg de peso en las comidas o en el biberón, hasta 3 veces al día) previene las infecciones de las mucosas como las de los ojos y los pulmones. Debería utilizarse si hay síntomas de conjuntivitis, vaginitis o bronquitis.*

- *Consulte sobre el tema a un médico alternativo, sobre todo si los síntomas son graves o el niño está particularmente indispuesto.*

SÍNDROME DE DOWN

El síndrome de Down debe su nombre a un médico del siglo XIX que describió un síndrome caracterizado por retraso mental, facies atípica y otros rasgos físicos, como disposición especial de los pliegues de las manos. Los niños afectados por el síndrome de Down tienen rasgos similares a los de la raza mongólica, lo que explica que antiguamente esta enfermedad se denominase mongolismo. Esta enfermedad genética se debe a la existencia de un gen extra desde la concepción. El término médico para designar el síndrome de Down es trisomía (tres) 21, puesto que el cromosoma 21 es el que está triplicado.

A toda embarazada, en particular si tiene más de 35 años, se le debe ofrecer la posibilidad de realizar ciertas pruebas que permiten descartar anomalías. Estas pruebas incluyen un análisis de sangre conocido como «prueba triple», que investiga determinadas proteínas en la sangre, cuya presencia constituye una indicación de que es necesario profundizar en la investigación. La prueba triple no es por sí misma definitiva. Las investigaciones posteriores incluyen una ecografía, donde se busca específicamente la acumulación de grasa en la parte posterior del cuello del feto. Procedimientos más invasivos como la amniocentesis (que consiste en la extracción mediante una aguja de una muestra del líquido que rodea al feto) o la biopsia de vellosidades coriónicas (procedimiento similar que obtiene células de la parte fetal de la placenta) ofrecen resultados más exactos, pero entrañan un 2% de riesgo de infección o de aborto. Es primordial que los padres decidan si llevarían a cabo o no la interrupción de un embarazo en caso de confirmarse un síndrome de Down. Los riesgos de los procedimientos diagnósticos convierten estas pruebas en intrusiones innecesarias si los padres decidieran no abortar.

He tenido el privilegio de tratar a muchos niños con síndrome de Down en mis años de práctica médica. Aunque diferentes, los niños con síndrome de Down son generalmente felices y miembros cariñosos de sus familias. Muchos tienen un coeficiente de inteligencia suficiente para integrarse en la sociedad y pocos son agresivos o presentan tendencias desagradables. Desearía poder decir lo mismo de todos los niños «normales».

Existen pruebas crecientes de que los niños con síndrome de Down no están predestinados fatalmente a una deficiente calidad de vida por su anomalía genética. Suplementos dietéticos y nutricionales junto con medicinas naturopáticas, tanto herbarias como homeopáticas, pueden marcar la diferencia en su desarrollo físico e intelectual.

Lo que parece haberse olvidado durante décadas son los sutiles cambios bioquímicos y metabólicos que pueden conducir a la mala salud y a los déficit físicos, mentales y de crecimiento. Actualmente, los investigadores han descubierto que los individuos con síndrome de Down presentan ciertas enzimas y deficiencias específicas que les impiden metabolizar determinados compuestos que para el resto de la gente sólo son toxinas leves o incluso nutrientes.

Niño con el síndrome de Down.

RECOMENDACIONES

- *Una vez conocido el embarazo, pregúntese si se decidiría a interrumpirlo en caso de que el bebé presentara un síndrome de Down. En caso contrario, evite las investigaciones.*

- *Todo niño afectado de síndrome de Down debería ser tratado por un pediatra especializado en esta enfermedad. Puede ser necesaria una intervención quirúrgica o farmacológica ortodoxa temprana debido a defectos cardíacos, pulmonares y de otros órganos que requieran corrección.*

- *Póngase en contacto con las asociaciones del síndrome de Down de su localidad y obtenga más información del especialista y, probablemente, líder mundial en el tratamiento alternativo del síndrome de Down: Doctor Jack Warner, The Warner House, 1023 East*

*Chapman Ave, Fullerton, CA 92631, EE.UU.
Tel: 714 441 2600.*

- *Compruebe lo antes posible, junto con un profesional de medicina alternativa experto en este campo, el funcionamiento del tiroides y el timo.*

- *Investigue también con el médico alternativo los niveles de acidez gástrica y de enzimas digestivas.*

- *Investigue la existencia de alergias alimentarias, en especial al gluten de los cereales, y los productos de la vaca, específicamente la lactosa (azúcar de la leche).*

- *Identifique y corrija cualquier deficiencia, prestando especial atención a los minerales (incluido el cinc) y aminoácidos.*

- *Evite el agua fluorada, los alimentos ahumados, el humo de los cigarrillos, los suplementos de algas y el ginkgo biloba. Estos compuestos afectan al niño con síndrome de Down de diversas formas pero, sobre todo, inhibiendo el tiroides y los sistemas de defensa del organismo.*

- *La osteopatía craneal, la osteopatía, la fisioterapia y, cuando el niño tenga edad suficiente, la técnica de Alexander, la terapia de polaridad y el yoga serán notablemente beneficiosos, tanto mental como físicamente.*

- *Debería escogerse un remedio homeopático constitucional, modificándolo a medida que el niño se desarrolle, de acuerdo con las indicaciones de un homeópata. Los remedios homeopáticos Thymus y Thyroidinium, ambos administrados diariamente a la potencia 3 o 6, junto con un remedio constitucional, han demostrado ser muy beneficiosos.*

SÍNDROME DE LA MUERTE SÚBITA (MUERTE EN LA CUNA)

El síndrome de la muerte súbita del lactante (SMSL), más comúnmente conocido como muerte en la cuna, es el más trágico de los sucesos.

Aproximadamente tres de cada 100.000 lactantes son encontrados cada año sin vida sin razón aparente. Estas muertes ocurren con mayor frecuencia en los meses de invierno y habitualmente entre los dos y los cuatro meses de vida.

Existen diversos factores asociados con la muerte en la cuna aceptados por la medicina ortodoxa y otros sugeridos por las fuentes alternativas.

Asociaciones ortodoxas

- Tabaco. La asociación es alarmante y representa el más importante de los factores conocidos. El tabaquismo materno durante o después del embarazo y la presencia de fumadores alrededor de la madre o el niño pueden causar hasta dos tercios de las muertes en la cuna.
- Dormir en decúbito prono (boca abajo) en la cuna. Este factor puede empeorar a causa de ciertos materiales ignífugos, aunque no existen pruebas al respecto.
- Infecciones, en especial las respiratorias, sean leves o graves.
- Predisposición genética que determina ya sea un defecto de la parte del cerebro que regula la respiración, ya sea un defecto enzimático que impide la obtención de energía de los alimentos.
- Calor excesivo o exposición al frío.
- Ingesta excesiva de cafeína durante el embarazo.

Posibilidades alternativas

- Medicamentos, como los usados en el tratamiento del cólico o los descongestionantes.
- Antibióticos para el tratamiento de infecciones.
- Alergia o intolerancia alimentaria.
- Vacunación reciente.

La prevención es la clave y debe aplicarse todo tipo de medidas protectoras.

RECOMENDACIONES

- *Coloque un detector de apnea debajo del niño. Se trata de una sábana especial, fácil de conseguir, aunque cara, que registra los movimientos del niño. Si éste deja de respirar, se dispara una alarma que puede despertar al niño y alertar a los padres, dado que incluye un*

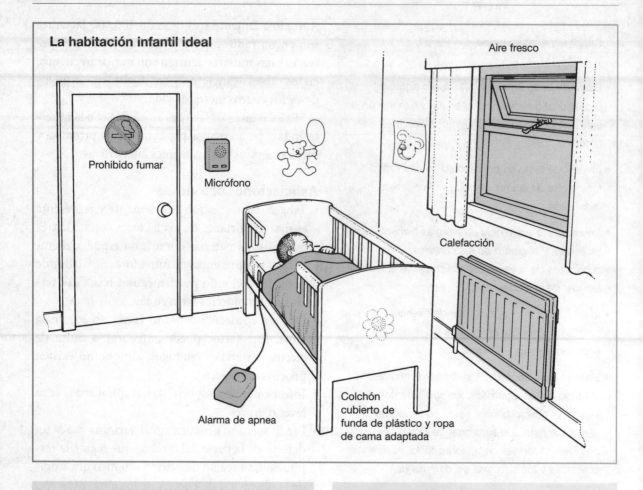

La habitación infantil ideal

Aire fresco

Prohibido fumar

Micrófono

Calefacción

Alarma de apnea

Colchón
cubierto de
funda de plástico y ropa
de cama adaptada

interfono si los padres o cuidadores están a una distancia que impide oírlo.

- *Cubrir los colchones de la cuna con plástico.*

- *Mantenga una temperatura uniforme y aire fresco en la habitación del niño.*

- *Para dormir, acueste al niño sobre la espalda. Incluso los que duermen de lado presentan mayor frecuencia de SMSL.*

- *La ropa del niño y la de cama deben ajustar bien, porque cualquier prenda suelta puede resbalar sobre la cabeza del niño. Los lactantes no deben usar almohada hasta después del año de edad. La ropa de cama debe estar bien sujeta.*

- *Por este motivo, más que por cualquier otro, está absolutamente prohibido fumar durante el embarazo, al lado del niño e incluso en la misma casa.*

- *Evite la cafeína durante el embarazo.*

- *Preste especial atención si el niño toma medicamentos ortodoxos. Si no se utiliza un detector de apnea o un sistema de alarma, un niño con una infección estará mejor vigilado frente al SMSL durmiendo en la cama de los padres.*

Si sucede esta tragedia en vuestra familia o círculo de amistades, quizá valga la pena considerar la filosofía hindú de que nos reencarnamos como parte de un largo ciclo de logros, conocimientos y enseñanzas. Un espíritu que entra en el cuerpo de un niño que no vive mucho tiempo se considera que es un alma muy avanzada que sólo ha necesitado una breve encarnación y, básicamente, ha estado aquí para enseñar la tristeza y la pérdida a los que lo rodean. Dicha visita se considera una bendición y, aunque quizá no atenúe el dolor causado por la tragedia, puede aportar algún sentido al dolor y la pena.

SUEÑOS Y PESADILLAS

Aunque los sueños y las pesadillas ocurren a cualquier edad, su inclusión en este capítulo dedicado a la infancia se debe a la frecuencia con que un niño atrae la atención de los padres con sus pesadillas. Pueden ser particularmente molestas e interferir en los patrones del sueño, pero para un lactante o un niño pequeño no son tan dañinas, puesto que volverá a recuperar el sueño. Para un adulto, cuya forma de vida puede impedirle dormir tanto como querría, habitualmente los sueños desagradables o las pesadillas pueden ser un obstáculo para su salud.

Los sueños, agradables o no, son impulsos neurológicos que llegan al centro de la conciencia a partir de áreas receptoras sensoriales del cerebro. La velocidad con que el cerebro transmite estos impulsos es muy rápida, y un sueño épico que parece durar varias horas en realidad se imprime en unos segundos en los centros de la conciencia.

Un sueño puede ser el intento del cerebro de reflejar un suceso o un trauma y puede ser utilizado por el subconsciente para ayudar a solucionar problemas. Ver una película de terror antes de acostarse puede generar imágenes tales que el cerebro intente dilucidar si debe o no preocuparse por la súbita elevación de los niveles de los «mediadores del miedo» como la adrenalina.

Hay quien piensa que los sueños pueden ser decisivos en ciertas técnicas terapéuticas. Aunque se han realizado numerosos estudios sobre los sueños, su significado aún es poco conocido, tanto por los científicos ortodoxos como desde el punto de vista de la filosofía oriental. En cuanto a la salud, su única importancia es que pueden dificultar el sueño.

El contenido de un sueño no refleja necesariamente una angustia subyacente. Existen hipótesis, por ejemplo, de que un sueño de muerte representa una boda o un nacimiento. Estas asociaciones no se fundamentan estrictamente en estudios científicos, sino en observaciones anecdóticas de personas que han estudiado los sueños durante años. Es probable que el cerebro intente generar una respuesta o una huida de la conciencia. Los médicos ayurvédicos de la India consideran los sueños desde el punto de vista de su *dosha-vata*

(espacio y aire), *pitta* (fuego) y *kapha* (tierra y agua): una pesadilla pitta es con frecuencia violenta o llena de calor; un maremoto o un ahogamiento pueden representar un exceso de kapha, y volar puede ser un exceso de vata. Un maremoto también puede indicar estar abrumado por acontecimientos incontrolables por el individuo.

RECOMENDACIONES

- *Revise su estilo de vida y modifique las causas de estrés.*

- *El consejo de un psicoterapeuta interesado en la relevancia de los sueños puede ser muy útil si no hay una causa evidente para la ansiedad.*

- *Evite los alimentos y las sustancias estimulantes que afectan al sistema nervioso, por lo menos seis horas antes de acostarse. En este grupo se incluyen cafeína, cigarrillos y otras drogas. Los alimentos que contienen aminas, como el chocolate o el queso, también son nocivos. Evite el exceso de alcohol.*

- *Los remedios florales Rock Rose y Rescue pueden ser útiles tomados una hora antes de acostarse.*

- *Existen cientos de remedios homeopáticos asociados a los diferentes temas de los sueños y las pesadillas. Para seleccionar el mejor remedio debe consultarse a un homeópata o un buen libro de homeopatía. Deberían revisarse los remedios Aconitum, Arsenicum, Belladonna y Nux vomica para niños con pesadillas. Es adecuada una potencia de 30, tomada antes de acostarse durante cinco noches. Consulte un manual de homeopatía para hallar el mejor remedio.*

TRASTORNO POR DÉFICIT DE ATENCIÓN E HIPERACTIVIDAD

Estoy seguro de que los padres han observado hiperactividad en sus hijos desde el momento en que el *Homo sapiens* se erigió sobre sus dos piernas. Hoy en día, los padres notarán que sus hijos están más activos o sobreexcitados en unos períodos que en otros. Aprender cómo responder a esto adecuadamente requiere tiempo y ello es la causa de los «terribles dos años».

Se debe ser cuidadoso para no etiquetar a un niño de hiperactivo cuando el problema puede ser de intolerancia paterna. Para definirla como tal, la hiperactividad debe ser perjudicial, persistente y preferiblemente reconocida por una tercera persona, por ejemplo el maestro. Existe una fuerte relación, especialmente en Norteamérica, entre la hiperactividad y el trastorno por déficit de atención (TDA). Este último puede presentarse sin hiperactividad y se caracteriza porque el niño presta poca atención y muestra escasa concentración, incapacidad para finalizar proyectos y tendencia a la distracción. Es importante diferenciarlo de las ausencias que se observan en el pequeño mal (véase **Epilepsia**).

Es interesante destacar que tanto la hiperactividad como el TDA pueden persistir después de la infancia, en cuyo caso se denomina «trastorno residual por déficit de atención». Las causas son las mismas y están bien investigadas. Se cree que afecta aproximadamente al 3% de la población, aunque –y por esto es tan importante establecer el diagnóstico– algunos estudios han sugerido que la hiperactividad alcanza al 20% de la población.

Entre las causas de estos síndromes se ha señalado a los aditivos alimentarios, de los cuales –créase o no– existen más de 5.000 en Estados Unidos. Es importante saber que entre los aditivos se incluyen no sólo los colorantes sino también espesantes, conservantes, saborizantes y muchos otros. Los «antioxidantes» artificiales son considerados aditivos sanos por el público debido a su uso en el tratamiento de problemas cardiovasculares y del cáncer. Esto sólo son tonterías. Las personas que predominantemente compran los alimentos en los supermercados pueden llegar a ingerir hasta 15 g de aditivos por día.

Un nivel de azúcar sanguíneo bajo (hipoglucemia) es uno de los principales factores que contribuyen a la hiperactividad y el TDA. La hipoglucemia se produce por ingerir azúcares refinados (blancos) que se absorben rápidamente, lo que provoca una fuerte respuesta insulínica que a su vez disminuye el nivel de azúcar sanguíneo. Todo niño hiperactivo que se comporta como tal alrededor de una hora después de comer es probable que esté tomando demasiados hidratos de carbono.

Las alergias alimentarias son otro factor importante. Una conducta inadecuada puede estar relacionada con unos alimentos específicos, por lo que se puede confeccionar una lista de los cambios relacionados con las comidas realizadas.

La intoxicación por plomo es otra causa demostrada de mala conducta y, por lo tanto, éste y otros metales o toxinas ambientales deberían considerarse posibles causas de TDA.

RECOMENDACIONES

- *Si sospecha que su hijo es hiperactivo o padece un TDA, converse con los maestros o con consejeros experimentados en el tema.*

- *Elimine de la dieta los hidratos de carbono refinados (en especial el azúcar blanco) y todos los alimentos precocinados.*

- *Considere la realización de pruebas para detectar las alergias alimentarias o lleve un registro diario exhaustivo de los alimentos ingeridos y la conducta del niño.*

- *Considere la posibilidad de deficiencias nutricionales. Es posible que el déficit de ciertos aminoácidos (tirosina, triptófano o fenilalanina) o de ciertos minerales, como cinc o hierro, sean factores contribuyentes, cuando no causales, de este comportamiento.*

- *Valore la posibilidad de intoxicación por metales u otros tóxicos como pesticidas.*

- *Si el problema persiste, considere las terapias basadas en el arte y solicite la valoración de un terapeuta artístico especializado en el tratamiento infantil.*

- *Si todas las medidas anteriores fracasan puede ser necesaria la opinión médica, pero, puesto que la medicina ortodoxa está orientada farmacológicamente, su tratamiento elegido en primer lugar puede ser un fármaco como el clorhidrato de metilfenidato. Sin embargo, éste debe ser el último recurso. Aunque no existen pruebas irrefutables, el metilfenidato puede ser adictivo y requerir un uso prolongado. En tal caso, podría conducir a una dependencia de los tranquilizantes en edades avanzadas.*

VACUNACIONES

Existen confrontaciones importantes entre la medicina holística y la medicina occidental moderna, pero ninguna tan conflictiva como en materia de vacunaciones. Como siempre, no existe una respuesta cierta o falsa pero, particularmente en el caso de las vacunaciones, no hay razón para creer que todas las vacunas son correctas y seguras para todos. En el caso de poblaciones malnutridas o inmunodeprimidas como las de los atormentados países africanos, el programa de vacunaciones probablemente salva millones de vidas cada año. Es interesante, sin embargo, un estudio bien documentado sobre el uso de vitamina A en lugar de la vacuna del sarampión, que demostró, inequívocamente, una tasa de éxito comparable entre ambos tratamientos con respecto a la prevención en niños malnutridos de la neumonía sarampionosa, una situación grave y a menudo mortal. Este ensayo no ha sido repetido, según mis informaciones, fundamentalmente porque la vitamina A es barata, mientras que la vacunación tiene un coste elevado. Los estudios son caros y las compañías farmacéuticas no obtienen beneficios del dinero gastado en los estudios que invalidan el uso de sus productos. Todos los gobiernos tienen asesores, a menudo en nómina de compañías farmacéuticas, por lo que es difícil conocer la verdad. Personalmente, no estoy seguro de cuál es la verdad.

Existe mucha información sobre los pros y los contras de las vacunas, pero la información negativa raramente es proporcionada por los presionados y ocupados médicos de cabecera.

Hago especial mención de la vacuna del sarampión más adelante porque el gobierno británico vacunó en 1994 a 8 millones de niños entre 5 y 15 años, sin preocuparse realmente, en mi opinión, sobre sus inconvenientes. Se vanagloriaron de que habían salvado 50 vidas y evitado más de 3.000 ingresos hospitalarios, pero medio año después se filtraron informes a la prensa que sugerían que la esperada epidemia (la razón oficial para realizar esta vacunación masiva) quizá no hubiera ocurrido y las reacciones adversas a la vacuna declaradas podrían alcanzar las 1.500. Se han publicado varios casos de autismo e igual número de enfermedad de Crohn en niños, que se atribuyen directamente a la vacuna del sarampión. Son sólo los casos declarados y pueden representar la punta del iceberg, ya que los médicos generales podrían no relacionar todavía el inicio de dichos procesos con la citada vacunación. En el momento de escribir este libro, existe un intenso y conflictivo debate entre un becario del Royal Free Hospital de Londres y sus colegas científicos. Se ha publicado un estudio de 12 casos de autismo que sugiere una correlación directa con la vacuna triple vírica, lo que añade interés a los informes anteriores.

El principio de las vacunas es la administración de cantidades muy pequeñas de virus muertos o inactivados, que provoca la formación de anticuerpos por parte del organismo. Si más tarde un individuo entra en contacto con el virus vivo, el organismo lo reconocerá y los anticuerpos atacarán y matarán al agente agresor. Habitualmente, las vacunas son inyectadas (excepto una vacuna de la poliomielitis, que es oral). En teoría, parece un método de defensa.

Existe, sin embargo, consenso en el campo de la medicina holística contra el uso de las vacunas. Hay cierta preocupación porque el proceso de fabricación de estas vacunas permita la entrada en el organismo de proteínas que, siendo similares a las propias, provoquen por parte del organismo la formación de anticuerpos contra sí mismo. Existe también la hipótesis de que estimulando de esta forma artificial el cuerpo, la respuesta natural se vea de algún modo disminuida. La introducción directa en la circulación sanguínea de estas infecciones mediante inyección evita las defensas primarias localizadas en las mucosas y la piel. Por lo tanto, el organismo sólo produce defensas de tipo anticuerpo.

Si a esto se añade que las primeras vacunas utilizadas causaron problemas, incluso hasta 1992, cuando dos de los tres tipos de vacuna del sarampión fueron retirados del mercado por sus efectos colaterales adversos, las vacunaciones han demostrado tener riesgos. Hasta 1995 aconsejé a los padres y a los viajeros utilizar vacunas, pero también tomar remedios homeopáticos simultáneamente, en un intento de contrarrestar los efectos adversos y a la vez estimular al organismo para responder mejor contra el agente de la vacuna. Sin embargo, recientemente he leído mucho con respecto a la vacunación y mi consejo es distinto.

En la actualidad, he decidido no vacunar a mis hijos y, salvo que surja nueva información, evitaré que entren en contacto con las vacunas. Ésta es mi opinión, que puede ser válida o no. Sin embargo, básicamente, existen fuertes indicios de que las vacunas:

- No actúan tan bien como se dice.
- Tienen mayores riesgos asociados de los que informan.
- Pueden ser más peligrosas que la propia enfermedad en niños sanos bien nutridos.

Si un padre o un viajero me pregunta acerca de las vacunaciones, les recomiendo el libro *The Vaccination Handbook* (*Manual de vacunaciones*) –cuyas opiniones me parecen muy acertadas– y después apoyo plenamente cualquier decisión que tomen, sea el uso de remedios homeopáticos con la vacunación habitual o sin ella. No recomiendo a un individuo que acepte o evite las vacunaciones, pero establezco que **no vacunaré a mis hijos ni pondré ni prescribiré vacunas salvo circunstancias imprevistas en el futuro.**

¿Debería vacunar a mi hijo?

Este debate sobre las vacunas se reduce a un padre planteándose a sí mismo la siguiente pregunta: «¿Qué es más importante, mi hijo o su lugar en la sociedad?». Si las vacunas entrañan un riesgo inesperado y no evaluado, deberían evitarse. Sin embargo, puede argumentarse que las vacunas reducen la incidencia de la enfermedad si se administran a una amplia población. Considero que los niños que son propensos a las infecciones necesitan vacunarse, mientras que los que están sanos, no.

Creo que los padres deberían ser capaces de responder afirmativamente a las siguientes preguntas y, si es así, no deberían vacunar a su hijo. Por el contrario, si cualquiera de estas preguntas suscita una respuesta negativa, el niño debería vacunarse.

- ¿Está mi hijo bien criado, en un ambiente limpio e higiénico, y con toda probabilidad permanecerá ahí?
- ¿Está mi hijo bien nutrido y satisfechas sus necesidades nutricionales?
- ¿Está mi hijo sano y genéticamente predispuesto a permanecer así?
- ¿Soy un padre atento, con tiempo y capacidad para advertir una disminución del grado de salud de mi hijo?

Si cualquiera de estas preguntas recibe una respuesta negativa, es posible que con un poco de formación por parte de un nutricionista o naturópata se convierta en un «sí». Si todas las respuestas son «sí», plantéese seriamente no vacunar al niño. Si alguna de las respuestas es «no», vacúnelo pero siguiendo los consejos de este apartado.

RECOMENDACIONES

- *Si un individuo o unos padres creen que no cumplen por completo las recomendaciones anteriores, o si el individuo o el niño están inmunodeprimidos o la infección es inevitable, es probable que la vacunación sea menos peligrosa que el hecho de contraer la enfermedad y, por consiguiente, está indicada la vacunación.*

- *Asegúrese de que el individuo o el niño no presenta un problema subyacente que pueda predisponerlo a las enfermedades de la infancia.*

- *Visite a un nutricionista para establecer una correcta alimentación individual y familiar.*

- *Consulte los temas de higiene con un médico alternativo.*

- *Si decide vacunarlo, asegúrese de que no ha habido reacciones previas a otras vacunas y que no existen enfermedades intercurrentes.*

Las vacunaciones pueden producir reacciones o reducir la respuesta inmunológica.

- *Si se reciben las vacunas habituales, utilice el remedio homeopático correspondiente a la enfermedad. Esto originaría una respuesta corporal ante la infección que pudiera introducirse por una vacuna alterada (véase* **Inoculaciones homeopáticas***).*

- *Si se han administrado vacunas en el pasado, tome una dosis de Thuya 200 durante 3 noches consecutivas. Si la vacuna ha provocado una reacción, tome Natrum muriaticum 30, 4 veces al día durante una semana. Ambos remedios han resultado útiles para tratar los «efectos patológicos de las vacunas».*

- *Visite 2 veces por año a un médico holístico y a un médico convencional para confirmar una buena salud.*

Si opta por la vacunación

Si un individuo opta por vacunarse o vacunar a sus hijos, puede, en teoría, preparar mejor su organismo de antemano.

Las siguientes recomendaciones pueden prevenir una reacción excesiva a la vacuna, preparar al individuo para la invasión de proteínas animales utilizadas en la fabricación de las vacunas víricas y también evitar la reacción a una vacuna a la que puede ser alérgico.

RECOMENDACIONES

- *Asegúrese de que el individuo goza de buena salud y no presenta problemas agudos subyacentes, como resfriados o fiebre, antes de administrar una vacuna.*

- *En el caso de los niños, retrase las vacunaciones hasta los 6 meses de edad, para dar tiempo al sistema inmunitario a desarrollarse sin administrar un potente estimulante inmunológico.*

- *Utilice el remedio homeopático Thuya 200 antes de cualquier vacunación, junto con*

preparaciones homeopáticas específicas para una vacuna determinada (véase **Inoculaciones homeopáticas***).*

- *Intente hallar un médico que administre una décima parte de la dosis de la vacuna 2 semanas antes de recibir la vacuna. Teóricamente, esto permite al organismo prepararse para la reacción y adelantarse a cualquier reacción agresiva.*

- *Administre las vacunas por separado, es decir, no utilice la vacuna triple vírica (sarampión, rubéola y parotiditis). Deje un intervalo de, como mínimo, 2 semanas entre vacunaciones y, preferiblemente, de 3 meses, para evitar la «sobrecarga» del organismo.*

Inoculaciones homeopáticas

No existen vacunaciones homeopáticas. Como mucho, los remedios homeopáticos pueden provocar una respuesta que dure unos meses, pero ciertamente no toda la vida. Los remedios tienden a proteger al organismo contra infecciones particulares y, si uno padece alguna, la inoculación homeopática equivalente consigue que el organismo desarrolle una fuerte inmunidad.

No existen pruebas científicas de que los remedios homeopáticos confieran inmunidad. Sin embargo, estudios realizados en el subcontinente indio muestran que ciertos remedios originaron respuestas inmunológicas, aunque no existe la certeza de que los anticuerpos contra estas enfermedades no se hayan formado simplemente porque los niños estaban expuestos a la infección dado que es endémica (prevalente en el área). Los datos del gobierno (no aceptables plenamente como evidencia científica) indican que los remedios homeopáticos pueden actuar como vacunas y se han demostrado niveles más bajos de infección en grupos que habían recibido el tratamiento homeopático correcto.

Mi hipótesis es que el uso de un remedio en un niño que entrará en contacto con la infección natural reforzará, en ese momento, su sistema inmunitario. Un remedio no determina una respuesta de formación de inmunoglobulinas (anticuerpos).

Sin embargo, si un individuo contrae la enfermedad durante el mismo mes en que ha tomado el remedio homeopático adecuado, la respuesta inmunitaria puede ser mucho más rápida y efectiva y proporcionar inmunidad de por vida sin que el niño presente signos de haber contraído la infección. Debo insistir en que se trata de una teoría. Siguiendo con la hipótesis, el uso de remedios homeopáticos justo antes de recibir la vacunación convencional puede provocar una respuesta mejor y proteger frente a efectos secundarios o de una sobrecarga del sistema inmunológico.

En el recuadro siguiente se recogen los remedios homeopáticos sugeridos para las infecciones de la infancia. (En el apartado relativo a los viajes se incluye un recuadro similar sobre el apoyo homeopático equivalente para las vacunaciones de los viajeros.)

Enfermedad	Remedio *
Difteria	*Diphtherinum* 200
Hepatitis (A, B, otras)	*Lycopodium* 200 y *Chelidonium* 200
Haemophilus influenzae tipo B	*Véase* **Meningitis**
Meningitis	*Belladonna* 200 y *Iodoformum*
Sarampión, paperas y rubéola	*Pulsatilla* 200
Poliomielitis	*Lathyrus* 200
Tétanos	*Hypericum* 200
Tuberculosis	*Tuberculinum* 200
Tos ferina	*Pertussin* 200

* Todos deberían tomarse durante 5 días empezando un mes antes de la primera vacunación.

Vacuna del sarampión

Hago mención especial de la vacuna del sarampión debido al reciente programa de vacunación masiva realizado en Gran Bretaña en 1994.

Resulta interesante, aunque no sorprendente desde el punto de vista económico, el hecho de que la administración esté recomendando repetir el programa de vacunación, ya que un número de niños superior al estimado no ha presentado una respuesta positiva ni ha desarrollado inmunidad. Más adelante expongo un firme argumento en contra de la continuación de estas vacunaciones masivas.

Actualmente, si una epidemia afectara al país, se estima que alrededor de 50 niños morirían y más de 3.000 serían hospitalizados con complicaciones graves. (Menciono aquí que no hay correlación entre la salud del niño y el tipo de niño que puede sucumbir al sarampión. Se incluyen todos los niños, tanto los bien nutridos, criados y amados como los que han resultado menos afortunados.)

En 1994 se vacunaron 8 millones de niños, de los cuales 4 millones eran niñas de 5 a 15 años. El mínimo de niños que no responde a la vacuna se estima en el 10%. Esto significa que 400.000 niñas no están inmunizadas frente al sarampión. En los próximos diez años estas 400.000 chicas tienen pocas probabilidades de contraer la enfermedad puesto que ha sido erradicada del 90% de sus coetáneas. Por lo tanto, no podrán desarrollar inmunidad natural.

Supongamos que en los próximos diez años el 25% de estas chicas no inmunizadas tendrán un hijo; nacerán, pues, 100.000 niños de madres sin inmunidad frente al sarampión. Los anticuerpos (inmunoglobulinas) que protegen contra esta enfermedad pasan desde la sangre materna al niño a través del útero y protegen al lactante hasta los seis meses. Los lactantes alimentados al pecho también reciben anticuerpos, pero estos 100.000 niños de madres no inmunizadas no recibirán protección alguna.

Todos los pediatras del país dirán que el sarampión en el lactante es mucho más grave y potencialmente más letal.

Quizás haya habido una reducción del 90% en la probabilidad de contraer el sarampión porque hemos vacunado multitudinariamente, pero ¿estamos protegiendo los intereses de los 100.000 niños de generaciones venideras?

Por último, después de toda la presión ejercida sobre los padres, el número de casos de sarampión en niños que fueron vacunados se duplicó en 1994.

RECOMENDACIONES

- *Lea con atención la información anterior.*

- *Prolongue la lactancia materna tanto como sea posible.*

- *Administre las vacunas lo más tarde posible.*

- *Sólo permita «reuniones de sarampión» si el caso índice es leve y su hijo está sano.*

- *Recuerde que muchas infecciones, como la rubéola, pueden investigarse mediante un análisis de sangre.*

VARICELA

La varicela es una enfermedad causada por un virus de la familia de los herpesvirus conocido como varicela zoster. Es una enfermedad autolimitada (lo que significa que se cura sola sin intervención médica) y se manifiesta por una erupción eritematosa con ampollas de contenido claro o amarillo. Generalmente se asocia a fiebre moderada, malestar general y pérdida de apetito, pero los peores síntomas son la irritación y el prurito.

La opinión unánime holística es que la varicela, al igual que el sarampión y probablemente la parotiditis, es una infección infantil útil porque desencadena una respuesta del sistema inmunológico que es beneficiosa para luchar contra posteriores infecciones.

El período de incubación (tiempo durante el cual el enfermo puede contagiar la enfermedad) se extiende, en general, desde una semana antes de la aparición de la erupción hasta cinco días después de ésta.

RECOMENDACIONES

- *Si existe alguna duda en el diagnóstico o las ampollas y la erupción son muy agresivas o persistentes, consulte con un médico alternativo o con el médico de cabecera.*

Por desgracia, la medicina ortodoxa tiene poco más para ofrecer que antihistamínicos tópicos.

- *Añada una cucharada de bicarbonato de sodio a 500 ml de agua y aplique la mezcla con un paño de seda sobre las zonas irritadas. Puede aumentarse la concentración hasta 3 cucharadas por 500 ml de agua, pero hay que asegurarse de que no provoca escozor probándolo sobre cualquier pequeño corte o arañazo antes de aplicarlo al niño.¡Si el niño tiene edad suficiente para hablar, puede aplicarlo directamente y preguntarle!*

- *Considere los remedios homeopáticos Rhus toxicodendron o Pulsatilla. Una técnica sencilla consiste en probar uno tras otro (potencia 6 cada 2 horas) hasta obtener una mejoría y después reducirlos a cada 4 horas hasta que la erupción desaparezca.*

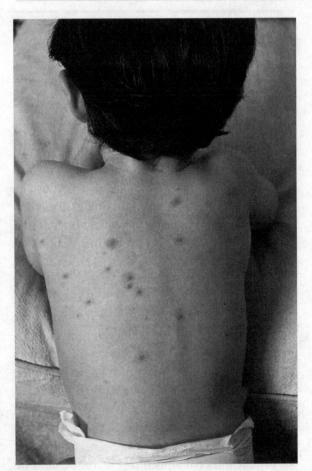

Varicela en la espalda de un niño de dos años.

- *Si las lesiones se infectan, aplique árnica, caléndula o hipérico en crema.*

- *Un baño con agua fría con 10 cucharadas de bicarbonato de sodio puede aliviar.*

- *Pueden administrarse los siguientes suplementos por kilogramo de peso: betacaroteno (70 mg), vitamina C (30 mg en dosis repartidas a lo largo del día) y cinc (165 mg antes de acostarse).*

- *Los compuestos antihistamínicos pueden utilizarse si las técnicas alternativas no son útiles.*

- *Los casos graves deben ser tratados por un médico con experiencia.*

- *Véase* **Herpes**.

CABEZA Y CUELLO

BOCA

HERPES LABIAL
Véase **Herpes simple.**

LABIO LEPORINO (FISURA PALATINA)

El labio leporino es una denominación no médica que indica una falta de fusión del paladar duro en la parte superior de la boca durante el desarrollo embrionario. La medicina ortodoxa no ha descubierto la causa de la fisura palatina, aunque en ocasiones se han citado las deficiencias nutricionales y las infecciones como origen de cualquier problema del desarrollo.

Las deformidades, si bien psicológicamente perjudiciales, no siempre conllevan problemas físicos. En la actualidad, la corrección quirúrgica es de tanta calidad que la deformidad apenas se nota. El avance de la técnica permite corregir fisuras palatinas graves *in utero* (cuando el feto está en el útero materno). Las deformidades graves pueden provocar problemas del lenguaje y, más grave aún, las aspiraciones del alimento si la masticación no es posible. Tales deformidades deben corregirse.

RECOMENDACIONES

- *La fisura palatina puede diagnosticarse in utero mediante la ecografía. Valore la posibilidad de corrección quirúrgica lo antes posible.*

- *Véase* **Cirugía**.

- *Consulte con un nutricionista para valorar las posibles deficiencias relacionadas con cualquier anomalía del desarrollo.*

- *Todos los niños afectados por la fisura palatina deben acudir a un logopeda. El médico de cabecera indicará el momento oportuno, que suele ser en cuanto el niño es capaz de entender órdenes (entre los 8 meses y los 2 años).*

- *La osteopatía craneal ayuda a la recuperación postoperatoria y también corrige cualquier desequilibrio de los huesos craneales.*

ÚLCERAS BUCALES

Las úlceras bucales aparecen a cualquier edad, pero son más molestas en los niños. La causa principal es traumática, por mordedura de la lengua o el carrillo. Las deficiencias nutricionales, especialmente de vitaminas A y C o de cinc, también pueden ser su causa (suelen padecerlas los niños reticentes a comer frutas y verduras).

La mala higiene dental, la malposición dental o los aparatos de ortodoncia pueden ser traumáticos, y un exceso de empastes de mercurio puede resultar irritante. Enfermedades metabólicas como diabetes y síndromes de malabsorción pueden presentarse como úlceras bucales persistentes o recurrentes. En fumadores, una úlcera bucal puede indicar un cáncer de la boca.

La alergia y la intolerancia alimentarias pueden desencadenar un proceso degenerativo o inflamatorio, por lo que también deben tenerse en cuenta; los alimentos amargos, ácidos o picantes suelen agravar el problema más que ocasionarlo.

RECOMENDACIONES

- *Mantenga una correcta higiene dental y acuda con regularidad al dentista.*

- *No coma deprisa y evite hablar mientras come, pues esto favorece que se muerda la lengua o las mejillas.*

- *Los enjuagues con agua salina templada, con extracto líquido de caléndula o sin él, acelerarán la curación.*

- *El aceite de clavo aplicado sobre la lesión la alivia considerablemente, aunque produce picor. Puede diluirse en aceite de oliva si la primera aplicación resulta molesta.*

- *Los geles que contienen ácido acetilsalicílico pueden usarse a corto plazo de forma muy efectiva.*

- *Deberían considerarse los remedios homeopáticos Mercurius y Arsenicum, aunque otros pueden eliminar los síntomas, por lo que se recomienda consultar un manual de homeopatía de referencia.*

- *Las úlceras persistentes deben ser evaluadas por un médico alternativo, quien debería investigar la presencia de diabetes, síndromes de malabsorción, síndrome del intestino permeable, alergias alimentarias y, en particular, candidiasis oral (muguet), que es frecuente en los lactantes alimentados con biberón y en los individuos debilitados.*

DIENTES

El diente está formado por una funda externa, dura, de esmalte, debajo de la cual hay una capa de dentina que constituye la parte principal del diente y que es una sustancia dura y elástica de color blanco-amarillento.

Esta sustancia se halla encajada en un cemento de estructura fundamentalmente similar al hueso cuya función es el anclaje del diente y que está pegado al tejido perióstico (que cubre el hueso de la mandíbula). El diente consta de la corona (parte situada por encima de la encía), el cuello (situado al nivel de la encía) y la raíz (alojada en la mandíbula).

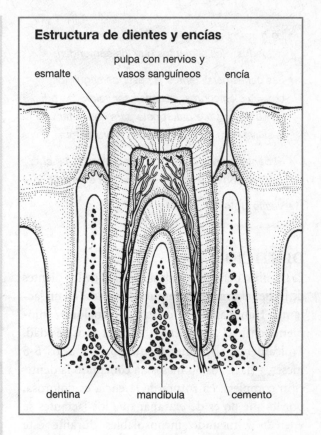

Estructura de dientes y encías

esmalte — pulpa con nervios y vasos sanguíneos — encía

dentina — mandíbula — cemento

CARIES

Para evitar la caries (orificios en el esmalte de los dientes) hay que llevar a cabo una correcta higiene bucal y seguir una dieta adecuada. La caries se produce por un traumatismo o por la acción del ácido procedente de las bacterias presentes en la boca. Este ácido descompone el duro esmalte y la dentina y llega a la pulpa interna. Aparece entonces el dolor dental, puesto que la pulpa contiene las fibras nerviosas.

RECOMENDACIONES

- *El lavado y el cepillado regulares de los dientes son fundamentales. Debe utilizarse un dentífrico con flúor sólo una vez al día (véase **Fluoruro y fluorosis**).*

- *Se requiere un aporte adecuado de calcio mediante la ingesta de productos lácteos, carne, pollo, pescado y frutos secos, en especial semillas de sésamo, desde edades tempranas.*

- *Masticar fruta cruda y verduras ayuda a prevenir la caries.*

- *Lo más importante es evitar los azúcares refinados y los alimentos que los contengan.*

- *Las caries persistentes, a pesar de seguir los consejos anteriores, deberían ser valoradas por un nutricionista o naturópata para descartar que la saliva haya perdido su función protectora.*

- *El dentista debe eliminar la infección y sellar el agujero con un empaste que no sea de mercurio.*

- *Véase* **Dolor de muelas***.*

DENTICIÓN

El término dentición indica la salida de los dientes de leche (el primer conjunto de dientes) en un lactante. Habitualmente ocurre en cualquier momento entre el nacimiento y los tres años de edad. Típicamente, el primer diente aparece a los 6-8 meses, y hacia los 30 meses ha concluido la dentición completa. La rotura de la encía es dolorosa, por lo que no es de extrañar que los lactantes se vuelvan a menudo inconsolables durante este período. Suele haber una salivación excesiva evidente y, con menor frecuencia, una erupción roja que parece la consecuencia de una bofetada en una o ambas mejillas. Puede aparecer fiebre, ya sea termometrada o sensación de calentura, así como un malestar general o letargia y, a menudo, diarrea.

Hay que tocar suavemente la encía buscando protrusiones y, si es posible, enrojecimiento o hinchazón. Si no hay signos de dentición, no se ha de considerar que cualquier síntoma es debido a ella y deben valorarse otros posibles problemas. La fiebre de la dentición suele ser leve. Una temperatura superior a 38 °C rara vez se debe a la dentición.

RECOMENDACIONES

- *Ofrezca al niño algo duro para morder, preferentemente una zanahoria o un trozo de manzana más que un «mordedor» artificial. Cuanto más fríos estén, más calmantes serán.*

- *La inflamación puede disminuir mediante un masaje suave sobre la mandíbula.*

- *Administre el remedio homeopático Chamomilla 6, una dosis cada media hora si el niño está muy alterado, o 2 veces al día durante la dentición.*

- *No dude en utilizar un antipirético (antitérmico) si el niño no puede dormir. La aplicación de una mezcla de 2 gotas de aceite de clavo y 8 gotas de aceite de oliva sobre la encía abierta es un buen calmante. Pruébelo en su propia lengua antes. Ha de producir un hormigueo, pero no quemar. Dilúyalo con más aceite de oliva si es preciso.*

- *Durante el día pueden resultar calmantes las infusiones de hierba gatera, flores de lima o manzanilla.*

DIENTES SENSIBLES

La hipersensibilidad al frío o calor es una manifestación frecuente, generalmente causada por la exposición de los nervios en la encía o la pulpa del diente.

RECOMENDACIONES

- *Mantenga un cuidado general según los consejos previos para evitar las lesiones del diente o la encía.*

- *Efectúe controles dentales regulares (al menos cada 6 meses), con especial atención en las zonas sensibles por si se requiere sellar los nervios expuestos.*

- *Puede ser útil la aplicación directa de aceite de clavo sobre la zona, impregnando una torunda de algodón en este aceite esencial. No aplique demasiada cantidad de aceite porque es irritante para la lengua. Si se aplica 2 veces al día durante 10 días, en principio, el nervio quedará insensibilizado permanentemente.*

- *Puede tomarse el remedio homeopático Natrum muriaticum 6, 4 veces al día. La sensibilidad al frío puede responder mejor a Silica 6, también 4 veces al día.*

DOLOR DE MUELAS Y DIENTES

El dolor de muelas se debe a la exposición de los nervios en la encía o la pulpa del diente. La limpieza y el desbridamiento (eliminación) del sarro y la placa dental (*véase* **Placa y sarro**) son esenciales para retirar la base de la infección bacteriana que ha producido el ácido, el cual ha provocado las caries.

RECOMENDACIONES

- *Visite al dentista tan pronto como pueda para limpiar el área e identificar el nervio inflamado.*

- *Pueden tomarse los remedios Arnica 6 o Hypericum 6 cada media hora en caso de fuerte malestar, antes de la visita al dentista.*

- *Prepare unos enjuagues con una cucharadita de sal y otra de extracto líquido de árnica disueltos en una taza de agua. Para hacer los enjuagues, la temperatura del agua debe ser calmante y agradable.*

- *Aplique una torunda de algodón empapada en aceite esencial de clavo sobre el área sensible. No utilice demasiado aceite de clavo puesto que provoca quemazón en el tejido colindante.*

- *Remítase a un manual de homeopatía de referencia para conocer el remedio más adecuado según el tipo de dolor de muelas, el sitio y sus sensibilidades.*

- *Un dolor de muelas persistente puede estar asociado a sinusitis o a una lesión osteopática del cuello o de la mandíbula que provoque un pinzamiento del tronco nervioso que inerva la mandíbula. Un osteópata puede resultar muy efectivo.*

EMPASTES

Los empastes dentales pueden ser necesarios a cualquier edad, pero sus riesgos y su número son mayores en la infancia.

Existe gran controversia con respecto al uso de mercurio en las sustancias usadas para rellenar las cavidades dentales, denominadas amalgamas. En la actualidad, la Asociación Dental Británica rechaza que el mercurio de los empastes sea un problema, pero la mayoría de los médicos relaciona-dos con la medicina ecológica o nutricional así lo consideran (*véase* **Intoxicación por mercurio**).

La cavidades dentales deben rellenarse con empastes que no contengan mercurio.

RECOMENDACIONES

- *Realice visitas semestrales al dentista y mantenga sus empastes reparados.*

- *La víspera de la visita al dentista, y con independencia de la operación dental que vaya a realizarse, tome el remedio homeopático Arnica 6 (4 veces al día).*

- *Si sabe que necesitará un empaste, insista en que no sea de mercurio; si ello no es posible, cambie de dentista.*

- *Si lleva empastes de mercurio, acuda a un médico que utilice instrumentos de diagnóstico bioenergético, como ordenadores Bicom o Quantum CI (véase **Biorresonancia**), para valorar si el mercurio es un problema para su organismo. Como alternativa, pueden analizarse los niveles de mercurio en los hematíes. Si existe toxicidad, busque un dentista comprensivo que le extraiga las amalgamas y las reemplace por un compuesto sin mercurio.*

FLUORURO Y FLUOROSIS

La fluorosis es el término médico que designa la intoxicación por fluoruros. La ingesta o inhalación de cualquier compuesto que contenga flúor es potencialmente letal. Cantidades muy pequeñas pueden ser toleradas por el cuerpo, aunque no tan bien por las bacterias. Los individuos de las sociedades occidentales se ven obligados, sin opción, a tomar fluoruro.

El fluoruro se añade a los depósitos de agua, a los alimentos manufacturados e, incluso, a los suplementos vitamínicos. Es conocido sobre todo por los anuncios publicitarios como un aditivo importante de la pasta de dientes. Esta recomendación se debe a la asociación entre el descenso de caries dentales y la introducción de fluoruro en dosis altas en la cadena alimentaria.

Por desgracia, hay estudios que demuestran que la tasa de disminución de la caries es la misma en áreas donde no se ha fluorado el agua. Un ejemplo lo constituye la salud dental de los niños caribeños que no han recibido la fluoración obligada. Es interesante señalar que estos niños mastican continuamente caña silvestre, que no tiene el mismo efecto cariogénico sobre los dientes que el azúcar refinado de Occidente.

El argumento de que el flúor destruye las bacterias nocivas es cierto pero, desafortunadamente, no es específico y provoca un daño importante a las propias bacterias beneficiosas. Las cantidades que se añaden en el agua no tienen en cuenta los niveles de fluoruro que se consumen a través de los alimentos, por lo que podrían alcanzarse valores tóxicos. Algunas personas tienen alergia o hipersensibilidad al fluoruro y son particularmente sensibles a la fluorosis de huesos o dientes, lo que provoca la tendencia a las fracturas o un aumento de las caries. Se ha observado que el fluoruro produce cambios bioquímicos en el organismo, defectos congénitos y cáncer (aunque la información ha sido ocultada por las grandes empresas que lo proporcionan e introducen en la cadena alimentaria, como los fabricantes de alimentos y los suministradores de agua).

Pueden alcanzarse niveles tóxicos bebiendo agua que contenga una concentración de fluoruro de diez partes por millón. La dosis recomendada para una «buena salud dental» es de cuatro partes por millón. Un error de cálculo puede contaminar el suministro de agua y provocar una intoxicación, por no hablar de las personas que ya tienen niveles elevados de fluoruro a causa de alimentos frecuentes en su dieta (como té, marisco, ciertas carnes y verduras). A los niños suele gustarles el sabor de la pasta de dientes y a menudo la tragan. Muchas vitaminas pueden contener fluoruro como componente.

Vale la pena informarse con respecto a las características del tipo de agua que se consume en el área donde uno vive.

RECOMENDACIONES

- *Una persona que siga una dieta bien equilibrada, incluyendo marisco y té, y que utilice un dentífrico que contenga fluoruro, debería instalarse un filtro de ósmosis inversa de agua para eliminar el exceso de fluoruro del agua del grifo.*

- *Beber de vez en cuando agua del grifo proporciona el aporte de fluoruro requerido.*

- *Utilice un dentífrico fluorado una sola vez al día.*

- *Practique un ejercicio adecuado para mantener una densidad ósea adecuada.*

- *Considere el uso del remedio homeopático Fluoricum acidum 200 (dosis única) 2 veces al año, para favorecer la eliminación del exceso de fluoruro.*

HIGIENE BUCAL

La higiene bucal del niño debe iniciarse lo más pronto posible. Debería efectuarse un masaje de las encías con una pequeña gasa o tela suave humedecida, envuelta alrededor del dedo. Esto favorece la erupción de los dientes y acostumbra al lactante a su lavado.

La dieta de lactante no debe incluir alimentos grasos o azúcares refinados. De hecho, es muy simple evitar los edulcorantes artificiales, hasta que el niño acude a la casa de un pariente menos concienciado, cosa que no debería ocurrir hasta los dos o tres años. Los azúcares refinados favorecen el crecimiento bacteriano, y si se come algo dulce es conveniente realizar un masaje suave de la encía o el diente con manzanilla para favorecer la salivación y eliminar los azúcares.

MANCHAS DENTALES

El uso excesivo de fluoruro en forma de dentífrico, agua o tabletas era algo habitual, sobre todo en los hijos de los dentistas, hace 30 años. Hoy en día, la fluoración está controlada y el aspecto moteado de los dientes ya no es tan frecuente. Las tetraciclinas (antibióticos agresivos) pueden producir el mismo efecto. Fumar y beber en exceso vino tinto (¡nada de ello habitual en los niños pequeños!) puede teñir los dientes en edades posteriores.

La causa más frecuente de aparición de manchas es el color amarillento que aparece por falta de limpieza dental. Determinadas infecciones pueden producir una coloración blanco-grisácea parcheada, siendo las más habituales la tos ferina y el sarampión.

RECOMENDACIONES

- *Asegúrese de realizar una limpieza dental regular.*

- *Acuda periódicamente al dentista o higienista dental para eliminar restos depositados.*

- *Las manchas debidas a infecciones pueden eliminarse mediante los denominados «nosodes», que son remedios homeopáticos obtenidos a partir del agente causal: Pertussin para la tos ferina y Morbillinum para el sarampión. Utilice las potencias 6 o 12, 2 veces al día durante una semana.*

PLACA Y SARRO

La placa es la colección de bacterias que se adhieren al esmalte dental, y el sarro es un compuesto de calcio que se adhiere al propio diente. La placa bacteriana vive en el sarro y, lenta pero inexorablemente, destruye la encía, facilitando la infección, la caries y la pérdida dental.

RECOMENDACIONES

- *Es esencial una correcta higiene dental. Asimismo, un profesional dental debe desincrustar periódicamente el sarro.*

- *El uso de cepillos especiales que se introduzcan entre los dientes y de seda dental es una buena práctica higiénica. Lo mejor es iniciar ésta a temprana edad, antes de que se formen espacios evidentes entre los dientes, en los que se acumulan alimentos favoreciendo el crecimiento bacteriano.*

RECHINAR DE DIENTES (BRUXISMO)

El rechinar de dientes se debe a dos motivos; ninguno es exclusivo de la infancia, aunque ambos son más frecuentes a esta edad. Las situaciones de estrés predisponen a sufrir esta dolencia: los músculos maseteros (de la mandíbula) son muy sensibles al estrés, como lo demuestra el hecho de apretar fuertemente los dientes cuando se está

concentrado o enfadado. La mayoría de las veces esto sucede por la noche.

La segunda razón no está bien documentada científicamente, pero se refiere a una posible deficiencia de calcio. El organismo reconoce los bajos niveles de calcio del diente e intenta obtenerlo haciéndolos rechinar. Sucede sobre todo en niños más que en adultos y durante el sueño más que en estado de vigilia. El rechinar de dientes puede asociarse a la presencia de lombrices, por lo que debe investigarse si existe prurito anal, apetito excesivo o no hay aumento de peso.

RECOMENDACIONES

- *Hay que detectar cualquier causa emocional y tratarla adecuadamente. Una psicoterapia básica puede ser útil.*

- *Añada un suplemento de calcio o tome semillas de sésamo y productos lácteos, siempre que no exista alergia o intolerancia.*

- *El remedio homeopático Arsenicum album 6, 4 píldoras al acostarse, puede ser efectivo. Considere también los remedios Zinc, Phytolacca, Calcarea phosphorica y Silica.*

- *Si el bruxismo se asocia a lombrices, utilice el remedio homeopático Cinchona 6.*

- *Tome cinc quelado (200 mg/kg de peso) antes de acostarse.*

- *Una consulta con un osteópata craneal puede aliviar la tensión de los músculos de la mandíbula.*

- *Puede ser necesaria la opinión de un dentista si el rechinar es persistente. Se sugiere una funda protectora nocturna para prevenir el desgaste de los dientes.*

- *Si tiende a persistir, consulte el caso con un médico alternativo.*

ENCÍAS

Gran parte de las revisiones dentales no se deben específicamente a los dientes, sino a la mala salud de las encías. Las encías son una mucosa dura y es-

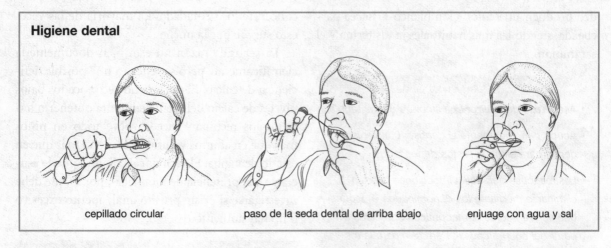

Higiene dental

cepillado circular · paso de la seda dental de arriba abajo · enjuague con agua y sal

pecializada que recubre el hueso de la mandíbula y las partes inferiores de los dientes. El mantenimiento de su integridad es fundamental para evitar las caries y los problemas de la mandíbula.

CUIDADO DE LAS ENCÍAS

Las infecciones de las encías son a menudo difíciles de tratar. Las bacterias pueden introducirse en los huecos más profundos alrededor de la raíz dental y, de este modo, quedar protegidas frente a los anticuerpos naturales de la saliva y también frente al oxígeno, el cual, frecuentemente, es nocivo para el crecimiento bacteriano.

La placa es una fina capa transparente de bacterias sobre la superficie de los dientes que vive cómodamente a pesar de los mecanismos de defensa naturales del organismo y que, lenta pero irremediablemente, destruye la encía. Es esta placa la que hay que eliminar.

RECOMENDACIONES

- *Tan pronto como sea posible, enseñe a su hijo a cepillarse los dientes con un movimiento circular, asegurándose de que las cerdas del cepillo pasen entre los dientes.*

- *El cepillo de dientes debe ser lo más duro que soporten las encías sin sangrar.*

- *La pasta dentífrica (sin fluoruro) o el bicarbonato de sodio pueden utilizarse para la limpieza dental, aunque el cepillado con agua ligeramente salada es el método más efectivo para el cuidado de las encías.*

- *Evite los azúcares refinados o asegúrese de que se cepillan los dientes o se limpian las encías (es lo mismo) tras comer cualquier dulce. Los azúcares naturales no tienen el mismo soporte bacteriano (como se ha visto en los dientes de los niños caribeños cuyos edulcorantes proceden de la caña cruda más que de los azúcares refinados).*

- *Los enjuagues regulares con agua salada son muy recomendables.*

- *Evite el uso de un colutorio. La acción antibacteriana mata tanto las cepas beneficiosas como las perjudiciales y es poco efectiva frente a la dura barrera protectora de la placa. El resultado es que se pierden más bacterias beneficiosas que nocivas.*

- *Mastique regularmente vegetales crudos o fruta consistente para favorecer el flujo sanguíneo de las encías.*

- *Se recomienda pasar regularmente la seda dental entre los dientes o utilizar un palillo.*

- *Las encías, como todos los tejidos del organismo, dependen de una buena ingesta de nutrientes y vitaminas. Son particularmente sensibles al déficit de vitamina C.*

ENCÍAS SANGRANTES

Las encías sangran por un cepillado demasiado fuerte, mala higiene dental, deficiencias y enfermedades como la diabetes, las que afectan la coagulación sanguínea y otras afecciones raras. El término gingivitis se aplica a las encías inflamadas, esponjosas y que tienden a sangrar fácilmente.

RECOMENDACIONES

- *Véase* **Cuidado de las encías** *en la página anterior.*

- *Consulte a un médico alternativo o un nutricionista para asegurarse de que no se olvida de ningún nutriente vital.*

- *Puede ser necesario realizar una investigación mediante análisis de sangre, sudor o cabello.*

- *Asegúrese de que su cepillo de dientes no es demasiado duro ni demasiado blando.*

- *Un sangrado persistente de las encías, a pesar de las medidas anteriores, requiere ser investigado por un médico general o por un dentista holístico.*

- *Use una pasta dentífrica con árnica o caléndula homeopáticas 2 veces al día. Utilice extracto líquido de árnica o de caléndula (una cucharadita colmada en un vaso de agua con media cucharadita de sal). Úselo como enjuague y distribúyalo entre los dientes.*

GINGIVITIS

Este término médico designa la inflamación de las encías. *Véase* **Encías sangrantes.**

INFECCIONES DE LAS ENCÍAS

Colecciones de bacterias, hongos, levaduras y virus pueden asentarse en el fondo de las encías y provocar problemas tanto en la cavidad oral como, si se degluten y absorben en el torrente sanguíneo, por todo el organismo. Para evitarlo es necesario acudir periódicamente al dentista.

RECOMENDACIONES

- *El cepillado suave alrededor de la zona y pasar la seda dental por el agujero sobre la infección (muy suavemente) junto con enjuagues con agua salada suelen eliminar la infección de la encía.*

- *Un dentífrico que contenga mirra, clavo, canela y propóleos de abeja (evítelos si es alérgico a las abejas o a las picaduras de avispa) puede curar la infección. Si no se dispone del dentífrico, pueden aplicarse aceites esenciales tanto para limpiar la infección como para calmar el dolor. Las infecciones dolorosas responden bien al aceite de clavo.*

- *Hay que tomar dosis adecuadas de vitamina C, cinc y magnesio ante cualquier infección gingival.*

- *Deberían revisarse los remedios Hepar sulphuris calcarium, Belladonna y Calcarea fluorica.*

- *Véase* **Cuidado de las encías** *en la página anterior.*

GARGANTA

DOLOR DE GARGANTA EN LACTANTES

El dolor de garganta es difícil de diagnosticar en los lactantes. Si se ilumina con una linterna la parte posterior de la garganta, aprovechando el llanto del niño, se puede apreciar enrojecimiento o secreciones (pus).

RECOMENDACIONES

- *Ofrezca bebidas templadas o frías al niño para ver si calman el dolor.*

- *Hay que promover la lactancia materna.*

- *Puede administrarse un multivitamínico, preferiblemente prescrito por un médico.*

- *Consulte los remedios homeopáticos Aconitum, Baptisia, Kali bichromicum, Kali muriaticum, Mercurius y Phosphorus. Una píldora de potencia 6 cada 2 horas suele aliviar el dolor de garganta en el lactante.*

ADENOIDES Y AMÍGDALAS

Las adenoides y las amígdalas son tejido glandular linfático situado en la parte posterior de la cavidad nasal por encima de la garganta. Ambas son asien-

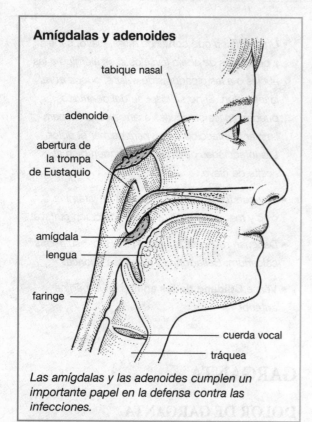

Amígdalas y adenoides

tabique nasal

adenoide

abertura de
la trompa
de Eustaquio

amígdala

lengua

faringe

cuerda vocal

tráquea

Las amígdalas y las adenoides cumplen un importante papel en la defensa contra las infecciones.

to de numerosos tipos de leucocitos (células blancas sanguíneas) que nos defienden contra las infecciones. Los niños están especialmente predispuestos a las infecciones de nariz y garganta, por lo que las adenoides y las amígdalas son el principal mecanismo de defensa.

Hasta los años setenta era frecuente extirpar adenoides y amígdalas, a menudo sin motivo. Actualmente, la mayoría de los especialistas de oído, nariz y garganta y de los pediatras coinciden en que la extirpación es el último recurso.

La infección recurrente y el exceso de moco espeso producen un aumento de estas glándulas, que ocasionan ronquidos, voz nasal y a veces dificultad respiratoria. El problema no radica en las adenoides ni en las amígdalas, sino en el sistema inmunológico del niño que no es efectivo y facilita la persistencia o recurrencia de las infecciones.

RECOMENDACIONES

- *Reduzca o elimine el exceso de azúcares y dulces de la dieta. Espesan la linfa y, por consiguiente, ésta obstruye las glándulas.*

- *Asegure una ingesta adecuada de agua. Diluye el moco.*

- *Proporcione una dieta correcta y administre un suplemento multivitamínico si el niño presenta infecciones persistentes. Consulte con el naturópata antes de efectuar tratamientos antibióticos o quirúrgicos.*

- *Revise en su manual los siguientes remedios homeopáticos: Belladonna, Calcarea carbonica, Hepar sulphuris calcarium, Pulsatilla y Silica.*

AMIGDALITIS

La inflamación por infección de las amígdalas se expone en el capítulo 4.

AMIGDALITIS ESTREPTOCÓCICA

La amigdalitis estreptocócica es un diagnóstico frecuente que en la actualidad sólo puede establecerse tras un frotis de las secreciones amigdalinas o de la parte posterior de la garganta, que demuestre el crecimiento de la bacteria *Streptococcus*.

Los síntomas, más comunes en la infancia aunque pueden aparecer a cualquier edad, son dolor de la amígdala y de la parte posterior de la garganta, dificultad para tragar y, si las amígdalas están especialmente aumentadas, dificultad respiratoria. También forman parte del cuadro fiebre, con sudación o sin ella, pérdida de apetito, letargia y tumefacción de los ganglios periféricos cervicales.

RECOMENDACIONES

- *Solicite un frotis faríngeo, sobre todo si al niño se le prescribe un tratamiento con antibióticos.*

- *Véanse* **Dolor de garganta** *y* **Amigdalitis**.

- *Preste atención a los remedios homeopáticos Hepar sulphuris calcarium, Belladonna y Streptococcus en un manual de homeopatía de referencia.*

ASFIXIA

Un objeto inhalado o un alimento que se atraganta puede obstruir la tráquea y provocar asfixia, que, si la obstrucción es completa o persistente, puede ser mortal.

Atragantamiento en un lactante o un niño

- Si se produce un atragantamiento, intente retirar con los dedos el objeto de la parte posterior de la garganta. No pierda tiempo intentando visualizar el objeto.
- Si no puede alcanzarlo, sujete al niño por los pies, colóquelo boca abajo y déle palmadas entre las escápulas. Si el niño es demasiado pesado, colóquelo con la cabeza hacia abajo sobre sus rodillas o muslos y repita las palmadas.
- Si esto falla, realice la maniobra de Heimlich (*véase* **Maniobra de Heimlich**).

ANGINA (ABSCESO PERIAMIGDALINO)

La amígdala es una colección de tejido linfático encapsulado situado en la parte posterior de la boca. Una infección que no drena puede convertirse en un absceso, que recibe el nombre de angina.

El paciente se queja de intenso dolor de garganta habitualmente asociado a fiebre y, en la exploración, se observa una amígdala (suele ser unilateral) aumentada de tamaño e inflamada. A menudo existe hinchazón circundante y se observa una masa (aunque con frecuencia no se aprecia debido a que el absceso esté pegado detrás de la amígdala).

RECOMENDACIONES

- *Una vez diagnosticada, la angina debe tratarse con antibióticos. Si no se trata, la angina puede obstruir la vía respiratoria o afectar la arteria carótida, que se encuentra muy próxima.*
- *Tome el doble de la cantidad recomendada de un producto con Lactobacillus acidophilus de buena calidad (bacterias del yogur) 6 días después del antibiótico.*
- *Véase **Dolor de garganta** para el tratamiento alternativo.*

NARIZ

La congestión nasal se presenta en los lactantes porque no saben «sonarse la nariz». El uso cuidadoso de una bola de algodón puede mejorar la congestión de la parte más baja de la fosa nasal. Los lactantes se pasan muchas horas acostados, lo que facilita que, por la acción de la gravedad, el moco se acumule en la parte posterior de la nariz. Hay que incorporar al lactante tanto como sea posible.

RECOMENDACIONES

- *Déjelo estar. El problema se resolverá por sí solo a pesar del aparente malestar que ocasiona al niño.*
- *Si la congestión es muy intensa, coloque al niño sobre su regazo y siéntese cerca de una mesa; ponga unas cuantas gotas de aceite de lavanda, flores de saúco, eufrasia o una mezcla de romero y timo en un cuenco con agua hirviendo y coloque una toalla sobre usted, el niño y el cuenco. Manténgase así unos minutos mientras el vapor y los aceites actúan como descongestionantes.*
- *2 gotas de aceite de lavanda o de aceite de manzanilla sobre la almohada pueden ser efectivas. También puede usarse un descongestionante ortodoxo, pero si el niño está tomando un remedio homeopático, el efecto de éste podría anularse si la preparación contiene alcanfor, mentol o cualquier tipo de menta.*
- *Los sangrados nasales en el lactante deben ser evaluados por un pediatra o un médico cualificado.*

CATARRO

Catarro es el término médico para designar la mucosidad en las vías respiratorias superiores, es decir, senos paranasales, nariz y garganta. El catarro es una parte esencial de la buena salud puesto que favorece la producción de anticuerpos y leucocitos que atacan a los virus, las bacterias y los hongos invasores. El catarro también se produce

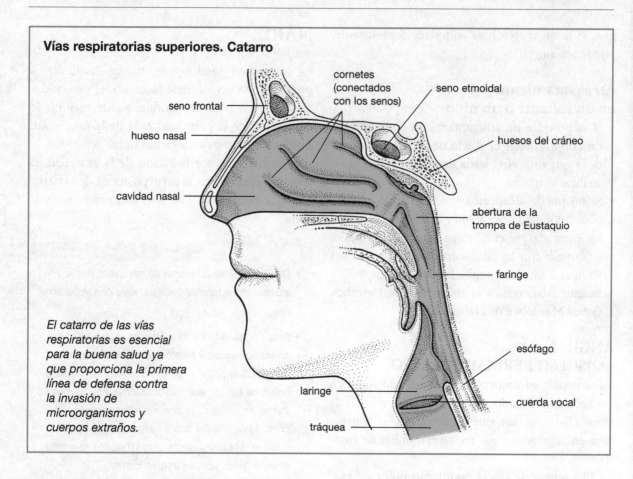

Vías respiratorias superiores. Catarro

- seno frontal
- hueso nasal
- cavidad nasal
- cornetes (conectados con los senos)
- seno etmoidal
- huesos del cráneo
- abertura de la trompa de Eustaquio
- faringe
- esófago
- laringe
- cuerda vocal
- tráquea

El catarro de las vías respiratorias es esencial para la buena salud ya que proporciona la primera línea de defensa contra la invasión de microorganismos y cuerpos extraños.

cuando el organismo intenta eliminar de las membranas sustancias tóxicas (como contaminantes o el exceso de polvo), y también como respuesta a proteínas extrañas (como el polen de las plantas). El tratamiento ortodoxo de un catarro sintomático, habitualmente asociado a un resfriado, consiste en intentar suprimir la secreción útil, mientras que el enfoque holístico es favorecer su producción a fin de eliminar la causa del exceso de moco.

RECOMENDACIONES

- *Si los síntomas son leves, intente favorecer la producción de catarro.*

- *El catarro excesivo puede reducirse eliminando los productos lácteos, el alcohol y el azúcar de la dieta hasta que el cuadro mejore.*

- *Los remedios homeopáticos pueden favorecer la producción de moco y, según su color, consistencia, cantidad y momento del día, el remedio adecuado puede resultar muy*

beneficioso. Hay más de 200 remedios con efecto catarral, por lo que hay que recurrir a un manual de homeopatía de referencia o al consejo del homeópata.

- *Los siguientes suplementos y vitaminas pueden ser útiles tomados con las comidas en las dosis indicadas (por kg de peso): vitamina A, 70 UI; vitamina C, 30 mg, y cinc, 170 mg.*

- *Un catarro persistente puede ser una respuesta de tipo alérgico (véase Alergias).*

- *Asegúrese de que la hidratación es adecuada añadiendo, como mínimo, 1 litro de agua a la ingesta líquida habitual. De esta forma, el catarro se diluye y su expulsión a través de la tos resulta más fácil.*

SANGRADOS NASALES
Véase **Epistaxis (hemorragia nasal).**

OÍDOS

CUIDADO DE LOS OÍDOS

Los oídos no requieren un cuidado especial porque, en general, están adecuadamente protegidos. Aunque, eso sí, es importante mantenerlos templados y tapados porque presentan escasa protección frente al frío o el sol excesivo y, como los vasos sanguíneos del oído son escasos, las lesiones tardan en curar. Las quemaduras solares y la gangrena no son infrecuentes en climas extremos y debe tenerse siempre en cuenta el uso de protectores, como filtros solares.

El conducto auditivo está tapizado por pequeños pelos, denominados cilios, que expulsan la suciedad y los desechos. La cantidad de secreciones producida es variable, pero si es excesiva puede obstruir el conducto auditivo mediante el cerumen (*véase* **Problemas de los oídos**).

El oído debe limpiarse diariamente mediante un jabón suave y agua, limitándose a la zona más externa y el pabellón auricular. El uso de palillos para el oído (palitos con pequeñas bolas de algodón en la punta) puede ser más perjudicial que beneficioso. La introducción de cualquier objeto en el oído puede empujar la suciedad, el cerumen o la infección hacia dentro y es poco probable que sea útil puesto que existen los cilios.

La necesidad de proteger los oídos de ruidos intensos se hace más evidente a medida que los jóvenes presentan pérdidas auditivas (sordera) con una frecuencia alarmantemente creciente. Esto se ha asociado a la costumbre de oír música a un volumen elevado, pero sobre todo al extendido uso de auriculares. Los ruidos intensos causan fuertes vibraciones que, a su vez, provocan pequeñas abrasiones alrededor de la cadena de huesecillos del oído medio, que de forma lenta pero cierta erosionan y reducen su movilidad. El resultado es la sordera de conducción, que carece de tratamiento (*véase* **Sordera**).

PROBLEMAS DE LOS OÍDOS

Los problemas del oído pueden aparecer a cualquier edad pero son más frecuentes en los niños, probablemente por dos razones. En primer lugar, el oído medio (el área que más problemas ocasiona) es mucho más pequeño y, por lo tanto, más

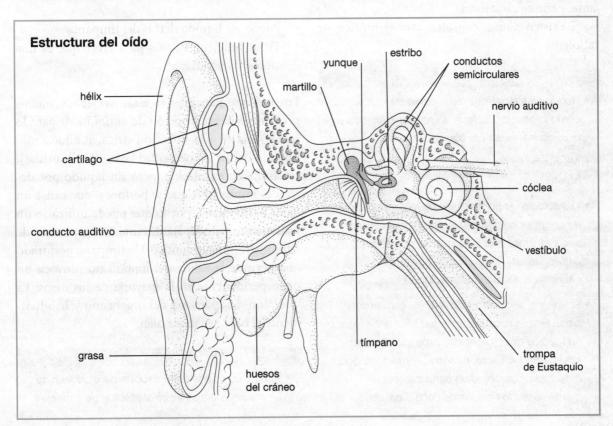

Estructura del oído

hélix

cartílago

conducto auditivo

grasa

huesos del cráneo

martillo

yunque

estribo

conductos semicirculares

nervio auditivo

cóclea

vestíbulo

tímpano

trompa de Eustaquio

fácil de resultar afectado y, en segundo lugar, los niños tienen más propensión a fabricar mocos y a la tos y los resfriados, los cuales pueden obstruir la estrecha trompa de Eustaquio (el conducto situado entre el oído medio y la faringe).

Desde el punto de vista anatómico y médico, el oído tiene tres partes:

- El pabellón auricular y el conducto auditivo externo, que forman el oído externo.
- El oído medio, que incluye la cadena de huesecillos (martillo, yunque y estribo).
- El oído interno, que incluye la cóclea, órgano que contiene el fluido por el cual se transmiten las ondas acústicas a los nervios auditivos.

Por lo tanto, los problemas del oído deben dividirse según la parte afectada y ser tratados consecuentemente.

CERUMEN

Ciertos niños tienen predisposición a acumular cera. Una revisión regular de los padres, tirando suavemente el lóbulo de la oreja hacia abajo y adelante, permite visualizarla.

Si existen dudas, consultar con el médico de cabecera.

RECOMENDACIONES

- *Reducir los alimentos formadores de moco, como productos lácteos, alimentos refinados y especialmente azúcar blanco.*

- *No intente limpiar el oído introduciendo ningún objeto.*

- *Las soluciones comerciales de reblandecedores de cerumen disponibles en las farmacias son seguras y más efectivas que los compuestos naturopáticos. Puede usarse aceite de oliva caliente con resultados aceptables.*

- *Puede ser necesario «eliminar» el cerumen persistente, procedimiento que sólo debe realizar un médico experimentado, especialmente en niños. Antes de esto, pueden ser útiles las gotas patentadas, así como un baño caliente manteniendo los oídos por debajo del agua.*

CUERPOS EXTRAÑOS EN EL OÍDO

Con frecuencia los niños, especialmente los más pequeños, introducen objetos en el conducto auditivo. Si no son fácilmente extraíbles, debe acudirse al médico.

RECOMENDACIONES

- *Un objeto fácilmente visible y extraíble puede retirarse con los dedos o con unas pinzas romas. Si existe la menor resistencia por parte del niño o del objeto, lleve al niño al hospital.*

- *Una o dos gotas de aceite de castor, de oliva o incluso vegetal de camino al hospital pueden aliviar el problema más deprisa.*

INFECCIONES DEL OÍDO
Oído medio (otitis media)

El diagnóstico de infección del oído medio sólo puede realizarse mediante otoscopia practicada por un profesional experto. Si el médico diagnostica una infección de oído, hágale las siguientes preguntas:

- ¿Puede ver líquido detrás del tímpano?
- ¿Tiene suficientes datos para creer que es una infección bacteriana?

Los médicos generales se están volviendo menos proclives a la prescripción de antibióticos para lo que podría ser una infección vírica, aunque a menudo lo hagan sin necesidad (*véase* **Antibióticos**). Un tímpano enrojecido, pero sin líquido por detrás, es improbable que se perfore o que cause un daño permanente, por lo que puede utilizarse un tratamiento naturópata durante 24 horas antes de administrar un antibiótico. Un tímpano perforado que permite la salida del líquido no provoca un daño permanente en la mayoría de los casos. La infección desaparecerá del organismo y habitualmente el oído se curará bien.

RECOMENDACIONES

- *Si cree que tiene una infección de oído (el niño se tira de la oreja), visite al médico de cabecera.*

- *Si éste prescribe antibióticos, pregunte cuáles son las razones que le hacen sospechar una infección bacteriana.*

- *Si el médico no está seguro acerca de su origen vírico o bacteriano, pregúntele si esperar 24 horas entraña riesgos.*

- *Si no insiste, administre 2 gotas de aceite de gordolobo o de oliva tibio (4 veces al día), en ambos oídos.*

- *Los remedios homeopáticos suelen ser muy efectivos. Los más prescritos son Aconitum, Belladonna, Pulsatilla y Silica. Recurra a un manual de homeopatía para seleccionar el mejor tratamiento.*

Si el problema no se ha resuelto en 24 horas, consulte a un naturópata. Si al cabo de 24 horas el problema persiste, valore el uso de antibióticos.

Oído externo

En ocasiones, el oído externo presenta irritación, enrojecimiento o descamación.

RECOMENDACIONES

- *Administrar 2 gotas de aceite de gordolobo 4 veces al día.*

- *Si persiste, consulte a un naturópata.*

- *Mantenga el oído externo limpio.*

- *Administre al niño equinácea, en las dosis recomendadas para niños en el prospecto, o consulte a un farmacéutico o un naturópata.*

- *Seleccione un remedio homeopático, según los síntomas, en un manual de referencia. Mientras tanto, emplee Pulsatilla 6, 2 píldoras cada 2 horas.*

- *Evite los antibióticos. Los médicos generales aún los prescriben demasiado deprisa para infecciones que pueden ser víricas. Múltiples artículos en revistas médicas de prestigio sugieren que los antibióticos deberían administrarse sólo tras el diagnóstico definitivo de infección bacteriana.*

MOLESTIAS Y DOLORES
Oído externo

El dolor en esta parte del oído suele estar causada por frío, traumatismos, infecciones o cuerpos extraños. El eccema del oído externo puede sobreinfectarse, por lo que es necesario tratar esta piel seca. El sentido común es el tratamiento básico, incluyendo calentar el pabellón auditivo, extraer el cuerpo extraño (*véase* **Cuerpos extraños en el oído**) y aplicar cremas suavizantes.

RECOMENDACIONES

- *Aplique el sentido común, especialmente por lo que respecta a la extracción de cuerpos extraños (véase* **Cuerpos extraños en el oído***).*

- *Puede ser útil la aplicación tópica de crema de árnica o caléndula.*

- *La inflamación del oído externo asociada al viento frío responde al tratamiento con Aconitum 6, una dosis cada 2 horas.*

- *Considere los remedios Petroleum y Graphites en caso de eccema con molestias en el oído externo.*

Oído medio

Las molestias y los dolores del oído medio suelen deberse a una infección o a un traumatismo causado por ruidos intensos.

Está ampliamente aceptado en el campo médico ortodoxo que alrededor del 50% de las infecciones óticas son causadas por virus. El dolor es el mismo, pero el uso de antibióticos (inefectivos frente a los virus) debería limitarse a las infecciones causadas por bacterias. El uso continuado de antibióticos en las infecciones de oído conduce a la aparición de cepas resistentes e infecciones recurrentes.

Recomiendo utilizar antibióticos sólo si se trata de un proceso grave y, preferiblemente, después de que el médico de cabecera haya obtenido un frotis de las secreciones y lo haya remitido al laboratorio para confirmar la presencia de bacterias. El uso de antibióticos puede debilitar el sistema inmunológico del individuo y prolongar la infección (*véase* **Antibióticos**).

RECOMENDACIONES

- *La otalgia (dolor de oído) intensa o persistente requiere la evaluación del médico de cabecera. Si éste recomienda un antibiótico, solicitar que realice un análisis del frotis (siempre que haya secreción) y preguntarle si está convencido de que no se trata de un virus.*

- *Una o dos gotas de aceite de gordolobo caliente producen un alivio instantáneo y son potencialmente curativas. Puede repetirse cada 3 o 4 horas si es preciso.*

- *Si hay secreción asociada al dolor, mientras se espera el resultado del análisis del frotis, revise los siguientes remedios homeopáticos: Pulsatilla, Hepar sulphuris calcarium, Chamomilla, Silica y Belladonna.*

- *Si hay secreción, mantenga la parte externa del oído lo más limpia posible, aunque sin limpiar el conducto auditivo.*

- *Si se trata de una otalgia sin secreción, considere los siguientes remedios homeopáticos: Allium cepa, Gelsemium, Belladonna y Magnesia phosphorica.*

- *Tanto si hay secreción como si no, la apertura de la trompa de Eustaquio es beneficiosa porque permite el drenaje del catarro del oído medio. Puede conseguirse con inhalaciones de aceites de olbas o lavanda (una gota en una taza de agua hervida) o inhalando el vapor de un té de jengibre (1 cm de raíz de jengibre desmenuzada en agua caliente).*

Oído interno

El dolor procedente del oído interno es difícil de evaluar y una infección requiere la valoración de un especialista.

RECOMENDACIONES

- *Siga los consejos de un especialista de garganta, nariz y oído.*

- *Consulte con un homeópata con respecto a los síntomas.*

LA OTITIS SEROSA

La otitis serosa se caracteriza por moco y catarro espesos que se condensan en el oído medio y no pueden descender hacia la trompa de Eustaquio. Esta espesa secreción impide que los huesecillos del oído vibren en respuesta a las ondas acústicas y, por lo tanto, provoca una sordera de conducción.

El problema se agrava en los más jóvenes, porque pueden no oír a sus maestros, padres o compañeros y, como consecuencia, presentar mal rendimiento escolar, desobediencia y escasa sociabilidad. En casos extremos, incluso puede etiquetarse erróneamente al niño de retrasado.

Las secreciones espesas pueden constituir un caldo de cultivo para bacterias y hongos, predisponiendo así al niño a infecciones recurrentes. El oído pegado se asocia principalmente con:

- Escasa hidratación (facilita que el catarro se espese y persista).
- Excesiva producción de moco (asociada a alimentos formadores de moco como el azúcar blanco).
- Mala respuesta del sistema inmunológico (favorece la producción de moco como mecanismo de defensa).
- Intolerancia y alergias alimentarias (en especial a lácteos).

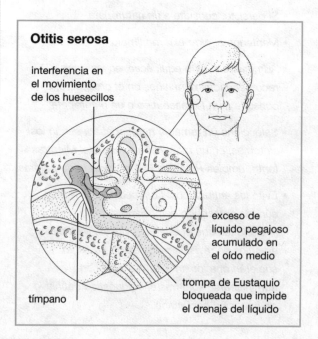

Otitis serosa

interferencia en el movimiento de los huesecillos

exceso de líquido pegajoso acumulado en el oído medio

trompa de Eustaquio bloqueada que impide el drenaje del líquido

tímpano

Una de sus causas más importantes es el tabaquismo pasivo. Un niño que convive con un padre que fuma tiene un 50% más de probabilidades de presentar este problema. Los padres deben tener presente que, incluso si no fuman en presencia del niño, sigue siendo un problema puesto que los elementos tóxicos del cigarrillo se depositan en alfombras, cortinas y mobiliario y son posteriormente inhalados por el niño al moverse por la habitación.

RECOMENDACIONES

- *El diagnóstico de otitis serosa debe ser establecido por el médico mirando el tímpano y viendo un nivel de fluido en el oído. Intente las siguientes alternativas antes de utilizar descongestionantes o medios quirúrgicos.*

- *Consulte con un médico alternativo para confirmar que el niño presenta un sistema inmunológico sano y eficaz.*

- *Elimine los alimentos formadores de moco, como productos lácteos y alimentos refinados, en especial el azúcar blanco. Es recomendable investigar la presencia de intolerancias y alergias alimentarias mediante biorresonancia o análisis de sangre.*

- *Si el niño está acatarrado, utilice el remedio homeopático Allium sativa. Para un catarro crónico con zumbido o ruidos en el oído, emplee Causticum, Chenopodium o Calcarea carbonica. Todos ellos pueden usarse a la potencia 6 (3 veces al día durante 2 semanas).*

- *Asegúrese de que el niño beba suficiente agua. Intente que consuma 2 litros de agua al día. Los zumos y otros líquidos no son lo mismo.*

- *Las inhalaciones de aceites de olbas o de lavanda como descongestionantes pueden desobstruir la trompa de Eustaquio y, junto con una buena hidratación que disminuye la viscosidad de las secreciones, facilitar el drenaje del «pegamento».*

- *Si el tratamiento no es efectivo, existe la opción quirúrgica de colocar unos pequeños tubos de plástico (drenajes) a través del tímpano. Véase*

Cirugía *si es necesario. Antes de esto, el médico de cabecera puede prescribir descongestionantes, pero éstos suelen ser ineficaces.*

- *No permita que el niño esté en ambientes en que hayan fumado.*

- *Véase* **Catarro**.

ROTURA (PERFORACIÓN) DEL TÍMPANO

La rotura del tímpano, también denominada perforación, se asocia principalmente a infección o traumatismo del oído medio. La infección del oído medio provoca una presión hacia fuera, que es intensamente dolorosa hasta que estalla el tímpano y se alivia el dolor. Los síntomas son secreción y pequeñas cantidades de sangre. Los traumatismos, habitualmente debidos a explosiones fuertes o a un bofetón con la mano abierta, provocan una perforación del tímpano hacia dentro, lo que se caracteriza por un dolor muy agudo e intenso seguido de una molestia mortecina.

La audición puede estar afectada, o no, según la causa, el tamaño de la rotura y la lesión de la cadena de huesecillos.

RECOMENDACIONES

- *Ante la sospecha de cualquiera de los síntomas anteriores, acuda al médico.*

- *Los desgarros o perforaciones pequeñas suelen curarse sin problemas, pero los más grandes pueden requerir una reparación quirúrgica experta.*

- *En caso de perforación por una infección, los antibióticos pueden ser necesarios puesto que los tratamientos homeopáticos o naturópatas suelen ser demasiado lentos y la infección puede agravar la perforación o destruir el tímpano. Quizá sea más fácil para un médico alternativo tratar los efectos secundarios de un antibiótico que reparar una lesión timpánica potencialmente grave.*

SANGRADO POR LOS OÍDOS

El sangrado por los oídos es potencialmente un problema grave que requiere la opinión médica para determinar la causa. Un pequeño rasguño con escasa pérdida de sangre no tiene importancia y puede tratarse usando el sentido común, pero cualquier sangrado que procede del conducto auditivo o de más adentro y que no se debe a un corte externo debe ser visto por un médico.

RECOMENDACIÓN

- *Cualquier sangrado procedente del oído debe ser tratado por un médico (excepto que exista un corte evidente y accesible).*

OJOS

CUIDADO DE LOS OJOS

Los ojos, como la mayoría de los órganos del cuerpo, no requieren un cuidado especial puesto que son capaces de mantener por sí mismos su bienestar.

Sin embargo, los ojos no están tan bien protegidos como otros órganos del cuerpo y se hallan mucho más expuestos al ambiente. Son notablemente delicados y sensibles y precisan un poco más de respeto que otros órganos.

RECOMENDACIONES

- *Es muy importante que el sueño y el descanso sean adecuados.*

- *Evite el uso de colirios, excepto bajo prescripción. Las lágrimas son el mejor limpiador y protector de los ojos.*

- *Valore el uso de lentes correctoras (gafas o lentillas) ante cualquier defecto visual.*

- *Descanse los ojos durante el día mediante la técnica del palmeo (véase* **Palmeo***).*

- *Cada mañana y cada noche, moje los ojos 20 veces con agua caliente y otras 20 con agua fría para mejorar el riego sanguíneo.*

CONJUNTIVITIS

La conjuntivitis puede presentarse a cualquier edad, pero es más frecuente en los niños por su costumbre de tocarse los ojos y los párpados y la gran capacidad infectiva de los virus y las bacterias que causan conjuntivitis.

Se caracteriza por enrojecimiento, sensación de arenilla o quemazón y, a veces, hinchazón del borde de los párpados.

Véase **Blefaritis**.

RECOMENDACIONES

- *Lave los ojos con leche, preferiblemente con leche materna si es posible.*

- *Considere el uso de tintura de eufrasia añadiendo una gota en medio vaso de agua (mejor hervida y enfriada). Puede aplicarse como baño ocular o con gotero. Si baña el ojo con un algodón empapado en esta solución y presiona suavemente pero con firmeza sobre el párpado abierto, entrará algo de líquido.*

- *Considere los remedios homeopáticos Rhus toxicodendron, Staphysagria, Arsenicum album, Aconitum y Mercurius.*

- *El betacaroteno (2 mg/kg de peso) en dosis fraccionadas a lo largo del día acelera la recuperación.*

CUERPOS Y SUSTANCIAS EXTRAÑAS EN EL OJO
Cuerpos extraños

Un cuerpo extraño que no pueda retirarse fácilmente lavando el ojo con un chorro de agua o parpadeando en el agua mediante un baño ocular o con un pañuelo de papel limpio, debe ser tratado por un médico. Cualquier objeto alojado en el globo ocular o que provoca sangrado en la conjuntiva y que no puede extraerse con los dedos, también debe ser evaluado por un médico. No es prudente usar instrumentos tipo pinzas porque, dada la sensibilidad del ojo, el paciente estará inquieto y pueden producirse lesiones añadidas.

Estructura del globo ocular

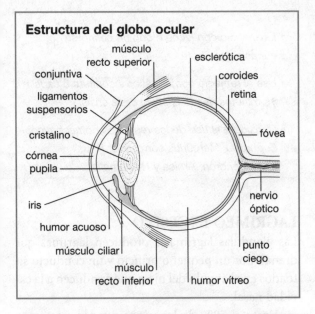

músculo recto superior
esclerótica
conjuntiva
coroides
ligamentos suspensorios
retina
cristalino
fóvea
córnea
pupila
nervio óptico
iris
humor acuoso
músculo ciliar
punto ciego
músculo recto inferior
humor vítreo

RECOMENDACIONES

- Si no puede extraer fácilmente el objeto consulte al médico.

- Administre al paciente Aconitum 6 (2 tabletas cada 10 minutos) y efectúe un suave masaje sobre el otro párpado puesto que los ojos tienen un movimiento conjugado y este suave movimiento puede desalojar el objeto.

Sustancias extrañas

RECOMENDACIONES

- Identifique la sustancia extraña infiltrada en el ojo y, si es posible, conserve una muestra para la valoración médica.

- Independientemente de la acidez o alcalinidad del compuesto, el ojo debe lavarse sólo con un chorro suave de agua corriente del grifo (o de botella o también de agua con una solución salina).

- Tras el minucioso lavado con agua, cualquier resto de sustancia ácida debe contrarrestarse con leche. Una sustancia alcalina sólo debe lavarse con agua.

- Puede administrar los remedios homeopáticos Apis y Belladonna, potencia 6 (cada 15 minutos) hasta que la molestia desaparezca o haya sido valorada por el médico.

ESTRABISMO

El estrabismo es una anomalía del ojo caracterizada porque los ejes visuales no coinciden en el punto de enfoque deseado. En términos más sencillos significa que mientras un ojo enfoca un objeto, el otro mira hacia otro punto. El estrabismo se debe a una falta de coordinación de la musculatura ocular extrínseca, que controla el movimiento ocular.

El estrabismo en un lactante es difícil de valorar debido a que a menudo los ojos se mueven de forma independiente durante los tres primeros meses de vida. Si un niño presenta aparentemente ojos convergentes o divergentes después de los tres meses de vida, debe ser valorado por un especialista. A temprana edad llegarán dos imágenes visuales a la región ocular del cerebro, lo cual resulta muy confuso. El cerebro seleccionará una de ellas, de modo que el ojo cuya imagen sea rechazada se utilizará menos. Esto se conoce como «ojo gandul» y por ello se necesita la valoración del especialista.

Los estrabismos desarrollados a edades posteriores (incluido el del adulto) pueden asociarse a problemas más graves, como diabetes, enfermedades neuromusculares tipo miastenia grave o incluso tumores cerebrales.

RECOMENDACIONES

- Toda sospecha de estrabismo debe ser evaluada por un oftalmólogo.

- Ciertos procedimientos, como la oclusión del ojo, son menos comunes hoy en día debido a que se dispone de técnicas quirúrgicas oculares más precisas, cuyo objetivo es tensar o relajar los músculos alrededor del ojo para conseguir un mejor control.

- Pueden utilizarse ejercicios oculares específicos, como los métodos de Bates, antes de recurrir a la cirugía.

- Los remedios homeopáticos Gelsemium, Hyoscyamus, Belladonna, Stramonium y Zinc a potencia elevada pueden ser útiles durante un período de 2 semanas. Para obtener mejores resultados es conveniente que sean prescritos por un homeópata.

INFLAMACIÓN DE LOS OJOS

La inflamación de los párpados se denomina conjuntivitis (*véase* **Conjuntivitis**). La inflamación de los ojos propiamente dicha puede ser de dos tipos: iritis (inflamación del iris) y escleritis (inflamación de la esclerótica o parte blanca de los ojos).

La iritis y la escleritis se asocian a veces a trastornos subyacentes, como enfermedades autoinmunes o venéreas, por lo que la persistencia de los síntomas obliga a un estudio completo lo antes posible.

Escleritis

La escleritis es una dolencia menos grave que la iritis pero, si no se trata, el dolor sordo y el enrojecimiento de la esclerótica pueden llegar a afectar a la retina, en la parte posterior del ojo, o incluso perforarla, lo que entraña el riesgo de pérdida de líquido del ojo y facilita la infección.

RECOMENDACIONES

- *Una escleritis persistente o especialmente dolorosa debe ser evaluada por un médico.*

- *Debería administrarse Aconitum 6 cada 2 horas.*

- *Utilice leche o colirios de eufrasia cada 3 horas.*

- *En caso de persistencia, debe descartarse una alergia a alimentos o a sustancias aéreas.*

Iritis

Los síntomas de iritis son dolor y enrojecimiento alrededor de la parte coloreada central del ojo.

A menudo se asocia a problemas visuales, como visión borrosa, fotofobia, dolor ocular o cefaleas. Su aparición requiere una valoración médica porque la inflamación puede provocar una obstrucción de los canales entre los «humores» (líquidos) anterior y posterior, que conduce a un incremento de la presión conocido como glaucoma. La lesión del iris puede afectar a la visión (excepcionalmente llega a causar ceguera) y favorece la formación de cataratas.

RECOMENDACIONES

- *Una iritis intensa o prolongada (más de 4 horas) debe ser evaluada por el médico.*

- *Lave el ojo con leche o con un colirio de eufrasia cada hora.*

- *Use el remedio homeopático Aconitum 6 cada 15 minutos desde el inicio de la crisis.*

- *Considere el uso de los remedios homeopáticos Euphrasia, Mercurius corrosivus, Rhus toxicodendron, Arnica y Hamamelis.*

LAGRIMEO EXCESIVO

Las glándulas lagrimales producen lágrimas que drenan por un pequeño orificio y un conducto situados en el ángulo del ojo y que conducen a la cavidad nasal.

Hasta el 50% de los niños pueden nacer con una obstrucción de este conducto y menos del 2% presentan una obstrucción permanente que requiere intervención quirúrgica. Los niños mayores y adultos pueden presentar un cuerpo extraño o una inflamación tras una infección o un traumatismo que les ocasiona la obstrucción.

RECOMENDACIONES

- *Cualquier traumatismo, lesión o infección debe ser examinado por un médico alternativo con experiencia en este campo y, si el tratamiento no es efectivo en pocos días, debe consultarse a un oftalmólogo.*

- *Un traumatismo en el lado nasal del ojo o una infección puede requerir un tratamiento más urgente y la opinión de un médico, aunque no deberían utilizarse antibióticos, excepto en caso de fracaso de las medidas alternativas.*

- *El remedio homeopático Silica es efectivo en las infecciones u obstrucciones del conducto lagrimal. Puede tomarse Silica 6 cada 2 horas.*

- *La obstrucción puede mejorar mediante la aplicación de un suave masaje desde el ángulo del ojo hacia abajo, sobre el lado nasal.*

LESIONES DEL OJO

Las lesiones del ojo pueden producirse por un golpe directo, por penetración en el globo ocular de un cuerpo extraño o por una sustancia extraña en la superficie.

Cualquier lesión de aplastamiento o penetración debe ser tratada por un oftalmólogo. Los traumatismos que producen salida de los líquidos del ojo hacia el torrente sanguíneo pueden provocar una respuesta de anticuerpos que conlleve a la autoagresión del otro ojo. Esto puede conducir a la ceguera, por lo que debe ser tratado de inmediato.

Véanse en la sección **Ojos** los apartados **Ojo morado** y **Cuerpos y sustancias extraños en el ojo.**

RECOMENDACIONES

- *Si el sentido común y maniobras simples permiten retirar el cuerpo extraño, adelante. En caso contrario, busque atención médica de inmediato.*

- *En caso de sangrado evidente, cubra el ojo lesionado y ejerza una suave presión. Si el cuerpo extraño ha penetrado en el ojo, evite toda presión.*

- *Puede aplicar hielo envuelto en un trapo si esto calma el dolor.*

- *Lavar el ojo con leche o eufrasia puede aliviar.*

- *Un parche o una venda sobre los ojos evitará que el ojo no lesionado se mueva demasiado. Como lo ojos se mueven simultáneamente, es preferible evitar el menor movimiento.*

- *Cualquier malestar o problema visual persistente debe ser valorado por el oftalmólogo.*

Dolor en los ojos

RECOMENDACIONES

- *Todo dolor sin causa aparente o que no corresponda a las situaciones mencionadas, debe ser valorado por un médico.*

- *Utilice Aconitum 6 cada 10 minutos para el dolor mientras se establece el diagnóstico.*

- *Una vez establecido éste, siga el tratamiento adecuado.*

Palmeo

El palmeo es uno de los ejercicios oculares de Bates para descansar la vista. Los músculos del ojo, quizá más que otros del cuerpo, están en constante movimiento y, por lo tanto, se cansan más fácilmente. Por esta razón, cuando una persona está cansada le cuesta mantener los ojos abiertos.

La técnica del palmeo relaja los músculos oculares porque evita la entrada de luz en el ojo y, por consiguiente, permite la dilatación completa de la pupila, lo cual equivale a una relajación total de los músculos pupilares:

- Con los ojos abiertos, colocar las palmas de la mano sobre las órbitas.
- Mover las palmas hasta no ver ninguna rendija de luz por los bordes.
- Mirar al frente durante 3 minutos, parpadeando si es preciso.

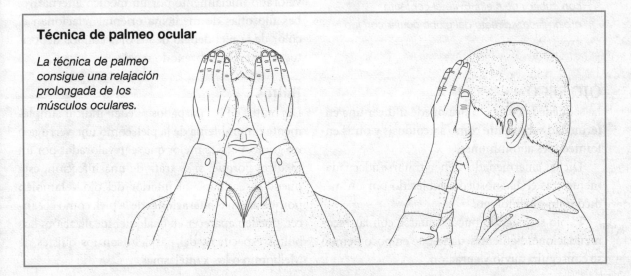

Técnica de palmeo ocular

La técnica de palmeo consigue una relajación prolongada de los músculos oculares.

- A los 3 minutos cerrar los ojos, retirar las palmas y abrir los ojos, evitando mirar directamente una luz brillante.

OJO MORADO

El ojo morado no es un problema del ojo propiamente sino de su alrededor. La piel de la cara se adhiere alrededor de la cuenca del ojo (órbita) de modo que un eventual hematoma no puede drenar más allá del contorno de los ojos. Cualquier traumatismo en la cabeza desde la parte inferior de la órbita hacia arriba y hacia atrás que cause un sangrado hará que éste descienda hacia abajo por la acción de la gravedad, formando anillos de color azul o morado alrededor de los ojos.

RECOMENDACIONES

- *Cualquier traumatismo craneal que provoque lesión o dolor de los ojos o conmoción debe ser valorado por un médico.*

- *Puede utilizarse el remedio homeopático Arnica, a la potencia 6 o 12, cada hora las 3 primeras dosis y después cada 4 horas hasta que mejore el malestar.*

- *La práctica ampliamente establecida de colocar un filete crudo sobre un ojo morado parece, en general, reducir la intensidad y la duración de la coloración, ¡pero desconozco la razón científica!*

- *La hinchazón asociada al ojo morado mejora con cubitos de hielo. Evite el contacto prolongado y directo del globo ocular con frío excesivo.*

OJO SECO

La sequedad ocular crónica puede indicar una enfermedad subyacente como sarcoidosis y otras enfermedades autoinmunes.

Dichas enfermedades deben tratarse adecuadamente tras el diagnóstico establecido por un médico o un oftalmólogo.

El ojo seco agudo puede tratarse con las recomendaciones siguientes, dado que en poco tiempo se conseguirá alivio y curación.

RECOMENDACIONES

- *El ojo seco persistente o doloroso debe ser valorado por un médico.*

- *Evite las lágrimas artificiales, porque contienen productos químicos, y use preferentemente leche o gotas de eufrasia.*

- *Asegúrese de que el niño está adecuadamente hidratado dándole, como mínimo, 1,5 litros de agua diarios.*

- *Evite el maquillaje de los ojos o, si no es posible, límpielo cuidadosamente cuanto antes mejor y, desde luego, no lo deje durante toda la noche.*

- *Los casos persistentes pueden responder a los siguientes remedios homeopáticos: Sulphur, Petroleum, Silica y Causticum.*

PÁRPADOS

Los párpados son una parte muy importante del organismo: protegen y están siempre muy ocupados (parpadean cada 5-8 segundos).

Se maquillan de color para atraer la atención y, del mismo modo, su coloración puede reflejar el estado de salud del individuo. Un párpado inferior oscuro o inflamado puede indicar desde cansancio hasta retención de agua por problemas renales. Muchas personas nacen con los párpados oscurecidos o hinchados, y así permanecen toda la vida sin que ello indique alteración alguna, pero el desarrollo de «bolsas» debajo de los ojos debería ser valorado inicialmente por un médico alternativo. Las filosofías de medicina oriental relacionan el color de la piel debajo de los ojos con los depósitos de energía, sobre todo renales.

Bultos

Los bultos en los párpados pueden indicar simplemente un problema de la piel, como una verruga o un grano, pero es mejor que sean valorados por un médico, porque, si se trata de una infección, ésta puede diseminarse al interior del ojo y también porque algunas alteraciones de la piel, como el cáncer, pueden aparecer en cualquier localización. Los bultos específicos del párpado son los quistes de Meibomio o los xantelasmas.

Quistes de Meibomio

Las glándulas de Meibomio se hallan en el borde libre del párpado y producen una secreción que contiene inmunoglobulinas y factores inmunitarios protectores. Cuando sus pequeños conductos se obstruyen, la secreción no puede salir y provoca la tumefacción del borde del párpado. Rara vez son dolorosos pero tienen tendencia a infectarse y muchos acaban en orzuelos (*véase* **Orzuelos**).

Muy a menudo los quistes de Meibomio se reabsorben espontáneamente, pero en caso contrario requieren tratamiento.

RECOMENDACIONES

- *Pueden usarse los remedios homeopáticos Staphysagria o Thuya a potencia 6 (4 píldoras cada 3 horas durante 5 días).*

- *Rara vez se requiere la intervención de un cirujano oftalmólogo, pero éste debe ser consultado ante un quiste de Meibomio de crecimiento progresivo, inaceptable estéticamente o doloroso.*

- *Véase* **Orzuelos.**

Espasmos del párpado

Un espasmo en cualquier localización es sinónimo de nervio pinzado, irritado, inflamado o dañado. La lesión puede ocurrir en el sistema nervioso central (cerebro o médula espinal) o en la unión neuromuscular. La mayoría de los espasmos son breves y sin consecuencias pero, en ocasiones, pueden ser el signo de alarma o el resultado de una lesión nerviosa o, con mayor frecuencia, de deficiencias.

RECOMENDACIONES

- *Un espasmo persistente debería ser evaluado inicialmente por un médico alternativo y, si no se obtiene mejoría, consultar posteriormente al neurólogo.*

- *Investigue una posible deficiencia, especialmente de calcio, magnesio, cobre y complejo B, todos ellos necesarios para el correcto funcionamiento de los nervios y sus conexiones musculares.*

- *Un masaje suave alrededor del párpado y en la nuca puede proporcionar alivio.*

- *Pueden emplearse osteopatía craneal, terapia craneosacra y acupuntura una vez descartadas causas más graves.*

- *Un espasmo nervioso debido al estrés responde mejor a la hipnosis y la psicoterapia.*

- *El remedio homeopático Agaricus 6 tomado cada hora puede resultar útil, al igual que Codeinum.*

Inflamación

La inflamación de la parte externa del párpado es un síntoma típico de eccema (*véase* **Eccema**).

La inflamación de la cara interna del párpado se denomina conjuntivitis (*véase* **Conjuntivitis**).

RECOMENDACIONES

- *Véanse* **Eccema** *y* **Conjuntivitis**.

- *Evite el empleo de maquillajes en la zona hasta acabar con el tratamiento.*

Orzuelos

El orzuelo es una tumefacción roja, pruriginosa o dolorosa producida por bacterias que proliferan en las células de la raíz de las pestañas o en un quiste de Meibomio.

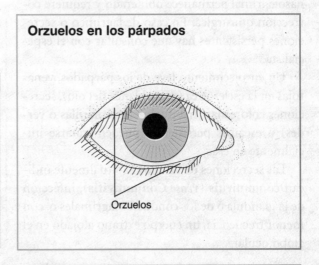

Orzuelos en los párpados

Orzuelos

Habitualmente, son infecciones autolimitadas, pero recurrentes, que requieren valoración médica para descartar problemas subyacentes, como diabetes u otros problemas de inmunodepresión.

Los orzuelos en los niños suelen deberse a malnutrición leve y se producen durante los períodos de crecimiento acelerado.

RECOMENDACIONES

- *Lave el ojo con leche.*

- *La aplicación de compresas calientes y frías puede hacer «madurar» el grano y facilitar la secreción.*

- *Pueden usarse colirios de eufrasia.*

- *Pueden tomarse los remedios homeopáticos Pulsatilla, Rhus toxicodendron, Apis y Staphysagria.*

- *Asegure una correcta higiene lavándose las manos, puesto que los orzuelos se contagian fácilmente.*

- *Administre un suplemento multivitamínico y mineral si el niño no toma por lo menos 3 raciones diarias de fruta o verdura.*

SECRECIONES DE LOS OJOS

Los ojos de los lactantes suelen presentar secreciones. Una causa frecuente es la obstrucción de los estrechos conductos de drenaje de la lágrima desde el ojo hasta la nariz. A veces este conducto nasolagrimal permanece obliterado y requiere corrección quirúrgica. En caso de lagrimeo o secreciones persistentes hay que consultar con el especialista.

Un enrojecimiento leve de los párpados, venas rojas en la esclerótica (parte blanca del ojo), secreciones coloreadas (habitualmente amarillas o verdes) o escamas persistentes pueden tratarse inicialmente en casa.

Las secreciones de los ojos habitualmente indican conjuntivitis (*véase* **Conjuntivitis**), infección de la glándula o de los conductos lagrimales o, con menor frecuencia, un cuerpo extraño alojado en el globo ocular.

RECOMENDACIONES

- *La leche materna, que contiene inmunoglobulinas naturales, puede aplicarse en forma de gotas en el ojo 4 veces al día. La leche de vaca estándar puede utilizarse del mismo modo.*

- *No use preparaciones químicas o soluciones de hierbas naturopáticas sin el consejo de un naturópata, aun cuando puede utilizarse una infusión clara de manzanilla, que es calmante y efectiva.*

- *Puede administrarse el remedio homeopático Rhus toxicodendron 6 (una píldora cada 2 horas).*

- *Cualquier problema ocular que persista más de 24 horas debe ser evaluado por un profesional.*

- *Las infecciones oculares persistentes pueden ser un signo precoz de alergia o intolerancia alimentaria y deben ser comunicadas al médico naturópata.*

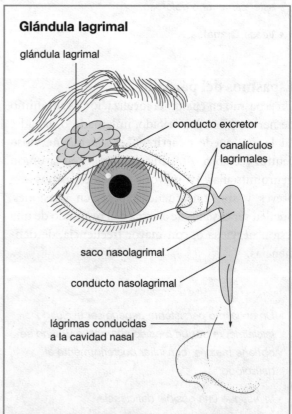

Glándula lagrimal

glándula lagrimal

conducto excretor

canalículos lagrimales

saco nasolagrimal

conducto nasolagrimal

lágrimas conducidas a la cavidad nasal

La infección de la glándula lagrimal es una causa frecuente de secreción de los ojos.

- *Una secreción persistente o dolorosa debe ser evaluada por un médico general.*

- *Puede utilizarse una solución de eufrasia diluida para el lavado de los ojos. Pueden administrarse tratamientos homeopáticos o plantas medicinales según las causas. Considere el uso de Pulsatilla, Kali bichromicum y Mercurius.*

VISIÓN DOBLE

El diagnóstico de visión doble en un lactante o un niño antes de que sea capaz de hablar (o presente signos como golpearse contra el marco de las puertas o intentar coger un objeto tanteando a su alrededor) es casi imposible. Toda sospecha de defecto visual (que incluye responder a la cara materna mirándole la oreja) debe ser valorada de inmediato por un médico o un optometrista. *Véase* **Visión doble** en la sección dedicada a los ojos en el capítulo 4 y **Estrabismo** (si se advierte que los ojos del niño apuntan en diferentes direcciones).

RECOMENDACIÓN

- *Consulte con un profesional ante cualquier problema visual del niño.*

TÓRAX

AHOGO

El ahogo es la interferencia en la entrada de aire en los pulmones, que, si persiste, acaba en asfixia.

Reanimación del lactante y del niño

Lo mejor es no tener nunca que poner en práctica esta técnica, pero todo adulto debe conocerla. Es recomendable practicar los siguientes pasos en una muñeca grande o un oso de juguete:

1. Coloque al niño acostado en el suelo.
2. Tire de la barbilla hacia atrás suavemente para estirar la garganta.
3. Asegúrese de que no existe ninguna obstrucción en la parte posterior de la garganta.

Si el niño no responde a estas maniobras, prosiga con el paso 4.

4. Coloque su boca sobre la boca y la nariz del lactante.
5. Observe el tórax del niño.
6. Respire hasta que el tórax del niño se expanda. *No sople muy fuerte ni de forma muy prolongada puesto que efectuaría demasiada presión sobre los pulmones del niño y podría lesionarlos.*
7. Cuente hasta tres y repita el procedimiento, parando cada cinco respiraciones para observar si el niño ha recuperado la respiración espontánea.

Si no responde tras cinco insuflaciones, continúe con el paso 8.

8. Coloque dos dedos sobre el cuello del niño, al lado y por encima de la nuez. Debe notar el pulso. Si no hay pulso, coloque los dedos índice y medio de una mano sobre el esternón.
9. Ejerza presión hasta que note una resistencia y repita esta maniobra cinco veces.
10. Repita cinco veces los pasos 4 a 6 y después vuelva a presionar sobre el esternón otras cinco veces. Siga alternando estos pasos hasta que el niño se recupere o llegue la ambulancia.

Una vez que el niño se haya recuperado, adminístrele una píldora de *Arnica* 6 cada diez minutos.

Reanimación de un niño

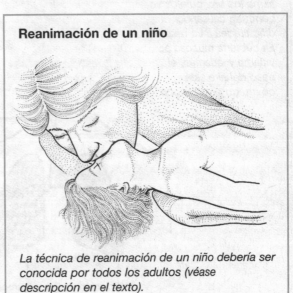

La técnica de reanimación de un niño debería ser conocida por todos los adultos (véase descripción en el texto).

No hay que darle nada más por boca en caso de que requiera anestesia.

RECOMENDACIONES

• *Preste especial atención a las ropas del niño, asegurándose de que no se enrede la cabeza con la ropa de la cama.*

• *Esté alerta con los animales de compañía, especialmente los gatos, que pueden descansar junto al calor del cuerpo del bebé.*

• *Véase* **Asfixia**.

ASMA

Asma es un término amplio que designa la dificultad respiratoria debida a un espasmo del árbol bronquial (las principales vías respiratorias de los pulmones) causado por la contracción de los músculos de los bronquios y el exceso de producción de moco. Este moco suele ser más espeso de lo normal y provoca verdaderos tapones en las vías respiratorias. El asma puede ser aguda o crónica y de intensidad leve a grave. Infecciones banales del aparato respiratorio superior pueden provocar asma transitoria mientras dura la infección. La crisis de asma puede ser desencadenada por otros irritantes pulmonares (como la contaminación, la niebla o la humedad) y por ciertas intolerancias alimentarias, que a menudo son muy específicas. Los desencadenantes habituales son cafeína, chocolate, leche de vaca y derivados, trigo, naranjas, frutos secos y huevos.

La frecuencia del asma infantil se ha multiplicado por seis en los últimos 20 años. Se han sugerido numerosas hipótesis. Sospecho que existe una predisposición genética sobre la que actúan diversos factores desencadenantes; entre éstos se incluyen la contaminación, los alimentos (contaminantes tipo conservantes, aditivos y pesticidas), el incremento de la ingesta de azúcares refinados en la dieta, el mayor número de vacunaciones, el mayor uso de antibióticos y los cambios climáticos (como la pérdida de la capa de ozono). No debe infravalorarse el asma. Es una enfermedad potencialmente mortal que puede tener un inicio súbito, causando una obstrucción fatal de las vías respiratorias, sobre todo en los niños. Los médicos son muy rápidos en diagnosticar asma y en recomendar broncodilatadores (fármacos que relajan el espasmo muscular y disminuyen la producción de moco), como el salbutamol.

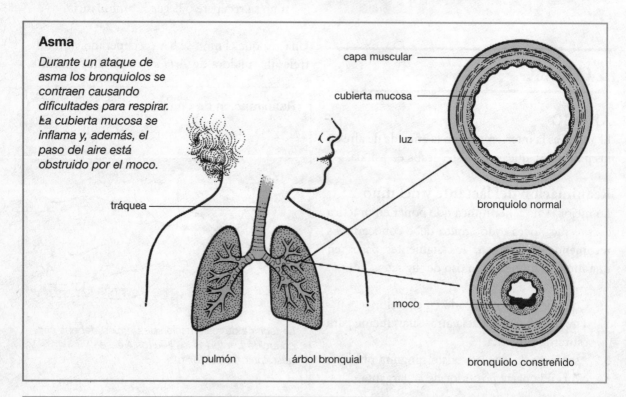

Asma

Durante un ataque de asma los bronquiolos se contraen causando dificultades para respirar. La cubierta mucosa se inflama y, además, el paso del aire está obstruido por el moco.

capa muscular

cubierta mucosa

luz

bronquiolo normal

tráquea

moco

pulmón   árbol bronquial

bronquiolo constreñido

Diagnóstico del asma

La capacidad para introducir el aire en los pulmones mediante los músculos intercostales (parrilla costal) y el diafragma es mucho mayor que la capacidad para exhalarlo. En efecto, el asma se debe más a la incapacidad para expulsar el anhídrido carbónico de los pulmones que a una dificultad para la entrada de aire.

En casos de asma leve y moderada, por lo tanto, se observa que los pacientes fruncen los labios en un intento de expulsar el aire atrapado. Esto y el hallazgo de una frecuencia respiratoria superior a 15 respiraciones por minuto constituyen las señales de alarma inmediatas. Los ruidos respiratorios, que se aprecian mejor con el estetoscopio del médico, suelen hacerse evidentes al pasar el aire de forma forzada por los tapones de moco, aunque este tipo de ruidos no siempre aparece. La respiración sibilante es mucho más frecuente, y también se debe al paso forzado del aire por la obstrucción mucosa.

En el asma moderada a grave, a los signos anteriores se añade una gran sensación de angustia. Todo atisbo de mareo, desmayo o coloración azulada alrededor de la boca requiere tratamiento urgente. Aunque el autocontrol en el asma es limitado, son útiles los siguientes principios:

- Eliminación de los desencadenantes.
- Aprendizaje de técnicas respiratorias.
- Tratamiento de las crisis agudas.

Eliminación de los desencadenantes

Es importante llevar un diario o registro de las crisis asmáticas, el cual debe incluir el momento de la crisis, los acontecimientos inmediatos, los alimentos y bebidas ingeridos en las 24 horas previas y los factores de estrés. Si las crisis se producen junto con algún hecho en particular, éste debe ser eliminado. Ciertos desencadenantes, como toses o resfriados, requieren la valoración del comportamiento anómalo del sistema inmunológico por parte de un naturópata.

Aprendizaje de técnicas respiratorias

No es aplicable hasta que el niño alcanza la edad suficiente para entender y aprender las distintas técnicas, las cuales se exponen en el capítulo 4.

Tratamiento de las crisis agudas

RECOMENDACIONES

- *Ante cualquier signo de asma acuda al médico de cabecera. En casos leves a moderados, evite el uso inmediato de broncodilatadores hasta consultar con un naturópata.*

- *Ante cualquier sospecha de asma moderada o grave, inicie el tratamiento farmacológico y consulte después con su médico alternativo.*

- *Administre el remedio homeopático Aconitum, potencia 6, 12 o 30, 2-4 píldoras cada 10 minutos si la crisis es repentina; Arsenicum album 6, 4 píldoras cada 15 minutos, si el niño ha mejorado con bebidas templadas y para crisis que aparecen entre medianoche y las 3.00 de la madrugada –las cuales están asociadas a intranquilidad–; Carbo vegetalis 6, 4 píldoras cada 15 minutos, si empeora al hablar o se asocia a tos; Natrum sulphuricum 6, 4 píldoras cada 10 minutos, si las crisis se inician después de las 3.00 de la madrugada y cuando el niño contiene la respiración.*

- *Prepare una mezcla de aceites esenciales de lavanda y manzanilla y colóquela cerca del niño. Ponga unas gotas en agua hervida y aplique ésta sobre el pecho del niño o úsela como vaho.*

- *Todo niño asmático debe tomar dosis extras de vitaminas B_6 y C, magnesio y cinc. La cantidad varía según el peso del niño y es mejor seguir la prescripción de un naturópata.*

- *Si las crisis se producen en situaciones de estrés, consulte con un psicólogo infantil.*

CRUP

Una tos seca que persiste más de tres días o interfiere el sueño del niño durante más de dos noches debería ser valorada por un profesional. El crup es un espasmo de las cuerdas vocales que mejora haciendo vahos. Un recipiente con agua hervida en la habitación del niño es un tratamiento inicial efectivo. La tos seca del crup es alarmante y dificulta la respiración, por lo que *debe* ser valorada por un médico *inmediatamente*. Una tos de crup se asocia siempre a dificultad respiratoria y suena como el graznido de un cuervo. Tiene un timbre metálico vibrante, como si el niño chillase mientras tose.

RECOMENDACIONES

- *Administre Aconitum 6, Hepar sulphuris calcarium 6 y Spongia 6 de forma alternada, cada 5 minutos. Si el niño no mejora en media hora, llame al médico o lleve al niño al hospital.*

- *Si mejora, contacte con su médico lo antes posible, mientras continúa alternando Hepar sulphuris calcarium con Spongia cada media hora.*

- *No ofrezca nada por boca al niño en caso de que se le haya administrado anestesia para la intubación.*

SIBILANCIAS

Las sibilancias son sonidos de alta frecuencia originados por el paso de aire inspirado o espirado por un tubo estrecho. El estrechamiento puede ser debido a una contracción muscular, como es el caso del asma, o por la inflamación de una membrana mucosa, como ocurre en el asma, la bronquitis y la neumonía. Si se asocia a crepitancias, el estrechamiento puede corresponder a la producción de moco o a líquido secundario de un edema pulmonar.

RECOMENDACIÓN

- *Véase **Asma** al principio de este capítulo y en el capítulo 4 para saber cómo abrir los bronquios y respirar más libremente.*

TOS

La tos y los resfriados en los niños suelen ser autolimitados y requieren poco o ningún tratamiento. Éste debería valorarse si el resfriado persiste más de tres días o el niño se encuentra especialmente mal, en cuyo caso hay que consultar al médico.

Aunque molesta al oído, la tos es el mecanismo que tiene el organismo para eliminar sustancias indeseables del árbol bronquial (vías respiratorias que conducen al tejido pulmonar) y de los alvéolos (tejido pulmonar).

Tos blanda

Una tos blanda suele asociarse a excesiva producción de moco y se relaciona con el resfriado. Salvo que sea un niño asmático, estas toses acostumbran durar semanas, sobre todo en invierno, y la suelen padecer niños sanos y activos, por lo que no merece especial atención.

RECOMENDACIONES

- *Evite los productos lácteos y los azúcares refinados porque favorecen la producción de moco.*

- *Evite la deshidratación proporcionando suficiente cantidad de agua para que el moco sea menos espeso.*

- *Puede hacer vahos con unas gotas de aceite de anís, canela o hisopo.*

- *También puede inhalarse jengibre o tomillo machacados.*

- *Puede ser muy beneficioso el uso de una gota de lobelia por año de edad disuelta en agua o zumo diluido, 3 veces al día.*

- *Revise en un manual homeopático de referencia los remedios Antimonium tartaricum, Sepia, Nux vomica o Pulsatilla.*

Tos de inicio súbito

La tos de inicio súbito puede estar causada por la aspiración de un cuerpo extraño. Si el niño presenta dificultad respiratoria y coloración roja o azulada de la cara, debe considerarse que ha inhalado alguna cosa.

RECOMENDACIONES

- *Llame una ambulancia.*

- *Con suavidad, pero con firmeza, abra la boca del niño presionando el músculo de la mandíbula e ilumine con una linterna la garganta. Si ve el objeto intente extraerlo con los dedos. El uso de instrumentos tipo pinzas sólo está indicado si el niño se está asfixiando (si es incapaz de respirar) o desmayando.*

Tos seca

La tos seca puede indicar problemas más graves, como tos ferina, laringitis, crup y traqueítis. Una tos seca de inicio súbito puede indicar una posible aspiración de un cuerpo extraño. La mayoría de las toses secas son de origen vírico y pueden tratarse como se indica a continuación.

RECOMENDACIONES

- *Efectúe vahos con semillas de lino, regaliz o aceite de gordolobo según la técnica descrita para la congestión nasal.*

- *Déle vitamina C, 7 mg/kg de peso, 3 veces al día.*

- *Déle vitamina A, 300 UI, 3 veces al día si el niño tiene 6 meses o más, o 100 UI, 3 veces al día, si tiene menos de 6 meses.*

- *El remedio homeopático debe elegirse de acuerdo con los síntomas. Sin embargo, inicialmente, los siguientes remedios son ideales para una rápida curación: Aconitum para una tos perruna fuerte de inicio súbito en un lactante inquieto; Belladonna si el niño está congestionado, caliente y con accesos de tos especialmente molestos; Drosera si la tos provoca vómito, y Sticta si la tos es metálica y empeora por la noche. Todos estos remedios deberían darse a una potencia 6 cada 15 minutos durante una hora y, si mejora, cada 2-3 horas hasta que el niño esté bien.*

TOS FERINA

La tos ferina se caracteriza por accesos de tos espasmódica que pueden durar hasta un minuto. Cuando el niño aspira el aire efectúa el típico «gallo», que a menudo se acompaña de expectoración de un moco espeso o de vómito. Está producida por una bacteria muy infecciosa denominada *Bordetella pertussis*, que provoca un proceso inflamatorio en las vías respiratorias.

La tos ferina es una enfermedad prolongada que se incuba durante unas dos semanas y dura hasta seis semanas. No es especialmente grave, excepto cuando se contrae en el primer año de vida, porque los accesos de tos no sólo interfieren la alimentación sino que agotan al niño. Un espasmo prolongado puede impedir la respiración y provocar asfixia con lesión cerebral o muerte. Esto es extremadamente raro y, por supuesto, puede ocurrir con cualquier infección.

La tos ferina se acompaña de la producción de mucho moco, que puede obstruir las vías respiratorias, haciéndolas inefectivas o provocando el colapso del tejido pulmonar.

El diagnóstico se establece al oír el típico «gallo», pero no necesariamente tiene que estar presente. Pueden realizarse análisis de frotis o esputo y la determinación de anticuerpos.

No existe un antibiótico específico para este poco habitual microorganismo, por lo que el tratamiento se basa en tratar los síntomas, aunque en el campo ortodoxo se administran antibióticos para prevenir infecciones secundarias. Un motivo de preocupación holístico es que, al eliminar algunas de las necesarias bacterias beneficiosas del organismo, se reducen las defensas y la capacidad digestiva y de absorción y, por consiguiente, se disminuye la capacidad del sistema inmunológico.

La tos ferina se presenta en forma de epidemias, en cuyo caso suele ser muy agresiva, dado que con el uso de las vacunaciones se han seleccionado cepas más difíciles de combatir. El tema de la vacunación es particularmente importante con respecto a la tos ferina porque, como en toda vacuna, hay aspectos positivos y negativos. La vacuna de la tos ferina, desarrollada en los años sesenta, provocó una incidencia muy elevada de ataques epilépticos y, potencialmente, daño cerebral. Muchos médicos generales en aquel momento se volvieron muy reacios a administrar la vacuna. Este temor se ha transmitido a la siguiente generación de padres y médicos.

La industria farmacéutica ha efectuado grandes avances para purificar la vacuna y afirma que actualmente es muy segura. La realidad sugiere lo contrario. Hay numerosas publicaciones y fuertes indicios que apoyan la inefectividad de la vacuna. Algunos estudios y múltiples pruebas circunstanciales, incluyendo comentarios de pediatras, sugieren que en los niños vacunados contra la tos ferina que contraen la infección ésta tiene peor curso que en los no vacunados. Al parecer, la inmunización sólo es parcialmente efectiva, pero «convence» al organismo de que ya existe un mecanismo de defensa, con lo que se retrasa la respuesta inmunológica. Sigue siendo un tema polémico, pero también lo eran los efectos secundarios de la vacuna del sarampión hasta que se puso de manifiesto el alto riesgo de esta vacuna en julio de 1997.

La tos ferina debe tratarse de forma agresiva, y el tratamiento en el domicilio no es necesariamente el mejor. No obstante, la ayuda de un médico alternativo es inestimable puesto que, si el problema persiste, puede debilitar el pulmón y causar complicaciones pulmonares para toda la vida.

RECOMENDACIONES

- *Véanse* **Tos**, **Resfriados**, **Neumonía** y **Fiebre**. *Tome las medidas pertinentes.*

- *Administre el remedio homeopático Drosera 30 cada 2 horas si se sospecha tos ferina.*

- *Administre Drosera 200 tan pronto como mejoren los síntomas, una dosis por noche durante 5 noches. También puede administrarse esta potencia por la noche durante 5 noches si se sabe que hay tos ferina en la zona o la escuela del niño.*

- *Si Drosera no da resultado, pruebe con Pertussin 30 cada 3 horas. Tarde o temprano se deberá consultar con un médico especialista alternativo con conocimientos de homeopatía y fitoterapia.*

- *El extracto líquido de lobelia (una gota por aproximadamente cada 15 kg de peso, diluida en una pequeña cantidad de agua templada), debería administrarse 3 veces al día; también deberían hacerse vahos con una cucharadita disuelta en agua.*

- *El tratamiento con raíz de consuelda, vellosilla y drosera está bien estudiado. Debería consultar las dosis con un fitoterapeuta, ya que aquéllas deben ser establecidas por un experto en la materia.*

- *Si el niño tiene edad suficiente, es posible enseñarle técnicas de respiración como yoga, chi kung o meditación.*

- *El reposo en cama es básico, así como una buena nutrición y los suplementos recomendados para la tos o la neumonía (véanse* **Tos** *y* **Neumonía***).*

- *El niño no debe volver a la escuela hasta que esté bien, aunque ello implique inicialmente un retraso. En primer lugar, porque el niño puede ser contagioso y, en segundo lugar, porque corretear arriba y abajo empeorará las cosas y probablemente provocará más infecciones del pecho en los años siguientes, con la consiguiente pérdida de horas de clase.*

APARATO DIGESTIVO

DIARREA

La diarrea en la infancia es frecuente mientras los lactantes desarrollan su flora y sus hábitos alimentarios. Los niños, por otra parte, tienen la costumbre de meterse todo en la boca. Nunca se deben subestimar los efectos de una diarrea grave, profusa o crónica, ya que puede asociarse a malabsorción, malnutrición, deshidratación e infección.

En principio, la diarrea no debería considerarse perjudicial. La mayoría de las veces representa el intento del organismo de expulsar una toxina de origen alimentario, bacteriano o vírico, entre las cuales la más común es la de *Campylobacter*. Dejada a su evolución natural, la diarrea leve, con dolor abdominal o sin éste, desaparece en pocas horas o en un par de días. No se debe hacer nada más que administrar un remedio homeopático para asegurar una buena hidratación al aumentar la ingesta de agua.

La diarrea persistente en un lactante puede asociarse a entidades como la enfermedad celíaca (alergia al trigo) u otras alergias alimentarias. La medicina ortodoxa, mientras que dispone de una definición clara de la alergia al trigo, es reticente a aceptar que otras formas de alimento produzcan el mismo problema. Es importante recordar esto y obtener la opinión de un médico alternativo antes de iniciar un tratamiento farmacológico desde el método ortodoxo. Una flora intestinal inadecuada puede producir por sí misma una diarrea crónica y a menudo es lo que sigue a un tratamiento antibiótico, inmediatamente o seis meses después de administrarlo. Por desgracia, la mayoría de nuestros alimentos están tratados con antibióticos o productos químicos, especialmente la carne, y debido a la ingestión de estos productos puede aparecer de forma inadvertida una disbacteriosis intestinal (alteración de la flora intestinal).

RECOMENDACIONES

- *Las diarreas intensas, persistentes, con sangre o mucosidades, precisan la opinión de un médico.*

- *Cualquier diarrea que persista más de 48 horas o se acompañe de dolor, palidez o cambios en el carácter del niño debe consultarse con el médico de cabecera.*

- *Asegure una buena rehidratación. Cuanto más pequeño sea el niño, más rápidamente hay que iniciarla. La rehidratación suele efectuarse mediante una mezcla de líquidos que aportan glucosa y nutrientes. Alternar cada media hora agua con zumos de fruta diluidos, algo de sopa y una pizca de sal, de forma rotatoria, puede ser una solución. Intente equilibrar cualquier pérdida de líquido (incluyendo la pérdida de agua por el sudor si hay fiebre) con el aporte que administre. Evite la leche y los productos de la vaca excepto el yogur fresco, que puede ser beneficioso.*

- *Evite los alimentos demasiado dulces ya que acumulan agua en el intestino y empeoran la diarrea.*

- *Un té de manzanilla suave puede sentar muy bien. Añádale una cucharadita de miel por cada medio litro y una pizca de sal (que no debería notarse) para reponer un poco de glucosa en los depósitos de energía y sales –que invariablemente se hallan mermados–.*

- *Permita que el niño coma según su instinto. Si tiene buen apetito, intente estimular la ingestión de alimentos que «barran» las toxinas, como el pan integral, pero evite cualquier forma de azúcares refinados, cafeína o un exceso de alimentos «astringentes», como los huevos.*

- *Consulte en un manual de homeopatía los siguientes remedios: Chamomilla, Carbo vegetalis, Nux vomica, Mercurius y Arsenicum album. Pueden usarse con seguridad a potencia 6, 2 tabletas cada 1 o 2 horas.*

- *Use probífidos en forma de yogur fresco, para favorecer el crecimiento de la flora intestinal normal.*

- *Calcule la cantidad de diarrea y reponga la misma cantidad de líquidos. Los zumos diluidos son aceptables, pero el agua es mejor.*

- *Obtenga la opinión de un médico alternativo con conocimientos de nutrición, homeopatía y/o fitoterapia antes de tomar medicinas ortodoxas.*

DOLORES ABDOMINALES

Es muy difícil reconocer qué parte del cuerpo de un niño es la que le duele, aunque los bebés tienen tendencia a tocarse las áreas dolorosas (una vez que el niño sea capaz de comunicarse, la vida es mucho más sencilla). El dolor abdominal es a menudo el culpable de esas molestias. En un niño que no habla, hay que esperar un momento de silencio y palpar delicadamente el abdomen. Un punto doloroso en la barriga desencadenará el llanto otra vez. El llanto persistente precisa de la opinión médica, pero una vez establecido el diagnóstico las siguientes recomendaciones pueden ser de utilidad.

RECOMENDACIONES

- *Si las siguientes sugerencias no resuelven el dolor abdominal del niño o del lactante, contacte con el médico de cabecera. Ante cualquier dolor intenso, o si el niño está manifiestamente mal, no retrase la consulta médica y realícela de inmediato.*

- *Una infusión de manzanilla suave puede usarse a todas las edades, pero si el problema no se soluciona con esta bebida, interrumpa cualquier tipo de ingesta por si fuera necesaria una anestesia.*

- *Consulte en un manual de homeopatía los siguientes remedios: Arsenicum album, Chamomilla, Carbo vegetalis, Colocynthis, Nux vomica y Silica.*

- *«El paseo del cólico»: coloque al bebé sobre su antebrazo, boca abajo y con las piernas a ambos lados de su codo, con la cabeza en la palma de la mano. Pasee de esta manera. ¡Comprobará qué resultado!*

- *Palmeo de barriga: ahueque la mano y dé suaves palmaditas en la barriga del bebé. El aire atrapado es la causa del dolor, y esta maniobra, que le hará eructar, puede ser de ayuda.*

- *Consulte con un osteópata craneal.*

- *Los productos farmacéuticos para los cólicos y el paracetamol deben usarse como último recurso, pues estos componentes pueden estar asociados a cierta toxicidad e incluso al síndrome de muerte súbita del lactante.*

- *Investigue una intolerancia alimentaria. Las madres lactantes deberían evitar las especias, la cafeína, la cebolla y el exceso de azúcar blanco. Si esto no parece ser de ayuda, deberían eliminarse intolerancias alimentarias específicas, incluyendo los productos lácteos (véase* **Intolerancias alimentarias***). En los lactantes mayores y los niños pequeños deberían plantearse restricciones alimentarias (véase* **capítulo 7***).*

- *Debería considerarse la homeopatía a altas dosis y efectuar la consulta pertinente.*

Apéndice

La función del apéndice es incierta, pero probablemente actúa como defensa contra las infecciones en el intestino.

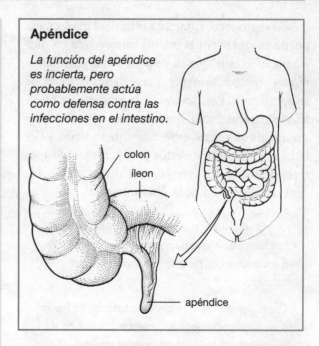

colon

íleon

apéndice

la presión. Este signo es patognomónico de la inflamación de una membrana del intestino y requiere atención hospitalaria inmediata. La apendicitis puede iniciarse con dolor alrededor del ombligo, que habitualmente se desplaza hacia la fosa ilíaca derecha, que es el término médico de la región afectada. A menudo hay febrícula y el paciente puede vomitar o tener diarrea.

RECOMENDACIONES

- *Ante un dolor de estómago persistente o un dolor de rebote, acuda al médico.*

- *Si se sospecha una apendicitis, no intente tratamiento alguno: sólo es útil la operación quirúrgica.*

- *Véase* **Cirugía**.

Apendicitis

Se cree que el apéndice es un vestigio (una parte del organismo que ya no es necesaria). En efecto, se trata de un cúmulo de tejido linfático, aproximadamente del tamaño de un dedo meñique. Probablemente desempeña un pequeño papel en los mecanismos defensivos del intestino. En algunas personas se puede inflamar y causar una apendicitis.

La apendicitis provoca un dolor agudo en el lado derecho del abdomen inferior. Se caracteriza por el dolor de «rebote»: si se presiona sobre el área dolorosa, el dolor es mayor al retirar bruscamente

Invaginación

La invaginación es un problema quirúrgico más frecuente en el sexo masculino, habitualmente en los primeros 8 meses de vida. Por algún motivo, el intestino se repliega sobre sí mismo como un telescopio.

Suele afectar a niños débiles, que llorarán a intervalos, en relación con las contracciones del intestino. Un niño con invaginación está enfermo, y entre los episodios de dolor estará abatido y flojo.

Puede presentar vómitos, y unas heces rojas gelatinosas –características de esta dolencia– son prácticamente signo inequívoco de invaginación. Puede palparse un bulto duro en el abdomen, con mayor frecuencia en el cuadrante inferior derecho, y cuando se aplica presión en este punto el niño se muestra claramente molesto.

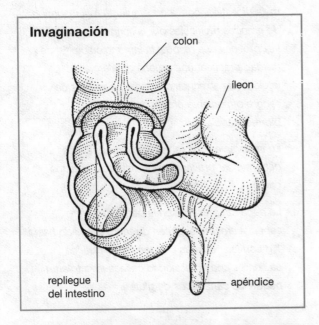

Invaginación
colon
íleon
repliegue del intestino
apéndice

RECOMENDACIONES

- *Cualquier niño con dolor abdominal intenso sin causa evidente debe ser visto por un médico.*

- *Si se sospecha una invaginación, no dé al niño nada de comer o beber, pero hasta que lo visite el médico, déle el remedio homeopático Rhus toxicodendron 6, en dosis de 2 píldoras machacadas bajo la lengua, cada 15-20 minutos.*

- *Un pediatra o médico de urgencias experimentado puede ser capaz de volver el intestino a su posición normal mediante una simple manipulación, aunque hay cierto riesgo de que el problema vuelva a aparecer. Con frecuencia se necesita una operación; si éste es el caso, véase* **Cirugía**.

Migraña abdominal

Las migrañas se asocian habitualmente al dolor de cabeza. Su causa más frecuente es la dilatación de los vasos sanguíneos del cerebro, aunque esta dilatación también puede darse en el abdomen, sobre todo en los niños. Suele estar asociada a la intolerancia alimentaria o a las situaciones de estrés. Los consejos relativos a las migrañas de la cabeza también son aplicables para este tipo de migraña.

Las infecciones víricas leves que aumentan la actividad ganglionar linfática (como suele observarse en el cuello de los pacientes con infecciones) pueden localizarse en los numerosos ganglios abdominales. Debe sospecharse que un dolor de estómago asociado a ganglios inflamados en el cuello, la axila o las ingles, está ocasionado por ganglios abdominales inflamados.

RECOMENDACIONES

- *Consulte en un manual de homeopatía los remedios Belladonna, Calcarea carbonica, Kali carbonicum y Phytolacca, remedios todos ellos para los ganglios linfáticos.*

- *Véase* **Migraña**.

ENFERMEDAD CELÍACA

La enfermedad celíaca se caracteriza por pérdida de peso, heces con grasa no digerida y alteraciones causadas por una deficiencia nutricional, como retraso de crecimiento, retraso escolar e infecciones frecuentes. El diagnóstico de esta enfermedad, sin embargo, sólo se establece a través de análisis de sangre específicos y de la biopsia de una parte del intestino delgado denominada yeyuno. Para llevar a cabo este proceso, el paciente debe tragar una cápsula metálica unida al extremo de un cable. Cuando la cápsula llega al lugar apropiado, verificado mediante rayos X, la cápsula se abre y «muerde» una parte de la mucosa. Se retira entonces la cápsula con la muestra para realizar la biopsia. No es una prueba especialmente desagradable, excepto por el hecho de que hay que permanecer sentado con un cable colgando de la boca y sintiendo la molestia en la garganta. Pueden ser necesarias varias horas para que la cápsula llegue a su lugar en el yeyuno, aunque en general tarda sólo una o dos horas.

Esta enfermedad se debe a la hipersensibilidad frente a una proteína del gluten denominada gliadina. Esta proteína, que se halla predominantemente en el trigo pero también en otros cereales (como centeno, avena, maíz, alforjón, arroz y mijo), causa una inflamación en determinados pacientes, haciendo que el intestino se hinche y sea incapaz de absorber de forma adecuada.

Habitualmente es de origen genético y de transmisión hereditaria. El error genético parece originar una defensa o respuesta inmunológica distorsionada, que afecta al recubrimiento intestinal que entra en contacto con la gliadina. La necesidad de tratar esta dolencia es primordial porque se asocia a problemas de tiroides, erupciones y trastornos psiquiátricos como la esquizofrenia. También hay una mayor incidencia de diabetes y cáncer en los pacientes celíacos no tratados.

RECOMENDACIONES

- *La enfermedad celíaca sólo puede diagnosticarse en una unidad especializada, pero cualquier sospecha debe canalizarse a través del médico de cabecera.*

- *Una vez establecido el diagnóstico de hipersensibilidad al gluten, deben evitarse todos los alimentos que lo contengan. Los mencionados anteriormente son los principales, pero el mijo, el maíz y el arroz sólo hay que evitarlos hasta que se haya establecido el problema, porque el contenido en gliadina es mínimo.*

- *La leche y sus derivados deben ser eliminados inicialmente porque la enfermedad celíaca se asocia a menudo a intolerancia a la leche.*

- *Vigile las comidas precocinadas o lo que coma fuera, porque muchos alimentos como salsas, helados, sopas y bebidas alcohólicas contienen derivados del gluten.*

- *A través de su médico de cabecera puede acudir a las asociaciones de enfermos celíacos, que le ayudarán a programar la dieta y a encontrar grupos de apoyo.*

- *Los suplementos nutricionales intravenosos son útiles en los casos graves y pueden utilizarse al principio, mientras que el tratamiento de exclusión demuestra su efectividad, lo que puede tardar unas semanas.*

- *Los antioxidantes orales en altas dosis, especialmente los betacarotenos, pueden corregir rápidamente las deficiencias nutricionales.*

- *Véase* **Intolerancias alimentarias.** *Cualquier inflamación intestinal leve puede producir una mala digestión, con la consiguiente malabsorción de grandes moléculas por la sangre, lo que a su vez provoca una respuesta inmunológica. Es de utilidad practicar una prueba de alergia e intolerancia alimentarias mediante análisis de sangre o mediante ordenadores de biorresonancia.*

- *La fitoterapia y los remedios homeopáticos deberían ser prescritos por expertos en estos campos.*

- *La papaína, presente en la papaya, digiere específicamente el gluten de trigo. Dosis de hasta 1 g con las comidas pueden hacer que los pacientes con enfermedad celíaca leve toleren pequeñas cantidades de gluten.*

ESTENOSIS PILÓRICA

La comida se mezcla en el estómago con el jugo gástrico y pasa al duodeno, que es la porción inicial del intestino delgado, a través de una válvula denominada píloro. Algunos niños nacen con un engrosamiento congénito de esta válvula que causa su estrechez (estenosis).

Un recién nacido con esta enfermedad arrojará los característicos vómitos, similares a un escopetazo, debido a la fuerte presión del estómago para pasar la comida al intestino a través de la estenosis y, como no puede vencer esta resistencia, los expulsa a través de la válvula gastroesofágica que es mucho más débil. El vómito habitualmente es de comida fermentada. El lactante no ganará peso y estará continuamente hambriento y, por lo tanto, llorando. El niño aceptará sólo pocas cantidades de comida a causa del malestar que le ocasiona su estómago repleto, y puede establecerse el diagnóstico erróneo de estreñimiento porque el niño sólo logra pasar cantidades pequeñas e infrecuentes.

Estenosis pilórica

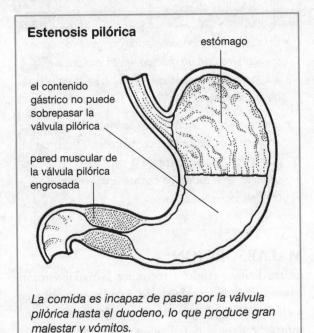

estómago

el contenido gástrico no puede sobrepasar la válvula pilórica

pared muscular de la válvula pilórica engrosada

La comida es incapaz de pasar por la válvula pilórica hasta el duodeno, lo que produce gran malestar y vómitos.

En ocasiones puede palparse un bulto similar a una oliva en la parte superior del abdomen por debajo del esternón.

RECOMENDACIONES

• *Un niño que no gana peso o que constantemente padece molestias debe ser examinado por un médico de cabecera o un pediatra.*

• *La estenosis pilórica debe tratarse mediante un procedimiento quirúrgico (véase* **Cirugía***).*

• *Es posible que ya existan deficiencias nutricionales, por lo que se recomienda una consulta postoperatoria con un nutricionista para asegurar una dieta hipercalórica bien equilibrada.*

GASTROENTERITIS

La gastroenteritis puede ser particularmente grave en los niños a causa de las pérdidas de líquidos por la diarrea, que puede ser rápida en los más pequeños y ocasionar deshidratación y cambios bioquímicos de forma acelerada.

Un germen causal típico es *Campylobacter,* que aunque no suele ser grave en niños occidentales bien alimentados, puede tener consecuencias mortales en niños malnutridos.

Véase también **Gastroenteritis** en el capítulo 5.

RECOMENDACIONES

• *Cualquier diarrea o vómitos persistentes deben consultarse con el médico, quien ha de comprobar urgentemente la presencia de Campylobacter en las heces. Los casos graves deben tratarse con antibióticos y hay que consultar con un médico alternativo para tratar sus efectos.*

• *Siga las orientaciones y recomendaciones para la gastroenteritis y la diarrea en el capítulo 5.*

GUSANOS

La infestación del intestino humano es un problema leve en los países de Occidente, pero puede provocar un debilitamiento crónico en los países tropicales.

Gusanos

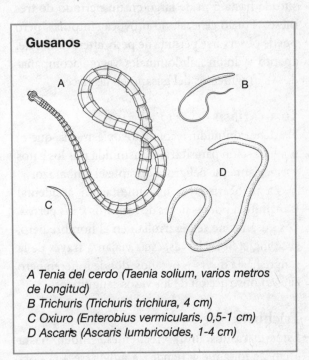

A Tenia del cerdo (Taenia solium, varios metros de longitud)
B Trichuris (Trichuris trichiura, 4 cm)
C Oxiuro (Enterobius vermicularis, 0,5-1 cm)
D Ascaris (Ascaris lumbricoides, 1-4 cm)

Oxiuros

Estos gusanos blancos, que pueden alcanzar hasta 1 cm de longitud, pueden aparecer en niños de todo el mundo. Viven en el colon y el recto y descienden hasta los márgenes del ano para poner sus huevos, habitualmente por la noche. El resultado es el escozor anal, que constituye su síntoma principal. La irritabilidad y el insomnio son otros factores presentes.

Los gusanos pueden verse en las heces o incluso sobresaliendo del ano. Un procedimiento diagnóstico simple consiste en colocar un trozo de cinta adhesiva transparente en el ano y pegar a continuación las partes adherentes entre sí. Esta muestra se lleva a un laboratorio o al médico de cabecera para practicar un examen microscópico que permitirá visualizar los huevos.

Tenias (cestodos)

Las tenias habitualmente comparten dos huéspedes: el gusano vive en el intestino de un organismo, mientras que la larva suele hacerlo en los músculos de otro. En los seres humanos las tenias más comunes son *Taenia saginata* y *Taenia solium*. La primera es la tenia del ganado vacuno, y la segunda, la del cerdo.

Estos gusanos pueden crecer y formar un parásito de hasta 5 m de largo en un período de tres meses. Por lo general, no provoca síntomas, pero puede observarse pérdida de peso, alteraciones del apetito y dolores abdominales vagos, acompañados de fragmentos del gusano en las heces.

Toxocariasis

No debe confundirse con la toxoplasmosis, que es una infección parasitaria transmitida por los gatos y especialmente peligrosa durante el embarazo.

La toxocariasis es una infestación accidental transmitida por las heces de los gatos y los perros. Los gusanos no se desarrollan en el hombre pero, si se ingieren las larvas, éstas viajan a través de la sangre hasta diversos órganos, donde mueren pero causan obstrucción de los vasos sanguíneos.

Trichuris

Estos parásitos, muy frecuentes, miden hasta 4 cm de longitud y tienden a adherirse a la porción inicial del intestino grueso. La aparición de síntomas es excepcional, salvo que se produzcan malnutrición, diarrea sanguinolenta o prolapso rectal.

Otros gusanos

Áscaris, triquinas y filarias son más infrecuentes y se hallan predominantemente en los países cálidos, quedando fuera del alcance de este libro.

RECOMENDACIONES

- *Cualquier signo de infestación por gusanos debe comentarse con un médico, quien explorará el ano, tomará muestras de heces y hará la prueba de la cinta adhesiva.*

- *El tratamiento con fármacos antihelmínticos ortodoxos es seguro y recomendable. Recuerde que todos los miembros de la familia y posiblemente todos los compañeros de clase también deberían tratarse.*

MALABSORCIÓN

La medicina ortodoxa reconoce la malabsorción como un síndrome de «todo o nada» que aparece a cualquier edad, aunque es más frecuente en los niños. Se debe a deficiencias enzimáticas o a hipersensibilidad del sistema inmunológico. Un ejemplo lo constituye la intolerancia a la lactosa, en la que el organismo no forma la enzima necesaria para desintegrar el azúcar de la leche. La hipersensibilidad ocurre en afecciones como la enfermedad celíaca, en la que el organismo ataca al gluten que se halla sobre todo en el trigo y en la mayoría de los otros cereales.

Creo que existe un amplio grupo de personas cuyo intestino no absorbe algún tipo de nutrientes a causa de una inflamación en el intestino delgado provocada por una intolerancia alimentaria.

Los síntomas, que varían desde el cansancio y la depresión hasta los grandes síndromes de malabsorción, ocasionarán una insuficiencia de crecimiento y un retraso del aprendizaje. Pueden asociarse enfermedades físicas, pero no son las que llevan a los padres o al médico a sospechar un cuadro de malabsorción.

La malabsorción puede estar causada porque el organismo es incapaz de producir los jugos digestivos adecuados. La aclorhidria es un fenómeno aceptado por la medicina ortodoxa, que consiste en la incapacidad del estómago de producir ácido clorhídrico. De hecho, la disminución en la producción de este ácido puede tener un profundo efecto en la absorción. La medicina alternativa es consciente de que éste no es un problema infrecuente, y es posible realizar pruebas específicas para establecer si hay una baja concentración de ácido. La parte más importante de la digestión es llevada a cabo por las enzimas producidas por el páncreas.

Una función pancreática exocrina (una glándula exocrina es la que produce una sustancia que no pasa directamente al torrente sanguíneo) insuficiente es otro factor bien conocido por los médicos alternativos, y también es causa de malabsorción debido a una disminución de la capacidad para fraccionar los alimentos.

RECOMENDACIONES

- *Cualquier retraso del desarrollo o falta de crecimiento debe ser evaluado por un pediatra. Pueden hacerse análisis de sangre específicos para establecer qué tipos de alimentos o nutrientes no se están absorbiendo.*

- *La reposición de los déficit es de utilidad si se administran suplementos a altas dosis, pero no lo será si el organismo es incapaz de absorberlos. Puede plantearse la administración intravenosa, aunque rara vez es necesaria.*

- *Las deficiencias genéticas en la producción enzimática difícilmente son tratables, pero la prescripción homeopática constitucional a cargo de un homeópata experimentado puede ser útil.*

- *Los antecedentes de consumo de antibióticos o de alteraciones intestinales puede sugerir un síndrome del intestino permeable. Se requiere un tratamiento específico bajo el control de un médico alternativo con experiencia para tratar las respuestas alérgicas y reponer el equilibrio en el intestino.*

- *Solicite la práctica de exámenes no invasivos para investigar la producción enzimática pancreática y del ácido clorhídrico (véase* **Gastrografías***).*

- *Si es necesario o no se dispone de estas pruebas, intente tomar un suplemento de ácido clorhídrico unos minutos antes de las comidas. Si nota un ligero calor, reduzca la cantidad o la intensidad del suplemento ácido.*

- *Hay dos tipos de suplementos pancreáticos naturopáticos que pueden probarse si no es posible realizar exploraciones no invasivas. El primero consiste en una selección de hierbas que estimula el páncreas para producir más enzimas, mientras que el segundo es un extracto de páncreas de origen animal, que actúa directamente sobre los alimentos. Siga las instrucciones del envase de acuerdo con las recomendaciones de su médico.*

- *El remedio homeopático Silica favorece la absorción; debe tomarse a una potencia de 30, 2 veces al día durante 2 semanas. Si se nota respuesta, aumente la potencia a 200 durante 3 noches y repita mensualmente si el efecto desaparece.*

- *Tenga presente que el ácido clorhídrico y los suplementos pancreáticos sólo deben administrarse a los niños bajo supervisión médica.*

MOLESTIAS DIGESTIVAS

Véanse **Gastroenteritis**, **Diarrea** y **Dolor abdominal**.

PICOR ANAL (PRURITO ANAL)

Puede ocurrir a cualquier edad y es frecuente en los niños. La causa principal es la presencia de los huevos de infestaciones parasitarias, habitualmente oxiuros.

También puede ser originado por infecciones por *Candida* (especialmente si el niño aún utiliza pañales), traumatismos, eccema o almorranas (hemorroides, aunque éstas son muy infrecuentes en los niños).

Una posibilidad habitualmente pasada por alto es la alergia alimentaria.

RECOMENDACIONES

- *Examine el ano a primera hora de la mañana, porque los parásitos ponen los huevos por la noche. Véase* **Oxiuros**.

- *El picor prolongado debe ser examinado por un médico. Consulte los apartados correspondientes de este libro.*

- *El remedio homeopático Aesculus 6 puede tomarse 4 veces al día.*

- *El extracto líquido de hamamelis diluido en agua helada y aplicado en el recto puede ser de gran alivio.*

- *La crema de caléndula puede ser beneficiosa, pero hay que aplicarla sólo durante unos minutos cada día.*

- *Mantenga el área seca con polvos de talco.*

SÍNDROME DEL INTESTINO PERMEABLE

Si se tiene en cuenta que la palabra malabsorción quiere indicar precisamente una absorción «mala», el síndrome del intestino permeable forma parte de la malabsorción. El intestino delgado actúa como un colador selectivo, permitiendo el paso al torrente circulatorio de los productos fraccionados de la digestión. Las proteínas, los azúcares y las grasas de gran tamaño son rechazados, permitiéndose sólo el paso de aminoácidos y péptidos de las proteínas, moléculas simples o dobles de azúcar y ácidos grasos. Cualquier partícula de mayor tamaño es reconocida como un cuerpo extraño y desencadena una respuesta inmunológica. En el intestino permeable, el colador falla.

Los alimentos que no están completamente digeridos son absorbidos, y el organismo inicia una reacción alérgica o inmunológica que, a partir de este momento y si no se instaura un tratamiento, identificará los alimentos básicos como si fueran bacterias o virus y responderá atacándolos. La causa de un intestino permeable puede ser un alimento que ha inflamado el intestino, una parasitosis, infecciones bacterianas, víricas y fúngicas, antibióticos que disminuyen la flora intestinal normal, toxinas químicas como pesticidas, conservantes y aditivos, e incluso el estrés, que puede producir adrenalina y disminuye el aporte de oxí-

geno mediante la reducción del flujo sanguíneo, provocando la enfermedad del intestino. La absorción de alimentos digeridos de forma incompleta es una malabsorción de tipo diferenciado. El intestino permeable puede ser la causa de muchas dolencias y debe investigarse su presencia en *todas* las enfermedades que no respondan al tratamiento.

El síndrome del intestino permeable puede ser el causante de la mayoría de las alergias alimentarias que cambian en pocos días a causa de la absorción de nuevas moléculas mal digeridas.

RECOMENDACIONES

- *Véase* **Malabsorción**.

- *Incluya un buen suplemento de Acidophillus en la dieta hasta que visite a un médico alternativo con experiencia.*

VÓLVULO

Cuando el intestino se desarrolla, una membrana denominada mesenterio se fija a sus 9 m de longitud, conduciendo los vasos sanguíneos que llegan y parten del intestino, así como los nervios y vasos linfáticos. El mesenterio puede ser una hoja ligeramente tensa, que en ocasiones puede volverse laxa y, por lo tanto, no cumplir su función de fijación del intestino. Esto permite que el intestino rote sobre sí mismo y obstruya su luz, es decir, el espacio vacío de su interior. En los casos graves, además, se producirá un compromiso de la circulación.

Los vólvulos son más frecuentes en el colon sigmoide (la última porción del intestino) y pueden producirse a cualquier edad. Se manifiestan por dolor y signos de obstrucción (distensión y estreñimiento) y, si el intestino no es rápidamente fijado, pueden producirse isquemia y gangrena intestinales.

RECOMENDACIONES

- *Cualquier dolor abdominal intenso o persistente debe ser evaluado por un médico.*

- *El vólvulo requiere tratamiento quirúrgico (véase* **Cirugía**).

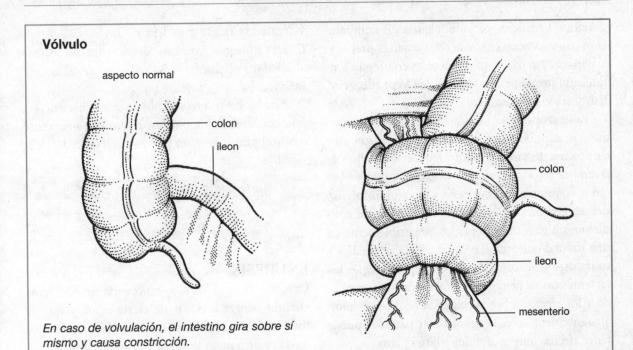

Vólvulo

aspecto normal

colon

íleon

colon

íleon

mesenterio

En caso de volvulación, el intestino gira sobre sí mismo y causa constricción.

SISTEMA UROGENITAL

BALANITIS

La balanitis es el término médico que designa la inflamación del glande y, más a menudo, del prepucio. También se usa este término a veces para la inflamación del clítoris y la vaina que lo recubre. Aunque a menudo se asocia a una higiene deficitaria, la balanitis puede estar causada por un traumatismo (el síndrome del pellizco con la cremallera, ¡así como suena!), por infecciones como herpes (muy rara en niños) y, la más importante, por una diabetes. En esta última situación, el azúcar en la orina permite que las levaduras y las bacterias se multipliquen rápidamente y causen inflamación.

RECOMENDACIONES

- *Asegúrese de que el área está limpia y de que los pañales y la ropa interior están secos. Use polvos de talco en abundancia.*

- *A medida que el niño crece, bájele la piel del prepucio lenta pero firmemente. No fuerce esta retracción, pero a la edad de 9 meses el prepucio debería poder retroceder del todo. Límpielo en cada baño.*

- *Los ungüentos que contienen caléndula son muy útiles. Con cuidado y suavidad, intente introducir crema o loción bajo el prepucio si éste no se retrae con facilidad.*

- *Los remedios homeopáticos Apis, Mercurius y Causticum a potencia 6 pueden aplicarse cada 2 horas.*

- *La inflamación persistente debe ser evaluada por el médico de cabecera y, en algunos casos, tendrá que considerarse la necesidad de circuncisión (**Circuncisión**).*

CIRCUNCISIÓN
Circuncisión masculina

La circuncisión es la extirpación de la piel laxa que recubre la cabeza del pene, llamada prepucio. Las razones médicas por las que puede practicarse son un estrechamiento de la abertura (*véase* **Fimosis**), balanitis (*véase* **Balanitis**) o traumatismos como el síndrome del pellizco con la cremallera (que se explica por sí mismo). No hay más razones médicas para la práctica de esta cirugía traumática. No proporciona beneficio adicional alguno en comparación con una buena higiene retrayendo el prepucio al bañarse. No hay ventajas sexuales en ningún sentido, aunque un pene no circuncidado puede ser relativamente más sensible.

Las razones religiosas han de ser respetadas, aunque algunas técnicas de circuncisión son sólo una forma de barbarie y entrañan un alto riesgo de complicaciones, que en último extremo pueden llevar a la amputación del pene y al cambio forzoso del sexo en niños. Realizar la circuncisión sin condiciones higiénicas apropiadas, preferiblemente en una unidad quirúrgica, o sin anestesia, es médica y moralmente inaceptable. El concepto de que los lactantes no recuerdan el dolor no está comprobado y los efectos sobre la psique al ocasionar dolor, aparentemente con la aprobación paterna, puede tener efectos muy profundos a largo plazo.

La circuncisión por razones estéticas, como automutilación en un contexto narcisista, sólo debe tenerse en cuenta tras un tiempo de asesoramiento y valoración de los efectos que las presiones sociales, normalmente a través de la publicidad, pueden haber creado. Estoy en contra de la circuncisión por cualquier razón que no sea médica.

El prepucio es una vaina protectora que puede ser de utilidad si se deja en su sitio y cuya extirpación no aporta beneficio alguno. El argumento de que el prepucio permite el asentamiento de material potencialmente infeccioso como el virus del papiloma humano (condilomas) u otros agentes infecciosos, es inaceptable cuando se practica una buena higiene.

RECOMENDACIONES

- *No circuncide a menos que su médico lo recomiende.*

- *Si decide practicarla, prepare el área con crema de árnica o caléndula (o ambas), al menos 3 veces al día, 5 días antes de la intervención.*

- *Véase* **Cirugía***.*

- *Si aparece cualquier complicación, cualquiera que sea o por leve que parezca, como inflamación, sangrado o enrojecimiento, contacte con su médico sin dudarlo.*

Circuncisión femenina

Ciertas culturas extirpan la caperuza protectora alrededor del clítoris e, increíblemente, el clítoris mismo.

Este bárbaro acto es fruto de la inconsciencia y, potencialmente, supone un riesgo extremo tanto desde el punto de vista psicológico como del de la salud.

RECOMENDACIÓN

- *Haga todo lo imposible por evitar esta operación.*

ENURESIS

Orinarse en la cama sólo representa un problema cuando ocurre a partir de cierta edad, y ésta es muy variable. Alrededor del 10% de los niños todavía se orinan en la cama a los cinco años y sólo hay que pensar en actuar a partir de los siete-ocho años.

La enuresis esporádica puede asociarse a fiebre e infecciones urinarias, en niños y en adultos de todas las edades. La incontinencia en edad avanzada se expone en otra parte del libro (*véase* **Incontinencia**).

Los niños suelen comprender el concepto y la sensación de vejiga llena entre el primero y el segundo año de vida. El control de los esfínteres y el hábito de pedir ir al baño suele iniciarse a los tres años, punto a partir del cual se inicia el control nocturno.

La enuresis se asocia con mayor frecuencia al estrés. Esto puede ser evidente o subconsciente y traducir la atmósfera familiar o escolar. Los niños son extremadamente intuitivos, y los problemas entre los padres, aunque se intenten disfrazar, a menudo son la causa de la enuresis.

Las infecciones bacterianas o las parasitosis, por ejemplo por gusanos, la diabetes y la intolerancia alimentaria pueden ser causas físicas que deben descartarse antes de establecer una causa psicológica.

RECOMENDACIONES

- *Solicite a su médico de cabecera que realice un análisis de orina.*

- *En el supuesto caso de que no haya una causa física aparente, consulte los siguientes remedios homeopáticos en un manual: Plantago, Equisetum y Kreosotum. Un remedio menos conocido, y por lo tanto del que es más difícil obtener información, es Ilex paraguayensis. Use la potencia 6, 4 píldoras cada noche durante 3 semanas, y si la mejoría no es persistente utilice mayores potencias hasta solucionar el problema.*

- *Asegúrese de que el niño no beba demasiado líquido en las 2 horas previas a acostarse.*

- *Asegúrese de que orina antes de ir a la cama y despiértelo para ir al lavabo àntes de que usted se acueste.*

- *Una visita al osteópata, quiropráctico o terapeuta craneosacro puede ser instantáneamente curativa si hay algún desequilibrio estructural en la parte inferior de la columna o en la pelvis, que pueda comprimir los nervios de la vejiga.*

FIMOSIS (FALTA DE RETRACCIÓN DEL PREPUCIO)

En ocasiones, los niños nacen con el prepucio constreñido de forma que su retracción es imposible. Ello produce la constricción sobre la salida de la uretra y puede originar una obstrucción del flujo urinario. Se produce un abombamiento de la piel del prepucio con un chorro de alta presión a través del pequeño orificio de desagüe.

RECOMENDACIONES

- *Esta situación debe ser evaluada por un especialista porque puede ser necesario un procedimiento quirúrgico, incluido el de la circuncisión.*

- *No trate de forzar el descenso del prepucio, porque puede provocar lágrimas y potencialmente una infección.*

- *Si se indica una operación, véase* **Circuncisión.**

TESTÍCULO NO DESCENDIDO

Los testículos se desarrollan dentro de la cavidad abdominal durante el período fetal. Descienden hasta el escroto justo antes del nacimiento o en las primeras semanas después. Al descender arrastran con ellos vasos sanguíneos, vasos linfáticos y nervios a través del conducto inguinal.

En algunos casos, por motivos desconocidos, los testículos no descienden, lo que se asocia en ocasiones con vasos sanguíneos cortos que no se estiran e impiden, por lo tanto, el descenso.

Los testículos cuelgan fuera del cuerpo en el escroto porque su función se desarrolla a una temperatura menor que la corporal. Una falta de descenso o el atrapamiento en el conducto inguinal impedirán la maduración y la capacidad de producir espermatozoides.

RECOMENDACIONES

- *Al año de vida pueden tratarse los testículos no descendidos con el remedio homeopático Clematis 200, una píldora cada noche durante 3 noches. Si no se observa efecto alguno durante el mes siguiente, use el remedio Aurum metallicum 200 en las mismas dosis.*

- *Puede ser necesaria una intervención quirúrgica, que normalmente se lleva a cabo después de los 3 años. Si hay que seguir este camino, véase* **Cirugía.**

APARATO LOCOMOTOR

FRACTURAS Y HUESOS ROTOS

Los niños se curan rápidamente, pero tienden a comportarse mal cuando sufren una fractura, lo que ocasiona un retraso en su reparación. Es importante permanecer alerta. Las fracturas localizadas cerca de las zonas de crecimiento de los huesos deben ser controladas por un traumatólogo. Sin duda alguna, hay que consultar con un osteópata para favorecer la correcta alineación, a fin de evitar sobrecargas en la parte opuesta del cuerpo.

Pueden utilizarse remedios como en las fracturas de los jóvenes pero no deben administrarse remedios de consuelda al niño.

Véase el capítulo 4 para la información general sobre las fracturas.

MOLESTIAS Y DOLORES

Todos los niños tienen molestias y dolores. A menudo se utiliza el término «dolores de crecimiento» para referirse al alargamiento de tendones y ligamentos debido al crecimiento del niño. Aunque no es preocupante, si se trata de una molestia persistente, sobre todo en las articulaciones, debería consultarse con un médico.

Ciertas deficiencias y la deshidratación pueden causar problemas leves que requieren alguna solución.

RECOMENDACIONES

- *No subestime el poder de un beso en la zona lesionada.*

- *Son útiles el calentamiento y el masaje suaves sobre la zona dolorida.*

- *La deshidratación es una causa frecuente de molestias y dolores. Asegúrese de que su hijo bebe suficiente agua, zumos muy diluidos o infusiones. Se aconsejan 250 ml por cada 15 kg de peso diariamente.*

- *La infusión de manzanilla puede ser un buen calmante.*

- *Mínimas deficiencias de calcio, magnesio, cinc y cobre pueden ocasionar molestias y dolores. Una dieta correcta suele ser suficiente, pero a veces es útil un suplemento.*

- *Un dolor persistente sin causa aparente debería ser evaluado primero por un osteópata o un quiropráctico. Si no se obtiene mejoría, debería consultar con un pediatra.*

Tenga presente que cualquier molestia o dolor que altere el modo de caminar (marcha) del niño debería ser evaluado por un osteópata u otro fisioterapeuta especializado en niños.

PIES

CUIDADO DE LOS PIES

Los pies pueden considerarse unos órganos extraordinarios si se reflexiona sobre lo que hacen y la forma en que los tratamos. Los apretamos con gruesos calcetines, los empujamos dentro de zapatos a menudo inadecuados y ponemos poca atención a su higiene, a pesar de su tendencia a sudar en un medio tan estrecho. Nos mantenemos de pie sobre ellos, caminamos con ellos y en cada paso descansamos el peso de todo el cuerpo sobre los escasos 20 cm^2 que denominamos la bola de nuestros pies. Tienen pequeños vasos sanguíneos que se llenan de sangre por acción de la gravedad ¡y aún nos sorprendemos de que suden! Los huesos y los músculos, a pesar del peso que soportan, tienden a ser muy elásticos y rara vez presentan calambres, aunque no dedicamos mucho tiempo a

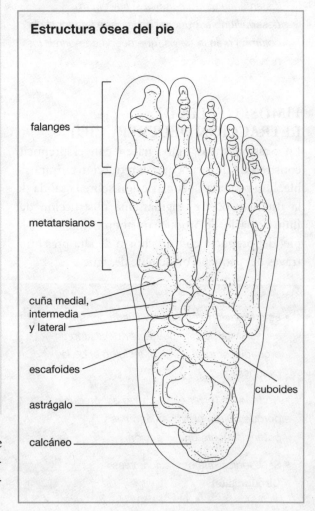

Estructura ósea del pie

falanges

metatarsianos

cuña medial, intermedia y lateral

escafoides

cuboides

astrágalo

calcáneo

relajar estas partes del cuerpo que tanto trabajo realizan.

Las filosofías orientales consideran además que los pies están relacionados con la madre Tierra, aunque pocas veces estamos con los pies directamente sobre el suelo. Encuentro interesante que los maestros de yoga dediquen tiempo a permanecer boca abajo y en posición de flor de loto, con las plantas de los pies orientadas hacia el cielo y, por lo tanto, creando una potencial conexión entre nuestras «plantas» y el cielo.

Todas las enfermedades arteriales causadas por el tabaco, la diabetes o la predisposición genética a los pies fríos requieren atención especial sobre éstos, ya que los vasos sanguíneos son pequeños y cualquier oclusión, propia de las anteriores situaciones, dificultará su curación. Los diabéticos, especialmente, pueden presentar déficit neurológico y, por lo tanto, no darse cuenta de las lesiones de sus pies; hay que poner especial atención en esta área.

RECOMENDACIONES

- *Permanezca el mayor tiempo posible con los pies descalzos, preferentemente en contacto directo con el suelo.*

- *Utilice calcetines y zapatos de horma blanda.*

- *Mantenga una limpieza correcta de todas las partes del cuerpo, pero especialmente de los pies y sus dedos. Es una zona muy favorable para el crecimiento bacteriano y de hongos debido a la humedad y al calor.*

- *Es esencial realizar una limpieza y un secado cuidadosos, especialmente entre los dedos. Se aconseja usar polvos de talco si los pies están sudorosos o si se permanecerá un tiempo prolongado con calcetines y/o zapatos.*

- *Si es posible, exponga las plantas de los pies al sol durante unos minutos cada día.*

- *Toda lesión debe ser tratada con respeto. Los vasos sanguíneos del pie son pequeños y las lesiones provocan que no reciba un buen riego sanguíneo.*

CALZADO

La elección del calzado es muy importante, al igual que el empleo de calcetines no muy ceñidos. Los zapatos muy estrechos alteran la delicada estructura ósea de los pies del lactante y lo mismo puede decirse hasta el final de crecimiento, alrededor de los 20 años.

Los zapatos deben ser de longitud y anchura adecuadas, cómodos y de materiales naturales para evitar el sudor.

Muchos dolores de espalda persistentes, tanto del cuello como de la parte inferior, se deben a la mala alineación de la pelvis, que a su vez puede estar causada por una diferencia de longitud de las piernas. Esto se corrige con plantillas o alzas en el talón y las suelas de los zapatos.

RECOMENDACIONES

- *Utilice zapatos adecuados según las medidas de los pies del niño y no por cuestión de modas.*

- *En lo posible, use calzado de materiales naturales y cuyos tejidos interiores permitan «respirar» y absorber el sudor.*

INFECCIONES FÚNGICAS
Véase **Pie de atleta.**

PIE DE ATLETA

El pie de atleta se caracteriza por enrojecimiento, picor y descamación de la piel de los espacios interdigitales de los pies y zonas adyacentes. Generalmente está causado por un hongo (*véase* **Tiña**), aunque la infección secundaria bacteriana puede empeorar la situación.

La mayoría de las veces se contrae a partir de los suelos mojados de vestuarios y piscinas y habitualmente se resuelve con una higiene correcta.

RECOMENDACIONES

- *Si se siguen los principios básicos de higiene no suele ser necesario ningún tratamiento.*

- *Mantenga el pie siempre seco y utilice polvos de talco.*

- *Permanezca el mayor tiempo posible descalzo, sin olvidar que se trata de infecciones fúngicas contagiosas.*

- *Es útil el aceite de árbol del té, aplicado como aceite concentrado y después secado con secador de cabello.*

- *Frote ajo machacado en las zonas afectadas, déjelo durante 20 minutos, lave y seque a fondo. También puede usarse ungüento de caléndula del mismo modo.*

- *En caso de infecciones recurrentes, aplique extracto de pomelo 2 veces al día durante una semana.*

- *Evite, si es posible, las preparaciones ortodoxas. Pueden provocar la aparición de cepas resistentes de hongos difíciles de eliminar.*

PIE PLANO

La cara interna y media del pie presenta un arco. No existe un grado de arqueamiento determinado que se considere normal, pero si esta parte de la anatomía se apoya plana sobre el suelo se considera que el individuo presenta pies planos. No constituye un problema, salvo que provoque dolor de los pies, molestias en otras partes del cuerpo (especialmente la parte inferior de la espalda o las articulaciones de las extremidades inferiores) o si se sufren alteraciones al andar o al correr.

El arco del pie está formado por los músculos y ligamentos de esta región anatómica. A medida que éstos se tensan y se desarrollan, el arco se eleva. El pie del niño suele ser plano y se arquea a medida que empieza a andar.

RECOMENDACIONES

- *No es preciso tratar el pie plano salvo que existan las molestias mencionadas.*

- *Puede consultar con un podólogo para la prescripción de un zapato o una plantilla adecuados.*

- *Las molestias pueden aliviarse con reflexoterapia y debería consultar a un osteópata craneal, un*

osteópata o un quiropráctico en caso de dolor en otra localización.

- *Consulte con un podólogo la conveniencia de caminar descalzo y los ejercicios específicos de los pies a practicar.*

- *Si existe cualquier alteración del paso al andar o al correr, visite a un experto en la técnica de Alexander para comentar las posturas más recomendables.*

PIES SUDOROSOS

Los pies sudorosos, al igual que los ardientes, no indican necesariamente una afección y puede tratarse simplemente de una predisposición genética.

RECOMENDACIÓN

- *Véase **Sensación de calor o quemazón en los pies** en la sección dedicada a los pies.*

PIE ZAMBO

Se trata de un problema congénito caracterizado por la presencia de uno o ambos pies con una angulación hacia dentro y apuntando hacia abajo. En términos médicos, el pie zambo puede también representar una deformidad hacia fuera y hacia arriba del tobillo y del pie.

RECOMENDACIONES

- *La evaluación corresponde a un cirujano ortopédico.*

- *Médicos, quiropodólogos y algunos osteópatas y quiroprácticos pueden enseñar a los padres técnicas de masaje que podrían corregir la deformidad del pie zambo. Es beneficioso el uso de crema de árnica mientras se siguen estas técnicas.*

- *También puede ser necesaria la colocación de férulas.*

- *En ocasiones se requiere una intervención quirúrgica. En este caso, véase el apartado **Cirugía**.*

Pie zambo

resto del pie rotado
hacia dentro y
hacia abajo

calcáneo (talón)
rotado hacia arriba
y hacia fuera

SENSACIÓN DE CALOR O QUEMAZÓN EN LOS PIES

Se trata de un síntoma extraordinariamente frecuente; incluso hay individuos que lo han padecido toda la vida y lo consideran normal. No existe ninguna enfermedad asociada y, simplemente, puede tratarse de falta de conocimiento por parte de estas personas.

Ciertas dolencias, como la esclerosis múltiple, algunas enfermedades neurológicas y la diabetes, pueden causar lesiones nerviosas que envíen estímulos al cerebro indicando calor local, aun cuando éste no sea excesivo.

La sensación de calor en los pies puede ser un síntoma de déficit nutricional, particularmente de ácido fólico, vitamina B_{12} y otros complejos vitamínicos.

Las filosofías orientales consideran que el calor en los pies indica un bloqueo de los chakras inferiores, que ocasiona un exceso de energía acumulado en las extremidades inferiores.

RECOMENDACIONES

- *La sensación de calor o quemazón persistente en los pies debería ser evaluada por un médico para descartar patologías subyacentes graves.*

- *A veces, aunque pocas, la aplicación permanente de frío puede ser beneficiosa.*

- *Consulte el problema con un homeópata porque hay muchos remedios útiles para los pies*

ardientes, pero es mejor considerar la constitución del individuo en conjunto para determinar el más adecuado.

- *Tome el triple de la cantidad diaria recomendada de cinc y complejo B (asegúrese de que contiene vitamina B_{12}) durante al menos 3 semanas.*

- *Si los tratamientos anteriores no solucionan el problema, alguna forma de liberación de energía bajo las manos de un sanador, un acupuntor o un practicante de shiatsu puede liberar un bloqueo en la pelvis permitiendo que la energía fluya más libremente y alivie la presión sobre los pies.*

PIEL

ASTILLAS

Una astilla es un pequeño fragmento de cualquier material que queda alojado en la piel. Generalmente causan dolor, que empeora si el área donde se alojan está sometida a presión.

RECOMENDACIONES

- *Cualquier herida punzante puede dejar una astilla bajo la superficie cutánea que no sea visible. Toda herida punzante que cause dolor debe ser valorada por un médico.*

- *La exploración radiológica sólo es útil si la astilla es metálica, puesto que la mayor parte de los* demás materiales no son radiopacos (visibles con rayos X).

- Todo intento de extraer una astilla debe realizarse con los instrumentos adecuados, como un par de pinzas finas. El uso de una aguja para romper la piel por encima de la astilla es aceptable si ésta no está enterrada a demasiada profundidad. Todo el instrumental debe esterilizarse con agua hervida o directamente sobre una llama durante al menos un minuto. (No sujete el otro extremo del instrumento metálico mientras lo esteriliza.) Como alternativa puede usarse una solución desinfectante diluida, pero es necesario limpiar primero con agua hervida antes de aplicar sobre la piel.

- Use crema de árnica o caléndula antes y después.

- En los niños (¡o adultos!) aprensivos puede intentarse la extracción mediante la aplicación de un esparadrapo sobre la astilla visible. Déjela colocada 48 horas. A medida que la piel se regenere, el organismo expulsará el cuerpo extraño, que quedará adherido al esparadrapo y podrá ser fácilmente retirado.

- No dude en visitar al médico, quien dispone de todo el material necesario para extraer la astilla y puede administrar además un anestésico local.

CONDILOMAS

Véase **Verrugas**.

CORTES Y ABRASIONES

Pueden ocurrir a cualquier edad, por supuesto, y el tratamiento es el mismo.

RECOMENDACIONES

CORTES GRAVES

- Retire cuanto antes todos los restos o suciedad con los dedos o unas pinzas.

- Si el sangrado es abundante debe yugularse aplicando un material limpio sobre la herida y ejerciendo la presión adecuada. Debe acudir lo antes posible al médico para su evaluación y tratamiento.

- Excepcionalmente, si la presión local no detiene la hemorragia, habrá que valorar la oclusión de la arteria por encima de la lesión aplicando un torniquete. Esta maniobra está indicada sólo en casos excepcionales.

CORTES LEVES

- Limpie la herida con agua, si es posible hervida, pero es totalmente aceptable el agua del grifo o corriente.

- Si persiste el sangrado, consulte con el médico por si es necesario suturar.

- Aplique crema de caléndula. Tome Arnica, potencia 6, cada 30 minutos, 3 dosis, y después cada 3 horas hasta que cese el dolor.

COSTRA LÁCTEA

La costra láctea se caracteriza por la presencia de parches costrosos en el cuero cabelludo, debido a una excesiva producción de seborrea (secreción grasa natural) por el cuero cabelludo (y la piel). La seborrea se seca sobre la piel y por debajo de ella, por esto al arrancar o intentar retirar las costras, éstas pueden sangrar y sobreinfectarse.

RECOMENDACIONES

- Los lavados frecuentes con champú (incluso si el cabello es escaso) aceleran el proceso. Si hay cabello, no utilice champú más de 3 veces por semana puesto que elimina las grasas naturales.

- Puede ser útil la aplicación de una mezcla de una cucharadita de zumo de limón en 2 cucharadas de aceite de oliva, 2 veces al día.

- No arranque las costras.

- Efectúe un suave masaje y utilice un cepillo de cerdas blandas para facilitar la caída de la costra.

DERMATITIS DEL PAÑAL

Todos los niños presentan alguna vez una erupción en la región inguinal y en las nalgas. En efecto, si un adulto permaneciera con la ropa interior húmeda, como sucede a menudo después de los ejercicios del gimnasio o de otro tipo, tarde o temprano aparecerían erupciones con el consiguiente malestar o irritación.

La dermatitis del pañal es una erupción roja, irritativa y a veces con granos, que aparece en las zonas cubiertas por el pañal y partes adyacentes. Está causada por el amoníaco de la orina y los jugos digestivos de las heces que irritan la piel.

Es importante diferenciar esta erupción habitual de otro problema más persistente e irritativo, como las infecciones por *Candida*, bacterias, virus u otros hongos. En ocasiones, la infección secundaria por bacterias u hongos de la piel puede empeorar la situación. La infección por *Candida* es frecuente.

Una dermatitis persistente o con frecuentes recurrencias puede indicar problemas más graves, como diabetes.

RECOMENDACIONES

- *Toda erupción que no responde a las recomendaciones siguientes en 48-72 horas, debería ser evaluada por un médico para establecer el diagnóstico.*

- *Deje al lactante el mayor tiempo posible sin pañal.*

- *Cambie a menudo los pañales y limpie bien la zona 3 veces al día con agua o jabones simples no tratados químicamente.*

- *Use polvos de talco en abundancia antes de acostar al niño y cada vez que cambie los pañales durante el día.*

- *En cuanto aparezca la dermatitis trátela con crema de cinc o aceite de castor antes de colocar el pañal, especialmente por la noche. Pruebe crema de árnica o caléndula. Estas cremas pueden producir mayor inflamación de la zona porque el principio de la fitoterapia es favorecer el flujo de sangre a la zona, a fin de acelerar la curación. Si esto sucede, no siga usándolas.*

Limpie las cremas siempre que pueda exponer la piel del niño al aire.

- *Las erupciones más irritativas responden bien a la aplicación de cremas de óxido de cinc. Se trata de cremas de barrera por lo que deben usarse en abundancia. No es necesario frotar, simplemente extenderlas sobre la superficie.*

- *Es aceptable el uso de cremas con compuestos de bencilo si los productos naturales no solucionan el problema.*

- *Puede utilizarse el remedio homeopático Anacardium 6 cada 2 horas si el niño está irritable, Bovista si la erupción está relacionada con diarrea y empeora por la mañana, Hepar sulphuris calcarium si es recurrente, Rhus toxicodendron si el área está hinchada y Urtica urens si la erupción parece una picadura de ortiga.*

- *La persistencia de esta dermatitis puede estar relacionada con la dieta o la ingesta materna si el niño se alimenta al pecho, en cuyo caso debe consultarse a un nutricionista.*

ECCEMA (DERMATITIS)

Eccema es un nombre demasiado sencillo para una situación muy complicada. Mucha gente tiene su propia idea sobre lo que es el eccema, pero, en términos médicos, designa una afección cutánea irregular con diversas características. El eccema puede ser simplemente una pequeña zona de piel seca y escamosa o presentarse como zonas enrojecidas, tumefactas, fisuradas y secas o como lesiones exudativas. Esta piel alterada es más propensa a infectarse y, por tanto, puede asociarse a granos o pus.

En contra de la creencia popular, el eccema no siempre es una lesión prolongada o crónica, sino que puede presentarse de forma aguda y desaparecer rápidamente. Por definición, el eccema no tiene una causa ortodoxa reconocida y, estrictamente hablando, toda erupción que se asemeje al eccema con una causa conocida, como irritantes tópicos, infección estafilocócica o reacciones de alergia alimentaria o a medicamentos, debe ser denominada dermatitis. Muy a menudo, los libros no médicos utilizan los términos eccema o dermatitis indistintamente.

A pesar de que en ocasiones el eccema es exudativo (líquido claro o suero), sus características principales son la sequedad y el enrojecimiento. Las filosofías médicas orientales consideran que el eccema se debe a un exceso de calor, si bien el suero puede ser un intento de resolver el problema, en cuyo caso esta forma de eccema se considera «calor húmedo». Las terapias alternativas se han dirigido, por lo tanto, a buscar la causa de este exceso de calor y eliminarlo. Puede existir una predisposición genética al eccema (como en el asma y la fiebre del heno), en cuyo caso se habla de eccema *atópico*.

Hahnemann, el padre de la homeopatía, planteó la existencia de tendencias profundamente asentadas o problemas que denominó miasmas (*véase* **Homeopatía**). Uno de estos miasmas, denominado *psoric* o *psora*, se manifiesta como erupciones cutáneas, y Hahnemann creía que 7/8 de todas las enfermedades crónicas se debían a afecciones de la piel. En efecto, en los siglos previos al advenimiento del efecto supresor de los corticoides, muchas enfermedades se manifestaban con síntomas cutáneos iniciales. Dado que los homeópatas creen fervientemente en la transmisión de los procesos patológicos de una generación a otra hasta que son tratados de modo adecuado, los problemas de la piel y el eccema en particular se consideran un problema interno del organismo más que un problema real de la piel y, a menudo, «pasado» de generación en generación.

La piel es ciertamente un órgano importante que cumple múltiples funciones. Está directa o indirectamente relacionado con la mayoría de los demás órganos y sistemas del cuerpo y, por lo tanto, al tratar un problema cutáneo uno debe tener en cuenta el cuerpo como un todo. La piel actúa como protección y participa en muchas de las acciones del sistema inmunológico; puede absorber y excretar, realizando funciones similares al pulmón y los riñones (el sudor y la orina tienen una composición muy parecida), y puede transformar la luz del sol en sustancias químicas a la vez protectoras y esenciales para el bienestar, como la melanina (interviene en la pigmentación de la piel) y la producción de vitamina D (esencial para la supervivencia).

La piel refleja también el estado emocional, volviéndose rosada al sentir vergüenza, roja con la ira y pálida con el miedo. La piel, de acuerdo con las filosofías orientales, refleja la energía interna del corazón, los pulmones, el hígado y el sistema nervioso, puesto que todos estos órganos están implicados en el estado emocional.

Un mal funcionamiento de la piel, por lo tanto, puede deberse a un problema subyacente que afecte a cualquiera de nuestros órganos.

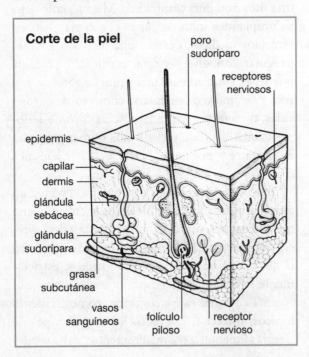

Corte de la piel

poro sudoríparo

receptores nerviosos

epidermis

capilar

dermis

glándula sebácea

glándula sudorípara

grasa subcutánea

vasos sanguíneos

folículo piloso

receptor nervioso

RECOMENDACIONES

- *El eccema debe tratarse holísticamente. Con mucha frecuencia el problema es tan importante que se requieren corticoides o equivalentes naturales, pero sólo deberían utilizarse de acuerdo con una valoración médica alternativa y con moderación.*

- *Valore el eccema con un médico homeópata junto con un practicante chino o tibetano. Recuerde, sin embargo, que muchos tratamientos con hierbas, aunque efectivos, tienen una base esteroidea y pueden ser supresores.*

- En casos de eccema agudo los remedios homeopáticos Psorinum, Calcarea carbonica y Graphites pueden utilizarse a potencia 6, cada 2 horas, hasta consultar con un especialista médico alternativo.

- Una cucharada colmada de bicarbonato de sodio en 500 ml de agua templada o fría (según cuál sea mejor) puede aliviar el prurito.

- El eccema seco debe tratarse y protegerse de la infección mediante cremas de caléndula u ortiga, crema de vitamina E o vaselina.

- Puede obtenerse un aceite de masaje base añadiendo aceites esenciales de manzanilla, lavanda o naranjo amargo, que, si no cura, al menos alivia.

- Deben administrarse las siguientes vitaminas y suplementos a las dosis recomendadas por un especialista: vitaminas A y E, cobre, semillas de lino y ácido gammalinoleico.

- Evite el uso de productos químicos para la piel, incluyendo jabones y champús. Los únicos productos de higiene deberían ser agua, jabones de glicerina y cremas acuosas.

- La estrecha relación entre la piel y la mente requiere el empleo de técnicas de tratamiento del estrés. Si el paciente tiene edad suficiente, deberían utilizarse psicoterapia, hipnoterapia y técnicas como programación neurolingüística. Si el niño es demasiado pequeño, deben emplearse técnicas de masaje. Es importante saber que el estrés en el niño puede ser el reflejo de niveles de ansiedad en la familia y que para conseguir curar la piel del niño puede ser necesario realizar psicoterapia a los padres o hermanos descontentos.

- El eccema puede indicar una intolerancia o alergia alimentaria. Se recomienda el estudio mediante técnicas de biorresonancia, así como análisis de sangre, para los casos resistentes.

- Es frecuente hallar niveles bajos de ácido clorhídrico en el estómago (hipoclorhidria) de pacientes con eccema. La hipoclorhidria disminuye la capacidad de digerir los alimentos, lo que puede provocar la absorción de moléculas grandes de alimento y la posterior aparición de alergias. Es posible y recomendable realizar pruebas de secreción de ácido clorhídrico a través de un médico alternativo.

ESCALDADURAS

Una escaldadura es una lesión de la piel causada por líquidos calientes y debe tratarse como una quemadura (*véase* **Quemaduras**).

ESCOCEDURAS

Si bien las escoceduras pueden ocurrir a cualquier edad, son más frecuentes en los niños porque parece que su intolerancia al frío mientras juegan en el exterior es mayor. Escocedura es el término médico para señalar la rotura de las capas superficiales de la piel, que provoca la desecación y fisuración por la combinación de frío y sequedad.

RECOMENDACIONES

- Evite el uso de leches hidratantes, cremas labiales, etc., porque provocan una dependencia de la parte del cuerpo implicada. En condiciones extremas, en que las agresiones climáticas son inevitables, como esquiando o navegando, pueden utilizarse de forma transitoria.

- La piel se rehidrata y cura mejor desde el interior; por lo tanto, asegure una buena hidratación y una adecuada ingesta nutricional en forma de frutas y verduras.

- En caso de lesión, administre los siguientes suplementos en las dosis indicadas (por kg de peso): vitamina A, 170 UI; vitamina C, 30 mg; vitamina E, 7 UI, y cinc, 170 mg. Deben administrarse fraccionados con las comidas.

- El uso de crema de árnica o caléndula en crema por períodos breves está aceptado y es efectivo.

IMPÉTIGO

Esta infección bacteriana, habitualmente causada por un estafilococo, afecta sobre todo a niños, aunque puede tener lugar a cualquier edad. En general, indica un déficit del sistema inmunológico puesto que, en condiciones normales, el estafilococo es una bacteria comensal (convive con nosotros sin causar daño). El uso de antibióticos o cremas y lociones antisépticas puede provocar la aparición de cepas resistentes, difíciles de atacar por parte del organismo, que a menudo ocasionan infección estafilocócica o impétigo.

Es importante reconocer estas ampollas –que aparecen sobre una erupción roja, revientan y forman una costra marronácea– puesto que el impétigo es muy contagioso y se extiende rápidamente. Aparece sobre todo en la cara, pero también en cualquier otro lugar.

RECOMENDACIONES

- *Toda erupción agresiva, dolorosa y de rápida diseminación debería ser valorada por un profesional de medicina alternativa y revisada por un médico en caso de que no se responda a las terapias alternativas. Puede ser necesario el uso de antibióticos.*

- *Solicite un frotis de piel y considere el uso del nosode homeopático (el remedio elaborado a partir de la bacteria), a potencia 30, cada 2 horas hasta lograr una mejoría y después 4 veces al día hasta que cure.*

- *Aplique una loción de caléndula en la zona cada 2 horas. No use una crema oleosa puesto que las bacterias prefieren un medio húmedo. No use soluciones antisépticas, pues destruyen las bacterias beneficiosas de alrededor de la lesión que compiten con las invasoras.*

- *Deben elegirse remedios homeopáticos específicos según los síntomas. Un homeópata debe prescribir un remedio constitucional.*

- *Hay que administrar los siguientes suplementos en dosis fraccionadas a lo largo del día con las comidas (cantidades indicadas por kg de peso): betacaroteno, 150 mg; vitamina C, 70 mg, y vitamina E, 7 UI. Administre cinc en dosis de 350 mg/kg de peso antes de acostarse.*

- *Recuerde que el impétigo es muy contagioso; mantenga una buena higiene y utilice toallas diferentes para la zona afectada. No debe acudir a la escuela hasta que la infección se cure por completo.*

MORDEDURAS

Cualquiera puede ser mordido por insectos, animales o seres humanos. Las mordeduras se incluyen en el capítulo de la infancia dado que son más frecuentes a esta edad. El tratamiento, sin embargo, es similar en cualquier edad.

Una mordedura no tiene consecuencias a menos que corte la piel. Cuando esto ocurre y la protección externa del cuerpo se ha roto, por pequeña que parezca la abrasión, el tratamiento es esencial. Las mordeduras humanas son particularmente problemáticas porque la boca contiene muchos virus y parásitos que son extremadamente agresivos. Lo mismo cabe decir de las mordeduras de animales, que pueden ser gravísimas si el animal tiene la rabia. Las mordeduras de insectos (*véase* **Picaduras**) pueden inyectar veneno en la zona. Las mordeduras de reptiles (serpientes) y sus venenos son de diversa gravedad, pero todas requieren asistencia médica.

RECOMENDACIONES

- *Cualquier mordedura que rompa la piel debe ser evaluada por un médico ortodoxo, preferentemente en un servicio de urgencias.*

- *Ante cualquier mordedura, lave profusa e inmediatamente con agua corriente y embeba la herida con una solución salina concentrada (5 cucharadas de sal en 500 ml de agua) con cualquier antiséptico, de preferencia 5 cucharaditas colmadas de loción de caléndula y/o hipérico.*

- *Las mordeduras humanas son muy peligrosas y deben lavarse profusamente de inmediato. Lo mismo puede decirse de las causadas por otros animales.*

- *Si es mordido por un animal o un insecto, intente cazarlo o, al menos, recordar la mayor cantidad de detalles. El suero antiofídico es muy específico, por lo que es de vital importancia recordar las características de una serpiente.*

- *Con respecto a las mordeduras de serpiente, olvide todo lo que ha visto en las películas del Oeste. No utilice un torniquete. Si va a succionar el veneno de las heridas, no corte antes, y no realice este procedimiento si tiene un corte o llaga en la boca. Mantenga a la víctima en reposo porque cualquier movimiento aumentará la frecuencia cardíaca y moverá el veneno por todo el cuerpo más deprisa.*

- *Si se sospecha que el animal está rabioso, consiga el remedio homeopático Hydrophobinum, a potencia 30, 12 o 6, y tome una dosis cada 10 minutos cuanto antes. No obstante, acuda inmediatamente al hospital.*

- *Aplique crema de árnica, caléndula y/o hipérico u ortiga.*

- *Se le aconsejará que se vacune frente al tétanos y, tanto si lo hace como si no, use el remedio Hypericum, a potencia 30, 12 o 6, 4 píldoras cada 15 minutos durante la primera hora y después cada 2 horas durante 3 días.*

PICADURAS

Las picaduras suelen ser provocadas por un insecto y se diferencian de las mordeduras en que éste inyecta un producto químico que ocasiona quemazón, pinchazos o... ¡picor! Habitualmente las picaduras son causadas por avispas, abejas y mosquitos. Las picaduras más graves por avispones son menos frecuentes. Ciertos animales marinos como la medusa y algunos tipos de coral también pueden producir picaduras.

La sustancia irritante inyectada afecta directamente a las terminaciones nerviosas y también a las células que liberan sustancias tipo histamina, que favorecen el flujo de sangre hacia la zona afectada. Al frotar y rascar la zona se extiende el tóxico y empeora la situación.

RECOMENDACIONES

- *El mejor tratamiento es la prevención y el uso de repelentes de insectos.*

- *Aplique compresas frías o hielo lo antes posible.*

- *La vitamina B_6 (50 mg al atardecer) puede repeler los mosquitos, y la aplicación de una solución de pelitre mantendrá apartados los insectos.*

- *Retire cualquier resto del insecto o de su aguijón tan pronto como sea posible con una uña afilada o pinzas. No use los dientes ni succione la toxina porque puede sufrir una reacción más agresiva en la boca. Recuerde que algunos insectos dejan el aguijón y una bolsa del tóxico bombeando en la herida.*

- *Aplique directamente sobre la picadura una tintura de cualquiera de las siguientes hierbas: caléndula o aceite de árbol del té para picaduras de mosquitos; árnica o lavanda para picaduras de abeja, y árnica o ledum para avispas o avispones.*

- *Si lo anterior no está disponible o es ineficaz, pruebe con el jugo de una patata, apretando una rodaja de patata cruda sobre la zona. Si no funciona en 2 minutos, use cebolla.*

- *Los remedios homeopáticos Ledum o Apis mellifica pueden administrarse a potencia 6 cada 5 minutos. Si la picadura está muy roja e inflamada es mejor utilizar Apis.*

- *En caso de picaduras múltiples o agresivas, pueden tomarse suplementos de papaína o bromelina en dosis triples a las recomendadas en el producto, durante 3 días.*

PIOJOS

Los piojos son parásitos que afectan sobre todo a los niños, quienes se contagian de sus compañeros de clase, pero pueden presentarse a cualquier edad. Existen varios tipos de piojos que viven en diferentes partes del cuerpo, por lo que los de la cabeza son una especie distinta de los del pubis (ladillas). Estos parásitos se colocan planos sobre la piel, se enganchan a pequeños capilares y provocan prurito, enrojecimiento y a veces sangrado por rascado excesivo.

Piojo hembra

huevos
adheridos a la
base de un pelo

piojo

Los piojos depositan sus huevos en la raíz del pelo corporal y los enganchan como un fuerte cemento.

RECOMENDACIONES

- *Las terapias alternativas pueden ser útiles y deben considerarse antes de utilizar soluciones comerciales. Recientes pruebas realizadas por el laboratorio de Sanidad de Gran Bretaña han demostrado que el ingrediente activo malation se absorbe a través del cuero cabelludo y puede afectar al sistema nervioso.*

- *Mezcle 100 ml de aceite de almendra con 10 ml de aceites de lavanda, eucalipto y bergamota. Aplíquelo en el cabello y el cuero cabelludo y cubra la cabeza con un gorro de ducha durante toda la noche. Lávelo con abundante agua a la mañana siguiente y siga las siguientes instrucciones para el peinado.*

- *Peine el cabello con un peine metálico para liendres 2 veces al día durante 2 semanas. Actualmente existen peines eléctricos para liendres que cortan al mismo tiempo que matan las liendres por contacto.*

- *Todos los miembros de la familia o grupo social próximo (como los compañeros de clase) deberían realizar el tratamiento.*

PUPAS POR FRÍO
Véase **Herpes simple.**

QUEMADURAS

Las quemaduras pueden ocurrir a cualquier edad, pero son más preocupantes en los niños. Un área de unos 36 cm^2 en un adulto puede representar el 2% de piel quemada, mientras que para un lactante equivaldría al 20%. La piel es esencial para diferentes procesos, incluyendo la protección frente a gérmenes invasores y el mantenimiento de la hidratación corporal. La pérdida de piel por una quemadura ocasiona una pérdida muy rápida de líquidos corporales. Cuanto mayor sea el área de piel lesionada, mayores serán la pérdida de líquidos y el riesgo para el individuo.

Se distinguen tres tipos de quemaduras:

- **Primer grado**, si sólo se ha afectado la capa superficial de la piel.
- **Segundo grado**, cuando están afectadas las capas superficial y media, pero la más profunda –donde se lleva a cabo la reproducción cutánea– está intacta.
- **Tercer grado**, cuando toda la piel, incluyendo su capa basal o proliferativa, está destruida.

Las quemaduras de tercer grado, si son pequeñas, pueden regenerarse a partir del crecimiento de la piel circundante, pero si son demasiado extensas requieren un injerto.

RECOMENDACIONES

- *Toda quemadura que rompa la piel o rezume líquido debería ser evaluada por un médico general.*

- *Toda quemadura que afecte a más del 3% de la superficie corporal debe ser tratada en un servicio de urgencias.*

Porcentajes de piel

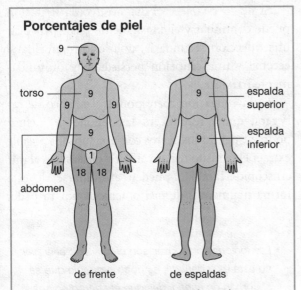

de frente   de espaldas

La «regla de los nueves» proporciona el porcentaje del área de piel de cada sección en el cuerpo del adulto. Sin embargo, los resultados no son iguales en niños, ya que éstos tienen una proporción diferente entre las secciones.

- *Aplique agua fría inmediatamente.*

- *Al contrario de lo que decían las abuelas, no aplique mantequillas o aceites (la zona se freiría) y no reviente las ampollas.*

- *Puede aplicar extractos líquidos de árnica, caléndula o hipérico, 3 cucharadas disueltas en 500 ml de agua.*

- *No retire la ropa de la zona quemada a menos que salga fácilmente.*

- *Considere los remedios Arnica y Urtica urens para las quemaduras superficiales, Arnica y Kali bichromicum para las de segundo grado y Causticum e Hypericum si el dolor de la quemadura persiste. Tome una potencia 6 de cualquiera de los anteriores cada 10 minutos.*

- *Aplique áloe vera, caléndula, hipérico u ortiga en forma de geles o lociones.*

- *Véase Quemadura solar.*

SABAÑONES

Los sabañones son tumefacciones dolorosas, habitualmente localizadas en las partes distales, como los dedos de los pies y las manos. En casos graves la hinchazón puede llegar a lesionar la piel y desencadenar una infección secundaria.

Los sabañones se deben a una mala circulación periférica (capilar) y aparecen por la acción del frío sobre la zona afectada. La piel se lesiona más fácilmente si además la zona está húmeda. Se trata fundamentalmente de un problema circulatorio general, por lo que los tratamientos tópicos pueden resultar útiles, pero es mucho mejor profundizar en la valoración de la tendencia crónica personal y familiar a presentar mala circulación.

RECOMENDACIONES

- *En casos agudos mantenga la zona caliente. Es una falacia creer que los calcetines y zapatos mantienen los pies calientes. El calzado apretado dificulta la circulación y empeora el problema. Unos calcetines de lana que no ciñan y un calzado más bien grande para la talla son ideales para las personas afectadas.*

- *El calentamiento suave con las manos o la aplicación de calor seco proporciona alivio.*

- *Los movimientos de rotación del brazo alrededor del hombro o del pie sobre la rodilla empujan la sangre hacia las partes distales.*

- *En situaciones leves o persistentes de mala circulación periférica puede ser beneficioso tomar extracto de pimienta de cayena, inicialmente en dosis altas y después en dosis más bajas de mantenimiento durante un mínimo de 3 meses.*

- *Sólo en adultos, una copa de alcohol al día puede mejorar la circulación periférica. Un exceso de alcohol produce un efecto rebote, con un incremento inicial de la circulación y una disminución tardía y prolongada.*

- *Los remedios homeopáticos Petroleum 6 y Agaricus 6, una dosis cada 2 horas, puede ser útil en casos agudos, pero en situaciones crónicas o prolongadas es necesaria una prescripción homeopática considerando al individuo en conjunto.*

> • Si los sabañones ocasionan picor al calentarlos, lo que más calma es una crema de caléndula, árnica y ortiga.

SARNA (ESCABIOSIS)

La sarna es una enfermedad muy contagiosa producida por un pequeño ácaro, que se caracteriza por lesiones intensamente pruriginosas de diferentes formas. El picor es notablemente más intenso por la noche, puesto que el insecto hembra hace surcos en la piel para depositar sus huevos, causando la irritación.

Los pliegues de los dedos y las muñecas son las zonas del cuerpo afectadas con mayor frecuencia, aunque la sarna puede aparecer en cualquier lugar.

El diagnóstico se establece por la identificación de los surcos típicos, que tienen desde unos milímetros hasta 1 cm de longitud, son ondulados y presentan un pequeño bulto en un extremo. El cuerpo reacciona con una respuesta inmunológica, al igual que en otras infecciones y, por ello, cuanto más frecuentes sean las reinfecciones, más agresiva puede ser la respuesta. Un paciente que nunca ha presentado sarna puede permanecer asintomático durante un mes, hasta que se halla afectada una gran área.

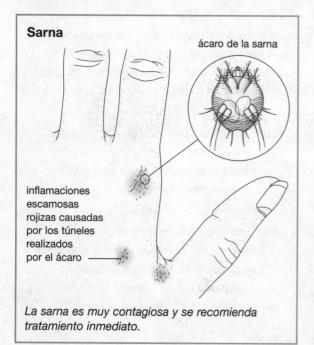

Sarna

ácaro de la sarna

inflamaciones escamosas rojizas causadas por los túneles realizados por el ácaro

La sarna es muy contagiosa y se recomienda tratamiento inmediato.

Si no se establece el diagnóstico, la irritación puede continuar y el consiguiente picor provocar una infección secundaria, una lesión parecida al eccema y una erupción persistente y profundamente irritante.

La investigación corresponde al médico de cabecera, quien reconocerá las lesiones e incluso podrá visualizar los ácaros con una lupa. Es posible extraer el parásito con un alfiler y observarlo al microscopio. También pueden examinarse de esta forma fragmentos de piel obtenidos por raspado.

RECOMENDACIONES

• Las lociones ortodoxas son efectivas y, si la piel no está muy dañada, es poco probable que se absorban en cantidades que el cuerpo no sea capaz de neutralizar. El tratamiento es rápido y eficiente, aunque puede ser necesario el uso repetido de productos químicos mientras se estén incubando los huevos restantes.

• El aceite de lavanda es un tratamiento bien establecido desde hace mucho tiempo, que probablemente actúa del mismo modo que los fármacos comercializados. Aplicado en el agua del baño o directamente si el área afectada es pequeña, puede ser efectivo, aunque debe repetirse 2 veces al día, como mínimo durante 5 días.

• Hay que limpiar cuidadosamente toda la ropa que se haya utilizado en una semana. Los ácaros no suelen vivir más de 3-4 días fuera de la piel, por lo que una semana es un buen margen de seguridad.

• El remedio homeopático Sulphur 6, 4 veces al día, suele ser efectivo, aunque puede exacerbar la irritación y producir un rebrote de otras lesiones cutáneas subyacentes.

• Tenga en cuenta que todos los miembros de la familia, y posiblemente el grupo escolar, deberían recibir tratamiento.

TIÑA

La tiña (Tinea) es una infección de la piel, el cabello o las uñas producida por una variedad de

Tiña

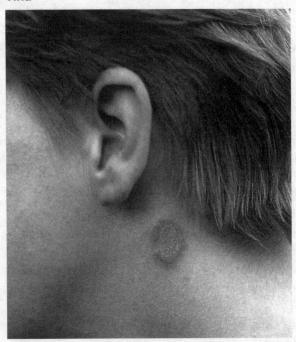

RECOMENDACIONES

- *Cuando aparezca una verruga, aumente la ingesta de vitamina A y cinc mediante naranjas y verduras o suplementos (el doble de la dosis recomendada).*

- *Aplique tintura de tuja, ajo o aceite de castor durante varios días y cubra con una venda. Si esto no resulta práctico, aplique los compuestos varias veces durante el día. Consulte con un médico alternativo si la verruga es interna.*

- *El médico puede aplicar nitrógeno líquido para congelar las verrugas. Hay preparados disponibles en la farmacia, pero sólo deberían utilizarse si fracasan otros tratamientos, puesto que los productos químicos lesionan la piel adyacente y conllevan una elevada incidencia de recidivas.*

- *Los remedios homeopáticos son beneficiosos y, según el tipo, deberían seleccionarse Thuya, Nitricum acidum, Dulcamara y Causticum.*

hongos. Se caracteriza por una lesión circular roja de bordes sobreelevados y una zona central normal o ligeramente pálida, que, de hecho, es la piel curada.

Si afecta al cuero cabelludo, puede provocar alopecia (placas de calvicie); el pie de atleta, las erupciones de la ingle y otras lesiones de zonas húmedas también pueden estar causadas por hongos cutáneos *(Tinea)*.

La tiña no tiene preferencias por ninguna especie en particular, sino que se contagia entre animales domésticos tanto como entre seres humanos. Es muy contagiosa y, dejada a su libre evolución, puede persistir e irritar durante semanas.

RECOMENDACIÓN

- *Véase* **Infecciones fúngicas.**

VERRUGAS

Una verruga es un sobrecrecimiento de la piel desencadenado por una infección vírica en la capa basal (de crecimiento). Según su localización, pueden ser blandas o carnosas (como en la vagina) o duras (como las de manos y pies). También pueden localizarse en las partes endurecidas de las plantas de los pies.

SISTEMA NERVIOSO

CONVULSIONES

Las convulsiones, habitualmente denominadas ataques o crisis, consisten en la presencia de espasmos o contracciones involuntarias de los músculos. Hay dos tipos de convulsiones: clónicas, caracterizadas por la alternancia de contracción y relajación, y tónicas, que consisten en un espasmo o contracción sostenida.

Las convulsiones pueden estar causadas por cualquier agresión sobre el sistema nervioso, el cual envía impulsos masivos a los músculos y, por consiguiente, éstos se comportan de forma anómala. La mayoría de las veces las convulsiones se acompañan de pérdida de la conciencia.

En ocasiones aparecen asociadas a temperaturas altas (fiebre), sobre todo en niños menores de dos años. Otros factores causales son la epilepsia, infecciones como meningitis o encefalitis, reacciones adversas a medicamentos o alergia alimentaria o lesiones como un tumor cerebral.

RECOMENDACIONES

- *Debe llamarse a una ambulancia. Siempre se está a tiempo de anular la petición si las convulsiones son leves y/o breves.*

- *En la mayoría de los casos, un ataque o convulsión no representa una enfermedad grave, pero siempre deben ser examinados y evaluados por un médico. En ocasiones se requiere la consulta al neurólogo.*

- *No imponga restricciones físicas a alguien que sufre una convulsión. Al contrario, quite de la zona objetos sólidos y proteja al paciente rodeándolo de cojines y otros objetos blandos.*

- *Si se observa sangre en la boca, es posible que el paciente se haya mordido la lengua. Hay que abrir la boca con suavidad pero con firmeza con un instrumento envuelto en un pañuelo o una tela.*

- *Cuando empiece a recuperarse administre Aconitum, potencia 30 o menos, cada 10 minutos hasta la completa recuperación o la llegada de asistencia médica.*

- *Si se acompaña de fiebre, aplique compresas frías o un baño templado para bajar la temperatura (véase **Fiebre**).*

- *Los ataques recurrentes deben ser evaluados por un médico. Si no existe una causa grave subyacente, se recomienda la valoración de un profesional de medicina alternativa, prestando especial atención a la dieta, alergias alimentarias, desalineaciones craneosacras y factores psicológicos profundos de estrés.*

- *Después de una convulsión, acuda cuanto antes a un osteópata craneal o un especialista en terapia craneosacra.*

EPILEPSIA

La epilepsia no es una enfermedad específica de la infancia y puede ocurrir a cualquier edad, pero se descubre con mayor frecuencia en el niño especialmente si existe predisposición genética. El tratamiento es similar en cualquier grupo de edad.

La epilepsia es un trastorno provocado por un exceso de descargas nerviosas en el cerebro. Se manifiesta como episodios de disfunción motora, perceptiva o cognoscitiva y puede acompañarse de inconsciencia o movimientos convulsivos. Hay muchos tipos de epilepsia y puede afectar hasta a 5 de cada 1.000 personas.

Véase también **Convulsiones**.

Epilepsia tipo gran mal

La epilepsia tipo gran mal es la imagen clásica de una convulsión: pérdida de conocimiento y espasmos musculares incontrolados, con riesgo de morderse la lengua, y la cabeza dando golpes contra el suelo.

Epilepsia tipo pequeño mal

El tipo pequeño mal se caracteriza por un momento de ausencia durante el cual el individuo, habitualmente un niño, no responde a ningún estímulo. Pueden aparecer movimientos repetitivos.

Epilepsia del lóbulo temporal

Debe considerarse ante una pérdida transitoria de la conciencia, confusión o desorientación, con alucinaciones visuales o auditivas.

Epilepsia focal

Como su nombre indica, es una pérdida de control de una parte del cuerpo.

El gran mal y la epilepsia del lóbulo temporal pueden estar precedidos por sensaciones olfativas, visuales o auditivas anómalas, conocidas como «aura».

La epilepsia puede deberse a diversas razones: traumatismo o lesión del tejido cerebral, productos químicos como fármacos o drogas, alergias alimentarias, infección, enfermedad vascular arterial u otras causas que determinen un aporte insuficiente de oxígeno o glucosa al cerebro. Los tumores cerebrales son una de las causas principales. La intoxicación por mercurio (a partir de materiales dentales), las descargas eléctricas fuertes y el estrés pueden también, por mecanismos menos conoci-

Osteopatía craneal

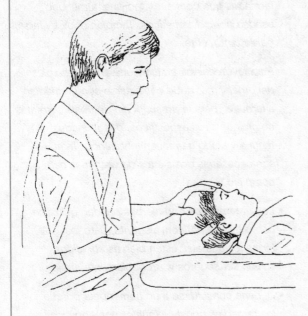

sujeción frontooccipital

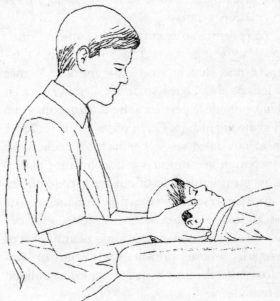

palpación del movimiento esplenoide

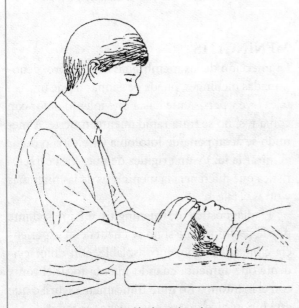

sujeción frontobasal

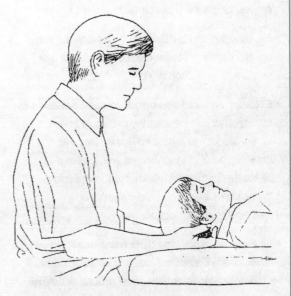

liberación de la base del cráneo

La osteopatía craneal es una técnica delicada en la que se manipulan los huesos del cráneo.

Es especialmente útil en los niños y puede ayudar a tratar una gran variedad de síntomas.

dos, desencadenar epilepsia. El estrés puede provocar epilepsia a través de los efectos químicos de la adrenalina y otras catecolaminas, pero también por contracción de los músculos del cráneo, lo que provoca lesiones osteopáticas de la mandíbula y otras articulaciones craneales.

La epilepsia no se cura con tratamiento ortodoxo. Las terapias alternativas son, con gran diferencia, más eficaces y deberían aplicarse lo más pronto posible. El peligro de la epilepsia radica en el *lugar* donde la persona sufre el ataque más que en el ataque mismo. Caer por las escaleras, tener un ataque mientras se conduce un coche o se transportan herramientas o instrumentos potencialmente peligrosos, justifican que la epilepsia sea controlada y es por ello esencial el tratamiento ortodoxo. Todo ataque debe ser evaluado por un médico de cabecera, con derivación al neurólogo si es necesario, y posteriormente controlado con fármacos antiepilépticos hasta que el médico indique su retirada.

RECOMENDACIONES

- *Toda sospecha de epilepsia debe ser exhaustivamente investigada por un especialista en neurología para descartar una causa grave.*

- *Hay que vigilar y evitar toda situación peligrosa, como cocinar o utilizar maquinaria, hasta que se solucione el problema.*

- *El tratamiento médico ortodoxo debe utilizarse si los ataques son frecuentes, si bien la aparición de un ataque no indica epilepsia. Una vez establecido el diagnóstico causal, pueden utilizarse las terapias alternativas, sin excluir los posibles beneficios del tratamiento farmacológico ortodoxo.*

- *Es esencial seguir una dieta establecida por un nutricionista con conocimientos sobre el tema. Hay que evitar estrictamente el azúcar, la cafeína, el alcohol y los edulcorantes artificiales (sacarina y aspartamo). Canadá es actualmente pionera en un tratamiento nutricional específico denominado «dieta cetogénica», que puede llegar a ser esencial en el tratamiento de la epilepsia.*

- *El cerebro produce múltiples sustancias anticonvulsivantes, la más importante de las cuales es la adenosina. Ésta es bloqueada por fármacos que contienen teofilina, a menudo usados por los asmáticos. También debe evitarse, por lo tanto, el té.*

- *Para favorecer los anticonvulsivantes naturales del organismo, debe consultarse con un médico alternativo para la prescripción de dosis correctas de aminoácidos específicos, denominados taurina y ácido gammaaminobutírico. También son necesarias dosis altas de vitaminas del complejo B.*

- *Los tratamientos con hierbas pueden utilizarse como terapia anticonvulsivante, pero los fármacos actuales están bien establecidos, suelen ser seguros y, probablemente, mejores.*

- *Debería consultarse a un homeópata porque los remedios constitucionales homeopáticos son esenciales.*

- *Deberían considerarse la terapia craneosacra, la técnica de Alexander y la terapia de polaridad.*

MENINGITIS

La infección de las membranas del cerebro, denominadas meninges, puede ocasionar desde una cefalea leve y persistente hasta un violento dolor con coma y, si no se trata rápidamente, muerte. A menudo se acompaña de fotofobia (molestia o dolor al mirar la luz) y una rigidez de nuca casi característica que diferencia la meningitis de las migrañas y otras cefaleas.

El diagnóstico de meningitis en un lactante puede ser imposible si no se cuenta con experiencia clínica. Un niño inconsolable, con dolor evidente que aumenta cuando intenta tocar el tórax con el mentón, o un niño francamente febril o que está hipotónico o arreactivo, debe ser remitido rápidamente al hospital por la posibilidad de una meningitis.

Un tipo particular de meningitis es la causada por una bacteria denominada meningococo, que provoca efectos muy rápidos. La meningitis meningocócica puede matar a un niño en cuatro horas. Un dolor de cabeza acompañado de una erupción que no desaparece al ejercer presión sobre ella es una meningitis meningocócica y debe ser tratada de inmediato con antibióticos por un médico, en el hospital. Esta erupción suele aparecer en los muslos.

La meningitis puede presentarse a cualquier edad, pero se incluye en el capítulo de la infancia por la rapidez y gravedad con que afecta al niño. La mayoría de las meningitis son de origen vírico y no suelen ser especialmente peligrosas. El dolor es difícil de controlar, pero la enfermedad es habitualmente autolimitada y rara vez deja secuelas. Las meningitis bacterianas o fúngicas son mucho más graves y pueden ocasionar déficit neurológicos permanentes.

RECOMENDACIONES

- *Toda cefalea persistente o intensa debe ser valorada por un médico de cabecera o en un servicio de urgencias.*

- *Puede ser necesaria una punción lumbar para confirmar el diagnóstico, junto con análisis de sangre y orina. En ocasiones se requieren exploraciones más complejas, como una tomografía computarizada, que no deben rechazarse.*

- *La meningitis vírica no responderá al tratamiento antibiótico, pero una infección secundaria puede empeorar la situación, especialmente en niños, por lo que no se debe rechazar la medicación ortodoxa.*

- *Contacte con su médico alternativo para que le aconseje sobre medidas a tomar junto con la medicación ortodoxa, en lugar de afrontar este problema sin la guía de un experto.*

PARÁLISIS CEREBRAL

La parálisis cerebral es un trastorno motor que se origina *in utero*, en el período de lactante o en la infancia precoz. La mayoría de las veces la lesión cerebral que provoca este trastorno se produce durante el nacimiento debido a una falta de oxigenación o, más raramente, por infecciones cerebrales, convulsiones o consumo de drogas durante el embarazo.

La extensión de la lesión cerebral es variable y puede ser leve o producir una grave incapacidad en el lactante, con imposibilidad de comunicarse y desconexión ambiental. Movimientos incontrolados, patrones de conducta agresivos, ceguera, sordera e incapacidad para hablar son algunos de los problemas más graves.

Las filosofías orientales consideran el nacimiento de un niño incapacitado como parte del karma del alma de ese individuo. Todos los seres humanos, en algún momento de nuestro ciclo cósmico, tenemos que pasar por un período de incapacidad y dependencia de otros. El karma de los padres es también el de un período vital de servicio a un cuerpo y una mente discapacitados. Considero que esto ayuda a enfrentar el inevitable trauma que sobreviene en la familia de una víctima de parálisis cerebral, hablando sobre el tema desde una perspectiva más etérea y espiritual. Muy poco placer se deriva de la necesidad de cuidar a un niño gravemente discapacitado, pero en esa situación la conexión entre dos almas no se basa en medios materiales o físicos, y el hecho de cuidar un alma atrapada en un cuerpo afligido puede ser una experiencia muy amorosa e instructiva. A menudo se dice que dar proporciona mayor placer que recibir, y si se enfoca así, entonces el cuidado de un paralítico cerebral puede considerarse una bendición.

RECOMENDACIONES

- *Contacte con un grupo de parálisis cerebral para compartir con otras familias sus penas, alegrías y experiencias.*

- *Véanse* **Parálisis** *y* **Defectos congénitos**.

- *Pruebe la terapia craneosacra o la osteopatía craneal durante un mínimo de 6-10 sesiones puesto que pueden apreciarse profundos cambios en un individuo.*

- *Consulte con un nutricionista y un homeópata ya que una correcta suplementación y la medicación homeopática pueden resultar muy beneficiosas aunque no sean curativas.*

RETRASO MENTAL

El término discapacitado mental designa a los individuos que, por cualquier razón, tienen una lesión cerebral que causa una alteración acusada de la función cerebral. Hay varias escalas utilizadas en todo el mundo para medir el retraso mental, y esas definiciones sutiles deben ser dejadas en manos de expertos.

El retraso mental afecta a dos grupos: a los pacientes, que muy a menudo no son conscientes o a los que no les molesta su anormalidad, y a aquellos que los cuidan. Los últimos necesitan más consejo y ayuda, puesto que pueden no haber tenido adiestramiento ni expectativas –sólo miedo– de encontrarse en esa situación.

El retraso mental puede variar en su gravedad desde leve, lo que sucede a menudo en situaciones como el síndrome de Down (*véase* **Síndrome de Down**), hasta discapacidad grave que puede asociarse además a déficit físicos y sensoriales, como en la parálisis cerebral, en caso de lesiones postraumáticas o en secuelas de infecciones como la meningitis. Todos los grados de retraso pueden beneficiarse del tratamiento alternativo en alguna medida.

RECOMENDACIONES

PARA EL DISCAPACITADO

- *Asegúrese de que la higiene y los cuidados sanitarios son óptimos. Aquellos que no pueden cuidarse a sí mismos contraen infecciones con mayor probabilidad.*

- *Consulte con un nutricionista, porque los déficit menores pueden causar grandes problemas. Una suplementación correcta suele mejorar notablemente el bienestar del discapacitado mental.*

- *Consulte con un homeópata para seleccionar un remedio constitucional adecuado que aumente el bienestar y, teóricamente, prevenga las infecciones.*

- *No aísle a nadie con una discapacidad mental. La interacción social, los besos y abrazos tienen un profundo efecto en la bioquímica y la psicología de todos los individuos.*

- *Asegúrese de disponer de accesorios de la más alta calidad. Preste particular atención a los colchones, asientos y sillas de ruedas. Las llagas son muy difíciles de curar en las personas que pueden rascarse o jugar con una lesión o que están confinadas en una posición que provoca presión sobre el área dañada.*

- *Nunca infravalore el nivel de comprensión de las personas con discapacidad mental. Hay una tenue línea que separa el genio de la locura y el discapacitado mental puede ser hipersensible a las emociones negativas. Necesita tanto como los demás estar rodeado de risas, alegría y música. Los niños son una compañía excelente para los discapacitados porque todavía no han adquirido los prejuicios de los adultos.*

- *La osteopatía craneal y la terapia craneosacra durante la curación pueden ser muy útiles, especialmente si hay signos de agresividad o de alteraciones.*

- *Asegúrese de que el discapacitado practica ejercicio si es posible. La natación es el mejor ejercicio.*

- *El masaje habitual o el shiatsu son esenciales para los incapacitados.*

RECOMENDACIONES

PARA EL CUIDADOR

- *Recuerde que no está solo. Hay muchas personas en su situación y muchos grupos formados en todas las áreas del retraso mental. Es esencial la discusión individual con asesores o la terapia de grupo.*

- *Disponga en lo posible de ayuda domiciliaria y pase tiempo fuera de casa. Los sentimientos de culpa por abandono sólo disminuirán el bienestar por ambas partes y favorecerán la sensación de culpabilidad en la persona discapacitada. Recuerde que las emociones no sólo se perciben mentalmente sino también en el plano espiritual.*

- *Practique ejercicio físico habitualmente. Demasiado a menudo olvidamos permitirnos el tiempo para mantenernos físicamente bien.*

- *Visite a un homeópata o naturópata, cuyos remedios ayudan a los espíritus en tiempos difíciles. Los remedios constitucionales, una buena nutrición y los remedios florales de Bach pueden ser beneficiosos tanto a corto como a largo plazo.*

TÉTANOS

El tétanos es una enfermedad causada por la toxina de una bacteria denominada *Clostridium tetani*. Se caracteriza por intensos espasmos musculares dolorosos, que se perciben inicialmente como dificultad para masticar y dolor en las mandíbulas y el cuello. La dificultad para abrir la boca se conoce como «trismo». Sin tratamiento, puede llevar a dificultar las acciones de tragar y respirar. *C. tetani* forma esporas, que se hallan en el suelo y en las heces de animales. Esta bacteria es muy resistente a los cambios climáticos y sobrevive a las sequías e inundaciones.

La bacteria penetra en el organismo a través de una herida, que puede ser una simple erosión, y se multiplica localmente. La toxina de *C. tetani* llega al torrente circulatorio y viaja hasta una parte específica del sistema nervioso que normalmente bloquea la actividad muscular. Con esta inhibición atenuada, el músculo se contrae.

Los síntomas pueden desarrollarse en cualquier momento desde los dos días hasta varias semanas después y, sin tratamiento, la enfermedad puede durar hasta diez semanas. Las complicaciones se deben a la falta de función de los músculos respiratorios y a los efectos de la toxina sobre el músculo cardíaco y la musculatura arterial.

El tratamiento del tétanos es difícil a causa de que los antibióticos (habitualmente la penicilina) matan la bacteria pero no destruyen la toxina. En casos graves se dispone de inmunoglobulinas antitetánicas, que son anticuerpos específicos de origen humano contra el tétanos. El pronóstico en los casos graves depende del estado general del paciente y de los cuidados médicos disponibles. La mayoría de los casos de tétanos son leves pero la mortalidad es alta.

Vacunación antitetánica

La vacuna del tétanos habitualmente se administra junto a la de la difteria y la de la tos ferina y se conoce como la DTP. Se han descrito convulsiones, colapsos, síndrome de la muerte súbita del lactante (SMSL) e incluso encefalitis y anafilaxia. Depende de cada paciente o de los padres del niño la decisión de vacunar o no contra el tétanos. La opinión holística unánime es que una persona con un buen sistema inmunológico no tendría problemas para luchar contra el tétanos y que deben tenerse en cuenta las probabilidades de contraerlo. Contraer el tétanos en la ciudad, por ejemplo, es raro. Debe sopesarse la relación riesgo-beneficio, considerando las posibles reacciones adversas de la vacuna y la alta mortalidad de la enfermedad.

Véase también **Vacunaciones**.

RECOMENDACIONES

- *Debe limpiarse y desbridarse (extirpar el tejido no viable) cualquier corte o abrasión con riesgo de infección por C. tetani. Puede ser necesario acudir al hospital para hacerlo adecuadamente. Cualquier resto de suciedad en una herida debe eliminarse.*

- *Aplique inmediatamente una solución de hipérico que pique pero sin llegar a escocer. Debería repetirse la aplicación cada 15 minutos o cada hora.*

- *Administre el remedio homeopático Hypericum 30, cada hora durante 3 horas y luego cada 4 horas durante 3 días. A continuación administre una dosis de Hypericum 200.*

- *El suero antitetánico debe ser administrado por un médico.*

- *Considere el tratamiento con penicilina sistémica si la herida se produjo en un lugar donde había heces de animal esparcidas.*

- *La vacuna del tétanos puede ser ofrecida por cualquier médico ortodoxo, pero no tendrá efecto ante una posible infección durante al menos 2 o 3 semanas.*

ASPECTOS PSICOLÓGICOS

AUTISMO

El autismo es la esquizofrenia infantil. Se caracteriza por un conjunto de síntomas psicológicos que oscilan entre balanceo del cuerpo, exclusión de las situaciones sociales, lenguaje ausente o exiguo y repetitivo y episodios de autolesión.

La causa del autismo se conoce muy poco desde la medicina ortodoxa. El equilibrio químico es ciertamente un aspecto que se debe considerar, aunque la privación precoz de los padres y el miedo pueden ser muy relevantes. Las investigaciones recientes han demostrado que bajos niveles de sulfatos pueden interferir en el metabolismo de algunas proteínas y tienen un efecto particular sobre los niños autistas. Los alimentos que contienen sulfuros deben potenciarse. Las mejores fuentes son las judías, el pescado, los huevos, la col y la carne.

Hay muchas técnicas usadas para el autismo, con éxito dispar. La terapia artística, la musicoterapia y las técnicas específicas de aprendizaje se desarrollan constantemente.

En 1997 un investigador del Royal Free Hospital de Londres observó que los niños que habían sido vacunados contra sarampión, paperas y rubéola tenían un riesgo mayor de desarrollar una enfermedad inflamatoria intestinal similar, si no igual, a la enfermedad de Crohn. Esto se ha asociado con un incremento del autismo. El mundo médico alternativo ha sido consciente de esta asociación durante algún tiempo (*véase* **Vacunaciones**). Un cambio en el carácter de un niño o cualquier signo o síntoma de autismo que se presente unos pocos meses después de dicha vacunación debería levantar sospechas.

RECOMENDACIONES

- *Converse sobre este tema con su médico, un buen terapeuta y las asociaciones de niños autistas.*

- *La homeopatía puede ser útil, pero se requiere la prescripción por parte de un especialista.*

- *Asegúrese de que el niño toma tabletas con altas dosis de vitaminas, incluyendo cinc y manganeso.*

- *Inicie tratamiento con osteopatía craneal.*

- *Todos los niños autistas deberían aumentar la ingesta de sulfato.*

- *Si se cree que una vacuna es la posible causa, comente con un homeópata la posibilidad de administrar Thuya y Natrum muriaticum a altas potencias (ambos remedios homeopáticos pueden tener un efecto en las reacciones adversas de las vacunas).*

CONTROL DE ESFÍNTERES

El control de esfínteres puede ser un tema problemático, pero rara vez constituye una enfermedad que requiera tratamiento. Las niñas tienden a usar el orinal antes que los niños, pero cada persona se libra de los pañales a su propio tiempo. Sólo hay que considerar que existe un problema si el niño sigue manchando la ropa después de los cuatro años de edad.

La causa habitual del atraso en el control de esfínteres es que el niño no está incómodo con los pañales húmedos o con heces. No se puede hacer mucho más que ser persuasivo. La crítica o el castigo sólo retrasarán la solución, crearán una causa para llamar la atención o harán que el niño retenga las heces y padezca de estreñimiento.

RECOMENDACIONES

- *El control de esfínteres debería empezar tan pronto como el niño tenga edad para entender instrucciones verbales.*

- *Anime inicialmente a usar el orinal durante el día, para luego trasladarse al baño.*

- *El control de la orina debe iniciarse antes que el de las heces.*

- *El control nocturno debe hacerse en orden inverso, animando al niño a no manchar el pañal con heces, pero esperando un pañal húmedo cada mañana. Cuando el niño tiene edad suficiente, intente que orine antes de ir a la cama, cuando los padres se vayan a la cama (lo que implica despertar al niño) o si se despierta por la noche.*

- *Felicite animadamente al niño cuando utilice bien el orinal o el baño, pero nunca lo critique por hacerlo mal. Cuando el niño pueda entenderlo, la explicación del problema es vital.*

- *La enuresis habitualmente no es un problema de adiestramiento y se expone en un apartado por separado (véase **Enuresis**).*

suplementos de los grupos de alimentos que no esté recibiendo.

- *En caso de duda sobre la nutrición del niño acuda a un dietista.*

- *Si se le diagnostica un problema trátelo apropiadamente, pero la lentitud en el aprendizaje puede mejorar con osteopatía craneal, terapia artística o musicoterapia.*

- *Sin duda, el remedio homeopático constitucional adecuado será beneficioso y debe ser seleccionado por un homeópata.*

PROBLEMAS DE APRENDIZAJE

Hay un amplio espectro de razones por las que un niño puede tener dificultades para aprender. La edad a la que el niño presenta esta deficiencia es también muy importante. Un niño pequeño que tarda en hablar o en realizar las actividades que se esperan puede tener un déficit auditivo o visual no detectado o sufrir un retraso mental. No alcanzar los hitos del desarrollo es causa de valoración inicial por el psicólogo pediátrico.

En niños de mayor edad, las discapacidades y el autismo (esquizofrenia infantil) suelen ser evidentes y necesitan el tratamiento adecuado. Si no hay causas obvias, hay que pensar en la dislexia, el trastorno por déficit de atención y la mala nutrición. El déficit de complejo vitamínico B, cinc y varios aminoácidos pueden dificultar el aprendizaje. La mayor parte de la gente tiene algún talento escondido y, llevando este concepto al extremo, todos pueden ser genios en algún campo si se reúnen las condiciones de espacio, tiempo y formación. Si su hijo es lento con las matemáticas, precisa educación y no atención médica.

RECOMENDACIONES

- *Como padre, no intente diagnosticar a su propio hijo. Pida ayuda a un psicólogo infantil si tiene dudas sobre el desarrollo de su hijo o sobre su aprendizaje.*

- *Asegúrese que la dieta del niño es equilibrada y si éste es remilgado para comer, déle diariamente*

PROBLEMAS DE CONDUCTA

Es muy difícil definir a un niño con mal comportamiento. Depende en gran parte de la actitud objetiva de los padres y de su percepción del niño. Para establecer si una criatura tiene un problema de conducta, deben reunirse los siguientes criterios.

- Tanto los padres como los amigos íntimos, y –si está en edad escolar– los maestros, deben estar preocupados por la conducta del niño.
- El niño debe mostrar algunos patrones antisociales y conductas autolesivas, como agresiones o lesiones autoinfligidas, conducta inadecuada en alguna situación particular, llanto o irritabilidad excesivas, ingesta escasa de alimentos o crueldad con los animales.

La mala conducta puede no representar un problema psicológico. Se ha establecido que algunas deficiencias o toxicidades pueden originar estos problemas. Los estudios en poblaciones penitenciarias han mostrado que leves variaciones en el curso de tratamientos de suplementación pueden tener profundos efectos en la conducta de los presos, y esta hipótesis ha sido apoyada por pequeños estudios en niños.

Los tóxicos, especialmente el plomo y por extensión otros metales pesados como el mercurio, pueden tener un efecto. Los azúcares refinados y otras formas de nutrición deficiente pueden provocar estados de hipoglucemia, que a su vez generan irritabilidad y, por lo tanto, mala conducta.

Deben tenerse en consideración todos estos aspectos.

RECOMENDACIONES

- Véase **Trastorno por déficit de atención e hiperactividad.**

- Muchos problemas psicológicos están ocasionados por algún déficit. Asegúrese de que el niño recibe los siguientes suplementos diariamente en combinación con una dieta equilibrada: cinc, 150 mg/kg de peso; complejo vitamínico B, según recomendación de su nutricionista; vitamina C, 7 mg/kg de peso, y cualquier oligoelemento en función del peso y la edad del niño, según el especialista.

- La homeopatía es maravillosa si se escoge el remedio correcto. Es preferible ser cuidadoso y, por lo tanto, recurrir a un homeópata si es preciso.

- Elimine los alimentos procesados, los que contienen azúcar o sal, aditivos, conservantes y cafeína.

- Descarte la existencia de dislexia. Véase **Dislexia.**

- Si se establece la existencia de un trastorno del comportamiento sin que haya otra enfermedad, es recomendable la terapia artística o la musicoterapia para todo niño con problemas psicológicos.

- Si no se obtiene respuesta con los tratamientos previos, hay clínicas especializadas con las que puede ponerse en contacto a través del médico de cabecera o el psicólogo infantil.

Capítulo 4

Adulto
joven

ADULTO JOVEN

GENERAL

ALERGIAS

La alergia es una inflamación desencadenada por la interacción de una sustancia extraña (denominada antígeno) con el sistema de defensa del organismo. Éste posee glóbulos blancos (denominados linfocitos) específicos que producen inmunoglobulinas, que atacan al antígeno y lo hacen reconocible por otras células de defensa, las cuales lo rodean y destruyen. Estas reacciones ocurren continuamente en el organismo y sólo se convierten en una alergia cuando éste, por error, se vuelve hiperreactivo.

El término alergia suele utilizarse para designar la secreción nasal acuosa, el picor y el enrojecimiento nasal característicos de la rinitis alérgica. Aunque esta denominación es correcta, debe señalarse que los síntomas de las reacciones alérgicas dependen del área del organismo afectada por la inflamación.

Una reacción puede ser desencadenada por un antígeno o alergeno inhalado, ingerido o en contacto con una membrana. Los síntomas pueden localizarse en cualquier parte del organismo e incluyen erupciones cutáneas, asma, problemas gastrointestinales, cambios del estado de ánimo, letargia y fatiga. De hecho, cualquier grupo de síntomas en cualquier parte del organismo *puede* estar causado por una alergia. La ciencia médica diferencia cuatro tipos de reacciones alérgicas:

- En la reacción alérgica de tipo 1, denominada *de hipersensibilidad inmediata*, la inmunoglobulina E ataca un alergeno y provoca varias reacciones de defensa en el organismo. Entre éstas se incluyen la liberación de histamina, radicales libres, enzimas lisosómicas y otras sustancias químicas. Estos compuestos son producidos con el fin de atacar al cuerpo extraño pero, desgraciada e inad-

vertidamente, lesionan también los tejidos locales de la persona que sufre la alergia. Los síntomas se deben a que estas sustancias y reacciones provocan la digestión de células y aumentan el flujo sanguíneo y la permeabilidad de los capilares para que las células encargadas de la defensa lleguen al área afectada. Dichas sustancias químicas también causan constricción de los vasos sanguíneos locales, a fin de evitar la diseminación del cuerpo extraño, cierran los bronquios y aumentan la producción de moco.

- Las reacciones alérgicas de tipos 2 y 3 se diferencian por cambios *bioquímicos* y no provocan los efectos agresivos e inmediatos de las reacciones de tipo 1. Se desarrollan en el plazo de unas pocas horas y pueden manifestarse por signos como erupción moderada y sibilancias (ruido pulmonar que traduce el estrechamiento de los bronquios) o ser totalmente asintomáticas.

- La reacción alérgica de tipo 4, denominada *de hipersensibilidad retardada*, tarda hasta 72 horas en desarrollarse. Este retraso, sin embargo, no disminuye su gravedad, que puede ser igual a la de las reacciones de hipersensibilidad inmediata; no obstante, lo más habitual es que provoque reacciones moderadas o pase inadvertida. Este tipo de alergia suele asociarse a los alimentos y se cree que podría originar trastornos crónicos, como cáncer o diabetes, si bien esta hipótesis no se ha demostrado.

La opinión holística unánime es que la alergia se produce en un organismo que se encuentra preparado para atacar alguna otra sustancia. Todas las personas entran en contacto con pólenes y ácaros del polvo doméstico, pero no todas responden con una hiperreacción. Existe cierta predisposición genética, pero en muchas familias algunos miembros sufren alergias mientras que otros no, a pesar de compartir los mismos rasgos genéticos. En general, la respuesta hiperreactiva se produce para combatir un proceso localizado en otra parte del organismo, conocido o no. En las personas con rinitis alérgica (que también pueden padecer eccema o asma, siendo ésta una tríada frecuente), el combate puede deberse a una alergia a un alimento u otro producto, sin el cual no se produciría la reacción frente al polen.

Existen firmes indicios de que las alergias se relacionan con la psique. En un estudio muy conocido realizado en un paciente psiquiátrico con múltiples personalidades se observó que las alergias cambiaban según la personalidad dominante. Otro ejemplo lo constituye la aparición de rinitis alérgica desencadenada por una flor artificial. La hipnosis puede conseguir el mismo efecto.

A menudo se oye el término «atópico» asociado a respuestas alérgicas, como eccema atópico o asma atópica. Este vocablo hace referencia simplemente a la predisposición o tendencia genética a padecer alergias.

Siempre se ha considerado que las reacciones alérgicas atópicas tienen un componente genético, pero hallazgos recientes sugieren que pueden estar asociadas también con la exposición a infecciones comunes de la infancia. Estudios recientes han mostrado que los hombres con anticuerpos frente a infecciones víricas y los que tienen hermanos mayores (y, por tanto, más propensos a haber padecido infecciones en la infancia) presentan menos respuestas alérgicas atópicas. Esto sugiere que cuanto más aprende el organismo a combatir las infecciones cuando es joven, menor es la probabilidad de que presente una hiperreacción, como ocurre en las respuestas alérgicas. La prevalencia de alergias como rinitis alérgica, asma y eccema ha aumentado notablemente en los últimos 30 años. Es interesante, aunque no sorprendente para un médico holístico, que este incremento coincida con el advenimiento y aumento del uso de vacunas, que posiblemente disminuyen la necesidad del organismo de activar sus respuestas inmunológicas, aumentando las tendencias alérgicas. Esto plantea la necesidad de reconsiderar la vacunación sistemática de los niños contra el sarampión, las paperas o la rubéola, puesto que las vidas que se preservan o mejoran tal vez no compensen los daños y las muertes causados por el asma en la edad adulta.

El tratamiento, por lo tanto, consiste en identificar cualquier hipersensibilidad o tóxico específicas y aliviar los síntomas. No se debe subestimar el peligro potencial que entrañan las alergias. Todo el mundo ha conocido u oído hablar sobre reacciones anafilácticas, a veces mortales, a huevos, cacahuetes o la picadura de una abeja.

Véanse también **Alergias e intolerancia alimentarias** y **Pruebas de alergias alimentarias**.

Pruebas para alergias

Las pruebas para alergias pueden realizarse mediante los siguiente procedimientos:

• Pruebas cutáneas.
• Análisis del cabello.
• Pruebas sanguíneas.
• Técnicas bioenergéticas computarizadas.
• Restricciones dietéticas.

Pruebas cutáneas

Se inyectan cantidades pequeñas o diluidas del alergeno sospechoso debajo de la piel. Si en el organismo hay inmunoglobulinas contra el alergeno, se producirá una reacción alérgica. Las diluciones de las sustancias reactivas permiten formarse una idea de cuán intensa es la respuesta alérgica. Una vez identificada la sustancia, puede realizarse un procedimiento de desensibilización (denominado «desensibilización potenciada por enzimas») (*véanse* las recomendaciones).

Análisis del cabello

Se trata de un procedimiento poco demostrado para identificar una alergia, pero que se basa en un principio conocido. Si hay sustancias tóxicas en el organismo, éste puede optar por eliminarlas junto con la queratina inerte que conforma el pelo. Se obtiene una muestra de pelo y se coloca junto con inmunoglobulinas específicas, por ejemplo, contra determinadas sustancias alimentarias. Las reacciones producidas se observan entonces al microscopio o se estudian mediante un procedimiento más complejo, computarizado. Es posible que si se produce una reacción al compuesto en el cabello, exista una reacción en el organismo, puesto que éste parece estar eliminando esa sustancia.

Se debe tener cuidado con las pruebas alérgicas que utilizan radiónica, puesto que no se ha demostrado que sean adecuadas y pueden implicar restricciones agresivas. Esto no significa que la radiónica sea inadecuada, sino que debe aplicarse en el contexto de una valoración más amplia y profunda de la alergia.

Pruebas sanguíneas

Habitualmente se realizan mediante técnicas aceptadas y demostradas científicamente, como el análisis de inmunoabsorción ligado a enzimas (ELISA), que es el más utilizado y sensible. Es un procedimiento complejo que estudia la competencia entre anticuerpos del organismo y anticuerpos especiales «marcados». El suero extraído del paciente estudiado se mezcla con una solución de laboratorio y se pasa a través de una máquina especial que detecta la presencia de un colorante fluorescente. Si se ha producido una reacción antígeno-anticuerpo (alergia) en el suero, el colorante se fija a éste y es detectado por la máquina. Muchas de estas pruebas son cualitativas (indican si se ha producido una reacción), y unas pocas son cuantitativas (indican la magnitud de dicha reacción). Estas últimas son muy útiles para determinar qué alimentos pueden ser perjudiciales. Este método también puede emplearse para contaminantes inhalados, pero disponer de esta información no modificará en general el programa de tratamiento, puesto que el aire que se respira sólo puede cambiarse mudándose a otra zona.

Véase también **Pruebas de alergia alimentaria** en el capítulo 8.

Técnicas bioenergéticas computarizadas

Modernos ordenadores especiales son capaces de medir cambios electromagnéticos en el organismo en respuesta a estímulos, como sustancias alimenticias y alergenos inhalados. Se conecta el individuo al ordenador y se hace pasar una pequeña corriente electromagnética por su organismo; se añaden entonces diferentes compuestos al circuito a través del ordenador (aunque éste ya puede contener en su propia estructura la resonancia energética o las vibraciones de electrones de numerosas sustancias). Estas técnicas son cada vez más accesibles y, aunque

la ciencia ortodoxa no las acepta, resultan muy adecuadas y efectivas.

Restricciones dietéticas

Aunque no se trata estrictamente de una prueba, las restricciones dietéticas a menudo permiten identificar de manera clara y específica cuáles son los alimentos que causan una alergia. Para ello hay que confeccionar una lista de los alimentos que se sospecha no sientan bien, los alimentos preferidos y los que se ingieren con mayor frecuencia. Entonces se eliminan todos estos alimentos de la dieta y se establece un plan dietético de cinco días, durante los cuales no debe repetirse ninguno de los alimentos ingeridos. Esta pauta de cinco días se mantiene durante un mes, al cabo del cual se introduce un alimento «prohibido» cada cinco días y se observa si se produce alguna reacción. Si la lista de alimentos sospechosos es muy larga o se elimina uno de los grupos principales de alimentos, este plan sólo debe realizarse bajo la supervisión de un nutricionista.

Causas que predisponen a la alergia

Como ya se ha mencionado, existen tendencias genéticas familiares; sin embargo, muchas sustancias actúan como desencadenantes capaces de predisponer a cualquier individuo a padecer respuestas alérgicas.

Los problemas alérgicos se producen cuando una sustancia extraña, habitualmente una proteína, alcanza la corriente sanguínea o cuando el organismo está luchando contra otro problema y, por lo tanto, se encuentra «a punto» y se defiende con excesivo celo. Muy a menudo, las proteínas, que deberían ser desintegradas por las enzimas digestivas en pequeños péptidos o aminoácidos, son absorbidas porque el intestino es demasiado «permeable» y pasan a la sangre. Por alguna razón, la mucosa intestinal se afecta y absorbe grandes moléculas, las cuales son reconocidas por el organismo de la misma forma que las bacterias y los virus. Este «síndrome del intestino permeable» puede ser producido por una infestación por *Candida*, por parásitos o por una agresión química causada por la ingestión de alimentos contaminados. Una escasa secreción ácida gástrica o de enzimas intestinales, el alcohol y ciertos medicamentos, como el ácido acetilsalicílico, los antibióticos y los antiinflamatorios no esteroideos, también pueden tener efectos perjudiciales. *Véase* **Síndrome del intestino permeable.**

RECOMENDACIONES

- *Toda alergia que no sea leve debe ponerse en manos de un profesional en medicina alternativa. La mayoría de las alergias tienen su causa profundamente escondida y se requiere una guía experta para identificarla.*

- *Evite los medicamentos ortodoxos, excepto en casos graves, cuando hayan fracasado los tratamientos alternativos. Los remedios ortodoxos, como los antihistamínicos, bloquean los intentos de autocuración del organismo.*

- *Debe realizarse una prueba de alergia alimentaria y eliminar de la dieta todos los alimentos que provocan reacciones intensas.*

- *Haga todo lo posible por evitar los alergenos causantes de problemas. Analice exhaustivamente los tejidos de las ropas utilizadas, los metales como el níquel, los productos en aerosol y los cosméticos que deberían evitarse.*

- *Consulte con un homeópata para una prescripción adecuada. Las dolencias leves pueden aliviarse con los siguientes remedios: Allium cepa, Sabadilla, Euphrasia, Apis, Urtica urens y Arundo, tomados a la potencia 6 cada 2 horas.*

- *Pueden ser efectivas las dosis elevadas de suplementos vitamínicos (indicadas por kg de peso): vitamina C, 7 mg, en dosis fraccionadas con las comidas; vitamina B_6, 1,5 mg, y vitamina B_5, 7 mg.*

- *Pueden ser beneficiosas la quercetina (10 mg/kg de peso), tomada en el desayuno, y las tabletas de ácido clorhídrico y la pepsina con las comidas.*

- *Beba 2 litros de agua por día. Para tener una respuesta inmunológica adecuada es esencial una hidratación correcta, pero, además, al haber más agua se diluyen los alergenos y se reduce la respuesta.*

- *La acupresión y la reflexoterapia sobre un punto situado en el tejido que une los dedos pulgar e índice pueden aliviar los síntomas nasales.*

- *Un experto en yoga puede enseñarle a realizar el lavado nasal, que es muy beneficioso para los síntomas nasales (véase* **Lavado nasal***).*

- *Limpie escrupulosamente las alfombras, los colchones y las almohadas. Lave muy a menudo las cortinas y toda la ropa de cama. Utilice fundas antialérgicas en colchones y almohadas.*

- *Visite a un hipnoterapeuta o a un profesional de programación neurolingüística para descartar posibles causas psicológicas.*

- *La desensibilización potenciada por enzimas es una técnica que llevan a cabo unos pocos médicos, pero puede ser muy efectiva y debe considerarse si las otras alternativas han fracasado.*

ANEMIA

El diagnóstico de anemia se establece por un análisis de sangre. Se define por una disminución de la hemoglobina o los glóbulos rojos o eritrocitos.

Los síntomas están causados por la menor cantidad de oxígeno proveniente de los pulmones aportado a los tejidos. Los síntomas de anemia pueden ser muy sutiles e incluyen palidez, debilidad general, lasitud, incapacidad para llevar a cabo normalmente las actividades de la vida diaria, cansancio extremo al practicar ejercicio y, con menor frecuencia, infecciones recurrentes y náuseas.

Causas de anemia

- Pérdida de sangre: traumatismos, úlceras, reglas muy abundantes, hemorroides y otras lesiones internas.
- Disminución de la producción de eritrocitos o de hemoglobina: enfermedades de la medula ósea y tóxicos (como medicamentos).
- Enfermedades: cáncer y otros procesos crónicos.
- Malabsorción: enfermedades del intestino, mala nutrición y alergias alimentarias.
- Fisiológicas: embarazo y primeras reglas.

Para mantener la producción de glóbulos rojos son necesarios todos los grupos de alimentos, incluidos aminoácidos, vitaminas y oligoelementos. Algunos de ellos son especialmente importantes y se requieren en grandes cantidades:

- Hierro: vísceras, carnes rojas, ostras, huevos (sobre todo la yema), orejones, nueces, legumbres, espárragos, melaza y harina de avena.
- Vitamina B_{12}: vísceras, carnes rojas, cerdo y productos lácteos.
- Ácido fólico: hortalizas de hoja de color oscuro, zanahorias, hígado, legumbres, centeno y melón cantalupo.

RECOMENDACIONES

- *Una vez confirmada la anemia por un análisis de sangre, hay que establecer la causa.*

Muestras de sangre normal y con anemia

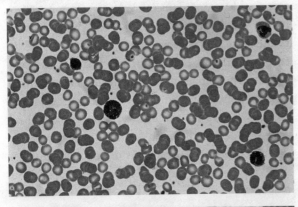

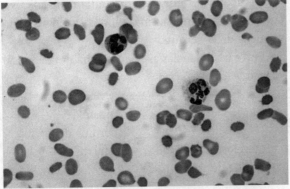

La muestra de sangre con anemia (sobre estas líneas) contiene un número mucho menor de glóbulos rojos. Muchas de las células restantes están deformadas. Como consecuencia, la capacidad de transportar oxígeno de la sangre se encuentra drásticamente disminuida.

Muchas situaciones pueden simular una anemia, y el diagnóstico clínico no siempre es correcto.

- *Un yogur natural con una cucharadita de cúrcuma es un tratamiento ayurvédico. Lo mejor es comerlo con el estómago vacío, en cualquier momento del día antes de la última comida.*

- *Los remedios homeopáticos Ferrum metallicum y Ferrum phosphoricum son útiles en la anemia por déficit de hierro, y Veratrum album, Arsenicum album, Carbo animalis y Cinchona arsenicum pueden ayudar a aliviar los síntomas.*

- *Asegúrese de consumir cantidades adecuadas de los alimentos citados.*

- *Si los análisis de sangre identifican una deficiencia como la causante de la anemia, pueden tomarse suplementos del componente implicado.*

- *Consuma como mínimo 1 g de vitamina C por comida para favorecer la absorción de hierro.*

AUMENTO DEL TAMAÑO DEL BAZO

Cuando el médico explora el abdomen, hunde sus dedos por debajo de las costillas, en el lado izquierdo del cuerpo: está comprobando si el bazo ha aumentado de tamaño.

El bazo es, esencialmente, un órgano lleno de tejido linfático y vasos sanguíneos. Actúa como un depósito de sangre y desintegra los glóbulos rojos viejos o inservibles. El tejido linfático, que funciona como una gran glándula linfática, se hincha y aumenta de tamaño en caso de infección o de cualquier proceso asociado a una mayor producción de glóbulos blancos, como la leucemia.

El aumento del tamaño del bazo, por consiguiente, puede ser una manifestación de una infección vírica banal, pero también de trastornos sanguíneos y, peor aún, de cáncer.

RECOMENDACIONES

- *La autoexploración del bazo no es fácil. No obstante, si se palpa una masa por debajo de las costillas, en la zona superior izquierda del*

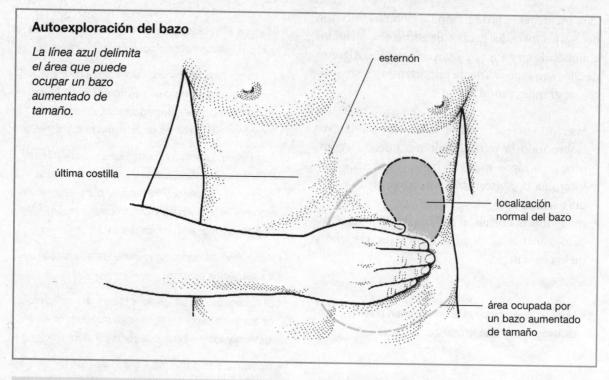

Autoexploración del bazo

La línea azul delimita el área que puede ocupar un bazo aumentado de tamaño.

esternón

última costilla

localización normal del bazo

área ocupada por un bazo aumentado de tamaño

abdomen, o percibe un dolor persistente en esta área debe consultar con el médico.

• Una vez establecido un diagnóstico firme de la causa del aumento de tamaño del bazo, considere las medicinas alternativas.

CEFALEAS EN RACIMOS
Véase **Migraña.**

CIGARRILLOS

Podría escribirse un libro íntegro sobre los efectos tóxicos de los cigarrillos. Muchas personas no conocen siquiera una parte de sus dañinos efectos; simplemente piensan que algunas personas padecerán cáncer, y otras, no. Todos conocen a alguien de 80 años que ha fumado 40 cigarrillos diarios. Esto es verdad, sin duda, pero por cada persona que tolera el tabaco y sus venenos, hay 1.000 que no los toleran. Se mire como se mire, los cigarrillos son altamente tóxicos, y en muy pocas personas el hábito de fumar no provocará procesos patológicos, sean éstos moderados o graves.

Se han identificado más de 3.000 sustancias en el humo del tabaco. Aunque se ignoran los efectos en el organismo de la mayoría de ellos, 16 se han reconocido como causantes de cáncer, y recientemente se ha comprobado, más allá de la resistencia de la industria tabacalera y sus amigos, que un compuesto, un bendrofluoruro, provoca cambios cancerígenos en el tejido pulmonar. El alquitrán que se encuentra en dichas sustancias es un caldo de cultivo para las bacterias y, dado que aquél recubre los delicados tejidos pulmonares, favorece la destrucción por las bacterias de los sacos pulmonares (alvéolos), a través de los cuales se absorbe el oxígeno.

La nicotina es una sustancia altamente adictiva, cuya retirada es mucho más difícil psicológicamente que la de la heroína.

Entre las dolencias asociadas al hábito de fumar se incluyen:

Sinusitis	Anosmia (pérdida de olfato)
Infecciones de oído	Catarro
Pérdida del gusto	Tos y resfriados recurrentes
Conjuntivitis	Piel facial débil
Deterioro de dientes y encías	Laringitis

Faringitis recurrentes	Anginas
Bronquitis agudas	Bronquitis crónicas
Enfisema (pérdida del tejido pulmonar)	Ataques cardíacos
Accidentes cerebrovasculares	Gangrena
Úlceras gástricas y duodenales	Úlceras esofágicas
Colitis ulcerosa	

El cáncer no es la enfermedad más frecuente ocasionada por el tabaco, pero éste aumenta las probabilidades de padecerlo o está directamente asociado a su aparición en los siguientes cánceres: boca, lengua, faringe, laringe, árbol bronquial (pulmones), esófago, estómago, intestino grueso, piel y ovarios.

Es interesante señalar que los pulmones siguen creciendo hasta después de los 20 años de edad. Fumar antes de esa edad puede dañar la estructura pulmonar; cuanto más temprano es el inicio del hábito, peor es el pronóstico.

Los fumadores pasivos (los que inhalan el humo de otras personas) corren los mismos riesgos que los individuos hipersensibles o reactivos.

RECOMENDACIONES

- *No fume.*

- *No permanezca en ambientes donde se fume.*

- *No fume en interiores. El humo persiste.*

- *No fume cerca de los niños, ni en sus habitaciones ni donde jueguen.*

- *No fume delante de los niños pues éstos lo imitan todo.*

- *Véase* **Fumar**.

DESHIDRATACIÓN

La deshidratación puede producirse de forma aguda o crónica. La primera de ellas es fácil de identificar y bastante fácil de resolver; la segunda es insidiosa, suele pasar inadvertida y, en mi opinión, es la causa de muchas enfermedades y dolencias actuales.

Deshidratación aguda

Suele producirse en adultos jóvenes que practican un ejercicio excesivo en situaciones de calor o humedad. Los calambres que obligan a los deportistas a interrumpir sus ejercicios se deben habitualmente a la deshidratación. En algunos casos los síntomas son evidentes, pero en otros sólo es posible sospechar su presencia si se piensa en ella.

La sed y la sequedad de la boca y los labios son signos bastante obvios, pero el cansancio, la fatiga muscular, los calambres, la piel seca y la ausencia de sudación pueden pasarse por alto. Los signos tardíos de la deshidratación aguda son vértigo o mareos, aumento de los latidos cardíacos, confusión y delirio. Éstos aparecen sólo cuando la deshidratación es muy grave (¡como se ve en los desiertos en las películas!).

RECOMENDACIONES

- *¡Evite la deshidratación! Si el clima es caluroso o practica ejercicio, tome agua regularmente.*

- *Si se produce una deshidratación, debe reponerse el agua lentamente. Alterne con soluciones salinas o azucaradas o tome soluciones electrolíticas especialmente preparadas, junto con agua para recuperar las pérdidas de sal y glucosa. Consuma azúcares naturales, no refinados.*

- *En casos más graves, sumerja el cuerpo en agua o póngase ropas húmedas y, por supuesto, aléjese en lo posible del calor.*

Deshidratación crónica

La deshidratación crónica no se manifiesta por los mismos signos inmediatos o agudos descritos. Se produce a lo largo de un período durante el cual el individuo, de forma lenta, va bebiendo menos agua de la que necesita, y su cuerpo se adapta, pierde la sensibilidad a la sed y aprende a vivir con los labios y la piel secos, con molestias y dolores musculares y otros síntomas que se describen más adelante. Esta pérdida de sensibilidad es un tributo de la capacidad del organismo para adecuarse a las circunstancias, pero esta adaptación puede conducirnos a que nos enfrentemos a un aumento de muchos de los síntomas que azotan a la humanidad, sobre todo en Occidente. Éstos incluyen cáncer, asma, problemas articulares, eccema, problemas digestivos e hipersensibilidad a las infecciones.

La mayoría de las reacciones bioquímicas, si no todas, del organismo, requieren la presencia de agua. La mayor parte de dichas reacciones se llevan a cabo dentro de las células, las cuales se muestran «reacias» a ceder el agua si ésta no se consume regularmente en cantidades adecuadas. Para protegerse, cada célula del organismo utilizará colesterol, otras grasas o lípidos y proteínas para formar una capa lipoproteica alrededor de sí misma. Esta capa no deja que el agua de la célula salga fuera, pero también impide que entre agua en la célula. El proceso bioquímico continúa pero, como si fuera agua estancada, finalmente se agotará parte de la energía proporcionada por las moléculas que pueden intercambiarse entre sí y, aunque el proceso continúe, la energía natural asociada a ellas se perderá. Entre tanto, el agua ingerida no es completamente absorbida por las células y, como consecuencia, los tejidos se hinchan y la sangre está más diluida, lo cual indica al cerebro que no se necesita más agua y, por lo tanto, disminuye la sed, perpetuándose así el ciclo de la deshidratación.

El colesterol, las grasas y las proteínas necesarias para llevar a cabo este proceso de protección son elaboradas por el hígado. Éste se ve sobrecargado de trabajo, lo que reduce su disponibilidad para satisfacer los requerimientos metabólicos generales del organismo, es decir, tanto la degradación de las toxinas como la elaboración de los compuestos necesarios. Asimismo, se requiere más energía para mantener el funcionamiento del hígado y, por consiguiente, hay menos energía disponible en el resto del organismo, lo que ocasiona cansancio y fatiga, que son los síntomas iniciales más comunes. Las toxinas no degradadas aumentan la presión en los riñones y se depositan en todo el organismo. Muchas toxinas son captadas por los depósitos grasos, a los cuales también se añaden las grasas extra que el hígado produce para formar la capa protectora de las células. Como consecuencia, aumentan los depósitos de grasas y el peso corporal. Las toxinas se di-

suelven dentro de los depósitos grasos y entra más agua dentro de estos tejidos para disolverlas. Esto aumenta también la retención de agua en lugares del organismo donde no debería retenerse.

La tasa metabólica ligeramente elevada originada por la deshidratación estimula la producción de radicales libres que promueven la formación de ateromas –responsables de infartos cardíacos–, apoplejías y cáncer.

Cuando se pierde agua, el organismo habitualmente concentra los fluidos. El ácido clorhídrico del estómago y los jugos intestinales se vuelven más concentrados y, aunque esto puede ayudar a la digestión, también lesiona la mucosa intestinal, provocando inflamaciones y úlceras, e inhibe la producción y multiplicación adecuadas de la flora intestinal natural.

Una elevada concentración de ácidos también es absorbida por la sangre y puede provocar procesos artríticos, enfermedades de la piel como psoriasis o eccema y concentración de otros líquidos que pueden conducir, por ejemplo en la vesícula biliar, a la formación de cálculos.

¿Hace falta seguir?

En breves palabras, puede decirse que la deshidratación afecta a muchas, si no a la mayoría, de las situaciones del organismo. La deshidratación es insidiosa. Debe recordarse que perdemos alrededor de 1 litro de agua cada día por la orina, aproximadamente la misma cantidad por el sudor y unos 500 ml por el moco y las heces. Estas pérdidas deben reponerse pues, en caso contrario, se inicia la deshidratación.

RECOMENDACIONES

- *Siempre que exista una enfermedad o una pérdida de la salud persistentes o recurrentes debe valorarse la hidratación del organismo.*

- *No existe una cantidad exacta que sea adecuada para todas las personas. Un individuo sediento debe apagar la sed con agua, y asegurarse de que las otras bebidas (té, café, alcohol, zumos, etc.) se toman por placer o por otros efectos y no para calmar la sed.*

- *Un individuo no sediento debe ingerir, como mínimo, 1 litro de agua distribuido a lo largo del día.*

- *No confunda el aporte de líquidos con el de agua. El organismo se rehidrata sólo con agua o zumos muy diluidos.*

- *El té, el café y los azúcares (refinados y naturales, como los zumos de frutas) pueden provocar deshidratación. Cada vez que se consuma alguno de ellos, debe tomarse un vaso de agua en los 15 minutos siguientes.*

- *No consuma agua del grifo si su saneamiento es escaso o el agua es fluorada (véase **Fluoruro y fluorosis**). La instalación de un filtro osmótico inverso o el consumo de agua mineral deben compensarse con un vaso diario de agua del grifo en áreas con fluoración del agua, aunque el consumo de flúor en la dieta sea adecuado o se utilicen dentífricos con flúor.*

- *Cambie periódicamente de marca del agua mineral, puesto que algunas tienen un contenido más elevado en ciertos componentes que otras.*

- *El agua debe beberse a temperatura ambiente o templada, especialmente para la rehidratación. Las bebidas heladas, aunque agradables, no son buenas para el organismo y deben limitarse.*

DESMAYOS

El desmayo es una pérdida temporal del estado de conciencia, causada habitualmente por una disminución del aporte de oxígeno al cerebro. También puede ser provocada por un bajo nivel de azúcar en la sangre, por la presencia de sustancias tóxicas en la corriente sanguínea –como medicamentos o, a veces, alimentos a los que el individuo es alérgico– o por un shock.

En la escala evolutiva, el desmayo fue un mecanismo de supervivencia. Tenderse completamente inmóvil o fingirse muerto parece que impulsaba a los predadores a decantarse por los individuos vivos en lugar de hacerlo por los «cadáveres». En nuestra moderna vida occidental raras veces se plantea esta situación de vida y muerte, pero manifestamos aún

esta tendencia en respuesta a situaciones de conmoción o ansiedad prolongada, por ejemplo, antes de un examen o de hablar en público.

RECOMENDACIONES

- *Sufrir un desmayo esporádicamente puede ser una característica de un individuo y, si se sabe que hay un factor que lo desencadena, no se requiere intervención alguna.*

- *Los desmayos frecuentes o repetidos deben ser investigados por un médico ortodoxo. Debe prestarse atención a la hipoglucemia, la obstrucción arterial y el consumo de medicamentos y alcohol.*

- *Los remedios homeopáticos Aconitum, Arsenicum album, Sepia y Veratrum album pueden consultarse en un manual de homeopatía.*

- *En caso de desmayos repetidos sin una causa patológica evidente tras una investigación médica completa, debería consultarse con un homeópata, un nutricionista y un osteópata craneal.*

DIABETES INSÍPIDA

Esta dolencia, caracterizada por la eliminación excesiva de orina diluida y sed intensa, se debe al déficit o bloqueo de la hormona antidiurética producida por la hipófisis.

Las causas incluyen tumores, consumo de medicamentos o drogas (u otras sustancias aún no establecidas), infecciones y sangrados. A veces se asocia a una hemorragia intensa después del parto.

RECOMENDACIONES

- *La micción y la sed excesivas deben ser valoradas por un médico y, si éste diagnostica una diabetes insípida, deben seguirse tratamientos ortodoxos.*

- *El tratamiento médico alternativo debería basarse en los síntomas, pero la acupuntura, el shiatsu y el yoga fortalecen la energía central, elemento esencial en todas las medicinas orientales (véase **El vaso de la concepción**).*

DIABETES MELLITUS

La diabetes mellitus, comúnmente denominada «diabetes» a secas o «azúcar en la sangre», es un trastorno complejo en el que el metabolismo de la glucosa es defectuoso o está ausente.

A menudo, esta enfermedad se descubre por la aparición de dos síntomas muy comunes: necesidad de orinar con demasiada frecuencia y sed persistente. Estos síntomas se deben a la presencia excesiva de azúcar en la sangre, que pasa a los riñones y es eliminada por la orina, arrastrando consigo agua por atracción osmótica. Como el individuo elimina grandes cantidades de orina, su organismo identifica que hay una deshidratación y bebe más.

El exceso de azúcar en la sangre ocasiona problemas en todos los órganos, especialmente porque provoca obstrucción de las arterias. Por consiguiente, si no se identifica su presencia, puede provocar ceguera, insuficiencia renal, accidente cerebrovascular, infarto de miocardio y una miríada de síntomas neurológicos. Estos problemas suelen desarrollarse al cabo de los años, por lo que analizar la orina regularmente es una precaución adecuada, en particular si hay antecedentes de diabetes en la familia, puesto que esta enfermedad presenta una fuerte tendencia hereditaria. Las pruebas son muy sencillas. La medición de niveles elevados de glucosa (por encima de 140 mg/dl o de 10 mmol/l) es simple, y en la misma muestra de sangre puede medirse un tipo especial de hemoglobina, denominada HbA_{1c}, que permite establecer la gravedad de la diabetes.

Existen diversos tipos de diabetes, que pueden clasificarse de la siguiente forma.

Diabetes temporal

La diabetes temporal puede producirse durante el embarazo y recibe el nombre de diabetes gestacional (*véase* **El vaso de la concepción**). También puede asociarse con diversas dolencias, como infecciones víricas, malnutrición, trastornos de la alimentación y enfermedades pancreáticas. Varios medicamentos comúnmente utilizados pueden inducir una diabetes. La mayoría de estas situaciones serán de corta duración o revertirán una vez eliminado el factor causal.

Diabetes mellitus no insulinodependiente (DMNID o diabetes tipo 2)

Este tipo de diabetes suele iniciarse en la edad adulta y se debe a una producción deficiente de insulina por las células beta del páncreas o a la ausencia de respuesta de las células del organismo a la insulina producida, incluso en cantidades elevadas. La causa de esta pérdida de sensibilidad no está completamente establecida, pero se sabe que el exceso de peso provoca una desensibilización del individuo a la insulina. También se ha implicado al déficit de cromo.

Diabetes mellitus insulinodependiente (DMID o diabetes tipo 1)

Este tipo de diabetes habitualmente se inicia a edades tempranas. La deficiencia de células beta pancreáticas puede ser hereditaria y estar presente desde el nacimiento o bien dichas células pueden ser destruidas por virus, reacciones autoinmunes o sustancias tóxicas (de medicamentos o alimentos).

Las filosofías médicas orientales consideran que el páncreas se halla debajo del vaso de la concepción (*véase* **El vaso de la concepción**) y puede ser también el área del plexo solar, un chakra central del yoga. El vaso de la concepción es una línea de energía proporcionada por los padres y, por consiguiente, su debilidad sería, según la visión oriental, genética. La aparición de diabetes durante el embarazo, y la consiguiente introducción de energía en el útero (otro órgano situado en este meridiano central) para alimentar al feto, priva al páncreas y al tiroides de energía. Estos dos órganos regulan los niveles de azúcar y de tiroxina, que, inexplicablemente, pueden disminuir durante la gestación.

Reconocimiento de la diabetes

Como ya se ha mencionado, los síntomas más comunes de la diabetes son la micción abundante y la sed. Otros signos de alarma son aumento del apetito, pérdida de peso a pesar de comer normalmente, infecciones frecuentes y cicatrización lenta de las heridas más banales.

Otras complicaciones más graves, como ceguera o accidentes cerebrovasculares, se producen después de años de padecer una diabetes no controlada y, en general, son detectadas por el médico.

Cuando los resultados de los análisis de sangre y orina son equívocos se lleva a cabo una prueba de tolerancia a la glucosa. Tras obtener una muestra de sangre, se administran 75 g de una solución glucosada por vía oral y luego se obtienen nuevas muestras de sangre con intervalos de 30 minutos. Si los niveles de azúcar en la sangre superan los valores esperados, se establece el diagnóstico de diabetes.

La diabetes es una enfermedad que requiere el control de un profesional. El seguimiento de un médico general es esencial. Este control ortodoxo puede complementarse con la consulta a un profesional de la medicina alternativa con experiencia en medicina nutricional. La diabetes no controlada puede provocar un coma y la muerte con bastante rapidez. Si el tratamiento requiere insulina y se inyecta una cantidad excesiva de esta hormona, las consecuencias pueden ser las mismas: coma y muerte. La insulina debe inyectarse porque, si se administra por vía oral, es destruida por el ácido gástrico. Existen diversos tipos de insulina, que incluyen las preparadas artificialmente y las obtenidas de animales, como el cerdo. Aunque hay discrepancias con respecto a cuál es la mejor, el especialista le indicará su protocolo de actuación, que debe seguirse en tanto los científicos establezcan conclusiones definitivas. Hay insulinas de acción rápida, intermedia y prolongada, y los diabéticos insulinodependientes suelen requerir una combinación de ellas.

La diabetes no debe subestimarse. Afecta a más del 4% de la población en los países occidentales, y esta cifra está aumentando. Existe una fuerte relación entre la diabetes y las dietas con elevado contenido en azúcares refinados, como los que se consumen en Occidente. La diabetes tipo 2 o DMNID suele controlarse adecuadamente a través de la dieta y la suplementación, y con frecuencia los profesionales de la medicina alternativa pueden ayudar a evitar los medicamentos que disminuyen la insulina, muy a menudo prescritos con excesiva rapidez por muchos diabetólogos.

RECOMENDACIONES

- *Controle los niveles de azúcar en sangre y orina con un médico general o un especialista. Éstos le explicarán las opciones de autocontrol en el domicilio, habitualmente con una gota de sangre obtenida por un ligero pinchazo, que en la actualidad se realizan por medio de pequeños dispositivos computarizados.*

- *Considere la dieta de Pritkin (véase **Dieta de Pritkin**) en cuanto se establezca el diagnóstico de DMNID.*

- *Si presenta sobrepeso, pierda peso. Obtenga toda la ayuda y el soporte necesarios, pues la obesidad puede causar diabetes o tener efectos adversos sobre ella.*

- *Analice la enfermedad con un nutricionista cualificado y con experiencia. Cumpla las siguientes recomendaciones: consuma alimentos integrales bajos en grasa y en azúcar y evite el azúcar refinado, las harinas, todos los aditivos y conservantes alimentarios y otros productos químicos; evite los productos lácteos de vaca, que en individuos genéticamente sensibles pueden provocar el desarrollo de diabetes.*

- *Analice con el nutricionista las cantidades adecuadas que debe ingerir de cromo, cinc, magnesio y otros oligoelementos, los cuales son importantes cofactores relacionados con el equilibrio de los niveles de glucosa.*

- *Hasta que se estabilicen los niveles de azúcar (existen pruebas fehacientes de que la estabilidad es más importante que los niveles absolutos), tome dosis elevadas de antioxidantes y siga las recomendaciones indicadas en el apartado sobre ateromas (véase **Ateroma**) a fin de proteger las arterias y prevenir su obstrucción.*

- *Consuma diariamente ácido gammalinoleico y aceites omega-3 y omega-6 de pescado.*

- *Incluya ajo, cebolla y alholva en la dieta y consulte con un herbolario las cantidades adecuadas de antocianinas, contenidas en arándanos y moras.*

- *Cuando emplee dosis elevadas de antioxidantes, añada quercetina (7 mg/kg de peso), 2 veces al día, si hay indicios de cataratas o problemas oculares o neurológicos.*

• *Establezca un programa de ejercicios que incluya yoga diariamente. El ejercicio excesivo puede causar grandes fluctuaciones en los niveles de azúcar, que pueden ser desde demasiado bajos hasta demasiado elevados, pero el yoga ha demostrado ser beneficioso para los diabéticos. Ejercicios adecuados de aeróbic son esenciales para fortalecer el aparato cardiovascular y constituyen un componente fundamental del programa de control de peso.*

• *Reduzca el estrés. El estrés origina sustancias químicas, como la adrenalina y el cortisol, que aumentan los niveles de azúcar en sangre. Técnicas como la meditación han demostrado reducir las concentraciones de azúcar y mejorar el control de la enfermedad.*

• *Los remedios homeopáticos constitucionales pueden ayudar, pero deben ser específicos, usarse en potencias elevadas y ser prescritos por un homeópata experimentado.*

EJERCICIO

El ejercicio es uno de los factores más importantes en el mantenimiento de la salud. Durante millones de años, el ser humano ha sido una criatura ambulante, y los antropólogos piensan que el hombre andaba entre seis y ocho horas diarias, es decir, tanto tiempo como el que hoy se dedica al trabajo en las culturas occidentales. El cuerpo está diseñado fundamentalmente para andar, con breves intervalos de alta energía (correr o luchar). El ejercicio es necesario para mantener el bienestar, tanto físico como psicológico. Con el ejercicio, el cuerpo consume los productos químicos del estrés que pueden disminuir la concentración, y se ha demostrado que el ejercicio puede aumentar la creatividad y reducir la depresión.

La cultura occidental nos proporciona alimentos en abundancia, y esto, unido a nuestro instinto natural de supervivencia que nos lleva a almacenar alimentos en el organismo, genera una tendencia a la obesidad. Nuestros antepasados tenían que trabajar duro para producir, recolectar o capturar sus alimentos, y las aportaciones y pérdi-

das de calorías estaban equilibrados. Esto no es lo que ocurre hoy en día, y con la invención del teléfono y de la comida preparada podemos vivir haciendo mínimos esfuerzos físicos.

El resultado de esta situación es la necesidad de practicar ejercicio. Como norma general, en reposo, la tasa metabólica del hombre consume aproximadamente 2.200 calorías y la de la mujer alrededor de 1.700.

Si se tiene presente que un bol de cereales y dos tostadas con mantequilla y mermelada contienen 800 calorías y que un cóctel de gambas, un plato de carne con dos hortalizas y una ración de tarta de manzana aportan más de 1.500 calorías, es evidente que habitualmente se produce un desequilibrio. Para compensar esta situación hay que hacer ejercicio.

El mejor ejercicio

¡No existe *el* mejor ejercicio! Cada persona debería descubrir sus ejercicios preferidos y disfrutar con ellos. Es preferible practicar ejercicio diariamente, aunque tres o cuatro veces por semana también es aceptable, siempre que se realice de forma adecuada. 30 minutos diarios o tres horas a la semana es un objetivo razonable.

«El problema de practicar ejercicio es que resulta pesado, se pierde tiempo y no se consigue un beneficio inmediato». Si tuviera que decirle a alguien que realizara una actividad y esta persona pensara de este modo, no me sorprendería su rechazo. Pero las tres objeciones planteadas revelan una mala interpretación del ejercicio más que una apreciación realista.

El ejercicio no debería resultar pesado ni tampoco requerir una cantidad de tiempo que interfiera en la vida diaria. Cuando el ejercicio es adecuado, resulta placentero y, por consiguiente, proporciona beneficios inmediatos. Permítame intentar indicarle la dirección correcta.

¿Qué es el ejercicio?

El ejercicio es el esfuerzo muscular realizado para preservar o restaurar la salud o para desarrollar la destreza física o la habilidad deportiva. Para ello, intervienen diversos mecanismos, tanto físicos como psicológicos.

Beneficios físicos

El ejercicio quema calorías. El cuerpo «sabe» muy bien cuáles son sus necesidades, y el ejercicio puede ser perjudicial sólo si conscientemente combatimos nuestra capacidad instintiva de equilibrar el ejercicio físico y el consumo de alimentos. Si se practica dentro de ciertos límites, como se describe más adelante, el ejercicio controlará los excesos.

Al practicar ejercicio, se consumen sustancias causantes de estrés, como la adrenalina y el cortisol. El estrés generado por la vida diaria es así eliminado del organismo, con el consiguiente beneficio global para la salud. El ejercicio genera también opioides naturales, denominados endorfinas y encefalinas, que disminuyen el dolor y provocan una sensación de bienestar e, incluso, euforia, que favorece al organismo en su conjunto. El corazón late más aprisa y el ritmo respiratorio aumenta, debido a la mayor demanda de oxígeno y nutrientes por los tejidos. Otras partes del organismo, sobre todo los órganos vitales, se benefician de este incremento del flujo de oxígeno y nutrientes, aumentando sus niveles de salud y longevidad. El corazón se fortalece y los vasos sanguíneos se dilatan. Disminuyen las grasas y el colesterol y se previene la obesidad. Se obtienen, además, otros beneficios metabólicos, algunos de los cuales disminuyen las posibilidades de padecer accidentes cerebrovasculares e hipertensión arterial.

Ventajas psicológicas

Tener buen aspecto para sentirse bien es un objetivo muy acertado. El cuerpo y la propia imagen son decisivos para conseguir la confianza en sí mismo, que a su vez es imprescindible para lograr otro tipo de progresos. Este único argumento es suficiente para promover la práctica de ejercicio, pero, además, la producción de opioides naturales por el organismo y la disminución de adrenalina y de otras sustancias asociadas al estrés ejercen un importante efecto sobre el estado de bienestar mental. Se alivian las depresiones, se reduce la ansiedad y las tendencias adictivas y se mejora el patrón de sueño.

Elección del ejercicio

Los beneficios del ejercicio sólo se percibirán si se sigue una pauta adecuada durante 30 minutos, como mínimo, tres veces a la semana. Esto es estrictamente para mantenimiento; por lo tanto, si el objetivo es mejorar el estado físico, dicha pauta debe aumentarse.

El ejercicio elegido debería aumentar la frecuencia cardíaca aproximadamente hasta el 75% de la frecuencia cardíaca máxima de ese individuo. Ésta se calcula restando la edad a 220. Una persona de 20 años de edad, por ejemplo, debería alcanzar una frecuencia cardíaca del 75% de 220–20, es decir de 150. En un individuo de 60 años ésta sería de 120. La frecuencia cardíaca no debería exceder el 80% del nivel máximo.

El ejercicio debe ser placentero pues, de lo contrario, el entusiasmo se desvanece rápidamente. Las personas de naturaleza competitiva se beneficiarán con los deportes de competición, mientras que las que no lo sean preferirán ejercicios no competitivos. La marcha ligera no exige un gran esfuerzo al organismo, pero requiere tiempo y es posible que no se alcance la frecuencia cardíaca óptima; sin embargo, si se dispone de un entorno agradable, una caminata a paso tranquilo puede ser más estimulante y relajante. Lo mejor es plantearse un ejercicio que se adecue al estilo de vida personal. Para una madre el mejor ejercicio puede ser acudir con su pequeño a una piscina. Para un profesional atareado puede ser más eficaz y adecuado la cinta rodante de un gimnasio durante 20 minutos.

No olvidar ejercicios como la danza o el ciclismo, que pueden ser apropiados como diversión o –en el caso de la bicicleta– como medio de transporte. El yoga, el chi kung, el tai chi y las técnicas aprendidas en una clase de aeróbic pueden emplearse –a intervalos adecuados– en un programa de ejercicios en casa o mientras se viaja. Cuando se comprenden bien las técnicas, un espacio reducido del suelo puede resultar tan efectivo como un gimnasio excelentemente equipado. Diez minutos de ejercicio tres veces al día no serán tan beneficiosos como 30 minutos seguidos, pero es mejor que nada. 30 minutos diarios los días laborables y 45 minutos los sábados y los domingos pueden transformar un cuerpo al cabo de un mes.

Un profesor de gimnasia podrá establecer un programa adecuado, y los aparatos especiales o las técnicas gimnásticas ayudarán a alcanzar una buena forma física rápidamente.

La natación suele considerarse la mejor forma de ejercicio, y para las personas que disfrutan de ella seguramente lo será. No implica la carga del propio peso y, siempre que no haya problemas en el cuello, no suele requerir un gran esfuerzo de ninguna parte del cuerpo. La natación es el ejercicio que más ayuda a controlar la respiración y puede ser muy útil para los trastornos pulmonares, como el asma.

El cuerpo está muy bien preparado para la supervivencia. Si es necesario perder peso, el organismo lo hará bien, siempre que esté correctamente nutrido. Con una dieta que contenga el 10-15% del aporte total recomendado en forma de grasas (aproximadamente el 70% en hidratos de carbono y el 20% en proteínas; *véase* **Nutrición**, capítulo 7), el organismo recuperará cómodamente su peso ideal. Si se eliminan por completo las grasas y los hidratos de carbono, el organismo interpretará que existe un déficit e iniciará de forma drástica un proceso de almacenamiento. En cuanto se ingieran grasas o hidratos de carbono, el organismo inmediatamente los convertirá en grasas de depósito. La moraleja bioquímica es que «la grasa se quema en la llama de los hidratos de carbono». Para desintegrar los depósitos grasos se requiere energía. De hecho, son necesarias dos unidades de energía para liberar seis unidades de energía almacenada en forma de grasa. Si el organismo no ingiere cierta cantidad de hidratos de carbono, no es posible disminuir los depósitos de grasa. El cuerpo puede convertir las proteínas en energía, pero este proceso es más difícil que la conversión de hidratos de carbono.

El ejercicio puede dividirse en dos categorías: de meditación y aeróbico.

Ejercicio de meditación

Limpiar la mente mientras se practica ejercicio conduce al equilibrio de la relación cuerpo-mente. El cuerpo lo hace automáticamente al aportar oxígeno a los músculos activos y, por consiguiente, disminuir el oxígeno disponible para el cerebro. Por esta razón, es difícil concentrarse o ser creativo mientras se practica ejercicio. En un día ajetreado,

cuando la conciencia dedica gran parte de su tiempo del cuello para arriba, el esfuerzo y el dolor moderado en el cuerpo causados por el ejercicio hacen que la conciencia se mueva hacia abajo y se distribuya el chi. Técnicas como el yoga, el chi kung, el tai chi, las artes marciales, la calistenia o los simples estiramientos liberan la energía bloqueada ejercitando los músculos. (Para estirar un grupo muscular, debe extenderse o flexionarse una articulación, lo cual sólo se produce por la acción de un grupo muscular opuesto que se contrae. ¡Ejercítelo!)

Ejercicio aeróbico

El término «aeróbico» designa el aumento de la utilización de oxígeno. Para que el ejercicio aeróbico sea más beneficioso, la frecuencia cardíaca no ha de exceder la edad del individuo en más 100, y el ritmo respiratorio no debe impedir la capacidad para responder una pregunta. Por supuesto, ambos parámetros se superarán durante una competición o si se exige al cuerpo que alcance un nuevo límite de resistencia, como cabe esperar en un deportista profesional, pero, para las restantes personas, el ejercicio dentro de los parámetros mencionados es razonable.

Soy partidario de solicitar inicialmente la opinión de un experto, pero ésta no es imprescindible. Un programa sensato de marcha ligera para empezar, si no se está en buena forma, es perfectamente aceptable. Puede considerarse cualquier deporte, de competición o no, pero no se plantee volver al fútbol sala si tiene 40 años y hace 20 que no juega. La mente recordará sus habilidades previas, pero el cuerpo habrá reducido notablemente su capacidad. No obstante, si éste es el deseo, debe consultar con un entrenador o un profesor de gimnasia y alcanzar primero cierto grado de forma física.

Los modernos gimnasios son excelentes para comenzar la práctica de ejercicio, con sus aparatos electrónicos, que deben combinarse con pesas básicas y ejercicios en el suelo. Un profesor de gimnasia podrá establecer un programa adecuado para que el recién iniciado sienta que progresa y desee seguir avanzando. Sin embargo, lo más sensato es no excederse, sino volver al día siguiente.

Los ejercicios que implican la carga del propio peso (especialmente en las mujeres) deben constituir una parte de los ejercicios semanales debido a sus efectos antiosteoporóticos. Los ejercicios en el suelo (habitualmente para fortalecer los músculos del abdomen y la espalda) y la natación son excelentes y deben ser parte del programa, pero sólo parte.

RECOMENDACIONES

- *Como tantas cosas de la vida, la motivación y el entusiasmo sostenido son con frecuencia los factores más importantes. Mírese en un espejo. ¿Está satisfecho con su imagen? Visite a su profesional de la salud preferido y solicítele una valoración básica. ¿Está amenazada su salud? ¿Mantiene las relaciones habituales con sus hijos/amigos? Plantéese las preguntas que considere pertinentes, pero tome la decisión de alcanzar un nivel óptimo de salud.*

- *Escoja la fecha en que comenzará. La semana previa, elimine todos los malos hábitos que sea posible: el tabaco, la bebida y el exceso de comida deben, si no eliminarse, al menos reducirse, e inicie una dieta sana.*

- *La rehidratación debe ocupar uno de los primeros lugares de la lista. Beba, como mínimo, 2 litros de agua por día.*

- *Debe establecer una rutina y cumplirla con la misma disciplina que una rutina laboral.*

- *No interfiera su vida social y laboral. Practique ejercicio dentro de unos parámetros aceptables para usted.*

- *Escoja una forma de ejercicio que le resulte placentera. Si no encuentra ninguna que cumpla este requisito, busque a su alrededor y pida la opinión a sus amigos. El golf puede resultar aburrido mientras espera su turno. Visite un gimnasio y pruebe diferentes aparatos o retome, si es posible, algún deporte practicado en la escuela. Experimente con diversos ejercicios.*

- *30 minutos por día o 3 horas por semana es el tiempo óptimo para dedicar al ejercicio. Más cantidad de tiempo es posible sólo después de haber alcanzado una buena forma física.*

- *No existe un período del día que sea más apropiado para el ejercicio. Cada persona debería elegir instintivamente el momento más conveniente para ella. Después de comer, es prudente dejar transcurrir una hora, puesto que el organismo se encuentra en proceso de asimilación.*

- *Si es de naturaleza competitiva, elabore un plan de los resultados que desea obtener o de los logros esperados en las aptitudes personales. No sobreestime sus capacidades. Alcanzará una buena forma física más rápido de lo que cree, y cuanto más lentamente consiga un alto nivel, por más tiempo se mantendrá.*

- *No dude en consultar inicialmente a un profesional o un profesor de gimnasia. No tenga reparos en solicitar a un preparador físico que elabore un plan. Ellos también han tenido sus maestros.*

- *Cualquiera que sea el ejercicio elegido, tome una o dos lecciones de yoga, chi kung o tai chi, que al mejorar el equilibrio y la fuerza y, de forma más etérea, al ayudar a controlar el chi, aumentarán sus capacidades deportivas. Disfrute con los ejercicios, ya sean de meditación o aeróbicos.*

- *Comience lentamente y vaya avanzando paso a paso. Como en cualquier otra actividad, deténgase mientras disfrute del momento en lugar de llegar al límite del dolor. Si esto ocurre, perderá el entusiasmo y se decepcionará.*

- *Los estiramientos antes y después del ejercicio son extremadamente importantes. El papel del estiramiento previo está bien establecido, pero incluso deportistas experimentados subestiman la importancia del estiramiento posterior como «enfriamiento». Manténgase en calor y no se precipite a darse un baño o una ducha después del ejercicio.*

- *No haga ejercicio si está deshidratado. Lo mejor es beber 500 ml de agua unos 40 minutos antes del ejercicio y la misma cantidad durante un período de una hora después de su término.*

- Antes del ejercicio debería comer sólo alimentos ligeros e hidratos de carbono.

- Utilice sólo prendas de tejidos naturales absorbentes mientras practica ejercicio.

- Utilice técnicas de masaje corporal, como el shiatsu, regularmente, sobre todo durante las primeras semanas tras iniciar un programa de ejercicios.

ERITEMA FACIAL

El eritema facial puede deberse a una causa médica, como la fiebre, a una afección de la piel, como un eccema, o a la ingesta de ciertos medicamentos, como corticoides. La hipertensión y el alcoholismo también producen enrojecimiento de la cara, pero en este caso tiende a ser permanente en lugar de fluctuante.

En los adultos jóvenes suele denominarse rubor facial y es una respuesta arterial a las hormonas producidas por el sistema nervioso, generalmente en una situación de vergüenza. Es una característica psicológica que sólo requiere tratamiento en casos extremos.

También puede aparecer un eritema facial en respuesta a sustancias similares a la adrenalina producidas en situaciones de ira. Se trata de una respuesta psicológica que tampoco requiere tratamiento.

RECOMENDACIONES

- El rubor facial no debe tratarse, excepto que sea particularmente intenso o cause dificultades sociales.

- No se dispone de un tratamiento ortodoxo. Los maquillajes faciales fuertes deben usarse como último recurso.

- En el rubor asociado a situaciones de turbación pueden ser útiles los remedios homeopáticos Lachesis o Baryta carbonica a la potencia 200, tomados por la noche, los 7 días de la semana, durante un mes para obtener un efecto completo.

- La hipnoterapia, las técnicas de meditación y la psicoterapia, incluido el uso de programación neurolingüística, pueden disminuir la cantidad de hormonas producidas en respuesta a situaciones embarazosas o, en caso de ira, desentrañar las causas subconscientes de esta respuesta exagerada.

FIEBRE (PIREXIA)

La fiebre debería considerarse un amigo. Por sí misma, raras veces ocasiona problemas en un adulto, pero es importante investigar las causas subyacentes puesto que la fiebre puede ser un signo de meningitis, neumonía o infección renal.

El intervalo normal de temperatura corporal es de 36-37 °C.

Véase también **Fiebre** en el capítulo 3.

RECOMENDACIONES

- Si la fiebre es persistente o muy elevada debe consultarse a un médico.

- Una vez establecida la causa de la fiebre, remítase a los apartados correspondientes de este libro para su tratamiento.

- Asegúrese de beber suficiente agua, aumentando su consumo habitual, como mínimo, en 1 litro al día. Si la fiebre se acompaña de sudación necesita una mayor cantidad de agua. Evite el agua fría. Beba agua a temperatura ambiente o tibia.

- En un manual de homeopatía hallará los remedios más adecuados. Preste atención sobre todo a Aconitum, Arsenicum album, Belladonna, Bryonia, Gelsemium y Phosphorus.

- Los remedios de hierbas incluyen extractos de flores de saúco y menta, en proporciones iguales, o manzanilla sola o con milenrama en forma de infusión, 4 veces por día.

- La aplicación de compresas frías en la frente, el cuello, el abdomen y los tobillos alivia el malestar, mientras se mantiene la temperatura central elevada para estimular la respuesta del sistema inmunológico.

- *La fiebre disminuye el apetito, y el dicho «matar de hambre la fiebre, alimentar un resfriado» es verdad durante cortos períodos de tiempo. Coma siguiendo sus instintos.*

- *Evite el alcohol, la cafeína y otros estimulantes.*

- *El ejercicio debería mantenerse, realizando, como mínimo, una breve caminata al aire fresco, si se siente con fuerzas para ello.*

FIEBRE AMARILLA

La fiebre amarilla es una enfermedad vírica transmitida al hombre a través de un mosquito, que se caracteriza por fiebre, ictericia, tendencia al sangrado, disminución de la frecuencia cardíaca y, en casos graves, otros problemas neurológicos asociados. Se recomienda la vacunación de los individuos que tienen probabilidades de estar en contacto con la infección pero, como todas las vacunas, entraña riesgos, los cuales deben sopesarse con sus beneficios. Esta enfermedad sólo existe en ciertas regiones de África y América del Sur.

RECOMENDACIONES

- *Véase* **Vacunaciones**.

- *Siga las indicaciones ortodoxas para esta extremadamente peligrosa y contagiosa enfermedad. Para un apoyo médico complementario, véase* **Fiebre**.

FIEBRE GANGLIONAR (VIRUS DE EPSTEIN-BARR)

El nombre de esta afección se debe a que se manifiesta por fiebre e hinchazón de los ganglios del cuello, las axilas y las ingles (también los ganglios del abdomen y el tórax aumentan de tamaño, pero no son palpables). A menudo, la enfermedad es recurrente, debido a que el agente causal, el virus de Epstein-Barr, es resistente y puede «esconderse» en el interior de la célula, sobre todo en el hígado (puede causar hepatitis).

Habitualmente, la fiebre ganglionar se manifiesta con dolor de garganta, fiebre, malestar y letargia, además de los síntomas ya mencionados. En individuos sanos, esta dolencia dura menos de dos semanas, pero pueden producirse recurrencias cada dos semanas o permanecer latente durante varios meses. Conocido en el pasado como «enfermedad del beso», el virus de Epstein-Barr se disemina a través del beso, el estornudo, la tos o por contacto boca-mano-boca (al estrechar la mano de un portador del virus que previamente se ha chupado sus dedos). Excepto en los individuos inmunodeprimidos, como ocurre en los afectos de sida, el virus de Epstein-Barr no suele causar infecciones graves, pero puede provocar una hepatitis no crónica.

El virus de Epstein-Barr puede ser el causante del síndrome de fatiga crónica (síndrome de fatiga posvírica), pero con mayor frecuencia se manifiesta por dolor de garganta, dolor muscular, pérdida de concentración y depresión, junto con la hinchazón ganglionar ya citada.

RECOMENDACIONES

- *En caso de fiebre recurrente, resistente o persistente puede realizarse una prueba sanguínea, denominada prueba de Paul Bunnell. Un resultado positivo indicará una infección aguda o pasada.*

- *El virus de Epstein-Barr pertenece al grupo de los virus herpes (véase* **Herpes simple***).*

- *Las infecciones recurrentes pueden tratarse con equinácea o cúrcuma canadiense, tomando 7 mg de extracto sólido en polvo o 3 gotas de extracto líquido en agua por cada kg de peso, en dosis fraccionadas a lo largo del día.*

- *Si la enfermedad persiste debe consultarse la opinión de un profesional de medicina alternativa, puesto que habitualmente la causa es un sistema inmunológico deprimido.*

FUMAR Y CÓMO DEJAR ESTE HÁBITO

Entre los aproximadamente 3.000 productos químicos presentes en los cigarrillos, se esconde la nicotina, una sustancia altamente adictiva. Al cabo de unas semanas de fumar, la mayoría de las personas percibirán que su sistema nervioso necesita nicotina para mantener la sensación de bienestar. Si bien ésta es la principal causa de la adicción a los cigarrillos, hay que señalar que el tabaco, al ser una planta, contiene muchos compuestos que el organismo utiliza, por ejemplo, níquel y cobalto, los cuales son necesarios para la absorción y utilización del oxígeno de la sangre. Así pues, al dejar de fumar no sólo el sistema nervioso advierte que le falta algo, sino que también el organismo se encuentra en situación de déficit, puesto que las sustancias que se absorben por los pulmones lo hacen muy rápidamente y enseguida saturan al organismo, haciendo innecesaria la absorción en el intestino. En otras palabras, si se obtiene lo necesario por los pulmones, el intestino no necesita trabajar tanto e interrumpe sus procesos químicos, de forma que al dejar de fumar se produce un retraso de varios días hasta que el intestino comienza nuevamente a absorber lo que necesita. La combinación de un sistema nervioso que siente que le falta algo y un intestino que no absorbe con rapidez lleva a muchas personas a comer más, en un intento de satisfacer sus antojos. Como el sistema nervioso se alimenta de glucosa, los antojos suelen ser de dulces e hidratos de carbono y, por consiguiente, el individuo aumenta de peso. Controlar este factor es muy importante cuando se intenta ayudar a dejar de fumar.

Véase también **Cigarrillos**.

Dejar el tabaco

Se han utilizado diversas técnicas para ayudar a dejar de fumar, la mayoría de ellas con cierto éxito. Mi opinión, y quizás el punto de vista realmente holístico, es que deben utilizarse todos los métodos posibles combinados. Una vez se ha establecido si la persona está psicológica o físicamente (o ambas cosas a la vez) «enganchada», pueden seguírsele los tratamientos expuestos a continuación.

Tratamientos psicológicos
Psicoterapia

Hay que establecer si el fumador «quiere» dejar de fumar o «quiere querer» dejar de fumar. Muchos tratamientos fracasan porque el individuo no tiene el deseo real de abandonar el hábito. Para establecer el grado de deseo del fumador puede requerirse un psicoterapeuta. La psicoterapia u otras medidas psicológicas (*véase* a continuación) pueden ayudar a desplazar al fumador a la categoría «quiere dejar de fumar».

Hipnosis

Existen dos técnicas de hipnosis, que pueden usarse por separado o combinadas: la hipnosis por sugestión y la hipnosis parcial.

En la hipnosis por sugestión, mientras el individuo se encuentra en un estado de relajación profunda, se induce en el subconsciente la sugerencia de que fumar es un hábito desagradable y molesto. Cuando el individuo vuelve de su estado de relajación profunda, en el mejor de los casos sentirá aversión por el tabaco. Con este procedimiento se consigue ayudar a abandonar el hábito en el 10-30% de los pacientes.

En la hipnosis parcial, mientras el individuo se halla en un estado de hipnosis, el terapeuta conversa con la «parte» subconsciente de la psique del paciente que estimula el hábito. Muy a menudo, éste se inicia a una edad en que fumar parece necesario para ser aceptado por un grupo. Si el joven no fuma con la «pandilla», ésta puede marginarlo, y el subconsciente rápidamente relaciona la nicotina con el hecho de ser aceptado. Es un pequeño paso que lleva a considerar que el cigarrillo es el mejor amigo y puede sustituir, sin duda, al grupo, ¡sobre todo si, de entrada, éste no agradaba demasiado! Al originar una sensación de bienestar, la nicotina puede enmascarar la tristeza, la culpa o el miedo, que permanecen en el subconsciente y que se evitan consumiendo la droga. Nuevamente, es necesario establecer y afrontar los mecanismos psicológicos subyacentes antes de intentar dejar el hábito. De lo contrario, sería como quitarle la muleta a una persona que tiene una pierna escayolada.

Tratamientos físicos
Terapia suplementaria

Esta técnica infrautilizada se basa sobre el concepto de que, al dejar de fumar, el organismo necesita imperiosamente las sustancias que antes absorbía del tabaco. La administración de altas dosis de suplementos aumenta la disponibilidad de estos oligoelementos, que pueden ser absorbidos y satisfacer parte del ansia. La suplementación por vía intravenosa es más efectiva, puesto que evita la lenta absorción intestinal.

Dieta

Las dietas de desintoxicación ayudan al organismo a liberarse de la nicotina acumulada en el sistema nervioso y en los depósitos grasos (*véase* **Dieta de desintoxicación**). Cuanto más rápido se elimine la nicotina del organismo, más rápido también disminuirán las ansias.

Ejercicio

Prácticamente en todos los casos es esencial establecer un programa de ejercicios para ayudar a controlar la respiración y a aumentar el consumo de oxígeno. El tabaco reduce la capacidad pulmonar y la utilización del oxígeno por el organismo. Cuando el oxígeno aumenta, el individuo se siente mejor. Son muy útiles las técnicas de chi kung, yoga, tai chi y los ejercicios aeróbicos básicos.

Técnicas de respiración

Hasta hace poco, las técnicas de respiración mediante yoga o chi kung eran los mejores métodos para reeducar los pulmones y la sangre en la captación y el aprovechamiento del oxígeno sin tóxicos. Estos procedimientos siguen siendo muy útiles si se realizan de forma adecuada, pero un médico ruso, el doctor Buteyko, ha inventado una técnica que lleva su nombre y que es completamente diferente. La técnica de Buteyko consiste en una respiración poco profunda que altera el equilibrio ácido-básico del organismo (*véanse* **Respiración** y **Pulmones**) y parece eliminar el ansia por el tabaco. La disponibilidad de esta técnica es cada vez mayor y, aunque su aprendizaje requiere varias horas de entrenamiento, las primeras investigaciones han revelado que es enormemente beneficiosa.

Técnicas de masaje corporal

Las técnicas de masaje corporal, en particular el drenaje linfático manual o shiatsu, ayudan a eliminar la nicotina acumulada en los tejidos y, por consiguiente, disminuyen las ansias de tabaco.

Acupuntura

Utilizada en combinación con otras terapias, la acupuntura es muy beneficiosa para eliminar las ansias de tabaco. Incluso utilizada de forma aislada ha demostrado ser efectiva. Puede utilizarse acupuntura general o auricular (las agujas se colocan en diversas partes de la oreja).

Sustitutos de la nicotina

Los parches, chicles e implantes de nicotina son útiles en los casos más fuertes, pero debe tenerse en cuenta que con ellos sigue introduciéndose nicotina en el organismo, con sus consecuentes efectos neurológicos y adictivos. El principal problema es que no se combate la tendencia adictiva subyacente, sino que simplemente se sustituye un compuesto por otro. Cuando éste se interrumpa, reaparecerá el ansia por los cigarrillos, pues ésta no se habrá eliminado.

RECOMENDACIONES

- Asegúrese de que «quiere» dejar de fumar y no de que «quiere querer» abandonar el tabaco. Si no «quiere querer», visite inicialmente a un psicoterapeuta o un hipnoterapeuta.

- Considere la dieta macrobiótica (véase capítulo 7).

- Tome dosis elevadas de minerales, oligoelementos y vitaminas durante, como mínimo, 6 semanas.

- Siga una dieta de desintoxicación o, incluso, considere pasar 1 o 2 semanas bajo supervisión en un centro de salud.

- Identifique, mediante un manual de homeopatía o la consulta con un homeópata cualificado, su remedio constitucional y tómelo a una potencia elevada durante un mes.

- Aprenda una técnica de chi kung, tai chi o yoga. Practique ejercicios aeróbicos durante 10-15 minutos, 2 o 3 veces al día. Si tiene acceso a la técnica de Buteyko, escójala preferentemente.

- Si le cuesta progresar, acuda regularmente a un masajista para un drenaje linfático manual o a un especialista en shiatsu.

- *Un acupuntor puede tratarlo con regularidad o dejar «clavada» una aguja en la oreja durante unos días.*

- *En lo posible, evite los sustitutos de nicotina.*

HIPERVENTILACIÓN

La hiperventilación no es específicamente una enfermedad, sino que designa la tendencia a aumentar la frecuencia respiratoria. Es una tendencia instintiva natural de control de la respiración en situaciones de estrés. Si una persona siente pánico, es posible que contenga la respiración, pero en circunstancias de ansiedad moderada tendrá tendencia a aumentar la frecuencia respiratoria. Muy a menudo se trata de una respuesta psicológica necesaria y no de un problema, como ocurre al practicar ejercicio.

Sin pretender abrumar al lector con explicaciones científicas, la necesidad de hiperventilar o, alternativamente, contener la respiración, depende del nivel de anhídrido carbónico en la sangre, el cual es detectado por una zona del cerebro denominada centro respiratorio. Este proceso se basa en la siguiente ecuación:

$$H_2O + CO_2 \rightleftharpoons H_2CO_3 \rightleftharpoons 2H^+ + CO_3^{2-}$$

En términos sencillos, esta ecuación muestra cómo el agua (H_2O) y el anhídrido carbónico (CO_2) reaccionan para formar una cadena química de dos iones hidrógeno ($2H^+$) y un ion carbonato (CO_3^{2-}). Los iones hidrógeno se forman hasta un nivel determinado para permitir las funciones bioquímicas del organismo. Cualquier modificación hace que la ecuación se desplace hacia un lado u otro. Por ejemplo, al practicar ejercicio los músculos generan mayor cantidad de CO_2 como producto de desecho. Este CO_2 es eliminado rápidamente con la respiración. Debido a que se expulsa más cantidad de CO_2, la ecuación se desplaza hacia la izquierda y el número de iones hidrógeno en el organismo disminuye. Esto es bueno, porque también se produce más ácido láctico en los músculos utilizados y, si no se redujeran los átomos de hidrógeno en la sangre, ésta se volvería demasiado ácida y muchas funciones bioquímicas del organismo no podrían llevarse a cabo.

Si esta situación se mantuviera durante un tiempo prolongado, la hiperventilación se haría evidente. La hiperventilación suele producirse cuando el individuo tiene ansiedad o miedo. Al hiperventilar, elimina el CO_2 y, como consecuencia, disminuyen los iones hidrógeno, lo cual genera una situación de alcalosis respiratoria, que se manifiesta por mareos y cansancio. La antigua y conocida recomendación de respirar dentro de una bolsa de papel hace que se inspire el CO_2 espirado y, por lo tanto, se reduzca la pérdida de iones hidrógeno, reequilibrando el nivel ácido-alcalino (pH) de la sangre. De esta forma, se recupera la normalidad bioquímica y el individuo vuelve a sentirse bien.

Lo importante de toda esta explicación es la tendencia de muchas personas a hiperventilar sin darse cuenta de ello. El hecho de estar sometidos a una presión o estrés constante, como le ocurre a tanta gente, lleva a la hiperventilación, no hasta niveles que causen mareos o cansancio, pero sí que alteren el pH sanguíneo. Vivir con un nivel moderadamente alcalino afecta a la bioquímica del organismo y tiene importantes efectos, sobre todo en el sistema cardiovascular y los pulmones. El

Hiperventilación

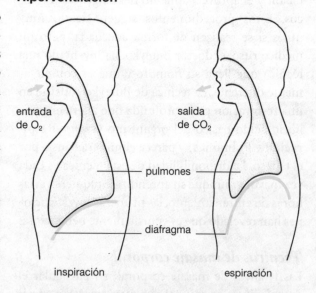

entrada de O_2 · salida de CO_2 · pulmones · diafragma · inspiración · espiración

En la inspiración, el diafragma se contrae y expande los pulmones. En la espiración, el diafragma se expande y fuerza la salida de aire de los pulmones.

asma, los infartos de miocardio y los accidentes cerebrovasculares son las consecuencias mejor estudiadas, pero es posible que otras dolencias, incluido el cáncer, sean el resultado de un estado de hiperventilación persistente.

Es difícil valorar si una persona está hiperventilando, puesto que una frecuencia de 14 o 15 respiraciones por minuto refleja una hiperventilación sólo en el caso de que dicha frecuencia debiera ser de 12 por minuto, y los síntomas y consecuencias pueden tardar muchos años en desarrollarse.

No es posible reconocer una hiperventilación crónica clínicamente. Las pruebas sanguíneas tradicionales tienen escaso valor puesto que la moderna ciencia médica ha demostrado que la bioquímica sanguínea se lleva a cabo dentro de un estrecho margen (pH de 7,34-7,48). El organismo es muy eficaz en el mantenimiento de estos niveles, pero puede hacerlo a costa de provocar una tensión considerable en los tejidos y las células. Es esta tensión la que puede causar problemas crónicos y graves.

Las pruebas de laboratorio de patología humoral y las técnicas de biorresonancia permiten descubrir una alcalosis o una acidosis y debe tenerse en cuenta en caso de padecer una enfermedad crónica.

RECOMENDACIONES

• *La hiperventilación aguda que se produce tras una situación de estrés, miedo o ansiedad súbita puede resolverse inspirando el aire previamente espirado dentro de una bolsa colocada cubriendo la boca y la nariz.*

• *Existe un punto sensible en ambos hombros, situado entre el cuello y el extremo del hombro. Una ligera presión en dichos puntos puede ser de ayuda. Hay también un punto sensible a 5 cm del hueso del tórax (esternón), a ambos lados, y a 5 cm por debajo de la clavícula. Una suave presión en ellos también puede ayudar.*

• *Todo el mundo debería aprender las técnicas de respiración (véase **Respiración**). Los métodos de Buteyko, yoga y chi kung son perfectamente adecuados.*

HIPOGLUCEMIA

Es el término médico que designa un nivel bajo de azúcar en sangre. La *hiperglucemia* se conoce más con el nombre de «diabetes», enfermedad muy bien estudiada. En el otro extremo, la hipoglucemia se ha investigado menos y la medicina ortodoxa no la considera un problema, excepto cuando un diabético se autoadministra dosis excesivas de insulina o de medicamentos antidiabéticos para el tratamiento de su enfermedad.

La opinión holística de consenso –y que, de acuerdo con mi experiencia, comparto– es que la hipoglucemia es mucho más frecuente.

Los síntomas de una hipoglucemia aguda son mareos, confusión, visión borrosa o doble, pérdida del equilibrio, náuseas, sudación, fatiga muscular y, en casos extremos, síncope. Cuando la causa de la hipoglucemia es una sobredosis de un medicamento para reducir el azúcar en sangre en un diabético, los síntomas pueden aparecer muy rápidamente. En las personas con bajos niveles de azúcar estos síntomas pueden ser moderados, persistentes y/o recurrentes. Son más frecuentes aproximadamente una hora después de comer y al despertarse por la mañana.

La principal causa de un bajo nivel de azúcar en sangre es la hiperproducción de insulina. Cuando los niveles de glucosa sanguíneos aumentan, el páncreas, bajo el control de sistemas de detección del azúcar en sangre muy sensibles situados en el sistema nervioso, segrega insulina. El azúcar refinado o blanco se absorbe con rapidez y, por consiguiente, la producción de insulina es igualmente rápida y causa un descenso brusco del azúcar en la sangre. Tener niveles bajos de glucosa persistentes o una tendencia a la hipoglucemia puede provocar cambios metabólicos, sobre todo en las membranas del organismo. Asimismo, los niveles bajos de azúcar aumentan la producción de moco y la tendencia al espasmo muscular. Cuando esto ocurre en los pulmones o el intestino, las manifestaciones son asma y síndrome del intestino irritable. Toda alteración persistente en una membrana que no responde a las medidas terapéuticas pertinentes debería considerarse posiblemente causada por hipoglucemia.

Además del exceso de insulina, otras situaciones pueden consumir rápidamente el azúcar de la sangre. Las principales son las infecciones, sobre todo las causadas por bacterias intestinales anormales y por hongos, como el hongo *Candida*. Los síntomas de una hipoglucemia causada por trastornos crónicos de las membranas asociados con problemas intestinales pueden estar causados por el hongo *Candida*.

Debe señalarse que la hipoglucemia puede ser también fisiológica, es decir, no patológica, cuando un proceso natural agota el azúcar sanguíneo disponible, como ocurre en el embarazo o después de practicar ejercicio. Asimismo, otros procesos graves, como el cáncer, pueden consumir el azúcar, por lo que deben considerarse y descartarse.

Algunas filosofías orientales creen que existe un punto central de energía o chakra en la línea media del cuerpo en el extremo superior del abdomen, localización que coincide con el páncreas. Un bloqueo de la energía que impida el flujo de la fuerza vital por esta área puede interferir en la digestión y en el control de la insulina.

RECOMENDACIONES

• *La prueba de tolerancia a la glucosa, habitualmente utilizada para establecer una hiperglucemia, puede emplearse también para diagnosticar una hipoglucemia.*

• *Es esencial seguir una dieta alta en fibra y baja en hidratos de carbono y azúcares refinados.*

• *Es preferible comer pequeñas cantidades de alimentos a lo largo del día que hacer tres comidas abundantes.*

• *Varios remedios homeopáticos pueden aliviar los síntomas. En un manual de homeopatía de referencia puede revisar los siguientes remedios: Phosphorus, Aconitum, Veratrum album y Carbo vegetalis.*

• *Las plantas medicinales pueden ser beneficiosas, pero deben tomarse sólo bajo la guía experta de un médico alternativo. En caso de problemas por bacterias intestinales está indicada una tanda de 2.000 millones de Acidophilus antes de las comidas durante una semana, junto con ácido caprílico que debe ser prescrito por un profesional de la medicina alternativa.*

INFECCIÓN POR EL VIRUS DE INMUNODEFICIENCIA HUMANA (VIH) Y SÍNDROME DE INMUNO-DEFICIENCIA ADQUIRIDA (SIDA)

Hay que establecer algunos puntos básicos:

• Estar infectado por el VIH no significa tener el sida.
• No se ha demostrado con absoluta certeza que el VIH sea la única causa del sida.
• Estar infectado por el VIH no significa que inevitablemente se padecerá el sida.

Teniendo en cuenta esos tres factores, merece la pena considerar los tratamientos potenciales frente al VIH y el sida. El VIH no es un virus particularmente agresivo o de replicación rápida. Afecta a las distintas personas de diferentes maneras, lo cual explica el hecho de que algunas contraigan el virus y mueran rápidamente, mientras que otras sobreviven con buena salud al cabo de 15-20 años. Al respecto, es muy importante el estado del sistema inmunológico del individuo. La presencia del VIH no provoca síntomas, pero sus efectos pueden ser desde leves a profundos.

El virus encuentra un confortable hogar en un tipo especial de glóbulos blancos encargado de la defensa del organismo, denominados «linfocitos T colaboradores». Se los denomina «T» porque son producidos en el timo, y «colaboradores» porque colaboran para que otros glóbulos blancos sean activos en la destrucción de agentes invasivos, como bacterias, hongos y virus. La destrucción de los linfocitos T colaboradores determina que infecciones menores, que en condiciones normales no alterarían el organismo, provoquen la muerte. Cuando dos de estas infecciones o más están presentes, existen los criterios para definir un «síndrome» y, así, se establece el diagnóstico de sida. Cuando los síntomas no son particularmente graves se utiliza otra expresión, «complejo relacionado con el sida» (CRS), para designar un síndrome que por sí mismo no constituye una amenaza para la vida.

El sida, en cambio, es una enfermedad que sí amenaza la vida. Puede manifestarse por síntomas en cualquier parte del organismo, pero por lo general los órganos más afectados son los pulmones *(Pneumocystis carinii)*, la piel (sarcoma de Kaposi e infección de verrugas), el intestino *(Campylobacter, Candida)* y el sistema nervioso (diversas infecciones). El sida se encuentra en todas las regiones del mundo, a menudo en personas que no están infectadas por el VIH. Esta consideración puede parecer contradictoria, puesto que la mayoría de los pacientes con sida padecen la enfermedad como resultado de la asociación del VIH.

Muchos científicos y médicos de todo el mundo, algunos de ellos verdaderas eminencias, creen que el sida no se asocia sólo con el VIH. Se han planteado conceptos muy aceptables que sugieren que el sida sólo se manifestaría cuando el sistema inmunológico fuera incapaz de mantener unos linfocitos T colaboradores sanos y funcionales. El VIH daña indudablemente estas células del sistema inmunológico, pero también lo hacen muchos otros factores.

Es verosímil que el VIH tenga consecuencias letales únicamente cuando se asocia con otros factores que lesionan estos linfocitos T colaboradores. Los medicamentos, las drogas, un estilo de vida no saludable, las enfermedades infecciosas, como la sífilis, los hongos, los parásitos y los contaminantes ambientales han sido incriminados con suficientes pruebas para provocar el escepticismo en algunos ámbitos científicos. Existen 29 enfermedades, con entidad independiente, cuya combinación está catalogada como sida, pero cabe preguntarse si estas infecciones secundarias no formarán parte de la causa del fallo del sistema inmunológico.

Muchos organismos gubernamentales y comisiones «independientes» reciben apoyo financiero de la industria farmacéutica, que desearía hallar un compuesto o varios que destruyeran al VIH. Por consiguiente, las autoridades y la industria farmacéutica, por lo general, no hacen demasiado hincapié en la importancia de la salud individual en la lucha contra el sida.

El VIH se transmite mejor por algunos líquidos corporales que por otros. En teoría, el VIH puede sobrevivir en la mayoría de los líquidos corporales, pero en realidad la sangre y el semen son las principales vías de transmisión. La transmisión por la saliva, el sudor y otras secreciones es excepcional y no se ha demostrado. El virus requiere ser transmitido directamente a la sangre, como ocurre en caso de pinchazos o abrasiones en la piel o las mucosas.

La expresión «VIH positivo» no significa padecer el sida. Se ha establecido que existen dos virus, a saber VIH-1 y VIH-2 (y se sospecha que existen otros), que causan efectos perjudiciales sobre los linfocitos T colaboradores. La expresión «VIH positivo» se refiere a la presencia de anticuerpos en la sangre contra estos virus, y no significa tener el sida. Se infiere que dichos virus han estado presentes en la sangre en algún momento debido a que el sistema inmunológico ha generado mecanismos de defensa frente a ellos. Este concepto es de vital importancia porque se trata de un resultado cualitativo («presencia» o «ausencia» de infección) y no cuantitativo (cantidad de virus en el organismo). Otras pruebas más precisas, como la reacción en cadena de la polimerasa (PCR), miden la cantidad de virus. La PCR no se realiza de forma sistemática debido a que es cara y hay controversia acerca de su eficiencia. La determinación de los niveles de linfocitos T colaboradores, y específicamente de los CD4, permite estimar la magnitud del daño del sistema inmunológico, pero no es un buen factor de predicción del pronóstico, debido a que los aumentos y las disminuciones en el recuento celular pueden ser independientes del VIH y, por el contrario, muy dependientes de otros factores, a los que los médicos alternativos y muchos científicos atribuyen gran importancia en este proceso.

A menudo se oye hablar de la relación CD4/CD8. Los linfocitos T CD8 son células inhibidoras del sistema inmunológico. Son igualmente importantes para la salud normal puesto que impiden que se produzca una hiperreacción del sistema inmunológico. Desgraciadamente, cuando se altera el equilibrio normal entre los linfocitos CD4 colaboradores y los linfocitos CD8 inhibidores, se producen trastornos en la salud.

Una cuestión de interés es que la velocidad a la que el VIH se multiplica, infecta y por último destruye los linfocitos T colaboradores es mucho más lenta que la velocidad normal de replicación de los propios linfocitos T colaboradores. Una reconocida autoridad en el tema comparó esta situación con la persecución de un avión a reacción mediante una bicicleta de pedales. Seguir pensando, como hace la medicina ortodoxa, que el VIH es la única causa contradice toda lógica.

La infección por el VIH y el sida no son enfermedades exclusivas de los homosexuales. La práctica del coito anal, que permite que el semen infectado llegue a la corriente sanguínea a través de las abrasiones que inevitablemente se producen en la mucosa rectal, ha favorecido la rápida diseminación del VIH en este grupo de la población. El virus, originado probablemente en África a partir de una mutación de un virus inofensivo, también se transmite por vía heterosexual y a través de lesiones accidentales. La mucosa vaginal es más resistente y menos propensa a sufrir abrasiones, y sus secreciones son mucho más antivíricas que la mayoría de los restantes fluidos.

Una vez establecida y aceptada la «epidemia», las prácticas de «sexo seguro» entre los varones homosexuales determinaron un aumento de la transmisión entre la población heterosexual de muchas zonas del mundo. Así, la propagación del virus entre la población heterosexual es en la actualidad el mayor problema médico mundial. Los que conocen las características de la epidemia no han recibido suficiente información para comprender que las relaciones heterosexuales constituyen un peligro, y en las áreas socialmente menos favorecidas la gente simplemente no lo sabe.

En muchas partes del mundo no se dispone fácilmente de métodos anticonceptivos, y en África y Asia el coito anal se practica para evitar el embarazo. En estos lugares del mundo el incremento de los portadores del VIH entre la población heterosexual es alarmante.

A pesar de que la higiene y la educación son las medidas terapéuticas más adecuadas sobre las que debería centrarse la atención, el mundo ortodoxo sigue con su teoría del «germen» y destina millones de dólares a la investigación de fármacos que inhiban el crecimiento del VIH. Medicamentos como la zidovudina o AZT y, más recientemente, la didanosina o DDI y la estavudina o D4T son agentes quimioterápicos altamente tóxicos que provocan la muerte de las células del sistema inmunológico bajo el supuesto de que esto impedirá la supervivencia del virus. Muchos pacientes que reciben AZT deben interrumpir la medicación a causa de los efectos secundarios, y el principal estudio llevado a cabo (el ensayo Concord) demostró que la evolución de los pacientes que tomaban AZT fue peor que la de los que no lo tomaban. Resulta inquietante que las autoridades que recomiendan estos tratamientos sean las mismas que impiden las terapias naturopáticas argumentando razones de seguridad que luego pasan por alto cuando se trata de unos medicamentos mucho más lucrativos.

A pesar de los malos resultados demostrados por los estudios sobre el AZT, la industria farmacéutica continúa atacando al virus, olvidándose del abordaje más lógico que consiste en estimular el sistema inmunológico. Tras comprobar que la destrucción de los linfocitos T infectados no prolonga la vida de los pacientes con sida, la atención se ha centrado en dos nuevos grupos de medicamentos: los nucleósidos, que inhiben la producción del VIH, y los inhibidores de la proteasa, que bloquean el proceso químico mediante el cual el VIH entra en un nuevo linfocito T colaborador y, por lo tanto, inhibe la replicación del virus.

Habitualmente, a todos los pacientes portadores del VIH y con sida se les aconseja usar una «terapia triple», que incluye AZT y medicamentos de estos dos nuevos grupos de fármacos, varias veces al día. Las personas que toleran este cóctel químico presentan, inicialmente, buenos resultados. Decimos inicialmente porque no se han concluido aún los estudios a largo plazo, y es imposible no ser escépticos, puesto que los resultados obtenidos con el AZT al principio parecían también muy prometedores.

Antes de analizar las opciones de tratamiento es importante señalar que existen casos demostrados de infección por VIH que se han resuelto. Así se ha comprobado en niños y fue publicado en la revista *New England Journal of Medicine* del 30 de marzo de 1995.

A un varón recién nacido prematuro de ocho meses se le diagnosticó una infección asintomática por el VIH-1. El feto adquirió la infección a partir de su madre, que había mantenido relaciones sexuales con un ex drogadicto. El recién nacido no se encontraba bien debido a su prematuridad, pero no presentaba signos de sida. Se realizaron pruebas sanguíneas en repetidas ocasiones, que revelaron que el bebé se hallaba infectado por el virus. Las pruebas sanguíneas se repitieron con intervalos frecuentes hasta que al año de edad dieron resultados negativos. No se hallaron evidencias del VIH. El bebé y su sistema inmunológico habían destruido y eliminado toda señal del virus. El caso fue comunicado cuando el niño contaba cinco años y aún continuaba libre de enfermedad.

En mi opinión, el sida no es causado sólo por el VIH. Sin duda alguna, el virus es perjudicial para el sistema inmunológico y acelera el proceso de la enfermedad, pero no es el único responsable del mal estado de salud asociado al sida. Son mucho más importantes los malos tratos infligidos al organismo durante largos períodos a través de una nutrición deficiente, tóxicos medioambientales en el aire y en la cadena alimentaria, sustancias químicas producidas por el estrés, medicamentos, drogas y exposición frecuente a las infecciones y a los antibióticos para tratarlas. Las recomendaciones terapéuticas siguientes están dirigidas a combatir todos estos factores.

RECOMENDACIONES

- *Evite los riesgos. Tanto si ya ha contraído el VIH como si no, practique el «sexo seguro». El sexo oral no se considera seguro si un individuo es portador del VIH.*

- *Si sus hábitos o su estilo de vida no son saludables, modifíquelos.*

- *No lleve a cabo la batalla solo. Acuda a un médico alternativo con conocimientos sobre el sida y a un grupo o un psicoterapeuta especializado en esta área.*

- *Establezca con cualquiera de ellos o con un nutricionista un plan dietético adecuado. Éste es decisivo para su bienestar.*

- *Elimine todas las toxinas de su vida: medicamentos y drogas (incluidos el tabaco y el exceso de alcohol) y alimentos que contienen esteroides y antibióticos (la mayoría de las carnes). Dedique un tiempo a pasear al aire libre, fuera de las ciudades. No pase por alto esta saludable indicación, puesto que es esencial.*

- *Asegúrese de realizar pruebas de alergia e intolerancia alimentarias en la sangre o mediante un técnico especializado en biorresonancia computarizada.*

- *Afronte y adecue los factores estresantes de su vida. El exceso de adrenalina es tóxico para el sistema inmunológico. No subestime la importancia de este factor.*

- *Intente evitar la administración de antibióticos y corticoides en particular, debido a que afectan al sistema inmunológico. Hay que intentar tratar todas las infecciones desde un ángulo alternativo.*

- *No se sorprenda si los profesionales de medicinas alternativas le ofrecen un tratamiento y le indican que puede ser curativo. Consulte a un médico general, asegúrese de que el tratamiento no pueda por sí mismo ser tóxico y pruébelo. Nunca será tan nocivo como los medicamentos ortodoxos.*

Afrontar el VIH y el sida es un proceso en equipo y existen casos de respuestas, como en el ejemplo del recién nacido mencionado. No caiga en la visión ortodoxa de que la muerte es inevitable, puesto que hay numerosas pruebas de que su tratamiento y posible curación son factibles.

INFECCIÓN POR LEVADURAS

Las levaduras constituyen un subgrupo dentro de la categoría general de los hongos. Suele resultar menos chocante hablar de una infestación por levaduras que decir que alguien está infectado por un hongo.

Se considera que el hongo *Candida* es el que causa infecciones con mayor frecuencia, pero muchos otros hongos y levaduras viven en las superficies corporales. En su localización habitual actúan de forma simbiótica (proporcionando y recibiendo algún beneficio del huésped), sobre todo combatiendo a otros microorganismos, tal vez más peligrosos, y consumiendo el azúcar disponible y, por consiguiente, reduciendo la cantidad de otros microorganismo, puesto que de este modo se inhibe su crecimiento.

Las infecciones vaginales por levaduras son muy comunes; se manifiestan por secreciones, malestar y olor desagradable y pueden conducir al desarrollo de enfermedades.

También pueden producirse infecciones por hongos en el intestino; éstas no suelen causar problemas, excepto que se reduzca la flora intestinal normal y se produzca el sobrecrecimiento de una población de hongos. Las levaduras y los hongos tienden a producir sustancias químicas que son tóxicas para el organismo. Si su producción aumenta, pueden desarrollarse desde malestar y cansancio hasta síndrome de fatiga crónica y cáncer.

Las levaduras y los hongos no deben circular por el organismo y, cuando alcanzan la corriente sanguínea, habitualmente son destruidos rápidamente o filtrados y eliminados por el hígado o los riñones. Si sobreviven, pueden ser transportados hasta los órganos principales y causar complicaciones graves. Esto ocurre sobre todo en individuos inmunodeprimidos, como los que padecen sida.

RECOMENDACIONES

• *La medicina ortodoxa rara vez presta atención a la presencia de levaduras y hongos. Un profesional de medicina alternativa, en cambio, al valorar problemas persistentes tendrá en cuenta la posibilidad de que exista una infección por hongos.*

• *Los cultivos de orina y heces ortodoxos raras veces buscan hongos y, para que lo hagan, debe solicitarse específicamente al laboratorio.*

• *Una prueba de laboratorio de patología humoral (examen de muestras de sangre con microscopio de alta resolución) puede mostrar esporas de levaduras y hongos en los líquidos corporales o las heces, así como la reacción de los glóbulos rojos frente a las toxinas fúngicas.*

• *El tratamiento dependerá del problema específico (véanse* **Candida y aftas** *e* **Infecciones fúngicas***).*

Muestras de sangre normal y con una infección fúngica

La muestra de arriba es claramente normal, mientras que en la de abajo, correspondiente a una prueba de laboratorio de patología humoral, se distinguen las hebras de hongos.

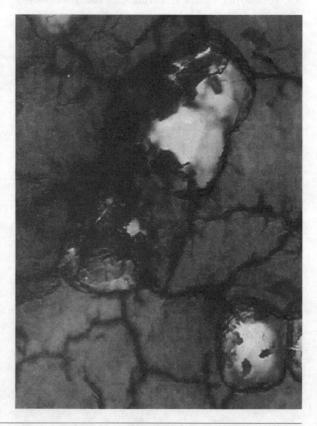

INFLAMACIÓN

La inflamación es la respuesta del organismo a la lesión de los tejidos. Cuando se produce una lesión, el organismo intenta repararla enviando más sangre al área afectada. La sangre transporta células formadoras de tejido cicatrizal, oxígeno y nutrientes, necesarios para la reparación y, por consiguiente, beneficiosos. Desgraciadamente, el aumento del flujo sanguíneo ejerce presión sobre los nervios, que ya están lesionados, y, como consecuencia, la inflamación provoca dolor. Cuando la lesión es grave, puede producirse como reacción refleja el cierre de una arteria, en cuyo caso no hay inflamación pero, con el tiempo, se desarrolla gangrena.

La inflamación es controlada por el sistema nervioso, que abre o cierra los vasos sanguíneos mediante una acción refleja que incluye vías nerviosas que atraviesan la médula espinal. Los nervios son estimulados por factores tisulares especiales liberados por las células afectadas y también por sustancias químicas liberadas por los glóbulos blancos que previamente han llegado a la zona lesionada, por el reflejo nervioso inicial. Los medicamentos ortodoxos actúan, por lo general, cerrando los vasos sanguíneos o inhibiendo las reacciones químicas de los factores tisulares mencionados o en el sistema nervioso.

La medicina ortodoxa considera sólo los síntomas y, por consiguiente, lo que hace es suprimir la inflamación. Hay numerosas lociones y pociones que incluyen en sus nombres el término «antiinflamatorio», desde el ácido acetilsalicílico y otros antiinflamatorios no esteroideos hasta los corticoides. Las cremas para aplicación tópica con estos medicamentos también se pueden adquirir fácilmente. Estos tratamientos están indicados cuando el dolor es insoportable, pero, en principio, retrasan el proceso de curación.

RECOMENDACIONES

- *La inflamación es un proceso de reparación que no debería inhibirse, excepto que se encuentre fuera de control. El principio holístico de promover este proceso conduce en muchos casos a una aceleración en la recuperación. Este principio no debe aplicarse si la inflamación se asienta en un* órgano principal, como el cerebro (meningitis), el corazón o los riñones. Una inflamación persistente puede estar causada por una infección, en cuyo caso se remite a los correspondientes apartados del libro.

- *La aplicación de hielo aliviará los síntomas, pero no debe impedir los objetivos de la inflamación.*

- *Pueden usarse cremas con árnica para la inflamación de tejidos profundos, con caléndula para las reacciones en la piel o con ortigas para las inflamaciones muy superficiales.*

- *En un manual de homeopatía podrá elegir el remedio adecuado basándose en los síntomas predominantes; fíjese en los remedios Apis, Belladonna, Rhus toxicodendron y Urtica urens.*

- *La inflamación persistente puede tratarse con dosis elevadas de vitaminas y plantas medicinales, pero éstas deben ser prescritas y controladas por un profesional de la medicina alternativa.*

INTERRUPCIÓN DEL EMBARAZO (ABORTO)

La necesidad de interrumpir un embarazo debería basarse en causas médicas, como el riesgo para la salud o la vida de la madre o la existencia de un feto inevitablemente inviable (feto que no podrá completar su desarrollo intrauterino). En muchos países de Occidente, sin embargo, también se contempla la interrupción del embarazo cuando éste puede provocar daños psicológicos a la madre o cuando se sabe que el recién nacido no será normal. Muchas sociedades no admiten el aborto en ninguna circunstancia, y otras sólo cuando existen situaciones físicas que amenazan la vida.

La interrupción del embarazo es un tema muy delicado; desde el punto de vista holístico, es necesario considerarlo desde cuatro ángulos.

Aspectos físicos

El embarazo provoca notables modificaciones en el perfil hormonal de las mujeres. Las hormonas femeninas, es decir, los estrógenos y la progesterona, se mantienen en niveles elevados y ocasionan muchos cambios en el organismo, tal como les ocurre a las mujeres que padecen el síndrome premenstrual. La interrupción brusca de la gestación anula los mecanismos de control y provoca una disminución súbita de las hormonas en el organismo. Esto ocasiona el cese de muchos de los cambios que se habían producido y genera una confusión bioquímica. Esta situación se corrige al cabo de un tiempo, pero puede acompañarse de síntomas, como cansancio, cefalea, cambios en el estado de ánimo, retención de líquido, dolores abdominales y alteraciones en la piel.

La interrupción del embarazo suele realizarse con un instrumento que se introduce a través del cérvix hasta la luz del útero y extrae el contenido por vaciado mediante aspiración. El embrión o el feto se extrae junto con las membranas internas del útero. El organismo debe afrontar esta agresión, así como los efectos de la anestesia sobre el sistema nervioso y el hígado. Debe reparar todas estas lesiones, para lo cual requiere energía y compuestos apropiados.

Toda intervención quirúrgica entraña riesgos. Un problema en el procedimiento o la introducción de una infección en el útero puede conducir a un proceso patológico o a esterilidad por cicatrices en el útero o las trompas de Falopio.

Aspectos psicológicos

Cada individuo es diferente y valora el concepto de aborto de distinta manera. Los valores familiares, las creencias religiosas, el estatus social y la presión de la pareja influyen en la facilidad o la dificultad con que un individuo afronta un aborto. Para muy pocas mujeres ésta es una decisión fácil, debido al miedo natural a la anestesia general y a la cirugía.

El conflicto con los preceptos sociales o religiosos plantea un dilema inevitable, y todo aborto suele tener defensores y detractores.

Aspectos espirituales

No hay nada bueno o malo fuera de las creencias de cada uno, pero la mayoría de las personas respetan la vida, y un aborto indiscutiblemente va en contra de la tendencia innata. Todas las religiones, cabe suponer que derivadas de valores espirituales, censuran (y en muchos países excluyen de la sociedad) a la mujer que lleva a cabo un aborto.

Los hindúes creen que un espíritu escoge a los padres y que se establece una relación kármica (fuerza vital) incluso antes de la concepción. Un aborto rompe este vínculo y, aunque el alma vuelva en un embarazo posterior, esta experiencia y esta energía se perderán, al menos durante un tiempo. No creo que la espiritualidad hindú sea mayor que la de otras doctrinas, pero si se analiza la situación desde este punto de vista puede modificarse la percepción de que un aborto no es un problema espiritual profundo. Sí lo es.

Aspectos de la pareja

Con demasiada frecuencia, lamentablemente, el hombre siembra la semilla y luego desaparece. Los varones que actúan de esta forma sostienen que es una respuesta natural, que los machos de las especies animales tienen muchas hembras y que simplemente obedecen a un adecuado instinto natural. Esto es absolutamente falso. Se trata de un autoengaño para aliviar la posible responsabilidad, a la que la mayoría de los varones temen mucho más que las mujeres. La verdad del caso es que los machos del reino animal raras veces siembran la semilla sin aceptar la responsabilidad de proteger y alimentar a sus crías.

Sin embargo, si ésta es la actitud de la pareja, poco puede hacerse y, francamente, su opinión puede pasarse por alto en favor de la de los amigos y la familia, que brindarán apoyo; no deberían desperdiciarse la energía y el tiempo en perseguir a hombres de esa calaña.

Desearía creer que la mayoría de los hombres, ante la situación de embarazo de su pareja en circunstancias socialmente inaceptables, desempeñarán un importante papel de apoyo en la decisión de la mujer. Se dice que una carga compartida es la mitad de la carga, y aunque en el caso de un aborto ésta no puede ser 50/50, todo apoyo es beneficioso.

RECOMENDACIONES

- *Analice detenidamente los aspectos espirituales de la interrupción del embarazo. Sólo puede hacerlo usted y no debería guiarse por presiones o doctrinas sociales. Si cree que existe un vínculo con la vida que crece en su interior, no debería plantearse el aborto.*

- *Las consideraciones psicológicas pueden abordarse fácilmente respondiendo la siguiente pregunta: ¿Creo que el aborto es una solución correcta o pienso que lo es? Guíese siempre por sus sentimientos. Al considerar un error del pasado es mucho más fácil decir «hice lo que sentí que era correcto» que afrontar un «hice lo que pensé que era correcto». Recuerde que la represión de las emociones hace daño, pero cometer un error, no.*

- *Recuerde que un aborto puede provocar esterilidad. La interrupción de un embarazo puede significar una vida sin hijos.*

- *Consulte a un psicoterapeuta o un profesional de la salud con el que se sienta unida. Converse con él sobre su estado emocional y tome una decisión después de un análisis completo y exhaustivo del problema considerando ambas opciones.*

- *No se rodee de amigos que sólo la apoyen en una opción. Debe protegerse de la culpabilidad obteniendo apoyo moral para tomar una decisión sobre la cual no se siente segura.*

- *En las primeras semanas de la gestación, el aborto puede llevarse a cabo mediante inducción química con altas dosis de medicamentos similares a la progesterona, que provocan los efectos secundarios de náuseas, vómitos, cefaleas y otros síntomas desagradables, como dolores abdominales. Estos medicamentos actúan alterando el equilibrio químico necesario para mantener la gestación y estimulando las contracciones uterinas. Como resultado se produce la menstruación. Si se emplea el aborto químico, véase el apartado **Menorragia** y sus recomendaciones.*

- *El aborto mediante un procedimiento quirúrgico suele ser necesario después de las 8 semanas de gestación (véase **Cirugía**).*

MASTURBACIÓN

Habitualmente, las doctrinas religiosas se basan en fundamentos sociales o de salud. No comprendo cuál es la base por la que prácticamente todas las religiones están en contra de la masturbación. Ésta no se asocia a inconvenientes importantes de salud y, si acaso, aumenta el impulso sexual, lo que incrementa las probabilidades de procreación. Es interesante, no obstante, que los niveles más altos de desarrollo espiritual, por lo general, incluyen el celibato y no condenan la masturbación.

Las filosofías orientales, coincidiendo con los conceptos freudianos, consideran que la energía sexual es una forma de energía inferior a la espiritual y, quizás, exista un fundamento para evitar la masturbación y el orgasmo si se intenta alcanzar un elevado nivel espiritual. Yo creo que el orgasmo es el pináculo del placer espiritual y físico y, por lo tanto, la masturbación, al alcanzar el orgasmo, es una simple técnica para vislumbrar el Nirvana.

Una masturbación excesiva puede irritar el pene o el clítoris, y si se practica en momentos o lugares inapropiados puede indicar la existencia de un trastorno psiquiátrico. Por lo demás, desde el punto de vista médico, no tiene ni pros ni contras.

RECOMENDACIONES

- *No existe razón médica alguna para evitar la masturbación.*

- *No se masturbe excesivamente, a fin de evitar irritaciones, y utilice de forma adecuada los instrumentos que aumentan el placer.*

- *La irritación puede aliviarse con los remedios homeopáticos Arnica 6 cada 2 horas y Arnica en crema aplicada 2 o 3 veces al día.*

- *En caso de masturbación excesiva o inapropiada debería consultarse a un psicoterapeuta si existe un trastorno psiquiátrico subyacente.*

MIEDO ESCÉNICO

Véase **Nerviosismo**.

MIGRAÑA

La migraña es un dolor de cabeza (cefalea) recurrente, causado probablemente por cambios en el grado de dilatación de los vasos sanguíneos cerebrales. Su intensidad, frecuencia y duración son variables. Por lo general, comienza en un lado de la cabeza y se extiende hacia otras áreas. A menudo se acompaña de náuseas, vómitos, trastornos visuales u otras sensaciones neurológicas, debilidad e incluso parálisis y alteraciones del estado de ánimo. Con frecuencia es una dolencia familiar que tiene, por consiguiente, una base genética.

Una migraña suele durar hasta 24 horas, y el 50% de los que la sufren presentan signos de advertencia, denominados «aura», consistentes en ansiedad, fatiga o cualquiera de los signos mencionados, que aparecen antes que el dolor. La migraña denominada «cefalea en racimos» (*cluster*) es un tipo especial que se manifiesta por un dolor similar a la cefalea, habitualmente localizado alrededor de un ojo, y que tiende a ocurrir en «racimos» tres o cuatro veces al día durante varios días y luego desaparece durante unos meses.

Es interesante señalar que uno de cada cinco varones y una de cada cuatro mujeres sufren migrañas en algún momento de la vida. Muy a menudo se inician en la infancia. La mayoría de las migrañas comienzan entre los 20 y los 35 años de edad y, por lo común, desaparecen a medida que avanza la edad.

Aún no se sabe cuál de los diversos mecanismos posibles es el responsable de la aparición de migrañas. A pesar del empleo de pruebas especializadas técnicamente muy avanzadas, todavía existen discusiones al respecto. No obstante, se considera que diversos factores pueden desencadenar una migraña.

Sustancias químicas del estrés (adrenalina y catecolaminas)

Los productos químicos del estrés causan la liberación de serotonina por las plaquetas, células especializadas de la sangre. La serotonina provoca constricción de los vasos sanguíneos cerebrales, lo cual reduce el flujo de oxígeno a ciertas áreas del cerebro. Se produce entonces un reflejo rebote de defensa, que aumenta el flujo sanguíneo y, por consiguiente, la presión ejercida sobre los nervios, y estimula la liberación de una sustancia química que desencadena el dolor, denominada «sustancia P».

Alimentos y otros alérgenos, incluidos los contaminantes

La intolerancia alimentaria y otras toxinas pueden desencadenar la respuesta química del estrés descrita anteriormente. Existe un grupo específico de proteínas, denominadas aminas, presentes en el alcohol, el chocolate y el queso, que ejercen un efecto directo de vasoconstricción (estrechamiento de los vasos sanguíneos) y pueden desencadenar ataques. La lista de los alimentos responsables en los numerosos estudios realizados es muy larga, pero es necesario identificar los alimentos desencadenantes individuales.

Factores estructurales

Cualquier problema que afecte al flujo sanguíneo craneal puede influir en la aparición de cefaleas. La malposición de los huesos del cráneo, especialmente de la mandíbula (conocida como articulación temporomandibular), es frecuente.

Factores hormonales y otras causas

Los cambios hormonales que se producen en el ciclo femenino normal, la fatiga, los cambios climáticos y la vista «cansada» pueden desencadenar migrañas, al igual que la retirada de drogas o sustancias que actúan sobre los vasos sanguíneos. El síndrome de abstinencia puede producirse unas horas después de fumar un cigarrillo o beber una taza de café, y no siempre se asocia a la retirada de una droga a la que el individuo es adicto.

Migraña

cerebro con vasos sanguíneos superficiales

contracción y posterior dilatación de los vasos sanguíneos causantes de migraña

Tras un estrechamiento inicial de las arterias cerebrales, éstas se dilatan, lo que provoca los síntomas asociados con la migraña.

RECOMENDACIONES

- *Lleve un diario durante un período de tiempo que abarque, como mínimo, tres episodios de migraña. En él debe incluir los alimentos ingeridos, los niveles de estrés, la duración de las crisis y las horas de sueño. Intente identificar y modificar los factores causales evidentes.*

- *Considere la realización de pruebas de alergias alimentarias, pero elimine específicamente la cafeína, el queso y el chocolate.*

- *Aprenda una técnica de relajación mediante yoga, chi kung o meditación.*

- *La psicoterapia, la hipnoterapia y las técnicas de biorretroalimentación son beneficiosas.*

- *En caso de mala alineación de los huesos del cráneo o el cuello, recurra a la osteopatía craneal o a la terapia craneosacra.*

- *La terapia de polaridad y la técnica de Alexander pueden ser útiles para mantener la postura correcta.*

- *La acupuntura y la acupresión (shiatsu) son muy efectivas en la reducción de la frecuencia de las crisis.*

- *Los remedios homeopáticos deben seleccionarse basándose en los síntomas. Preste atención sobre todo a los siguientes, que pueden tomarse, uno por vez, a la potencia 6 cada 30 minutos durante el estadio de aura o cada 10 minutos cuando ya ha comenzado la migraña: Thuya y Spigalia para el dolor que se inicia en el lado izquierdo, y Sanguinaria, Rhus toxicodendron e Iris para el que comienza en el lado derecho. Es esencial una prescripción adecuada basada en los síntomas. Por consiguiente, se recomienda consultar con un homeópata.*

- *Los siguientes suplementos pueden ser beneficiosos, por lo que deberían tomarse las cantidades recomendadas (indicadas por kg de peso) en dosis fraccionadas a lo largo del día: niacina (vitamina B_3), 1 mg; magnesio, 7 mg, y quercetina, 7 mg.*

- *Pueden ser beneficiosas las plantas medicinales como la cayena, 0,5 mg/kg de peso en dosis fraccionadas a lo largo del día, y la matricaria, en dosis idénticas.*

- *Existen medicamentos ortodoxos específicos para la migraña. Éstos han de ser prescritos por un médico y deberían considerarse sólo cuando hubieran fracasado las terapias alternativas. Intente siempre tomar la mínima dosis posible de medicamento e incluso pruebe con la mitad de la cantidad recomendada en caso de que necesite una dosis menor.*

OLOR CORPORAL

Cada persona tiene su propio olor corporal. Aunque éste no debería ser molesto ni desagradable, ha de ser perceptible. El olor procede de los poros sudoríferos y depende del contenido del sudor y de otras sustancias. El olor corporal es un problema frecuente de muchos adolescentes debido a una escasa higiene después del ejercicio. La actividad bacteriana relacionada con los cambios hormonales y la tendencia de los jóvenes a usar desodorantes químicos, que alteran la flora natural del cuerpo y promueven la producción de toxinas y olores por las bacterias «malas» en la piel, son fenómenos incuestionables. Un olor corporal desagradable y persistente puede indicar la presencia de una enfermedad sistémica. La composición del sudor es similar a la de la orina, excepto por la presencia en esta última de urea, un producto de desecho de las proteínas compuesto por nitrógeno. La sangre se purifica en los riñones y, raras veces, es necesaria la eliminación a través de la piel; sin embargo, en casos de deshidratación o de afección renal causada por ciertos medicamentos y enfermedades, puede utilizarse el sudor para eliminar productos de desecho y, por consiguiente, alterarse su olor.

El consumo excesivo de alimentos picantes y fuertes, como ajo o especias, puede sobrecargar al organismo y, como consecuencia, el sudor absorbe dichas sustancias aunque no exista un proceso patológico.

Las bacterias de la piel producen, a lo sumo, un ligero olor, pero ciertas cepas, sobre todo las que han sido alteradas por el uso de antibióticos, pueden elaborar gases nocivos que generan un olor desagradable. Cuanto mayor es el contenido de azúcar en la dieta y más húmedo es el medio en que viven las bacterias, mayor es su multiplicación, y este incremento del número de bacterias aumenta el olor.

Algunas hormonas tienen un olor característico, como la adrenalina (olor del miedo), y las hormonas femeninas estimulan el crecimiento bacteriano y, por consiguiente, el olor corporal.

RECOMENDACIONES

- *Utilice sólo jabones naturales y desodorantes a base de aceites esenciales en aplicaciones tópicas.*

- *Observe si se produce algún cambio asociado a la ingestión de ciertos alimentos. El ajo y la cebolla pueden producir olor corporal. Algunos individuos pueden ser sensibles a determinados alimentos. Lleve un diario de los alimentos consumidos y pida a un miembro de la familia o a un amigo íntimo que informe si detecta cambios en el olor corporal durante algunas semanas. Relacione esta información con los alimentos consumidos y elimine los sospechosos.*

- *Las bacterias intestinales dañinas pueden producir toxinas que son eliminadas por el sudor. Ingiera altas dosis de Lactobacillus acidophilus y probífidos poco antes de cada comida. La clorofila puede utilizarse en la misma forma.*

- *Puede probarse el cinc (30 mg por la noche).*

- *La mala digestión provoca una mayor cantidad de alimentos disponibles para las bacterias, que se multiplican más rápido y producen más toxinas. Tome ácido clorhídrico y enzimas digestivas en las cantidades recomendadas en el envase del producto.*

- *Utilice ropas de fibras naturales, que absorben mejor el sudor, y cámbielas con frecuencia si es necesario.*

- *Asegure una buena hidratación tomando, como mínimo, 2 litros de agua, distribuidos a lo largo de todo el día. Esta cantidad debe aumentarse si se practica ejercicio o se consume alcohol o café, puesto que estas situaciones provocan deshidratación.*

- *Mantenga una higiene adecuada. Lave y cámbiese la ropa con frecuencia.*

- *Considere los remedios homeopáticos Calcarea carbonica y Silica, a la potencia 6, 3 veces por día durante 10 días.*

PÓLIPOS

Un pólipo es una tumoración lisa, redonda u ovalada, en una mucosa, a la que está unida por una base ancha o por un pedículo. Raras veces provocan síntomas y suelen descubrirse en una exploración de rutina.

RECOMENDACIÓN

- *El tratamiento de los pólipos depende de su localización, que puede ser nasal (véase ilustración), intestinal o cervical (véanse los apartados correspondientes según su localización).*

Pólipos nasales

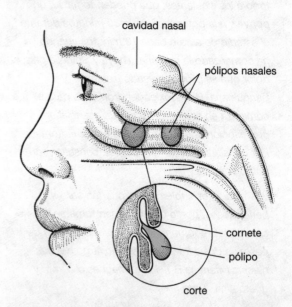

cavidad nasal

pólipos nasales

cornete

pólipo

corte

Los pólipos suelen hallarse en la mucosa nasal, pero pueden aparecer en la mayoría de las mucosas del organismo. Por lo general, son benignos.

PROMISCUIDAD

No puede hablarse de lo que está bien o mal con respecto a la promiscuidad sexual, pero desde el punto de vista médico y holístico es necesario abordar este tema. La definición de promiscuidad depende de los límites establecidos por cada sociedad y sus integrantes. Un país puede diferir de forma notable de otro regido fundamentalmente por la fuerza de la religión. Cualquiera que sea la situación geográfica, los miembros del grupo o clase social al que un individuo pertenece ejercen una enorme presión sobre éste. La disponibilidad de parejas apropiadas, el sexo y el atractivo personal o, al menos, la confianza en sí mismo, son factores decisivos en el número de parejas que un individuo puede tener.

En términos médicos, la promiscuidad se define arbitrariamente, y en Occidente suele considerarse como tal cuando una persona tiene cuatro parejas sexuales o más en un período de un año.

Aspectos físicos

Cuanto mayor es el número de parejas sexuales, mayor es el riesgo de contraer enfermedades de transmisión sexual. Las infecciones víricas ocupan ambos extremos del espectro médico. El virus del papiloma humano y los virus del herpes raras veces constituyen una amenaza para la vida, aunque el primero puede desencadenar cáncer de cérvix en la mujer. En el otro extremo, el virus de la inmunodeficiencia humana (VIH) se asocia claramente con el sida. Entre las infecciones bacterianas, la gonorrea no suele representar un problema puesto que se dispone de un tratamiento adecuado, pero la sífilis se está volviendo resistente a los antibióticos y nuevamente su incidencia está en aumento. Otras infecciones, como las causadas por el hongo *Candida*, *Chlamydia* y *Trichomonas* (las dos últimas causantes de la mayoría de las uretritis denominadas «inespecíficas» o «no gonocócicas»), son también más frecuentes en los individuos promiscuos.

RECOMENDACIONES

- *La promiscuidad entraña riesgos. Desde el punto de vista médico es conveniente reducir el número de parejas sexuales.*

- *Debe practicarse «sexo seguro», es decir, sexo sin penetración o mediante el uso correcto de preservativos.*

- *Ante cualquier anomalía genital se recomienda una atención inmediata.*

- *Debe promoverse la conciencia social a fin de que los individuos que padecen una infección eviten la promiscuidad sexual.*

Aspectos psicológicos

La psicología del sexo es un amplio tema que excede los límites de este manual de ayuda. A través del sexo –diseñado para permitir la procreación–, el ser humano expresa muchas emociones reprimidas: furia, agresión y frustración a través de una violación; amor y adoración al hacer el amor y, quizá, baja autoestima y soledad a través de la promiscuidad sexual. El sexo se usa también como pasatiempo y la sexualidad se utiliza como medio publicitario para vender objetos. Nuestro subconsciente es continuamente alertado por la sexualidad. El sexo es motivo de placer y la psique está diseñada para conseguir placer. El sexo no siempre es lo que un individuo necesita, pero puede ser el corolario inevitable del contacto físico que se necesitaba.

RECOMENDACIONES

- *Analice las razones por las que busca y practica el sexo.*

- *Reflexione, sobre todo, si necesita el alcohol o las drogas para disfrutar del sexo. Las sensaciones alteradas suelen generar señales alteradas de las necesidades.*

- *Recuerde que el sexo no es una consecuencia inevitable de toda relación en la que existe atracción. La mayoría de las relaciones sólidas y duraderas se basan sobre otros fundamentos.*

- *Nunca se avergüence de plantear sus problemas sexuales a un profesional.*

Aspectos espirituales

La combinación de espiritualidad y sexualidad constituye un tema fascinante. La religión, que se proclama de diferentes formas como la culminación de la espiritualidad, condena la promiscuidad sexual. La espiritualidad, sin componente religioso, habitualmente considera la sexualidad como parte del «ser» y, en el caso del yoga tántrico, fomenta activamente la promiscuidad masculina dentro de ciertos límites espirituales. Si se acepta el concepto de unidad con todas las criaturas vivientes que plantean las poblaciones indígenas de América del Norte y del Sur, el sentido sexual-espiritual del hombre se debe vincular con sus instintos animales. Muchas de estas culturas creen que todos los seres humanos están conectados con el espíritu de un animal, y, en el reino animal, la promiscuidad sexual es una forma de promover la selección natural y los genes más fuertes dentro de las especies.

La experiencia más satisfactoria para el alma es la de unidad, integridad o unión. Parece que una persona se halla unida a otra, pero en realidad es la pérdida de «sensación de unidad» la que la hace sentir separada, la que la hace buscar la re-unidad. Si la actividad sexual conduce sólo a una mayor conciencia de la soledad o el aislamiento, significa que no es apropiada.

La espiritualidad rige o *es* el propio ser. La anulación de cualquiera de sus componentes conducirá a la supresión de la propia naturaleza física y psicológica; por lo tanto, la claridad de pensamiento y la comprensión de la propia naturaleza sexual-espiritual profunda es esencial para gozar de buena salud.

RECOMENDACIONES

- *Dedique tiempo a meditar o analizar las creencias y energías esenciales que motivan la elección de sus parejas.*

- *Pregúntese si el hecho de tener muchas parejas aumenta o disminuye las posibilidades de encontrar «el compañero del alma».*

RESACA

Habitualmente, son los hombres sanos y saludables los que leen esta sección en los libros sobre salud. No es que las mujeres no tengan resacas, pero son más prudentes con respecto a la salud. Siento desilusionar al lector, pero no he encontrado una cura mágica, a pesar de mis investigaciones sobre el tema, especialmente durante algunos malgastados años de mi juventud.

Es importante comprender que la resaca es algo bueno. El alcohol en exceso es un tóxico que puede dañar al organismo, sobre todo el hígado, el corazón, el páncreas, el riñón y el sistema nervioso. El alcohol provoca hipertensión arterial, disminución de los niveles de azúcar y diabetes, cirrosis y trastornos neurológicos como ceguera, por mencionar sólo algunas de sus consecuencias. La resaca es una señal de alerta del organismo frente a nuestros abusos y sus riesgos. Con la edad, el hígado produce más sustancias químicas para degradar el alcohol, lo que explica la mayor tolerancia a éste, pero desafortunadamente el organismo se va adaptando y pierde el mecanismo que provoca la resaca. Esto no es bueno, porque se pierde la conciencia del daño que se está causando y del trabajo extra al que se somete al hígado.

Las sensaciones de cefalea, letargia, debilidad muscular, disminución de la concentración, fotofobia y malestar estomacal que caracterizan a la resaca traducen la deshidratación del organismo y la desintegración del alcohol y los aldehídos.

En mi opinión, un profesional de medicina holística no debe recomendar ninguno de los numerosos consejos para disminuir la resaca, puesto que el éxito de estas medidas puede estimular a la gente a cometer abusos sabiendo que luego podrán aliviar su malestar. Por consiguiente, mis recomendaciones están dirigidas a limpiar el organismo para disminuir el daño, pero no necesariamente para reducir el malestar.

RECOMENDACIONES

- *Beba unos 180 ml de agua por cada medida de alcohol consumida (250 ml de cerveza, un vaso de vino o una medida de una bebida alcohólica de alta graduación).*

- *Coma antes de beber alcohol aunque sea una cantidad mínima. No beba con el estómago vacío.*

- *No mezcle diferentes bebidas alcohólicas.*

- *Tome el remedio homeopático Nux vomica a la potencia 6 cada hora. La elección de un remedio más específico debe basarse en los síntomas. Pueden considerarse Aconitum, Chamomilla y Pulsatilla.*

- *Evite las pócimas «antirresaca». Aunque pueden aliviar ligeramente el malestar, aumentan el daño potencial. El café tampoco es un buen recurso, puesto que aumenta la deshidratación.*

- *Un individuo que abusa del alcohol y tiene resacas frecuentes debería considerar el consumo diario de un fortalecedor hepático, como el cardo mariano.*

- *Las resacas frecuentes pueden ser una forma de alcoholismo moderado (véase **Alcohol**).*

RUBÉOLA

Debe prestarse atención a las mujeres embarazadas que ignoran si han estado expuestas a la rubéola o han padecido esta enfermedad.

Véase también **Rubéola** en el capítulo 3.

RECOMENDACIÓN

- *A todas las mujeres que desean quedar embarazadas se les debería realizar un análisis de sangre para saber si existe exposición previa a la rubéola y presentan inmunidad frente a ésta. Si el resultado es negativo debe considerarse la vacunación (véase **Vacunas**).*

SÍFILIS

La sífilis es una enfermedad de transmisión sexual (ETS) causada por una bacteria, *Treponema pallidum*. Se transmite a través de las relaciones sexuales, sean éstas orales, anales o vaginales, pero es más frecuente en la población homosexual tras un coito no vaginal.

Al igual que la mayoría de microorganismos causantes de las ETS, *T. pallidum* penetra en los tejidos genitales, el recto y la garganta a través de pequeñas abrasiones, transportado en el semen o en las secreciones vaginales. La enfermedad se desarrolla en cuatro estadios, y en cada uno de ellos la infección puede vencer al sistema inmunológico. Cuanto más avanzada se encuentre la enfermedad, menos probable es su curación.

La sífilis primaria se caracteriza por la aparición de una llaga o chancro, tres o cuatro semanas después de la infección. Esta llaga es difícil de curar, pero desaparece espontáneamente al cabo de seis semanas. Estos períodos no son estrictos, sino que pueden variar, y debe desconfiarse de cualquier lesión en el área genital o anal. Todas las lesiones en la boca o la garganta o alrededor de ellas deben considerarse potencialmente sifilíticas, sobre todo en homosexuales y en individuos promiscuos.

En este estadio, los exámenes incluyen la observación al microscopio de una muestra obtenida mediante escobillón y la identificación de la bacteria por medio de una técnica denominada «microscopia de campo oscuro». A veces es necesario repetir la exploración si no se detecta la bacteria.

La sífilis secundaria puede manifestarse antes de que desaparezca el chancro o retrasarse hasta un año. Los síntomas de erupción cutánea, dolor de garganta, cefalea y fiebre, asociados al antecedente de una llaga genital deben hacer sospechar la sífilis.

Se utiliza también la microscopia de campo oscuro y en este estadio las pruebas sanguíneas pueden ser positivas para la sífilis. Sin tratamiento, la sífilis secundaria evoluciona de forma latente. Esta fase latente es asintomática y se debe a que la bacteria, por alguna causa, no se multiplica, pero permanece «dormida». De vez en cuando, pueden aparecer pequeñas lesiones, pero no son llamativas. Las pruebas sanguíneas durante esta fase, que puede durar mucho tiempo (en promedio, 10-15 años), suelen ser negativas o débilmente positivas.

La sífilis terciaria –el cuarto estadio– se sospecha cuando no se halla otra causa que explique los síntomas. *Treponema pallidum* ataca las mucosas, la piel y las arterias y alcanza el torrente sanguíneo. En el 10% de las sífilis no tratadas se desarrolla neurosífilis, que fue, al parecer, la causa de la muerte de Enrique VIII de Inglaterra, junto con la de muchos otros hasta los años previos a la segunda guerra mundial, cuando se introdujo el primer tratamiento efectivo: las sulfamidas.

Después de la segunda guerra mundial se produjo un notable descenso en la incidencia de esta enfermedad, pero en la actualidad se encuentra en aumento. El uso indiscriminado de antibióticos provocó la aparición de cepas resistentes, y se ha comunicado la existencia de cepas de *T. pallidum*, al igual que del bacilo de la tuberculosis, resistentes a todos los antibióticos conocidos. Lo más preocupante es la sospecha creciente, aunque insuficientemente demostrada, de que la sífilis tiene una relación directa con la infección por el VIH.

RECOMENDACIONES

- *Toda lesión genital debe ser investigada por un médico general o un especialista en esta área.*

- *Los antibióticos deben utilizarse una vez que se haya establecido la sensibilidad de la cepa implicada.*

- *Las terapias alternativas se utilizaron durante cientos de años, pero hoy en día deberían emplearse sólo de forma complementaria, dada la eficacia de los antibióticos (que aún se mantiene en la mayoría de los casos).*

- *Un profesional de la medicina alternativa debe escoger el tratamiento adecuado, utilizando remedios homeopáticos y fitoterapia.*

- *Raras veces son necesarios tratamientos tópicos, debido a que las lesiones son indoloras; no obstante, puede ser útil la aplicación de crema de caléndula o hipérico.*

SÍNDROME DE FATIGA CRÓNICA

Imperdonablemente, el síndrome de fatiga crónica (SFC), también denominado encefalomielitis miálgica y síndrome de fatiga posvírica, no tuvo el reconocimiento oficial de la profesión médica en Gran Bretaña hasta el verano de 1996. Otros países han sido un poco más abiertos frente a esta cuestión, pero un gran porcentaje de los médicos rechazan la existencia de esta enfermedad.

La definición del SFC es, en principio, un «diagnóstico de exclusión». Esto significa que deben investigarse y eliminarse otras causas. Los síntomas incluyen fatiga o letargia que provoca una reducción del 50% en las funciones físicas y sociales durante, como mínimo, los últimos seis meses. Tam-

bién deben estar presentes cuatro de los siguientes síntomas:

- Síntomas físicos: dolor de garganta, infecciones persistentes, ganglios linfáticos inflamados y/o dolorosos, cefaleas y dolor en músculos o articulaciones.
- Depresión psicológica: pérdida de memoria o de la capacidad de concentración, aumento de las necesidades de sueño, pérdida o aumento del apetito y mayor agitación.

Muy a menudo estos síntomas empeoran al realizar esfuerzos mínimos. Es importante diferenciar este cuadro de la fatiga persistente que refiere el 20-50% de la población, causada por un estilo de vida inadecuado o por el estrés, puesto que se trata de un fenómeno completamente distinto.

Durante muchos años, la medicina ortodoxa buscó la causa específica del SFC, y la denominación síndrome de fatiga posvírica adquirió popularidad debido a que sugiere que se produciría después de una infección vírica. Esto no es cierto. El SFC puede aparecer sin que exista una enfermedad previa evidente.

En principio, cualquier circunstancia que provoque estrés, sea físico, psicológico, personal o social, puede desencadenar el síndrome, si bien en general afecta a personas de constitución ya débil o con escasa energía. Las filosofías orientales creen que existe una reserva de energía (a la que los chinos denominan *chi* renal), que puede agotarse debido a los acontecimientos o hábitos de la vida. Con unos niveles bajos de energía, cualquier circunstancia puede desencadenar un SFC.

En algunos casos, pero no en todos, se han hallado desequilibrios específicos en la energía y el funcionamiento de la hipófisis y de las áreas del sistema nervioso que producen serotonina. La hipófisis y la serotonina intervienen en las situaciones de estrés controlando en gran medida las glándulas suprarrenales.

No existen pruebas que confirmen el diagnóstico de SFC, pero alrededor del 60% de los pacientes con este síndrome presentan una proteína específica en la sangre, denominada proteína vírica 1 (VP1). El tratamiento debe abordar tanto los sínto-

Plantas medicinales para el síndrome de fatiga crónica

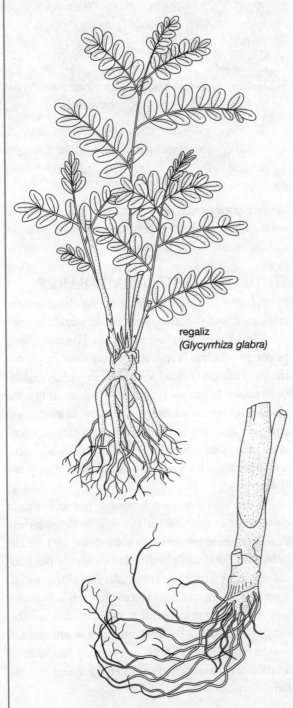

regaliz
(*Glycyrrhiza glabra*)

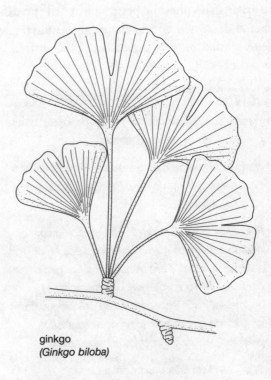

ginkgo
(*Ginkgo biloba*)

equinácea (*Echinacea purpurea*)

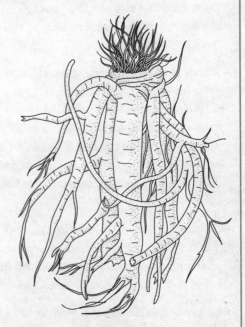

huang qi (*Astragalus membranaceus*)

Entre las hierbas que pueden ser beneficiosas para los individuos con síndrome de fatiga crónica, la equinácea y el huang qi ayudan a estimular el sistema inmunológico, el ginkgo favorece la circulación de sangre en el cerebro y el regaliz constituye una ayuda para las glándulas suprarrenales.

mas físicos como los componentes psicológicos o neurológicos de esta afección. El uso de ciertos medicamentos, como antibióticos y antiinflamatorios, que originan un intestino permeable, puede predisponer al desarrollo de una alergia alimentaria, que puede resultar en una importante y subestimada causa del SFC.

RECOMENDACIONES

- *Visite al médico de cabecera para descartar otras posibles causas de los síntomas.*

- *No exija al cuerpo más allá de sus límites. Intentar entrenarse superando la resistencia del cuerpo sólo empeorará la situación.*

- *Recuerde que el SFC es físico y psicológico, debido a cambios químicos producidos en el sistema nervioso. Para establecer su origen debe consultar con un profesional de medicina alternativa y con especialistas en psicología, como un experto en programación neurolingüística, psicoterapeutas o maestros en meditación.*

- *Siga una dieta adecuada (véase capítulo 7). Realice pruebas para alergia o intolerancia alimentarias mediante análisis de sangre o técnicas de biorresonancia.*

- *Recuerde que el problema no se origina en un incidente aislado sino en una pérdida general de la reserva de energía, que es previa a la aparición de los síntomas. Revise el estilo de vida, los factores estresantes y los hábitos e intente eliminar todo aquello que pueda contribuir, como el tabaco, los medicamentos y la falta de ejercicio.*

- *Considere un programa inicial de desintoxicación (véase capítulo 7) y recuerde que puede producirse una exacerbación de los síntomas cuando el cuerpo comienza a reponerse.*

- *La homeopatía puede ser muy efectiva, dependiendo de los síntomas. Consultar un manual de homeopatía de referencia o mantener una entrevista con un homeópata para escoger el remedio adecuado de acuerdo con los síntomas es un excelente primer paso.*

- *Tome el doble de las cantidades diarias recomendadas de los siguientes compuestos, en dosis fraccionadas con el desayuno y con un tentempié a última hora de la tarde (no con la cena): betacaroteno, complejo vitamínico B, vitamina C y cinc.*

- *Pueden tomarse las dosis máximas recomendadas de extractos de timo y suprarrenales.*

- *El ginseng y el regaliz pueden ser beneficiosos (véase el anterior recuadro dedicado a las plantas medicinales).*

Si no se obtiene respuesta al cabo de un mes con los suplementos indicados, debe consultarse a un especialista en medicina alternativa.

SÍNDROME DE GUILLAIN-BARRÉ

El síndrome de Guillain-Barré es una afección neurológica cuyos síntomas comprenden desde letargia y debilidad muscular hasta parálisis. En casos graves puede producirse la muerte por parálisis respiratoria. Su etiología (causa) se desconoce y el diagnóstico se establece por exclusión de otras causas que expliquen los síntomas. Existe una estrecha asociación entre el síndrome de Guillain-Barré y el antecedente de una infección vírica o una vacunación reciente, sobre todo las vacunas antipoliomielítica y antisarampión.

En mi opinión, este síndrome potencialmente devastador es multifactorial y sólo se desencadena cuando el sistema nervioso subyacente está debilitado. Esta debilidad puede estar motivada por causas físicas persistentes, como alergias alimentarias, abuso de medicamentos y otros hábitos no saludables. El estrés que conduce a una producción excesiva de adrenalina durante un tiempo prolongado puede debilitar el sistema nervioso y favorecer la aparición de trastornos como el síndrome de Guillain-Barré.

RECOMENDACIONES

- *Todo problema neurológico persistente o que implique una forma de parálisis requiere una consulta al médico general o a un especialista en neurología. Si existen problemas respiratorios debe considerarse una urgencia médica.*

- *Tras ayudar a salvar la vida, la medicina ortodoxa puede ofrecer sólo un tratamiento paliativo del síndrome de Guillain-Barré. Consulte a un médico alternativo con experiencia en este campo.*

- *Considere una terapia osteopática o de Marma.*

- *La terapia de polaridad, la osteopatía craneal, el yoga y la técnica de Alexander son muy beneficiosas.*

- *Sométase a pruebas para detectar alergias alimentarias (véase **Pruebas de alergia alimentaria**).*

- *Un homeópata debería prescribir remedios homeopáticos basándose en los síntomas. Si se le ha administrado una vacuna antes del inicio del síndrome de Guillain-Barré, considere los remedios homeopáticos Thuya o Natrum muriaticum, a la potencia 200, por la mañana y por la noche durante una semana.*

- *Analice exhaustivamente su estilo de vida, pues cualquier tóxico puede ser el causante de la debilidad subyacente. El tabaco, el exceso de alcohol y el abuso de medicamentos pueden ser los causantes.*

- *Analice con un psicoterapeuta los factores, evidentes o subconscientes, que generan ansiedad y estrés.*

- *Véase **Parálisis**.*

TIMIDEZ

La timidez es un rasgo del carácter que no debe considerarse anormal. La personalidad y las experiencias de la infancia determinan el grado de timidez, y sólo si ésta ocasiona problemas sociales o personales puede ser necesario plantear un tratamiento. La mayoría de las personas presentan cierto grado de timidez, pero el tratamiento se recomienda únicamente cuando causa una incapacidad para relacionarse o desenvolverse en la vida.

RECOMENDACIONES

- *Debe consultarse un manual de homeopatía y escoger un remedio que también sea pertinente para otros atributos psicológicos y físicos del individuo, con especial atención a Baryta carbonica, Coca y Pulsatilla.*

- *El exceso o el déficit de cobre o cinc pueden propiciar la timidez. Debe obtenerse una muestra de cabello y, si se comprueba un déficit, suplementarlo. Si se detecta un exceso, es necesario identificar los alimentos que aportan una cantidad excesiva de estos elementos y eliminarlos de la dieta.*

- *Las técnicas de modificación de la conducta, mediante psicoterapia o programación neurolingüística, pueden ser beneficiosas, pero requieren comprometerse con su desarrollo.*

- *Pueden probarse los remedios florales de Bach, en particular ranúnculo y Pink Monkey.*

TOXOPLASMOSIS

Esta infección es causada por un protozoo (un microorganismo, como las bacterias y los virus) denominado *Toxoplasma gondii*, que se encuentra ampliamente distribuido por la naturaleza y puede causar problemas en el desarrollo fetal e infecciones en los seres humanos.

Las manifestaciones clínicas incluyen aumento de tamaño del hígado y del bazo, ceguera, quistes, retraso mental y desarrollo de un cerebro demasiado grande o demasiado pequeño. Estas alteraciones pueden ser evidentes poco después del nacimiento o desarrollarse más tarde en la vida. En la forma adquirida aparecen fiebre con erupción cutánea, ganglios aumentados de tamaño, crecimiento del hígado y del bazo e inflamación ocular. En casos graves pueden lesionarse el cerebro o el corazón.

La toxoplasmosis se disemina predominantemente por las heces de animales, sobre todo, los gatos. Los propietarios de perros y gatos deberían ser particular y especialmente cautos antes de intentar el embarazo.

En el desafortunado caso de que una prueba sanguínea de toxoplasmosis dé positiva en una mujer embarazada, se deben realizar más investigaciones para determinar en qué momento se produjo la infección. La toxoplasmosis tiene efectos devastadores sobre el feto durante el primer trimestre de la gestación. Puede provocar defectos de crecimiento, lesiones cerebrales y la muerte. Una vez que se ha formado la placenta (por lo general, a las 12-13 semanas del embarazo), la infección tiene más dificultades para llegar hasta el feto, pero la transmisión es igualmente posible y puede causar otras lesiones, como ceguera, retraso del crecimiento de las extremidades y efectos cerebrales de menor gravedad.

Establecer cuándo se produjo la infección es, por consiguiente, primordial, puesto que puede tomarse la decisión de interrumpir el embarazo por causas médicas. El momento en que se contrajo la infección se determina mediante la obtención de muestras sanguíneas de la madre separadas por un intervalo de, como mínimo, tres semanas. La infección produce un aumento de los anticuerpos contra *T. gondii*; la cantidad de anticuerpos medidos y la velocidad a la que aumentan permiten estimar el momento en que se adquirió la enfermedad. Si el nivel de anticuerpos se mantiene estable significa que la infección lleva ya cierto tiempo, mientras que si aumenta quiere decir que es más reciente. Si se sospecha firmemente una toxoplasmosis, la ecografía permite identificar lesiones cerebrales o defectos en las extremidades, pero no detecta otras alteraciones, como la ceguera.

En España, las pruebas sanguíneas para la toxoplasmosis en las mujeres embarazadas se practican de forma sistemática. Toda mujer que posea o haya estado en contacto con animales domésticos, sobre todo con gatos, debe someterse a una prueba de detección de anticuerpos antes de la concepción y al finalizar el primer trimestre de la gestación.

RECOMENDACIONES

- *Antes de intentar el embarazo y durante éste debería realizarse una prueba sanguínea para descartar la toxoplasmosis.*

- *Si aparece cualquiera de los síntomas principales de la enfermedad y la prueba para la toxoplasmosis da positivo debería iniciar un tratamiento antibiótico.*

- *Consulte a un profesional de medicina alternativa para seguir una terapia junto con el tratamiento antibiótico (véase **Antibióticos**).*

- *Si está embarazada y la prueba sanguínea es positiva pero no presenta síntomas de la enfermedad, consulte con su obstetra la forma de ponerse en contacto con especialistas en toxoplasmosis. Éstos le explicarán cuáles son las probabilidades de las diversas alteraciones y le indicarán el mejor tratamiento.*

- *Debería consultar a su terapeuta alternativo preferido a fin de estimular su sistema inmunológico, afrontar el uso de antibióticos y, si está embarazada, recibir el mejor consejo para la inevitable ansiedad que la enfermedad generará.*

TRAUMATISMO CRANEAL
Véase **Conmoción cerebral**.

CABEZA Y CUELLO

CASPA

La caspa es más un problema estético que un trastorno médico, excepto cuando se trata de una afección es muy intensa. Caracterizada por la descamación del cuero cabelludo, la caspa no tiene consecuencias médicas, a menos que altere la vida social del individuo afectado o provoque irritación del cuero cabelludo.

En ocasiones se asocia con trastornos más graves de la piel, como psoriasis o dermatitis (eccema), y se debe a una infección fúngica menor, un exceso de calor en el organismo (desde el punto de vista oriental), o se asocia a un déficit en el aporte de agua (deshidratación) y a un exceso de alimentos generadores de calor o de factores estresantes que inducen la producción de adrenalina.

RECOMENDACIONES

- *Lave el cabello con un champú que contenga selenio 3 veces, como máximo, por semana durante 3 semanas.*

- *Tome complejo vitamínico B, 5 veces las dosis diarias recomendadas durante una semana. Tome cinc (0,5 mg/kg de peso) por la noche durante 2 semanas y aceite de lino (una cucharadita por cada 15 kg de peso) en dosis fraccionadas con las comidas.*

- *El aceite de lino puede aplicarse directamente en el cuero cabelludo mediante un suave masaje.*

- *Mantenerse con la cabeza hacia abajo aumenta el flujo sanguíneo hacia el cuero cabelludo; permanezca en esta posición durante 10 minutos al día.*

- *Asegúrese de evitar la deshidratación bebiendo 2 litros de agua por día.*

- *Si la caspa es persistente debería consultar a un profesional de medicina alternativa con experiencia en fitoterapia, que podrá indicarle diversas hierbas, como manzanilla, escrofularia, romero y sauce. Los champús con cualquiera de estas hierbas pueden ser curativos.*

- *La caspa muy intensa puede estar asociada con enfermedades subyacentes de la piel. La caspa de inicio súbito o que no se resuelve debería ser examinada por un médico.*

ENCEFALITIS

El término encefálico significa perteneciente o relativo al encéfalo (cerebro). El sufijo «itis» indica inflamación. La encefalitis es la inflamación del cerebro; se trata de un trastorno de extrema gravedad que no puede tratarse en el domicilio. Puede producirse a cualquier edad.

La encefalitis se manifiesta por cefalea y diversos síntomas neurológicos, como alteraciones visuales, entumecimiento, hormigueos, inestabilidad, mareos y desmayos. Si cualquiera de estos síntomas persiste o se asocia con somnolencia, pérdida de la conciencia o, incluso, coma, debe sospecharse una encefalitis.

RECOMENDACIONES

- *Todo síntoma neurológico inexplicable debe ser valorado por un médico inmediatamente, en particular si se acompaña de pérdida de la conciencia o dolor.*

- *Tome Aconitum 30 cada 15 minutos mientras va camino del médico.*

HEMORRAGIAS INTRACRANEALES
Hematoma subdural

El hematoma subdural es una acumulación de sangre por debajo de la duramadre. Su comportamiento y su tratamiento son similares a los del hematoma o la hemorragia extradurales.

RECOMENDACIÓN

- *Para las recomendaciones y el tratamiento, véase Hemorragia extradural.*

Hemorragia extradural

Entre las diversas membranas que cubren el cerebro, la más externa se denomina dura o duramadre. La hemorragia en esta membrana, habitualmente causada por un traumatismo, pero también por una enfermedad de los vasos sanguíneos o una infección, se denomina hemorragia extradural.

Al igual que en cualquier hemorragia, el flujo de sangre puede ser rápido, en cuyo caso los síntomas neurológicos, la pérdida de conciencia y la cefalea se manifiestan enseguida. Si, por el contrario, el flujo es lento pueden transcurrir hasta seis semanas antes de que se manifiesten signos leves, como alteraciones del carácter.

RECOMENDACIONES

- *En caso de lesión o sangrado en la cabeza, cefaleas persistentes o síntomas neurológicos debe consultarse con el médico.*

- *Un signo indicativo de hemorragia intracraneal (dentro del cráneo) es la presencia de una pupila (a menudo en el lado contrario a la lesión) dilatada o contraída, pero siempre diferente a la otra y potencialmente arreactiva.*

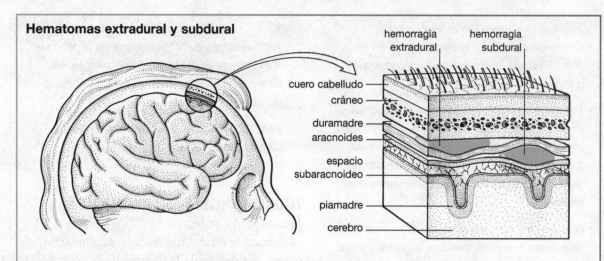

Hematomas extradural y subdural

hemorragia extradural

hemorragia subdural

cuero cabelludo
cráneo
duramadre
aracnoides
espacio subaracnoideo
piamadre
cerebro

Los hematomas extradurales y subdurales pueden formar coágulos de sangre que ejercen presión sobre el cerebro. Cualquier persona que haya sufrido una lesión en la cabeza debe estar alerta ante la aparición de los síntomas descritos en el apartado de Recomendaciones.

- *Si se sospecha que se padece una hemorragia, debe realizarse una tomografía computarizada.*

- *Tras un traumatismo cerebral, la familia o los amigos deben estar atentos a la aparición de alteraciones de la conducta. Cualquier cambio de carácter hasta seis semanas después de un golpe en el cráneo debe tratarse de forma urgente en un hospital.*

- *Tras un traumatismo craneal puede tomarse el remedio homeopático Natrum sulphuricum a la potencia 6, cada 15 minutos (mientras va camino del hospital), y Natrum sulphuricum 200 por la noche (durante 3 noches).*

- *El tratamiento ortodoxo puede consistir simplemente en una monitorización, pero también incluir la extracción de sangre a través de pequeños agujeros perforados en el cráneo (véase Cirugía).*

BOCA

DIENTES Y OPERACIONES DENTALES

Muchos dentistas sienten predilección por extraer sistemáticamente las muelas del juicio. Este hecho, junto con los traumatismos y el deterioro de los dientes y las encías debido a una higiene deficiente, a menudo conlleva la necesidad de una operación dental. Otras situaciones menos frecuentes, como las infecciones en las encías o en la mandíbula, también pueden requerir un tratamiento previo o posterior a la operación.

La mayoría de los dentistas recomiendan el uso de antibióticos en cualquier intervención quirúrgica, sobre todo para los pacientes que han padecido una afección de las válvulas cardíacas (*véase* **Fiebre reumática**) o infecciones renales. Según los estudios y las investigaciones realizadas, la eficacia de los antibióticos en tales casos está garantizada. Estos estudios tienden a no reparar en las secuelas. Los antibióticos (*véase* **Antibióticos**) no son necesariamente inocuos o seguros, de manera que cuando sea posible deben evitarse.

Siempre me ha llamado la atención el hecho de que tanto los dentistas como los médicos se muestren tan inflexibles en cuanto al uso de estos antibióticos antes de las operaciones dentales. A menudo, las bacterias implicadas en una infección viven en la boca, así pues, ¿por qué representan un problema únicamente cuando se lleva a cabo una operación? Cualquier corte o zona infectada en la boca absorbe constantemente estas bacterias y, sin embargo, no parecen causar problema alguno.

RECOMENDACIONES

- *En cuanto detecte algún problema en la boca, asegúrese de que su higiene bucal es adecuada, es decir, cepíllese los dientes y las encías 2 o 3 veces al día.*

- *Durante el preoperatorio, enjuáguese la boca con lociones o extractos líquidos de árnica y caléndula diluidos en agua. Enjuáguese con la solución a conciencia, no se moje simplemente la boca. Hágalo 4 veces al día y, preferiblemente, empiece una semana antes de la intervención, aunque un solo enjuague puede ser suficiente.*

- *Debe escoger los remedios homeopáticos para antes y después de la intervención. Para las operaciones no asociadas a infecciones, tome Arnica 30, 4 veces al día desde 3 días antes de la operación. Para infecciones profundas en un absceso o en un maxilar, tome Hepar sulphuris calcarium 30, 4 veces al día, tan pronto como detecte la infección. Inmediatamente después de la operación tome Calcarea fluorica 30, 4 veces al día, hasta obtener la curación. Estas recomendaciones son básicas y generales, por lo que deberían ser supervisadas por un homeópata para tratar los síntomas específicos.*

- *Busque un dentista que esté abierto a la medicina alternativa y complementaria a fin de evitar el uso de antibióticos. No consienta ser operado si se encuentra «indispuesto» y pídale a un médico homeópata un reconstituyente antes de cualquier intervención quirúrgica.*

- *Tome las cantidades indicadas (por kg de peso) de los siguientes suplementos: vitamina C, 70 mg; arginina, 150 mg; magnesio, 30 mg; cinc, 350 mg antes de ir a dormir, y, con independencia del peso, 5 veces la dosis diaria recomendada de un complejo vitamínico B.*

- *Después de una operación dental se recomienda consultar a un osteópata craneal, ya que en la articulación maxilar provocará un aumento del flujo sanguíneo en la zona afectada y evitará una posible tensión en la mandíbula, que podría causar cefaleas, migrañas y otras complicaciones.*

LABIOS
Cuidado de los labios

Varias son las funciones de los labios. Forman la abertura hacia el aparato digestivo y, junto con los orificios nasales, la parte superior del sistema respiratorio. Actúan como medio de comunicación al participar en muchos de los sonidos vocales y son también una zona utilizada para atraer al sexo opuesto, ¡por eso se usa la barra de labios! Una vez que se ha despertado la atracción, los labios son habitualmente el primer punto de contacto sexual.

Los labios contienen un tipo de células intermedias entre las de la piel y las de las mucosas. Poseen glándulas sudoríparas o sebáceas y dependen de la humedad de la boca (saliva) para mantener su integridad. Por consiguiente, tanto la humedad interna como los componentes de la saliva son muy importantes para su buen estado.

Cabe recordar también que los labios reflejan el estado interior. Por ejemplo, cuando los labios están secos y agrietados, indican deshidratación; cuando están pálidos, anemia y cuando están rojos, fiebre o inflamación interna.

RECOMENDACIONES

- *Los labios secos o agrietados requieren un aumento de la hidratación del cuerpo.*

- *Aplíquese cremas de caléndula. Evite las cremas hidratantes elaboradas para proporcionar únicamente alivio temporal, ya que no eliminan el mal.*

- *Evite en lo posible la aplicación de calor a través de bebidas calientes o cigarrillos.*

- *Pase el mayor tiempo posible sin pintarse los labios.*

- *Use protector solar si es necesario.*

- *Una grieta central en el labio es un síntoma suficiente para usar el remedio homeopático Natrum muriaticum. Otros remedios recomendados para los labios secos son Graphites, Calcarea carbonica y Sulphur.*

- *En caso de labios pálidos, véase **Anemia**.*

Muelas del juicio

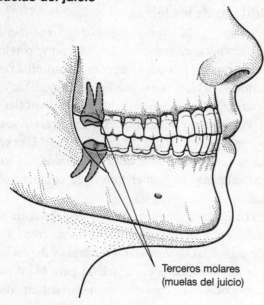

Terceros molares
(muelas del juicio)

llegar a ellas con el cepillo de dientes, de modo que su dentista podría recomendarle un cepillo especial.

- *Un tratamiento diario recomendable consiste en verter una cucharada de sal o de extracto líquido de árnica en un vaso de agua y enjuagarse la boca.*

- *Si una muela del juicio no acaba de salir, la ayuda de un osteópata craneal puede resultar muy útil.*

- *Muchos son los dentistas que enseguida animan a sus pacientes a extraer la muela del juicio. Le recomiendo que escuche la opinión de algún profesional no tan ávido de bisturí antes de considerar la idea de someterse a una operación.*

MUELAS DEL JUICIO

Los últimos molares a ambos lados de los maxilares superior e inferior se conocen como muelas del juicio. Se llaman así porque salen entre los 17 y los 25 años (normalmente a los 21), en un momento en que supuestamente ya se ha pasado de la infancia a la madurez.

La salida de las muelas del juicio no debería causar problema alguno, pero en Occidente se ha detectado una mayor incidencia de molestias (cuando la muela del juicio no quiere salir) y de infecciones en las zonas de la encía próximas a las muelas de juicio. Esto probablemente se debe a que cada vez ingerimos menos alimentos con alto contenido en fibra, como verduras crudas y fruta, y más cantidad de alimentos ligeros y refinados.

Las molestias y las infecciones pueden causar dolor, y los dientes que quedan expuestos parcialmente dejan zonas de encía descubierta en las que crecen las bacterias. Sin el tratamiento adecuado, la erosión del hueso y el debilitamiento de estos dientes y de los situados a su lado pueden representar un verdadero problema al cabo de unos años.

RECOMENDACIONES

- *Preste más atención a su higiene bucal cuando comience a salir una muela del juicio. No es fácil*

OJOS

DESPRENDIMIENTO DE RETINA

La retina es la membrana que se encuentra en el fondo del ojo, donde los nervios ópticos reciben la luz que viaja a través del cristalino, la córnea y los humores vítreo y acuoso en las dos cámaras del ojo.

El desprendimiento de retina suele producirse tras un traumatismo, un procedimiento quirúrgico, una infección o una lesión arterial, como un ateroma en los ancianos.

Los síntomas del desprendimiento de retina consisten en la visión de luces destellantes y for-

Desprendimiento de retina

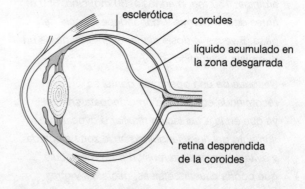

esclerótica

coroides

líquido acumulado en la zona desgarrada

retina desprendida de la coroides

La retina se desprende de la coroides, la rica capa vascular en el fondo del ojo.

mas extrañas y, finalmente, ceguera, que se manifiesta primero en la visión periférica (parte externa de la visión) y luego progresa hacia el centro.

RECOMENDACIONES

- *Cualquier alteración de la visión debe ser examinada inmediatamente por el médico de cabecera o en un servicio de urgencias. Actualmente, se realiza un tratamiento específico mediante láser para evitar el desprendimiento total de retina una vez que éste ha comenzado; cuanto antes se aplique este tratamiento, tanto mejor.*

- *De camino al médico puede tomar Apis o Aconitum a la potencia 6, cada 10 minutos.*

- *Los desprendimientos recurrentes deben ser tratados por un especialista de medicina alternativa con experiencia en este campo. Éste puede emplear remedios homeopáticos específicos y altas dosis de suplementos junto con ejercicios oculares. Pueden tomarse dosis elevadas de antioxidantes (véase* **Antioxidantes y radicales libres***).*

LENTES DE CONTACTO

Las lentes de contacto son un gran invento que ha beneficiado a las personas con déficit visual, tanto para ver de lejos como de cerca, durante las últimas dos décadas. Pueden ser rígidas o blandas, según el material utilizado en su fabricación y, en menor medida, su grosor.

Las lentillas rígidas suelen ser más pequeñas y cubren la pupila (la porción negra en el centro del ojo), mientras que las blandas cubren todo el iris (la parte de color del ojo). Las lentes rígidas son más baratas, duran más tiempo y pueden utilizarse para un número mayor de problemas visuales, pero en general causan más molestias. Las lentillas blandas se quitan más fácilmente, son más caras y es más difícil mantenerlas esterilizadas.

Es muy importante la esterilización de las lentillas cuando no se llevan puestas. Hay que seguir escrupulosamente las instrucciones del oculista para evitar irritaciones, inflamaciones –como la iritis y la conjuntivitis– y trastornos más graves

–como la blefaritis crónica–. Hay que lavarse bien las manos antes de ponerse o quitarse las lentillas y realizar siempre ambos procedimientos sin prisas. Una colocación o una retirada incorrectas pueden provocar daños permanentes en los ojos. Los líquidos de limpieza de las lentillas pueden causar lesiones químicas en los ojos, por lo que aquéllas deben enjuagarse muy bien.

RECOMENDACIONES

- *Consulte con un óptico especializado en lentes de contacto antes de elegir sus lentillas.*

- *No eluda la responsabilidad de limpiar las lentillas.*

- *Lávese las manos antes de tocar las lentillas o los ojos.*

- *Las soluciones antisépticas pueden destruir también las bacterias beneficiosas presentes en los ojos y los párpados.*

OJOS SECOS

La sequedad ocular es más un síntoma que una alteración médica, aunque la falta de lágrimas puede asociarse con algunos procesos patológicos, como la sarcoidosis o la obstrucción de los conductos lagrimales.

Con frecuencia los ojos secos se relacionan con las inclemencias del tiempo o con una ligera conjuntivitis (*véase* **Conjuntivitis**).

RECOMENDACIONES

- *En caso de sequedad persistente o de causa desconocida, consulte a un médico.*

- *Descarte una posible relación de la sequedad de ojos con el humo, un sistema de aire acondicionado deficiente o las alergias a antígenos presentes en el aire o en los alimentos. Si existe dicha relación, evite tales situaciones.*

- *Puede usarse Euphrasia como extracto líquido diluido para baños oculares o como remedio a potencia 6, 4 veces al día.*

- *Pueden usarse lágrimas artificiales (disponibles en farmacias) durante períodos cortos de tiempo.*

ÚLCERAS CORNEALES

La córnea es la porción transparente del globo ocular que cubre y protege la pupila. Cumple una función de protección y, en ocasiones, puede lastimarse o lesionarse, habitualmente por un cuerpo extraño.

También son frecuentes las infecciones, en particular por los virus herpes, que se diseminan por la córnea y causan una úlcera denominada dendrítica.

Las heridas en la córnea son muy dolorosas y suelen empeorar a causa del roce continuo del párpado. El lagrimeo y el enrojecimiento son síntomas característicos y el ojo suele permanecer cerrado e inmóvil.

La córnea no tiene vasos sanguíneos y tiende a curarse adecuada y rápidamente, pero cuando está afectada es propensa a infectarse.

La úlcera de córnea suele estar causada por un traumatismo, pero también puede asociarse con enfermedades más raras y con mala nutrición. Se trata de una afección dolorosa y potencialmente grave puesto que, si no se trata de forma adecuada, el dolor persiste y, si se asocia a una enfermedad, la úlcera empeora y puede conducir a la ceguera.

RECOMENDACIONES

- *Toda herida en el ojo causada por un cuerpo extraño debe lavarse, si es posible, con agua corriente (véase* **Cuerpos y sustancias extrañas** *en la sección dedicada a los ojos).*

- *La aplicación de una compresa fría sobre el ojo cerrado puede aliviar el dolor.*

- *Toda herida en el ojo, aunque parezca insignificante, debe ser examinada por un médico y, si es necesario, por un especialista (véase* **Lesiones del ojo**).

- *En caso de sufrir una herida en el ojo, tome los remedios homeopáticos Aconitum o Hepar sulphuris calcarium potencia 6 o 12, 4 píldoras inmediatamente y cada 15 minutos hasta que sea examinado por un médico.*

- *Se recomienda seleccionar un remedio adecuado en un manual de homeopatía*

basándose en los síntomas (véase **Inflamaciones de los ojos**).

- *En general se recomienda tapar el ojo, pero recientemente también se propone mantener el ojo abierto puesto que el aire acelera el proceso de curación.*

- *Las lesiones graves pueden curarse más rápidamente tomando 5 mg de betacaroteno con cada comida, si el paciente tiene más de 12 años, o una dosis proporcionalmente menor a esta cantidad si es más joven (debe consultarse al médico).*

- *La loción de eufrasia, una gota en medio vaso de agua, tiene efectos calmantes y antisépticos.*

VISIÓN DOBLE

La visión doble se origina porque el área óptica del cerebro recibe dos imágenes a la vez. Esto se debe a que los globos oculares no están sincronizados o bien a que el sistema nervioso no transmite los impulsos correctamente.

Las causas de la visión doble pueden localizarse en el globo ocular, debido a que sus músculos lo mueven en distinta dirección, o en el nervio óptico, que conduce los estímulos al área óptica del cerebro.

Deben excluirse infecciones, lesiones o traumatismos en los nervios causados por el crecimiento, la diabetes o medicamentos. También hay que descartar como causas posibles enfermedades menos frecuentes de origen muscular o neurológico.

Cabe recordar que la causa más frecuente de visión doble la constituyen los golpes en los ojos o la cabeza. Aunque en este caso el trastorno suele ser temporal, al igual que ante cualquier trastorno ocular que dure más de unos minutos, lo mejor es solicitar la opinión de un médico.

La esclerosis múltiple y la distrofia muscular en ocasiones se asocian a visión doble, por lo que se debe destacar la importancia de determinar una causa subyacente puesto que, incluso en estas enfermedades graves, los tratamientos naturopáticos pueden ser más eficaces si se inician precozmente.

- *En caso de sufrir un trastorno en la visión, acuda al médico o a un servicio de urgencias.*

- *Si el motivo de la visión doble es de origen traumático, tome el remedio homeopático Arnica. Tome Arnica 6 cada hora hasta que el problema desaparezca. Si la visión doble, de origen traumático, persiste y se han descartado otras complicaciones, tome 4 píldoras de Natrum sulphuricum 30, 4 veces al día durante 5 días.*

- *Una vez descartada la necesidad de una intervención ortodoxa, se recomiendan la osteopatía craneal, la terapia craneosacra y ejercicios oculares específicos, como los de Bates.*

TÓRAX

ASMA

Igual que en el niño, el asma del adulto es una respuesta exagerada de los bronquios a diversos estímulos, como alergia, infecciones, emociones, ejercicio, etc. Esta respuesta se manifiesta por un estrechamiento de los bronquios que se presenta de forma brusca y desaparece espontáneamente o con tratamiento.

A partir de los 40 años, el asma es más frecuente entre las mujeres, a diferencia de lo que ocurre en el niño. En los últimos años ha aumentado considerablemente el número de enfermos de asma en todas las edades, hecho que se ha atribuido, sobre todo, a la contaminación atmosférica y al aumento del tabaquismo.

Hay muchas profesiones que tienen relación con el asma, debido a la exposición por motivos profesionales a sustancias que producen una reacción bronquial en una persona sensible a la misma. También las emociones pueden desencadenar una crisis de asma, aunque se necesita una predisposición previa y un estímulo; no parece que una persona sana pueda sufrir una crisis asmática debida solamente a un factor emocional. También hay asmáticos que advierten un empeoramiento de sus síntomas en relación con cambios climáticos, sobre todo de temperatura y presión; es difícil saber si esto se debe al propio cambio o a irritantes o sustancias alérgicas que se asocian al mismo.

El asma se puede desencadenar a cualquier edad, pero con bastante frecuencia se inicia en los años de la adolescencia. El tratamiento a partir de esa edad es similar al de los niños.

Véase **Asma** en el capítulo 3.

- *La homeopatía puede resultar efectiva, pero se requieren potencias muy altas y se recomienda acudir a una consulta homeopática. Para los ataques agudos pueden consultarse en un manual de homeopatía los remedios Aconitum, Arsenicum album, Calcarea carbonica, Ipecacuanha y Natrum sulphuricum. No interrumpa los tratamientos ortodoxos, como los inhaladores, sin la supervisión de un profesional experimentado, e incluso entonces sólo con el visto bueno del médico.*

- *La inhalación de vapores de aceite de eucalipto es muy efectiva, pero contrarresta los remedios homeopáticos. Por este motivo, es mejor utilizar una combinación de aceites de lavanda y manzanilla (4 gotas de cada uno en un recipiente con agua humeante).*

- *Puede utilizarse la acupresión para ayudar a aliviar un ataque. Localice la parte superior del hueso del tórax (esternón) y desplace la mano a lo largo de la clavícula (a ambos lados). Baje la mano por el borde de la clavícula hasta encontrar dos puntos sensibles a cada lado. Eche los hombros hacia atrás y presione suavemente en el punto de dolor mientras inspira durante 3 segundos y espira durante 4 segundos.*

- *Relajación y meditación. No es fácil relajarse o meditar durante un ataque de asma. Sin embargo, todos los asmáticos deberían practicar cada día una sesión de meditación para poder utilizar esa técnica durante un ataque.*

- *Ante la primera señal de ataque de asma tome (por kg de peso) 650 mg de vitamina B_6 (2 veces* al día), 30 mg de vitamina C (con cada comida), 350 mg de cinc natural en forma de alimento (todas las noches antes de acostarse), 30 mg de magnesio (2 veces al día), 70 UI de vitamina A (2 veces al día) y 7 mg de N-acetilcisteína (2 veces al día).

ENDOCARDITIS

La endocarditis es la inflamación de la membrana interna del corazón, incluidas las válvulas. Puede estar causada por virus, bacterias y, en circunstancias poco comunes, por una enfermedad autoinmune. La endocarditis suele presentarse tras una infección en heridas abiertas, como los traumatismos o la extracción de un diente.

Se caracteriza por síntomas cardíacos como pulso rápido o irregular, dificultad para respirar y sensación generalizada de debilidad y de dolor. Se trata de una enfermedad grave que no debería tratarse sin un consejo médico experto.

La endocarditis puede causar una lesión permanente de las válvulas cardíacas, como ocurre con frecuencia después de una fiebre reumática en la infancia. La medicina ortodoxa recomienda el uso de antibióticos cuando se realiza cualquier intervención dental de importancia y, en el caso de la fiebre reumática, se recomienda un tratamiento antibiótico a largo plazo con penicilina para proteger al corazón contra otros posibles daños. La decisión de evitar el tratamiento con antibióticos, ya sea de forma aguda o a largo plazo, deberá tomarse únicamente tras consultarlo con un profesional de medicina alternativa cualificado (*véase* **Dientes y operaciones dentales**).

RECOMENDACIONES

- *Cualquier síntoma persistente en el tórax debe ser examinado por un médico.*

- *El tratamiento alternativo sólo puede administrarlo un profesional médico o un terapeuta demedicina alternativa y siempre de forma coordinada con un cardiólogo.*

- *Una vez resuelto el problema agudo, puede*

consultarse a un profesional de medicina alternativa para la atención a largo plazo y para reparar el endocardio dañado.

- *Véase* **Ateroma**.

NEUMOTÓRAX Y HEMOTÓRAX

Un neumotórax consiste en la presencia de aire en el espacio interpulmonar y en la pared torácica interna. Un hemotórax es la presencia de sangre en ese mismo espacio.

El aire entra en ese espacio a través de una herida por punción o de una lesión que desgarra los pulmones y permite que el aire inhalado pase a través de los tejidos dañados. El aire pasa hacia dentro de los pulmones por la presión negativa creada por el diafragma que se contrae hacia abajo y, de este modo, absorbe aire a través de la boca y de los orificios de la nariz. Si la punción o el desgarro de los pulmones es pequeño, quizás haga falta un tiempo para que se llene el saco pleural, pero a medida que esto ocurre el aire hace que el pulmón se colapse. Un agujero grande puede crear un neumotórax instantáneo o espontáneo. Se puede producir un neumotórax espontáneo en una persona aparentemente sana debido a una enfermedad pulmonar asintomática. Este tipo de neumotórax suele ocurrir en personas jóvenes, de alrededor de 20 años, y es mucho más frecuente en el hombre que en la mujer (relación de 6 a 1). Hay una serie de enfermedades pulmonares que favorecen la aparición de un neumotórax; algunas tienen una clara relación con el tabaquismo, como el enfisema pulmonar y la bronquitis crónica, y otras no, como el asma y otras enfermedades pulmonares más raras. El neumotórax traumático puede deberse a un accidente, pero es más frecuente es que lo produzca el médico al realizar una exploración invasiva, como una biopsia pulmonar.

La dificultad para respirar, asociada o no a dolor en la parte afectada, tiene un inicio gradual o repentino. La dolencia se reconoce porque no se oyen los ruidos pulmonares en un lado del tórax y se observa claramente falta de movimiento en comparación con el otro lado. No es fácil reconocerlo. Con frecuencia se requiere confirmación

Neumotórax y hemotórax

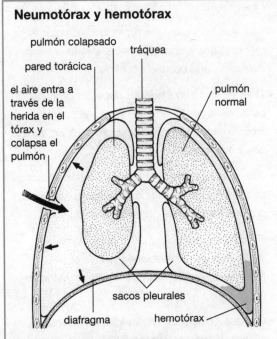

pulmón colapsado

tráquea

pared torácica

pulmón normal

el aire entra a través de la herida en el tórax y colapsa el pulmón

sacos pleurales

diafragma

hemotórax

El neumotórax, a la izquierda, se debe al aire que entra en la cavidad pleural a través de un agujero en la pared torácica. El hemotórax, a la derecha, se debe a la sangre que entra en la cavidad desde los vasos rotos.

mediante una radiografía de tórax, sobre todo si el neumotórax se está desarrollando. Un neumotórax bilateral es, por supuesto, extremadamente grave si no se trata de inmediato.

Un hemotórax se desarrolla de la misma forma pero está causado por un vaso sanguíneo dañado que vierte sangre en lugar de aire en el espacio pleural. El tratamiento consiste en un procedimiento quirúrgico menor y debe realizarse en un hospital. Si no existe esta posibilidad y la persona sufre una insuficiencia respiratoria, deben seguirse las siguientes instrucciones.

RECOMENDACIONES

• *La dificultad para respirar, de aparición súbita o no, exige la revisión de un médico.*

• *Hay que mantener al paciente lo más inmóvil posible y tranquilizarlo diciéndole que el otro pulmón se ocupará de la respiración siempre que mantenga la calma. Eso es cierto en la mayoría de los casos durante un lapso breve de tiempo.*

• *Si no se puede contar con un médico o se sospecha la existencia de neumotórax bilateral y el paciente presenta distrés respiratorio, está perdiendo la conciencia o se ha desmayado, se recomienda el traslado urgente a un hospital.*

PULMONES

Las enfermedades y los trastornos pulmonares pueden ser de diferentes tipos y de gravedad variable. A lo largo de este libro se comentan los procesos patológicos específicos en los diferentes grupos de edad.

Los pulmones, más que la mayoría de los órganos restantes, merecen una mayor atención porque están expuestos al mundo exterior más que cualquier otro órgano interno.

Los pulmones representan la vía más rápida del organismo para incorporar y eliminar productos.

Teóricamente, es posible respirar a través de la piel (como los anfibios) o incluso a través de los intestinos, pero las características de los sacos alveolares de los pulmones, semejantes al papel, determinan que éstos constituyan el método más rápido y apropiado. La eliminación del principal producto de desecho del metabolismo –el anhídrido carbónico– se realiza a través de los pulmones, y el equilibrio ácido-alcalino del interior del cuerpo está gobernado por los pulmones y los riñones que trabajan simultáneamente. Cualquier daño causado a los pulmones impedirá que entre el combustible de la vida (el oxígeno) y que salgan las toxinas.

Parece increíble que hace 5.000 años las filosofías orientales llegaran a las mismas conclusiones. Todas las creencias médicas orientales surgen a partir del concepto de que los pulmones son el principal órgano de aporte de energía, así como un centro principal de su eliminación. El conocimiento científico de cómo los pulmones y los riñones controlan el equilibrio ácido básico se refleja en la conexión que las filosofías orientales establecen entre los pulmones como introductores de energía en el cuerpo y los riñones como almacén de ésta.

Según las medicinas orientales, el pulmón es el órgano que representa el dolor, la pérdida y la pena; es quizá por esta razón por lo que suspiramos cuando estamos tristes, y unas cuantas respiraciones profundas pueden devolvernos la sensación de bienestar.

La formación de los pulmones tarda hasta 25 años, y las infecciones constantes o el hábito suicida del tabaco resultan más dañinos cuanto más temprano éstas se inician. Igual que una casa con unos cimientos débiles, cualquier daño causado a los pulmones a una edad temprana se reflejará a lo largo de la vida no sólo en la respiración y en la tendencia a las infecciones, sino también en cada aspecto del flujo de energía. La contaminación, incluido el consumo pasivo de tabaco por los niños en el hogar de fumadores, se cobrará su peaje. El asma está en aumento y, aunque no hay pruebas científicas definitivas que incriminen la contaminación atmosférica en este problema, tengo mis dudas sobre las pruebas realizadas hasta la fecha.

RECOMENDACIONES

- *Más que cualquier otro órgano, los pulmones merecen una atención especial desde la edad más temprana posible.*

- *Quienes viven en ciudades deberían procurar pasar el mayor tiempo posible en el campo, incluso aunque sólo sea una salida de un día a la playa o la montaña.*

- *Todas las personas deberían aprender y practicar una técnica de respiración, así como emplear un procedimiento de yoga para el lavado nasal.*

- *Todos los problemas pulmonares, como inflamaciones o infecciones, requieren un tratamiento rápido, especialmente en menores de 25 años.*

- *Hay que comer con regularidad zanahorias, colinabos, batatas y vegetales de hojas muy verdes por su contenido en vitamina A, que tiene un profundo efecto sobre las membranas de los*

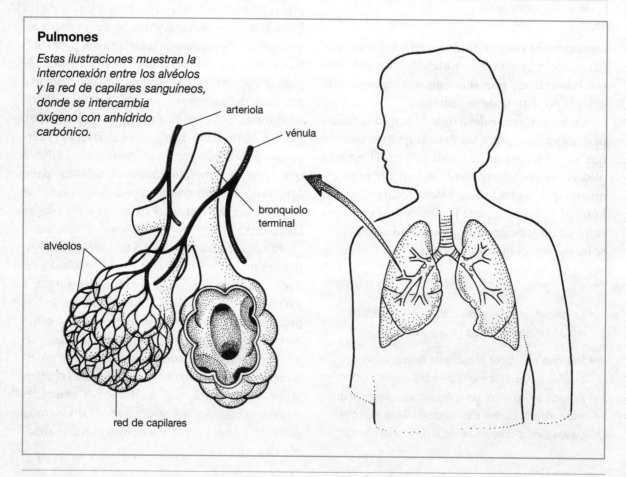

Pulmones

Estas ilustraciones muestran la interconexión entre los alvéolos y la red de capilares sanguíneos, donde se intercambia oxígeno con anhídrido carbónico.

arteriola

vénula

bronquiolo terminal

alvéolos

red de capilares

pulmones. No deberían utilizarse suplementos, pero son un posible recurso si la dieta no aporta los elementos suficientes. Tome 70 mg/kg de peso de betacaroteno como dosis básica de mantenimiento y triplique esta dosis si existe infección pulmonar.

- *Cualquier pena o tristeza debe tratarse rápidamente con psicoterapia, porque esas emociones secan la energía de los pulmones.*

RESPIRACIÓN

Si tuviera que escoger un apartado de este libro para que leyera todo el mundo, elegiría esta breve nota sobre la respiración.

Todas las filosofías médicas orientales tienen técnicas de respiración en sus programas de mantenimiento de la salud. Pruebas recogidas en todo el mundo demuestran que las técnicas de respiración ajustan los procesos bioquímicos del cuerpo al influir en la cantidad de oxígeno que inspiramos y en el anhídrido carbónico que espiramos. Ninguna parte del organismo funciona sin oxígeno, y todas las células activas producen anhídrido carbónico que es necesario eliminar.

A lo largo de muchos siglos se ha establecido que las técnicas de respiración ayudan a la meditación y a la relajación, a la vez que mejoran la actividad y el rendimiento deportivos.

No existe un método concreto de respiración que sea más adecuado para todas las personas, porque todos somos únicos, pero hay unas reglas básicas comunes e invariables.

En cierta manera, a medida que envejecemos vamos perdiendo la costumbre de respirar bien. Los lactantes y los niños siguen patrones simples.

- Respiran con mayor frecuencia cuando realizan alguna actividad y reducen el ritmo respiratorio cuando están en reposo.
- Cuando desarrollan una actividad aumenta la profundidad de la respiración; cuando duermen la respiración es superficial.
- El período de exhalación es más largo que el de inhalación, y cuando están en reposo hay una pausa antes de repetir el ciclo.
- Los niños respiran «hasta el ombligo».

La sociedad occidental parece obsesionada con la delgadez, o con la apariencia de delgadez, y a medida que envejecemos dedicamos más esfuerzos a contener el abdomen, lo que causa una tensión que afecta a la flexibilidad del diafragma, el gran músculo situado por debajo de los pulmones y que separa el tórax del abdomen. Este hecho genera una respiración más superficial y una menor oxigenación de las zonas inferiores y más profundas del pulmón. Paradójicamente, aprender a respirar con el abdomen estira los músculos abdominales y aplana el estómago.

En el momento de escribir este libro existe un gran debate sobre el uso de las técnicas de respiración para combatir el asma y muchas otras enfermedades. Durante milenios se ha creído que las técnicas de respiración del yoga, del chi kung y de otras modalidades de ejercicio y relajación son las más beneficiosas para los asmáticos. En muchos casos es cierto. Recientemente ha surgido la polémica con la llegada a Occidente de una técnica rusa. Konstantin P. Buteyko, científico y médico ruso, afirma que las técnicas de respiración profunda afectan a la información que el cuerpo y el cerebro reciben sobre sus propios niveles de anhídrido carbónico y que controlan muchas vías bioquímicas en el cuerpo, incluidas las que mantienen un flujo de aire normal a través de los pulmones. En el momento de escribir este libro *The Lancet*, revista médica de gran prestigio, está considerando la posibilidad de publicar un estudio internacional que apoya las técnicas de respiración del doctor Buteyko. La experiencia personal de algunos de mis colegas sugiere que se trata de una técnica que vale la pena aprender en el caso de sufrir asma. Todavía no está muy difundida, pero quizá pueda encontrar a alguien que la practique.

RECOMENDACIONES

- *Es importante asegurar las horas de sueño y el descanso adecuados, cuando el cuerpo puede controlar su propio patrón de respiración.*

- *Es necesario concentrarse durante el día en la respiración abdominal. Coloque las manos por debajo del ombligo y respire de manera que las manos se desplacen hacia delante al menos 2 cm.*

- *Dedique tiempo a concentrarse en expandir el tórax estirando la parte superior de la cabeza hacia arriba y tirando los hombros ligeramente hacia atrás.*

- *Evite contaminar los pulmones con tabaco, perfumes innecesarios y humos nocivos. Si vive en una ciudad, procure realizar tantos viajes al campo como sea posible.*

- *Aprenda una técnica de respiración con un profesor de meditación. La respiración profunda no es necesariamente buena, y la norma básica es inhalar durante 3 segundos y exhalar pasivamente (sin forzar) durante 4 segundos. Deje pasar 1 segundo antes de repetir el ciclo. Practicar esta técnica varias veces al día ayuda a reentrenar el cuerpo.*

- *Cualquier enfermedad como el asma y la bronquitis, que interfieren en la respiración, pueden beneficiarse del método de Buteyko.*

- *Plantéese la posibilidad de aprender técnicas de chi kung, yoga y tai chi o un arte marcial; son las mejores técnicas de respiración.*

- *Puede plantearse el uso de oxigenoterapia suave para cualquier enfermedad que afecte a la respiración (véase **Oxigenoterapia**).*

SISTEMA DIGESTIVO

COLITIS

El término colitis designa la inflamación («itis») del intestino grueso («colon»). La colitis no es rara en ningún grupo de edad, y sus variedades más leves se producen por tomar una dieta demasiado ácida o alcalina, por la ingestión de medicamentos, de alimentos que provocan alergia o por infecciones causadas por bacterias, hongos y virus.

La colitis suele presentarse como un dolor leve acompañado de diarrea leve y se autolimita, por lo que dura menos de 24 horas. Algunos terapeutas confunden la colitis con la colitis ulcerosa, que es una enfermedad persistente y que requiere intervención médica.

RECOMENDACIONES

- *Cualquier colitis leve pero persistente requiere la visita a un profesional sanitario.*

- *Si existe una posible colitis ulcerosa, véase **Colitis ulcerosa**.*

COLITIS ULCEROSA

La colitis ulcerosa es una enfermedad inflamatoria del intestino grueso (colon) que se presenta con dolor abdominal agudo, calambres, diarrea, flatulencia a menudo asociada a hinchazón, pérdida de peso, síntomas de malabsorción y, con mucha frecuencia, sangre en las deposiciones o diarrea. A menudo se encuentran pequeños cortes (fisuras) alrededor del ano.

Puede tratarse de una tendencia hereditaria, aunque hay diversas hipótesis sobre su causa: alergia a alimentos, infección, ataque autoinmune (cuando el sistema inmunológico del organismo se ataca a sí mismo), enzimas digestivas deficientes, niveles bajos de ácido clorhídrico y tensión psicológica, que incluye ira, tristeza y dolor.

El diagnóstico se realiza mediante enema de papilla de bario, radiografía y colonoscopia.

La colitis ulcerosa y su hermana menor intestinal, la enfermedad de Crohn, pueden extenderse por el intestino muy rápidamente y no hay que infravalorar estas enfermedades. Con frecuencia se recomienda una investigación ortodoxa completa y, en el primer caso, tratamiento con corticoides para solucionar la situación aguda antes de utilizar terapias alternativas. No se debe interrumpir el tratamiento hasta que el problema se haya resuelto. La incapacidad para controlar la inflamación puede acabar en la extracción quirúrgica del colon y/u otras partes del intestino afectadas en la enfermedad de Crohn.

RECOMENDACIONES

- *Cualquier problema intestinal persistente o la aparición de sangre proveniente del intestino deben ser investigados por el médico de cabecera, que enviará al paciente a un especialista si lo considera necesario.*

- *Inicialmente se seguirá el tratamiento ortodoxo y después se contactará con el especialista en medicina alternativa.*

- *Durante un episodio agudo se deben evitar los alimentos crudos o duros, y es preferible tomar sopas y otros alimentos de fácil digestión. No olvide masticar bien.*

- *Existen pruebas de que los siguientes alimentos pueden estar implicados en las inflamaciones intestinales y debería evitarse su consumo, especialmente cuando el ataque es acusado: azúcares refinados (azúcar blanco), alcohol, cafeína, derivados de la leche de vaca y cualquier alimento que se sabe que no se tolera o al cual se tiene alergia.*

- *Realice una prueba de alergia.*

- *Un estudio con placebo ha demostrado de forma concluyente que muchas personas con este problema responden favorablemente al tratamiento del estrés. Las técnicas de relajación y de meditación, así como la realización de ejercicio ligero, son obligatorias en casos de colitis o de enfermedad de Crohn.*

- *No olvide tomar suplementos de cinc, magnesio y vitamina C. Durante las fases agudas de la colitis ulcerosa y de la enfermedad de Crohn es frecuente la malabsorción y, por lo tanto, se recomiendan dosis altas de minerales y vitaminas, oligoelementos y suplementos de vitaminas. Las cantidades deben ser determinadas por un experto en nutrición o en terapias complementarias.*

- *La linaza, el olmo rojo y la manzanilla son tranquilizantes.*

- *La raíz de regaliz desglicirinada y los bioflavanoides, como la quercetina, pueden tener propiedades curativas.*

- *Los enemas colónicos en manos de especialistas pueden proporcionar alivio en las fases agudas y resultar beneficiosos en la atención a largo plazo (aunque no son necesariamente apropiados en la enfermedad de Crohn).*

DIARREA

La diarrea es la emisión de heces sueltas con más frecuencia de la normal en cada persona. Por lo tanto, un episodio de heces sueltas no constituye necesariamente diarrea. En la mayoría de los casos, la diarrea no es un problema grave, sino simplemente un signo de que el organismo o los intestinos están limpiando un tóxico. La diarrea suele asociarse a la ingestión de alimentos que el cuerpo rechaza o a infecciones bacterianas o víricas leves. Infecciones más importantes, como las provocadas por la salmonela, se manifiestan con diarrea, dolores abdominales y vómitos asociados, y es necesario tratarlas bajo supervisión. Los casos menos graves, aquellos que mejoran a las 48 horas o que no presentan síntomas asociados –con la excepción quizá de un ligero malestar abdominal– pueden tratarse con las recomendaciones que se indican más adelante.

La diarrea persistente (más de 72 horas) o la asociada a síntomas intensos, como son dolor, vómitos, fiebre y debilidad, requieren la visita de un médico de cabecera y/o de un especialista médico alternativo. Un cambio persistente en los hábitos intestinales puede reflejar un trastorno tan siniestro como el cáncer u otros problemas como la colitis ulcerosa (especialmente si hay sangre y mucosidad asociada a las heces), la enfermedad de Crohn y los síndromes de malabsorción. Es mejor tener un diagnóstico definitivo antes de prescribir cualquier tratamiento médico alternativo o de autoayuda.

RECOMENDACIONES

- *La diarrea que persiste más de 48 horas o no responde a las siguientes recomendaciones debería ser revisada por el médico de cabecera.*

- *Una vez establecido el diagnóstico definitivo, que podría incluir el análisis de muestras de heces, se puede obtener una opinión médica complementaria.*

- *No olvide asegurar una buena rehidratación, porque la diarrea puede conducir a deshidratación de forma muy rápida. Reponga cualquier pérdida de líquido, vaso a vaso, evaluando la cantidad perdida. Tome agua cada media hora, alternándola con zumo de frutas diluido, sopas y agua ligeramente salada, pero evite la leche, la cafeína, el alcohol y cualquier bebida que contenga azúcar refinado.*

- *Siga su instinto y su apetito. Si tiene hambre, procure tomar alimentos que «limpien» los tóxicos, como pan, pasta o arroz integrales. Evite alimentos «astringentes» como los huevos.*

- *Tome Lactobacillus acidophilus o equivalente, que deberá estar encapsulado para evitar los ácidos del estómago. El cultivo de yogur vivo es útil, pero podría no sobrevivir a la acidez.*

- *Consulte en un manual de homeopatía de referencia los remedios Arsenicum album, Carbo vegetalis, Mercurius, Nux vomica y Sulphur. Tome el remedio seleccionado con una potencia 6 cada hora, 3 dosis, y después cada 2 horas, hasta que haya mejoría.*

- *Evite toda medicación y tratamiento con hierbas que «detengan» la diarrea. En el tratamiento de la diarrea persistente es mejor obtener asesoramiento médico alternativo antes de interrumpir la eliminación de las heces.*

- *Dos cucharaditas de manzanilla con una cucharadita de romero y una cucharadita de salvia por cada 500 ml de agua, endulzada con miel, constituyen una infusión calmante y con potencial antibacteriano que puede utilizarse para reponer parte de los líquidos.*

RECOMENDACIONES

- *Es necesario que un médico revise cualquier pérdida de sangre persistente a través de cualquier orificio.*

- *Se realiza el diagnóstico por cultivo de las heces y, a menos que la situación sea muy grave, debe rechazarse el uso de antibióticos hasta que se haya establecido el microorganismo causante. El uso de antibióticos contra la ameba es, en el mejor de los casos, inútil; y en el peor, dañino para la flora natural del cuerpo que está luchando contra la ameba.*

- *Es necesario asegurar la rehidratación constante con agua y soluciones de sal y azúcar.*

- *No debe tratar la disentería sin ayuda de un experto, pero puede considerar tomar los remedios homeopáticos Phosphorus, Mercurius y Baptisia, todos con una potencia 6 y tomados cada hora, hasta que sea posible obtener consejo homeopático o médico.*

- *Hay que tomar 2.000 millones de unidades de Lactobacillus acidophilus cada 4 horas, junto con un yogur vivo y arroz blanco. (Ésta es una de las raras ocasiones en que recomiendo el uso de un alimento refinado en lugar de los alimentos integrales, que son más difíciles de digerir.)*

- *Se pueden utilizar preparaciones de hierbas específicas contra las infecciones bacterianas y amebianas en el intestino, pero bajo el control de un especialista.*

- *Véase **Diarrea**.*

DISENTERÍA

Esta enfermedad, que se presenta asociada a diarrea sanguinolenta, dolor abdominal y debilidad, es muy poco frecuente en áreas con buena sanidad e higiene, y suele deberse a una bacteria denominada *Shigella* o a una ameba. Se trata de una enfermedad bastante desagradable y sin tratamiento puede resultar grave o incluso mortal. Se producen complicaciones debidas a la deshidratación y el desequilibrio electrolítico causado por la pérdida constante de líquidos corporales.

DOLOR DE ESTÓMAGO

No es médicamente exacto el uso profano de la expresión «dolor de estómago». Coloquialmente, se utiliza la palabra estómago para referirse a todo el abdomen. Es necesario tratar el dolor abdominal según su causa subyacente. Lo más frecuente es que la razón sea evidente y esté asociada a la ingestión de algún alimento o nutriente en mal estado y que la persona no tolera. El dolor de estómago asociado a otros síntomas, como los vómitos o la diarrea, ayuda en el diagnóstico.

RECOMENDACIONES

- *Intente identificar la causa subyacente y luego remítase al apartado correspondiente de este libro.*

- *Si no existe una razón aparente, cualquier dolor intenso o que dure más de unas cuantas horas exige la visita al médico de cabecera para proceder al diagnóstico.*

- *Se puede utilizar el remedio homeopático Aconitum al inicio de cualquier proceso. Este remedio puede no sólo eliminar las molestias, sino también sacar a la luz otros síntomas de forma más rápida para ayudar a diagnosticar el problema subyacente.*

- *Hay dos puntos de acupresión que pueden estimularse suavemente; se encuentran por debajo del borde de la caja torácica, separados del borde inferior del esternón por la longitud del pulgar de la persona. Es fácil localizar esos puntos porque son ligeramente dolorosos.*

- *Se puede preparar una infusión de manzanilla (2 cucharaditas), romero y salvia (una cucharadita de cada) en 500 ml de agua hirviendo y tomar un vaso cada media hora. Esta mezcla tiene sabor a tierra, pero puede mejorarse con un poco de miel.*

- *Beba mucha agua, al menos 2 litros durante el día.*

- *El té de jengibre, preparado con trozos de 2 cm de raíz fresca en una taza de agua caliente, puede ser tranquilizante.*

- *En el caso de niños y lactantes, véase* **Migraña abdominal**.

ENFERMEDAD DE CROHN

Esta enfermedad, descrita por primera vez por el doctor Crohn en los años treinta, es un proceso inflamatorio que puede afectar a cualquier punto entre la boca y el ano, pero con mayor frecuencia se localiza en el intestino delgado, habitualmente antes de que empiece el colon (intestino grueso). Se caracteriza por dolor, diarrea, hemorragia y pérdida de peso. También se asocian a esta enfermedad flatulencia, fiebre y letargia.

Existe predisposición genética y el problema suele manifestarse entre los 15 y los 30 años de edad. Existe una mayor incidencia en la raza judía y una frecuencia ligeramente superior entre la población femenina.

Las causas y los tratamientos son los mismos que para la colitis ulcerosa (*véase* **Colitis ulcerosa**).

RECOMENDACIONES

- *Recuerde qué alimentos ha ingerido durante las 24 horas previas al inicio del dolor o las molestias y evítelos si parece existir relación.*

- *Tome una variedad de Acidophilus de calidad con cada comida durante una semana.*

- *No utilice enemas colónicos en la enfermedad de Crohn a menos que el intestino grueso (colon) esté especialmente afectado, y hágalo sólo bajo control médico.*

- *Se ha encontrado, incluso más que en la colitis ulcerosa, una relación entre la enfermedad de Crohn y una bacteria denominada Mycobacterium paratuberculosis, descubierta en la leche de vaca y en el agua del grifo. Debe evitarse el consumo de estas dos bebidas y cualquier derivado de leche de vaca.*

- *Si los tratamientos alternativos para la colitis ulcerosa (véase Colitis ulcerosa) son ineficaces, los antibióticos rifabutina y claritromicina han mostrado proporcionar grandes mejoras. Se recomienda el uso de terapias complementarias para compensar los efectos secundarios de estos fuertes antibióticos.*

HECES

Heces o deposiciones son los términos médicos correctos y «educados» utilizados para referirse a los productos de desecho intestinales. Para el practicante de medicina las heces pueden ser una mina de información; algunos conocimientos básicos pueden resultar de gran ayuda en el diagnóstico de problemas en un estadio precoz.

Sangre en las heces

La presencia de sangre en las deposiciones es anómala y, por lo tanto, un hallazgo de este tipo sin causa conocida requiere la investigación de un médico. La causa más frecuente de sangre en las deposiciones son las hemorroides o las almorranas (*véase* **Hemorroides**). Otras causas menos frecuentes, pero tristemente más ominosas, incluyen el cáncer, la colitis ulcerosa, la enfermedad de Crohn y los pólipos. La sangre puede presentarse mezclada con las heces o aparecer por fuera de ellas, en la taza del váter o en el papel higiénico, y esos factores, junto con el color (claro u oscuro), proporcionan al médico una pista sobre su probable causa. Cuanto más mezclada aparece la sangre con las heces, más arriba en el tracto gastrointestinal se encuentra el origen de la hemorragia; cuanto más oscura es la sangre, más tiempo ha estado presente.

Color de las heces

El color de las heces depende de la dieta. Deberíamos acostumbrarnos a mirar nuestras deposiciones para poder notar cualquier desviación con respecto a la normalidad. Las deposiciones muy oscuras o alquitranadas se conocen como melena, y son causadas por una hemorragia en el tracto gastrointestinal superior, por ejemplo, en el estómago. El efecto alquitranado se debe a que la sangre ha sido digerida, y constituye una indicación de úlcera o gastritis posiblemente grave.

Las deposiciones blancas o amarillas indican la presencia de grasa no digerida y pueden ser un signo de enfermedad hepática o de la vesícula biliar.

Se debería mencionar a un profesional de medicina alternativa cualquier cambio persistente de color que no esté relacionado con la dieta, y aquél debería examinar al paciente desde un ángulo amplio y analizarlo globalmente para confirmar que no existe otro problema digestivo o sistémico.

Frecuencia de las deposiciones

Cada persona debería tener su propia frecuencia de evacuación intestinal. En otras palabras, todos deberíamos ir un número regular de veces al día. Es aceptable evacuar el intestino sólo una vez cada 2 días siempre que eso sea normal para la persona. Dicho más simplemente, no existe un número de veces correcto, aunque es preferible que sea una vez al día, por la mañana.

Un cambio en la frecuencia que no está asociado a una infección o a un cambio en la dieta, requiere la revisión de un médico, que quizá decida realizar pruebas. Un cambio en la frecuencia o los hábitos intestinales constituye un signo precoz, y por lo tanto muy valioso, del cáncer intestinal.

Mucosidad en las deposiciones

La mucosidad es un compuesto claro, similar a la gelatina, que puede ser acuoso o gelatinoso. El intestino produce mucosidad para protegerse de los ácidos y los álcalis, pero cuando las heces llegan al colon debería estar mezclada con ellas y no ser visible como elemento separado. El hallazgo de mucosidad es indicativo de algún tipo de respuesta inflamatoria y requiere una opinión médica y pruebas como la colonoscopia o un estudio con bario.

La mucosidad puede estar asociada a una infección intestinal temporal, pero entonces se presenta asociada a dolor o diarrea. Si esto ocurre, no es necesario tomar ninguna otra medida, pero hay que realizar las pruebas oportunas si persiste la producción de mucosidad.

Textura de las heces

La textura de las deposiciones depende de la dieta y del grado de deshidratación. Unas deposiciones secas y desmenuzables indican falta de agua, mientras que unas deposiciones sueltas pueden señalar falta de fibra en la dieta.

La presencia de alimentos no digeridos sugiere que la dieta o los jugos digestivos no son adecuados, y es aconsejable una revisión por un especialista en nutrición.

Un cambio en la textura de las deposiciones, así como en su frecuencia, que persista durante más de dos semanas y no esté asociado a un cambio en la dieta o a una infección reciente puede ser indicativo de un proceso ominoso y debería ser analizado por un médico.

Véase también **Diarrea y estreñimiento**.

RECOMENDACIONES

• *Por desagradable que pueda resultar para algunas personas, es aconsejable conocer las propias heces regulares y se recomienda encarecidamente echarles un vistazo de vez en cuando. Cualquier cambio persistente requiere la atención de un profesional sanitario.*

- *Recuerde que no existe una textura, una frecuencia o un color buenos o malos, y que cada persona es diferente. Son los cambios lo que hay que tener en cuenta.*

MAL ALIENTO (HALITOSIS)

En la mayoría de los casos la halitosis está causada por un cuidado deficiente de las encías que permite que pequeñas bolsas de infección sirvan de alimento para las bacterias que liberan gases nocivos. El olor de la comida que fermenta se combina, en los peores casos, con la carne en proceso de degradación.

Con una digestión lenta puede quedar comida en el estómago, donde la acción bacteriana es poco probable, pero sí se produce cierto grado de fermentación. El gas producido puede salir por el esófago y, en raras ocasiones, causar halitosis. Lo más frecuente es que los pulmones eliminen los gases nocivos que han quedado absorbidos en la corriente sanguínea, como resulta obvio cuando se puede oler el ajo en el aliento al cabo de muchas horas de haberlo ingerido. La presencia de bacterias o levaduras perjudiciales, como *Candida*, que producen gas como parte de su metabolismo, puede provocar halitosis. De igual manera, las enzimas también pueden causar halitosis.

RECOMENDACIONES

- *Visite regularmente al dentista y pídale opinión con respecto a su aliento. Los amigos y las personas más allegadas pueden sentirse incómodos y no atreverse a mencionar el problema. Pida a su dentista respetuosamente que considere la posibilidad de que existan pequeñas bolsas de infección y visite al higienista dental 3 veces al año para una limpieza.*

- *Diluya una cucharada de extracto líquido de árnica en un vaso de agua y utilice esta dilución como enjuague 3 veces al día. Evite utilizar enjuagues antisépticos, ya que, además de los*

perjudiciales, también matan los gérmenes útiles, con lo que a la larga se fomenta el crecimiento de las bacterias perjudiciales.

- *Tome 350 mg/kg de cinc antes de acostarse.*

- *Si el mal aliento aparece y desaparece, piense en la comida ingerida hasta 24 horas antes y evite cualquiera de los alimentos que pueda ser el culpable.*

- *Adquiera una enzima pancreática y un suplemento de ácido clorhídrico, así como extracto de bacterias de yogur de buena calidad. Tome las dosis máximas durante 3 semanas.*

- *Si ninguna de las técnicas comentadas tiene éxito, consulte a un profesional médico alternativo para valorar su salud general, ya que un sistema tóxico o el mal funcionamiento del hígado podrían ser las causas subyacentes.*

SÍNDROME DEL INTESTINO IRRITABLE

El síndrome del intestino irritable constituye un diagnóstico que sólo se ha de considerar cuando se han descartado todas las demás posibles razones para explicar los síntomas.

El síndrome del intestino irritable se caracteriza por dolores abdominales persistentes, normalmente en forma de espasmos, aunque a veces se presentan episodios agudos o penetrantes, hinchazón, hábitos intestinales irregulares con diarrea o estreñimiento, flatulencia y náuseas asociadas, y letargia. Pueden estar presentes todos o sólo algunos de estos síntomas. Algunos expertos también consideran la emisión de mucosidad como posible signo de colon irritable, pero el exceso de mucosidad y, por lo tanto, su paso a las defecaciones es, en mi opinión, un signo de inflamación o de otra afección y no debería considerarse como parte de este síndrome. En el síndrome del intestino irritable no hay inflamación.

No cabe duda de que el estrés es el principal factor del síndrome del intestino irritable. Los compuestos químicos del estrés o catecolaminas, la más frecuente de las cuales es la adrenalina, hacen que la sangre pase de órganos no esenciales al corazón, los pulmones, el cerebro y los músculos que se preparan para «huir o luchar». El intestino pierde parte de su flujo sanguíneo y, en casos extremos, la falta de oxígeno hace que el intestino se contraiga y la persona defeque. En las personas que viven bajo un estrés constante, una pequeña reducción de la sangre, y por lo tanto del oxígeno, provoca ligeros calambres como los que se observan en el síndrome del intestino irritable. Debe considerarse la asociación de este síndrome a una dieta baja en fibra, porque ésta evita que el músculo intestinal se ejercite y, por consiguiente, presenta calambres con mayor facilidad. Algunos estudios han demostrado que el aumento del contenido en fibra puede, de hecho, empeorar el síndrome del intestino irritable, por lo que queda eliminada esta posible causa.

Una menor producción de ácido clorhídrico o de enzimas pancreáticas podría también causar el síndrome del intestino irritable al dejar alimentos sin digerir que pueden desencadenar algún tipo de inflamación transitoria y leve.

Resulta más probable que el origen sea una alergia o intolerancia a un alimento, una infestación por levaduras, hongos o parásitos y los trastornos inevitables de la flora intestinal normal. Los microorganismos no deseados causan la producción de sustancias químicas que desencadenan los calambres y una flora intestinal normal de baja calidad que permite el sobrecrecimiento de esos microorganismos no deseados.

RECOMENDACIONES

- *Cualquier malestar abdominal persistente debe ser examinado por un médico de cabecera y es necesario descartar una enfermedad grave.*

- *Las personas que sufren síndrome del intestino irritable deben considerar la posibilidad de recibir psicoterapia y aprender una técnica de relajación. El yoga, el chi kung, el tai chi y la meditación son requisitos imprescindibles para conseguir eliminar la causa del problema incluso si se encuentra una razón física. Las personas que no creen en esto, deberían realizar una sesión de hipnoterapia para asegurarse de que no existe ansiedad subconsciente y subyacente.*

- *Si se diagnostica un síndrome del intestino irritable, debe tomarse una combinación de ácido caprílico (un extracto del coco) y semillas de uvas. La dosis máxima recomendada en el producto comercializado constituye una guía para la prescripción.*

- *Debe tomarse una dosis alta de Acidophilus purificado (bacteria de yogur) según se indica en el envase.*

- *Hay que evitar comer mucha carne o productos lácteos. Hay que eliminar los alimentos grasientos, especiados o dulces. Cuando note malestar, coma vegetales, arroz y patatas bien cocidos al vapor, así como otras comidas blandas, como plátanos.*

- *Si la dieta es baja en fibra, incremente ésta con fruta y vegetales en cada comida, pero evite esos alimentos si empeoran las molestias.*

- *Lleve un diario y anote los días malos. Tome nota con exactitud de las comidas y bebidas que ha ingerido y del grado de estrés a que se ha visto sometido. Observe si existe un patrón concreto, que puede tener un retraso de 48 horas, e intente evitar los posibles desencadenantes.*

- *Intente tomar 500 mg de bromelaína antes de las comidas 3 veces al día.*

- *Se pueden tomar remedios florales de Bach: Cerato, Gorse y Vervain.*

- *Considere la posibilidad de hacerse un análisis sanguíneo para detectar alergia a algún alimento, o de visitar a un especialista en nutrición que utilice una técnica con biorresonancia para aislar las intolerancias. La kinesiología aplicada es una posible alternativa.*

- *Pruebe un extracto pancreático o un suplemento de ácido clorhídrico, también en este caso según se recomienda en el envase. Existen pruebas simples y no invasivas para determinar el nivel de enzimas pancreáticas y de ácido clorhídrico.*

- *El shiatsu y el masaje corporal básico pueden proporcionar alivio al orientar el exceso de adrenalina en el organismo y trabajar sobre el sistema linfático y los meridianos de la acupuntura. Las técnicas de masaje abdominal asociado al drenaje linfático manual pueden proporcionar alivio instantáneo, y los tratamientos con masajes regulares pueden reducir la gravedad de los síntomas.*

- *Todos los tratamientos con hierbas, como los que se encuentran en las medicinas ayurvédica, tibetana y china, son útiles cuando los prescribe un especialista.*

- *Se elegirán los remedios homeopáticos según los síntomas. Preste atención a los remedios homeopáticos Natrum carbonicum, Magnesia phosphorica, Carbo vegetabilis, Argentum nitricum e Ignatia.*

- *Puede utilizar el aceite de hierbabuena con cubierta entérica (el aceite está encerrado en una cápsula que sobrevive a los fuertes ácidos y álcalis del estómago y del intestino delgado, con lo que llega al colon, donde suele producirse el espasmo). Esta cápsula tiene una fuerte acción antiespasmódica y alivia, aunque probablemente no cura, el problema.*

- *También se consigue un excelente antiespasmódico con 2 cucharaditas de manzanilla, una cucharadita de romero y una de salvia en una infusión tomada cada 2 horas.*

SISTEMA UROGENITAL

AUSENCIA DE ERECCIÓN (IMPOTENCIA)

Impotencia es el término médico para definir la incapacidad de conseguir o mantener una erección. Las causas pueden ser físicas y psicológicas. Para entender su aparición, es necesario explicar el funcionamiento de la erección.

Por efecto de la excitación, ya sea la caricia física o el erotismo psicológico, los nervios del pene hacen que las arterias se expandan y las venas se contraigan, lo que permite que más sangre llene el cuerpo cavernoso que, al igual que una rueda llena de aire, se endurece y produce la erección del pene. Cualquier interferencia en estos mecanismos genera impotencia. Esta reacción depende del sistema nervioso autónomo (involuntario).

Causas físicas
- Un traumatismo en el cuerpo cavernoso, las arterias o los nervios.
- Un ateroma que obstruye las arterias.
- Una enfermedad (o traumatismo) del sistema nervioso central.
- Efectos tóxicos.
- Ciertas drogas, incluidos el alcohol, las anfetaminas y la cocaína, constituyen una causa frecuente de impotencia temporal.
- Varios fármacos ortodoxos, incluidos los utilizados para problemas cardíacos y de la presión arterial, pueden causar impotencia temporal.
- Los traumatismos postoperatorios tras una intervención de la próstata o la vejiga pueden dañar los nervios que controlan la erección.

Causas psicológicas
Más del 90% de los casos de ausencia de erección que se presentan a un profesional holístico o a un médico general tienen causas psicológicas.

La evolución ha dejado muy claro que las sustancias químicas y las hormonas del estrés deben superar los efectos de las hormonas sexuales. Si estuviéramos ocupados procreando y de repente apareciera un tigre con dientes de sable, tendríamos que tener más miedo que excitación, pues, de lo contrario, no preferiríamos salir corriendo. Aquellos de nuestros ancestros prehistóricos con niveles de testosterona superiores a su flujo de adrenalina debieron quedarse a acabar el trabajo y probablemente resultaron muertos. Hoy en día, rara vez nos enfrentamos a animales salvajes, pero los elementos químicos del miedo causado por los directores de banco, las situaciones laborales y los problemas domésticos son exactamente los mismos y superan a las hormonas y a los impulsos neurológicos implicados en la relación sexual.

Una de las causas más frecuentes es la fatiga. Los compuestos químicos producidos en respuesta al cansancio inhiben la erección. La ansiedad, el estrés y las fobias producen grandes cantidades de catecolaminas, que afectan directamente al sistema nervioso y causan dilatación de las venas del pene, con lo que se impide la erección. Las causas pueden ser superficiales, como la ansiedad por el papel que se va a hacer, o más profundas. En cualquier caso, una sesión de asesoramiento ayuda a ilustrar la necesidad de un trabajo psicoterapéutico.

Así pues, el cansancio, el estrés y la ansiedad, el miedo y el sentimiento de culpabilidad son las causas de la falta de erección.

RECOMENDACIONES

- *Establezca o descarte cualquier causa física mediante una exploración completa realizada por un médico general, o por un especialista si existen dudas.*

- *Valore y elimine los malos hábitos y las situaciones que crean estrés siempre que sea posible.*

- *Utilice técnicas de meditación y de relajación a través de la práctica del yoga, el chi kung y la meditación.*

- *El ejercicio reduce la cantidad de adrenalina del organismo y aumenta las endorfinas y las encefalinas, que son estimulantes sexuales y, paradójicamente, detienen el cansancio asociado al estrés.*

- *Si las medidas anteriores no resultan fáciles de poner en práctica, pueden resultar muy beneficiosas las técnicas de psicoterapia, como la programación neurolingüística.*

- *Considere el uso de remedios homeopáticos: Lycopodium si se prevé que se avecinan problemas, Conium maculatum si se produce la erección pero no dura, y Agnus castus si la erección no tiene la firmeza necesaria. Esos remedios deben tomarse con potencia 30 cada noche durante 2 semanas. Se recomienda consultar a un homeópata, ya que son muchos los remedios útiles para los problemas de erección.*

- *Puede considerar las vitaminas E y K, las plantas gingko y ginseng, así como diversas hierbas chinas, tibetanas y ayurvédicas, para ayudar a tratar la causa subyacente, pero debería prescribirlas un profesional de la medicina alternativa si se toman dosis superiores a las recomendadas en el producto y que son necesarias para conseguir una respuesta.*

- *Es posible que los especialistas recomienden testosterona si los niveles son bajos. Hay muchos efectos secundarios asociados a este fármaco, y es recomendable visitar a un médico ayurvédico, chino o tibetano que prescribirá las hierbas apropiadas para el caso. Utilice la testosterona sólo como último recurso.*

- *Ya existe un nuevo fármaco, Viagra, que ha demostrado en los estudios iniciales capacidad para aumentar la erección. Al igual que con todos los nuevos fármacos, es recomendable esperar al menos dos años a partir de su aparición en el mercado, ya que con frecuencia los estudios son defectuosos y los problemas sólo surgen después de que el fármaco ya lleva un tiempo utilizándose.*

- *Los especialistas ortodoxos pueden enseñar a una persona a inyectarse un fármaco conocido como prostaglandina E_1 en la base del pene. Este fármaco se utiliza únicamente si han fracasado los demás tratamientos, dado que el dolor del pene y la erección prolongada son sólo dos de sus efectos secundarios más frecuentes.*

CANDIDIASIS

Muguet es el nombre de la infección oral por *Candida*, que suele encontrarse en la vagina, pero que también afecta a otras áreas húmedas, como el ano y la cavidad oral.

Los varones que conservan el prepucio pueden presentar irritación en él (*véase* **Candida**).

CISTITIS

La cistitis es la inflamación de la vejiga urinaria. Suele deberse a una infección bacteriana, aunque a menudo se pasa por alto la posibilidad de una infección vírica o causada por levaduras. La medicina ortodoxa siempre tiene prisa por administrar antibióticos, sin considerar nunca la posibilidad de que éstos empeoren la situación si el agente causante es una levadura. Tampoco se considera la posibilidad de que la vejiga esté inflamada a causa de toxinas filtradas por los riñones desde la corriente sanguínea. La inflamación también puede deberse a compuestos químicos o a la intolerancia a un alimento concreto.

La infección suele introducirse desde fuera del organismo a través de la uretra. La uretra femenina es corta y los microorganismos no tienen que recorrer mucho trayecto. La uretra masculina es más larga y tiene la ventaja añadida de los efectos protectores del fluido seminal que se recoge en la próstata y que actúa como válvula antes de que los microorganismos puedan entrar en la vejiga. La deshidratación, los hábitos sedentarios y las relaciones sexuales predisponen a las infecciones del tracto urinario. Resulta interesante señalar que las mujeres que no llegan fácilmente al orgasmo tienden a tener cistitis con mayor frecuencia, probablemente debido al hecho de que la congestión de sangre en la pelvis se produce sin la liberación orgásmica (un orgasmo se acompaña de descongestión de la pelvis). Una quinta parte de la población femenina presenta infección del tracto urinario a lo largo del año, y la mayoría padecerá esta molesta patología en algún momento de su vida. En cambio, es poco frecuente en los hombres.

Los síntomas suelen ser dolor en la vagina, el pene o el abdomen inferior, y puede tratarse de dolor continuado o de una molestia aguda. La micción, que suele producirse con mayor frecuencia, en general aumenta el dolor, y la orina presenta un color diferente, de un anaranjado más profundo o incluso rojo si hay presencia de sangre. No es rara la existencia de orina turbia en la que pueden apreciarse partículas (pus o células de la pared de la vejiga).

La cistitis no es una dolencia agradable, pero tampoco particularmente dañina, a menos que se permita a la infección viajar por los uréteres y llegar a los riñones, lo que ocurre en aproximadamente el 20% de las infecciones –se caracteriza por dolor en la región lumbar–. El área de los riñones puede ser dolorosa al tacto. Es imprescindible el tratamiento de un profesional si existe recidiva o si los riñones resultan afectados, hecho que puede producirse por un descenso generalizado de la inmunidad, la obstrucción del flujo de salida o si la vejiga ha perdido parte de su sensibilidad y, por lo tanto, no se vacía por completo. La gestación ejerce presión sobre la vejiga, al igual que un recto lleno si la persona tiene estreñimiento.

Bacterias asintomáticas

El 4% de las mujeres presenta bacterias en la orina sin síntomas, lo que suele ser signo de un buen sistema inmunológico. La bacteria asintomática aumenta notablemente durante la gestación y hasta el 50% de las mujeres pueden, en algún momento del embarazo, ser portadoras de bacterias sin síntomas. Dado que la persona no presenta síntomas, el descubrimiento de esta enfermedad suele producirse con la realización de las pruebas rutinarias y no es necesario establecer un tratamiento.

RECOMENDACIONES

- *Ante el primer signo de cistitis, aumente el consumo de agua hasta un mínimo de 2 litros fraccionados a lo largo del día. En tomas alternas añada 2 cucharaditas de bicarbonato de sodio. El agua debe tomarse a temperatura ambiente.*

- *Orine tantas veces como sea necesario, especialmente tras mantener relaciones sexuales.*

- *Si a las 12 horas el bicarbonato de sodio no mejora el problema, añada zumo de arándanos sin azúcar o extracto de enebro (una cucharadita por cada vaso de agua).*

- *Tome mucho ajo con las comidas o la dosis máxima recomendada de cualquier buen suplemento de ajo.*

- *Consulte un manual de homeopatía y seleccione un remedio considerando todos los síntomas. Preste especial atención a Cantharis, Berberis y Apis. Considere el uso de Staphysagria si los síntomas se presentan sobre todo asociados a la relación sexual.*

- *Se pueden utilizar las hierbas gayuba y cúrcuma canadiense tomando la dosis máxima recomendada tras consultar con un especialista en medicina alternativa.*

- Debe añadir los siguientes complementos a una dieta con predominio de vegetales y frutas. Divida las dosis de las siguientes cantidades (indicadas por kg de peso) entre las comidas: betacarotenos, 70 mg; vitamina C, 70 mg, y cinc, 350 mg (si se producen náuseas, tome la dosis completa de cinc antes de acostarse).

- Valore la posible presencia de una toxina si la enfermedad recidiva. Preste atención a los alimentos ingeridos y si es necesario plantéese realizar pruebas de alergia. Esto es obligatorio en caso de una enfermedad crónica o recidivante.

- No olvide mantener una buena higiene. Utilice duchas vaginales (véase **Irrigaciones vaginales**) si el problema es recidivante. Utilice jabón de caléndula o sándalo para las partes externas de la vagina, pero sólo agua limpia para la bóveda de la vagina. No utilice desodorantes y no olvide secarse hacia la espalda después de orinar o defecar. Utilice sólo ropa interior de algodón que asegure la absorción.

- Cualquier cistitis que persista más de 24 horas a pesar de las medidas mencionadas requiere el tratamiento de un médico general o un naturópata con experiencia.

- Recoja una muestra de orina dejando que los 2 primeros segundos de la micción vayan al retrete. Recoja la orina hasta casi el final de la micción y deje que el resto vaya también al retrete.

- Procure evitar los antibióticos a menos que se haya realizado un cultivo y una prueba de sensibilidad de la muestra de orina para asegurar que se utiliza el antibiótico correcto.

- Las infecciones persistentes o recidivantes que no admiten un tratamiento del especialista en medicina alternativa pueden requerir la opinión de un urólogo. El tratamiento puede incluir la dilatación de una uretra obstruida o constreñida y en casos graves de cistitis (conocidos como cistitis intersticial) puede ser necesaria la extracción parcial o total de la vejiga. Ésta es, sin embargo, una enfermedad extremadamente rara.

CLAMIDIAS

Las clamidias (*Chlamydia*) son bacterias pertinaces que con frecuencia están asociadas a irritación y secreción vaginal. Se las considera culpables de la enfermedad inflamatoria del útero y las trompas de Falopio, donde pueden causar obstrucciones y, por lo tanto, esterilidad, por lo que esta enfermedad requiere un tratamiento rápido y efectivo.

Es importante tratar a la pareja infectada y, dado que no siempre es fácil que se acuda a la consulta del médico para realizar un frotis molesto, puede ser suficiente enviar al laboratorio una muestra de la primera orina de la mañana. También vale la pena pedir que se investigue la posible presencia de clamidias en los frotis cervicales rutinarios, ya que la infección puede ser asintomática.

RECOMENDACIONES

- Véase **Vaginitis**.

- Prepare una solución de sulfato de cinc añadiendo 5 ml de la solución al 2% a 500 ml de agua y utilícela como irrigación (no debe ingerirse).

DISPAREUNIA

Dispareunia es el término médico utilizado para designar las relaciones sexuales dolorosas. A veces se observa en varones, aunque está asociada sobre todo a las mujeres; el diagnóstico de la causa debe establecerse después de la consulta al médico de cabecera o, en el caso de las mujeres, al ginecólogo.

Dispareunia en varones

Esta situación poco frecuente suele asociarse a una leve infección o inflamación del prepucio o del pene (*véase* **Balanitis**). La inflamación uretral, como la causada por gonorrea o uretritis inespecífica, también puede ser causa de dispareunia.

Con menor frecuencia se observan deformidades congénitas en las aberturas de la uretra (hipospadias), aunque éstas no suelen causar dolor.

RECOMENDACIONES

- Obtenga un diagnóstico visitando a un médico general o a un especialista.

> • *Una vez obtenido el diagnóstico, consulte el apartado apropiado en este libro antes de embarcarse en un tratamiento ortodoxo, que con frecuencia puede incluir el uso de antibióticos.*

Dispareunia en mujeres

El dolor al iniciar el acto sexual suele deberse a inflamación de la abertura vaginal o de la vagina misma. La causa puede ser una infección por *Candida* o por otros microorganismos, así como un traumatismo debido a una relación sexual o una masturbación previas muy enérgicas. La autoexploración puede detectar enrojecimiento o manchas blancas (*véase* **Candidiasis**).

La dispareunia asociada al sexo con penetración puede deberse a inflamación del útero, del cuello del útero, de las trompas de Falopio o de los ovarios. En ocasiones, la inflamación del recto o de los intestinos puede interpretarse erróneamente como dispareunia. Puede existir asociación a infección, a endometriosis y, muy raramente, a tumores. Por ello es esencial que un médico general o un ginecólogo establezcan el diagnóstico correcto mediante exploración u otras técnicas especializadas y no invasivas, como las ecografías.

Es conveniente acudir al médico sabiendo cuándo, dónde y cómo ha empezado el dolor. Diferentes posiciones sexuales pueden aliviar o exacerbar el problema.

Los músculos de la vagina pueden sufrir espasmos de forma involuntaria, lo que origina una enfermedad denominada vaginismo, que puede causar malestar y dolor si se intenta mantener una relación sexual con penetración.

RECOMENDACIONES

• *Visite a un médico general, ginecólogo o especialista para obtener un diagnóstico.*

• *Intente evitar el uso de antibióticos; primero pruebe los métodos de la medicina alternativa.*

• *Consulte en el apartado correspondiente de este libro los tratamientos específicos una vez obtenido el diagnóstico.*

ENFERMEDAD INFLAMATORIA PÉLVICA (SALPINGITIS)

La enfermedad inflamatoria pélvica (EIP) es una infección del útero y de las trompas de Falopio causada por clamidias (*véase* **Clamidias**) o mycoplasmas. Otras infecciones –bacterianas, víricas o fúngicas– también causan EIP, que puede ser recidivante o simplemente persistir como infección crónica.

El síntoma principal es el dolor, que puede ser desde sordo hasta agudo y penetrante. Puede sentirse desde la vagina hacia la espalda. Suele ir asociado a una secreción, normalmente de olor desagradable, pero no siempre.

La EIP suele presentarse después de una relación sexual, pero cualquier exploración vaginal, operación del útero (como un legrado) o una interrupción del embarazo, pueden introducir la infección.

Una infección persistente o grave puede dañar de las estrechas trompas de Falopio y es una causa importante de esterilidad. La infección uterina y de ovarios puede originar abscesos.

Cualquier problema de la pelvis puede representar una paralización o una falta de energía en el chakra basal. Existe una fuerte relación entre la EIP y la promiscuidad sexual, y es necesario analizar las razones de ésta si el problema es crónico o se repite.

RECOMENDACIONES

• *Cualquier molestia grave o persistente requiere el examen de un médico general.*

• *Se recomienda realizar ecografías, frotis vaginales y análisis sanguíneos completos para comprobar el nivel de glóbulos blancos antes de empezar tratamiento alguno. En casos graves también pueden realizarse estas pruebas después de iniciar un tratamiento.*

• *Ésta es una de las pocas ocasiones en que debe considerarse un antibiótico como tratamiento de primera línea. La ausencia de tratamiento puede ocasionar complicaciones crónicas y graves y esterilidad. Suele utilizarse una combinación de antibióticos contra las bacterias que se desarrollan en las áreas no oxigenadas, así como un antibiótico de espectro amplio contra bacterias aerobias. Clamidias y* *tricomonas pueden requerir el uso de antibióticos fuertes, lo que exige protección para el intestino y para otras floras corporales, como se describe en el apartado dedicado a los antibióticos (véase **Antibióticos**).*

- *La elección de los tratamientos homeopáticos a partir de un manual de homeopatía de referencia dependerá de los síntomas. Mientras realiza su elección, tome Aconitum 6 cada 30 minutos.*

- *Puede utilizar tratamientos con hierbas; equinácea y cúrcuma canadiense son particularmente útiles para cualquier infección, y deberían tomarse en las cantidades indicadas por un producto de buena calidad o recomendadas por un naturópata.*

- *Si la EIP está asociada a promiscuidad, una respuesta auténticamente holística debe incluir la psicoterapia.*

- *La osteopatía y la acupuntura son técnicas físicas para liberar la energía bloqueada en la pelvis y fomentar el flujo sanguíneo que limpie de infecciones.*

- *Las técnicas del yoga, el tai chi, el chi kung y la terapia de polaridad deben utilizarse junto con otros tratamientos.*

- *Si una relación sexual ha sido el factor que ha iniciado la enfermedad, es necesario examinar a la pareja masculina utilizando un frotis de pene y tomando una muestra de orina, ya que muchas infecciones son asintomáticas. En las muestras de orina, tomadas a primera hora de la mañana, también es posible aislar la bacteria causante.*

- *Las patologías recidivantes crónicas requieren una exploración por parte de un profesional de la medicina alternativa con experiencia en esta área.*

ENFERMEDADES DE TRANSMISIÓN SEXUAL Y ENFERMEDADES VENÉREAS

Una enfermedad de transmisión sexual (ETS) es aquella que se adquiere por contacto sexual. Suele ir asociada a las relaciones con penetración, pero tam-

bién puede haber contagio mediante sexo oral. Las enfermedades transmitidas pueden clasificarse en varios grupos.

Infecciones víricas

El síndrome de inmunodeficiencia adquirida (sida) se transmite por el contagio del virus de la inmunodeficiencia humana (VIH).

El herpes alrededor de los genitales está causado por un herpes simple del tipo 2 (VHS-2), y el virus del papiloma humano (VPH) causa verrugas. Cada una de estas afecciones se describe en su apartado correspondiente.

Infecciones bacterianas

Las infecciones bacterianas mejor conocidas son la sífilis y la gonorrea. Se almacenan en algún punto del sistema urogenital y se transmiten mediante el fluido asociado. Las infecciones bacterianas de otras partes del cuerpo, como los intestinos, también pueden transmitirse mediante el contacto sexual. Las infecciones vaginales, uterinas y vesiculares suelen ser causadas por una bacteria conocida como *Escherichia coli*, que habita en los intestinos y forma parte de la flora intestinal normal. Si la bacteria encuentra el camino hacia otro órgano, puede resultar bastante devastadora, produciendo síntomas muy desagradables.

Otras infecciones

Algunos microorganismos se comportan cual parásitos; viven dentro de células, como los virus, pero se comportan como bacterias en su metabolismo. Clamidias y mycoplasmas suelen encontrarse asociadas a uretritis inespecífica y diseminarse mediante contacto sexual.

Los piojos púbicos (o ladillas, como se los conoce coloquialmente) suelen transmitirse por contacto sexual.

La infección por *Candida* también se disemina por contacto sexual.

Sexo seguro

«Sexo seguro» es una expresión acuñada a raíz del incremento de los casos de sida. Se trata de una definición muy precisa que adquiere mayor importancia a medida que las sociedades occidentales dejan de lado su actitud crítica hacia la promiscuidad sexual. Esta actitud prevalece en los denominados países del Tercer Mundo, donde el sexo es más frecuente sin protección que con ella, debido a la escasa disponibilidad de preservativos. Si a esto se añade un aumento aparente de la actividad homosexual y de la práctica del sexo anal en las naciones más pobres como método anticonceptivo, la necesidad de informar sobre el sexo seguro es fundamental.

Existe cierta polémica sobre si el sexo oral es sexo seguro. Una actividad oral que produzca pequeños cortes o lesiones permite la transmisión de agentes infecciosos. Se sabe que infecciones bacterianas como la gonorrea y la sífilis se transmiten a partir de la eyaculación masculina y causan problemas en la garganta y en las amígdalas, al igual que *Candida*. No es muy probable que el VIH se transfiera con este tipo de contacto, pero no puede excluirse la posibilidad. El virus del herpes simple del tipo 2 (herpes genital) prefiere vivir en un tejido que no sea el que se encuentra alrededor de la cavidad bucal. Sin embargo, en casos aislados se puede producir la transmisión y es mejor evitar el sexo oral sin protección si existe una lesión herpética visible.

RECOMENDACIONES

- *Todas las dolencias mencionadas en los párrafos anteriores se comentan en los apartados correspondientes.*

- *El mejor tratamiento de todas las ETS es la prevención. Debería reducirse la promiscuidad sexual y practicarse el sexo seguro.*

- *El mantenimiento de la higiene y de un sistema inmunológico personal en buen estado reduce el riesgo de transmisión y facilita la destrucción efectiva de cualquier infección.*

- *El abuso de drogas y alcohol reduce la respuesta del sistema inmunológico y, junto con la promiscuidad sexual, aumenta el riesgo de infección.*

- *El uso de preservativos es efectivo contra las enfermedades de transmisión vaginal o que se transportan en el semen.*

- *El sexo anal y el sexo vaginal u oral muy vigoroso predisponen a pequeñas (o grandes) lesiones, a través de las cuales pueden penetrar los agentes infectantes que entran directamente en la sangre. Es conveniente evitar esas técnicas o realizarlas con cuidado y utilizando la lubricación adecuada.*

- *Siempre que sea posible, conviene lavarse los genitales antes y después de la relación sexual.*

- *Debe procurarse orinar después de la relación sexual.*

EPIDIDIMITIS

El tubo que se extiende desde los testículos hasta la uretra se denomina conducto deferente. La parte que se encuentra detrás de los testículos y a través de la cual fluye el líquido seminal (el líquido nutritivo en el que se mueven los espermatozoides) se denomina epidídimo. La epididimitis es la inflamación de este tubo largo y enrollado.

La epididimitis, al igual que la orquitis, suele caracterizarse por un dolor agudo o sordo, hipersensibilidad al tacto, posible inflamación y enrojecimiento del saco del escroto.

La inflamación puede estar causada por un traumatismo, una infección o, con menor frecuen-

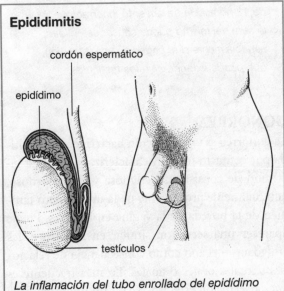

Epididimitis

cordón espermático

epidídimo

testículos

La inflamación del tubo enrollado del epidídimo puede percibirse como hipersensibilidad, dolor o hinchazón.

cia, por un tumor subyacente. Debido a esta última posibilidad es esencial recibir asesoramiento médico, pero la inflamación crónica por una infección o una lesión inadvertida a causa de un traumatismo también hacen que sea preferible obtener una opinión médica. La epididimitis es un diagnóstico muy específico, y el dolor de testículos puede deberse a otras causas, como la torsión, que constituye una emergencia médica grave (*véase* **Torsión testicular**); también puede tratarse de dolor referido desde otra parte del tracto genital.

RECOMENDACIONES

- *Cualquier dolor o hinchazón de los testículos requiere el examen de un médico.*

- *Utilice el remedio homeopático Arnica 6 cada 30 minutos hasta que se haya establecido un diagnóstico firme. Considere el uso de los siguientes remedios homeopáticos según la causa y los síntomas: Belladonna, Pulsatilla o Hamamelis, todos ellos a la potencia 6 cada 4 horas.*

- *Aplique una compresa fría si sirve de ayuda.*

- *Si se recomiendan antibióticos y el tratamiento homeopático no es eficaz, consulte a un profesional de medicina alternativa sin demora y considere el uso de antibióticos si el tratamiento alternativo no es efectivo al cabo de 12 horas. Un tratamiento incorrecto o la falta del mismo puede causar esterilidad, especialmente si el origen es una infección, que puede extenderse a los testículos.*

GONORREA

La gonorrea es una infección bacteriana transmitida por contacto sexual y caracterizada por una secreción de consistencia cremosa y color verdoso, habitualmente proveniente de la uretra, pero también de la bóveda de la vagina en mujeres. Puede aparecer una secreción similar en la faringe, las amígdalas o el ano como consecuencia de relaciones sexuales orales o anales. Lo más frecuente es que la secreción esté asociada a un dolor agudo y penetrante, así como a inflamación, aunque en ocasiones la secreción puede presentarse sin dolor.

Este último estado asintomático es el que puede conducir a la extensión inadvertida de esta enfermedad altamente contagiosa.

El tratamiento ortodoxo va desde una única dosis alta de penicilina hasta tandas prolongadas de generaciones de antibióticos más nuevos, debido a que el uso indiscriminado de antibióticos en el pasado ha originado cepas de la bacteria gonocócica más resistentes y fuertes.

C. S. Hahnemann, el fundador de la homeopatía, prestó especial atención a la gonorrea, que hasta los años cuarenta (e incluso hoy en día si no se trata) era una enfermedad debilitante o incluso mortal. La gonorrea puede ser la causa de estrechamientos de la uretra que causen daño o infección en los riñones, esterilidad y abscesos locales y septicemia, que puede provocar infección de órganos, incluido el cerebro. Hahnemann creía que una infección gonorreica, igual que la sífilis, puede persistir y transmitirse a lo largo de generaciones. Sus miedos pueden tener hoy en día menos fundamento científico, aunque ya se ha demostrado que existe la sífilis congénita y que sus efectos son devastadores. Desde un punto de vista ortodoxo, la gonorrea no está considerada de la misma manera. Los homeópatas tradicionales preguntan invariablemente sobre las enfermedades de transmisión sexual y quieren saber si ya fueron contraídas por los padres y los abuelos. Si aún viviera, Hahnemann podría perfectamente agrupar otras enfermedades venéreas, como las causadas por tricomonas o clamidias, y atribuirles un mayor significado para la salud global que el que la medicina ortodoxa les da actualmente. El debate continúa.

RECOMENDACIONES

- *Toda secreción, molestia o dolor en los genitales requiere la intervención inmediata de un médico general.*

- *Evite los antibióticos hasta que un laboratorio médico reconocido haya confirmado el diagnóstico. Es necesario tomar muestras de frotis. En casos graves se puede empezar a administrar un antibiótico, siempre que se haya tomado una muestra antes.*

- *Los tratamientos con hierbas son efectivos y, teóricamente, el tratamiento homeopático puede solucionar el problema, pero mi recomendación es utilizar antibióticos y un tratamiento naturópata antiantibiótico adecuado.*

- *No olvide comprobar que todas las parejas sexuales del paciente conocen el diagnóstico y utilizan preservativos en las relaciones hasta que hayan desaparecido todos los síntomas y signos de infección durante al menos una semana.*

HEMATOSPERMIA (SANGRE EN EL LÍQUIDO SEMINAL)

La presencia de sangre en cualquier fluido o secreción corporal es patológica y requiere observación o investigación. La aparición de sangre en el líquido eyaculado indica la existencia de hemorragia en algún punto entre la punta del pene y los testículos. Las causas más frecuentes son los traumatismos, las infecciones o los tumores.

RECOMENDACIONES

- *La presencia de sangre, aunque sea mínima, en el líquido eyaculado requiere investigación por parte de un médico o un especialista urogenital a menos que se reconozca una causa obvia, como puede ser un traumatismo. Incluso en ese caso, si la hemorragia persiste durante más de 24 horas o se asocia a dolor es necesario acudir al médico.*

- *Observe cuándo aparece la sangre: sangre antes del líquido seminal sugiere un problema en la uretra; la sangre al final de la eyaculación proviene probablemente de los testículos. El cambio de color del semen o una mezcla de sangre y líquido seminal puede indicar un problema de próstata.*

- *Se puede considerar el uso de los remedios homeopáticos Mercurius y Cantharis, potencia 6, si la infección es una causa probable. Tome una dosis cada 3 horas (véase **Enfermedades de transmisión sexual**).*

HERPES SIMPLE

El herpes es un grupo que abarca unos setenta virus, los más comunes de los cuales son el herpes simple, el varicela zoster (responsable de la varicela y del herpes zoster) y el virus de Epstein-Barr (VEB). Cada uno de estos virus se analiza en el apartado correspondiente, pero en principio los tratamientos son como se describen en esta sección.

El herpes genital, causado por el virus herpes simple 2 (VHS-2) se presenta con mayor frecuencia alrededor de la entrada de la vagina, en la bóveda de la vagina, en el cuello del útero y en ocasiones llega hasta el útero. En los hombres se encuentra en la cabeza del pene y en el prepucio, así como en las zonas próximas a estos puntos. Sin embargo, el herpes genital se puede presentar en cualquier punto del área genital y puede llegar a extenderse por las nalgas, la parte inferior de la espalda y la parte superior de los muslos.

Los síntomas pueden variar desde pequeñas ampollas indoloras llenas de líquido hasta un dolor insoportable y una inflamación considerable, pasando por un leve picor asociado a enrojecimiento. También pueden asociarse fiebre e inflamación de los ganglios linfáticos y, con mayor frecuencia, malestar o letargia generalizada, que puede deberse a la infección o a una depresión del sistema inmunológico que permite la invasión del virus.

Hasta el 40% de la población tiene posibilidades de entrar en contacto con el herpes genital o el labial (VHS-1), también denominado «pupas». En el 85% de las personas que sufren un ataque inicial, el problema se resolverá y no se repetirá. El 15% restante puede presentar brotes recidivantes, y el 2% de ellos puede tener síntomas frecuentes y muy graves. Si se tiene en cuenta que la mayoría de las personas pasan la varicela en la infancia, todos tenemos experiencia en la lucha contra los herpes y, en principio, un cuerpo sano no debería sufrir brotes herpéticos recidivantes.

La transmisión se produce por contacto con el líquido asociado a las lesiones víricas, y suele introducirse en el siguiente huésped a través de pequeños cortes o abrasiones (que son frecuentes y pasan inadvertidas durante las relaciones sexuales); también depende de que el nuevo huésped tenga el sistema inmunológico deprimido en ese momento.

Por depresión se entiende estar sobrecargado, mal-nutrido o con una infección leve, como puede ser un resfriado. Los que sufren brotes recidivantes alojan el VHS en los ganglios. El herpes tiende a permane-cer aletargado hasta que la persona tiene un resfria-do o la menstruación, sufre de estrés o padece reac-ciones alérgicas a ciertos alimentos. Además, las quemaduras por el sol, el exceso de ejercicio y la ac-tividad sexual pueden desencadenar la recidiva. El virus se multiplica, vuelve a descender por el nervio, a menudo hasta el punto original de la infección, y se extiende a través de las dendritas o ramificaciones al final del nervio, afectando un área ligeramente más grande.

El combate contra los herpes se desarrolla en dos frentes. El primero es mejorar el sistema de defensa de la persona, y el segundo es debilitar la defensa que el virus se ha construido al rodearse de una capa pro-teínica que el sistema inmunológico no puede pene-trar. Los requisitos para mejorar el sistema inmuno-lógico dependen en gran medida de cada persona. Las siguientes recomendaciones son específicas para inhibir la reproducción del virus del herpes y tam-bién para debilitar su defensa.

RECOMENDACIONES

- *Es necesario aumentar la lisina y reducir la arginina (ambas aminoácidos) en la dieta. Los alimentos no convenientes durante los brotes son las nueces, el chocolate, las semillas y las leguminosas, todos los granos integrales, el cerdo, el aceite de girasol y los crustáceos como los cangrejos y los langostinos. Los alimentos aconsejables durante los brotes agudos son el pescado (especialmente el mero), el pollo y el pavo, los alimentos que contienen levadura, como el pan blanco fermentado, las patatas, la leche y el cordero.*

- *Identifique la causa de la depresión inmunitaria e intente evitar la situación (alergia a alimentos, estrés o falta de sueño).*

- *Durante un brote agudo hay que añadir a cada comida los siguientes nutrientes: lisina, 1 g; vitamina C, 2 g; bioflavanoides, 500 mg; cinc, 10 mg (pero si se notan náuseas tome sólo 30 mg antes de acostarse), y un extracto de timo según las instrucciones del envase.*

- *En caso de brotes recidivantes deben tomarse los suplementos mencionados en el apartado anterior diariamente según se ha recomendado pero en una dosis con cualquiera de las comidas.*

- *Se puede tratar la lesión con las siguientes aplicaciones: sedimentos de café húmedo 4 veces al día; se puede usar por separado o de forma combinada con cinc (0,05%) y crema con vitamina E (0,1%) 4 veces al día, o se puede aplicar la crema con vitamina E durante 15 minutos 3 veces al día.*

- *Para lesiones resistentes a las recomendaciones anteriores, cuando los brotes sigan siendo frecuentes e igualmente graves, consulte con un profesional de medicina alternativa el posible uso de regaliz o succinato de litio (solución al 8%). Se puede aplicar melisa (solución al 1%) 4 veces al día.*

- *Evite los preparados con el agente antivírico aciclovir porque éste sólo trata la infección superficial y se ha demostrado que fomenta el desarrollo de cepas resistentes del virus que son mucho más difíciles de tratar y que pueden generar complicaciones mucho más graves, especialmente en personas con el sistema inmunológico deprimido.*

- *Los remedios homeopáticos Kali muriaticum, Rhus toxicodendron, Urtica urens y el nosode de herpes simple pueden tomarse 3 dosis cada hora, en caso de un brote agudo, bajando luego a una toma cada 2 horas. En los casos crónicos es mejor que un homeópata elija un remedio adecuado a su constitución.*

Los tratamientos no suelen ser efectivos de forma instantánea y la recuperación se demuestra en bro-tes menos frecuentes y más cortos. En ocasiones no se consigue destruir los virus y lo máximo que se puede esperar es que se produzcan uno o dos bro-tes leves al año. De ahí que se considere que los her-pes, como los diamantes, son para siempre. Este caso sólo es cierto en un porcentaje muy pequeño.

MENSTRUACIÓN Y PROBLEMAS MENSTRUALES

La menstruación se produce en las mujeres de forma cíclica. Es la eliminación de la capa interna del útero después de un ciclo durante el cual no se ha producido la fertilización de un óvulo ni el consiguiente embarazo. El sangrado menstrual, popularmente conocido como regla, dura entre uno y siete días, siendo en general la pérdida más intensa entre el primero y el tercer día, con una reducción de la cantidad durante los días restantes.

El diagrama siguiente muestra el crecimiento de la capa interna del útero, denominada endometrio, en relación con las hormonas que controlan el ciclo. Las filosofías orientales creen en una energía central que los chinos denominan el vaso de concepción (*véase* **El vaso de la concepción**). Desde hace más de 5.000 años se conoce bien la conexión energética entre la hipófisis, el tiroides, el páncreas y el útero. Un desequilibrio de esta energía puede causar problemas en cualquiera de esos órganos y con mucha frecuencia es la razón subyacente de las irregularidades en el ciclo menstrual. Cualquier estimulante que afecte a la producción tiroidea, cual-

quier deficiencia o el exceso de azúcares refinados, fármacos o drogas que afecten al sistema nervioso pueden alterar el ciclo.

Véanse **Útero** y **Problemas uterinos**.

Amenorrea

La amenorrea es la ausencia de reglas. Puede ser primaria –la regla no se ha presentado nunca– o secundaria, que por lo general se asocia a desequilibrios hormonales causados por estrés, anorexia o bulimia y otros problemas que provocan una pérdida súbita de peso. La amenorrea puede producirse también después del parto, al dejar un sistema anticonceptivo, como la píldora, y tras enfermedades que afectan a otros órganos glandulares (productores de hormonas) o enfermedades graves causadas por la malnutrición.

La capa interna del útero se forma antes de la ovulación y, si no se produce embarazo, se elimina. Para que ocurra un ciclo normal hace falta una producción correcta de estrógeno y progesterona, como se describe en los capítulos 2 y 3.

Las filosofías médicas orientales describen una línea de energía, el vaso de la concepción, que as-

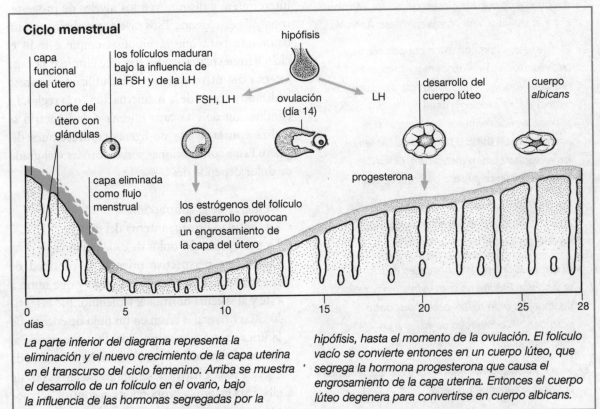

Ciclo menstrual

La parte inferior del diagrama representa la eliminación y el nuevo crecimiento de la capa uterina en el transcurso del ciclo femenino. Arriba se muestra el desarrollo de un folículo en el ovario, bajo la influencia de las hormonas segregadas por la hipófisis, hasta el momento de la ovulación. El folículo vacío se convierte entonces en un cuerpo lúteo, que segrega la hormona progesterona que causa el engrosamiento de la capa uterina. Entonces el cuerpo lúteo degenera para convertirse en cuerpo albicans.

ciende desde el perineo (el área entre la vagina y el ano) a través del útero, el páncreas, la glándula tiroides y la hipófisis. Este eje, si es deficiente, puede causar un «mal comportamiento» en cualquiera de esos órganos, pudiendo provocar también la amenorrea.

RECOMENDACIONES

- *Recuerde que la causa más frecuente de amenorrea es la gestación. Realice una prueba de embarazo si ha tenido relaciones sexuales, con protección o sin ella, durante el último mes transcurrido hasta la ausencia de la regla.*

- *Compruebe si ha habido pérdida de peso o cambios en el apetito. En tal caso hable con un profesional de la medicina alternativa.*

- *Si no se da ninguna de las razones obvias mencionadas, consulte con un profesional médico y con un terapeuta de medicina alternativa cuando haya tenido tres faltas de la regla. La menopausia prematura y los tumores de la hipófisis son fáciles de diagnosticar y tienen posible tratamiento si se detectan de forma precoz.*

- *Aumente el contenido de proteínas en la dieta. Asegúrese de que los niveles de hierro, vitamina B_{12} y ácido fólico son normales (véase Anemia).*

- *Los remedios homeopáticos pueden ser muy beneficiosos: tome Aconitum y Arnica si las reglas se asocian a un shock; Natrum muriaticum o Ignatia si se asocian a pena o miedo, y Sepia si dejan emocionalmente indiferentes o se acompañan de llanto. Puede consultar también los remedios Ferrum metallicum, Graphites y Pulsatilla en un buen libro de homeopatía.*

- *Debe considerar asimismo el yoga, el shiatsu y la acupuntura, que pueden eliminar los bloqueos de energía causantes de amenorrea.*

- *El estrés es una de las principales causas de la amenorrea. Si sufre un gran estrés o hay indicios de anorexia o de dietas obsesivas, debe considerar la posibilidad de visitar a un psicoterapeuta.*

- *Véase Pubertad retrasada para los comentarios sobre la amenorrea primaria.*

Dismenorrea (reglas dolorosas)

La dismenorrea es el término médico para referirse a una menstruación dolorosa. El inicio de la menstruación, la menarquia, se produce en las mujeres entre los once y los dieciséis años. Con frecuencia se sigue un patrón hereditario, y el inicio de la regla de una joven puede producirse a la misma edad que la de su madre y su abuela. El ciclo menstrual «de libro» tiene 28 días y la hemorragia dura entre dos y siete (la media es de cinco) días. La primera mitad del ciclo está bajo el control de los estrógenos, que preparan el ovario para liberar un óvulo; durante la segunda parte del ciclo, aunque persiste el efecto de los estrógenos, predomina la progesterona, que causa la formación de la capa interna del útero que se prepara para la implantación de un óvulo fertilizado.

Durante la primera parte del ciclo la cantidad de estrógeno es controlada por la hipófisis, situada en el centro del cerebro. Durante la segunda mitad del ciclo, la producción de progesterona y de estrógenos depende del cuerpo lúteo, que es la «cáscara» del huevo u óvulo liberado por el ovario.

Si un huevo u óvulo no es fertilizado, el cuerpo lúteo muere y disminuyen los niveles de progesterona y de estrógenos. Esos niveles más bajos son un detonante para que la hipófisis empiece todo el ciclo de nuevo, pero antes hay que eliminar la capa interna del útero que no se ha utilizado, proceso realizado a través de la menstruación (o la regla). La eliminación de esta capa interna o endometrio se realiza con la ayuda de ligeras contracciones del útero. Estas contracciones son dolorosas y el grado de dolor depende de:

- La fuerza de la contracción.
- La cantidad de capa interna del útero.
- La percepción del dolor de cada persona.
- Desde una perspectiva oriental, la cantidad de energía que fluye a través del útero y que nutre a éste y al sistema hormonal femenino. Todas las filosofías orientales creen en un flujo de energía de la línea media que, curiosamente, corresponde al sistema hormonal. El punto máximo de la línea de energía pasa a través de la hipófisis o alrededor de ella. Esta glándula proporciona el control hormonal para el tiroides y el útero en las mujeres. Esta

línea de energía, denominada vaso de concepción en la medicina china (*véase* **El vaso de concepción**), desciende a través del tiroides y el páncreas en su camino hacia el útero. El páncreas no está directamente bajo el control de la hipófisis, pero los niveles de insulina del páncreas están relacionados con los niveles de azúcar, que a su vez están controlados, en gran medida, por los niveles de adrenalina, de la hormona del crecimiento, de la tiroxina y de los esteroides corporales naturales, todos ellos controlados por la hipófisis.

Por lo tanto, es necesario entender que la dismenorrea, o regla dolorosa, no está únicamente relacionada con el útero. Es importante establecer una causa subyacente, que podría corresponder a cualquiera de las categorías anteriormente mencionadas.

RECOMENDACIONES

- Comente la cuestión con su ginecólogo o su médico de cabecera y descarte cualquiera de las enfermedades poco frecuentes que pueden causar las reglas dolorosas mediante una ecografía, un análisis de sangre para comprobar desequilibrios hormonales y una revisión clínica completa que incluya un frotis cervical y un examen interno.

- Antes de empezar un tratamiento ortodoxo consulten con un profesional de medicina alternativa.

- La fuerza de la contracción depende de los niveles corporales de calcio, magnesio, sodio y potasio. También es muy importante una buena hidratación, ya que muchos casos de dismenorrea se alivian tomando un suplemento mineral y asegurando la ingestión de 2 o 3 litros de agua diarios.

- La cantidad de endometrio (capa interna del útero) está asociada a la respuesta del útero ante la progesterona. Se puede contrarrestar el exceso de progesterona mediante los fitoestrógenos naturales que se encuentran en la leche de soja y derivados, el apio, el hinojo, el ruibarbo y el lúpulo. El aumento de estos alimentos durante un período de tiempo puede conseguir aliviar el dolor. También puede resultar útil el proceso contrario:

la estimulación de la producción de progesterona por el propio cuerpo mediante hierbas como Agnus castus o sus derivados homeopáticos, a la potencia 200, o utilizando progesterona natural a través de extractos transcutáneos de batata mexicana. Las cantidades de estos suplementos y remedios deberían ser indicadas por un profesional de la medicina alternativa que tenga conocimientos en estas áreas.

- La percepción del dolor se exacerba por la tensión. Una buena técnica de relajación y saber evaluar los problemas de la vida pueden tener efectos curativos. La programación neurolingüística y la hipnoterapia, la meditación, el yoga y el chi kung son métodos que tienen éxito en el tratamiento de las reglas dolorosas.

- La acupuntura, la quiropraxia y la osteopatía son técnicas útiles y probablemente actúan fortaleciendo las debilidades o tensiones subyacentes de la energía que se acumulan en la pelvis inferior.

- Puede resultar útil tomar los siguientes suplementos en dosis fraccionadas durante el día (indicadas por kg de peso): aceite de onagra, 70 mg; vitamina B_6, 650 mg, y cinc, 350 mg por la noche.

- La elección de los remedios homeopáticos dependerá del tipo de dolor, de su duración y de otros factores asociados, como la cantidad de hemorragia y la presencia de coágulos. Algunos de los remedios que pueden considerarse son Magnesia phosphorica, Arnica, Belladonna, Calcarea carbonica y Cinchona officinalis. Todos estos remedios deben tomarse a la potencia 6 cada hora.

- Las medicinas herbarias china y tibetana cuentan con muchas pruebas documentadas de su eficacia, y el compuesto dong quai (angélica) es muy popular. Al igual que ocurre con la mayoría de las hierbas, es conveniente que sea prescrita por un especialista.

- Si fracasan las técnicas alternativas o no puede modificarse la causa subyacente, puede *considerarse el uso de la píldora anticonceptiva, pero, al igual que con cualquier fármaco, hay que sopesar las ventajas y los riesgos.*

- *Siempre que no haya contraindicaciones, no dude en utilizar calmantes normales, como el paracetamol. Si éste no consigue hacer efecto, el médico general puede recetarle otro calmante, el ácido mefanámico. Si lo toma durante los dos días de más dolor, no es probable que le cause ningún daño mientras descubre las causas subyacentes.*

Menorragia (reglas abundantes)

Menorragia es el término médico para designar el exceso de flujo menstrual. Muchos de los principios comentados en el apartado sobre la dismenorrea (*véase* **Dismenorrea**) son también importantes en la menorragia.

La cantidad de tejido endometrial eliminado es proporcional a la que se genera durante la segunda parte del ciclo, y depende de los efectos de la progesterona sobre el crecimiento del endometrio, aunque ésta no sea la única influencia.

El útero proporciona a la mujer otra vía para eliminar toxinas del cuerpo. Cada mes se genera un tejido nuevo y se le proporciona un suministro rico de sangre. Por lo tanto, las toxinas del torrente sanguíneo se encuentran en gran abundancia en este tejido endometrial. Las toxinas como el plomo, generado por los tubos de escape de los coches, se depositan y se eliminan de forma cíclica. No se sabe con certeza si el cuerpo realiza esta función de forma consciente, porque podría argumentarse que el organismo evitaría que las toxinas se asentaran en el órgano donde se lleva a cabo la reproducción, pero el cuerpo es un sistema increíblemente complejo. Suponiendo que las toxinas se asientan en el útero con o sin el permiso del cuerpo, la menorragia puede ser una técnica de eliminación de toxinas.

La energía debe fluir suavemente entre todos los chakras, y un exceso en cualquier punto concreto causará deficiencia por encima o por debajo de ese punto. Por lo tanto, un bloqueo en el chakra del plexo solar o abdominal puede causar el sobrecrecimiento propio de la menorragia.

Algunas deficiencias, como la de vitamina A o de hierro o el hipotiroidismo pueden causar menorragia.

La menorragia no suele ser síntoma de una afección más grave. Los fibromas, los pólipos endometriales y la salpingitis (*véase* **Salpingitis**) pueden presentarse inicialmente como menorragia, al igual que el cáncer de endometrio.

RECOMENDACIONES

- *Es necesario empezar por un examen ginecológico completo, que incluya una ecografía y análisis de sangre para las hormonas. Una vez descartada cualquier posible enfermedad grave, considere el uso de técnicas alternativas antes de acudir a las ortodoxas.*

- *Examine su estilo de vida y sus costumbres, y elimine cualquier tóxico obvio. Recomendamos las pruebas de intolerancia a alimentos mediante análisis de sangre, biorresonancia o técnicas de kinesiología aplicada.*

- *No infravalore los efectos tóxicos de la cafeína, el alcohol, el tabaco y otras drogas sociales.*

- *Evalúe la posible tensión a que se ve sometida, ya que la hipófisis, que controla indirectamente los niveles de progesterona, está situada aproximadamente en el centro del cerebro y recibe una gran influencia de la psique. Se aconseja adoptar técnicas de relajación y de control de la tensión.*

- *Es necesario establecer un flujo libre de energía a través de los chakras o del vaso de la concepción. Podrían estar interrelacionadas las causas psicológicas, espirituales y físicas, y se recomienda consultar a un profesional de la medicina alternativa oriental. El yoga, el shiatsu y la acupuntura pueden resultar curativos.*

- *La menorragia puede causar deficiencias, especialmente de hierro y proteínas, y debe tenerse en cuenta el posible uso de suplementos de aminoácidos y de minerales que incluyan hierro (que debería ir siempre asociado a cinc y vitamina C). Se recomienda la toma de una dosis diaria de un suplemento alimenticio natural hasta que se haya resuelto el problema, dosis que debe duplicarse mientras dura la regla. Paradójicamente, la deficiencia de hierro puede causar menorragia.*

- *Los remedios homeopáticos, una vez más, deben elegirse según el cuadro de síntomas de la persona en su conjunto, pero pueden tomarse los remedios mencionados en el apartado sobre la dismenorrea (véase **Dismenorrea**). Si se diagnostica anemia o la persona está especialmente pálida, entonces se recomienda considerar los remedios Ferrum phosphoricum y Borax, a la potencia 30, 4 veces al día.*

- *Añada a la dieta suplementos de betacaroteno, 150 mg/kg de peso, en dosis tomadas con las comidas.*

Menorralgia (dolor en la pelvis)

Éste es el término médico para el dolor excesivo en el área de la pelvis asociado a la menstruación, pero diferente del dolor normal de las reglas de cada persona.

Deben seguirse todas las sugerencias y recomendaciones indicadas para la dismenorrea, pero el ginecólogo y un profesional de la medicina alternativa deberían considerar la posibilidad de una endometriosis (*véase* **Endometriosis**).

Chakras

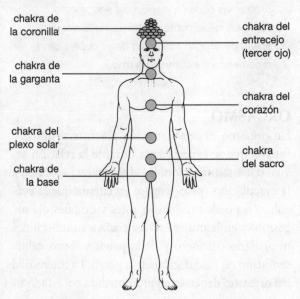

chakra de la coronilla

chakra del entrecejo (tercer ojo)

chakra de la garganta

chakra del corazón

chakra del plexo solar

chakra del sacro

chakra de la base

Períodos precoces (ciclo corto)

Se puede considerar como ciclo corto la llegada de una regla precoz, pero éste no constituye problema alguno si se trata del patrón general. Un ciclo de veinte días no suele constituir un proceso de «enfermedad», a menos que se trate de un cambio en un patrón cíclico más largo.

Con respecto a las reglas retrasadas, hay cuestiones psicológicas que pueden tener un profundo efecto debido a la influencia química de los neurotransmisores de la hipófisis.

Una fase menstrual precoz suele deberse al acortamiento de la fase proliferativa, por lo que suele ir asociada a una regla mucho más corta y ligera.

RECOMENDACIONES

- *Un ciclo corto sólo constituye un problema si se trata de una variación a partir de un patrón previo más largo.*

- *Las ansiedades y las tensiones psicológicas tienen un papel importante y consultar a un psicoterapeuta puede ser el inicio de la corrección del ciclo.*

- *La consulta a un profesional de medicina alternativa, con preferencia un homeópata, permitirá identificar los posibles tratamientos homeopáticos.*

- *Las reglas precoces, y por lo tanto más frecuentes, pueden causar anemia secundaria y pérdida de sangre, y el cansancio, el malestar o una leve depresión pueden ir asociados a anemia (véase **Anemia**).*

Reglas abundantes
Véase **Menorragia**.

Reglas dolorosas
Véase **Dismenorrea**.

Reglas retrasadas, tardías o infrecuentes

Los dos primeros años de menstruación, que puede empezar a cualquier edad a partir de los once años, a menudo son irregulares; sólo debe considerarse que una regla es anómala por ser retrasada o infrecuente si se trata de un nuevo patrón que difiere de reglas previamente regulares. Una regla retrasada o tardía puede deberse a muchas causas, y en primer lugar hay que descartar el embarazo. Las hormonas que controlan el ciclo son producidas por la hipófisis, que es una pequeña glándula del tamaño de una avellana situada en medio del cerebro. Esta glándula es muy sensible a los cambios en los neurotransmisores o en los elementos químicos del cerebro y, por ello, es muy fácil que el ciclo se vea influido por trastornos emocionales. Los problemas con el novio o los padres, o los exámenes pendientes, pueden desencadenar una supresión de la producción de las hormonas foliculostimulante y luteinizante por parte de la hipófisis. Ambas hormonas son necesarias para que se produzca la ovulación y, por lo tanto, la regla.

Una vez que se ha producido la ovulación, la regla suele ocurrir al cabo de catorce días, y la mayoría de los retrasos o de los ciclos largos se deben a un aumento en la primera parte del ciclo, conocida como fase proliferativa o folicular (*véase* el diagrama anterior). La segunda parte del ciclo se conoce como fase secretora o luteínica, a la que sigue –si no se produce la gestación– la fase menstrual.

Las reglas retrasadas o tardías pueden deberse a un exceso de ejercicio o a una mala alimentación. No existe una base científica firme para este hecho, pero sospecho que tiene que ver con la supresión química por parte de hormonas inducidas por el ejercicio, como el cortisol y las endorfinas. Estas hormonas se liberan cuando se ejercitan los músculos o por falta de los nutrientes necesarios para generar la capa interna del útero durante la fase proliferativa. Independientemente de la razón bioquímica, toman energía del útero o dejan de proporcionársela.

Ciertas afecciones metabólicas, como el hipotiroidismo y los ovarios poliquísticos, pueden ser la causa del retraso o de la ausencia de una regla, por lo que se requiere una investigación.

RECOMENDACIONES

- *Una o dos reglas tardías o retrasadas no suelen constituir un problema. La falta de una regla puede implicar embarazo y es necesario realizar las pruebas correspondientes.*

- *Su dieta debe ser regular y nutritiva. Cualquier alteración del ciclo asociada a la dieta sugiere que el plan dietético actual es deficiente e incorrecto. Elimine de la dieta el exceso de azúcares.*

- *Analice las posibles tensiones psicológicas y comente la cuestión con un psicoterapeuta si no ve una causa obvia.*

- *Evite la medicación a menos que la haya prescrito un profesional de la medicina alternativa con experiencia en este campo, ya que la alteración del ciclo normal del cuerpo, por retraso u otra causa, puede resultar perjudicial.*

- *La persistencia de reglas tardías que no sufren modificación tras seguir los consejos de un experto en nutrición, un psicoterapeuta o un profesional de la medicina alternativa, requiere la visita a un ginecólogo para descartar un posible trastorno metabólico.*

- *Evite el uso de anticonceptivos orales como técnica de control del ciclo, a no ser que sea estrictamente necesario.*

- *Consulte a un homeópata, que considerará los síntomas teniendo en cuenta a la persona en su conjunto y actuará según su constitución.*

- *Algunas deficiencias de vitaminas y de oligoelementos también pueden causar problemas en la formación del endometrio. Tome un suplemento proteínico, vitamina B_6, aceite de onagra y cinc, en dosis dobles de las recomendadas durante un mes.*

ORGASMO

Un orgasmo es una sensación placentera, difusa e intensa que se experimenta durante la relación sexual o la masturbación. En el varón está asociada a la eyaculación (pero téngase en cuenta que la eyaculación puede producirse antes y después del orgasmo) y en la mujer está asociada a contracciones musculares del útero y de la pelvis y a una cálida sensación de inundación en la pelvis. La intensidad del orgasmo depende en gran medida del estado físico y emocional de la persona en cuestión. La fricción persistente sobre la cabeza del pene, el clítoris o una pequeña área situada dentro de la cara superior de la vagina (coloquialmente conocida como «punto g») envía impulsos al sistema nervioso central. Una acumulación de esos impulsos desencadena la liberación de un neurotransmisor que afecta principalmente a los centros del placer, pero que también bloquea tanto el dolor como algunos canales neuromusculares. La coordinación se ve especialmente afectada de forma momentánea, y pueden aumentar la frecuencia cardíaca, la presión arterial y la circulación periférica.

Para lograr un orgasmo se necesita un esfuerzo consciente, pero el reflejo nervioso en sí está gobernado por el sistema nervioso autónomo (no controlado) parasimpático. Cualquier lesión en esos nervios puede generar una disminución de la intensidad o una pérdida total del orgasmo, mientras que la hipersensibilidad puede hacer que el orgasmo llegue con demasiada rapidez. A menudo asociado a la eyaculación precoz, este exceso de sensibilidad puede deberse a hormonas naturales, a excitación o a estimulación y al uso de ciertas drogas. Otras drogas pueden tener el efecto contrario: el alcohol, las anfetaminas, la cocaína y el éxtasis suelen consumirse con este objetivo (*véase* **Problemas de la eyaculación**).

La filosofía yóguica cree que la energía conocida como *kundalini* se almacena en la pelvis. La estimulación genital despierta esta energía, que se transmite por la médula espinal y afecta al cerebro. Los maestros de meditación pueden liberar esa energía sin estimulación física, y algunos de ellos han generado orgasmos en sus parejas mediante telepatía. Lo cierto es que la meditación elimina los elementos químicos inhibidores y facilita la consecución del orgasmo.

Algunos trastornos físicos como la esclerosis múltiple u otras enfermedades y problemas de índole nerviosa en la próstata pueden interrumpir el suministro nervioso e impedir los orgasmos. Las lesiones del sistema nervioso central también pueden causar daños. La ansiedad, el estrés y las fobias, con frecuencia causados por experiencias sexuales previas fallidas o por un sentimiento de culpabilidad, pueden afectar a la capacidad de tener un orgasmo o causar eyaculación precoz. En general, no se trata de trastornos graves, pero su resolución quizá requiera cierto tiempo y asesoramiento especial.

RECOMENDACIONES

- *La falta de orgasmo o su retraso puede indicar un proceso de maduración, pero también puede deberse a enfermedades, y requiere la revisión de un médico general o un especialista en esta área.*

- *La meditación y la psicoterapia para aliviar ansiedades o fobias suelen tener un profundo efecto. Puede necesitarse asesoramiento sexual.*

- *Véase* **Problemas de la eyaculación**.

PARAFIMOSIS

La parafimosis es la retracción y constricción del prepucio por detrás de la cabeza del pene. Suele producirse después de la relación sexual o la masturbación, y es más probable en quienes tienen un prepucio estrechado, ya sea por anomalía anatómica o por infecciones del prepucio (balanitis).

Esta retracción impide el flujo sanguíneo venoso, provocando inflamación de la cabeza del pene, que a su vez estrecha aún más el prepucio. Esta congestión causa un intenso dolor.

RECOMENDACIONES

- *El mejor remedio es la prevención. Compruebe que el prepucio queda hacia delante después de la relación sexual y utilice vaselina o agua y jabón en cuanto note la menor dificultad en estirar el prepucio hacia delante. El problema tiende a perpetuarse y, si no se trata, empeora.*

- *Si se ha producido parafimosis, coloque cubitos de hielo en un tejido suave, como seda, y póngalos alrededor de la cabeza del pene. Presione suavemente e intente empujar la sangre desde la cabeza del pene hacia el cuerpo.*

- *Utilice el remedio homeopático Apis 6 cada 5 minutos, y si el problema se resuelve, pase a Arnica 6 cada 3 horas hasta eliminar cualquier molestia residual.*

- *Si esta técnica no funciona, acuda a la unidad de urgencias más cercana lo antes posible. El médico le aplicará un gel analgésico (que, por desgracia, sólo es parcialmente efectivo) y exprimirá la cabeza del pene. Es aconsejable tomar un calmante de camino hacia el hospital, pero advierta al médico al respecto.*

- *Si esta técnica fracasa, en ocasiones hay que operar con anestesia general para escindir el prepucio, lo que suele finalmente conducir a la circuncisión.*

PIOJOS PÚBICOS

Los piojos púbicos suelen transmitirse por contacto sexual. Estos pequeños parásitos causan picor y aparecen como pequeñas pecas. Si se miran de cerca, especialmente en el baño, se puede observar cómo se mueven; también los delatan sus huevecitos blancos, que se hallarán en la base del vello púbico agarrados con una sustancia pegajosa especialmente resistente. Si se estira de un piojo púbico con unas pinzas aparece un ligero punto de sangre.

RECOMENDACIONES

- *Véase **Piojos**.*

- *Las preparaciones ortodoxas tópicas son efectivas y hay que aplicarlas sobre el área afectada, incluido el abdomen inferior, los muslos y el vello situado alrededor del ano, para luego cubrir el área con ropa interior y dejarlas actuar toda una noche. Repetir el proceso al cabo de una semana.*

POLUCIONES NOCTURNAS

Las poluciones nocturnas son una parte esencial del crecimiento normal. No hay una causa patológica de la eyaculación mientras se duerme. No existe una frecuencia «normal» y puede haber épocas en que las poluciones nocturnas se produzcan varias veces en una semana.

PRIAPISMO

Es una erección anómala, persistente y dolorosa del pene que, por definición, no está relacionada con el deseo sexual. Está determinada por ciertos trastornos de la sangre, como la anemia de células falciformes, que bloquean el sistema venoso (la salida del flujo sanguíneo), o por problemas del sistema nervioso central que provocan la contracción de los cuerpos cavernosos, los espacios de la sangre que se llenan y que causan el endurecimiento del pene. Si no se trata, puede generar impotencia.

RECOMENDACIONES

- *Este problema debe tratarlo un especialista en el tracto urogenital.*

- *El tratamiento alternativo depende de la causa subyacente.*

PROBLEMAS DE LA EYACULACIÓN

El problema más frecuente de la eyaculación en adultos jóvenes es la eyaculación precoz (alcanzar el orgasmo con un contacto físico mínimo o inexistente). En términos estrictos no se trata de un problema del tracto urogenital, sino que tiene más relación con factores psicológicos. Raras veces ocurren problemas de la eyaculación porque el varón no puede producir semen o fluido seminal o porque el sistema nervioso simpático (parte del sistema nervioso autónomo involuntario) está dañado. Todas las lesiones producidas en el pene o las infecciones que han causado cicatrices en los conductos desde los testículos hacia arriba pueden causar problemas de eyaculación.

Eyaculación precoz

Si la eyaculación es demasiado rápida no suele ser necesaria la consulta a un médico, pero si aquélla no existe, sí debe buscarse opinión médica.

Es necesario saber y comprender que se trata de un problema muy frecuente al que se enfrenta la mayoría de los varones en un momento u otro de la vida. Suele ir asociado a las primeras experiencias sexuales de pareja, y el tiempo suele resolver el problema.

RECOMENDACIONES

- *Si no existe eyaculación, acuda a su médico para que lo envíe al especialista.*

- *Si la eyaculación es demasiado rápida (eyaculación precoz), pruebe el siguiente método:*

a) *Practique, ya sea mediante masturbación o con su pareja, el contacto íntimo sin contacto genital e interrúmpalo antes de llegar a la eyaculación. Con demasiada frecuencia puede ponerse un entusiasmo excesivo y es importante tenerlo en cuenta para utilizar menos estimulación la siguiente vez, hasta que se alcance un nivel aceptable que no cause eyaculación.*

b) *Si la eyaculación parece inminente, interrumpa la actividad y apriete con fuerza por debajo de la cabeza del pene.*

c) *Aumente lentamente la actividad sexual. Una persona puede encontrarse con que, aunque la eyaculación precoz se produce con el contacto inicial, el «segundo asalto» es prolongado y está más controlado.*

d) *Consulte a un psicoterapeuta (la mayoría de ellos están preparados para tratar estas cuestiones) si el problema no se resuelve en unas cuantas semanas. Cuanto más tiempo persiste sin solucionar la eyaculación precoz, más difícil será de resolver.*

QUISTES DE EPIDÍDIMO

Son causados por una obstrucción en el epidídimo (*véase* a continuación), que contiene muchos conductos que recogen el fluido seminal de los testículos. Se presentan como bultos indoloros situados detrás de los testículos, que suelen ser firmes pero divididos en dos partes. Los quistes de epidídimo son benignos y en raras ocasiones requieren tratamiento. Suelen deberse a un traumatismo leve, que con frecuencia pasa inadvertido.

RECOMENDACIONES

- *Todo bulto en el escroto debe ser examinado por un médico.*

- *Si se diagnostica un quiste de epidídimo, no debe iniciarse tratamiento alguno, a menos que sea muy grande y cause molestias físicas.*

- *Se ha observado que los remedios homeopáticos Apis y Graphites, con potencia 30, tomados 2 veces al día durante 2 semanas reducen los quistes de los testículos.*

- *Sólo se considerará la posibilidad de una intervención quirúrgica como último recurso, ya que es posible que las operaciones en esta área causen cicatrices que pueden obstruir el conducto seminal y generar esterilidad.*

QUISTES OVÁRICOS

Los ovarios están compuestos por diferentes tipos de tejido que alojan los huevos femeninos, todos ellos producidos en el estadio fetal del desarrollo de la persona. Por lo tanto, una mujer de cuarenta años tiene huevos de cuarenta años de edad. Éste es el motivo por el que cuanto mayor es una mujer más probabilidades existen de que se produzcan contratiempos en la concepción. A medida que un huevo madura, se traslada hacia la superficie, es liberado y deja tras de sí un grupo de células productoras de elementos químicos conocidas como cuerpo lúteo. Entre otros productos químicos, este grupo de células produce la gonadotropina coriónica humana (HCG) y otras hormonas, como los estrógenos y la progesterona, hasta que se forma la placenta y

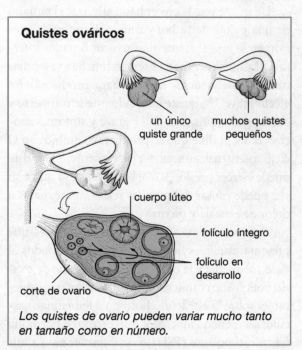

Quistes ováricos

un único quiste grande

muchos quistes pequeños

cuerpo lúteo

folículo íntegro

folículo en desarrollo

corte de ovario

Los quistes de ovario pueden variar mucho tanto en tamaño como en número.

asume este papel tras ocho semanas de gestación. Estos cuerpos lúteos suelen ser el punto donde puede acumularse fluido y crearse un quiste. Los quistes también pueden formarse en otras partes del ovario y ser desencadenados por una infección que se desplace por las trompas de Falopio. Una causa frecuente es que el huevo maduro no consigue abrirse o ser liberado por la capa fibrosa externa más dura del ovario, lo que causa un quiste folicular.

En general, los quistes pueden crecer a partir de un exceso de fluido o de humedad en el organismo, y los médicos chinos consideran que los quistes están con gran frecuencia asociados a un exceso de yin en la dieta.

En la mayoría de los casos, los quistes son síntomas y pueden pasar inadvertidos si no se realiza una ecografía. Cada día se encuentran quistes con mayor frecuencia debido a la práctica sistemática de ecografías pélvicas, pero no conozco ningún estudio que haya realizado un control sobre su posible aparición y desaparición regulares. No obstante, se cree que un quiste puede estar asociado al cáncer, y la probabilidad de que esto ocurra depende de la edad de la paciente. Dicho más simplemente, una mujer de veinte años con un quiste tiene un 20% de posibilidades de que esté asociado a cáncer, pero una mujer de cincuenta años tiene un 50% de posibilidades.

Un quiste puede crecer hasta alcanzar el tamaño de una pelota de fútbol y causar síntomas de presión en la vejiga, el intestino u otros órganos internos. Habitualmente se observan hinchazón e inflamación obvias antes de que haya producido un efecto grave. Un quiste infectado puede romperse y causar peritonitis, con dolor grave y síntomas asociados. Es posible que se produzcan cambios en el ciclo menstrual, aunque no es frecuente, y el quiste puede ejercer presión sobre los nervios, lo que a su vez puede causar dolor en las relaciones sexuales o dolor de espalda y piernas.

Cada vez es mayor el número de mujeres que presenta múltiples quistes ováricos no asociados al ciclo menstrual y la ovulación. El síndrome de ovario poliquístico causa desequilibrios leves o considerables sobre la estructura hormonal femenina-masculina, a menudo asociados a un exceso de hormona foliculostimulante (FSH) o de testosterona. La au-

sencia de un ciclo normal, el hirsutismo y la falta de libido son algunos de los síntomas de este síndrome.

La medicina ortodoxa utiliza potentes píldoras anticonceptivas, muchas de las cuales provocan efectos secundarios desagradables, que pueden ser o no ser efectivas. Debe considerarse el uso de las terapias alternativas, como las mencionadas a continuación y especialmente la progesterona natural, antes de utilizar los anticonceptivos.

El aparente aumento del número de mujeres con esta afección sugiere que hay algún tipo de efecto hormonal medioambiental, posiblemente por los estrógenos presentes en la cadena de alimentos o incluso por el uso de la píldora anticonceptiva. Son necesarios más estudios, pero no está previsto realizar más investigaciones de forma inmediata.

RECOMENDACIONES

- *Los quistes de ovario se detectan normalmente en los exámenes ginecológicos rutinarios y deben confirmarse mediante ecografía. No acepte sin pensarlo detenidamente una intervención quirúrgica y consulte a un profesional de medicina alternativa.*

- *Algunos cánceres de ovario liberan en el torrente sanguíneo un compuesto químico conocido como marcador, que debe medirse si existen indicios de que pueda tratarse de cáncer de ovario.*

- *Elimine de la dieta el azúcar, el alcohol, los derivados de la leche de vaca y la cafeína.*

- *Debe reducirse al mínimo la fruta y los vegetales acuosos, y aumentar el consumo de alimentos yang (véase **Alimentos yang**).*

- *Los remedios homeopáticos se elegirán de acuerdo con los síntomas, pero pueden utilizarse los remedios Apis (quistes del lado derecho), Colocynthis (quistes del lado izquierdo), Oophorinum (quistes asociados a la menopausia) y Kali bromatum (si existe riesgo de que el quiste esté asociado a un tumor), a una potencia 30, 3 veces al día durante 3 semanas.*

- *Los siguientes suplementos pueden reducir un quiste y deberían tomarse en las cantidades indicadas (por kg de peso): vitamina E, 15 UI en dosis divididas a lo largo del día y tomadas con alimentos, y ácido gammalinoleico, 2 mg con el desayuno. También debe tomarse betacaroteno, 70 mg/kg de peso en dosis divididas, para contrarrestar el efecto de la vitamina E sobre el agotamiento de la vitamina A.*

- *Un masaje abdominal realizado por manos experimentadas puede eliminar un quiste.*

- *Se ha demostrado que el uso de cremas de progesterona natural, con el uso concomitante de la hierba Agnus castus, elimina los quistes ováricos. El tratamiento debe estar bajo control de un médico o profesional con experiencia.*

- *Los tratamientos con hierbas, especialmente chinas, asociados a acupuntura, han demostrado tener éxito.*

- *Puede ser necesario recurrir a la intervención quirúrgica, que suele realizarse mediante laparoscopia. Se inserta un pequeño tubo a través de una incisión de 1 cm justo por debajo del ombligo y se hace pasar a la cavidad abdominal. Intente encontrar un ginecólogo que esté dispuesto a eliminar el quiste, no el ovario.*

SÍNDROME DE TENSIÓN PREMENSTRUAL

La mayoría de las mujeres sufre cierto malestar durante los dos-catorce días previos a la menstruación. Ello se debe predominantemente a un aumento de la sensibilidad en todo el organismo por el aumento de los niveles de estrógenos y progesterona. La carencia de vitaminas y minerales, un exceso de elementos químicos del estrés (como la adrenalina) y la tensión física causada por alergia a algún alimento pueden empeorar la situación. El síndrome de tensión premenstrual (STP) es una afección multisintomática problemática y recidivante que puede suponer desde una molestia leve hasta una profunda debilidad. Los síntomas pueden dividirse en dos categorías.

Síntomas físicos

El dolor de cabeza, la somnolencia, los mareos o los desmayos, la retención de líquidos con el aumento de peso asociado, la hinchazón abdominal y la sen-sibilidad de los pechos son evidentes en aproxima-damente el 70% de los casos.

Síntomas psicológicos

La ansiedad, la confusión, la depresión, la falta de memoria, la irritabilidad, los cambios de humor, las ganas de llorar, la tensión exacerbada y el insomnio se presentan en el 75% de quienes sufren el STP.

Los estudios han demostrado que los síntomas están directamente asociados con los desequilibrios hormonales. Es importante comprender que, en el proceso de fabricación de estrógenos y progesterona, el cuerpo produce también muchos elementos quí-micos que pueden tener efectos sobre el organismo. Algunos síntomas están causados por niveles bajos, mientras que otros lo están por niveles altos. Tam-bién pueden verse alteradas otras hormonas como los andrógenos, la aldosterona, la prolactina, la hor-mona foliculostimulante y las hormonas tiroideas.

La carencia de vitamina B_6 y de magnesio puede afectar profundamente a la producción de algunas de estas hormonas, así como de neurotransmisores cerebrales como la dopamina, que son los causantes de los cambios emocionales. Esos dos suplementos también participan en la producción de una hor-mona concreta, prostaglandina E_1, cuya función no es bien conocida, pero que con frecuencia se halla en niveles bajos en las mujeres que sufren STP. La ingesta excesiva de grasa o la carencia de ácidos gra-sos omega-3 y omega-6 (que están incluidos en el extracto de aceite de onagra) pueden generar nive-les bajos de este compuesto. La intoxicación por mercurio y por plomo puede estar asociada al STP, al igual que muchas deficiencias de vitaminas A, C y E, y de los minerales selenio, cinc y hierro, además de los mencionados anteriormente.

RECOMENDACIONES

- *El STP no es producto de la imaginación. Son muchas las pruebas científicas que apoyan la existencia de causas tratables sin utilizar los antidepresivos que constituyen el tratamiento de primera línea de la medicina ortodoxa.*

- *Evite las grasas animales, los alimentos fritos y todos los aceites hidrogenados (incluidas* muchas margarinas), especialmente durante los días previos a la regla. Reduzca los azúcares y aumente las fuentes vegetales de proteínas, como la soja y las legumbres. Cualquier compuesto que afecte al hígado, como el alcohol y la cafeína, reducirá su capacidad de descomposición de las hormonas y, por lo tanto, causará exacerbación en algunos casos de STP.

- Pruebe la vitamina B_6 o el magnesio o, mejor aún, solicite a un profesional de medicina alternativa competente la revisión de esos niveles.

- En caso de carencia, tome vitamina B_6 y magnesio durante un período de prueba, ambos en una cantidad de 3 mg/kg de peso, fraccionados a lo largo del día empezando el día 14 del ciclo y hasta que empiece la regla (el día 1 es el primer día de la regla).

- Adquiera un suplemento de aceite de pescado o de ácido eicosapentaenoico y tome el triple de la dosis diaria recomendada a partir del día 14 y hasta el primer día de la regla. Para las vegetarianas se recomienda el aceite de linaza (una cucharadita por cada 15 kg de peso, aproximadamente, tomada con las comidas).

- Se puede obtener cierta mejoría tomando betacaroteno, 150 mg/kg de peso, y vitamina E, 0,5 UI/kg de peso, en dosis tomadas a lo largo del día.

- El ácido gammalinoleico (3 mg/kg de peso) tomado con el desayuno puede ser beneficioso. Se encuentra en cápsulas de borraja y en el aceite de onagra.

- El regaliz en tintura diluida a 5:1 con agua (1 cucharadita por cada 15 kg de peso, aproximadamente), en dosis divididas con las comidas, puede ser beneficioso.

- La alfalfa contiene fitoestrógenos (estrógenos de las plantas), y deberá considerarse su uso si la prescribe un herbolario.

- Si los remedios indicados no funcionan deberá realizarse un análisis mineralógico del cabello.

- Puede resultar de ayuda tomar bromelaína, el doble de la dosis recomendada de un producto natural de calidad.

- Un estudio ha demostrado que la osteopatía puede reducir los síntomas físicos del STP.

- La acupresión y la acupuntura tienen efectos beneficiosos.

- Los remedios homeopáticos adecuados a los síntomas tendrán efectos beneficiosos, y debe prestarse especial atención a Calcarea carbonica, Sepia, Causticum, Pulsatilla, Ignatia y Kali carbonicum.

- La reflexología, con especial atención a la hipófisis y las glándulas suprarrenales, es una buena ayuda.

- Si todas estas recomendaciones fracasan, considere la posibilidad de acudir a un profesional de medicina alternativa porque ¡casi todo el mundo que practica la medicina se guarda un as en la manga! El uso de progesterona natural derivada del ñame silvestre puede resultar beneficioso si los síntomas se deben a un nivel bajo de progesterona o a la existencia de estrógeno sin oposición, pero debe recetarla un profesional con experiencia en esta área.

- Las técnicas de relajación y meditación a través del yoga o el chi kung pueden ser muy beneficiosas.

- Recurra a los anticonceptivos orales sólo si todas estas medidas han sido ineficaces.

TESTÍCULOS

Los testículos bajan desde el abdomen y descansan en el saco escrotal (escroto) separados del cuerpo porque su función y su maduración dependen de que se encuentren a una temperatura inferior a la corporal. Si se piensa en lo sensibles que son, tienen muy poca protección, aparte de la que le confieren los reflejos en esta área, que son muy rápidos y flexionan el cuerpo por la cintura muy velozmente.

El esperma se produce a gran velocidad, y cada espermatozoide vive aproximadamente cinco días. Si no se produce la eyaculación, el esperma se de-

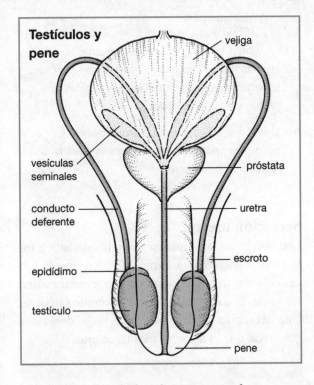

Testículos y pene

- vejiga
- próstata
- uretra
- escroto
- pene
- vesículas seminales
- conducto deferente
- epidídimo
- testículo

bilita y es reabsorbido. El esperma se almacena en una serie de túbulos, denominados conductos deferentes, antes de pasar a la uretra al nivel de la próstata a través de los conductos deferentes.

Es aquí donde el esperma se mezcla con el líquido seminal de la próstata. Este complejo lechoso, levemente viscoso y pegajoso completa el eyaculado y contiene fructosa en grandes cantidades, lo que proporciona a los espermatozoides alimento para su viaje.

Lesiones en los testículos

Cualquier traumatismo causado a los testículos resulta extremadamente doloroso debido al gran número de nervios existentes en la zona. Los testículos están asociados a un complejo de vasos sanguíneos y linfáticos, y cualquier traumatismo puede romperlos y formar quistes. Una lesión de un vaso sanguíneo puede provocar una hemorragia y causar un hematoma (una contusión) que, mientras se produce la coagulación, puede cortar el suministro de sangre y causar gangrena de los testículos.

RECOMENDACIONES

- *Cubra el escroto con un paño lleno de hielo para aliviar la molestia.*

- *Respire hondo para que baje la energía al abdomen inferior.*

- *Tome Arnica 6 cada 10 minutos hasta que el malestar se haya aliviado, y entonces cada 2 horas hasta que haya desaparecido por completo.*

- *Si el dolor no se reduce al cabo de un par de horas, es imprescindible la visita a un médico por si se hubiera producido una lesión más grave. Cualquier retraso puede implicar riesgo de pérdida del testículo.*

TORSIÓN TESTICULAR

El testículo cuelga del saco escrotal para mantenerse lejos del calor corporal (el testículo funciona mejor si está 1 °C por debajo de la temperatura del cuerpo). Para ello es necesario que los vasos sanguíneos y los nervios vayan a lo largo del cordón espermático desde los testículos hacia el pene. El testículo queda anclado en su sitio mediante fibras que pueden estar ausentes por motivos congénitos o haber resultado dañadas por un traumatismo. En tal caso, los testículos pueden girarse y ocluir los vasos sanguíneos, a la vez que causan una presión insoportable sobre los nervios. Si no se corrige este giro o torsión, el testículo morirá por falta de oxígeno y aparecerán gangrena y sus peligros inherentes. No es posible pasar por alto una torsión, excepto en un lactante, dado que el dolor es intensísimo.

RECOMENDACIONES

- *Siga las instrucciones para las lesiones en los testículos (véase **Lesiones en los testículos**).*

- *Todo dolor que persista más de dos horas sin remisión requiere la visita de un médico.*

- *La reparación de una torsión que no se soluciona de forma espontánea es quirúrgica. En una situación de urgencia es posible devolver los testículos a su posición original siempre que el giro se realice en la dirección correcta. El dolor es tal que resulta difícil discernirlo, ya que el alivio no se nota inmediatamente. Sólo alguien con experiencia puede realizar ese giro si no* es posible operar inmediatamente o si el servicio médico está demasiado distante. En cualquier caso, se necesita una operación, ya que hay que fijar los testículos para que no vuelva a ocurrir.

• Se puede tomar el remedio Aconitum 6 cada 10 minutos mientras se espera el tratamiento médico.

• La aplicación de hielo envuelto en un paño puede reducir la hinchazón, pero el mínimo roce puede empeorar el dolor, por lo que ni siquiera el hielo es aconsejable.

• Acepte un tranquilizante intravenoso o anestésico, a pesar de la opinión de la medicina alternativa sobre estos fármacos. Ni el más valiente es capaz de soportar el dolor de la exploración y menos aún el del tratamiento.

• Véase **Cirugía**.

TRICOMONAS

Trichomonas son unos protozoos causantes de infecciones uterinas y vaginitis.

RECOMENDACIÓN

• Véase **Clamidias**, ya que el tratamiento es idéntico.

URETRA

La uretra es el conducto que se extiende desde la vejiga hasta el pene o hasta la pared superior de la vagina. En el extremo superior, justo por debajo de la vejiga, se encuentran válvulas controladas de forma consciente e inconsciente (relacionadas con la próstata en los varones) que permiten el flujo de orina. Las bacterias pueden subir hacia la uretra desde la superficie externa de la piel, pero suelen ser expulsadas por el flujo de la orina de forma regular. La uretra masculina es un tubo alargable que permite la erección, pero que constituye un pasillo bastante largo por el que las bacterias difícilmente llegan a infectar la vejiga. La uretra en las mujeres es mucho más corta, sobre todo en las jóvenes, lo que aumenta las posibilidades de infección y de cistitis.

RECOMENDACIONES

• La higiene externa es extremadamente importante. Es imprescindible lavar los genitales, especialmente a una edad temprana o después de las relaciones sexuales.

• Una buena hidratación que proporcione micciones frecuentes constituye una medida de protección importante.

Secreción uretral

Una secreción de la uretra suele ir asociada a infección bacteriana, aunque también puede ser causada por una infección por una levadura como *Candida*. El color suele delatar al agente causante. Una secreción amarilla-verdosa suele deberse a gonorrea, que es la causa más frecuente.

RECOMENDACIONES

• Inicie inmediatamente el tratamiento ingiriendo agua para limpiar el organismo.

• Recoja una muestra de orina para su análisis.

• Se recomienda recoger un frotis uretral para establecer un diagnóstico preciso y elegir el antibiótico correcto si es necesario.

• Véase el tratamiento en **Cistitis**.

Estenosis uretral

Una estenosis es una obstrucción, normalmente causada por un tejido cicatrizal. Las malformaciones congénitas pueden ser responsables de un pequeño porcentaje de estenosis. El tejido cicatrizal suele formarse tras una infección grave o problemas recidivantes y, si es de gravedad, puede impedir el flujo de orina o causar dolor cuando ésta fluye.

RECOMENDACIONES

• Cualquier dificultad en el flujo de la orina requiere la visita al urólogo.

• Empiece a tomar el remedio homeopático Silica 30, 3 veces al día durante 2 semanas, porque este remedio puede eliminar el tejido cicatrizal no deseado.

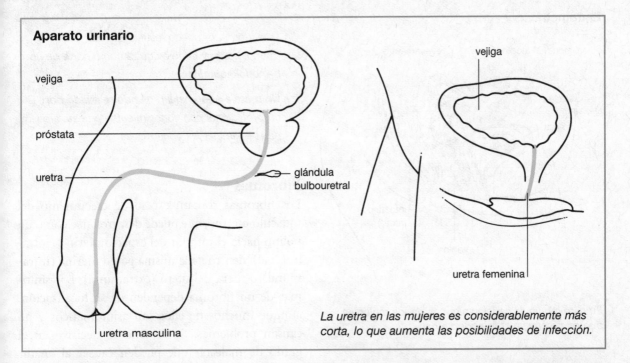

Aparato urinario

vejiga

próstata

uretra

glándula
bulbouretral

uretra masculina

vejiga

uretra femenina

La uretra en las mujeres es considerablemente más corta, lo que aumenta las posibilidades de infección.

- *Puede ser necesario eliminar manualmente la estenosis, operación que se realiza introduciendo una varilla metálica en el pene con anestesia general y en condiciones quirúrgicas. Si se necesita esta maniobra, véase* **Cirugía***.*

Uretritis inespecífica

Uretritis inespecífica es un término inicialmente pensado para los síntomas de la cistitis (*véase* **Cistitis**) sin una causa aparente. Se dio por supuesto que la uretritis inespecífica era causada por un virus, pero durante las últimas dos décadas se ha empezado a pensar que los culpables son dos microorganismos denominados *Mycoplasmas* y *Chlamydia*. En la mayoría de los casos, estos dos microorganismos originan infecciones vaginales que con frecuencia son asintomáticas. En el peor de los casos pueden ascender hasta entrar en el útero y causar salpingitis (inflamación de las trompas de Falopio; *véase* **Salpingitis**) pero con frecuencia provocan uretritis.

La uretritis inespecífica también puede ser un seudónimo de cistitis de la luna de miel, creada por la fricción de la relación sexual. En mi opinión, su auténtica definición queda de este modo desdibujada.

RECOMENDACIONES

- *Véase en* **Cistitis** *el tratamiento sintomático específico.*

- *Si se aíslan mycoplasmas o clamidias, se recomienda el tratamiento de la bóveda de la vagina. El tratamiento con uno o varios de los siguientes elementos puede resultar beneficioso si se utiliza por la mañana y por la noche: pesarios, árbol del té, espliego, cúrcuma canadiense y caléndula.*

ÚTERO Y PROBLEMAS UTERINOS
Endometriosis

La endometriosis es un trastorno doloroso caracterizado por malestar en las áreas pélvica o abdominal a menudo asociado a cambios cíclicos debido al aumento de los niveles de estrógenos justo antes de la regla y durante ésta.

Esta dolencia se debe a la presencia de la capa interna del útero (el endometrio) en localizaciones anómalas, como la parte externa del útero, las trompas de Falopio o los ovarios, o adosada a los intestinos o a otros órganos, como la vejiga o la pared abdominal.

El dolor se produce porque ese tejido endometrial se comporta con respecto a los niveles de es-

Endometriosis

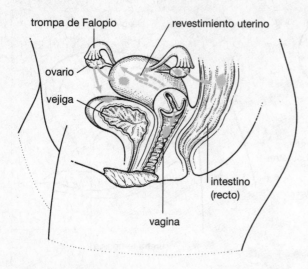

trompa de Falopio

revestimiento uterino

ovario

vejiga

intestino (recto)

vagina

En este dibujo se señalan algunos de los múltiples puntos de crecimiento endometrial.

trógeno y progesterona igual que el endometrio situado dentro del útero. Se llena de sangre y se hincha como si esperara un óvulo fertilizado: esa hinchazón causa inflamación y dolor en ese punto.

Según su localización y la cantidad de tejido desplazado, la endometriosis puede causar otros problemas, como dolor durante las relaciones sexuales, esterilidad y problemas intestinales y de vesícula.

El enfoque ortodoxo consiste en bloquear el ciclo menstrual utilizando píldoras anticonceptivas o fármacos que inhiben la hipófisis (glándula que controla el ciclo femenino). Quizá sea necesaria una operación quirúrgica, ya sea laparoscópica o abierta, para eliminar los depósitos agresivos o de gran tamaño.

RECOMENDACIONES

- *Consulte con un herbolario. Los fitosteroles tienen un débil efecto estrogénico que puede bloquear los estrógenos naturales y, por lo tanto, reducir la hinchazón del endometrio. Se puede considerar el uso de hierbas como el dong quai, la glicirriza, la raíz de diente de león y otras.*

- *Consulte a un homeópata. Según los síntomas pueden obtenerse efectos beneficiosos con diversos remedios homeopáticos.*

- *La acupuntura puede resultar útil como tranquilizante y también quizá como parte de un protocolo curativo.*

- *Un masaje abdominal profundo realizado por un profesional con conocimientos en esta área puede eliminar las adherencias.*

Fibromas

Los fibromas son un exceso de crecimiento del músculo uterino, que puede desarrollarse como un pólipo hacia el interior del espacio uterino (intraluminal), dentro de la misma pared uterina (intramural) o fuera del útero (extramural). Los síntomas de un fibroma dependen de su localización, aunque muchos de ellos son asintomáticos y no causan problemas. Su tamaño es decisivo en el grado de malestar que pueden causar al añadir peso al útero, que a su vez ejerce presión sobre los nervios sacros y, quizá, lumbares, con el consiguiente dolor y malestar.

Fibromas intraluminales

Son los que crecen hacia el interior del útero. Algunos de sus síntomas son aumento de la hemorragia (menorragia), reglas dolorosas (dismenorrea), dolor durante las relaciones sexuales (dispareunia) y, con menor frecuencia, malestar general. Los fibromas intraluminales son causa de esterilidad y pueden descubrirse cuando una pareja empieza a investigar ese preocupante problema.

Fibromas intramurales

Los fibromas que se encuentran en la pared del útero pueden originar todos los problemas asociados a los fibromas intraluminales y son más frecuentes.

Fibromas extramurales

Son los que crecen hacia el abdomen; no entrañan el mismo número de complicaciones, aunque el dolor durante las relaciones sexuales y las molestias inducidas por presión son los principales síntomas para descubrirlos. La medicina ortodoxa no conoce con seguridad la causa de los fibromas, pero la opinión unánime en el mundo de la medicina holísti-

Fibromas

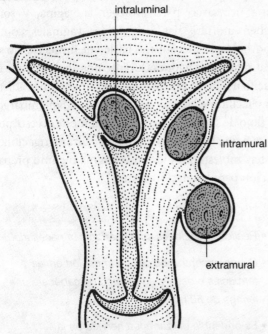

intraluminal

intramural

extramural

ca indica que se trata de un exceso de energía que se acumula en la pelvis, el útero o el chakra inferior (*véanse* **Menorragia** *y* **Dismenorrea**).

Los fibromas están mucho más condicionados por el nivel de estrógenos que la formación del tejido endometrial, que se halla bajo el control de la progesterona. Es necesario tener este hecho en cuenta cuando se consulte el apartado sobre la menorragia. Con frecuencia, los fibromas se reducen durante la menopausia (cuando descienden espectacularmente los niveles de estrógeno), por lo que puede considerarse la progesterona para el tratamiento de los fibromas.

RECOMENDACIONES

• *Consulte las recomendaciones incluidas en el apartado sobre menorragia.*

• *Se debe considerar el uso de remedios homeopáticos de alta potencia, especialmente Calcarea iodata y Thuya.*

• *La progesterona natural absorbida por el organismo a través de la piel puede tener efectos muy beneficiosos, pero con frecuencia hay que tomarla durante dos años seguidos. Además, su uso requiere el seguimiento monitorizado realizado por un médico o un profesional de la*

medicina alternativa con experiencia en este campo. Recuerde que la progesterona natural se extrae actualmente del ñame silvestre (ninguna otra batata silvestre tiene la misma eficacia demostrada), pero no puede pasar por el ácido del estómago, por lo que no está disponible en forma de píldora.

• *El tratamiento ortodoxo se limita a procedimientos quirúrgicos, ya sea mediante legrado o con técnicas modernas que utilizan el láser. Cada vez es menos frecuente, pero la histerectomía sigue recomendándose en demasiadas ocasiones.*

VAGINA
Cuidado de la vagina

La vagina es una zona del organismo con una resistencia considerable. Se encuentra en la entrada del cérvix uterino y del útero, y a la salida del sistema urinario. La vagina está a unos 2,5 cm de distancia del ano.

Las relaciones sexuales introducen material extraño y el acto sexual en sí mismo puede resultar bastante irritante. La vagina debe actuar como barrera protectora de la matriz mientras sufre la presión de todas esas influencias externas.

La bóveda de la vagina tiene sus propias secreciones protectoras, en las que viven bacterias beneficiosas que atacan a los microorganismos invasores y compiten con ellos. Las secreciones vaginales contienen muchas inmunoglobulinas y glóbulos blancos preparados para esta actividad. Esas secreciones también deben contar con la lubricación necesaria para permitir las relaciones sexuales, y deben ser lo bastante receptivas para no atacar y matar el esperma, lo que reduciría las probabilidades de fertilización.

La vagina compagina todo esto mediante un sistema regulador muy preciso que mantiene el equilibrio ácido-básico, en gran medida bajo el control del sistema hormonal, especialmente los estrógenos y la progesterona. En diferentes momentos del ciclo se producen distintos niveles de esas hormonas femeninas, lo que a su vez afecta a la producción celular de esas secreciones. Éstas tienden a espesarse y a

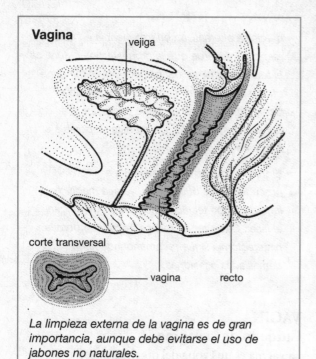

Vagina

vejiga

corte transversal

vagina

recto

La limpieza externa de la vagina es de gran importancia, aunque debe evitarse el uso de jabones no naturales.

sano produce la lubricación y la respuesta inmunitaria necesarias para proteger la vagina, y sólo deben utilizarse las irrigaciones vaginales como apoyo de este mecanismo básico de limpieza. No se realizarán irrigaciones durante una regla porque el cuello del útero puede estar ligeramente más abierto y facilitar el acceso de la infección. Sin embargo, el flujo de sangre suele contrarrestar este acceso, por lo que puede ser recomendable realizar irrigaciones si hay molestias u olor en la vagina o como preparación para la relación sexual.

RECOMENDACIONES

- *Realice irrigaciones sólo cuando sea necesario.*

- *Puede encontrar bolsas de irrigación en las farmacias o pedir a su médico de cabecera una jeringa de 50 ml.*

- *Es preferible utilizar agua hervida en la preparación de una irrigación.*

- *Para obtener una solución limpiadora básica basta con añadir una cucharada de vinagre de sidra a 500 ml de agua, o una cucharada de yogur con bacterias vivas a la misma cantidad de agua. Si existe secreción vaginal o infección se pueden duplicar estas cantidades.*
Se pueden realizar irrigaciones con esas soluciones hasta cada 4 horas, y pueden resultar muy beneficiosas en caso de infecciones.

- *Puede utilizarse ácido bórico (500 mg en 250 ml de agua), pero no más de una vez a la semana.*

- *Se pueden hacer soluciones para irrigaciones a partir de cúrcuma canadiense, aceite del árbol del té y sulfato de cinc (una cucharada de una solución al 2% en 500 ml de agua), pero éstas suelen utilizarse para tratamiento, y no como higiene regular.*

- *Es posible utilizar loción de árnica o caléndula diluyendo una cucharada en 500 ml de agua.*

- *Se pueden usar todas las soluciones comentadas anteriormente hasta un máximo de 4 veces al día en caso de infecciones agudas, pero si no se observa mejoría después de 5 días es necesario consultar al médico o al ginecólogo.*

adoptar una consistencia viscosa característica cuando se acerca el momento de la ovulación, lo que supone una gran ventaja para las probabilidades de supervivencia del esperma.

La higiene externa es importante; limpiar la salida de la uretra desde la vagina hacia delante es una conducta aprendida tan importante como limpiar el ano hacia atrás y hacia arriba. Deben evitarse los jabones, ya que interfieren con la flora bacteriana normal. Los únicos agentes limpiadores que se pueden utilizar son el agua fresca y los jabones naturales. No es conveniente emplear perfumes vaginales. Todo olor desagradable suele deberse a problemas dietéticos, a desequilibrios hormonales o a infecciones, y deben recibir el tratamiento adecuado. La limpieza es especialmente importante durante la menstruación. La sangre vieja es un medio perfecto para el crecimiento de las bacterias. En teoría, las compresas externas son más higiénicas que los tampones internos, pero no son tan populares y pueden generar mayor incomodidad y olores. En cualquier caso, es necesario cambiar tanto unos como otras con frecuencia.

Irrigaciones vaginales

No es necesario realizar irrigaciones vaginales como mecanismo regular de limpieza. El cuerpo

Cuerpos extraños

Es posible encontrar un cuerpo extraño en la vagina de niñas o lactantes que presentan secreción. Es menos frecuente que las mujeres adultas desconozcan el contenido de su vagina, aunque los tampones a veces se dejan olvidados demasiado tiempo. Las bacterias tienen predilección por los tampones empapados en sangre, y un síndrome conocido como síndrome del shock tóxico (SST) se produce con sorprendente frecuencia. En este síndrome las bacterias crecen con gran rapidez, liberan toxinas y causan toxicidad grave, que no es raro que acabe en muerte.

RECOMENDACIONES

- *No olvide que ha introducido objetos en su vagina, ya sea por motivos médicos o por placer.*

- *El lavado diario debería incluir una breve inspección utilizando los dedos, especialmente cuando se acerca la regla.*

- *Cualquier objeto cuya extracción resulta difícil debe dejarse en la vagina y acudir a un médico para que proceda a su extracción.*

Dolor vaginal

El dolor en la vagina suele asociarse a un traumatismo tras relaciones sexuales violentas o agresivas o a la inserción traumática de objetos extraños. La inflamación debida a una vaginitis, especialmente la infección, puede causar dolor vaginal.

Con frecuencia se pasa por alto el pinzamiento de un nervio de la columna vertebral inferior, y se ha afirmado que la alergia a un alimento puede originar una variación de las secreciones vaginales normales y causar irritación y molestias.

En ocasiones, el dolor de los labios de la vulva (vulvodinia) se presenta sin causa conocida. Se cree que esta dolencia tiene una base neurológica y no es un problema local.

RECOMENDACIONES

- *Cualquier posible dolor en la vagina que carezca de causa obvia, que sea grave o persistente requiere la intervención de un médico general o un ginecólogo.*

- *Si se presenta asociado a dolor de espalda o es persistente, independientemente de los tratamientos para problemas específicos, puede aliviarse mediante osteopatía, sobre todo con el uso de tracción ambulatoria como la ofrecida por un aparato de pesos ligeros preparado durante unos minutos por un especialista en osteopatía.*

- *Se debe considerar una posible alergia a un alimento para las molestias vaginales sin explicación y que no desaparecen.*

- *El antidepresivo amitriptilina puede resultar beneficioso en la vulvodinia implacable.*

Infecciones de la vagina

Las infecciones vaginales pueden ser asintomáticas (sin síntomas) o presentarse con una secreción transparente o de color, con irritación o dolor, o descubrirse únicamente durante la relación sexual.

En la bóveda de la vagina hay gran cantidad de bacterias beneficiosas que compiten con las perjudiciales por el alimento, con lo que mantienen a éstas a raya. Siempre que se mantenga la higiene de forma regular, las infecciones vaginales no son frecuentes.

Un problema persistente requiere un examen médico, tras el cual se puede enviar un frotis al laboratorio para pedir su cultivo y determinar si se está desarrollando algún germen. Los antibióticos constituyen la primera línea de tratamiento en la medicina ortodoxa, pero sólo deben usarse como último recurso.

RECOMENDACIONES

- *Dependiendo de los síntomas, véanse **Secreción vaginal** y **Vaginitis**.*

- *Se puede considerar el uso de aceite del árbol del té, de espliego, de pesarios de cúrcuma canadiense o caléndula, o cualquier combinación de ellos, siguiendo las instrucciones del profesional que los prescriba.*

- *Las infecciones por clamidias o mycoplasmas pueden justificar el uso de un antibiótico como tratamiento de primera línea. Véase el apartado correspondiente de este libro sobre las respectivas infecciones.*

Irritación o picor vaginal

El picor de la vagina suele localizarse en los labios externos (vulva), pero puede estar en cualquier punto. Generalmente está causado por infecciones menores o por dermatitis de contacto debida a cremas y desodorantes que han causado irritación. En algunas mujeres, la menopausia reduce las secreciones normales, lo que automáticamente fomenta la sequedad y las posibles infecciones. Las diferentes fases del ciclo menstrual normal pueden alterar el nivel de secreción, de protección y de la flora vaginal normal, lo que puede causar irritación.

La calidad de las secreciones vaginales depende de la nutrición; las deficiencias de nutrientes y el exceso de azúcar y de tóxicos, como los provenientes del tabaco y del alcohol, pueden hacer que los irritantes se manifiesten a través de las secreciones. La falta de higiene provoca una irritación con leve infección, y las infecciones fúngicas debidas a hongos cutáneos pueden afectar a la vagina igual que el pie de atleta.

RECOMENDACIONES

- *Siga las recomendaciones indicadas para el cuidado de la vagina. Véanse Irrigaciones vaginales y Sequedad vaginal.*

- *Cuide la hidratación bebiendo cada día 2 litros de agua.*

- *Se pueden tomar los remedios homeopáticos Sulphur o Graphites, a potencia 6, 4 veces al día hasta que haya seleccionado el mejor remedio en un manual de homeopatía de referencia.*

- *Se puede aplicar crema o loción de árnica o caléndula con la frecuencia necesaria para reducir la irritación.*

Olor vaginal

El olor suele deberse a una infección por bacterias o levaduras que se ha instalado en la bóveda de la vagina a pesar de la flora vaginal normal del cuerpo. La flora normal tiene un olor característico, pero no es desagradable.

Las secreciones vaginales, al igual que las de cualquier otra parte del organismo, reflejan los contenidos del torrente sanguíneo, y la dieta tendrá una fuerte influencia en el olor.

RECOMENDACIONES

- *Conceda la importancia necesaria a la dieta y a las infecciones leves. Corrija la nutrición y visite a un médico para que obtenga un frotis que permita el aislamiento del microorganismo causante.*

- *Consulte el apartado correspondiente si existe infección.*

- *Véase Irrigaciones vaginales y utilice esa técnica una vez tomada la muestra o el frotis.*

- *No use desodorantes vaginales directamente, ya que interfieren en la flora vaginal normal. En su lugar, si es necesario, desodorice el área de la ingle de las ropas más externas.*

Secreción vaginal (flujo)

La secreción vaginal se debe a un exceso de secreción o a la acción de los mecanismos de defensa vaginales. Lo primero suele ir asociado a excitación sexual o a estimulación hormonal o neurológica. Lo segundo es una reacción general en un intento de eliminar cualquier objeto u organismo extraño que causa irritación.

Candida suele producir una secreción blanquecina y espesa con un olor típico de levadura, además de dolor y picor. Una secreción verde-amarillenta indica infección bacteriana, siendo los estreptococos o las tricomonas los más frecuentes. Una secreción gris suele ir asociada a *Gardnerella*, y la clamidia habitualmente produce una secreción clara y fluida.

RECOMENDACIONES

- *Siga las instrucciones del apartado sobre las irrigaciones.*

- *Utilice el remedio homeopático Kreosotum 6, 4 veces al día si se sospecha la presencia de*

Candida, y Mercurius 6 para cualquier otra infección hasta que pueda realizar una selección más precisa en un manual de homeopatía o con un homeópata.

- *Si existe infección, deje la cafeína, el alcohol, el tabaco y la ingestión de cualquier otra droga.*

- *Asegúrese de que su hidratación es la correcta.*

Sequedad vaginal

La lubricación es producida por células especiales que recubren las paredes vaginales y están bajo la influencia de los estrógenos y la progesterona. Estas células son controladas por el sistema nervioso autónomo (involuntario) y tanto las hormonas como estos nervios estimulan la producción de lubricante en respuesta a los estímulos sexuales.

La sequedad general puede deberse a problemas neurológicos, pero lo más frecuente es que la causa sea la reducción de la actividad o de la producción hormonales. La menopausia se caracteriza por generar sequedad vaginal.

La falta de secreciones conduce a una disminución de la protección de la bóveda de la vagina debido a una pérdida de las inmunoglobulinas y de los glóbulos blancos que atacan a los microorganismos invasores. La flora vaginal normal también necesita un entorno húmedo, el cual también se ve reducido. Las relaciones sexuales se vuelven dolorosas o irritantes.

RECOMENDACIONES

- *La sequedad vaginal sin razón aparente, pero con frecuencia debida a la edad, requiere el examen de un médico o de un profesional de medicina alternativa.*

- *Asegúrese de que no hay deshidratación bebiendo 2 litros de agua por día.*

- *Si se descartan posibles desequilibrios hormonales y no se encuentra una alteración neurológica, considere el uso de lubricantes. La vaselina es el más conocido, aunque pueden utilizarse cremas con vitamina E o aceite de oliva.*

- *Asegúrese de que la fase previa es la adecuada antes de la relación sexual. Este hecho es especialmente importante después de la menopausia, cuando la lubricación disminuye fisiológicamente pero todavía puede producirse si se proporciona el estímulo adecuado.*

- *Se deben revisar los remedios homeopáticos Belladonna, Lycopodium y Natrum muriaticum, y elegir el más adecuado a cada constitución.*

Vaginismo

El vaginismo es un espasmo doloroso de la vagina creado por contracción de los músculos de la pared vaginal. Se trata de una afección nerviosa habitualmente asociada con la agitación de la relación sexual. Aunque se produce con mayor frecuencia en adolescentes, este trastorno puede persistir y resultar doloroso y embarazoso.

RECOMENDACIONES

- *El vaginismo no es una enfermedad y es tratable, pero requiere tratamiento psicológico. Consulte a un psicoterapeuta con experiencia en disfunciones sexuales.*

- *No intente forzar la relación sexual, aunque la inserción digital puede eliminar, al menos en parte, la expectativa del dolor.*

Vaginitis

El picor, la secreción, la quemazón, el enrojecimiento y el dolor durante las relaciones sexuales pueden ser síntomas de vaginitis.

La vagina es una parte notablemente resistente de la anatomía, si se tiene en cuenta lo que resiste durante las relaciones sexuales y las sustancias extrañas que la invaden, como el esperma, las irrigaciones, los desodorantes, los tampones, los preservativos, etc. La vagina también aloja muchas bacterias, la mayoría de las cuales resultan útiles y atacan a las bacterias dañinas, pero también entre las colonias se esconden pequeñas cantidades de «malas» bacterias que no entrañan riesgos hasta que la flora vaginal sana normal se ve modificada por el uso de antibióticos y otros fármacos y elementos químicos como perfumes e irrigaciones farmacéuticas. El desequilibrio hormonal, con frecuencia ocasionado por los anticonceptivos orales y por el consumo de carnes que contienen estrógenos, puede causar vaginitis. El exceso de azúcar blanco y de alimentos concretos que causan alergia también estimula el crecimiento de hongos y bacterias perjudiciales.

RECOMENDACIONES

- *Mantenga una buena higiene con baños diarios y lavando la vagina tras las relaciones sexuales con agua o con una irrigación natural (véase Irrigaciones vaginales). Compruebe que el área entre el ano y la vagina (el perineo) queda limpia enviando el agua en dirección contraria a la de la abertura vaginal.*

- *Si se ve obligada a utilizar una irrigación química o con antibióticos, asegúrese de conseguir la protección necesaria mediante la medicina alternativa, incluidas las irrigaciones naturales y la ingestión de altas dosis de Lactobacillus acidophilus o un equivalente.*

- *Evite los azúcares refinados (azúcar blanco) y los alimentos que lo contienen durante un episodio agudo.*

- *Resulta beneficioso utilizar pesarios vaginales que contengan uno de los siguientes principios o una combinación de ellos siguiendo las instrucciones del envase o las del profesional de la medicina alternativa: aceite de árbol del té, cúrcuma canadiense, caléndula.*

- *Si el problema persiste a pesar del tratamiento, al cabo de 5 días se impone la visita al médico de cabecera o al ginecólogo. Si cualquier tipo de malestar parece desplazarse hacia el útero o el abdomen inferior, visite a su especialista inmediatamente.*

VERRUGAS GENITALES

Las verrugas genitales (condilomas) se deben a un grupo de virus conocidos como virus del papiloma humano (VPH). Hay más de treinta tipos de VPH, dos de los cuales pueden causar una afección cancerígena en el cuello del útero. La mayoría no constituye un peligro desde el punto de vista médico, pero resultan muy infecciosas, causan desfiguración y provocan vergüenza.

Se presentan como pequeñas proyecciones similares a verrugas y se encuentran en cualquier parte del pene o dentro de la vagina, con mayor frecuencia en las superficies húmedas.

Al igual que en la mayoría de las infecciones, es posible que el problema no radique en el área infectada, sino en el sistema inmunológico general. Es necesario, por lo tanto, potenciar la salud general.

Las verrugas rara vez presentan cambios malignos, pero si una verruga sangra, pica, crece con rapidez o cambia de color, se recomienda buscar rápidamente el asesoramiento de un dermatólogo.

RECOMENDACIONES

- *El mejor tratamiento es la prevención, y debe animarse a los pacientes a que se autoexploren para reducir el riesgo de extensión de las verrugas.*

- *Mantener relaciones sexuales con preservativo es una protección muy efectiva.*

- *Es posible utilizar con garantía de seguridad algunas aplicaciones tópicas específicas, pero prestando especial atención a la advertencia de no aplicar el compuesto sobre la piel sana circundante. Además, es necesario tener en cuenta que los compuestos utilizados para las verrugas en otras partes del cuerpo no son adecuados para las verrugas genitales.*

- *Véase Verrugas.*

- *Las verrugas, al igual que cualquier infección vírica, dependen de un sistema inmunológico deprimido. Siga un programa de desintoxicación durante unos cuantos días y considere la posibilidad de consultar con un experto en nutrición para revisar su dieta y estilo de vida.*

- *Se puede considerar el empleo de remedios homeopáticos según el tipo y la localización de las verrugas, pero debe prestarse especial atención a Nitricum acidum y Thuya.*

- *Puede ser necesario recurrir a la intervención quirúrgica si las verrugas se están transformando o extendiendo. Quizá sea necesario utilizar diatermia (quemadura), aplicación de nitrógeno líquido (congelación) y, en muy raras ocasiones, la escisión quirúrgica.*

- *Las verrugas víricas no indican falta de higiene ni promiscuidad. Pueden haber permanecido latentes a partir de un contacto sexual ocurrido muchos años antes. Es necesario hablar del tema sin tapujos. Recuerde que el uso de preservativo proporciona seguridad.*

VERRUGAS VAGINALES
Véase **Verrugas genitales.**

APARATO LOCOMOTOR

COCCIGODINIA
Nunca he conocido un profesional no médico que hubiera oído hablar de este trastorno, aunque casi todos los pacientes a quienes he preguntado lo han sufrido en algún momento. La coccigodinia es simplemente dolor en la región del cóccix, que es el hueso que constituye el extremo final de la columna vertebral, o sobre la hendidura de las nalgas. La mayoría de la gente ha sufrido en algún momento un golpe en este hueso a causa de una caída, lo que provoca un gran malestar, aunque el dolor puede originarse en el área no traumatizada debido a la compresión de nervios y a espasmo muscular.

RECOMENDACIONES

- *En cuanto sea posible, comience a utilizar el remedio Arnica 6, 4 píldoras cada hora. Aplique árnica en crema y evite sentarse sobre superficies duras.*

- *El dolor que persiste requiere la visita a un osteópata con conocimientos sobre osteopatía craneal. Los quiroprácticos y los acupuntores también pueden tener algo que decir al respecto.*

- *Los baños calientes y las bolsas de agua caliente pueden conseguir un alivio instantáneo.*

CONGELACIÓN
Congelación es el término no médico que designa la pérdida de la circulación en una zona del cuerpo tras la exposición al frío extremo. La zona congelada suele estar fría, dura, pálida o veteada y, contrariamente a la creencia popular, no produce dolor. Se nota un dolor inicial cuando el frío se instala en la zona, pero los nervios quedan entumecidos y el frío y el dolor sólo reaparecen cuando se calienta el área. Sin tratamiento, los tejidos mueren y se produce gangrena.

Los individuos con mala circulación tienen más tendencia a la congelación, que puede producirse a temperaturas más altas que para el resto de la población. Los fumadores, los diabéticos y las personas que toman ciertos fármacos, como los beta-bloqueantes, pueden presentar una mayor predisposición.

RECOMENDACIONES

- *No caliente el área rápidamente. Coloque la zona afectada en contacto con una parte caliente del cuerpo; por ejemplo, coloque la mano en la ingle o en la axila.*

- *Actúe con sentido común: cubra a la persona con mantas o abrigos y busque un sitio donde cobijarse.*

- *Proporcione bebidas tibias, pero no demasiado calientes.*

- *Administre calmantes si no hay un hospital cerca y utilice el remedio homeopático Apis 30 cada 15 minutos mientras se va calentando la parte afectada.*

- *La piel y los tejidos dañados pueden responder al remedio Agaricus muscarius 30, 4 veces al día durante 5 días.*

- *Aplique crema de árnica sobre el área de la lesión y por encima de ésta para favorecer la circulación.*

DISLOCACIONES
Normalmente una articulación está formada por dos o más superficies óseas opuestas entre sí. Están cubiertas por capas de cartílago y rodeadas y separadas por un fluido oleoso denominado líquido si-

novial. Las superficies articulares se mantienen unidas entre sí por fibras fuertes, los ligamentos, y los músculos conectan ambos lados de la articulación mediante la inserción de los tendones en unos pocos centímetros. Se produce una dislocación cuando las dos superficies articulares dejan de estar opuestas entre sí. Una articulación puede separarse y permanecer sin oposición, o puede volver a su sitio tras haberse dislocado. En esos casos se denomina dislocación persistente o reducida respectivamente. La dislocación parcial de una articulación se denomina subluxación, y suele reducirse espontáneamente a su lugar.

La dislocación y la subluxación suelen producirse por lesión, aunque también son importantes algunas afecciones que debilitan los ligamentos que mantienen las articulaciones en su sitio o la musculatura que proporciona protección añadida a la estabilidad de las articulaciones. Las dislocaciones pueden dañar los vasos sanguíneos, el sistema linfático y los tejidos nerviosos asociados a la articulación, y el dolor de una dislocación puede ocultar el daño causado a un cartílago o incluso a un hueso fracturado. Por esta razón debe buscarse atención médica siempre que se produce una dislocación.

Con frecuencia es difícil reconocer una dislocación, especialmente si está reducida o si se trataba de una subluxación. Una dislocación persistente muestra una irregularidad en la articulación, inmovilidad y un dolor considerable. Una articulación reducida o subluxada puede resultar menos aparente. El hombro es la articulación del cuerpo que se disloca con mayor frecuencia, y se comenta en la sección dedicada al hombro (*véase* **Dislocación del hombro**).

RECOMENDACIONES

- *La sospecha de una posible dislocación de cualquier tipo debería tratarse de forma urgente. Compruebe que existe flujo sanguíneo en la parte del cuerpo más alejada de la supuesta dislocación buscando el pulso y controlando si el área aparece fría o azulada. Consiga atención médica lo antes posible.*

- *Es aconsejable realizar una radiografía.*

- *No tema utilizar analgésicos, especialmente si hay que reducir la articulación.*

- *Utilice el remedio homeopático Arnica hasta una potencia 30 cada 30 minutos hasta que se haya reducido y entablillado la articulación. A partir de ese momento tome Arnica 30 y Ruta 30 alternativamente cada 4 horas durante 5 días.*

- *Tome extracto líquido de ruda, una variedad de aminoácidos, minerales y multivitaminas, para ayudar a acelerar el proceso de reparación. Las cantidades varían según el individuo y la magnitud de la lesión. Un profesional naturópata puede proporcionarle los consejos que necesita.*

- *La aplicación de crema de árnica y caléndula atraen sangre al área y ayudan en la curación.*

Dislocación y subluxación de la rodilla

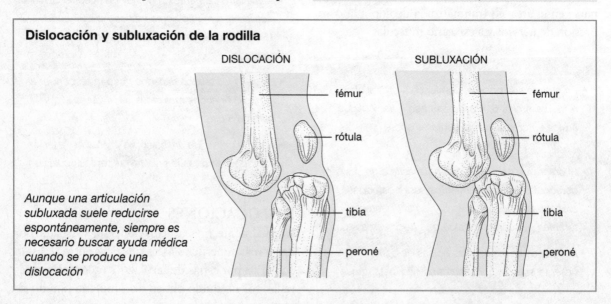

DISLOCACIÓN — fémur, rótula, tibia, peroné

SUBLUXACIÓN — fémur, rótula, tibia, peroné

Aunque una articulación subluxada suele reducirse espontáneamente, siempre es necesario buscar ayuda médica cuando se produce una dislocación

- *La acupuntura elimina el dolor que pueda persistir.*

- *Según la articulación afectada, el experto que trate la lesión recomendará un período de tiempo de inmovilización imprescindible. No reduzca el tiempo de inmovilidad porque causará una nueva dislocación, ya que los tejidos no habrán tenido tiempo de repararse.*

- *Se recomienda una valoración osteopática o quiropráctica, porque una lesión en una articulación causará inevitablemente una presión añadida en la articulación opuesta del cuerpo, y también en las articulaciones situadas por encima y por debajo de la lesión. No es raro que se produzca dolor de espalda después de una lesión corporal, debido a un desequilibrio en la estructura y en el punto de apoyo naturales del cuerpo.*

- *Se recomienda consultar a un especialista ortopédico, pero si el problema se repite quizá requiera una intervención quirúrgica.*

DOLOR DE ESPINILLA

El dolor de espinilla es el término coloquial para la afección médica conocida como síndrome del compartimiento tibial anterior. En la cara externa de la tibia (el hueso de la espinilla), en la parte frontal de la pierna, se encuentran los músculos que permiten la flexión del pie hacia arriba. Esos músculos están protegidos por una vaina fibrosa dura, que es el compartimiento tibial anterior. La presión y la inflamación dentro de este compartimiento causan un malestar sordo con períodos de dolor agudo que suele asociarse al movimiento o que empeora con éste.

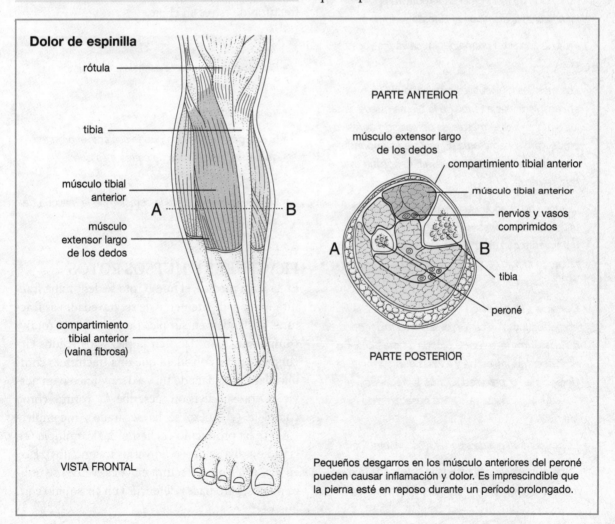

Dolor de espinilla

rótula

tibia

músculo tibial anterior

A — — — B

músculo extensor largo de los dedos

compartimiento tibial anterior (vaina fibrosa)

VISTA FRONTAL

PARTE ANTERIOR

músculo extensor largo de los dedos

compartimiento tibial anterior

músculo tibial anterior

nervios y vasos comprimidos

A   B

tibia

peroné

PARTE POSTERIOR

Pequeños desgarros en los músculo anteriores del peroné pueden causar inflamación y dolor. Es imprescindible que la pierna esté en reposo durante un período prolongado.

De hecho, el término «dolor de la espinilla» no tiene nada que ver con la espinilla, sino que se trata de pequeños desgarros de los músculos situados en este compartimiento, que provocan la salida de fluido hacia los tejidos, lo cual causa a su vez una presión excesiva en esta área muy estrecha. La presión genera disminución del flujo sanguíneo, lo que provoca isquemia (falta de oxígeno), que es percibida por los nervios y enviada como impulso doloroso al cerebro.

RECOMENDACIONES

- Ante el primer signo de esta dolencia, permanezca en reposo. Si continúa ejercitando esta área, empeorará la situación y dificultará el tratamiento. Si la situación es realmente mala puede ser necesario un período de inactividad de hasta seis semanas.

- Si bien el calor puede resultar más calmante, la aplicación de hielo en el área reducirá la inflamación al disminuir el flujo de sangre.

- Frote la zona con crema de árnica varias veces al día.

- Los masajes muy suaves moviendo el fluido encapsulado hacia arriba de la pierna puede aliviar los síntomas. Si el masaje es demasiado agresivo empeorará el hematoma. El masaje es importante una vez que la afección ha remitido porque evitará que se repita.

- Quienes no conocen la fisiología subyacente utilizan en ocasiones los ultrasonidos o el tratamiento con calor profundo, lo que sólo favorece el flujo sanguíneo y prolonga la situación y el problema.

- Considere la utilización de los remedios homeopáticos Arnica, Bryonia, Rhus toxicodendron o Ruta. Tome la potencia 6 cada 3 horas cuando empiecen las molestias y a los 3 días aumente la potencia a 30, pero reduciendo la frecuencia a 2 veces al día hasta que haya desaparecido la afección.

- La acupuntura puede aportar alivio instantáneo.

- Debe considerarse el uso de la osteopatía porque las técnicas de manipulación pueden ayudar al drenaje linfático, con lo que se elimina el fluido excesivo, y también corregir el alineamiento defectuoso que es frecuente porque el otro lado del cuerpo soporta más tensión.

- Cuando retome el ejercicio, hágalo lentamente y evitando las superficies duras, como correr en la carretera y jugar a tenis o a baloncesto.

FRACTURA DE ESTRÉS

Una fractura de estrés es un pequeño chasquido o rotura de un hueso que se produce por exceso de presión o por el sobreuso de una parte del cuerpo. Es más frecuente en soldados que hacen marcha o en deportistas cuyo calzado no los protege de la superficie dura sobre la que entrenan. Los jugadores de baloncesto, que saltan constantemente sobre un área de madera dura, tienen una gran tendencia a las fracturas de estrés en el pie.

RECOMENDACIONES

- El reposo es una parte esencial de la curación de una fractura de estrés.

- Véase **Fracturas**.

- El uso de ultrasonidos puede acelerar el progreso de las fracturas óseas de estrés más que la de cualquier otra lesión ósea.

- La reflexología acelera la curación de la mayoría de las lesiones.

FRACTURAS Y HUESOS ROTOS

En la jerga médica, el hueso roto se denomina fractura independientemente de su gravedad. Las fracturas se dividen en simples (la piel no está rota) y compuestas (con daño en la piel y los tejidos circundantes). Se considera que una fractura es complicada si se ha dañado un vaso sanguíneo o un nervio. Otra subdivisión describe la rotura como completa (el hueso se ha separado), incompleta (sólo se ha producido el chasquido) y múltiple (en la radiografía se observan varios fragmentos). Hoy en día, el término fractura en «tallo verde» se utiliza menos, pero hace referencia a un chasquido en el hueso.

Fracturas óseas

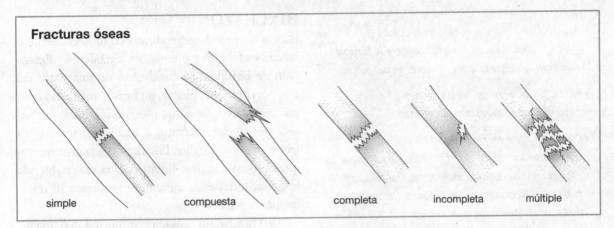

simple — compuesta — completa — incompleta — múltiple

Si ha habido desplazamiento suele ser visible la deformidad.

Diagnosticar una fractura es difícil sin una radiografía, pero debe sospecharse su existencia y buscar atención médica cuando la lesión provoca algunos de los siguientes síntomas:

- Hinchazón.
- Inmovilidad.
- Dolor.
- Cambio de color por contusión.
- Incapacidad para llevar peso.

Primeros auxilios inmediatos

RECOMENDACIONES

- *Si se sospecha que se ha producido una rotura, busque atención médica.*

- *Mientras espera la llegada del médico, inmovilice el hueso que puede estar roto entablillándolo con un trozo de madera o material similar.*

- *Administre los siguientes remedios homeopáticos: Aconitum 6 o 12, 4 píldoras cada 10 minutos, o Aconitum 30 cada 30 minutos durante una hora; posteriormente Arnica 30 alternándola con Symphytum 30 hasta que se haya reducido el dolor.*

- *Es necesario tomar suplementos de calcio y magnesio según las dosis máximas recomendadas en el envase.*

- *Aumente la ingesta de proteínas. El calcio de los huesos está acoplado a una red de proteínas, y se necesitan ambos para conseguir una curación rápida del hueso.*

Tratamiento médico

El tratamiento médico incluirá la valoración, el alivio del dolor y la inmovilización. Si la hinchazón de la zona es muy grande, se utilizará una escayola, cuya aplicación consiste en una circunferencia parcial de yeso que evita la compresión de la hinchazón. Una vez se ha mantenido el área dañada a un nivel por encima del corazón (lo cual ayuda a reducir la hinchazón) durante 24-72 horas, se inmoviliza el hueso durante unas seis semanas mediante yeso o fibra de vidrio. En las fracturas más importantes puede ser necesario el yeso durante mucho más tiempo.

Mientras están sujetos por el yeso, los músculos pierden alrededor del 10-20% de su masa, que normalmente se recupera al cabo de algunas semanas de realizar los ejercicios pertinentes.

RECOMENDACIONES

- *Siga los consejos de un profesional. Nunca sale a cuenta acortar el tiempo de curación previsto, especialmente si la rotura está alrededor de una articulación, ya que esto aumenta el riesgo de artritis.*

- *Debe tomarse el remedio homeopático Symphytum 30, 3 veces al día durante al menos la mitad del tiempo que se calcula que llevará el yeso; si después de realizar más radiografías la curación es lenta, tome también Calcarea phosphorica 30, 2 veces al día durante el resto del tiempo que deba llevar el yeso.*

- *Puede tomarse una infusión de consuelda, pero no más de una taza cada 2 días, porque en grandes cantidades puede tener efectos tóxicos sobre el hígado.*

- *Acuda a un fisioterapeuta. Las técnicas de ejercicio muscular y de ultrasonidos y la terapia electromagnética pueden acelerar la curación.*

- *No olvide ejercitar las articulaciones y los músculos no restringidos por el yeso.*

- *Cualquier parte lesionada contará con la compensación de su lado opuesto, lo que suele causar un desequilibrio estructural. Por ello, en cuanto se ha controlado la lesión, es necesario visitar a un osteópata, a un profesional que utilice la terapia de polaridad, el shiatsu o la técnica de Alexander.*

- *La acupuntura puede resultar muy beneficiosa para acelerar la curación de las lesiones de larga duración. La electroacupuntura también es muy beneficiosa.*

HINCHAZÓN

Para la hinchazón generalizada en todo el cuerpo o en ambos tobillos y piernas, *véanse* **Edema** y **Retención de líquidos**. La hinchazón de una parte del cuerpo, como una pierna, un brazo, una mano o un pie, puede deberse a una obstrucción linfática causada por un traumatismo, a una inflamación o infección de los ganglios linfáticos o a unos tumores que obstruyen el flujo linfático. Una vez establecida la causa, todas estas afecciones requieren su tratamiento específico.

Una hinchazón causada por una lesión o una infección representa el intento del cuerpo de entablillar, inmovilizar y reparar el área. El punto de la hinchazón también es un aviso a la mente consciente de que se requiere protección y de que es necesario evitar un episodio que cause una lesión similar.

El tejido nervioso envía un reflejo nervioso a la médula espinal, que manda instrucciones a los vasos

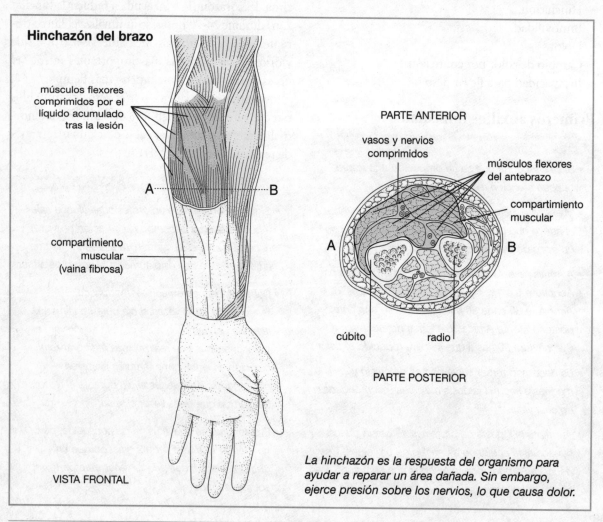

Hinchazón del brazo

músculos flexores comprimidos por el líquido acumulado tras la lesión

compartimiento muscular (vaina fibrosa)

A ···· B

VISTA FRONTAL

PARTE ANTERIOR

vasos y nervios comprimidos

músculos flexores del antebrazo

compartimiento muscular

A   B

cúbito   radio

PARTE POSTERIOR

La hinchazón es la respuesta del organismo para ayudar a reparar un área dañada. Sin embargo, ejerce presión sobre los nervios, lo que causa dolor.

sanguíneos circundantes para abrir e irrigar el área con más nutrientes, oxígeno, glóbulos blancos y células cicatrizales. Los vasos sanguíneos también reciben la instrucción de abrirse a través de la liberación de ciertos elementos químicos por parte de las células dañadas.

En principio debería permitirse que el cuerpo siguiera adelante con su curación, pero la hinchazón ejerce presión sobre los nervios y, al igual que la inflamación, causa dolor. La reducción de la hinchazón se producirá automáticamente en cuanto el área lesionada reciba apoyo, lo que puede fomentarse aplicando presión sobre el flujo venoso y linfático, con lo que se elimina líquido del área.

RECOMENDACIONES

• *Aplique hielo con un paño para aliviar la hinchazón.*

• *Compruebe que el área lesionada está inmovilizada si hay una articulación afectada que tiene un vendaje compresivo y que está en reposo.*

• *Tome el remedio homeopático Arnica 6 cada hora, 3 dosis, y después cada 3 horas hasta escoger un remedio más apropiado según las características específicas de la lesión. Debe seleccionar en un manual de homeopatía de referencia el remedio más adecuado.*

• *Use crema de árnica 3 o 4 veces al día.*

• *Aplique un masaje, dirigiendo el fluido hacia el corazón; cualquier técnica de terapia física resultará beneficiosa.*

HOMBRO

Esta región, donde el brazo se une al tronco del cuerpo, está formada por la unión de tres huesos; la clavícula, la escápula u omóplato y el húmero, que forman diversas articulaciones; cualquiera de ellas pueden causar dolor en el hombro y diversos grados de inmovilidad. El hombro es un área compleja y su articulación esférica entre el hueso del brazo (húmero) y el omóplato es la más flexible del cuerpo.

Dislocación del hombro

La dislocación del hombro consiste en un alineamiento incorrecto entre la cabeza del húmero y la parte hueca de la escápula. Si la dislocación se produce hacia delante se denomina luxación anterior, y si se produce hacia atrás dislocación posterior. Puede reducirse espontáneamente o quedarse fuera de sitio, haciendo necesaria una intervención.

Para que se produzca una dislocación se requiere una fuerza considerable dada la consistencia de los ligamentos y los músculos que rodean la articu-

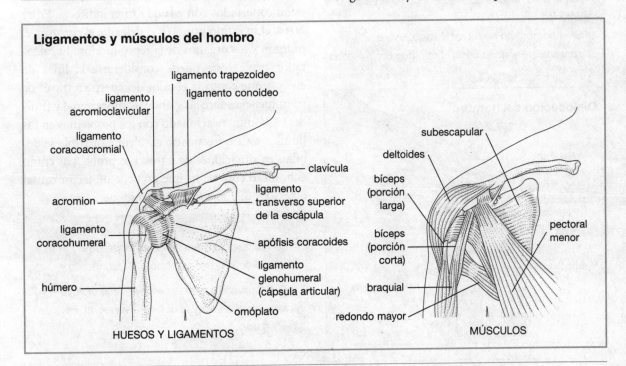

Ligamentos y músculos del hombro

ligamento trapezoideo
ligamento conoideo
ligamento acromioclavicular
ligamento coracoacromial
clavícula
acromion
ligamento transverso superior de la escápula
ligamento coracohumeral
apófisis coracoides
húmero
ligamento glenohumeral (cápsula articular)
omóplato

HUESOS Y LIGAMENTOS

subescapular
deltoides
bíceps (porción larga)
bíceps (porción corta)
braquial
redondo mayor
pectoral menor

MÚSCULOS

lación del hombro. Debido a la anatomía del hombro, los casos en que la cabeza del húmero desgarra la cápsula sinovial anterior suelen ser cuatro veces más frecuentes que aquellos en que se desgarra su parte posterior. A menudo, los nervios y las arterias que discurren por la axila sufren daño, hecho que debe tenerse en cuenta cuando se reduce un hombro dislocado. Si se produce entumecimiento o parálisis de los dedos de la mano, la reducción debe realizarla personal con preparación médica para evitar un daño mayor en los nervios.

RECOMENDACIONES

- *Véase **Dislocaciones**.*

- *Para la reducción de urgencia del húmero, cuando no se observan complicaciones, debe procederse como se explica a continuación, pero sólo si no puede estabilizarse la articulación hasta que lo haga un profesional:*

- *a) El brazo estará flexionado por el codo debido al acortamiento de los tendones del bíceps y quedará automáticamente cruzado sobre el tórax si se trata de una dislocación anterior. Mantenga el antebrazo lo más cerca posible del codo y aplique una suave tracción hacia abajo.*

- *b) Mueva la mano del brazo dislocado hacia fuera mientras continúa aplicando en el codo tracción fuerte pero relajada hacia abajo, como en el paso anterior.*

- *c) Si el hombro no se ha realineado, estire suavemente el codo hacia el otro hombro mientras*

continúa aplicando la tracción hacia abajo y manteniendo la mano rotada y alejada del cuerpo.

- *d) Se trata de un proceso doloroso y es preferible realizarlo sólo si se dispone de analgésicos.*

Hombro congelado

El hombro congelado es una inflamación crónica o muy persistente de los tendones y de la cápsula sinovial alrededor de la articulación del hombro. Se caracteriza porque el dolor es mayor al mover el hombro. Cualquier movimiento está limitado por este dolor.

Este término profano ha pasado a la jerga médica y representa una tensión dolorosa de los músculos alrededor de la articulación del hombro. Su origen más frecuente es un dolor inicial que limita los movimientos de forma persistente y genera un anquilosamiento profundo, con empeoramiento del dolor en dichos músculos.

Las causas suelen ser desconocidas, pero existe un aumento de la vascularización, degeneración y cicatrización de las fibras de los tendones y de la cápsula sinovial. Con frecuencia se asocia a enfermedades artríticas y traumatismos.

Son varios los meridianos o canales de energía que viajan a través de la articulación del hombro o están conectados con ella de forma indirecta. Entre otros, el intestino grueso y el delgado, el corazón, el pulmón y los órganos de la reproducción. El calentador triple (que puede considerarse la línea de energía que controla el calor del cuerpo a través de su influencia sobre las glándulas suprarrenal y tiroides) está muy relacionado con los problemas en los hombros. Con frecuencia el calentador triple se debilita en situaciones de estrés. Los problemas como el hombro congelado, que no tiene un factor causal obvio, requieren este tipo de enfoque.

RECOMENDACIONES

- *Se necesita una valoración osteopática o quiropráctica para establecer el diagnóstico.*

- *El tratamiento de manipulación, que incluye trabajar el cuello y la columna vertebral, es obligatorio.*

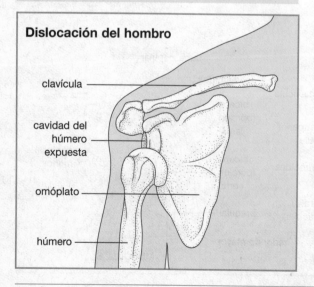

Dislocación del hombro

- clavícula
- cavidad del húmero expuesta
- omóplato
- húmero

- La acupuntura puede proporcionar alivio instantáneo y debería·utilizarse combinada con la osteopatía.

- El shiatsu puede reemplazar los dos tratamientos anteriores.

- La aplicación de calor puede aumentar la sangre en la superficie y reducir la inflamación; también la aplicación de una bolsa de hielo sobre esta área puede enfriarla. Ambas técnicas suelen aliviar, pero ninguna tiene especial importancia en los cuidados a largo plazo.

- Compruebe que su hidratación es adecuada, porque los calambres persistentes pueden indicar deshidratación; se requiere añadir 1,5 litros de agua a la cantidad ingerida normalmente (hasta un máximo de 3 litros al día).

- No olvide tomar suplementos de calcio y magnesio en dosis 3 veces superiores a las indicadas en el producto.

- Revise los remedios homeopáticos en un manual de referencia, prestando especial atención a Arnica, Rhus toxicodendron y Ruta.

- Puede tomar Arnica 6 cada hora si nota dolor o limitación de la movilidad.

- Evite a los profesionales ortodoxos porque los tratamientos con fármacos antiinflamatorios e inyecciones de corticoides pueden lograr un alivio momentáneo y la sensación completa de bienestar que permitirá mover de nuevo el hombro, pero con frecuencia originan lesiones y recidivas a largo plazo.

Lesión ósea

Las fracturas de cualquier parte de la articulación del hombro son dolorosas y especialmente difíciles de curar si están implicadas las superficies de la articulación.

RECOMENDACIONES

- Toda lesión del hombro requiere la exploración por parte de un médico o un osteópata. Suele recomendarse realizar una radiografía.

- Se recomienda inmovilidad durante un mínimo de seis semanas en la mayoría de las fracturas, o más si ha resultado dañada la superficie de la articulación. No intente acortar ese tiempo ni hacer esfuerzos demasiado pronto porque el resultado a largo plazo suele ser una artritis.

- Las fracturas de la clavícula no se pueden entablillar, y las roturas graves en esta área o cualquier otra del hombro pueden requerir la sujeción quirúrgica.

- La clavícula se fractura con mayor frecuencia en los deportes de contacto y en otros como el esquí. A menudo se deja que los huesos se curen solos, aunque pueden quedar con un alineamiento defectuoso.

- Véase **Fracturas**.

LESIÓN EN LA COLUMNA VERTEBRAL

Una lesión en la columna puede ser de consideración y quizá grave. En el mejor de los casos puede tratarse de una rotura de ligamentos o una fisura en las vértebras, pero en el peor puede suponer la lesión o rotura de la médula espinal. La posibilidad de que una lesión progrese debido a la inestabilidad de las vértebras implica que todas las lesiones de la columna requieren el mismo tratamiento y la misma máxima atención y urgencia hasta que un profesional médico cualificado haya emitido un diagnóstico definitivo.

Si no se trata correctamente a la persona accidentada, la médula espinal puede quedar dañada de forma permanente, provocando una parálisis o incluso la muerte.

Las lesiones de la columna suelen producirse como resultado de una fuerza directa, una caída o hiperflexión o extensión, como en el caso de la lesión denominada «latigazo».

No es posible afirmar que existe fractura de una vértebra hasta que se realiza una radiografía, pero tocando se pueden notar las vértebras desalojadas. Si el paciente está consciente se debe tener en cuenta el dolor, pero su presencia suele ser mejor signo que su ausencia.

RECOMENDACIONES

- Si el paciente está consciente, recuérdele con insistencia que no se mueva.

- Valore la situación con las siguientes preguntas: ¿Dónde le duele? ¿Nota los dedos de los pies y de las manos? ¿Puede mover los dedos de las manos y de los pies? El sentido de estas preguntas es simplemente dar tranquilidad al paciente y hacerse una idea de la gravedad de la situación. Independientemente de las respuestas, la persona accidentada no debe moverse hasta que llegue el médico. Informe al médico sobre la situación en cuanto llegue.

- Cubra a la persona accidentada con una manta o lo que haga falta para mantener la temperatura del cuerpo.

- Sólo si se prevé que la ayuda médica tardará en llegar o que no va a estar disponible puede considerar la posibilidad de mover a la persona.

- Busque toda la ayuda posible y mantenga firmemente los hombros y la pelvis del accidentado en la posición en la que fue encontrado. Coloque trozos de material blando entre las piernas, las rodillas y los tobillos.

- Ate los tobillos y los pies con un vendaje en forma de ocho y ate vendas alrededor de las piernas y las rodillas. Utilice todo tipo de material disponible.

- La mejor forma de transportar al accidentado es boca arriba, pero sólo si ésta es la posición en que fue encontrado. No le haga girar el cuello para conseguir esta postura.

- Si el accidentado está inconsciente es necesario taparlo con mantas, almohadas o cualquier material disponible para evitar que se mueva.

- Una camilla debe ser una tabla rígida. Utilice una puerta si no tiene nada mejor a mano.

- Una vez que el accidentado esté sobre la tabla, átelo a ella por la frente, los hombros, la pelvis y las rodillas, y a continuación colóquelo en el coche que tenga la mejor suspensión.

- No le dé nada por vía oral.

- En todo momento a lo largo de este proceso asegúrese de que las vías respiratorias, la respiración y la circulación están intactas. Empiece con la reanimación cardiopulmonar en el momento que sea necesario, intentando mantener al paciente en la posición correcta.

MAMAS

El capítulo 5 incluye una amplia descripción de las mamas, ya que los problemas son más frecuentes en ese grupo de edad.

RECOMENDACIÓN

- Lea todo el apartado sobre las mamas en el capítulo 5 porque es importante aprender lo antes posible a examinarlas y saber qué debe buscar.

MOLESTIAS Y DOLORES

En un joven, las molestias y los dolores no relacionados con el ejercicio requieren la visita tanto al profesional médico como a un profesional de tratamientos corporales alternativos, como un osteópata o un quiropráctico. Las enfermedades de los músculos y articulaciones son poco corrientes en los jóvenes y pueden requerir tratamiento.

RECOMENDACIONES

- No olvide realizar los estiramientos adecuados antes y después de practicar ejercicio.

- Asegúrese de tener una buena hidratación: 2 litros de agua bebidos a lo largo del día, y una cantidad extra de agua para cada posible sudación o ingesta de alcohol, cafeína o alimentos excesivamente dulces, ya que todos estos factores deshidratan.

- Consuma una cantidad elevada de todo tipo de vegetales, ya que las deficiencias de minerales pueden causar calambres persistentes, etc.

- Los dolores persistentes sin razón evidente requieren la atención de un profesional, de la medicina ortodoxa o alternativa.

SUJETADORES

Aunque pueda resultar sorprendente encontrar un apartado dedicado a los sujetadores en un libro de medicina, el sujetador puede causar u ocultar un gran número de problemas.

Es esencial un ajuste correcto. Un sujetador demasiado ceñido puede provocar rozamiento en la piel durante cierto tiempo y ligeras abrasiones que faciliten la aparición de infecciones leves o por *Candida*. El roce persistente puede originar cánceres de piel, y los lunares que quedan ocultos bajo la ropa interior demasiado ajustada tienen mayor tendencia a desarrollar cambios cancerosos.

La sujeción es esencial, especialmente en mujeres deportistas con pechos grandes. El balanceo sin sujeción puede causar estiramiento de los ligamentos que sujetan los pechos, con lo que en etapas posteriores de la vida pueden quedar caídos.

RECOMENDACIONES

- *Compruebe que los sostenes se ajustan correctamente. Tenga en cuenta que los pechos pueden cambiar según el momento del mes, y que puede ser necesario tener sostenes de diferentes tamaños. Evite aprisionar los pechos en copas demasiado pequeñas.*

- *Pase el máximo tiempo posible sin sostén.*

- *Preste especial atención a cualquier abrasión o lunar que pudiera entrar en contacto con las partes más duras del sostén.*

- *Cambie los sostenes con frecuencia. A pesar de los lavados, hay ciertos hongos y levaduras que pueden vivir en los tirantes de los sostenes y causar irritaciones menores.*

TENDÓN DE AQUILES

El tendón de Aquiles es la parte inferior de los músculos de la pantorrilla que se fija en el hueso del tobillo mediante una inserción en cola de milano. El tendón suele distenderse, especialmente en los adultos jóvenes, debido a falta de estiramiento antes de realizar ejercicios vigorosos. Esta distensión es más frecuente en juegos que se desarrollan sobre campos duros, como el squash o el tenis, y puede resultar extremadamente dolorosa.

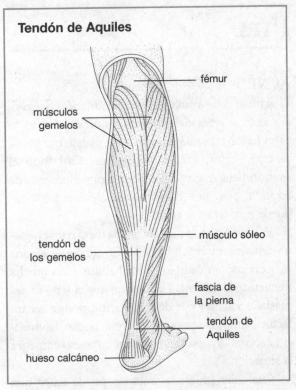

Tendón de Aquiles

- fémur
- músculos gemelos
- músculo sóleo
- tendón de los gemelos
- fascia de la pierna
- tendón de Aquiles
- hueso calcáneo

El tendón de Aquiles puede romperse debido a una contracción excesiva de los músculos de la pantorrilla; esto es más frecuente si el tendón no se estira antes de realizar una actividad, si el cuerpo está deshidratado o si el músculo de la pantorrilla está hinchado.

RECOMENDACIONES

- *Realice siempre estiramientos antes y después del ejercicio.*

- *Aplique árnica en crema en el tendón y la pantorrilla si existe malestar en la zona.*

- *Alterne aplicaciones frías y calientes mediante un cubo de agua caliente y otro de agua muy fría.*

- *Revise los remedios Arnica, Rhus toxicodendron y Ruta.*

- *La rotura del tendón de Aquiles (que suele sonar como un disparo de pistola) requiere tratamiento quirúrgico.*

- *Si el malestar persiste, es necesario acudir a un osteópata o a un masajista con conocimientos sobre posturas. El calzado que no se ajusta correctamente puede causar mucho daño.*

PIEL

ACNÉ

El acné se debe a una excesiva producción de sebo, la sustancia cérea elaborada por la piel. El exceso de producción tapona los poros de la piel, lo que causa puntos negros, granos y pústulas. Casi todo el mundo tiene este problema en algún momento de su vida, pero por desgracia en algunas personas puede resultar muy grave.

Existe cierta relación entre una dieta o una higiene deficientes y el acné, y se puede conseguir alguna mejoría con un cambio de los hábitos. Con mucha frecuencia la dificultad estriba en que el sebo es demasiado viscoso, y la deshidratación podría ser un factor primordial para explicar este hecho. La infección secundaria por las bacterias cutáneas empeora la situación.

Cualquier problema cutáneo puede tener una base psicológica. El estrés estimula la producción de sustancias similares a la adrenalina que reducen el flujo sanguíneo hacia la piel, con lo que los procesos de nutrición, protección y curación de la piel no alcanzan los niveles necesarios.

Existe una correlación entre el acné y los cambios o desequilibrios hormonales. El acné es más acusado en los adolescentes durante la pubertad. No se conoce exactamente su mecanismo, pero puede deberse al efecto hormonal de las células productoras de sebo sobre las bacterias de la piel, o al efecto de las hormonas sobre el aporte sanguíneo a la piel, con lo que se potencia un mayor suministro de oxígeno y una mayor nutrición a las células productoras de sebo o a las bacterias cutáneas.

RECOMENDACIONES

- *No olvide beber 2 litros de agua diarios.*

- *Utilice jabones y cosméticos con base no aceitosa. Pruebe el jabón de sándalo o caléndula si tiene esa posibilidad.*

- *Algunas personas pueden conseguir una mejoría reduciendo los alimentos fritos y picantes, los cítricos y todos los azúcares refinados (blancos).*

- *El aceite del árbol del té (1 gota por cada 5 de aceite de oliva) aplicado sobre la piel después de limpiarla puede ser curativo. Dilúyalo más si causa escozor.*

- *En los casos entre moderados y graves utilice una cucharadita de harina de garbanzos con una cucharadita de polvo de almendras mezcladas en leche de cabra. Aplique la mezcla durante algunos minutos 2 veces al día.*

- *Pruebe el aceite de onagra (1 g, 3 veces al día), el cinc (15 mg antes de acostarse) y el cobre (2 mg con el desayuno).*

- *La homeopatía puede hacer milagros. Revise los remedios Sulphur, Kali bromatum y Antimonium tartaricum. Es aconsejable pedir la opinión de un homeópata.*

- *Corrija sus niveles de estrés. Aprenda algunas técnicas básicas de meditación y visualización. Es sorprendente la rapidez con que desaparecen los problemas de la piel, incluido el acné, cuando se liberan las ansiedades.*

- *Considere el uso de hipnoterapia si una relajación básica no consigue efecto alguno.*

- *Pruebe un extracto de estrógenos naturales bajo la supervisión de un profesional de medicina alternativa. Si es ineficaz, pruebe un tratamiento con progesterona natural. La hierba Agnus castus puede tener importantes efectos beneficiosos.*

AEROSOLES

No los utilice. No son respetuosos con el medio ambiente y contienen innumerables compuestos químicos que se absorben, en cierta medida, a través de la piel. En su lugar use fragancias naturales en aceites básicos.

AMPOLLAS

Las ampollas se deben a la presencia de líquido que abandona los vasos sanguíneos dañados, generalmente tras un pellizco, una fricción o un exceso de calor. Ese fluido contiene muchos de los nutrientes que ayudan en el proceso de reparación y es necesario que puedan permanecer en el área.

Si la ampolla contiene exceso de líquido puede empezar a ejercer presión sobre los nervios sensibles a la tensión y producir dolor. Éste es el único caso en que se debe reventar una ampolla, y sólo bajo supervisión médica.

RECOMENDACIONES

- *No reviente las ampollas.*

- *Véase Quemaduras.*

- *Aplicando una presión suave sobre la ampolla puede eliminar parte del malestar.*

- *Aplique cremas o lociones de árnica. Si la ampolla está sobre los dedos de pies o manos, utilice cremas o lociones de hipérico.*

- *Recuerde que puede utilizar los remedios homeopáticos Cantharis y Rhus toxicodendron para las ampollas pequeñas.*

- *Las ampollas recidivantes o las que aparecen sin que se haya producido una lesión evidente pueden ser signo de una enfermedad subyacente que requiere un diagnóstico médico.*

ÁNTRAX
Véase Furúnculos.

CELULITIS (INFECCIÓN SUBCUTÁNEA)

El sufijo «itis» significa inflamación. Por lo tanto, la celulitis es la inflamación de las células del tejido subcutáneo, y se presenta como un área roja, habitualmente alrededor de una lesión o herida. La celulitis puede producirse a cualquier edad, pero es más frecuente después de accidentes que permiten que las bacterias lleguen bajo la piel y causen infecciones. La respuesta del organismo es enviar sangre al área con glóbulos blancos, y este aumento del flujo de sangre causa enrojecimiento, hinchazón y dolor.

Con frecuencia la celulitis se presenta como estrías rojas que se alejan del área de inflamación a través de conductos linfáticos hacia el grupo de ganglios linfáticos más próximo.

La celulitis puede extenderse muy rápidamente, sobre todo si la infección es por una bacteria estafilocócica virulenta. Es importante no infravalorar este problema, ya que con frecuencia se asocia a enfermedades que afectan al sistema inmunológico, como la diabetes, el uso de corticoides, el sida y las deficiencias nutricionales.

RECOMENDACIONES

- *La celulitis que se extiende rápidamente requiere el examen de un médico de cabecera y el uso de antibióticos junto con remedios alternativos para proteger al paciente de los efectos adversos de los antibióticos.*

- *Si la celulitis es leve puede utilizarse la atención médica alternativa siempre que la situación no empeore.*

- *Aplique compresas calientes y frías sobre el área y limpie cualquier herida con una solución de árnica, caléndula o hipérico.*

- *Coja un trozo de pan, empápelo en una solución de árnica, caléndula o hipérico, aplíquelo sobre el área y envuélvalo cuidadosamente con un vendaje o tela apropiados.*

- *Puede repasar en su manual los remedios homeopáticos Apis, Urtica, Belladonna, Calendula e Hypericum.*

CLOASMA

Esta hiperpigmentación parcheada aparece con mayor frecuencia en el rostro, en los pezones y en medio del abdomen, aunque puede localizarse en cualquier otro punto. Los parches pueden tener tamaños diferentes y a menudo quedan más marcados durante la gestación, la menstruación y cuando

Cloasma

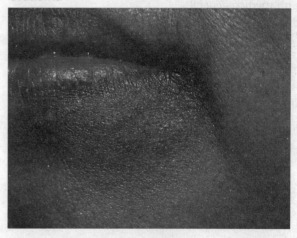

se sufren trastornos de los ovarios o del útero. En ocasiones se asocia a tumores.

Muy frecuentemente esta marca no tiene una causa obvia, sino que puede deberse a la acción del sol en áreas de la piel afectada por perfumes y cosméticos, así como a ciertos problemas hormonales.

RECOMENDACIONES

- *El primer paso es que un profesional médico realice una exploración completa para descartar una posible enfermedad.*

- *Evite administrar compuestos médicos, cosméticos o perfumes sobre las áreas afectadas.*

- *Pida una opinión médica complementaria a un homeópata o a un herbolario, ya que estas dos ramas de la medicina afirman tener los porcentajes de éxito más altos.*

- *Al igual que con los problemas de la piel, es necesario identificar cualquier problema psicológico subyacente, ya sea mediante psicoterapia o hipnoterapia.*

ERISIPELA

La erisipela es una variedad de celulitis estreptocócica confinada a la piel. Se manifiesta por un área roja ligeramente sobreelevada, con un borde que avanza y está bien delimitado. Las hay de muchos tipos, según los síntomas asociados y la presencia de pústulas o vesículas. Esta afección puede ser muy agresiva y extenderse rápidamente o persistir durante un tiempo. El diagnóstico debe establecerlo un médico general.

RECOMENDACIONES

- *Una vez establecido el diagnóstico de erisipela, el tratamiento depende de la velocidad de la extensión. Si ésta es rápida y agresiva debe considerarse el uso de antibióticos.*

- *Un profesional de la medicina alternativa puede tratar la erisipela lenta o persistente mediante un abordaje constitucional.*

- *Véase **Celulitis**.*

ERUPCIÓN DEL AFEITADO (ERUPCIÓN DEL BARBERO)

Esta erupción roja, que causa picor e irritación, se asocia a las áreas afeitadas. Está provocada por las bacterias normales de la piel (estafilococos) que acceden a las capas más profundas de la piel debido a las pequeñas abrasiones que se producen tras el afeitado.

RECOMENDACIONES

- *No afeite un área infectada hasta que el problema se haya resuelto.*

- *El uso de loción para después del afeitado causa el cierre reflejo de los poros abiertos y también actúa como antiséptico leve contra las bacterias de la piel durante un corto período. Su uso, especialmente en pieles con tendencia a erupciones por el afeitado, puede ser doloroso, pero reduce el riesgo de infección.*

- *Utilice una loción para después del afeitado en cantidades pequeñas, ya que los elementos químicos que contienen las lociones farmacológicas pueden causar problemas locales o tóxicos.*

- *Véase **Picor de la piel**.*

FURÚNCULOS

Un furúnculo es una infección localizada del tejido cutáneo y subcutáneo. Suele empezar alrededor de un folículo piloso y se convierte en un absceso solitario. Éste se define como una colección de pus (los glóbulos blancos muertos del cuerpo) que drena en la superficie más próxima a través de un único trayecto. Puede ser externo hacia la piel o interno hacia los intestinos, los pulmones, etc.

Se diferencian de los granos por una decisión arbitraria sobre el tamaño.

RECOMENDACIONES

- *Los furúnculos recidivantes, numerosos o persistentes deben ser tratados por un profesional de la medicina alternativa.*

- *Para secar los furúnculos, aplique compresas calientes y frías alternativamente.*

- *Las compresas de pan integral y avena pueden tener efectos muy beneficiosos.*

- *El remedio homeopático Hepar sulphuris calcarium 6, 4 píldoras cada hora, es uno de los raros remedios maestros para una afección general.*

- *Sólo es posible abrir los furúnculos con lanceta bajo supervisión médica.*

- *Se recomienda la aplicación de crema de árnica.*

- *Cualquier furúnculo alrededor del ano requiere tratamiento médico inmediato. Tienen mayor tendencia a drenar hacia dentro, lo que genera un trayecto por el que las heces y las bacterias relacionadas pueden entrar en el furúnculo o el absceso.*

GRANOS

Un grano es una pequeña pústula o elevación circunscrita de la piel que, por definición, tiene menos de 1 cm de diámetro. Si el tamaño es mayor se considera que es un furúnculo o absceso.

Los granos pueden aparecer a cualquier edad, pero suelen ser especialmente frecuentes durante la pubertad, en respuesta a la actividad hormonal y al aumento de la ingestión de azúcar refinado.

RECOMENDACIÓN

- *Véanse* **Acné** *y* **Furúnculos***.*

HEMATOMAS

La lesión de capilares o vasos sanguíneos grandes permite que la sangre drene en los tejidos. El color del hematoma varía según la cantidad de sangre y contenido de las células sanguíneas. Los hematomas superficiales no suelen complicarse, pero los más profundos pueden causar un dolor extremo y calambres musculares. Un hematoma bajo la capa dura de los huesos es insoportable.

Si se produce un hematoma tras un ligero golpe o sin razón aparente, puede tratarse de capilares frágiles o de una deficiencia subyacente en el mecanismo de coagulación del organismo.

RECOMENDACIONES

- *Si un hematoma es persistente o muy doloroso, un médico u osteópata-quiropráctico debe realizar un examen para descartar una lesión subyacente. Si los hematomas se producen con demasiada facilidad, consulte a un especialista en hematología.*

- *Aplique crema de árnica y ortiga de forma regular durante todo el día.*

- *La aplicación de frío y calor alivia el dolor considerablemente.*

- *Es posible mejorar los capilares frágiles mediante tratamientos nutricionales y con hierbas, pero siempre tras consultar a un profesional de medicina alternativa.*

- *Los hematomas extensos se disipan más rápidamente si se aplica un masaje y el aceite de aromaterapia denominado Helichrysum. El hisopo y el espliego son más accesibles y pueden ser igualmente efectivos. Añada 5 gotas a 5 cucharadas de aceite de oliva virgen y aplique la mezcla sobre el hematoma.*

- *Pueden utilizarse los remedios homeopáticos Arnica y Bellis perennis, a potencia 6, 4 píldoras cada 4 horas.*

- *Si no existe una enfermedad subyacente relacionada con los hematomas, pueden administrarse los siguientes compuestos en dosis diarias fraccionadas con cada comida (indicadas por kg de peso): vitamina C, 70 mg; vitamina E, 7 UI, y vitamina A, 70 UI.*

INFECCIONES FÚNGICAS

El hongo es una forma inferior de vida vegetal con la que suelen identificarse sobre todo las setas y lo que crece sobre la corteza de los árboles. Organismos similares viven sobre la piel humana, debajo de ella e incluso pueden colonizar el intestino. Muchos son inocuos y pueden competir con hongos más agresivos o patogénicos, por lo cual ofrecen protección. Éste es un factor importante en el tratamiento de las afecciones fúngicas, ya que no interesa deshacerse de la propia flora beneficiosa.

La mayoría de las infecciones fúngicas resultan evidentes por las áreas enrojecidas, asociadas a picor e inflamación que aparecen en la piel. El pie de atleta (*véase* **Pie de atleta**) es la más frecuente, pero los hongos pueden crecer en cualquier área oscura o húmeda, como la ingle, bajo los pechos, en las axilas y los pliegues de la piel, sobre todo en personas con exceso de peso.

Los hongos predominan en los individuos que tienen problemas inmunológicos y, si bien no son peligrosos, pueden indicar que el sistema inmunitario está deprimido.

Desde el punto de vista médico, las uñas son una extensión de la piel, por lo que las infecciones fúngicas de las uñas también deberían responder a las siguientes recomendaciones. Dichas infecciones se caracterizan por el cambio de color (habitualmente amarillento) y el engrosamiento de la uña sin que se produzcan molestias. El hongo está bajo la uña que va creciendo (el lecho ungueal) y es de difícil acceso. El tratamiento ortodoxo recomienda los agentes antifúngicos orales que, desafortunadamente, no sólo destruirán los hongos dañinos al cabo de unos seis meses, sino que también puede alterar los hongos sanos que se encuentran en la piel y los intestinos. Los profesionales holísticos no recomiendan este tratamiento y su objetivo es descubrir la deficiencia subyacente del sistema inmunológico que ha permitido que el hongo se aposente en él.

RECOMENDACIONES

- *Puede aplicar dos veces al día soluciones de extractos de semillas de uva que contengan vinagre y selenio.*

- *Puede aplicar ajo, aunque su olor resulta poco adecuado socialmente. Las infecciones fúngicas bajo las uñas responden bien al uso de dos aplicaciones diarias de ajo bajo la uña y alrededor del lecho ungueal.*

- *Es efectivo el aceite de árbol del té aplicado en una solución tan concentrada como permita la piel (sin que cause molestias).*

- *Reduzca el consumo de azúcares refinados y dulces.*

- *Airee las áreas afectadas tanto como sea posible.*

- *Puede coexistir una infección por levaduras en el organismo, y las infecciones fúngicas persistentes requieren un tratamiento del sistema (teniendo en cuenta todo el cuerpo) en manos de un profesional de la medicina alternativa.*

- *Si las técnicas descritas anteriormente no tienen éxito, pueden utilizarse los tratamientos farmacológicos antifúngicos, pero evitando siempre los fármacos por vía oral y buscando asesoramiento complementario.*

INSOLACIÓN

Véanse **Deshidratación** y **Quemaduras solares**.

LADILLAS

Este término se aplica a la infección por unos parásitos que al microscopio recuerdan la forma de los cangrejos de playa. Suele considerarse que son parásitos de transmisión sexual, aunque su contagio es posible a través cualquier contacto. Estos pequeños parásitos tienden a vivir en el vello púbico.

RECOMENDACIÓN

- *Véase* **Piojos**.

LUNARES

Un lunar es una lesión carnosa y pigmentada conocida en el lenguaje médico como nevo. Estas lesiones contienen grandes cantidades de melanocitos, causantes de su pigmentación. Por sí mismos, los lunares son inocuos, pero pueden resultar desagradables y, si son muy obvios o numerosos, socialmente embarazosos.

Un lunar tiene una leve posibilidad de convertirse en un melanoma (*véase* **Melanoma**) y, por lo tanto, es necesario observar si se producen los siguientes signos:

- Aumento del tamaño.
- Cambio o variación del color.
- Sangrado.
- Picor.

Los lunares pueden aparecer en los meridianos o líneas de energía y reflejar debilidades subyacentes en un órgano. Los lunares múltiples probablemente no tienen importancia alguna, pero un profesional de medicina china o tibetana podría analizar un lunar único, especialmente si está presente ya en el momento del nacimiento o se desarrolla durante los primeros años de vida, y comparar su posición con debilidades en los pulsos.

Melanoma y queratosis solar

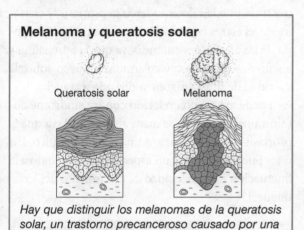

Queratosis solar   Melanoma

Hay que distinguir los melanomas de la queratosis solar, un trastorno precanceroso causado por una exposición solar excesiva.

RECOMENDACIONES

- *La mayoría de los lunares son inocuos, pero cualquiera de los cambios mencionados debe despertar sospechas y requerir la consulta con un médico general o un dermatólogo.*

- *La extracción y posterior examen microscópico del lunar es la única forma segura de establecer su inocuidad.*

- *Véase* **Cirugía** *si es necesario.*

- *Puede tomarse el remedio homeopático Thuya, a potencia 200, una dosis diaria durante 3 días cada 3 meses, como medida protectora en personas con muchos lunares.*

PITIRIASIS

La pitiriasis es un trastorno de la piel que cursa con escamas finas. Hay muchos tipos diferentes, definidos según su localización en el cuerpo o la forma de la lesión. Puede existir alguna asociación con vesículas y pústulas, y puede incluso presentarse en el cuerpo, como por ejemplo en la lengua.

Pitiriasis rosada

Es una enfermedad cutánea frecuente, autolimitada al tronco, que suele desaparecer al cabo de tres meses. Se caracteriza por una mancha de color rojo pálido con un centro de color beige. Puede haber una o más manchas, que suelen presentarse en el tronco, la parte superior de los brazos y en los muslos.

RECOMENDACIONES

- *Véase* **Erupciones**.

- *El homeópata debe seleccionar un tratamiento homeopático específico según los síntomas y la persona en particular, pero el Natrum muriaticum 6, 4 veces al día, puede eliminar el problema.*

- *Es útil aplicar crema de ortiga o caléndula.*

- *Puede resultar beneficioso que un acupuntor o un especialista con conocimientos de los puntos de acupuntura examine las lesiones para descubrir cualquier posible debilidad sistémica subyacente que haya permitido la aparición de esta afección de origen desconocido.*

PRURITO

El prurito es una sensación molesta de picor debida a irritación de los nervios sensoriales periféricos, por lo común causada por las sustancias químicas inflamatorias producidas por las células circundantes en respuesta a una infección o una irritación externa.

En el capítulo 3 se describe el prurito más frecuente, el anal (picor en el ano) en la infancia (*véase* **Picor anal**). Otras posibles causas son un clima frío (especialmente las condiciones de frío y sequedad causadas por el aire acondicionado). El prurito senil se desencadena en las personas de edad avanzada por falta de sebo (el aceite de la piel del cuerpo).

El prurito vulvar es un picor intenso o moderado en la vulva y la vagina. Puede estar causado por irritación química, infecciones leves como las aftas (*Candida*) o dermatitis de contacto. Sin tratamiento puede desarrollarse una infección secundaria por bacterias, que causará aún más daño a la piel y, en el caso de la vulva, un posible tumor.

RECOMENDACIONES

- *Véanse **Picor de la piel** e **Irritación o picor vaginal**.*

- *La aplicación de crema de ortiga o caléndula puede ser curativa en casos de prurito anal o vulvar.*

- *Para el prurito senil pueden ser útiles niveles más altos de ácido eicosapentaenoico o de ácidos de pescado. Los niveles ha de determinarlos un experto en nutrición, ya que en algunos casos pueden producirse trastornos en los procesos digestivos.*

PSORIASIS

La psoriasis es una enfermedad cutánea caracterizada por el desarrollo de manchas rojas cubiertas por escamas de color blanco plateado. La enfermedad afecta sobre todo al cuero cabelludo y a las superficies de extensión de los codos y las rodillas, pero puede aparecer en cualquier parte del cuerpo.

La piel crece a partir de una célula basal situada debajo de varias capas de células. Esas células basales se multiplican en la psoriasis hasta mil veces más rápido de lo que deberían. Las capas superiores resultantes no pueden desprenderse con la suficiente rapidez y producen el aspecto característico de la psoriasis. Hay dos complejos químicos, denominados adenosinmonofosfato cíclico (AMPc) y guanosinmonofosfato cíclico (GMPc) que, respectivamente, inhiben o potencian la proliferación celular. El desequilibrio causado por una reducción del AMPc o un aumento del GMPc causa un crecimiento celular excesivo.

Muchos factores pueden causar un desequilibrio entre estos compuestos químicos. Se sabe que ciertas proteínas y compuestos tóxicos provenientes del metabolismo de las bacterias y las levaduras en el intestino inhiben el AMPc, o aumentan el GMPc, respectivamente. Las proteínas y toxinas causantes provienen de un desequilibrio de la flora intestinal o de una incapacidad digestiva, y son un factor esencial en el tratamiento de la psoriasis.

Normalmente, las toxinas son eliminadas por el hígado, y cualquier deficiencia en la función hepática causa o potencia la psoriasis. El alcohol y el tabaco suponen una carga especial para el hígado, al igual que la mayoría de las drogas. Diversos estudios han demostrado el efecto negativo del alcohol y los cigarrillos en la psoriasis.

Asimismo, se ha comprobado que las deficiencias de ciertos ácidos, de aminoácidos y de cinc causan psoriasis. El aumento de los niveles de insulina y de glucosa también parece ejercer un efecto.

Existen pruebas de que los acontecimientos estresantes pueden desencadenar la psoriasis, y ciertamente el estrés es un factor importante en la mayoría de las afecciones cutáneas, ya que la adrenalina y los niveles de otras catecolaminas influyen sobre la cantidad de flujo sanguíneo dirigido a la piel.

Puede existir una relación con un síndrome autoinmune (el cuerpo se ataca a sí mismo), ya que la psoriasis puede asociarse a un proceso artrítico. Las uñas pueden adquirir un aspecto picado debido a la fluctuación en la velocidad de crecimiento del lecho ungueal.

RECOMENDACIONES

- *Está bien demostrada la asociación de la psoriasis con la toxicidad intestinal. Es necesario eliminar de la dieta las grasas animales, los azúcares refinados y los dulces en general, así como los alimentos con levaduras u hongos, como el pan y las setas.*

- *Las dietas de reducción de peso eliminan automáticamente los alimentos refinados y pueden resultar beneficiosas.*

- *Los movimientos intestinales regulares son necesarios para mantener el colon limpio. Es imprescindible aumentar la ingestión de fibra y agua.*

- *También hay que añadir a la dieta los pescados grasos como el salmón, el arenque y la caballa, junto con una cucharada de aceite de linaza por cada 15 kg de peso, aproximadamente.*

- *Aprenda una técnica de meditación y aumente el ejercicio físico hasta alcanzar un nivel considerable.*

- *La luz ultravioleta del sol es beneficiosa. Los rayos ultravioleta B constituyen el tratamiento preferido, aunque los centros de tratamiento ortodoxo ofrecen la ultravioleta A (terapia PUVA), con posibles efectos secundarios.*

- *Se ha demostrado que se obtienen resultados beneficiosos con lociones o cremas con base de manzanilla, consuelda, regaliz o vitamina D. Pruébelas por separado y observe sus efectos.*

- *La aplicación local de calor mediante mantas eléctricas o ultrasonidos puede resultar efectivo.*

- *Deben tomarse los siguientes suplementos en dosis divididas con las comidas (dosis indicadas por kg de peso): ácido fólico, 7 mg; betacaroteno, 150 mg; vitamina E, 7 UI; selenio, 3 mg; ácido eicosapentaenoico, 70 mg, y cinc, 350 mg antes de acostarse. Todos estos suplementos pueden administrase cada día durante un mes y, si se observa alguna mejoría, eliminar uno de los suplementos cada 10 días, empezando por la vitamina E. Si se observa deterioro, se vuelve a añadir el último nutriente retirado hasta identificar el suplemento especialmente activo. Comente con un experto en nutrición cuáles pueden ser los alimentos que figuran en su dieta y que contienen el elemento culpable.*

- *Utilice la zarzaparrilla tomada como raíz seca (70 mg/kg de peso en dosis divididas a lo largo del día).*

- *Puede tomar leche de cardo, el doble de la dosis aconsejada por su tienda de dietética o herbolario.*

QUEMADURA SOLAR

Una quemadura causada por el sol puede ser tan leve o tan grave como una quemadura provocada por cualquier otra fuente de calor. Pueden ser de primero, segundo y tercer grados. A menudo las quemaduras solares son más dañinas que otras quemaduras porque afectan a un área más grande de piel. Habitualmente se producen en una situación relajada cuando se desea conseguir un bronceado o cuando el efecto del sol pasa inadvertido o se infravalora, quizá mientras se está en una piscina o en el mar y la brisa ejerce un efecto refrescante.

Las quemaduras solares acostumbran asociarse a insolaciones, y dado que el daño puede deberse a la luz ultravioleta y no sólo al calor, una quemadura solar puede penetrar más allá de la capa superficial de la piel.

Filtros solares

En las preparaciones conocidas como filtros solares cada vez se utilizan más los productos químicos que impiden el paso de la luz ultravioleta. Suelen ser caros y se tiene tendencia a utilizarlos mal. Su principal función es como barrera, y si no se utiliza abundante cantidad de la loción en la piel el efecto es mínimo. La mayoría de los usuarios frotan la loción para que la piel la absorba, en lugar de dejarla en la superficie.

Lo que resulta aún más preocupante es que un reciente estudio sugiere que quienes utilizan filtros para broncearse tienen mayor riesgo de desarrollar melanoma y quizás otros tipos de cánceres. Ello puede deberse a que el filtro solar da una falsa seguridad con respecto a la inocuidad de la exposición prolongada al sol o a que los compuestos químicos tienen algún efecto cancerígeno.

RECOMENDACIONES

- *Si se ha producido una quemadura, véase* **Quemaduras**.

- *La prevención es la mejor forma de tratamiento. Evite la exposición y, cuando ésta sea inevitable o si pasa mucho tiempo al sol con grandes áreas de la piel al descubierto, utilice correctamente los compuestos con filtro solar.*

- *No olvide comer al menos cinco raciones de fruta y vegetales para aumentar los niveles de antioxidantes.*

- *Si la exposición al sol es inevitable o deseada, tome los siguientes suplementos en dosis (indicadas por kg de peso) divididas con las comidas a lo largo del día: betacaroteno, 170 mg; vitamina E, 7 UI, y selenio, 3 mg.*

- *El áloe vera y el zumo o los geles de limón pueden proporcionar alivio.*

- *Los geles de áloe vera o caléndula calman y pueden curar cualquier quemadura solar.*

- Tome el remedio homeopático Sol, con potencia 30, 3 veces al día, empezando 3 días antes de las vacaciones o de la exposición al sol y continuando hasta su regreso.

- Evite por completo el uso de jabones o lociones antisépticas, ya que la pérdida de bacterias de la piel predispone a la infección secundaria de la quemadura.

- Muchos fármacos ortodoxos, especialmente los tranquilizantes, los antihistamínicos y los fármacos contra las náuseas, todos ellos de uso frecuente durante las vacaciones, pueden aumentar la sensibilidad de la piel al sol.

- Véanse **Melanoma** y **Lunares**.

Cabinas de radiación ultravioleta

Como regla general, es conveniente evitarlas. Si no es posible, limítese al mínimo tiempo recomendado, ya que muchas de estas cabinas son defectuosas o están mal controladas por el personal, y la cantidad de luz ultravioleta emitida no es necesariamente precisa.

No olvide seguir los consejos generales indicados en el apartado de las quemaduras solares si va a utilizar una cabina de radiación ultravioleta.

SUDACIÓN (TRANSPIRACIÓN)

Todos transpiramos en un grado u otro. Sudar es una función corporal esencial y sólo debería considerarse un problema si no existe o es excesiva.

La función primaria del sudor es como mecanismo refrescante. Por ejemplo, un minuto corriendo produce 10 kcal de calor que hay que eliminar del cuerpo refrescando la superficie de la piel. El sudor sale de los poros, se aposenta en la piel, se evapora utilizando el calor para ello y así refresca la superficie de la piel, lo cual a su vez refresca el cuerpo y mantiene una temperatura interna constante. El sudor que cae por el cuerpo no refresca. Las glándulas sudoríparas están bajo el control del sistema nervioso, y el sudor es el principal ajuste fisiológico para una sobrecarga de calor. El control proviene de centros específicos situados en el cerebro que reconocen y aumentan el calor en el torrente sanguíneo.

Una segunda función, menos compleja, del sudor se basa en su similitud con la composición de la orina. La urea, un producto de desecho nitrogenado del metabolismo de las proteínas, no aparece en el sudor, pero la mayoría de los restantes compuestos sí puede aparecer. El organismo puede usar el sudor para eliminar toxinas o para regular el equilibrio electrolítico eliminando sal y otros elementos.

Cualquier factor que aumente la temperatura del cuerpo, como el ejercicio, el alcohol, la cafeína, el tabaco y los alimentos especiados, aumentará la sudación. La temperatura del aire exterior causa un aumento de la temperatura corporal y un sudor reflejo. Una humedad exterior elevada evita la evaporación y el mecanismo de enfriamiento. El cuerpo suda más en un intento vano de aumentar la evaporación, pero puede no conseguirlo. En un clima húmedo puede producirse un exceso de calentamiento, y la deshidratación también es un riesgo.

Las glándulas sudoríparas están bajo el control del sistema nervioso, que a su vez responde a las sustancias químicas del estrés, como la adrenalina. El nerviosismo o la ansiedad pueden desencadenar la sudación. Se trata de una reacción de la evolución, en principio para preparar el mecanismo de enfriamiento del cuerpo si se necesita una reacción de «lucha o huida».

Las personas con predisposición genética a una temperatura corporal más alta y que, por lo tanto, no necesitan el mecanismo de enfriamiento, pueden no presentar sudación. La falta de sudor suele asociarse a deshidratación y requiere corrección.

El exceso de sudor también es una predisposición genética y puede no ser signo de enfermedad. Sin embargo, en general el sudor es signo de aumento de la temperatura corporal, por lo general debido a una infección o a un exceso de producción de tiroxina o adrenalina. Cualquier situación que ocasione miedo o ansiedad puede aumentar la sudación y, curiosamente, existe un mecanismo interno del miedo asociado a enfermedades cardíacas, y el sudor puede ser un signo precoz de una enfermedad del corazón.

La obesidad (el exceso de peso) genera una capa aislante alrededor del cuerpo que impide la salida de calor, lo que hace aumentar la temperatura corporal y desencadena la sudación.

Algunas personas tienden a sudar por algunas partes concretas del cuerpo. El sudor aumenta en las axilas y las ingles cuando se realiza ejercicio, pero algunas personas sudan profusamente por esas áreas aunque no realicen esfuerzo alguno. Las manos, los pies y el cuero cabelludo son áreas que pueden sudar independientemente de la temperatura corporal o de la ansiedad. No existe una razón ortodoxa para este exceso de estimulación nerviosa de las glándulas sudoríparas en estas áreas, pero las filosofías orientales consideran que tiene relación con los meridianos de acupuntura. Las palmas de las manos contienen puntos sobre los meridianos de acupuntura de los pulmones, el protector del corazón o la función sexual y el corazón. Es necesario examinar todos esos órganos y sistemas, así como considerar sus asociaciones psicológicas y espirituales correspondientes.

RECOMENDACIONES

- *Intente establecer una posible causa y elimínela. Quizá necesite perder peso, eliminar de su dieta los alimentos que causan calor o aprender una técnica de relajación o meditación para suprimir la ansiedad nerviosa.*

Glándulas sudoríparas

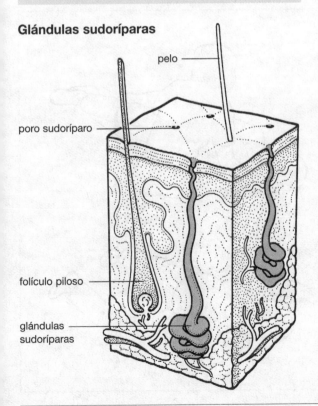

pelo

poro sudoríparo

folículo piloso

glándulas sudoríparas

- *Use tejidos absorbentes, como el algodón, especialmente si la humedad es importante, para empapar el sudor y ayudar en el proceso de evaporación. Puede parecer ilógico usar ropa si se tiene calor, pero las prendas de algodón son refrescantes por ese motivo.*

- *Recuerde que la fiebre es un amigo y que el sudor asociado a infección o enfermedad no tiene que ser eliminado necesariamente (véase **Fiebre**).*

- *Puede resultar difícil alterar una predisposición genética a sudar, pero los remedios homeopáticos con potencia 200 o superior pueden alterar las tendencias fundamentales. Es aconsejable que el remedio sea recetado por un homeópata, prestando especial atención a Calcarea carbonica, Hepar sulphuris calcarea, Lycopodium, Psorinum, Silica y Veratrum album. El lugar, momento del día o de la noche, el olor y otras variables del sudor ayudan a definir la mejor elección.*

- *Si el exceso de sudor crea un olor desagradable, véase **Olor corporal**.*

- *El exceso de sudación en las palmas de las manos puede interferir en gran medida en la vida social de una persona y si las medidas comentadas no solucionan el problema puede considerarse la intervención quirúrgica para cortar los nervios que controlan la sudación. Técnicamente es una operación difícil porque se pueden dañar otros controles neurológicos. Por lo tanto, no es un procedimiento con un gran porcentaje de éxitos y es mejor evitarlo.*

SISTEMA NERVIOSO

ATAQUES
Véanse **Epilepsia** y **Convulsiones**.

CONMOCIÓN CEREBRAL Y PÉRDIDA DEL CONOCIMIENTO
Desde el punto de vista médico, la conmoción es en realidad el estado de ser sacudido o su resultado. Sin

embargo, el término ha pasado a ser una expresión coloquial tanto médica como profana que se utiliza sólo para la conmoción cerebral, es decir, para describir la pérdida del conocimiento, de naturaleza transitoria, causada por una sacudida o agitación violenta del cerebro dentro del cráneo. La conmoción cerebral puede asociarse a una lesión penetrante, pero en general es causada por un golpe con un objeto contundente que provoca un cambio en los factores de masa y velocidad dentro del cráneo. En otras palabras, el cráneo se mueve en una dirección, pero el cerebro, debido a que flota en el líquido cefalorraquídeo, permanece inmóvil y recibe el «golpe» del cráneo.

En la mayoría de los casos esta lesión causa dolor de cabeza y nada más, pero si hay pérdida de conciencia se utiliza el término «conmoción cerebral» para describir la situación.

También se puede utilizar la palabra conmoción para una pérdida parcial del conocimiento cuando está claro que una persona no sabe dónde está o ignora otros aspectos de la realidad relacionados con el tiempo presente.

Asociados a la conmoción están la respiración superficial y la respuesta masiva de adrenalina, que hace que la piel se vuelva pálida, fría y pegajosa, y causa taquicardia (frecuencia cardíaca rápida) y la caída de la presión arterial denotada por la debilidad del pulso. En la recuperación pueden producirse náuseas y vómitos, así como pérdida de control intestinal y de la vejiga. Al recuperar el conocimiento es frecuente que exista amnesia (pérdida de la memoria).

La diferencia de tamaño entre ambas pupilas, una dilatación bilateral en éstas o la ausencia de respuesta al estímulo de luz constituyen signos de advertencia de que el cerebro ha resultado dañado y puede haber una hemorragia intracraneal (*véase* **Hemorragias intracraneales**).

RECOMENDACIONES

- *En una conmoción cerebral es muy importante la atención de emergencia. El primer paso es la reanimación cardiopulmonar si es necesaria.*

- *Una vez completada la reanimación, establezca la probable causa de la conmoción. Si hay algo que sugiera la existencia de lesión en la columna, asegúrese de que el accidentado no realiza ningún movimiento y siga las instrucciones para la lesión*

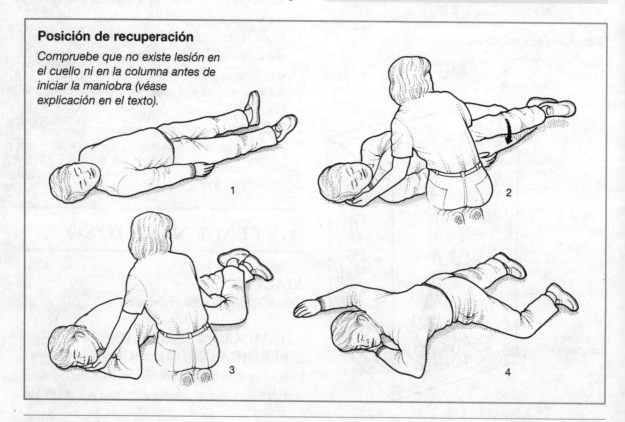

Posición de recuperación

Compruebe que no existe lesión en el cuello ni en la columna antes de iniciar la maniobra (véase explicación en el texto).

1

2

3

4

de la columna vertebral (véase **Lesión en la columna vertebral**).

• *Si se puede permitir el movimiento (no es probable que haya lesión en la columna vertebral) y todas las lesiones están entablilladas, mueva al paciente hasta la posición de recuperación (descrita a continuación).*

• *Cúbralo con una manta y, si es posible, coloque otra debajo del accidentado.*

• *Revise la cartera y los bolsillos del accidentado por si tuviera alguna notificación médica, como una tarjeta de diabético, de uso de corticoides o anticoagulantes.*

Posición de recuperación

Todo paciente inconsciente debe colocarse en la posición de recuperación para evitar que vomite, ya que podría tragar el vómito y sufrir asfixia. Antes de colocar a un accidentado en la posición correcta, que solía denominarse posición de coma, es necesario establecer claramente que no existe lesión en el cuello ni en la columna vertebral. El traslado de un paciente con una lesión de este tipo puede causar parálisis o muerte al ejercer presión sobre la médula espinal o seccionarla.

Cómo mover un cuerpo de forma segura

Si no existe posibilidad de lesión en el cuello o en la columna:

• Coloque ambas manos sobre el accidentado, cerca del cuerpo.
• Acueste al accidentado sobre un costado (1). Lo más conveniente es cogerlo por la ropa a la altura de la cadera.
• Estire del brazo que ha quedado hacia arriba hasta que forme un ángulo recto con el cuerpo y después doble el codo (2).
• Levante la pierna del mismo lado hasta que el muslo forme un ángulo recto con el cuerpo, y después doble la rodilla (2).
• Deslice el otro brazo, que suele estar debajo del cuerpo, y extiéndalo por debajo de la cabeza (3).
• Doble ligeramente la rodilla.

En esta posición el cuerpo se encuentra estable y se evita la asfixia (4). Cuanto más pesado sea el cuerpo, más difícil resulta este procedimiento y con frecuencia es más fácil realizar todos los pasos descritos arrodillándose al lado del accidentado.

ESCLEROSIS MÚLTIPLE

La esclerosis múltiple es una enfermedad en la que el sistema nervioso pierde la vaina que rodea a las neuronas, las cuales constituyen la parte del nervio que transmite los impulsos. La vaina es de mielina y, por ello, la esclerosis múltiple es un trastorno «desmielinizante». La medicina ortodoxa ha postulado diversas causas para la esclerosis múltiple, incluidas enfermedades víricas o autoinmunes (el sistema inmunitario del organismo ataca al sistema nervioso), causas dietéticas y reacciones químicas específicas en el sistema nervioso, probablemente causadas por errores genéticos. El mundo de la medicina alternativa considera que su etiología incluye todas las causas expuestas más la posibilidad de toxicidad por metales pesados, alergia alimentaria, reacción a vacunas y, quizá, factores psicológicos.

Mi experiencia me sugiere que la ira produce sustancias químicas dentro del sistema nervioso que tienen un efecto directo sobre la capacidad del organismo para proteger las vainas de mielina del sistema nervioso. La ira suele quedar reprimida y surge a partir de la infancia. En la mayoría de los casos está asociada a problemas entre el niño y uno de los progenitores.

Los síntomas de la esclerosis múltiple son numerosos y muy variables. Pueden dividirse en síntomas sensitivos, como los trastornos visuales, el hormigueo y el entumecimiento; y síntomas motores, como la pérdida del equilibrio, del control del intestino o la vejiga, la debilidad y la parálisis. Los problemas suelen presentarse en una parte del cuerpo, aunque rara vez pueden ser bilaterales y durar unos minutos o años. Los episodios repetidos de trastornos neurológicos deben ser valorados por un especialista para poder establecer un diagnóstico. La esclerosis múltiple puede remitir, lo cual significa que las personas que tienen trastornos neurológicos pueden resolverlos y no volver a presentarlos hasta muchos años después. Sobre este principio de remisión trabajan los profesionales de medicina alternativa, ya

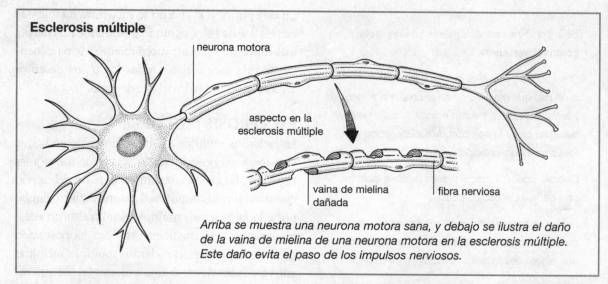

Esclerosis múltiple

neurona motora

aspecto en la
esclerosis múltiple

vaina de mielina
dañada

fibra nerviosa

Arriba se muestra una neurona motora sana, y debajo se ilustra el daño de la vaina de mielina de una neurona motora en la esclerosis múltiple. Este daño evita el paso de los impulsos nerviosos.

que demuestra que el cuerpo puede superar el problema. Al fin y al cabo, una remisión permanente es lo mismo que una curación.

El diagnóstico se establece por exclusión de otras causas, y se confirma mediante pruebas visuales específicas denominadas potenciales visuales evocados (si el paciente tiene trastornos de la visión) mediante imágenes obtenidas por resonancia magnética y, en ocasiones, por medio de una biopsia.

Una paciente afectada por esclerosis múltiple llamada Cari Loder descubrió que podía aliviar su problema utilizando un antidepresivo tricíclico en combinación con un aminoácido y con la ingesta regular de vitamina B_{12}. Hasta la fecha no se ha publicado ningún estudio al respecto, pero las referencias de personas que han utilizado el mismo tratamiento proporcionan alguna esperanza. Mientras se esperan los resultados de estudios, no hay razón alguna para no probar este tratamiento. Dado que hay un fármaco implicado, es un médico quien debe prescribir el antidepresivo, y es conveniente que él mismo siga controlando la situación.

Tratamiento sugerido por Cari Loder

Dosis matutina
70 mg de lofepramina
500 mg de fenilalanina

Dosis de media tarde
500 mg de L-fenilalanina
1.000 mg de vitamina B_{12} inyectada semanalmente durante 10 semanas.

RECOMENDACIONES

- *En caso de esclerosis múltiple debería consultarse a un profesional de la medicina alternativa sobre las siguientes recomendaciones, sin dejar por ello de seguir bajo la atención de un neurólogo ortodoxo.*

- *Son recomendables los tratamientos ortodoxos como la hormona adrenocorticotropa (ACTH) o los corticoides, cuyo uso debería considerarse si los siguientes tratamientos alternativos no resultan efectivos. El uso de interferón beta es claramente el último recurso.*

- *Es importante la revisión de los niveles esenciales de aminoácidos, cobre, calcio, magnesio y cinc, ya que la deficiencia de alguno de estos elementos exacerba los síntomas.*

- *Es necesario tomar los siguientes suplementos duplicando las dosis diarias recomendadas, e incluso administrándolos por vía intravenosa, bajo el control de un médico con experiencia en el uso de suplementos: vitaminas B_1, B_5 y B_{12}, ácido fólico, vitamina C, magnesio, molibdeno, cromo, manganeso, cinc y selenio.*

- *Tome D,L-fenilalanina, aproximadamente 7 mg/kg de peso 2 veces al día.*

- *Establezca posibles alergias a alimentos y elimínelos. Concretamente, reduzca al mínimo la ingesta de grasa animal (menos de 10 g/día) y reduzca incluso las grasas vegetales a menos* de 50 g de aceites poliinsaturados. Elimine los derivados de la leche de vaca, aunque puede consumir pequeñas cantidades de productos de oveja y de cabra. La cafeína y los taninos están absolutamente prohibidos, lo que significa que no debe tomar café, té y bebidas de cola. También hay que evitar el cacao.

- Como compensación es necesario aumentar la ingesta de proteínas vegetales, como la soja, las lentejas y los granos. Hay que comer pescado al menos cada 2 días, siendo los más recomendados el salmón, el arenque y la caballa.

- Algunos de los suplementos que hay que tomar en las cantidades recomendadas por un experto en nutrición o un especialista en medicina alternativa son el aceite de hígado de bacalao, el ácido eicosapentaenoico (500 g, 2 veces al día), el ácido docosahexanoico (300 mg con las comidas), N-acetilcisteína (500 mg con las comidas en días alternos), cinc, cobre, selenio y vitamina E.

- Comente con el experto el uso de ginkgo.

- La realización de ejercicio como el yoga o el chi kung es esencial.

- Considere la posibilidad de utilizar las técnicas de marma, shiatsu o el masaje ayurvédico de forma regular.

- Existen escasas pruebas de que el tratamiento con veneno de abeja resulte efectivo y hay que tenerlo en consideración sólo si los demás tratamientos no resultan de ayuda. El oxígeno hiperbárico ha demostrado tener éxito en un estudio, pero no se ha realizado un seguimiento y, por lo tanto, podría ser inefectivo.

- Consulte a un médico tibetano y pregúntele sobre el Padma 28, una combinación de diversas hierbas que ha demostrado tener efectividad en un estudio científico.

- Finalmente, y lo más importante, solucione cualquier posible ira –consciente o inconsciente, pasada o presente, conocida o desconocida– mediante la psicoterapia y con técnicas de relajación o meditación.

- Es necesario evaluar los ácidos grasos poliinsaturados, preferiblemente con una prueba de ácidos grasos esenciales en sangre. Cualquier posible deficiencia se corregirá a través de la dieta o con suplementos.

PARÁLISIS

La parálisis es la pérdida de función muscular con pérdida o disminución de las sensaciones o sin ellas. Se clasifica de muchas maneras, dependiendo de la parte del cuerpo afectada; la causa; el tono del músculo (se puede describir una parálisis como fláccida o espástica) y la distribución, como monopléjica (una extremidad) o hemipléjica, un lado del cuerpo (*véase* **Parálisis cerebral**).

Las parálisis parciales se conocen como paresias. La variedad de tipos y causas de la parálisis requiere diferentes tratamientos y es mejor consultar el apartado específico de este libro referido a cada causa subyacente. Sin embargo, algunos tratamientos y técnicas pueden usarse para todas las parálisis.

La parálisis está causada por una lesión en el sistema nervioso. Puede producirse en cualquier punto desde el cerebro hasta los nervios locales que controlan el área o la parte paralizada. La parálisis puede ser de un dedo o afectar a los músculos de la respiración, en cuyo caso el daño es extremo y puede resultar mortal. La parálisis de una parte del cuerpo puede deberse a una enfermedad progresiva y hay que descubrir la causa lo antes posible.

El mundo médico ortodoxo afirma que las lesiones nerviosas son irreparables. Esto es cierto en gran medida, aunque las técnicas naturópatas pueden fomentar alguna reparación y trabajan predominantemente para conseguir que otros nervios asuman el envío de instrucciones a los músculos paralizados por el daño causado a los nervios originales. La posibilidad de reparar un área paralizada es similar a enseñar a una persona diestra a utilizar la mano izquierda. Se necesita que otra parte del sistema nervioso aprenda funciones que nunca ha realizado, pero existe una gran posibilidad de que ocurra así. En gran parte depende de la magnitud del daño sufrido.

RECOMENDACIONES

- Es de vital importancia identificar la causa de la parálisis, ya que ayudará a decidir qué tratamientos serán beneficiosos.

- Establezca una buena comunicación con un fisioterapeuta y utilice las técnicas recomendadas con la mayor frecuencia posible. En la mayoría de los casos la diferencia será considerable.

- Asegúrese de recibir el máximo apoyo de los «servicios a domicilio». Aproveche todos los utensilios domésticos que puedan hacerle la vida más fácil.

- Utilice siempre ropas, calzado, silla de ruedas y otros accesorios que le resulten confortables.

- Intente encontrar a un profesional que realice el masaje de marma o neuroterapia, que son técnicas fisioterapéuticas derivadas de la medicina ayurvédica.

- Si no puede contar con el marma ni con la neuroterapia, considere las alternativas de la osteopatía, la quiropraxia, la terapia de polaridad, el yoga o la técnica de Alexander. Cualquiera de estos tratamientos estructurales o energéticos puede resultar beneficioso.

- Sin duda alguna, utilice la acupuntura.

- Las técnicas de biorresonancia y la hipnoterapia sanadora son de utilidad.

- La medicina tibetana aúna el trabajo corporal, la nutrición, la acupuntura y los tratamientos con hierbas, y probablemente es el mejor tratamiento médico completo. En caso de no estar disponible este tratamiento, es esencial una valoración de la medicina ayurvédica o china.

- Los tratamientos homeopáticos o con hierbas pueden tener efectos positivos. En la parálisis traumática, Arnica con potencia 6 o 30, administrada cada 15 minutos, puede ser muy efectiva a largo plazo. Sería necesario recurrir a un homeópata o herbolario para una prescripción más específica según los síntomas.

- Se recomienda intentar la osteopatía craneal o la terapia craneosacra durante al menos 6 o 10 sesiones, ya que la mejora puede ser considerable.

- Adquiera práctica en alguna técnica de meditación y busque asesoramiento. Se obtiene una gran mejoría si se consigue paz interna y se comprende lo que ha ocurrido. Para quienes tienen una fuerte fe religiosa también resulta beneficioso el tiempo dedicado al asesoramiento espiritual.

ASPECTOS PSICOLÓGICOS

ADICCIÓN

Se puede afirmar que todos somos adictos. Los problemas sólo aparecen cuando la adicción supone un detrimento para la salud. También se puede afirmar que el «exceso» de una acción saludable o el «consumo excesivo» de una sustancia sana de forma adictiva puede, de hecho, resultar beneficioso. Se podría considerar que las visitas frecuentes a una iglesia, a un templo o a una mezquita constituyen una adicción, especialmente si ello conlleva cambios en la vida. Siempre que no se llegue al fanatismo religioso, se puede hablar de una adicción no destructiva. ¿Se puede extrapolar esta afirmación al consumo de alcohol? ¿Acaso constituye adicción beber dos o tres combinados de ginebra y tónica cada tarde para olvidar las dificultades del día y crear una sensación de relajación por la noche? Podría decirse que si se obtiene una sensación de bienestar debe tratarse de una adicción no dañina. Por otro lado, estaríamos mejor sin las toxinas, pero entonces el dilema está entre «estar mejor» o estar más contento.

Es obvio que la discusión es complicada y que a cada momento podemos desviarnos hacia una discusión filosófica. Creo que el tratamiento de la adicción depende en gran medida de establecer si existe o no adicción. Si la respuesta es «sí» a cualquiera de las siguientes preguntas, entonces habría que considerar las recomendaciones que se presentan a continuación:

- ¿Hay algo que hace o que toma y de lo que preferiría prescindir?
- ¿Hay algo que hace o que toma y de lo que los demás preferirían que prescindiese?
- ¿Está su vida bajo el efecto negativo de algo que toma o que hace?
- ¿Está la vida de otra persona bajo el efecto negativo de algo que usted toma o hace?
- ¿Se ven su salud o su forma física afectadas por algo que hace o que toma?
- ¿Ha tenido que pensar mucho alguna de las preguntas anteriores para llegar a la conclusión «no»?

Si ha respondido «sí» a cualquiera de las preguntas anteriores, probablemente sea usted un adicto y conseguiría mejorar su situación cambiando alguno de los siguientes puntos.

RECOMENDACIONES

- *No existe una respuesta simple para acabar con una adicción, y emprender uno solo la batalla es lento y con frecuencia no da resultado.*

- *Cuente con el apoyo de un asesor de su confianza. No hay puntos «buenos o malos» que revisar cuando se elige a un psicólogo. Tener una buena relación con el profesional ya es un buen inicio.*

- *Consulte un manual de remedios florales de Bach para establecer el mejor remedio que puede tener siempre a mano.*

- *Utilice los siguientes remedios homeopáticos según su adicción: para la adicción al alcohol utilice Lycopodium 200 cada noche durante una semana; para la adicción al tabaco utilice Tabacum 200 cada noche durante 2 semanas. Para las siguientes sustancias adictivas obtenga una potencia homeopática 200 del remedio recomendado y utilícelo cada noche durante 7 noches. Consulte con un homeópata para recibir recomendaciones más concretas: adicción al cannabis, utilice Cannabis indicus; adicción a la cocaína, tome Coca; adicción a la heroína, tome Morphinum; la adicción al éxtasis, al LSD y a otras drogas sintéticas requiere una potencia alta del remedio correspondiente, disponible a través de homeópatas o en farmacias homeopáticas.*

Las filosofías orientales consideran la reencarnación un aspecto importante de la salud. Con respecto a la adicción, la filosofía es la misma. Para llegar al nirvana hay que liberar al espíritu de todas las trabas. La adicción es un lazo con el plano mental y físico y hay que eliminarlo para estar «libre» o iluminado. No se trata de un concepto religioso, sino más bien espiritual, pero incluso los dogmas religiosos suelen enviar a los adictos al «infierno», lo que sugiere una vez más que existe un nexo muy fuerte entre las teologías oriental y occidental.

RECOMENDACIONES

- *No luche solo contra una adicción. Consiga la ayuda de un especialista, de un grupo de apoyo (como Alcohólicos Anónimos, etc.) y de un profesional de medicina alternativa.*

- *Cuando se enfrente a una adicción, aprenda una técnica de meditación apropiada. Puede tener una importancia trascendental que le enseñen una técnica personal o una forma activa como el yoga, el tai chi o el chi kung. Tratar los aspectos mentales y fisiológicos constituye sólo dos terceras partes de la liberación de la adicción.*

Cómo tratar con un adicto

Tener un adicto en el hogar, en la familia, como amigo o como pareja es una situación que ya de por sí requiere ayuda. La adicción no sólo afecta al adicto. Hay un millón de alcohólicos y drogadictos registrados en el Reino Unido. Si cada uno de ellos tiene un familiar, un amante, un niño, un hermano o una hermana y un amigo íntimo, podemos considerar que 5 millones de personas están bajo la influencia directa de un adicto. Si considera que sólo uno de cada 5 adictos se registran como tales o reconocen ser adictos nos encontramos con una cifra de entre 5 y 25 millones (casi la mitad de la población) de personas influidas por una adicción. En Estados Unidos estas cifras pueden multiplicarse por cinco (en España se calcula que existen cerca de 2 millones de alcohólicos).

Un adicto sin intención de cambio y sin la estructura de apoyo para conseguirlo seguirá siendo un trastorno para la sociedad porque continuará siendo mentiroso, violento, voluble, y cargado de odio. El adicto miente, engaña y roba, todo más allá de su control y con un odio contra sí mismo que es superior a la atención y al amor que le pueden ofrecer quienes lo rodean y se preocupan por él.

RECOMENDACIONES

- *No intente solucionarlo usted solo. Los profesionales fracasan, así que usted probablemente también fracasará.*

- *Busque ayuda para el adicto si éste lo desea, pero lo más importante es que busque un grupo de apoyo para usted mismo a través de su médico de familia o de un terapeuta de disciplinas alternativas.*

ASERTIVIDAD

Es necesario diferenciar la falta de asertividad de la timidez, que es un rasgo del carácter. La falta de asertividad es sociológicamente inaceptable y causa dificultades en la vida social o profesional.

RECOMENDACIONES

- *La autoayuda es difícil y da buenos resultados consultar con un psicólogo para diferenciar entre niveles aceptables e inaceptables de falta de asertividad.*

- *Los remedios homeopáticos pueden tener un profundo efecto sobre áreas de la psicología. Considere especialmente los remedios Baryta carbonica, Pulsatilla, Gelsemium y Petroleum.*

- *El entrenamiento en artes marciales es un método excelente para aumentar la asertividad, especialmente el chi kung.*

CLAUSTROFOBIA

Esta alteración se caracteriza por una ansiedad aguda en espacios cerrados o en áreas de las cuales no se ve una vía de escape inmediata, como puede ser una multitud.

Los síntomas pueden variar desde un leve malestar hasta una profunda ansiedad que incluye pánico, llantos o gritos incontrolados, sudores, palpitaciones y desmayos.

RECOMENDACIONES

- *Es recomendable llevar siempre encima el remedio homeopático Aconitum 6 para utilizarlo cada 10 minutos si es probable que se presente una situación que ocasione claustrofobia. También puede probarse Argentum nitricum 6.*

- *Si el trastorno afecta al bienestar de la persona puede recurrirse, normalmente con éxito, a la programación neurolingüística, a la hipnoterapia o a otras técnicas de modificación del comportamiento.*

- *La desensibilización del movimiento del ojo, una nueva rama de la psicoterapia, puede resultar muy efectiva.*

ESQUIZOFRENIA

La esquizofrenia constituye un grupo de problemas y no un único trastorno psicótico. Con frecuencia se inicia en los años de la adolescencia y se caracteriza por una alteración en la capacidad para formar conceptos, con interpretaciones erróneas de la realidad. Este hecho afecta al comportamiento y al intelecto en diversos grados. Las manifestaciones más frecuentes son tendencia al retraimiento, ambivalencia, respuestas inapropiadas y humores irregulares, dificultad para mantener una secuencia de pensamientos y, en casos graves, alucinaciones.

No es fácil establecer este diagnóstico si los síntomas son leves, por lo que con frecuencia se utiliza el término «esquizofrenia limítrofe» (*borderline*) cuando los síntomas son leves pero aparentes. En la infancia, los síntomas de la esquizofrenia se denominan autismo (*véase* **Autismo**), pero un adolescente tímido, retraído, excesivamente nervioso puede ser todas esas cosas o un esquizofrénico limítrofe. A medida que la persona va creciendo es posible que se asuman esas tendencias como normales y así el trastorno psiquiátrico subyacente queda sin diagnosticar y también sin tratar.

Términos como *hebefrénico* (comportamiento infantil y pensamientos claramente desorganizados), *paranoico* (que está convencido, por ejemplo, de que lo persiguen) y *catatónico* (completamente aislado del mundo externo, con frecuencia asociado a acunamiento en la posición fetal) constituyen tipos de esquizofrenia. La causa subyacente, desde un punto de vista ortodoxo, es un desequilibrio de los elementos químicos cerebrales. Desde un enfoque holístico se ha establecido con claridad que existe una relación en el plano físico con ciertas deficiencias de nutrientes, con riesgos medioambientales y con intoxicación por metales pesados. La línea que separa la «genialidad» de la «locura» es muy fina, y puede existir una unión espiritual fuerte entre los que denominamos esquizofrénicos y los que están un paso más cerca de Dios. Las filosofías orientales darían por sentado que un trastorno químico en el cerebro podría deberse a un exceso de flujo de energía en los chakras superiores y, por lo tanto, se estarían desarrollando efectos emocionales o espirituales, especialmente en la infancia.

El diagnóstico suele establecerlo un psiquiatra mediante diversas pruebas. También se pueden investigar posibles deficiencias de todas las vitaminas del grupo B, revisar los niveles de minerales y valorar a partir de otros síntomas físicos posibles deficiencias de los ácidos grasos esenciales. Puede existir carencia de aminoácidos, lo que hace que la investigación de cualquier ausencia específica sea relevante. Se ha asociado la esquizofrenia a la enfermedad celíaca, que es una hipersensibilidad del intestino ante el gluten y otras gliadinas y gluteninas que se encuentran en el trigo, el centeno, el maíz y, hasta cierto punto, en todos los demás granos y almidones. La mayoría de los naturópatas con experiencia en esta área apoyarían la opinión de que otros componentes alimentarios también pueden desencadenar problemas psiquiátricos.

Los esquizofrénicos tienen una mayor tendencia a hacerse daño a sí mismos que a los demás, pero su presencia puede resultar extremadamente conflictiva para la vida tanto familiar como social. Se necesita un tratamiento profesional correcto.

RECOMENDACIONES

- *Es necesario que un psiquiatra establezca un diagnóstico definitivo antes de poner en práctica tratamiento alguno.*

- *Realice pruebas de deficiencias nutricionales bajo el control de un especialista en medicina alternativa con experiencia en este campo.*

- *Realice pruebas para descartar intoxicación por metales pesados e, independientemente de los resultados, elimine el mercurio de la boca y el aluminio de la cocina. Compruebe específicamente los niveles de cobre (a través de los glóbulos rojos, no sólo del cabello).*

- *Se recomienda terapia de quelación si se descubre intoxicación.*

- *Compruebe si existe alergia alimentaria y elimine los posibles alergenos.*

- *Consulte a un homeópata. Existen muchos remedios que, en potencias superiores a 200, tienen un efecto profundo sobre la psique. Se puede realizar autoayuda en episodios esquizofrénicos agudos, administrando el remedio Stramonium 6 cada 10 minutos. Para casos de paranoia puede ayudar Hyoscyamus 30 cada 10 minutos; el paciente, sus familiares o su pareja deben llevar el remedio siempre consigo, especialmente si se viaja lejos de casa.*

- *La terapia familiar es esencial tanto para la persona como para la vida familiar. Cualquier enfermedad dentro de una casa afecta a todos los miembros. Las sesiones psicoterapéuticas individuales son imprescindibles para niños o adolescentes porque el reconocimiento precoz y el asesoramiento pueden tener un profundo efecto a largo plazo.*

FRIGIDEZ

La frigidez es la ausencia de deseo de mantener relaciones sexuales. Es necesario considerar detenidamente si se trata de una situación patológica o no. No es ni bueno ni malo tener un impulso sexual fuerte o débil y son diversos los aspectos que hay que comentar para establecer si la frigidez es realmente un problema. Hoy en día la presión sexual anima a los adultos jóvenes a tener relaciones sexuales a una edad cada vez más temprana. La naturaleza no tiene previsto que tengamos interés en las relaciones sexuales ni que las llevemos a cabo hasta los 15 o 18 años; por lo tanto es importante diferenciar entre la ausencia de impulso sexual natural y la frigidez.

RECOMENDACIONES

- *Comente la cuestión abiertamente con sus padres o amigos para establecer si el bloqueo emocional está dentro de los parámetros normales. Si se siente incómodo ante esta posibilidad, entonces un psicoterapeuta podría proporcionarle una guía.*

- *Si se identifica un problema, la psicoterapia es un aspecto esencial del tratamiento, iniciándolo lo antes posible y continuándolo con sesiones semanales durante tanto tiempo como sea necesario.*

- *Un homeópata con experiencia puede elegir remedios homeopáticos adecuados a cada constitución.*

- *No debe confundirse la frigidez con las dificultades durante la relación, como puede ser el vaginismo (véase **Vaginismo**). Un malestar físico (dispareunia) que crea rechazo hacia la relación sexual no constituye frigidez.*

HISTERIA

La histeria suele representarse como «la mujer que grita» en una película de Hitchcock. Si bien éste es un ejemplo extremo de la histeria sensorial, es importante comprender que también se puede presentar histeria motora. La histeria sensorial es la incapacidad para controlar una emoción, normalmente el miedo. Por lo general asociada al estrés, la histeria puede presentarse como balbuceo continuo asociado a pérdida de conciencia de lo que se está diciendo alrededor. La histeria motora es la pérdida de una función corporal, siendo la más espectacular la parálisis histérica.

Independientemente del tipo de histeria, el efecto se debe a una sobrecarga de adrenalina y de catecolaminas en el sistema nervioso. El cerebro pierde su control neurotransmisor normal y se produce el fallo del sistema nervioso. La histeria suele durar poco tiempo y causar episodios autolimitantes, como un desmayo. También puede necesitar un cierto tiempo hasta que se soluciona, como suele ocurrir en la parálisis histérica. En casos muy raros la histeria puede persistir y causar un episodio psicótico profundo o parálisis persistente.

RECOMENDACIONES

- *Al atender a una persona histérica háblele con voz calmada y déle los consejos de sentido común necesarios para aplacar el pánico.*

- *Una bofetada puede causar lesiones. Una técnica más segura consiste en aplicar presión en el tejido situado en la base entre el pulgar y el índice. Pruébelo ahora y verá lo doloroso que resulta.*

- *La hiperventilación suele acompañar a la histeria y a menudo es la causa de que empeore el pánico (una alcalosis respiratoria que afecta al cerebro; véase **Hiperventilación**) y de que se produzca parálisis (ya que la alcalosis evita la acción muscular). Puede administrarse cada 5 minutos el remedio homeopático Aconitum, a potencia 6 o superior, hasta que la situación esté por completo bajo control. Normalmente una dosis basta para calmar a la persona.*

- *La histeria recidivante requiere el tratamiento de un psicoterapeuta con conocimientos de técnicas concretas de relajación y respiración.*

MIEDO

El miedo es una emoción esencial para sobrevivir. La línea genética de aquellos de nuestros antepasados que no respondían a una situación de miedo asustándose, ni salían corriendo ni luchaban, se debió detener de forma abrupta. En respuesta a situaciones de miedo se producen adrenalina y otras hormonas similares, denominadas catecolaminas, que preparan el cuerpo para la acción al trasladar sangre a áreas como el corazón, los pulmones, los músculos y el cerebro, y retirarla de áreas no esenciales como la piel, la vejiga y los intestinos.

Un shock o un susto fuerte son capaces de producir tal aumento de adrenalina que el cambio súbito de la posición de la sangre en el cuerpo puede causar un desmayo o una parálisis temporal. Este mecanismo de desmayo era otra técnica de supervivencia, que podríamos denominar «hacerse el muerto».

El miedo no es un signo patológico y no necesita tratamiento específico a menos que sea persistente y cause problemas sociales. En este caso se utiliza el término «fobia».

RECOMENDACIONES

- *Aprenda una técnica de relajación y respiración si tiene tendencia a asustarse.*

- *Tenga siempre a mano el remedio Aconitum 6 y utilícelo hasta cada 15 minutos en caso de miedo súbito.*

- *Tenga a su alcance un remedio de urgencia (un remedio floral de Bach) y utilice 2 gotas cada 15 minutos si es necesario.*

NERVIOSISMO

«Nerviosismo» no es en realidad un término médico, pero en el habla común engloba las formas más leves de ansiedad y de miedo. El nerviosismo puede ser de dos tipos: agudo y crónico.

Nerviosismo agudo

El nerviosismo o la ansiedad agudos suelen desencadenarse por acontecimientos reales o imaginarios. Hablar en público, los nervios previos a un examen o la ansiedad antes de algún acontecimiento son hechos frecuentes a los que todos nos hemos tenido que enfrentar en algún momento.

Algunos de los síntomas son latidos cardíacos rápidos (taquicardia), ruidos en el abdomen, deseo de defecar, incluso en forma de diarrea, deseo de orinar, temblores y tensión muscular que puede causar dolores de cabeza. También pueden producirse náuseas y vómitos.

Todos estos síntomas son aceptables siempre que estén bajo control y desaparezcan una vez que el acontecimiento que los ha desencadenado haya concluido.

RECOMENDACIONES

- *Si los siguientes consejos no resultan de ayuda o si los síntomas son tan graves que causan trastornos importantes, se debería buscar una opinión médica alternativa.*

- *Tome el triple de la dosis diaria recomendada del complejo vitamínico B empezando 22 días antes de cualquier acontecimiento que pueda ser causante de los «nervios».*

- *Utilice D, L-fenilalanina (7 mg/kg de peso) con cada comida, empezando 2 días antes del acontecimiento.*

- *Independientemente de su apetito, compruebe que su dieta incluye al menos 4 raciones de fruta o vegetales frescos e hidratos de carbono complejos (alimentos integrales).*

- *Aprenda una buena técnica de respiración, preferiblemente una asociada a una técnica de relajación como el yoga, el chi kung, el tai chi, etc.*

- *Duerma como mínimo seis horas cada noche, evite la cafeína y otros estimulantes (el cerebro no memoriza con la misma facilidad bajo efectos similares a los de la adrenalina) y realice ejercicio cada día durante al menos 30 minutos para reducir la acumulación de compuestos de adrenalina.*

- *Puede tomar los siguientes remedios homeopáticos, a potencia 30, 4 veces al día, empezando 3 días antes del acontecimiento, y a potencia 6 cada hora el día del acontecimiento: Argentum nitricum si no es capaz de concentrarse o memorizar y sufre trastornos abdominales, por ejemplo, náuseas, vómitos, diarrea o dolores abdominales; Lycopodium es ideal para una persona nerviosa y sociable, y Gelsemium es un remedio maestro para el miedo escénico, cuando el cuerpo se debilita y bordea la parálisis y la mente se queda en blanco.*

- *En casos descontrolados, el médico de cabecera puede recomendarle betabloqueantes, que eliminarán temporalmente los síntomas físicos. Antes de llegar a este tratamiento farmacológico, considere la posibilidad de tomar una cucharadita de extracto líquido de pasiflora o de valeriana diluida en una taza de agua 4 veces al día.*

Nerviosismo crónico

La ansiedad o el temor persistentes pueden causar grandes trastornos, y al llegar a ese extremo se puede considerar fobia. En este caso el nerviosismo se centra en un tema u objeto concretos, como no querer salir a la calle o tener miedo a las arañas.

Se puede considerar que el nerviosismo de larga duración se debe a experiencias en la infancia temprana, a un trauma psicológico, como pueden ser problemas de relación o accidentes, y puede ser simplemente un rasgo de carácter que no requiere tratamiento. Sin embargo, se recomienda buscar asesoramiento si el nerviosismo afecta al estilo o a la calidad de vida.

RECOMENDACIONES

- *Busque asesoramiento para una primera conversación sobre las opciones existentes. La hipnoterapia y la programación neurolingüística pueden ser útiles para identificar las causas subyacentes de forma más rápida que con las técnicas psicoterapéuticas o psicoanalíticas.*

- *Es de vital importancia acudir a una consulta homeopática para establecer un tratamiento con un remedio adecuado para cada constitución.*

- *Establezca cuáles pueden ser sus deficiencias nutricionales consultando a un experto en nutrición o mediante pruebas bioenergéticas y/o de sangre específicas.*

- *Apúntese a un curso de meditación. La liberación de endorfinas (los calmantes naturales del cuerpo) y, más aún, la conexión con un ser espiritual superior pueden ser curativas por sí mismas.*

- *Evite los tranquilizantes como si de una plaga se tratara, ya que ocultan los síntomas, crean dependencia y no son curativos ya desde el principio. Existen preparados de hierbas, pero su uso está restringido al asesoramiento de un herbolario con experiencia.*

TRASTORNOS DE LA ALIMENTACIÓN

La expresión «trastornos de la alimentación» es muy amplia. Puede designar una fobia por los alimentos que acabe en deficiencias y enfermedad, un exceso de comida que acaba en obesidad, anorexia o bulimia.

Todos los trastornos de la alimentación pueden ser leves, moderados o graves, y cambian de una categoría a otra. Los trastornos graves y prolongados de la alimentación pueden causar mala salud y conducir a la muerte. En el caso de anorexia, que suele cebarse con más frecuencia en mujeres jóvenes (20 chicas por cada chico) menores de 25 años, uno de cada diez pacientes ingresan en el hospital, y uno de cada diez ingresados fallece.

Los trastornos de la alimentación rara vez se deben a enfermedades físicas, aunque cualquier trastorno de la alimentación puede causar una patología. No es frecuente que la alergia a un alimento cause anorexia o bulimia, pero sí puede originar una fobia hacia ese alimento o un exceso de comida que acabe en obesidad.

Lo más frecuente es que los trastornos de la alimentación sean, de hecho, un desequilibrio de energía o un motivo de preocupación psicológica. Las filosofías orientales consideran que el estómago es el meridiano de energía causante de la ingestión y de la absorción de alimentos. El intestino delgado y los meridianos del corazón están implicados en la absorción y la distribución, y el meridiano del hígado está relacionado con la energía para el procesamiento. El desequilibrio de estos meridianos puede manifestarse por un trastorno de la alimentación.

La medicina ortodoxa suele incriminar a los trastornos emocionales. La ira reprimida o no reconocida, la depresión, la baja autoestima o las crisis psicosexuales se presentan siempre asociadas a los trastornos de la alimentación.

En mi práctica médica he observado que quienes presentan trastornos de la alimentación suelen pertenecer a la categoría que he definido como «el síndrome de la guapura». En algún momento del desarrollo, normalmente a una edad de vulnerabilidad psicológica (en general alrededor de la pubertad), el niño o la niña se encuentra en una situación en que el aspecto físico o la belleza han adquirido un significado sociológico profundo. Con mucha frecuencia ello se debe a unos padres que adoran en exceso al niño o que pertenecen a un grupo social que hace demasiado hincapié en la belleza física o en unas medidas corporales ideales. La correlación entre ser socialmente aceptable y estar delgado es una invención más bien occidental, al igual que los trastornos de la alimentación. Así pues, se asocia tener un cuerpo «perfecto» y no comer.

En algún momento de nuestro desarrollo tomamos conciencia de nuestro valor interno. Si nuestra sociedad (los padres o la sociedad que nos rodea) centra su atención en el aspecto externo, entonces el yo interno (o el alma) se pregunta si se es amado por sí mismo o por la cáscara que lo envuelve. Al cerrar la parte de la conciencia que ve realmente la forma del cuerpo y centrarnos en la «falta de atractivo» de la grasa, el subconsciente se siente seguro de que si a alguien le gusta la persona es por ella misma, y no por su aspecto. Hay muchas lagunas en este argumento como causa subyacente de los trastornos de la alimentación, especialmente de la anorexia, pero puede explicar por qué la persona no aprecia la desfiguración que conlleva la anorexia y por qué un gran número de quienes la padecen suelen ser jóvenes atractivos.

RECOMENDACIONES

- *Para establecer un diagnóstico de trastorno de la alimentación se requiere no sólo la percepción de la persona sino también la opinión de quienes la rodean, ya que el paciente puede no ser consciente del problema.*

- *Entre el 10 y el 20% de la pérdida de peso debe estar claramente relacionado con el seguimiento de una dieta o con patrones de alimentación irregulares para poder considerar el trastorno de la alimentación como diagnóstico.*

- *La autoayuda suele resultar inadecuada. Se aconseja contar con el asesoramiento de psicoterapeutas y expertos en nutrición: los primeros para tratar la causa y los segundos para tratar los inevitables desequilibrios que se producen.*

- *Los cambios bioquímicos como la depresión y la interrupción de las reglas suelen estar asociados a deshidratación. No olvide tomar entre 2 y 2,5 litros de agua por día, independientemente de cualquier otra ingestión.*

- *Las carencias de minerales, sobre todo de cinc, tienen algún tipo de relación, ya sea como causa o como efecto.*

Anorexia nerviosa

Anorexia es el término médico aplicado a la pérdida de apetito. La anorexia nerviosa es una enfermedad grave en la cual la persona se deja morir de hambre porque considera, equivocadamente, que tiene exceso de peso. Este trastorno psicológico es veinte veces más frecuente en las chicas que en los chicos, y puede variar desde una obsesión leve hasta una enfermedad mortal.

RECOMENDACIONES

- *Si usted o alguien cercano reconoce que su dieta está perjudicando su estilo de vida, hable con un psicoterapeuta y comente con él esa cuestión. Puede tratarse de un signo precoz de anorexia nerviosa.*

- *Si no está de acuerdo con la imagen que otras personas tienen de su cuerpo, consulte a un psicoterapeuta.*

- *No dé por sentado que este problema desaparecerá por sí mismo. Consulte a un psicoterapeuta.*

- *Tras haber consultado con un psicoterapeuta, puede considerar la posibilidad de acudir a un experto en nutrición para establecer si es necesario añadir suplementos que cubran las deficiencias.*

- *Visite a un homeópata para obtener un remedio adecuado a su constitución.*

Bulimia

Éste es un término no médico para describir un apetito insaciable con ingesta excesiva de alimentos. Suele utilizarse en lugar del término médico correcto, que es «bulimarexia», que describe a la persona que alterna las borracheras o los atracones con el autovaciado por vómitos provocados, ayunos prolongados o diarrea autoinducida, normalmente mediante laxantes.

Los bulímicos no son tan evidentes como los anoréxicos, ya que sus características corporales pueden no cambiar. La bulimia, a diferencia de la anorexia, no se encuentra sólo en los adultos jóvenes y no tiene la misma distribución por edades.

La bulimia ocasiona menos dolencias físicas, aunque los vómitos pueden desgarrar el esófago y causar desequilibrios bioquímicos. Se considera que es un problema psicológico mucho mayor entre las mujeres jóvenes con recursos económicos y con baja autoestima, antecedentes de rechazo o miedo al fracaso.

RECOMENDACIÓN

- *Se recomienda que un homeópata cualificado realice una prescripción adecuada para su constitución.*

CAPÍTULO 5

ADULTO

ADULTO

GENERAL

ACROMEGALIA (GIGANTISMO)

Es una enfermedad crónica causada por la secreción excesiva de hormona de crecimiento por la hipófisis o glándula pituitaria. Provoca un crecimiento exagerado de los huesos y tejidos, sobre todo de las manos, los pies, la cara y la cabeza. Es un trastorno poco frecuente que no entraña riesgos para la vida del enfermo, si bien el desplazamiento y la movilidad de un esqueleto tan grande puede causar problemas específicos, como tensión muscular, incluso en el músculo cardíaco.

RECOMENDACIONES

- *Deben eliminarse las causas del exceso de producción de la hormona de crecimiento. Consultar con un endocrinólogo.*

- *El tratamiento alternativo dependerá de los problemas asociados con la acromegalia.*

ACUFENOS

Acufenos es el término médico que designa el ruido persistente percibido en la cabeza o en uno o ambos oídos. Los acufenos desaparecen con frecuencia si existe ruido de fondo, pero en los casos más graves pueden superponerse.

Los acufenos se deben a la estimulación de los nervios y de las estructuras que conducen a los centros de audición en el cerebro y, por lo tanto, pueden ser desencadenados por inflamación o lesión en cualquier punto, desde el tímpano hasta los huesecillos que se encuentran en el oído medio, pasando por las delicadas terminaciones nerviosas del oído interno y a lo largo de las vías nerviosas que conducen al cerebro. Los ruidos continuados y altos como una explosión, las infecciones, las lesiones en la cabeza y las enfermedades artríticas de los huesecillos son algunas de sus posibles causas. La irritación del tímpano por la cera del oído puede ser un problema inocuo y tratable con facilidad. Algunas deficiencias de minerales también pueden desencadenar el problema.

RECOMENDACIONES

- *Tome el doble de la dosis recomendada de suplementos de magnesio y potasio o coma 6 plátanos al día (2 con cada comida).*

- *Las vitaminas del complejo B (50 mg) o la vitamina B$_6$ (50 mg) pueden ayudar a eliminar el líquido del oído medio.*

- *Puede ser beneficioso tomar ginkgo, 50-60 mg al día para un adulto, en dosis divididas con el desayuno y la cena.*

- *Revise los remedios homeopáticos Salicylicum acidum, Cannabis indica y Kali iodatum y compruebe si los síntomas son los adecuados.*

- *Reduzca las grasas saturadas y el colesterol en su dieta y evite la aspirina.*

- *Si estas medidas no surten efecto en unos días, debe visitar a su médico de cabecera para descartar las causas obvias y visibles.*

- *La quiropraxia y la osteopatía craneosacra y craneal pueden resultar efectivas de forma instantánea, aunque quizá se necesiten varias sesiones.*

- *También es aconsejable eliminar las amalgamas (mercurio) de los dientes y confirmar que no se están ingiriendo metales por utilizar sartenes de aluminio. Puede ser aconsejable realizar una prueba de contaminación por metales.*

- *Si persisten los acufenos después de aplicar estas medidas, debe consultar a su neurólogo. Sería recomendable realizar una tomografía*

Acufenos: oído y nervios

El nervio vestibular transmite a los centros de audición situados en el cerebro los estímulos externos que se perciben como acufenos.

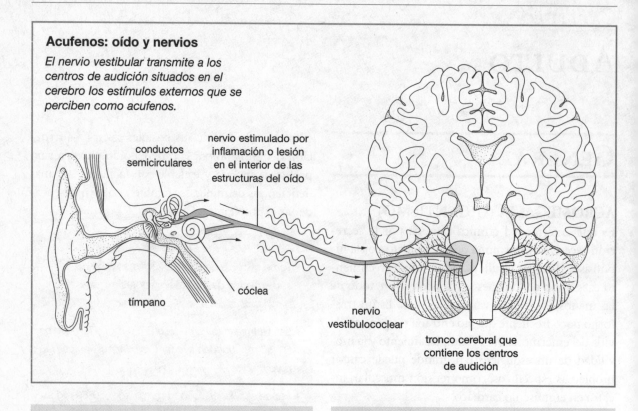

conductos semicirculares

nervio estimulado por inflamación o lesión en el interior de las estructuras del oído

tímpano

cóclea

nervio vestibulococlear

tronco cerebral que contiene los centros de audición

---

computarizada o una resonancia magnética para descartar una causa grave, aunque muy poco frecuente, de este problema.

- *Siempre que no haya un problema grave, pruebe con la hipnoterapia si persisten las molestias.*

ANAFILAXIA

El término anafilaxia designa una reacción alérgica exagerada. El paciente presenta sofocos, sudor intenso, palpitaciones y dificultad para respirar debido al estrechamiento de las vías respiratorias. La boca, la lengua y los labios suelen hincharse. Habitualmente, estos síntomas se acompañan de una acusada sensación de temor por parte del paciente.

La reacción anafiláctica puede desencadenarse tras una picadura de avispa o abeja, la ingestión de ciertos alimentos (especialmente, cacahuetes y huevos) o el consumo de fármacos o drogas. *Véase* **Reanimación cardiopulmonar**.

RECOMENDACIONES

- *Ante el menor indicio de dificultad para respirar o de dolor en el pecho llame a una ambulancia.*

- *Mientras espera la ambulancia, administre Aconitum 6 o Apis 6, 4 píldoras cada 10 minutos.*

- *Aplique presión en los puntos de acupuntura situados 2,5 cm por debajo del punto medio de la clavícula a ambos lados.*

- *Vierta unas gotas de aceite de lavanda en agua en ebullición para que el paciente efectúe varias inhalaciones.*

- *Si el paciente está inconsciente, controle la respiración y el pulso y, si es necesario, inicie la reanimación cardiopulmonar.*

ARTERIOSCLEROSIS O ATEROSCLEROSIS (ATEROMA)

Este breve apartado es el más importante de toda la obra. La arteriosclerosis es la principal causa de muerte en Occidente, poniendo fin a una de cada tres vidas. Es la causa subyacente de las cardiopatías, las apoplejías o ictus y la hipertensión arterial.

La arteriosclerosis es la obstrucción de las arterias del organismo, y forma parte del proceso de envejecimiento natural. Se han observado cambios en las paredes arteriales de niños de tan sólo un año.

La pared interna de las arterias del organismo debe ser lisa. Cualquier factor que afecte a esta delicada capa predispone a la arteriosclerosis. Infecciones, fármacos, radiaciones y radicales libres formados por la ingestión de tóxicos, como pesticidas, insecticidas, tabaco o alcohol, lesionan las paredes arteriales. El organismo intenta reparar esta lesión mediante la liberación de sustancias químicas que atraen plaquetas (un tipo de células especializadas de la sangre), células cicatrizales y nutrientes. El colesterol, que forma parte de la estructura de casi todas las células del organismo, es uno de los principales nutrientes utilizados para reparar estas lesiones. Estos diversos componentes actúan en conjunto para formar un «parche» irregular en la pared arterial, el cual va creciendo de tamaño a medida que atrapa otras moléculas, como colesterol y plaquetas.

La arteriosclerosis es un proceso silencioso que sólo se manifiesta cuando la oclusión arterial ocasiona un problema en los tejidos irrigados. La acumulación de detritos celulares constituye la denominada placa. Con el paso del tiempo, ésta obstruye el flujo sanguíneo e impide el aporte de oxígeno y nutrientes a los tejidos. La placa puede también desprenderse y ser transportada por la corriente sanguínea hasta una arteria pequeña, causando una obstrucción en un punto distante. Esta placa en movimiento se denomina émbolo.

La oclusión arterial en órganos como el cerebro o el corazón puede tener efectos inmediatos y potencialmente mortales. En el caso de oclusión arterial en un riñón, las consecuencias no son mortales debido a que el otro riñón compensa la situación, y si se trata de una obstrucción en el flujo sanguíneo hepático, habrá suficientes células en el resto del hígado para llevar a cabo sus funciones normales. La placa endurece las arterias y disminuye su capacidad de respuesta al control neurológico que regula su diámetro. Este endurecimiento de las arterias provoca un aumento de la presión arterial, lo cual, a su vez, incrementa el riesgo de ictus o apoplejía e infarto cardíaco.

Es posible que la arteriosclerosis sea la causa (o contribuya en gran medida) de la mayoría de las enfermedades asociadas con el envejecimiento. La reducción del aporte de oxígeno y nutrientes con-

Arteria arteriosclerótica

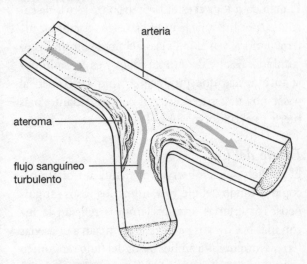

Arteria arteriosclerótica que muestra un ateroma en su pared interna.

duce a la enfermedad y es la principal causa del «envejecimiento».

Valoración e investigación

Es difícil efectuar una valoración de la arteriosclerosis sin utilizar procedimientos invasivos. Los siguientes parámetros permiten valorar el grado de arteriosclerosis y sus riesgos potenciales.

Pulso

El pulso arterial se percibe fácilmente en el cuello, la muñeca, la parte superior del pie y por detrás de la cara interna del tobillo. Los pulsos débiles en los pies pueden indicar un flujo sanguíneo genéticamente pobre y no deben utilizarse para valorar la arteriosclerosis si el paciente ha padecido de pies fríos la mayor parte de su vida. Sin embargo, toda persona con «mala circulación», manifestada por manos y pies fríos, debe tener especial cuidado en evitar el desarrollo de arteriosclerosis.

Al valorar el pulso en la muñeca (pulso radial), el médico debe deslizar sus dedos arriba y abajo para percibir la textura y la tensión en la superficie arterial. Éstas deben ser iguales en todos los pulsos de un individuo y han de compararse, pero debido a que la arteriosclerosis se desarrolla lentamente, dicha comparación no resulta fácil. Cuanto más dura es la arteria, mayor es la probabilidad de que presente arteriosclerosis.

Auscultación del flujo sanguíneo

El médico coloca el estetoscopio sobre la arteria carótida (por fuera de la nuez de Adán) o sobre la arteria femoral (en la ingle) con el fin de oír un ligero zumbido. Éste se denomina soplo y es causado por la turbulencia que produce el flujo sanguíneo al pasar por una pared arterial rugosa. Cuanto más fuerte es el ruido, mayor es la lesión.

Fondo del ojo

El médico puede observar mediante un oftalmoscopio el fondo del ojo y examinar los vasos sanguíneos. Las arterias arterioscleróticas reflejan la luz con más brillo y sus paredes se asemejan a unas vías férreas luminosas a ambos lados del flujo sanguíneo central.

Pliegue del lóbulo de la oreja

Posiblemente, la forma más sencilla de valorar la arteriosclerosis consiste en examinar el lóbulo de la oreja. Varios estudios han demostrado la relación entre la arteriosclerosis y el desarrollo de un pliegue en el lóbulo de la oreja. Cuanto mayor es su profundidad, más grave es la arteriosclerosis. Esta hendidura se produce por la obstrucción de las arterias que irrigan la oreja. Toda persona con un pliegue auricular debe tomar medidas preventivas a fin de impedir el desarrollo prácticamente inevitable de arteriosclerosis.

Pliegue del lóbulo de la oreja

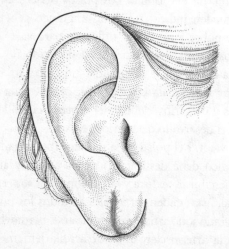

El desarrollo de un pliegue en el lóbulo de la oreja indica la existencia de arteriosclerosis. Cuanto mayor es su profundidad, más grave es la arteriosclerosis.

Análisis de sangre

Puede enviarse una muestra de sangre al laboratorio para determinar los niveles de colesterol total, lipoproteínas de alta densidad (HDL) y lipoproteínas de baja densidad (LDL). A partir de dichos niveles y de sus proporciones (como se menciona en el apartado sobre el colesterol), es posible establecer el grado de riesgo de arteriosclerosis.

Examen Doppler

La técnica Doppler es un procedimiento no invasivo que, mediante un haz ultrasónico, permite conocer la permeabilidad de las arterias (*véase* capítulo 8).

Arteriografía

Este procedimiento entraña cierto riesgos y debe usarse sólo como último recurso. Asimismo, es importante tener presente que se ha cuestionado la precisión de este método (*véase* **Radiografías** en el capítulo 8).

Factores de riesgo
Colesterol

El nivel de colesterol en la sangre es el principal factor de riesgo de arteriosclerosis. Existen diferentes tipos de colesterol, cuyas funciones se describen en el capítulo 7 (*véase* **Colesterol**). Es muy importante leer dicho apartado.

Diversos factores son muy relevantes para mantener niveles bajos de colesterol. Los azúcares refinados y todos los alimentos fritos y las grasas saturadas (*véase* **Grasas**) aumentan los niveles de LDL (el colesterol «malo»). Las deficiencias de calcio, cobre y cromo y las concentraciones sanguíneas elevadas de cinc pueden originar cantidades excesivas de LDL y disminuir el nivel de HDL (el colesterol «bueno»).

Debe recordarse que el colesterol estará presente siempre que exista un área lesionada y que cuanto más bajos sean los niveles de LDL menor será la probabilidad de que se formen placas. Aunque este tema se estudia en la sección dedicada al colesterol, merece insistirse en la importancia de saber si uno tiene el bueno o el malo en abundancia. Para ello, el mejor indicador es la relación colesterol total/HDL. Este cociente debe ser inferior a 5 en los hombres y a 4,4 en las mujeres. Un nivel elevado de colesterol no implica necesariamente que exista un problema.

Sustancias tóxicas

Cualquier sustancia capaz de lesionar la pared arterial debe considerarse una sustancia tóxica y ser eliminada de la dieta o de nuestros hábitos. Las que entrañan mayores riesgos son el tabaco y los radicales libres. Los cigarrillos contienen más de 3.000 componentes químicos, y todos ellos pueden dañar la capa interna de la pared arterial. El tabaco también genera radicales libres, al igual que las dietas con elevadas cantidades de grasas, azúcar y carnes rojas. Toda sustancia que implique una sobrecarga del hígado impedirá que éste degrade adecuadamente los productos tóxicos; por consiguiente, el alcohol, los fármacos y las drogas pueden predisponer a la arteriosclerosis.

Es necesario hacer una mención especial al café. Éste ejerce un efecto directo sobre el hígado y los niveles de colesterol. Cabe señalar que el té no tiene los mismos efectos perjudiciales que el café y, por consiguiente, son otros componentes de éste, aparte de la cafeína, los que causan problemas. Es posible que la cafeína no actúe directamente, sino que su acción sobre la presión arterial exacerbe los efectos de la arteriosclerosis.

Plaquetas

Estas células especializadas de la sangre cumplen un importante papel en el proceso de coagulación sanguínea (*véase* **Coágulos sanguíneos**). En virtud de su estructura, se adhieren a los tejidos lesionados y liberan sustancias químicas que atraen a los componentes «promotores» de la salud, como los glóbulos blancos, las células cicatrizales y los nutrientes. La deficiencia de vitaminas B_6 y E, el exceso de grasas saturadas o el déficit de aceites omega-3 y omega-6, la deficiencia del aminoácido metionina (presente sobre todo en las proteínas vegetales) y el déficit de magnesio y selenio aumentan la viscosidad de la sangre.

Es sabido que la aspirina disminuye la viscosidad de la sangre y, por consiguiente, es el tratamiento ortodoxo más utilizado en todo el mundo para prevenir las enfermedades asociadas con la arteriosclerosis, como el ictus y el infarto de miocar-

dio. El seguimiento de una dieta adecuada y los suplementos naturopáticos son, probablemente, más efectivos que la aspirina y entrañan menos efectos secundarios (*véase* **Dieta**, a continuación).

Estado del músculo arterial

Las arterias tienen una capa muscular en sus paredes, que se contrae o relaja según las instrucciones neurológicas y hormonales que recibe. El déficit de calcio o magnesio provoca una mala respuesta muscular y, por lo tanto, aumenta el riesgo de obstrucción arterial.

Ejercicio

El ejercicio aumenta los niveles de HDL, promueve la dilatación arterial y, por consiguiente, incrementa la permeabilidad (apertura) de las arterias. Para reducir los riesgos de arteriosclerosis es muy importante seguir un programa de ejercicios adecuado.

Control del estrés

Diversos estudios han demostrado que las endorfinas liberadas al practicar técnicas de meditación y relajación disminuyen los niveles de colesterol y aumentan la permeabilidad de las arterias. Un programa de meditación y relajación adecuado es esencial para cualquier persona, pero sobre todo para las que padecen arteriosclerosis.

Dieta

La dieta determina la cantidad de nutrientes que son absorbidos por el organismo y, como se ha descrito en los párrafos anteriores, muchos de ellos tienen un efecto directo sobre la arteriosclerosis.

La dieta ideal para las personas con riesgo de padecer arteriosclerosis o para las que desean evitar su desarrollo es la dieta vegetariana, pero que incluya pescados grasos (como arenque, salmón, atún o caballa) cuatro veces a la semana. Las verduras aportan fibra, que se une al colesterol en el intestino, y también contienen proteínas vegetales que disminuyen los niveles de colesterol. La metionina es el mejor ejemplo. Un compuesto denominado carnitina, sintetizado en el hígado, se forma a partir de la lisina, presente en la carne de cordero y las aves, pero sobre todo en las proteínas vegetales. La mayoría de los vegetales contienen vitamina B_6, coenzima Q_{10}, betacarotenos (que se transforman en vitamina A), cromo, selenio, calcio, cobre y magnesio.

La cebolla, el ajo y, sobre todo, el jengibre disminuyen la viscosidad de la sangre. La proteína lecitina, presente en las semillas de soja, se une al colesterol en el intestino y en la corriente sanguínea. Suele destacarse que los huevos tienen niveles elevados de colesterol. Existe en la naturaleza una regla referida al equilibrio que se cumple también en el huevo: la clara contiene lecitina, que se une a gran parte del colesterol presente en la yema, por lo cual los huevos son menos peligrosos de lo que suele creerse. La ingestión de un huevo de vez en cuando no constituye un problema para las personas con riesgo de padecer arteriosclerosis.

Los pescados grasos contienen los «buenos» ácidos omega-3, así como ácido eicosapentaenoico. Los vegetarianos pueden obtenerlos del aceite de linaza y del aceite de oliva prensado en frío.

El agua es el mejor líquido para reducir los riesgos de la arteriosclerosis debido a que diluye las sustancias tóxicas. El té verde puede ser un tratamiento adecuado. El consumo diario de una pequeña cantidad de alcohol puede ser beneficioso. Deben evitarse especialmente las bebidas azucaradas, incluso los zumos de fruta, que pueden ser perjudiciales si se toman en exceso. Medio litro de zumo diario es una cantidad aceptable, pero debe diluirse y tomarse de forma fraccionada.

RECOMENDACIONES

PARA EVITAR LA ARTERIOSCLEROSIS

- *Considere la posibilidad de someterse a una valoración anual por parte de un profesional de medicina alternativa.*

- *Tenga en cuenta las dietas de Ornish o Pritkin (véase capítulo 7).*

- *Si existe riesgo de arteriosclerosis considere una dieta vegetariana alternada con pescados grasos y aves. Evite los alimentos fritos y la carne roja.*

- *Considere el empleo de una dieta macrobiótica (véase capítulo 7).*

- *Evite todos los factores de riesgo, como fumar, beber en exceso, consumir fármacos y tomar café.*

- *Siga un programa de ejercicios adecuado.*

- *Aprenda y practique una técnica de meditación y relajación adecuada.*

RECOMENDACIONES

PARA LOS QUE YA PADECEN ARTERIOSCLEROSIS

- *Siga las recomendaciones anteriores para evitar la arteriosclerosis.*

- *Discuta el problema con un profesional de medicina alternativa experimentado.*

- *Consuma los siguientes nutrientes. Las cantidades recomendadas (indicadas por kg de peso) deben tomarse de forma fraccionada junto con las comidas.*

Betacaroteno	150 mg
Vitamina C	30 mg
Vitamina E	70 UI
Vitamina B_6	650 mg
Metionina	15 mg
Carnitina	15 mg
Aceite de linaza	1 cucharadita
Ácido eicosapentaenoico	70 mg
Ginkgo	1 mg
Lecitina	30 mg
Cisteína o N-acetilcisteína	3 mg
Cinc	350 mg (antes de irse a dormir)
Cobre	30 mg

Estas dosis deben tomarse los seis primeros meses después de sufrir un episodio relacionado con la arteriosclerosis, como un infarto cardíaco o un ictus, y luego deben reducirse a la mitad. Es aconsejable su consumo durante toda la vida.

- *Bajo la orientación de un profesional, considere el remedio homeopático Crataegus.*

- *Tratamiento quelante. Se describe en el capítulo 9.*

ARTERITIS

La arteritis es la inflamación de una arteria. La más frecuente es la de las arterias temporales, en las sienes, que constituye un trastorno peligroso.

La arteritis temporal puede manifestarse por un dolor súbito o, por el contrario, de inicio gradual. Es un dolor muy intenso y constante que no suele aliviarse con analgésicos suaves. Las sienes pueden ser hipersensibles al tacto. Esta dolencia afecta el aporte arterial a los ojos y el cerebro y, si no se resuelve, puede conducir a la ceguera o la muerte.

RECOMENDACIONES

- *Ante la menor sospecha de los síntomas descritos, acuda inmediatamente a un servicio de urgencias. Posiblemente recomendarán corticoides. Tómelos.*

- *Una vez que el proceso se encuentre bajo el cuidado de un médico ortodoxo, acuda a un naturópata y osteópata craneal.*

BULTOS Y TUMORES

Los bultos suelen aparecer y desaparecer. Los que persisten requieren un diagnóstico porque en algunas ocasiones (aunque pocas) pueden convertirse en algo desagradable.

La mayoría de los bultos son inocuos; en su origen puede estar involucrado un traumatismo, que genera un quiste o tejido cicatrizal, o una causa hormonal, como ocurre en los bultos en las mamas, que pueden desarrollarse por el estímulo de los estrógenos o la progesterona.

En términos sencillos, existen tres tipos diferentes de cuerpos, al igual que hay doce signos astrológicos. En la introducción de este libro se presenta una descripción más completa, pero básicamente el cuerpo debería ser un equilibrio de eliminación, reacción y retención. Los bultos y los tumores traducen una tendencia a la retención excesiva, lo que indica un desequilibrio en el estilo de vida. La formación frecuente de bultos y tumores sugiere que sería beneficioso consultar con un profesional de la medicina alternativa para revisar el estilo de vida, la dieta y la práctica de ejercicio.

RECOMENDACIONES

- *Los bultos que aparecen en cualquier localización sin motivo aparente y los que son de causa conocida pero persistentes requieren la evaluación de un médico.*

- *Es preferible realizar una ecografía o una resonancia magnética (RM) que una exploración radiológica (rayos X), pero no dude en someterse a todas las pruebas necesarias.*

- *La extracción quirúrgica de los bultos debería ser el último recurso, pero tampoco debe pasarse por alto como opción diagnóstica, especialmente si el bulto está asociado a las mamas o a los genitales.*

- *Una vez diagnosticada la causa del bulto remítase al apartado correspondiente del libro.*

CABELLO

El cabello es un resto de la evolución de nuestros antepasados simios. Concebido para proporcionar calor y protección frente a los elementos, el uso de ropas estimula la selección natural hacia su desaparición. El cabello y el pelo de las axilas y del pubis se conservan. El del cuero cabelludo puedo comprenderlo como un factor de protección, pero ¿el de las axilas y el pubis? Si alguien lo sabe, ¡por favor, escríbame dándome la respuesta!

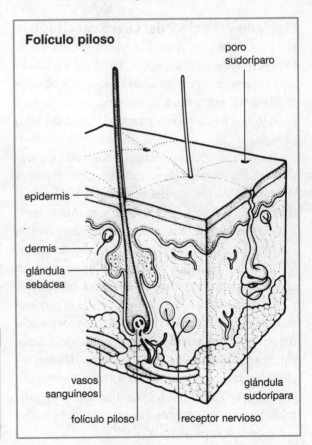

Folículo piloso

poro sudoríparo
epidermis
dermis
glándula sebácea
vasos sanguíneos
folículo piloso
receptor nervioso
glándula sudorípara

El pelo está constituido sobre todo por queratina, una proteína, que puede describirse adecuadamente como una sustancia «muerta». Sin embargo, el folículo piloso, a partir del cual crece el pelo, está muy vivo, y los profesionales de medicinas alternativas consideran que es una eficaz célula de eliminación y que el pelo, en sí mismo, es un reflejo del estado de salud. Muchas dolencias, como el hipotiroidismo, se manifiestan por un cabello seco y quebradizo, y el hipertiroidismo puede causar la caída del pelo. Algunas pruebas de intolerancia y alergia alimentarias no demostradas científicamente consisten en examinar el pelo en busca de moléculas de alimentos incorporadas en la queratina, basándose en la idea de que el folículo es capaz de eliminar toxinas o compuestos no tolerados por el organismo, los cuales, por consiguiente, pueden medirse.

La mayoría de las culturas consideran que el cabello es un adorno al que merece dedicarse tiempo para hacerlo atractivo. Es un factor importante en la selección de la «pareja», por lo que el cuidado del pelo debe considerarse una necesidad, y no una vanidad.

Cuidado del pelo y del cuero cabelludo

Los productos para el cabello que contienen medicamentos reducen la capacidad del cuero cabelludo para mantener el pelo en buen estado. Si se observa el cabello de niños sanos se comprueba que es muy poco lo que ha de hacerse cuando la salud del niño es buena.

Los folículos pilosos y las glándulas sudoríparas actúan como órganos de excreción; cuanto mayor es la cantidad de toxinas del organismo, mayor es el contenido de desechos en el pelo y mayor es también la cantidad de sudor que recubre los cabellos con toxinas. La deshidratación, el exceso de grasas, los alimentos refinados y los aditivos y conservantes alimentarios quitan el brillo y lustre del cabello.

La constitución del pelo depende de la producción de una proteína, la queratina, cuya formación requiere un aminoácido suplementario en la dieta. Cuanto más fáciles sean la digestión y la desintegración de dicha proteína, más fácil será su formación para el cabello. Así pues, los aminoácidos de proteínas vegetales y de carnes blancas (pescado, pollo) son los mejores para el pelo.

Debe recordarse que la piel absorbe compuestos, si bien lentamente, y el cuero cabelludo, muy vascularizado, es una vía de entrada eficaz de sustancias en el organismo. Algunos extractos de plantas son menos tóxicos que las sustancias químicas, pero se adhieren al cabello con la misma eficacia. Cuanto más naturales sean los productos utilizados para el pelo, menor es la probabilidad de originar un medio tóxico en el organismo. El cuero cabelludo, donde se encuentran los folículos pilosos, es una porción muy activa de la superficie de la piel. Continuamente se elaboran sudor, sebo y pelos, y es mejor prevenir las enfermedades del cuero cabelludo, como la caspa y la alopecia, que tratarlas. El estrés afecta al estado del cabello. En situaciones de estrés, el organismo produce más adrenalina, y ésta disminuye la irrigación de la piel con el fin de proporcionar más oxígeno y nutrientes a los órganos vitales en la reacción de lucha o huida. Una reducción del 10% en el flujo sanguíneo posiblemente pase inadvertida, pero disminuye el aporte de oxígeno y nutrientes al folículo piloso y a las glándulas sudoríparas y sebáceas y, como consecuencia, se reduce la cantidad de nutrientes esenciales que recibe el folículo piloso.

> ### RECOMENDACIONES
>
> - *No lave el cabello con más frecuencia de la necesaria. Si pierde brillo o parece sucio cada día, la causa reside en la dieta, no en los productos utilizados. El lavado diario disminuye los aceites naturales del pelo, lo cual deteriora su aspecto y su estado.*
>
> - *No use champús medicados. Los champús con extractos de plantas como la Simmondsia chinensis son muy seguros y tan beneficiosos como la mayoría de los aditivos clínicos.*
>
> - *En el cabello seco puede ser beneficiosa la aplicación semanal de aceite de oliva y zumo de limón. Mezcle una cucharada de aceite de oliva y una cucharadita de zumo de limón y aplíquelas sobre todo el cabello. Deje que actúen durante 15 minutos y luego lave con un champú natural. El cabello seco suele ser un indicador de deshidratación (véase **Deshidratación**).*

- Evite los acondicionadores medicados. Utilice sólo productos naturales.

- El masaje del cuero cabelludo, realizado por usted mismo, por un profesional o por otra persona, estimula el flujo sanguíneo y favorece un cabello sano.

- Si el crecimiento del pelo es lento puede ser beneficioso un suplemento polivitamínico.

- Las técnicas de meditación o relajación son un componente esencial para tener un pelo sano en las personas sometidas a estrés.

- Un cabello deslustrado persistente puede ser el reflejo de una dieta deficiente o un mal estado subyacente. Puede consultarse con un experto en tricología o un especialista en medicinas complementarias.

Caída del cabello

La caída del cabello puede ser una respuesta fisiológica o patológica. Cuando el tiempo es caluroso, durante el embarazo y la lactancia y con el envejecimiento se produce la caída de una parte del pelo. Las causas patológicas incluyen exceso de lavado, uso de champús medicados o de baja calidad, empleo excesivo del secador de pelo y, posiblemente, sobreuso de aerosoles y geles para el cabello. Ciertas dolencias provocan la caída del cabello, como el hipotiroidismo y otras enfermedades metabólicas. Los hongos en la piel, que más a menudo producen caspa, pueden provocar la caída del cabello, al igual que los tóxicos, como el alcohol, las drogas, los corticoides y los fármacos anticancerosos.

Las deficiencias nutricionales de minerales (especialmente azufre), proteínas y vitaminas pueden debilitar el cabello, y el estrés, como se menciona en el apartado sobre el cuidado del pelo, también ejerce un efecto.

RECOMENDACIONES

- Si la caída del cabello se debe a causas psicológicas, volverá a crecer.

- Tanto si la caída se debe a causas fisiológicas como patológicas, aumente el consumo de vitaminas y minerales en la dieta comiendo fruta fresca y hortalizas (como mínimo, 5 raciones diarias) o tome un suplemento de minerales y vitaminas 2 veces al día en las dosis recomendadas.

- La caída persistente del pelo sin causa evidente requiere un análisis minucioso de los productos utilizados para el cuidado del cabello y la consulta con un profesional de medicina alternativa o, preferiblemente, con un experto en tricología.

- Si la caída del pelo persiste, debería consultar con un médico general y, posiblemente, con un endocrinólogo.

Canas

Aunque existen varias teorías para explicar el proceso fisiológico que conduce al encanecimiento del cabello, en principio el color del pelo está determinado genéticamente y depende más de la manera en que la luz refleja la estructura proteica del pelo que de un aditivo en la matriz del pelo. A menudo se encuentran familias cuyos miembros presentan todos el pelo cano, si bien las filosofías orientales creen que las canas reflejan una disminución de la energía fundamental, sobre todo en los jóvenes (canas prematuras). No hay duda de que los estados de shock (un exceso de adrenalina) pueden encanecer el cabello, al igual que el estrés persistente (producción sostenida de adrenalina). El mecanismo se describe en el apartado sobre el cuidado del cabello.

RECOMENDACIONES

- Siéntase orgulloso del color de su pelo en lugar de combatirlo.

- Reduzca el estrés y modifique el estilo de vida para evitar la tensión persistente.

- Una dieta adecuada y los suplementos vitamínicos pueden influir en el color del pelo.

- No debería usar tintes para el pelo puesto que son absorbidos por el cuero cabelludo, pero si decide emplearlos, elija los productos más naturales.

Exceso de pelo

Habitualmente, el exceso de pelo constituye un problema sólo cuando es facial. Por lo general se debe a una predisposición genética o racial, si bien algunas alteraciones metabólicas poco frecuentes y ciertos medicamentos pueden estimular el crecimiento del pelo. En las mujeres, una posible causa es el desequilibrio hormonal, sobre todo el exceso de testosterona y otras hormonas masculinas (andrógenos).

RECOMENDACIONES

- *Si no existe una razón genética o racial evidente, consulte con un experto en tricología y un médico general.*

- *Considere el tratamiento naturopático con estrógenos y progesterona antes de recurrir a los medicamentos ortodoxos para bloquear los efectos de los andrógenos.*

- *Si el exceso de pelo no se debe a alteraciones metabólicas o a medicamentos, cabe considerar la eliminación del pelo. Pueden usarse procedimientos químicos o eléctricos, si bien los primeros causan respuestas tóxicas con mayor frecuencia.*

Tinturas para el cabello

El hábito de cambiar el color del pelo proviene en la evolución de las especies de la necesidad de camuflarse o de atraer la atención, ya sea con fines de apareamiento o para parecer más agresivo antes de la lucha. Este último uso ya no es muy necesario, aunque los llamativos colores del pelo de algunos jóvenes pueden ser una forma de afirmación social.

Las tinturas son absorbidas, en grado variable, por el cuero cabelludo, ricamente vascularizado, y pueden provocar una reacción tóxica, de mayor o menor intensidad, en el organismo.

RECOMENDACIONES

- *Utilice sólo colorantes naturales, puesto que el organismo tolera mucho mejor las hierbas naturales que las sustancias químicas artificiales.*

- *Evite las tinturas para el cabello. Intente sentirse cómodo consigo mismo y, si desea ardientemente una apariencia diferente de la que posee, considere la posibilidad de consultar a un psicoterapeuta.*

CÁNCER

Antes de estudiar el cáncer y su tratamiento desde un punto de vista holístico, es conveniente precisar qué es el cáncer. Las células cancerosas presentan tres características:

- Son células del organismo que han perdido su sistema regulador del crecimiento. Cada célula del organismo contiene cromosomas, los cuales se dividen para formar otras células. Una parte de estos cromosomas se denomina telómero. Cuando una célula se divide, algunos telómeros se separan; una vez que su número disminuye por debajo de determinada cantidad, la célula pierde su capacidad de multiplicarse. En las células cancerosas los telómeros no se separan.
- Las células cancerosas invaden los tejidos adyacentes, característica que las diferencia de los tumores benignos.
- Las células cancerosas se diseminan a través de los sistemas linfático y sanguíneo, y producen metástasis (la reproducción del mismo tumor en otro lugar del cuerpo).

Causas del cáncer

La medicina ortodoxa puede tratar unas pocas causas de cáncer, pero reconoce que las siguientes son importantes:

- Mala nutrición y aporte calórico excesivo en la infancia.
- Factores genéticos.
- Infecciones, probablemente víricas. Se sabe que el virus del papiloma humano, el virus de la hepatitis B, algunos virus del grupo herpes y el virus de la inmunodeficiencia humana (VIH) se asocian al cáncer.
- Compuestos químicos, como asbesto, metales, hidrocarburos, olefinas, compuestos nitrogenados de humo del tabaco, algunas sustancias naturales

como las aflatoxinas (hongo que crece en los alimentos, especialmente en cereales caducados).

- Deficiencias, especialmente de vitaminas A, C y E, selenio y fibra en la dieta.
- Radiaciones ultravioleta, gamma y rayos X.
- Irritación persistente.
- Defectos del sistema inmunológico.
- Edad, por un fallo natural en la división celular.
- Causas psicológicas. Las mujeres, por ejemplo, tienen más probabilidades de desarrollar un cáncer de mama si han sufrido una fuerte conmoción, como una pérdida o un divorcio, en los 2 años previos.

La medicina holística acepta todas las causas citadas pero considera también la posibilidad de infecciones parasitarias, alergias e intolerancias alimentarias, efectos carcinogénicos de conservantes y aditivos alimentarios y de organofosforados usados en la fumigación de cultivos, y deficiencias en aminoácidos, en particular, metionina y cisteína. Cuando se ha producido una conmoción psicológica, la medicina alternativa se dirige a eliminar el shock potencialmente capaz de provocar cáncer.

Estadificación del cáncer

Para facilitar el paso de información entre un médico y otro, la medicina ha establecido clasificaciones clínicas de los tumores. La clasificación más comúnmente utilizada es el sistema TNM.

T (estadios según el tumor)

T: tumor primario
Tis: carcinoma *in situ* (confinado a un área)
T0: ausencia de evidencia de tumor primario
T1-T4: descripción arbitraria del tamaño y la localización del tumor
Tx: tamaño y localización desconocidos

N (estadios según la afectación de los ganglios linfáticos)

N: afectación de ganglios linfáticos regionales
N0: ausencia de evidencia de afectación de ganglios linfáticos regionales
N1-N4: diferenciación arbitraria según la cantidad de ganglios linfáticos afectados
Nx: no se conoce la afectación ganglionar

M (estadios según metástasis)

M: metástasis
M0: ausencia de evidencia de metástasis
M1: existencia de metástasis
Mx: no se conoce la afectación

En algunos tumores se utiliza una terminología específica en estadios o grados que sustituyen los indicados para T y N.

Pronóstico

Uno de las mayores preocupaciones de la persona que padece cáncer es saber cuáles son sus probabilidades de curación o de sobrevivir a la enfermedad. Actualmente, es difícil valorar las consecuencias del cáncer si no se realiza tratamiento, puesto que todos los pacientes con cáncer suelen someterse a un tratamiento ortodoxo. Por otra parte, la medicina ortodoxa no aclara a los legos la diferencia entre «curación» y tasa de supervivencia a los cinco años. En la siguiente tabla se indican dichas tasas de supervivencia publicadas por la American Cancer Society. No he podido hallar datos comparables correspondientes a períodos previos, antes de la introducción de los modernos procedimientos actuales, pero las estadísticas sugieren que en los últimos 30 años se han producido cambios mínimos, si es que alguno, en las tasas globales de curación, a pesar de las agresivas intervenciones realizadas.

Localización del tumor	Tasa de supervivencia a los 5 años (%)
Páncreas	3
Bronquios (conductos pulmonares)	13
Leucemias (todos los tipos)	34
Ovario	48
Oído, nariz y garganta	52
Colon y recto	52
Cuello uterino	67
Próstata	70
Mama	75
Vejiga urinaria	75
Melanoma	80
Útero	85
Testículos	87

La medicina ortodoxa no se pregunta por qué algunas personas tienen mayor supervivencia que otras. Yo estoy convencido de que se debe más al individuo y a su sistema inmunológico que al cáncer *per se*.

El cáncer es una enfermedad crónica que se origina por múltiples factores, los cuales comprenden, como ya se ha indicado, desde causas genéticas hasta ambientales. Cada día se producen nuevos avances en el tratamiento ortodoxo del cáncer, pero en la mayoría de los casos podrían obtenerse mejores resultados si se consideraran los tratamientos alternativos.

Existen miles de casos de regresión espontánea y de curaciones alternativas del cáncer. Aunque muchos de ellos han sido validados científicamente, estos procedimientos no se incluyen en el tratamiento ortodoxo, simple y desgraciadamente porque los estudios no han podido completarse debido a motivos económicos y políticos. Además, los estudios a doble ciego controlados con placebo no son un método aceptable, y nunca lo serán, para evaluar los tratamientos alternativos. Esto no significa que no sean de uso corriente o eficaces, como ocurre con la cirugía.

Tratamiento

Para luchar contra el cáncer es necesario:

- Establecer y eliminar la causa.
- Instaurar tratamiento ortodoxo.
- Estimular el sistema inmunológico.
- Considerar los aspectos psicológicos y espirituales.
- Valorar la dieta y la nutrición.
- Utilizar tratamientos alternativos frente al cáncer.

Establecer y eliminar la causa

En algunos cánceres la causa es evidente, por ejemplo, el hábito de fumar en el cáncer de pulmón, la dieta con poca fibra en el cáncer de intestino y la exposición solar excesiva en el cáncer de piel. Se ha demostrado que en diversos tipos de cáncer existe una predisposición genética, y con seguridad en la próxima década se descubrirán razones y respuestas genéticas que ayudarán en la lucha contra el cáncer. Por el momento, los rasgos hereditarios de la mayoría de los tumores se encuentran fuera de

nuestro control. El uso de técnicas diagnósticas alternativas (*véase* capítulo 8) junto con los procedimientos de detección ortodoxos ayuda a determinar el estado de salud de un individuo y a establecer el origen de un tumor. Las causas del cáncer pueden ser desde psicológicas y asociadas al estrés hasta intolerancias alimentarias y contaminantes ambientales. La necesidad de analizar al individuo mediante un enfoque holístico y considerar la mente, el cuerpo y el alma es tan importante en esta enfermedad como en todos los procesos crónicos.

La medicina ortodoxa avanza a gran velocidad hasta donde lo permite la capacidad diagnóstica. Los ordenadores con rayos X, la resonancia magnética (RM) y otras técnicas permiten determinar con precisión la localización de un tumor situado profundamente en el organismo. Desgraciadamente, ninguno de los miles de millones de dólares que se gastan en investigaciones diagnósticas tienen como objetivo principal la prevención del cáncer. Los tumores más pequeños pueden extirparse una vez desarrollados, pero somos incapaces de predecir dónde o cuándo aparecerán. No obstante, hay esperanzas.

En los últimos 50 años se han realizado investigaciones dirigidas a demostrar que el organismo humano contiene canales de energía y que ésta puede medirse mediante receptores y transmisores electromagnéticos sensitivos. Actualmente, estas simples máquinas se han transformado en complicados ordenadores de biorresonancia, capaces de medir el flujo normal de energía de un individuo y detectar cualquier alteración en el sistema. Las células cancerosas presentan una resonancia particular diferente de la de los tejidos normales y también puede medirse.

Mediante una sencilla prueba, denominada prueba de laboratorio de patología humoral, se puede examinar una gota seca de sangre con el microscopio de alta resolución y comparar lo observado con otras muestras correspondientes a enfermedades conocidas o pertenecientes a pacientes que luego desarrollaron determinadas enfermedades. La sangre se modifica con rapidez y es extremadamente sensible a las deficiencias y los tóxicos, por lo que, en teoría, permitiría predecir la existencia de una tendencia al cáncer. Por ejemplo, los eritrocitos y los leucocitos tienen un comportamiento particular en presencia de radicales libres, iones negativos que pueden desencadenar cambios cancerosos en el núcleo de la célula.

Hoy en día, se sabe que sustancias químicas introducidas en la cadena alimentaria, a menudo a través de la fumigación de cultivos o la inyección directa del ganado, pueden provocar cáncer en el hombre. En un reciente estudio se hallaron más de doce compuestos carcinógenos en tres platos de comida (cóctel de gambas, carne con dos hortalizas y *pudding*) servidos en un restaurante de una popular cadena. Eliminar estos componentes del organismo no resulta fácil, pero los remedios homeopáticos pueden ser efectivos junto con dietas de desintoxicación.

Existen pruebas de que las alergias alimentarias pueden ser decisivas en determinados tumores, de lo cual cabe inferir que tal vez lo sean en todos los cánceres. Establecer la respuesta a una alergia alimentaria es esencial en cualquier proceso crónico, pero muy especialmente en el cáncer, puesto que una dieta correcta puede ser curativa (*véase* **Dieta y nutrición**).

Todas las investigaciones mencionadas se describen con más detalle en el capítulo **Terapias alternativas** (capítulo 9).

Instaurar un tratamiento ortodoxo

La medicina ortodoxa ha recorrido un largo camino en el tratamiento del cáncer y muy rara vez no forma parte de un tratamiento holístico. La cirugía es curativa y las pautas de quimioterapia y radioterapia mejoran continuamente. Los efectos secundarios de estos procedimientos siguen siendo un problema y los tratamientos ortodoxos a menudo resultan tóxicos para el organismo. Es esencial establecer un diálogo franco y abierto en la consulta con médicos ortodoxos cualificados y con profesionales de medicinas alternativas con experiencia o especializados en el tratamiento del cáncer. A menudo se instauran medidas terapéuticas ineficaces o, incluso, más dañinas que la propia enfermedad. Por ejemplo, un tumor de crecimiento lento en un anciano podría dejarse que siguiera su evolución espontánea puesto que el organismo sucumbirá

antes que el cáncer lo afecte. Las terapias alternativas dirigidas a preparar al organismo para estos procedimientos, los tratamientos para acelerar la curación de las lesiones causadas por la radioterapia y la cirugía y las terapias alternativas adecuadas para proteger al organismo de los efectos tóxicos son esenciales.

La medicina ortodoxa lleva a cabo constantes experimentos con el fin de hallar una vacuna contra el cáncer y, aunque ésta no parece estar cerca, constituye una importante área de investigación.

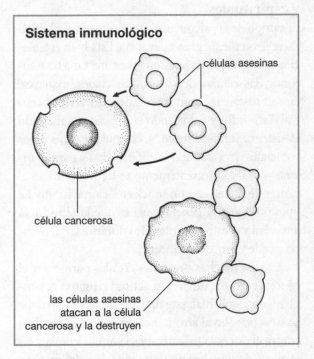

Sistema inmunológico

células asesinas

célula cancerosa

las células asesinas atacan a la célula cancerosa y la destruyen

Estimular el sistema inmunológico

El cáncer se desarrolla y prolifera debido a un fallo en el sistema inmunológico del individuo. El organismo dispone de células específicas para luchar contra el cáncer, denominadas células «asesinas», y elabora productos químicos que actúan como antioxidantes para eliminar los radicales libres que provocan o promueven el crecimiento celular. El cáncer es una proliferación de un tipo particular de célula. Esto significa que se ha perdido el ritmo de crecimiento normal y la célula se multiplica demasiado rápido. Ciertos genes denominados telómeros se separan cada vez que la célula se multiplica. Cuando la célula ha perdido todos sus telómeros, ya no puede multiplicarse y, finalmente, muere. En el cáncer no se produce dicha pérdida. Seguramente, muy pronto los avances científicos determinarán el porqué. Cualquiera que sea la causa, estas células no disponen de la energía fundamental que mantiene su salud, y los mecanismos de defensa del organismo funcionan de manera errónea. Es imperativo corregir esta situación, y la acción sobre el plano de la energía es importante tanto para fortalecer el sistema inmunológico como para estimular los efectos de las células asesinas.

Considerar los aspectos psicológicos y espirituales

El campo de la psiconeuroinmunología ha adquirido recientemente gran relevancia. Está bien establecida la capacidad de la psique para afectar a las neuronas (las células nerviosas), las cuales, a su vez, envían sustancias químicas al sistema nervioso central. Esto influye sobre todo el organismo, incluido el sistema inmunológico, y estimula a otras áreas esenciales para afrontar la enfermedad y para mantener la salud. Recientemente se ha relacionado el cáncer de mama con un shock emocional súbito. La opinión holística generalizada es que la tensión, la ansiedad y el estrés mantenidos durante largo tiempo pueden provocar cáncer.

Existen muchas oraciones creadas para curar el cáncer, y ya se trate de una actitud religiosa o, simplemente, espiritual, este tipo de cuestiones no debe pasarse por alto al afrontar el combate. Las técnicas contra el estrés, la psicoterapia, la hipnoterapia y las técnicas de visualización y meditación deben ocupar un lugar en el tratamiento del cáncer.

Valorar la dieta y la nutrición

Muchas pruebas apoyan el uso de dietas estrictas tanto para prevenir el tratamiento de tumores como para combatirlos. Algunos investigadores han demostrado, aunque no por procedimientos científicos a doble ciego, que la dieta puede curar el cáncer. La dieta tiene un importante papel junto a la mayoría de las restantes formas de tratamiento. Los regímenes contra el cáncer mejor conocidos se basan en los trabajos realizados por el doctor Max Gerson a principios de siglo y en la filosofía de la dieta macrobiótica. En el tratamiento del cáncer es imprescindible revisar la nutrición del individuo.

Utilizar tratamientos alternativos frente al cáncer

Existe una miríada de propuestas, y muchos datos anecdóticos avalan los tratamientos médicos alternativos. He leído libros, he hablado con sus autores, he trabajado con sanadores y me he relacionado con pacientes, y todos ellos tenían una respuesta para el cáncer. Existen muchas curas potenciales que están desapareciendo a causa del avance del hombre en la selva tropical, que destruye decenas de plantas curativas diariamente. De los tratamientos disponibles y estudiados, los siguientes deben ser revisados por cada individuo y por un especialista en medicinas complementarias y han de aplicarse comprendiendo bien sus efectos «no demostrados». No obstante, si se realizan de la forma recomendada, no son tóxicos, lo cual no puede decirse de los tratamientos ortodoxos.

Terapia antioxidante en dosis elevadas

Se han realizado numerosas investigaciones y estudios científicos sobre los efectos de los antioxidantes en el cáncer. Los antioxidantes son moléculas basadas en vitaminas que neutralizan las partículas con carga negativa presentes en la sangre, denominadas radicales libres. Éstos provocan cambios en las células normales, que conducen al desarrollo de cáncer. Existen pruebas científicas de que los antioxidantes pueden prevenir el desarrollo de cáncer, y se están llevando a cabo investigaciones para confirmar si la terapia antioxidante es potencialmente curativa, como han sugerido diversos estudios.

En casos avanzados, en los pacientes que reciben radioterapia o quimioterapia, que se someterán a un procedimiento quirúrgico o se recuperan de éste y en todos aquellos que presenten niveles elevados de radicales libres, posiblemente esté indicado iniciar un tratamiento con antioxidantes por vía intravenosa.

Té legendario de los nativos

Se trata de una bebida elaborada con una mezcla de hierbas, que los indios ojibway de Norteamérica consumen en forma de té. Los médicos advirtieron que el número de casos de cáncer en esta tribu era mucho más bajo de lo que cabía esperar y llevaron a cabo varios estudios básicos sobre este té. No se realizaron investigaciones científicas más detalladas y, por el momento, las evidencias son anecdóticas. Hay que señalar, no obstante, que un prestigioso y renombrado médico que atendía a la familia Kennedy ha escrito una carta avalando este producto a partir de las pruebas hoy disponibles.

Yeastone

Un médico descubrió la eficacia de un extracto de levadura en las células cancerosas. Comunicó entonces sus hallazgos a la Universidad de Aston, donde ensayos de primer nivel avalaron la eficacia de la levadura contra las células cancerosas. Los ensayos se realizaron en roedores, con resultados sorprendentes.

Esta levadura se ha utilizado también en seres humanos, con algunos buenos resultados. Se administra en forma de bebida, que debe tomarse tres veces al día. Tiene un fuerte sabor a levadura que no resulta agradable, pero éste es sólo un inconveniente menor.

Iscador

La Sociedad de Investigación sobre el Cáncer, de Suiza, ha efectuado numerosas investigaciones sobre este extracto de muérdago, algunas con un éxito considerable. Se administra en inyecciones, con una frecuencia que, dependiendo de cada caso, puede ser incluso diaria. También puede tomarse por vía oral, pero es menos efectivo.

Ukrain

Es un extracto de la planta celidonia que, en los últimos 15 años, ha demostrado tener efectos anticancerígenos. Durante 15 años se realizaron ensayos bajo la dirección de un profesor de medicina en Viena, Austria. Las pruebas científicas son firmes y las historias de casos han sido muy prometedoras.

Se administra por vía intravenosa (también puede usarse la vía intramuscular, pero es dolorosa), al menos dos veces por semana, lo cual puede ser un inconveniente. Es posible solicitar a un médico general que administre el compuesto, si bien los médicos ortodoxos son reticentes a las terapias no oficiales, a pesar de estar autorizados a administrarlas. El coste de este producto es prohibitivo.

Sulfato de hidracina

Es un extracto obtenido del combustible de los cohetes que inicialmente mostró (¡quién sabe cómo!) tener un efecto beneficioso en los pacientes caquécticos (con una gran pérdida de peso). La caquexia es un signo destacado en muchos cánceres. Los estudios en individuos caquécticos con cáncer han sugerido que el sulfato de hidracina puede tener efectos anticancerígenos. El compuesto se administra en cápsulas fáciles de tomar. Debe considerarse su empleo siempre que la pérdida de peso sea acusada.

Cartílago de tiburón

El cartílago de tiburón contiene, al menos, tres proteínas que poseen efectos anticancerígenos, debido a que inhiben la formación de nuevos capilares sanguíneos necesarios para nutrir un tumor de crecimiento rápido. Cuando actúan juntos, estos efectos parecen intensificarse. En la actualidad están en curso diversos estudios multicéntricos. La Food and Drug Administration (órgano máximo de control de alimentos y fármacos de Estados Unidos) ha aprobado el uso de cartílago de tiburón en ensayos de segundo nivel, lo cual es un logro considerable para un compuesto naturopático. Los primeros ensayos fueron muy prometedores. En promedio, un paciente debe tomar 1 g de este compuesto en polvo con sabor a pescado por cada kilo de peso. Esta cantidad se divide en tres tomas diarias. No es fácil de tomar, lo cual constituye un ligero inconveniente.

Quelación, peróxido de hidrógeno y ozono

Algunas pruebas avalan el uso de un compuesto denominado ácido etilendiaminotetraacético (EDTA), de peróxido de hidrógeno y de ozono en el tratamiento del cáncer.

Existe también un tratamiento que combina EDTA, oxigenoterapia y dosis elevadas de vitaminas antioxidantes administradas por vía intravenosa.

Técnicas de biorresonancia

Cuarenta años de experiencia médica han demostrado que el paso de pequeñas ondas electromagnéticas transmitidas por células sanas a tejidos tumorales puede prevenir el crecimiento del tumor e incluso destruir las células cancerosas. Se dispone de escasas pruebas científicas pero de numerosas evidencias anecdóticas. Este tratamiento, que es fácil de aplicar y no invasivo, requiere visitas semanales a un médico especializado en biorresonancia.

Otros tratamientos

Existen varios tratamientos potenciales del cáncer. El más conocido es un extracto de almendras, con el que profesionales de medicinas alternativas han obtenido considerables resultados desde hace más de 40 años. Los gobiernos y la industria farmacéutica no han autorizado este producto, al igual que el de otros muchos. La razón de esta negativa no es que dicho extracto sea ineficaz o entrañe peligros, sino la ausencia de ensayos científicos que lo avalen. Éstos no se han realizado porque los gobiernos y la industria farmacéutica no están dispuestos a destinar los millones de dólares necesarios para la investigación de productos naturales (los cuales no pueden patentarse). El descubrimiento de un simple producto naturopático para curar el cáncer costaría a la industria farmacéutica miles de millones de dólares. Este dinero, que es recibido y gestionado a través de universidades, laboratorios, departamentos del gobierno y personal farmacéutico, se convierte en un obstáculo para descubrir un tratamiento. Si tuviera ante usted:

- Un laboratorio clínico farmacéutico que solicita fondos para investigación.
- Un ensayo sobre un compuesto que cuenta con muchas pruebas que avalan su eficacia.
- Un médico que ha trabajado con una sustancia en su consulta.

¿Dónde destinaría los millones de dólares recolectados del bienintencionado público? Se trata de un callejón sin salida para afrontar la financiación de la investigación sobre el cáncer.

RECOMENDACIONES

- *Es el propio enfermo el que se cura el cáncer con ayuda de medidas externas. Él debe tomar la decisión de curarse.*

- *Analice junto con un profesional cualificado de medicina alternativa las diversas investigaciones que pueden recomendarse. Las biopsas y los procedimientos radiológicos pueden ser más perjudiciales que beneficiosos (véanse apartados específicos).*

- *Antes de iniciar un tratamiento, solicite una segunda opinión de un médico no involucrado en dicho tratamiento. Si no existen beneficios establecidos por comités éticos hospitalarios, es posible que se sugiera otro tratamiento menos agresivo e igualmente efectivo.*

- *Consulte siempre a un profesional de medicinas alternativas. La medicina ortodoxa no presta atención a ayudar al organismo a afrontar el tumor.*

- *Establezca un programa preparatorio antes de iniciar el tratamiento y un programa de desintoxicación durante la quimioterapia y después de ésta.*

- *Si se indica radioterapia, estudie los procedimientos para reducir sus efectos adversos.*

- *No subestime los efectos de una actitud positiva, de la psicoterapia y de las técnicas de relajación. Son imprescindibles.*

- *Se ha demostrado que la dieta es curativa por sí misma. Debe establecer un programa dietético detallado con un nutricionista.*

- *Utilice todas las técnicas diagnósticas alternativas para determinar el origen de la enfermedad. El tratamiento será inútil si no se conoce la causa.*

CIRUGÍA

La cirugía entraña riesgos, pero es el aspecto más curativo de la medicina moderna. Éste es un punto discutible, porque la extirpación de un bulto puede, en efecto, liberar a la persona del síntoma, pero no significa necesariamente eliminar la causa. Sin embargo, un tumor maligno extraído no puede diseminarse y, por lo tanto, se puede decir que el problema está curado.

Cualquier enfoque holístico de la salud debe incluir la cirugía. Las medicinas ayurvédica, tibetana y china disponen de técnicas quirúrgicas (algunas de ellas extremadamente complicadas si se tiene en cuenta su falta de conocimientos técnicos). Utilizando técnicas científicas notablemente complejas, la medicina moderna ha conseguido que la cirugía sea mucho más segura hoy que hace sólo diez años. Algunas de las técnicas son el uso del láser en lugar de los escalpelos, la cirugía endoscópica a través de «el ojo de una cerradura» (en sustitución de la cirugía abierta) y las técnicas robotizadas. Los cirujanos pueden trabajar utilizando rayos X y resonancia magnética (RM) sin ver directamente el órgano sobre el que están operando. En conjunto, las técnicas son fascinantes y no hay que rechazarlas cuando son necesarias.

Cirugía plástica

Creo que las intervenciones de elección (opcionales) merecen un comentario especial. La mayoría de estas operaciones corresponden a la categoría de la cirugía estética o, como se conoce normalmente, la cirugía plástica.

Aunque las técnicas quirúrgicas han mejorado notablemente, sigue existiendo una posibilidad entre 500 de presentar una reacción adversa grave a un anestésico, que incluso puede causar la muerte. El propio procedimiento quirúrgico puede lesionar nervios o crear tejido cicatrizal que provoca irritación y dolor persistentes mucho tiempo después de la curación de la herida. Creo que es necesario tener en cuenta estos hechos. También creo que gran parte de la cirugía estética se realiza por razones equivocadas; a medida que envejecemos no deberíamos intentar competir con los que son más jóvenes que nosotros, sino aceptar que las arrugas y la sabiduría (perder fuerza y ganar sabiduría, y desgastarnos a medida que ganamos experiencia) están inextricablemente unidas.

RECOMENDACIONES

• *Plantéese siempre las siguientes preguntas: ¿Es necesaria esta intervención? ¿Existe otra alternativa a esta intervención?*

• *El médico es quien debe decidir si es necesaria una intervención quirúrgica. Los cirujanos cortan, en eso consiste su profesión. Por lo tanto, eso es lo que recomendarán.*

Cuidados preoperatorios y postoperatorios

En ocasiones, cuando el cuerpo no puede curarse a sí mismo es necesario recurrir a la corrección mecánica, en otras palabras, a la cirugía.

Preparación preoperatoria

El período previo a una operación siempre se acompaña de ansiedad, tanto si se trata de una intervención de urgencia como de un proceso electivo planificado. En cuanto aparece la ansiedad aumenta la producción de adrenalina, que acelera el metabolismo del organismo y puede causar deficiencias de ciertos compuestos. Si a esto se añaden las inevitables instrucciones de «no ingerir nada por la boca» seis horas antes de una operación, el resultado es un período perjudicial de mala nutrición. Para evitar este hecho, dos semanas antes de la operación hay que empezar a almacenar vitaminas, minerales, oligoelementos y agua.

En las recomendaciones se proporcionan sugerencias sobre la medicación antes de una operación.

Intervención

Ante una operación es necesario considerar al paciente desde cuatro ángulos:

• Psicológico.
• Reparación del área operada.
• Toxicidad hepática.
• Shock del sistema nervioso.

Aspectos psicológicos

La preparación para una operación quirúrgica puede ser una experiencia muy angustiante y es necesario contar con una explicación completa por parte de un médico, un cirujano y, en ocasiones, un psicoterapeuta. El paciente debe comprender muy bien el procedimiento y sus efectos secundarios. Las personas especialmente ansiosas pueden beneficiarse de las técnicas de relajación y de meditación, que a menudo evitan la necesidad de administrar calmantes antes de entrar en el quirófano, reduciendo así los efecto de los fármacos.

Muchas operaciones pueden causar desfiguraciones, como las amputaciones o las mastectomías, en cuyo caso suele ser imprescindible el apoyo psicológico.

Reparación del área operada

Al operar se cortan la piel y las membranas, se dañan los tejidos subyacentes y es necesario reparar tanto los vasos sanguíneos circundantes como los tejidos profundos. El proceso de reparación requiere la formación de tejido cicatrizal, así como muchos otros procesos bioquímicos, para los cuales se requieren proteínas, vitaminas, oligoelementos y otros nutrientes. Por lo tanto, antes de un procedimiento quirúrgico se recomienda que un profesional de la salud realice un chequeo completo y asesore sobre los suplementos necesarios para asegurar que el cuerpo tenga una reserva de los nutrientes necesarios que le permitan la curación sin dificultades. Es posible administrar suplementos por vía oral o, preferentemente, por vía intravenosa, y este aspecto debe analizarse con el profesional de la salud.

Toxicidad hepática

Los anestésicos son fármacos muy potentes. Al igual que ocurre con cualquier medicamento, el hígado es un órgano muy eficaz para su descomposición y eliminación del organismo. En la mayoría de los casos, los efectos sobre el hígado son leves, pero siempre sufre cierto grado de intoxicación y requiere, por lo tanto, apoyo. Pueden utilizarse suplementos, fitoterapia y remedios homeopáticos para fortalecer el hígado.

Shock del sistema nervioso

Los anestésicos actúan impidiendo la vibración de electrones en el tejido nervioso. Si bien rara vez producen daños permanentes en los nervios, causan un shock importante en el sistema nervioso central. Para el cerebro, la inconsciencia se ha producido sin razón alguna. Las sustancias químicas activadoras del sistema nervioso tienen la instrucción de provo-

car el despertar, por lo que se produce una intensa actividad a medida que desaparece el efecto anestésico. Al igual que el hígado, el sistema nervioso necesita contar con una buena reserva de nutrientes para acelerar el proceso de reparación. Los suplementos y los remedios homeopáticos resultan útiles para este fin.

RECOMENDACIONES

- *Advierta al profesional de medicina alternativa sobre cualquier operación, sea mayor o menor, que implique el uso de un anestésico local o general, preferiblemente 2 semanas antes del procedimiento. Es preferible que las siguientes recomendaciones sean indicadas por un profesional. Sólo debe plantearse la cirugía si el nivel de salud es óptimo. No debe administrarse un anestésico si hay una infección en el tórax o en las vías respiratorias superiores.*

- *Asegúrese de estar tranquilo con respecto a la operación y de comprender su necesidad y su probable resultado. No dude en consultar con su médico o cirujano si tiene alguna duda o no está seguro de algo.*

- *Compruebe que están claros los riesgos y los efectos secundarios.*

- *No olvide aprender una técnica de relajación, a fin de reducir la necesidad de un calmante previo.*

- *No consuma «comida basura» durante al menos la semana previa a la operación. Coma 5 porciones de fruta o vegetales frescos cada día durante al menos 10 días después de la intervención. El hospital no le proporcionará estos alimentos, por lo que deberá solicitarlos fuera.*

- *Una buena hidratación es esencial, puesto que no se le permitirá tomar agua durante unas cuantas horas antes de la operación. El día antes de la operación beba 1,5-2 litros de agua a lo largo del día y empiece a tomar agua lo antes posible después de la operación. Es importante diluir las sustancias tóxicas de la anestesia y fomentar la bioquímica de la curación.*

- *Desde 3 días antes de la operación tome los siguientes suplementos (dosis indicadas por kg de peso) y continúe con esta rutina hasta completar la curación: vitamina C, 70 mg en dosis divididas con las comidas; cinc, 350 mg antes de acostarse, y arginina (un aminoácido), 30 mg con cada comida. Si no tolera la arginina debido a los trastornos digestivos que causa, divida la dosis y compruebe de nuevo la tolerancia. Si aún así no la tolera, tome la cantidad mínima que no provoque molestias. La arginina puede desencadenar brotes de herpes, por lo que los portadores de este virus no deberían usar este suplemento.*

- *Tome Nux vomica 30, 4 veces al día, empezando el día previo al procedimiento quirúrgico y continúe tomándola con intervalos de una hora el día de la operación. Tras la anestesia, utilice Arnica a la potencia 200, 3 veces al día durante 3 días, y después la potencia 30, 4 veces al día, hasta completar la reparación.*

- *Tome un producto de hierbas para limpiar el hígado, disponible en la mayoría de las tiendas naturistas, al doble de la dosis diaria recomendada. Si no dispone de él, puede utilizar cardo mariano, al doble de la dosis recomendada. Ambas opciones deben prolongarse durante una semana después de la operación.*

- *Véanse **Heridas y Cortes** para información suplementaria. La administración de los suplementos debe iniciarse al menos una semana antes de la operación.*

DEFICIENCIA DE HIERRO

A menudo la deficiencia de hierro se asocia a anemia y se interpreta como sinónimo de ésta. Sin duda, el déficit de hierro es una de las causas de la anemia, pero el hierro es necesario para muchas funciones del organismo: su déficit puede provocar dermatitis, problemas neurológicos, letargia, fatiga y debilidad muscular. Los fibromas y pólipos uterinos también pueden estar causados por niveles bajos de hierro.

Como siempre, la medicina ortodoxa indica la existencia de unos niveles normales en la sangre y que las pruebas son beneficiosas. Debe recordarse que los niveles sanguíneos no corresponden necesariamente con los niveles en los tejidos y que puede haber un déficit de hierro a pesar de que los niveles sanguíneos sean normales. Es mejor relacionar los análisis de sangre con la prueba de laboratorio de patología humoral (*véase* capítulo 8) o, si no se dispone de ella, con el análisis del cabello.

Los vegetarianos son más propensos a padecer una deficiencia de hierro debido a la ausencia de carnes rojas en su dieta. Las fuentes vegetales de hierro incluyen las verduras de hoja verde, en particular las espinacas y las coles. Son buenas fuentes de hierro el perejil (aunque consumido en grandes cantidades), los orejones, las nueces, las legumbres, los espárragos, la melaza y la harina de avena. Las menstruaciones abundantes son una causa frecuente de déficit de hierro y, paradójicamente, la anemia puede favorecer la aparición de reglas abundantes y dolorosas.

Un estudio francés reveló que el 15% de los niños son deficitarios en hierro. Esto se debe al escaso consumo de hierro a través de la leche de vaca, las leches de fórmula y los alimentos introducidos tempranamente en la vida del niño. Ésta puede ser la causa de la fatiga y la letargia, con tos y resfriados persistentes, en los niños menores de cinco años.

RECOMENDACIONES

- *El déficit de hierro debe establecerse por los niveles celulares de hierro y no sólo por los niveles sanguíneos.*

- *La sustitución debe realizarse mediante hierro en combinación con gluconato, citrato, fumarato o peptonato, en dosis aproximadas de 3 mg/kg de peso, fraccionadas con las comidas. No debe utilizarse sulfato ferroso. Estas dosis han de administrarse hasta lograr el alivio de los síntomas y luego reducirlas a la mitad y mantenerlas durante 2 semanas.*

- *Aumente el consumo de los alimentos citados.*

- *La vitamina C, en dosis de 17 mg/kg de peso, fraccionadas con las comidas, favorece la absorción de hierro.*

- *El hierro no debería causar estreñimiento, pero si éste se produce, aumente el consumo de fibra en la dieta o añada salvado de trigo o psilio a las comidas.*

- *Si los niveles de hierro no aumentan o persiste el estreñimiento, puede usar extracto de retama bajo el control de un especialista en fitoterapia.*

- *Si el déficit de hierro persiste o no se identifica su causa, consulte con un médico, puesto que puede haber una hemorragia interna, un síndrome de malabsorción o, incluso, un proceso más grave, como un cáncer.*

EMBOLIA

Embolia es el término médico que designa la oclusión de un vaso sanguíneo provocada por un elemento extraño a la sangre, como un coágulo, aire, un tumor, grasa, bacterias u otro cuerpo que haya alcanzado la corriente sanguínea a través de una lesión.

Los síntomas de la embolia dependen del tamaño y la localización de la arteria ocluida. El organismo forma continuamente pequeños coágulos que son destruidos por los mecanismos de anticoagulación de la sangre y por glóbulos blancos específicos que atacan a los cuerpos extraños. La oclusión de pequeños vasos sanguíneos, por lo tanto, pasa completamente inadvertida.

Si la embolia afecta a una arteria de mayor tamaño puede provocar un ictus si se trata de una arteria cerebral, un infarto de miocardio si es una arteria coronaria o síntomas neurológicos, como hormigueos y pinchazos, entumecimiento y enfriamiento de los miembros si la arteria obstruida irriga una extremidad o los dedos. La oclusión de una arteria que irriga el intestino u otro órgano interno puede provocar síntomas graves de forma súbita.

Una de las principales causas de embolia es la trombosis venosa profunda (*véase* **Trombosis venosa profunda**), y la destrucción de un coágulo en las venas profundas de la pierna puede originar las graves complicaciones descritas anteriormente.

Embolia pulmonar

Esta afección se debe al desprendimiento de un coágulo, que obstruye una arteria pulmonar, habi-tualmente después de realizar una intervención quirúrgica en la mitad inferior del cuerpo, como una prótesis de cadera. La obstrucción arterial impide la irrigación del tejido pulmonar, por lo que éste no se oxigena adecuadamente y el corazón se ve sometido a una mayor tensión. La dificultad súbita para respirar, el dolor en el tórax, la tos con esputo sanguinolento y la debilidad o aprensión después de someterse a una intervención o sufrir un traumatismo en la mitad inferior del cuerpo deben alertar sobre una posible embolia pulmonar.

RECOMENDACIONES

- *Cualquier síntoma que sugiera una embolia debe considerarse una emergencia médica y tratarse en el hospital más próximo.*

- *Es posible que se requiera anticoagulación con fármacos e, incluso, procedimientos quirúrgicos.*

- *Pueden tomarse los remedios homeopáticos Bothrops y Lachesis a la potencia 6 cada 15 minutos mientras se dirige al hospital.*

- *Una vez superada la urgencia, analice con un profesional de medicina alternativa la ingestión de vitamina E, ciertos preparados de hierbas y la introducción de cambios importantes en la dieta, especialmente aumentar el aporte de agua.*

ENFERMEDAD DE LOS LEGIONARIOS

Es una neumonía causada por una bacteria denominada *Legionella*. Su nombre se debe a que esta bacteria se identificó por primera vez en una convención de legionarios norteamericanos en 1976. Es una neumonía grave puesto que afecta, además, a los riñones, el intestino, el hígado y el sistema nervioso. La bacteria *Legionella* puede vivir en los aparatos de aire acondicionado y se disemina por transmisión aérea.

RECOMENDACIONES

- *Véase* **Neumonía**.

- *Cambie con frecuencia los filtros de los aparatos de aire acondicionado.*

ENFERMEDAD DE LYME

Es una artritis de carácter agudo y transitorio, que se acompaña de fiebre y lesiones en la piel. Se transmite por la picadura de una garrapata de ciervo. Debe su nombre a la ciudad de Lyme, en Connecticut, donde se observó por primera vez la enfermedad en 1975. Es un trastorno poco frecuente.

Aunque sus síntomas son debilitantes, no entrañan mayores peligros. No obstante, se sabe que el parásito ataca a los órganos principales, especialmente al sistema nervioso. Debe sospecharse la existencia de esta enfermedad si se ha estado en un área donde hay ciervos. Todas las picaduras de insectos que tienen un círculo claro rodeado de círculos rojos inflamados deben ser motivo de alerta. Es posible que no se advierta la presencia de la garrapata y es importante inspeccionar minuciosamente el cuerpo tras un paseo por una zona donde hay ciervos, porque si la garrapata se elimina durante las primeras 36 horas se reducen las posibilidades de contraer la enfermedad de Lyme. Los síntomas como fiebre, rigidez de cuello y dolor en las articulaciones suelen aparecer durante las primeras cuatro semanas.

RECOMENDACIONES

- *Si existe la posibilidad de que haya sido mordido por una garrapata, acuda a un médico con conocimientos sobre este tema. Quizá le indiquen un tratamiento antibiótico profiláctico, que probablemente sea una precaución adecuada, sobre todo si la garrapata ha estado en su cuerpo durante más de 24 horas. Puede realizarse un análisis de sangre que permite detectar la enfermedad de Lyme, pero esto sólo es posible 3 semanas después de la mordedura. Transcurridas esas 3 semanas puede aún ser recomendable el tratamiento con antibióticos, pero quizá sea menos efectivo.*

- *Es necesario administrar antibióticos porque los tratamientos alternativos pueden ser inefectivos y el retraso en la destrucción de esta bacteria puede tener efectos a largo plazo.*

- *Véase **Antibióticos**.*

- *Véase **Artritis**, si este proceso patológico ya ha comenzado.*

- *Tome el remedio homeopático Ledum 30, 2 veces al día durante un mes, mientras sigue cualquier tratamiento ortodoxo. Si ha notado la mordedura de la garrapata, tómelo con potencia 6 cada 15 minutos, durante 5 dosis.*

ENFERMEDADES AUTOINMUNES

Las enfermedades autoinmunes son un grupo de trastornos en los que el sistema inmunológico ataca al propio organismo. Mediante mecanismos bioquímicos complejos y poco conocidos, el sistema inmunológico normal reconoce todos los componentes de su propio organismo. Cuando en éste penetra un cuerpo extraño, el sistema inmunológico lo identifica como tal y lo destruye. Las razones por las que este reconocimiento puede fallar no se comprenden totalmente. La filosofía oriental considera que el sistema inmunológico se encuentra sobrecargado debido a que debe defenderse de infecciones, alergias alimentarias y contaminantes y que ciertos tejidos pueden verse involucrados en esta lucha.

El sistema inmunológico reconoce las proteínas propias y las extrañas, y la introducción de estas últimas en el organismo puede desencadenar una respuesta contra las propias proteínas. Virus, bacterias, fármacos y contaminantes se incluyen entre dichas proteínas. Las enfermedades autoinmunes más comunes son la artritis reumatoide y el lupus eritematoso sistémico (LES).

Los procesos autoinmunes constituyen un problema complejo y traducen el fallo del sistema inmunológico tras una enfermedad prolongada, incluso si ésta ha sido asintomática. Las enfermedades autoinmunes pueden ser muy graves e, incluso, mortales. No obstante, la mayoría de ellas son tratables mediante terapias alternativas y ortodoxas y muchas se autolimitan, persistiendo sólo unos pocos años.

RECOMENDACIONES

- *Consulte con un profesional de medicina alternativa con conocimientos de homeopatía, fitoterapia y nutrición. Todas estas alternativas deben considerarse.*

- *Evite todos los hábitos de vida que impliquen una contaminación evidente del organismo, como el tabaco.*

- *Elimine de la dieta todos los alimentos que causan reacciones. Las pruebas de alergia a alimentos pueden ser muy beneficiosas.*

- *Remítase a las afecciones específicas en este libro.*

Lupus eritematoso sistémico (LES)

Este trastorno, comúnmente denominado lupus, es una enfermedad autoinmune sorprendentemente frecuente. La medicina ortodoxa no dispone de una explicación sobre su causa, pero la mayoría de los profesionales de la medicina alternativa con experiencia en este campo consideran que se trata de una hipersensibilidad agresiva del sistema inmunológico del organismo en su totalidad, que puede estar provocada por múltiples causas.

El LES se caracteriza por la inflamación de todos los tejidos del organismo. Puede sospecharse su presencia en caso de dolor articular persistente, fiebre y malestar general. A menudo aparece un eritema facial en «alas de mariposa» en la frente y las mejillas (las alas de la mariposa). El eritema puede cubrir todo el cuerpo y acompañarse de múltiples síntomas.

Por lo general, el diagnóstico de LES se establece después de excluir otros trastornos. Existen pruebas sanguíneas específicas que son positivas en más del 90% de los casos de enfermedad.

El tratamiento ortodoxo consiste en administrar corticoides, analgésicos y fármacos específicos para los numerosos síntomas que pueden aparecer. Las terapias alternativas abordan el LES como una enfermedad autoinmune, en la forma descrita previamente, prestando especial atención a la dieta, las alergias y las intolerancias alimentarias, los niveles de estrés y los contaminantes ambientales, elementos todos ellos capaces de promover un sistema inmunológico hiperreactivo.

RECOMENDACIONES

- *El LES es una enfermedad que requiere ser tratada por un profesional de medicina alternativa experimentado, que debe coordinar el tratamiento con un homeópata, un fitoterapeuta y un nutricionista.*

- *Se requiere tratar el estrés mediante psicoterapia o técnicas de meditación.*

- *El dolor asociado al LES puede estar causado por un déficit de magnesio. Éste debe determinarse mediante una prueba sanguínea que mida su concentración intracelular, y reponerse si ésta es baja.*

- *El procedimiento ayurvédico consistente en beberse la primera orina de la mañana puede ser beneficioso. No obstante, las técnicas de extracción del sedimento urinario y administración de la orina en forma de gotas (lo cual resulta menos desagradable) pueden ser llevadas a cabo por un profesional de medicina alternativa con experiencia.*

- *Las raíces y el tronco de la planta Tripterygium wilfordi, en dosis de 10-15 g 3 veces por día, resultaron eficaces según un estudio publicado en China. Los efectos secundarios de molestias abdominales, náuseas y ausencia de menstruación en mujeres desaparecieron al cabo de unos días de tratamiento o en los primeros 6 meses.*

ESTRÉS GEOPÁTICO

La Tierra genera campos y líneas electromagnéticos que discurren en diferentes direcciones según la relación de la zona considerada con los polos norte y sur. El movimiento del agua, la posición del sol y de la luna y las centrales eléctricas creadas por el hombre influyen sobre este estado electromagnético natural.

Por el cuerpo humano circula energía electromagnética, cuya existencia es reconocida tanto por la medicina ortodoxa como por la filosofía oriental, para la cual la salud se genera a través de estos meridianos o canales de energía.

El tema del estrés geopático es muy vasto y está escasamente documentado, pero existen muchas pruebas de enfermedades y trastornos causados por interferencias en dichos canales.

RECOMENDACIONES

- *Véase* **Feng shui**.

- *Véase* **Radiación**.

FIEBRE DEL HENO (RINITIS ALÉRGICA)

La fiebre del heno o rinitis alérgica se caracteriza por picor en la nariz, el paladar y la garganta, congestión y/o secreción acuosa nasal y picor ocular. A menudo, estos síntomas se acompañan de fatiga, letargia y cefalea sinusal. La fiebre del heno es causada por sustancias químicas producidas por el organismo (como histamina) en respuesta al polen de plantas que ataca las membranas nasal y faríngea.

El tratamiento ortodoxo consiste en la administración de antihistamínicos, los cuales bloquean temporalmente los efectos de la histamina. También pueden emplearse al mismo tiempo otros descongestionantes. Estos tratamientos sólo alivian los síntomas, pero no curan la dolencia, por lo que vale la pena probar terapias alternativas, que pueden ser muy efectivas. Un profesional de medicina alternativa considerará la rinitis alérgica como una respuesta inadecuada al polen o a otras partículas inhaladas, debida a un estado de hiperreactividad del organismo originado por una alergia o una intolerancia alimentaria. Por consiguiente, el tratamiento de la rinitis alérgica es complejo y atañe a todo el organismo, no limitándose a medidas terapéuticas locales.

RECOMENDACIONES

- *Véase* **Alergias**.

- *Use técnicas de lavado nasal. La más sencilla es la técnica de yoga denominada Jala Lota, en la que se emplea una solución salina y una pequeña pera de irrigación. Con la cabeza hacia abajo, se vierte la solución en ambas fosas nasales; la solución elimina el polen y la sal favorece la descongestión nasal. Esta solución puede adquirirse en muchas tiendas de productos naturales, pero lo mejor es que un especialista en yoga enseñe el procedimiento.*

- *Gencido es un preparado homeopático suizo elaborado con pólenes, utilizado en ungüento o en inyecciones, que puede aplicarse en las fosas nasales o, en casos más graves, en inyecciones. Debe ser prescrito por un médico que conozca el preparado.*

- *Las vitaminas C y A y el cinc desensibilizan las membranas y alivian la rinitis alérgica. Estos suplementos deben tomarse en las cantidades recomendadas (indicadas por kg de peso) de forma fraccionada junto con las comidas: vitamina A, 70 UI; vitamina C, 70 mg, y cinc, 350 mg, antes de irse a dormir.*

- *Los remedios homeopáticos Allium cepa, Pollen y Arundo pueden tomarse a la potencia 6, 4 veces al día, como las diversas combinaciones homeopáticas para la rinitis alérgica.*

- *Puede usar preparaciones de hierbas pero deben ser prescritas por un especialista.*

- *Evite el alcohol, la cafeína, los azúcares refinados y los derivados de leche de vaca, que aumentan la producción de moco y empeoran la congestión.*

- *La opinión holística de consenso es que los individuos con rinitis alérgicas tienen, en general, un sistema inmunológico muy agresivo que ataca sustancias, como el polen, que no causan problemas. A menudo, esto se debe a que la persona ingiere o bebe alimentos a los cuales es alérgica. Se recomienda realizar pruebas de alergias alimentarias, sean éstas sanguíneas o por biorresonancia.*

- *Puede ser beneficiosa la desensibilización con remedios homeopáticos específicos para cada tipo de polen. Es posible examinar la sangre en busca de inmunoglobulinas frente a pólenes, para identificar la causa.*

- *La desensibilización potenciada por enzimas es un procedimiento de desensibilización específico estudiado en el Hospital John Radcliffe de Oxford, Inglaterra. Unos pocos médicos en todo el mundo disponen del equipo para llevar a cabo este nuevo y eficaz tratamiento en casos graves.*

FIEBRE TIFOIDEA

Véase **Salmonella**.

GLÁNDULAS (SISTEMA ENDOCRINO)

Las glándulas están constituidas por un tipo especial de tejido que elabora sustancias químicas, que se vierten en la corriente sanguínea y actúan sobre células situadas en otras partes del organismo. Dichas sustancias químicas, denominadas hormonas, son muy potentes, pues cantidades muy pequeñas de ellas ejercen intensos efectos. El término glándula significa «tejido que segrega hormonas», aunque también se utiliza para designar los tejidos que segregan productos que actúan localmente.

Bocio

El término bocio designa *cualquier* aumento de tamaño de la glándula tiroides. Por lo tanto, se trata

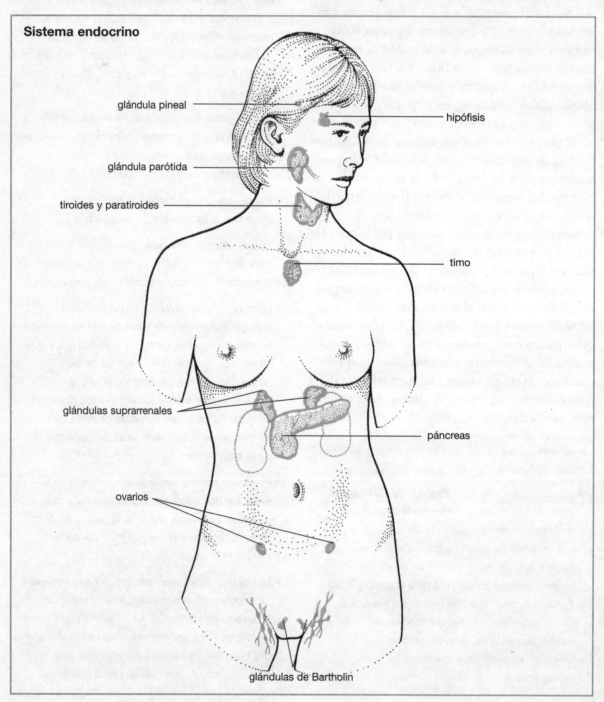

Sistema endocrino

glándula pineal

hipófisis

glándula parótida

tiroides y paratiroides

timo

glándulas suprarrenales

páncreas

ovarios

glándulas de Bartholin

de un síntoma, como la ictericia, por ejemplo, más que de un trastorno. Un tumor o una inflamación del tiroides puede manifestarse en forma de bocio. Las infecciones bacterianas que causan tiroiditis agudas son infrecuentes, pero las infecciones víricas como las paperas son más comunes. Éstas producen tiroiditis subagudas y habitualmente se presentan con molestias en el tiroides y dolor intenso en todo el cuello.

El bocio puede ser tóxico o no tóxico. En el bocio tóxico hay hinchazón de la glándula e hipertiroidismo (*véase* más adelante).

El bocio no tóxico está causado por el crecimiento del tiroides, que intenta captar más yodo para formar más tiroxina. Esto sucede en las personas que no ingieren suficiente cantidad de yodo en la dieta o que padecen un trastorno glandular (*véase* **Hipotiroidismo**).

El bocio asociado al hipotiroidismo tiende a ser difuso, con un crecimiento similar de toda la glándula. En el hipertiroidismo el crecimiento puede ser difuso o presentarse como un nódulo o con un patrón multinodular. Con frecuencia es posible auscultar un soplo en la glándula con el estetoscopio, debido al aumento de vascularización.

A menudo, el bocio es asintomático (no provoca síntomas), pero si el tiroides aumenta excesivamente de tamaño, puede ocasionar efectos por compresión de estructuras vecinas, en particular sensación de tirantez en el cuello, irritación persistente de la garganta o cambios en la voz debido a la presión sobre las cuerdas vocales.

Durante la pubertad y el embarazo pueden producirse bocios fisiológicos debidos a la influencia de los estrógenos y la progesterona.

RECOMENDACIONES

- *Ante una hinchazón del cuello debe consultarse con el médico para establecer el diagnóstico de certeza. Éste puede incluir procedimientos ecográficos y pruebas sanguíneas.*

- *Véanse los apartados correspondientes a* **Hipotiroidismo** *o* **Hipertiroidismo** *según la causa o los efectos del bocio.*

Enfermedad de Graves

Esta enfermedad, que debe su nombre al médico irlandés que la describió, a principios del siglo XIX, se caracteriza por una hinchazón del tiroides (bocio) y la protrusión de los globos oculares, denominada exoftalmos. Se desconoce la causa de esta enfermedad, que tiende a ser hereditaria y afecta con mayor frecuencia a las mujeres. El tiroides es hiperactivo y los síntomas de hipertiroidismo son muy notorios. La enfermedad se acompaña de un síntoma específico que consiste en lesiones circunscritas debajo de la piel en la espinilla (denominadas mixedema pretibial).

RECOMENDACIONES

- *Ante la menor sospecha de hinchazón en el cuello o protrusión ocular, con síntomas de sudación, palpitaciones, pérdida de peso, insomnio o hiperactividad o sin ellos, consulte con el médico para que descarte el diagnóstico de hipertiroidismo.*

- *Véase* **Hipertiroidismo***.*

Glándulas de Bartholin

No son, en realidad, glándulas, puesto que no segregan hormonas. Son pequeños cúmulos de tejido presentes en los labios, a ambos lados de la vagina, que segregan una sustancia lubricante y humidificadora. La obstrucción del conducto de secreción provoca el desarrollo de un quiste de Bartholin (*véase* **Quiste de Bartholin**).

Glándulas paratiroides

Son pequeñas glándulas situadas en el cuello, detrás del tiroides. Son la causa del equilibrio del calcio y del fósforo en los tejidos corporales. Los problemas en estas glándulas pueden causar importantes trastornos médicos y se manifiestan por niveles inadecuados de calcio, con frecuencia detectados en análisis sanguíneos de rutina. Si el cuello se encuentra persistentemente hinchado debe consultarse con el médico (*véase* **Tiroides**).

Glándulas parotídeas

Las parótidas están situadas entre el conducto auditivo, el hueso maxilar inferior y la apófisis mastoides. Son glándulas salivales cuyo conducto excretor se abre en la cavidad bucal. Producen saliva, que ayuda en la digestión de los alimentos y en la limpieza de la boca.

Las parótidas están recubiertas por una estrecha cápsula. La inflamación y la infección de estas glándulas causan hinchazón e intenso dolor y deben tratarse con urgencia. Los tumores son frecuentes y pueden revestir gravedad si no se tratan. Pueden formarse cálculos («piedras») en el conducto excretor, que causan su obstrucción e hinchazón. Esta afección debe tratarse inmediatamente.

El dolor agudo y pasajero que se produce a veces en la zona donde se hallan las parótidas al ingerir una sustancia ácida o agria se debe a la excreción inmediata de saliva por las parótidas, que provoca una contracción muscular del conducto parotídeo similar a un calambre. Se trata de una respuesta fisiológica que no debe ser motivo de preocupación.

Glándula pineal

Esta pequeña glándula, también denominada epífisis, situada en el tronco encefálico, corresponde al tercer ojo de la filosofía oriental. Su función no se conoce con precisión, pero se sabe que produce melatonina, hormona que regula el ritmo circadiano y los patrones de sueño. Es probable que ejerza un control sobre el estado de ánimo y que, como parece que lenta pero irremediablemente la ciencia encuentra fundamentos que avalan las antiguas filosofías orientales, se demuestre su relación con la intuición o el sexto sentido (el tercer ojo). Las enfermedades en la glándula pineal son infrecuentes y habitualmente sólo se detectan mediante procedimientos como la tomografía computarizada.

Glándula prostática (próstata)

Véase **Prostatitis**.

Glándulas salivales

Las glándulas salivales (que incluyen las parótidas) se distribuyen por la cavidad bucal. La saliva contiene enzimas que inician la degradación de los alimentos, fluido que lubrica las sustancias ingeridas y diversas inmunoblogulinas que ayudan a proteger y mantener la higiene bucal. La secreción de saliva, que es ligeramente alcalina, aumenta cuando existen problemas gástricos que causan un exceso de producción de ácido.

El control de la salivación depende de reflejos neurológicos. Así pues, ciertos problemas neurológicos, como la enfermedad de la motoneurona y los tumores de las glándulas salivales, pueden provocar un exceso de salivación. Hay que consultar con el médico en caso de exceso persistente de salivación o de dolor en los tejidos blandos internos de la cavidad bucal. La sequedad de boca puede estar causada por una enfermedad de estas glándulas o por un cálculo en los conductos excretores (*véase* **Saliva**).

Glándulas sebáceas

Las glándulas sebáceas se encuentran en la piel y producen sebo, sustancia protectora y humidificante necesaria para la salud de la piel. El exceso de sustancia sebácea conduce a la piel grasa, y la obstrucción de los conductos excretores de estas glándulas microscópicas puede causar granos, acné y quistes sebáceos (*véanse* los apartados correspondientes).

En ciertos trastornos genéticos infrecuentes las glándulas sebáceas no funcionan, lo que conduce a una sequedad persistente de la piel y favorece las infecciones. La deshidratación puede afectar a la composición del sebo y la función de las glándulas sebáceas; esto se corrige aumentado la ingestión de agua (*véase* **Piel**).

Glándulas suprarrenales

Estas glándulas, situadas encima del vértice superior de los riñones, están divididas en dos porciones: la corteza, externa, que segrega corticoides, y la médula, interna, que produce adrenalina en respuesta al control del sistema nervioso central. Algunos consideran que las glándulas suprarrenales están gobernadas por un meridiano de energía, el calentador triple según la medicina china, y que, a su vez, gobiernan los pitta o energía del fuego según las creencias ayurvédicas.

El estrés, tanto físico como psicológico, consume la energía de las glándulas suprarrenales, provocando un desequilibrio bioquímico, debido a la escasa producción de corticoides, y malestar general y fatiga por el déficit de adrenalina. El tumor más frecuente en las glándulas suprarrenales es el feocromocitoma, que se origina en la médula suprarrenal y provoca un exceso de adrenalina. Ésta causa aumento de la frecuencia cardíaca, elevación de la presión arterial, pérdida de peso y sudación. Es un cuadro grave que se asemeja al hipertiroidismo y requiere atención médica inmediata y, en general, cirugía.

Hipertiroidismo

Los principales síntomas de hipertiroidismo son:

Pérdida de peso	Intolerancia al calor
Aumento de la sudación	Piel caliente y húmeda
Dificultad para respirar	Palpitaciones
Taquicardia	Rubor facial
Hipertensión arterial	Arritmias cardíacas
Debilidad	Fatiga
Ansiedad	Irritabilidad
Insomnio	Psicosis esporádicas
Temblor	Diarrea
Menstruaciones irregulares	Abortos espontáneos

Sin tratamiento se produce la protrusión característica de los globos oculares, denominada exoftalmos, y constituye la enfermedad de Graves (*véase* **Enfermedad de Graves**). Las causas del hipertiroidismo se conocen parcialmente. El tejido tiroideo se vuelve hiperactivo a través de múltiples nódulos o, a veces, de un único nódulo «caliente». A menudo se encuentra una sustancia química denominada estimulante tiroideo de acción prolongada (LATS), que es una inmunoglobulina producida, en algún lugar y por alguna razón, por el sistema inmunológico. Es posible que su producción sea una respuesta a algún otro factor y que sus efectos sobre el tiroides sean simplemente una acción secundaria. Los pacientes con hipertiroidismo tóxico presentan un grupo de anticuerpos en la sangre, denominados anticuerpos estimulantes tiroideos (TSAb), que al parecer atacan a los receptores de la TSH en el tiroides y, por consiguiente, estimulan su actividad y la producción de un exceso de T_3 y T_4. Se ha sugerido que esto se debe a un estímulo autoinmune (el organismo se ataca a sí mismo), pero los médicos

holísticos lo atribuyen más a toxicidad, infecciones parasitarias o fúngicas del tiroides, alergias alimentarias y, como consecuencia, un desequilibrio de la fuerza vital en el vaso de la concepción o en los puntos chakra de la línea media.

Según mi experiencia, el tratamiento naturopático es notablemente ineficaz en el hipertiroidismo. Si éste es acusado, puede rápidamente causar la muerte, por lo que debe tratarse de forma apropiada. El hipertiroidismo leve puede responder al tratamiento naturopático, pero siempre debe controlarse cuidadosamente.

RECOMENDACIONES

- *Establezca el nivel basal de tiroxina con respecto a la temperatura corporal basal. Si es muy elevado, no dude en seguir un tratamiento ortodoxo; si se halla en el límite de la normalidad, realice controles frecuentes y preste atención a cualquier empeoramiento de los síntomas.*

- *Añada a la dieta alimentos bociógenos (inhiben la producción de tiroxina) aumentando la ingestión de brécol, coles, nabo, coles de Bruselas, productos de soja, cacahuetes, piñones y mijo.*

- *Pruebe las tinturas de licopodio o cactus, 5 gotas aproximadamente por cada 15 kg de peso, 3 veces al día.*

- *Tome el remedio homeopático Thyroidinium 200, una dosis por la noche durante una semana.*

- *Los síntomas específicos deben tratarse mediante un remedio homeopático adecuadamente seleccionado por un homeópata.*

Hipófisis

La hipófisis, también denominada glándula pituitaria, es la glándula más compleja del organismo. Situada en medio del cerebro, se divide en dos partes, anterior y posterior, y regula la mayoría de las restantes glándulas del organismo.

Las hormonas producidas por la hipófisis regulan el tiroides, el crecimiento (especialmente en los niños), el ciclo hormonal femenino y la ovulación, el contenido de agua en el organismo, la secreción de corticoides por las glándulas suprarrenales y otras funciones del organismo. Esta glándula del tamaño de una avellana puede causar numerosos problemas si no funciona adecuadamente. Los tumores de la hipófisis suelen manifestarse inicialmente por alteraciones de la visión debido a que se encuentra muy cerca del nervio óptico. El diagnóstico de un mal funcionamiento de la hipófisis requiere un médico experto, si bien existen diversos problemas menores asociados con esta glándula que adquieren relevancia en la filosofía médica oriental.

Resulta fascinante el hecho, no casual, de que todas las filosofías orientales crean en la existencia de un punto central de energía en la cabeza, el chakra de la coronilla, que corresponde al punto superficial de la hipófisis. Desde hace más de 5.000 años este punto se ha relacionado con el principal centro de control del organismo. Esta creencia ha sido avalada por la ciencia moderna en los últimos 100 años, a medida que se ha desentrañado la compleja función de control que ejerce la hipófisis.

La medicina ortodoxa no admite la influencia de efectos psicológicos sobre la hipófisis, si bien considera que el estrés y la ansiedad pueden causar fluctuaciones hormonales; la opinión holística generalizada es que factores psicológicos están involucrados en la producción de sustancias químicas por el cerebro o en la transmisión de energía hacia la hipófisis que ejerce efectos negativos. Los síntomas más evidentes del mal funcionamiento de la hipófisis son las alteraciones en el ciclo menstrual que presentan algunas mujeres jóvenes, sobre todo, cuando se hallan sometidas a una presión intensa. La hipófisis está conectada con el área del cerebro que reconoce y registra los olores, y es posible que sea esta sensibilidad a las feromonas (sustancias químicas transmitidas por el aire) la que induce la coincidencia de los ciclos hormonales en mujeres que viven en estrecha proximidad.

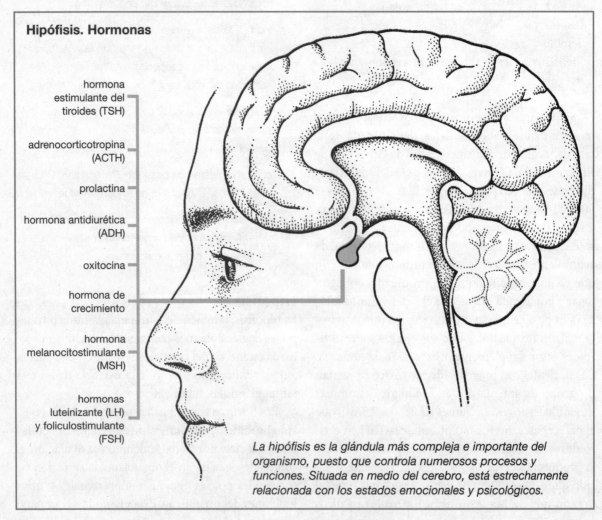

Hipófisis. Hormonas

hormona estimulante del tiroides (TSH)

adrenocorticotropina (ACTH)

prolactina

hormona antidiurética (ADH)

oxitocina

hormona de crecimiento

hormona melanocitostimulante (MSH)

hormonas luteinizante (LH) y foliculostimulante (FSH)

La hipófisis es la glándula más compleja e importante del organismo, puesto que controla numerosos procesos y funciones. Situada en medio del cerebro, está estrechamente relacionada con los estados emocionales y psicológicos.

Hipotiroidismo

Las hormonas tiroideas afectan a todo el organismo. Los síntomas de hipotiroidismo pueden manifestarse en cualquier zona del organismo. Debe sospecharse esta afección cuando aparece cualquiera de los siguientes síntomas y persiste o se asocia con otros dos o más de ellos:

Depresión	Insomnio
Ansiedad	Escasa concentración
Pérdida de memoria	Entumecimiento u hormigueos
Mareos	Síndrome del túnel carpiano
Disminución de la capacidad visual, sobre todo por la noche	Aumento de peso
Fatiga	Hipersensibilidad al frío
Retención de agua	Ronquera
Habla lenta	Ritmos anormales
Disminución de la frecuencia cardíaca	Aumento del número de síntomas de resfriado
Estreñimiento	Disminución del apetito
Menstruaciones irregulares	Infertilidad o abortos espontáneos
Ausencia de menstruación	Calambres musculares
Piel seca	Pelo quebradizo
Caída del pelo (sobre todo de las cejas)	Uñas estriadas y quebradizas
Irritabilidad	

También pueden aparecer otros síntomas menos comunes. Si la afección no se trata, los síntomas mencionados persisten y puede desarrollarse un cuadro denominado mixedema. Éste consiste en el depósito de material graso debajo de la piel que provoca una hinchazón similar a un edema en todo el organismo. Si el mixedema es profundo, puede producirse un coma asociado al descenso de la temperatura corporal y al daño de otros órganos por el escaso aporte de oxígeno.

El hipotiroidismo puede ser primario o secundario.

Hipotiroidismo primario

Existe un fallo en el desarrollo del tiroides que, si es acusado o no se detecta, puede conducir a una afección grave denominada cretinismo. Las causas posibles son las siguientes:

- Deficiencia de yodo. Ocurre sobre todo en las regiones del planeta donde el yodo no está presente en cantidades adecuadas en la cadena alimentaria. Los mariscos, en particular, presentan un elevado contenido de yodo, y las poblaciones de regiones montañosas que no incluyen el pescado en su dieta regular son más propensas a padecer un déficit de yodo. Otra causa es el daño del tiroides causado por alimentos bociógenos, los cuales contienen sustancias que impiden la utilización del yodo. Entre éstos figuran: semillas de soja, cacahuetes, mijo, nabo, col y mostaza. La cocción de los alimentos habitualmente inactiva las sustancias bociógenas.
- El cortisol, hormona del estrés, inhibe la producción de T_3.
- En raras ocasiones, los niveles de hormonas tiroideas son normales (o incluso elevados) pero los síntomas de hipotiroidismo persisten. Esto puede deberse a que las células del organismo no reconocen las hormonas tiroideas. En estos casos puede ser relevante la intoxicación por metales.
- Destrucción del tejido glandular del tiroides por tumores, cirugía o yodo radiactivo. Las dos últimas son más frecuentes debido a que constituyen tratamientos habituales del hipertiroidismo.
- La tiroiditis autoinmune (enfermedad de Hashimoto) afecta sobre todo a mujeres de mediana edad y se debe a la acción de anticuerpos contra diversos componentes de la glándula tiroides. Es decir, el organismo ataca a su propio tiroides.
- Ciertos fármacos pueden inducir hipotiroidismo, como los antiarrítmicos, algunos tranquilizantes y los antiepilépticos, entre otros.

Hipotiroidismo secundario

El hipotiroidismo secundario se debe a una producción insuficiente de TRH oTSH a causa de afecciones del hipotálamo o la hipófisis respectivamente. El tratamiento consiste habitualmente en la sustitución con tiroxina, que normaliza los niveles sanguíneos pero no corrige la causa del hipotiroidismo. La medicina holística intenta estimular el tiroides una vez eliminadas las posibles causas subyacentes de hipotiroidismo, pero a menudo debe recurrir a la sustitución con tiroxina porque no se consigue reestimular el tiroides. Las siguientes recomendaciones deben seguirse durante un corto tiempo, valorando objetivamente las pruebas de funcionalismo tiroideo y los síntomas tiroideos. Muchos pacientes se muestran reacios a tomar un «medicamento» el resto de su vida; sin embargo, debe recordarse que se trata simplemente de sustituir algo que el organismo produce de forma natural. Aunque se dispone de tiroides natural completa, las formas farmacéuticas son más sencillas, y el médico puede saber la cantidad exacta que está administrando.

RECOMENDACIONES

- *Busque una posible causa modificable de hipotiroidismo, como el déficit de yodo o una deficiencia inducida por medicamentos.*

- *Elimine de la dieta los alimentos bociógenos mencionados anteriormente.*

- *Compruebe si existen deficiencias nutricionales, específicamente de tirosina (el aminoácido), yodo, cinc, cobre, hierro y selenio, los cuales son necesarios para que el tiroides funcione.*

- *Practique regularmente técnicas de relajación o meditación y analice con un psicoterapeuta la forma de revertir la situación causante de estrés.*

- *Mida los niveles de mercurio, plomo y otros contaminantes en la sangre y en muestras de pelo y aplique el tratamiento pertinente (véase* **Intoxicación***).*

- *Añada los siguientes nutrientes a la dieta, con independencia de los resultados de los análisis de sangre, debido a que el organismo puede simplemente necesitar más tiroxina para funcionar con normalidad. Tome las cantidades recomendadas (indicadas por kg de peso) con el desayuno: yodo, 3 mg; selenio, 3 mg; cobre, 30 mg, y tirosina, 70 mg; el cinc, 350 mg, debe tomarse antes de ir a dormir.*

- *Puede emplearse acupuntura para intentar estimular el tiroides.*

- *Los ejercicios de yoga o chi kung estimulan la producción de hormonas tiroideas y movilizan la energía a través de los chakras, por lo que pueden aliviar obstrucciones o deficiencias en el chakra de la garganta, situado sobre el tiroides.*

- *Si los síntomas del hipotiroidismo son acusados deben usarse los preparados ortodoxos para sustituir la tiroxina. Las recomendaciones anteriores pueden estimular el tiroides y los centros cerebrales, aunque los niveles de tiroxina sean normales. La ingestión de tiroxina alivia los síntomas rápidamente.*

- *Puede usarse tejido tiroideo disecado, pero éste no presenta ventajas. Si se usa, deben controlarse los niveles sanguíneos y la temperatura corporal basal cada 3 semanas hasta conseguir la normalización o la desaparición de los síntomas.*

Timo

El timo, pequeña cantidad de tejido situada detrás del esternón (hueso medio del tórax), es el causante de la producción en el feto de linfocitos T, células blancas esenciales del sistema inmunológico.

Los problemas del timo son infrecuentes, aunque éste corresponde al chakra del corazón y, por consiguiente, está influido por el estado emocional del individuo. Una hipótesis reciente sugiere que el timo almacenaría parásitos que se liberarían al entrar en contacto con contaminantes petroquímicos de la atmósfera. La liberación de estos parásitos provoca la destrucción de los linfocitos T, los cuales son esenciales en el mal estado de los pacientes con VIH/sida (*véase* **Sida**).

Tiroides

El tiroides es una glándula con forma de «H», de unos 2 cm, situada a lo largo y por debajo de la nuez de Adán. Sus células sintetizan las hormonas tiroideas, entre ellas la tiroxina (T_4) y la triyodotironina (T_3) son las más importantes. Ambas hormonas se forman a partir del yodo y el aminoácido tirosina (el tiroides contiene también una pequeña cantidad de tejido denominado paratiroides, que produce calcitonina, hormona que controla los niveles de calcio del organismo).

Las hormonas tiroideas regulan el metabolismo de todas las células del cuerpo. Los niveles de hormonas tiroideas, a su vez, son controlados por una sustancia producida por la hipófisis denominada hormona estimulante del tiroides (TSH), cuya liberación es controlada por otra hormona, la hormona liberadora de TSH (TRH), producida por una región del cerebro denominada hipotálamo. Éste es un ejemplo fundamental de un mecanismo de biorretroalimentación (*biofeedback*). Un aumento de los niveles de hormonas tiroideas inhibe la producción de TRH y, por consiguiente, ésta no está disponible para estimular la producción de TSH, la cual, a su vez, tampoco estimula la formación de T_3 y T_4 por el tiroides. El objetivo de este circuito es mantener un nivel constante de hormonas circulantes dentro de un intervalo adecuado.

Hoy se dispone fácilmente de pruebas para medir los niveles hormonales, pero los intervalos normales son sólo orientativos. Por ejemplo, si el intervalo normal de un laboratorio es de 44-143 nmol/l, una persona con niveles de 50 nmol/l se consideraría normal. Sin embargo, si los niveles de dicha persona debieran ser de 120 nmol/l, en realidad se trataría de un hipotiroidismo.

Los niveles bajos o altos no deben considerarse aisladamente. Es mejor evaluar el estado tiroideo midiendo la temperatura corporal basal (TCB), que permite obtener una estimación de la tasa metabólica de las células. La TCB, junto con las pruebas sanguíneas y los síntomas de hipertiroidismo o hipotiroidismo, proporciona una mejor orientación. Un individuo puede tener unos niveles de T_3 o T_4 en el límite inferior de normalidad y ser considerado «eutiroideo» (función tiroidea normal), pero en realidad sus niveles deberían ser, por ejemplo, de 120. La medicina ortodoxa consideraría que el funciona-

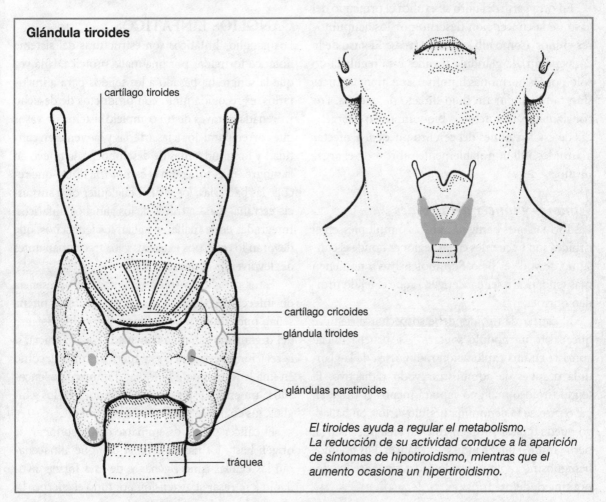

Glándula tiroides

cartílago tiroides

cartílago cricoides

glándula tiroides

glándulas paratiroides

tráquea

El tiroides ayuda a regular el metabolismo.
La reducción de su actividad conduce a la aparición
de síntomas de hipotiroidismo, mientras que el
aumento ocasiona un hipertiroidismo.

miento del tiroides es normal, pero, de hecho, el individuo sería notablemente hipotiroideo.

Temperatura corporal basal

Para medir la TCB se debe colocar un termómetro en la mesilla de noche antes de irse a dormir. A la mañana siguiente, inmediatamente después de despertarse y sin levantarse de la cama, se ha de colocar el termómetro debajo de la lengua durante 5 minutos como mínimo. Es conveniente repetir esta medición durante diez días consecutivos y luego calcular el promedio de temperatura. La TCB normal se halla entre 36,4 y 36,7 °C.

Una TCB inferior a la normal junto con unos niveles de tiroxina en la mitad inferior del intervalo normal son mucho más indicativos de hipotiroidismo que unos niveles sanguíneos hormonales aislados. Lo mismo cabe decir con respecto al hipertiroidismo para unos valores situados en el otro extremo de la escala.

En otra parte del libro se explica el principio del vaso de la concepción descrito por los acupuntores chinos. Como allí se indica (*véase* **El vaso de la concepción**), la glándula tiroides está regulada no sólo por las hormonas hipofisarias e hipotalámicas sino también por un flujo directo de energía. Por consiguiente, alteraciones bioquímicas o energéticas de estas regiones del cerebro pueden, al afectar al tiroides, influir notablemente sobre todo el organismo.

Tumores y cáncer del tiroides

Las formaciones benignas, únicas o múltiples, en el tiroides son frecuentes en las regiones donde el consumo de yodo es bajo. Son inofensivas y no tienen más tendencia a ser cancerígenas que el tejido tiroideo normal.

El cáncer de tiroides debe sospecharse siempre que exista un nódulo solitario. La prueba inicial consiste en una exploración radiológica de la glándula después de administrar yodo radiactivo. El tejido tiroideo maligno captará menos el yodo, en cuyo caso se lo denomina nódulo «frío». Su hallazgo puede indicar simplemente un área poco activa, pero también puede indicar un cáncer. Los nódulos benignos no captan el yodo radiactivo y se los denomina nódulos «fríos».

RECOMENDACIONES

- *Toda hinchazón en el cuello debe ser examinada por un médico.*

- *Hay que investigar cualquier nódulo tiroideo, puesto que su detección temprana aumenta las posibilidades de obtener mejores resultados.*

- *Es posible que un nódulo «frío» requiera una biopsia o, incluso, su extirpación, habitualmente bajo anestesia general, para lo cual es necesaria la autorización del paciente para extirpar el tiroides si se encuentra un cáncer.*

- *El tratamiento del bocio depende de su causa y de los síntomas asociados.*

- *No rehuya de las investigaciones por miedo de un mal resultado, puesto que la mayoría de los bocios son inofensivos y esto puede demostrarse fácilmente.*

GANGLIOS LINFÁTICOS

Los ganglios linfáticos son estructuras del sistema linfático formadas por una malla proteica. Una vez que la sangre ha pasado a los tejidos para alimentarlos, es recogida junto con productos de desecho y drenada a través de un complejo sistema de vasos que corren paralelos a las arterias y las venas en cantidad y longitud, antes de desembocar de nuevo en la sangre, en el tórax. En el camino, la linfa –que recoge las bacterias, los virus y cualquier otra sustancia extraña– pasa a través de los ganglios linfáticos. Integradas en la malla, se hallan los leucocitos, que devoran los cuerpos extraños y los fraccionan antes de devolverlos al flujo linfático.

Estos ganglios pueden inflamarse en presencia de infecciones, lo cual en general es una buena señal, pues indica que los mecanismos de defensa del organismo están en actividad. Por desgracia, si la relación es excesiva o está fuera de control, como en una leucemia o un linfoma, el número de leucocitos aumenta y éstos quedan atrapados en los ganglios, los cuales se inflaman excesivamente.

El cáncer puede diseminarse desde su lugar de origen hasta los ganglios linfáticos, que almacenarán las células cancerígenas y, de esta forma, ayudarán a retrasar su extensión por todo el cuerpo. La inflamación temporal de los ganglios linfáticos asociada a una infección debe dejarse evolucionar, pero su persistencia o el dolor ganglionar deben consultarse con el médico.

GOLPE DE CALOR

Véase **Quemadura solar**.

GRIPE

La gripe, enfermedad causada por virus específicos, se acompaña de síntomas variables entre moderados y graves. Éstos incluyen dolor de cabeza, molestias en los ojos, dolor de garganta, tos (seca o productiva), ganglios hinchados, dolor abdominal en los niños, extremidades doloridas, letargia, malestar y depresión. Pueden producirse las infecciones bacterianas secundarias, que pueden causar graves complicaciones, especialmente en los ancianos, los niños pequeños y los pacientes inmunodeprimidos.

En general, la gripe dura unos cuatro o cinco días, al contrario que el resfriado, que puede persistir diez días o más. Esto suele sorprender, ya que comúnmente se cree que la gripe dura más tiempo.

RECOMENDACIONES

- *Remítase a los apartados correspondientes del libro para los síntomas específicos.*

- *Reposo, preferiblemente en la cama.*

- *Cualquier enfermedad coexistente puede empeorar a causa de la gripe. Debe consultarse con el médico en caso de ser asmático, diabético o portador del virus de la inmunodeficiencia humana (VIH).*

- *Pueden tomarse los siguientes suplementos (dosis indicadas por kg de peso) de forma fraccionada: betacaroteno, 150 mg; complejo de vitamina B, 650 mg sólo con el desayuno, y vitamina C, 70 mg.*

- *Consulte en un manual de homeopatía el remedio más indicado de acuerdo con los síntomas específicos. Inicialmente considere Bryonia, Gelsemium y Arsenicum album.*

- *Pueden usarse acupuntura y shiatsu si hay dificultad para respirar o una intensa congestión.*

HEMORRAGIA

En general, el término hemorragia se reserva para las pérdidas abundantes de sangre, y no para las originadas en los inevitables cortes y lastimaduras causados en el jardín o la cocina.

Las hemorragias tras un traumatismo pueden ser externas o internas; las últimas revisten mayor gravedad debido a que los síntomas pueden no ser evidentes inmediatamente. La fractura del fémur (hueso del muslo) puede acompañarse de una pérdida abundante de sangre y, sin embargo, no provocar hinchazón debido a la gruesa vaina que recubre los músculos de la pierna. La rotura del bazo o del hígado provoca una hemorragia en la cavidad abdominal, que puede causar dolor si el paciente está consciente, pero que pasará inadvertido si no lo está.

Los sangrados de órganos o zonas específicas, como la nariz, los oídos o la vejiga, tienen sus correspondientes apartados en este libro.

Véase también **Sangrado.**

RECOMENDACIONES

- *Todo traumatismo o lesión, especialmente en la cabeza, debe ser examinado por un médico a fin de descartar una hemorragia interna.*

- *En una hemorragia externa debe aplicarse una compresión firme sobre el área sangrante. No hay que efectuar una ligadura en la extremidad, excepto que la compresión no consiga detener la hemorragia o que se haya producido una amputación. Aun así, hay que aflojar la ligadura cada 15 minutos para asegurar la perfusión de los tejidos situados más allá de la lesión. Busque atención médica lo más rápidamente posible.*

- *Mientras espera la asistencia médica, administre los remedios homeopáticos Arnica 6 y Phosphorus 6 alternadamente cada 10 minutos.*

HIPERLIPEMIA

La hiperlipemia es el término médico para designar el exceso de grasas en la sangre. Existen diversos tipos de hiperlipemia, pero las dos formas de grasa que se miden son básicamente el colesterol y los triglicéridos. Ambos compuestos son esenciales para la integridad de las membranas celulares y están implicados en muchos procesos bioquímicos.

El exceso de triglicéridos que no se acompaña de un aumento del nivel de colesterol se debe en general a la ingestión de una comida grasa y no entraña un riesgo particular.

HIPO

El hipo es causado por la contracción espasmódica del diafragma. Provoca una sacudida de la parte superior del cuerpo, pero por sí mismo es inofensivo, excepto cuando es persistente, en cuyo caso puede constituir un problema.

El hipo se debe a una irritación o inflamación del diafragma. El estrés puede provocar un calambre leve, y la ingestión de un compuesto que irrite o inflame el estómago o el esófago y afecte al diafragma puede causar hipo. Raras veces éste se debe a la irritación del nervio frénico, que inerva el diafragma.

RECOMENDACIONES

- *Pruebe un «remedio de la abuela»: tome un vaso de agua con la cabeza entre las rodillas o deslice un objeto frío por la parte posterior del cuello mientras contiene la respiración. Estas maniobras causan un espasmo en el diafragma que puede eliminar la irritación.*

- *Los remedios homeopáticos Retanhia y Acidus sulphuricus son medicamentos de primera línea pero no son comunes; inicialmente puede tratarse con Nux vomica, a la potencia 6, cada 10 minutos.*

- *Puede ser beneficioso el ginseng, tomado con las comidas al doble de la dosis recomendada en el producto adquirido.*

- *El hipo persistente puede ser la manifestación de un proceso grave que irrita el diafragma, como un tumor o un absceso en la cavidad abdominal, y debe ser investigado por un médico general.*

ICTERICIA

La ictericia es la coloración amarillenta de la piel, las mucosas y las secreciones, debido a una hiperbilirrubinemia (exceso de bilirrubina en la sangre). La bilirrubina es un producto de la degradación de los glóbulos rojos viejos, que se forma en el hígado y es excretado por la bilis. Cuando hay una obstrucción del flujo biliar, faltan las enzimas hepáticas necesarias o las células del hígado están enfermas o inflamadas, la bilirrubina no puede ser procesada correctamente y, por consiguiente, se acumula y fluye hacia la corriente sanguínea en lugar de hacerlo hacia el intestino. Una vez en la sangre, la pigmentación amarilla se distribuye por todo el organismo y provoca la coloración característica de la ictericia.

Por lo tanto, la ictericia es un signo, no una enfermedad. Puede ocurrir a cualquier edad y es muy frecuente en los recién nacidos en los primeros cinco días de vida (*véase* **Ictericia del recién nacido**). Entre las numerosas causas de ictericia, son potencialmente graves las hepatitis, los cálculos biliares y los tumores de la cabeza del páncreas (que rodea la porción inferior del conducto biliar).

El consumo excesivo de betacarotenos puede provocar una ictericia falsa. La ingestión de gran cantidad de zumo de zanahorias es una causa muy común de coloración moderadamente amarillenta de la piel.

RECOMENDACIONES

- *Todo signo de ictericia debe ser examinado por un médico general a fin de establecer un diagnóstico.*

- *Una vez identificada la causa, remítase a los apartados correspondientes de la obra.*

INTOXICACIÓN

Un tóxico es una sustancia que produce daño o, incluso, la muerte si se introduce en el cuerpo. Algunas sustancias son altamente tóxicas aun en pequeñas cantidades, mientras que otras sólo lo son si están presentes en grandes cantidades o se produce su acumulación. Las intoxicaciones pueden ser accidentales, intencionadas, inducidas por un médico (iatrogénicas) o medioambientales.

Hoy en día, la mayoría de las intoxicaciones se producen de forma no intencionada, o bien porque los gobiernos y las industrias no quieren verlas. Es muy poco lo que una persona sola puede hacer para evitar la contaminación medioambiental, pero apoyar a las organizaciones y asociaciones sin ánimo de lucro que trabajan en nuestro nombre contra esa polución es tarea de todos.

Oímos hablar de la capa de ozono y de la contaminación de la atmósfera, de la eliminación de productos tóxicos en nuestros ríos y mares, pero es muy poco lo que hacemos para reconocer el grado de intoxicación de nuestro ganado, y no se critica ni se controla estrictamente la aplicación de pesticidas y elementos químicos en la agricultura.

Muchos hogares tienen plomo en las cañerías y aluminio en las sartenes. Además, estamos sometidos al fluoruro en el agua, y al cloro y sus derivados en la mayoría de los detergentes. Se nos sugiere que los gases emitidos por los colchones de nuestros bebés pueden estar implicados en la muerte súbita infantil, que nuestros televisores, microondas y ordenadores despiden radiación, y es muy poco lo que se dice de la gran cantidad de gente que fuma en casa y deja residuos cancerígenos en las alfombras, las cortinas, las ropas y las sábanas a las que están expuestos sus hijos.

Es un milagro que sobrevivamos, y no es de extrañar que la mayoría de las enfermedades crónicas se hallen en aumento. Sobrevivimos mejor a las enfermedades gracias a los milagros de la medicina de urgencia, pero debemos hacer algo para protegernos de forma individual y colectiva. En diferentes apartados de este libro se describen problemas tóxicos concretos y la mejor manera de eliminarlos del organismo.

Contaminación medioambiental
Intoxicación por metales

Son muchos los metales que se encuentran en el medio ambiente y todos ellos pueden causar intoxicación. Los que se presentan a continuación son los más frecuentes.

Hierro

Las características clínicas de la intoxicación por hierro son los vómitos y la diarrea sanguinolenta durante las primeras horas posteriores a la ingestión; al cabo de seis-ocho horas aparecen mareos, confusión, desmayo e, incluso, puede producirse coma. El pulso es rápido y débil y, cuando es posible medir la presión arterial, ésta es muy baja. Ello se debe a que el hierro tiene un efecto directo sobre el sistema cardiovascular que causa dilatación periférica. En algún momento puede parecer que la persona tiene sofocos. Sin tratamiento o cuando los niveles no son suficientemente altos para provocar el cuadro agudo descrito, pueden producirse necrosis hepática, insuficiencia renal y espasmos intestinales.

RECOMENDACIONES

- *La ingestión aguda es una urgencia médica que requiere tratamiento hospitalario. Éste incluye aspiración y lavado gástricos, así como el uso de un compuesto denominado deferoxamina, que se une al hierro en el intestino y evita su absorción. Se puede usar este compuesto por vía intravenosa si se descubren niveles sanguíneos altos.*

- *Se debe administrar el remedio homeopático Ferrum metallicum, a potencia 30 cada 20 minutos, si se ha producido intoxicación en una única ocasión, o 2 veces al día si la intoxicación es crónica.*

Mercurio

La forma más frecuente de intoxicación por mercurio se produce en niños al morder un termómetro de mercurio. Este metal solía causar temblores en los sombrereros porque pintaban con nitrato de mercurio sobre fieltro. Esto dio origen al dicho inglés de «estar más loco que un sombrerero». Algunas de las características de esta intoxicación son ansiedad o depresión, caminar desequilibrado, temblores que afectan a la cara y las extremidades, sofocos y exceso de salivación.

La intoxicación por mercurio puede producirse por el uso de mercurio para rellenar las caries dentales.

RECOMENDACIONES

- *En los hospitales se administran agentes quelantes, especialmente uno denominado dimercaprol.*

- *Debe administrarse el remedio Mercurius 30 cada 15 minutos, en caso de intoxicación aguda, y 2 veces al día durante 3 semanas si la intoxicación se ha producido durante un período más prolongado.*

- *Véase* **Empastes**.

Plomo

La intoxicación por plomo es de difícil diagnóstico porque la ingestión de este metal suele producirse por cocinar en cazuelas de plomo o en personas que trabajan en refinerías o fundiciones. Su absorción era frecuente a partir de pinturas con base de plomo, tanto en pintores o decoradores como en niños que mordisqueaban los juguetes pintados con plomo. Es posible, aunque raro, ingerir plomo al beber vino casero o cervezas fabricadas y almacenadas en recipientes de barro.

La intoxicación por plomo puede causar anemia, cólicos y estreñimiento. Recientemente se ha demostrado que el plomo es el causante de mal comportamiento en los niños. Su toxicidad específica sobre el sistema nervioso puede causar debilidad, específicamente en la muñeca, que causa una dolencia conocida como muñeca caída. Otro signo específico de la intoxicación por plomo es la aparición de una línea azul en las encías.

RECOMENDACIONES

- *Se debe investigar los niveles de plomo en sangre para establecer el diagnóstico de certeza.*

- *El compuesto denominado EDTA, que se administra por vía intravenosa, se une a la mayoría de los metales pesados.*

- *Puede administrarse el remedio homeopático Plumbum metallicum, potencia 30, cada hora en una intoxicación aguda, o 2 veces al día a lo largo de 3 semanas si la toxicidad se ha producido durante un período más largo.*

Intoxicación por productos agrícolas (pesticidas)

Existen aproximadamente unos 5.000 pesticidas diferentes de uso frecuente y otros elementos químicos utilizados en agricultura que afectan a todos los alimentos que nos llegan y que no son de cultivo estrictamente orgánico. El objetivo de esos pesticidas es detener el crecimiento de hongos, levaduras, bacterias y virus. Realizan un trabajo efectivo y excelente, y seguirán haciéndolo en nuestro cuerpo a menos que podamos eliminarlos. Por desgracia, necesitamos mantener nuestras poblaciones de hongos, levaduras, bacterias y virus para conservar la salud, lo que no es muy fácil porque muchos de esos elementos químicos están en realidad concebidos para penetrar en los alimentos. Éste es especialmente el caso cuando se utilizan sustancias químicas agrícolas en la producción animal de buey, cordero, cerdo, pollo y pescado.

También nos exponemos a productos químicos con el uso de insecticidas, herbicidas, fertilizantes para el césped, pulverizadores para animales caseros y productos de limpieza de la casa.

La medicina ortodoxa afirma que los niveles que ingerimos son desdeñables y que no pueden causar problemas, pero son esos mismos los científicos que confiesan no tener ni idea de por qué cada día son más los casos de asma, eccema, síndrome del intestino irritable, cáncer... ¿hace falta seguir? No cabe duda de que estos compuestos causan enfermedades graves, como el cáncer, puesto que numerosos estudios han demostrado que las personas expuestas a ellos, especialmente desde la juventud, tienen mayor tendencia a padecer enfermedades graves. Es posible que los pesticidas causen trastornos genéticos y que, por lo tanto, sean capaces de originar enfermedades en las gestantes y en los niños. Se sabe que el efecto de los elementos químicos basados en fosfatos sobre el cerebro de los niños ocasiona agresividad, problemas emocionales e incluso esquizofrenia. También sabemos que esos elementos químicos pueden atacar al sistema nervioso, que causan esclerosis múltiple, distrofia muscular y síndromes similares al Guillain-Barré. Se ha postulado que el síndrome de fatiga crónica y las respuestas alérgicas también pueden empeorar (si no ser causadas) por esos compuestos.

Podría ser que este hecho no constituyera un problema para la raza humana a largo plazo, ya que existe una fuerte relación entre la reducción de la cantidad de esperma y las intoxicaciones por compuestos químicos utilizados en la agricultura. Durante los últimos veinte años se ha producido una reducción considerable de la cantidad de esperma en el mundo occidental que coincide con un aumento aún mayor del uso de estos compuestos químicos. Si seguimos así nos convertiremos en una raza estéril y ¡este problema se convertirá en académico!

- *Todas las personas que sufren una enfermedad crónica y una dolencia persistente o grave, así como todos aquellos que han crecido con elementos químicos utilizados en la agricultura o se han visto expuestos a ellos, deben controlar sus niveles en el torrente sanguíneo.*

- *Se debe tomar el remedio homeopático derivado del contaminante específico, con una potencia 30, 2 veces al día durante al menos 3 semanas.*

- *Siempre que sea posible consuma sólo alimentos cultivados de forma orgánica.*

- *Estos compuestos tóxicos suelen almacenarse en las grasas, por lo que mantener un peso ligero resultará doblemente ventajoso, sobre todo para los que trabajan en la industria agrícola.*

- *Comente esta cuestión con un profesional de la medicina complementaria, que podrá proporcionarle un tónico hepático y elaborar un régimen de desintoxicación específico que utilizará de forma regular.*

Intoxicación iatrogénica (inducida por el médico)

Todos confiamos en que nunca sea intención del médico intoxicar a su paciente, pero desafortunadamente este hecho se produce con demasiada frecuencia. En raras ocasiones la causa es un error del médico; a menudo se debe a que una persona no tolera un fármaco concreto o a que la prescripción está mal impresa o se interpreta mal. Son muchos los fármacos que se toman sin receta y que, por lo tanto, no han sido prescritos por un médico, sino que éste simplemente los ha aconsejado. Creo haber leído en una revista no médica que en 1994 se produjeron más de 2.000 muertes atribuibles a la administración incorrecta de medicamentos que se venden libremente.

El efecto de la intoxicación farmacológica puede variar desde una leve náusea hasta diarrea, vómitos y sudores. La persistencia de letargo, cansancio, malestar o cualquier otro síntoma físico puede indicar el inicio gradual de intoxicación. En cualquier caso, ya sea con síntomas leves o acusados, y tanto si el medicamento se tomó de forma intencionada como inintencionada (por ejemplo, si se trata de un niño), cualquier síntoma que se asocie a la ingestión de un fármaco requiere tratamiento inmediato.

Los profesionales de la medicina alternativa no están libres de culpa. También puede resultar tóxica para el organismo la prescripción de dosis incorrectas o excesivas de hierbas o, muy raramente, de suplementos.

- *Si sufre una intoxicación aguda o grave, póngase en contacto con su médico de cabecera o con un hospital para conseguir el número de teléfono de algún centro de toxicología. Lo mejor es tenerlo anotado en la agenda.*

- *Comente la posibilidad de intoxicación con el profesional que le prescribió la medicación o, si tiene dudas, busque una segunda opinión.*

- *A menos que el medicamento sea imprescindible, como un antibiótico para una enfermedad que puede resultar mortal, o un fármaco para epilepsia o cardiopatías, deje de tomarlo, preferiblemente después de consultarlo con su médico. Si toma corticoides, recuerde que su interrupción súbita puede provocar una crisis, en ocasiones mortal, por lo que no pueden retirarse sin supervisión médica.*

- *Tome el remedio homeopático Nux vomica 6 cada hora hasta que hayan remitido los síntomas agudos de la intoxicación.*

LIBIDO (IMPULSO SEXUAL)

El impulso sexual está gobernado por las hormonas sexuales: la testosterona en los hombres y los estrógenos y la progesterona en las mujeres. La testosterona tiene el aspecto añadido de la agresividad. Tanto los hombres como las mujeres producen las tres principales hormonas sexuales y, como ocurre siempre en la naturaleza, es una cuestión de equilibrio.

No es frecuente que un paciente acuda al médico con la queja de tener demasiado impulso sexual. La ninfomanía, que se define como exceso de deseo sexual en la mujer (¡es curioso que no exista un equivalente masculino!), suele ser un problema más psicológico que químico. Es difícil definir el exceso de deseo sexual en el hombre porque éste no tiene un ciclo de celo y, por lo tanto, está siempre «en celo». Las mujeres están, desde el punto de vista de la evolución, orientadas a la procreación y, por lo tanto, presentan picos sexuales bajo la influencia de la hormona luteinizante (LH) y de la hormona foliculostimulante (FSH), que se producen cerca del momento de la ovulación, cuando la mujer es más fértil. La definición de la agresividad sexual en un hombre suele ser incorrecta; el abuso sexual y la violación tienen muy poco que ver con el sexo y mucho con un comportamiento agresivo sociópata.

La mayoría de las quejas referidas a la libido tienen que ver con la falta de impulso sexual, y las causas más frecuentes están relacionadas con el estrés. La evolución deja muy claro si debe predominar la adrenalina (la sustancia química del miedo) o las hormonas sexuales. Como ya apuntamos anteriormente, si una pareja está copulando y debe reaccionar ante la presencia de un tigre con dientes de sable, necesita sentir más miedo que excitación sexual para tener alguna posibilidad de sobrevivir. Aquellos de nuestros antepasados que se sintieron más excitados por el sexo que por el miedo e intentaron concluir el acto sexual probablemente murieron en el intento. La selección natural hizo el resto. Si bien hoy en día rara vez nos enfrentamos a animales salvajes, sí tenemos que enfrentarnos a otras situaciones estresantes. La adrenalina se produce en respuesta a esas situaciones con el mismo sorprendente efecto sobre nuestro impulso sexual.

Todas las ansiedades de larga duración y muy profundamente enraizadas, que tienen su origen en la infancia, en la relación con los padres y los hermanos y en las primeras experiencias sexuales, influyen en el nivel de adrenalina y de otras sustancias químicas del estrés y, por consiguiente, pueden tener un efecto negativo sobre la sexualidad.

Es interesante señalar que las filosofías orientales consideran la sexualidad como una fuente de energía. Dado que la vida se origina a partir del contacto sexual, es lógico que el sexo sea realmente la fuente de la fuerza vital. De hecho, cuanto más cansados estamos, menos sexualmente activos nos sentimos. Los yoguis creen en *kundalini*, que puede considerarse una serpiente enroscada que habita en la pelvis. La excitación sexual es comparable con el desenroscar de la serpiente, y el orgasmo puede considerarse el ataque rápido de la cobra. La serpiente se lanza columna vertebral arriba y extiende su capucha para abrazar el cerebro. Un análisis increíblemente preciso, si consideramos que hace 5.000 años los conocimientos sobre la anatomía neurológica y la fisiología eran inexistentes. Chinos y tibetanos, aunque utilizan un lenguaje diferente, reflejan la sexualidad de forma muy similar. Por lo tanto, una libido debilitada es un problema físico y psicológico a la vez, con origen en dolencias pasadas y presentes, que requiere un análisis holístico que tenga en cuenta el bienestar físico, mental y espiritual de la persona.

El uso de estimulantes proporciona sólo una mejora temporal y causa inevitablemente un problema de mayor duración y más difícil resolución. El alcohol, la cocaína y la marihuana disminuyen las inhibiciones y agudizan los sentidos. En el momento de consumirlas no constituyen un problema y en ocasiones su uso es correcto y debería considerarse como tratamiento. La dificultad surge cuando la mente y el alma pierden contacto y el recuerdo del placer se limita al sexo por el sexo. Una patata frita con sal puede no ser muy sana y seguir constituyendo un placer. Una vez que se han probado las patatas con salsa de tomate, mucha gente tiene dificultades para volver a su pecado venial sin la salsa roja que embellece el producto. El sexo «bajo influencias» puede acabar muy rápidamente en la dependencia de una droga, sin la cual el acto sexual ya no resulta agradable.

También es importante recordar que la disminución de la libido o su ausencia pueden ser simplemente parte del proceso de envejecimiento. A medida que envejecemos nos vamos alejando de las necesidades más materiales y nuestras necesidades espirituales y mentales adquieren mayor importancia. La naturaleza no tiene especial interés en que engendremos hijos a una edad avanzada, cuando tenemos menos probabilidades de protegerlos. El universo prefiere que, a medida que envejecemos, utilicemos nuestra experiencia para enseñar a la generación más joven, y nuestra utilidad es más cerebral y espiritual. El hecho de tener vida sexual a una edad concreta, o por el contrario no tenerla, no implica estar enfermo. El individuo no debe procurar responder de la manera que la sociedad espera de él, sino mirar en su interior y asegurarse de que actúa de forma satisfactoria para sí mismo.

RECOMENDACIONES

- *Elimine todos los estímulos estresantes, así como el alcohol, la cafeína y otras drogas, que generan adicción. El tabaco es un depresor neurológico conocido que a menudo se pasa por alto en casos de disminución de la sexualidad.*

- *Elimine las sustancias químicas del estrés, como la adrenalina, aumentando el ejercicio físico y reduciendo los niveles de ansiedad.*

- *Es aconsejable aprender o conocer la meditación con un psicoterapeuta y pasar después a prácticas espirituales activas, como el yoga tántrico (una rama del yoga que utiliza prácticas y posturas sexuales específicas).*

- *Pueden utilizarse remedios homeopáticos y fitoterapia, especialmente china, ayurvédica y tibetana, para aumentar las energías tanto del hombre como de la mujer.*

- *El tiempo dedicado a tonificar el cuerpo libera los opiáceos naturales del organismo (que son afrodisíacos naturales), reduce la adrenalina y, simplemente, nos hace tener mejor aspecto y, por lo tanto, sentirnos más atractivos. Por ello, el ejercicio es un proceso simple para aumentar la libido.*

- *No olvide dormir lo suficiente. Introduzca variedad en el acto sexual. Es bien sabido que la monotonía disminuye la libido.*

LEUCEMIA

El término leucemia designa un grupo de enfermedades de la sangre o la médula ósea caracterizadas por la proliferación incontrolada de glóbulos blancos o leucocitos. La expresión «proliferación incontrolada» es sinónimo de cáncer. Según la velocidad de multiplicación de los glóbulos blancos, la leucemia se clasifica en aguda, subaguda o crónica. Otras

formas de diferenciarla se basan en el tipo de glóbulo blanco que se halla fuera de control y, más recientemente, en diferencias entre las propias células. Cuanto mayores sean las variaciones en los glóbulos blancos, más peligroso es el cáncer.

Inicialmente, los glóbulos blancos se forman en la médula ósea y, más tarde, son producidos y modificados en el sistema linfático. La proliferación de glóbulos blancos en el sistema linfático se denomina leucemia linfática, y la de la médula ósea, leucemia mieloide. Esta última puede sobrecargar la médula ósea, en cuyo caso disminuye la producción de células normales y pueden aparecer síntomas de anemia. Una leucemia aguda puede desarrollarse en el plazo de semanas y ser desencadenada por virus, radiación y, quizá, por pesticidas y productos químicos agrícolas. Las formas crónicas pueden pasar inadvertidas durante meses e, incluso, años, pero si no se tratan, el resultado será el mismo.

Los síntomas dependen del tipo de leucemia. Las que afectan a la médula ósea provocan letargia, palidez, pérdida de apetito, dificultad para respirar y taquicardia, mientras que las leucemias linfáticas causan aumento de tamaño de los ganglios linfáticos, el hígado y el bazo; tanto en las leucemias agudas como en las crónicas con el tiempo se produce un notable descenso de las funciones inmunitarias. La leucemia puede aparecer a todas las edades. Las formas linfáticas agudas son más frecuentes en los niños.

RECOMENDACIONES

- *Véanse* **Cáncer** *y* **Anemia**.

- *Aparentemente, la leucemia crónica y la leucemia linfática son más sensibles que la aguda y que la mieloide, respectivamente, a la quimioterapia, la radioterapia y las transfusiones de sangre y médula ósea. No rechace estas opciones, pero recurra también a la medicina alternativa.*

LEUCOPLASIA

Es un engrosamiento anómalo de la capa que recubre una cavidad corporal interna, que adopta un color blanquecino. La boca y la vagina son las cavidades que más frecuentemente presentan leucoplasia. Se desconoce cuál es la causa de este engrosamiento del epitelio de la mucosa, pero el hábito de fumar y la fricción persistente (como la producida por una pipa) pueden ser responsables de leucoplasia en la boca. Un puente dental inadecuado o una infección vírica son también posibles causas. La leucoplasia puede ser una lesión precancerosa.

De acuerdo con las filosofías orientales sobre la lectura de la lengua, la leucoplasia puede limitarse a áreas concretas de la lengua e indicar la presencia de una enfermedad en alguna parte del cuerpo. En la vagina, la leucoplasia tiene probablemente un origen vírico, pero está asociada con el meridiano del vaso de la concepción, por lo que la mujer afectada debe analizar las relaciones con sus padres y con sus compañeros afectivos.

RECOMENDACIONES

- *Siempre que aparezca una mancha blanca consulte a un médico.*

- *Deje de fumar y elimine cualquier elemento que pueda causar fricción.*

- *Visite a un profesional de medicina alternativa para que revise su estilo de vida y su salud en general, puesto que puede haber una tendencia precancerosa o un proceso latente.*

MALARIA

La malaria o paludismo es una de las enfermedades mortales más frecuentes en todo el mundo. Es endémica –es decir, forma parte del sistema natural– en África, en la mitad sur de Asia y en América del Sur. Gran parte de la población del África subsahariana contrae la malaria y la sufre en cierto grado. Los individuos con una constitución fuerte y un buen sistema inmunitario pueden presentar fiebre ligera esporádicamente y escalofríos con malestar general, pero las personas más débiles pueden manifestar síntomas más intensos y, en el peor de los casos, sufrir una anemia grave, colapso inmunológico e insuficiencia renal.

El parásito causante de la malaria pertenece al género *Plasmodium*, el cual incluye varios subtipos. *Plasmodium falciparum* es el más agresivo y, probablemente, ha desarrollado su gran agresividad actual debido a que resiste a los fármacos contra la malaria que se han utilizado durante los últimos veinte años. *Plasmodium falciparum* puede infectar el sistema nervioso y provocar síntomas neurológicos graves, incluidos la parálisis y el coma.

Recientemente, los medicamentos contra la malaria han sido objeto de importantes críticas porque uno de ellos, la mefloquina, ha sido incriminado en la aparición de síntomas neurológicos. Si bien esto es cierto, la mayoría de las personas que utilizan este agresivo fármaco no presenta problemas y, en cambio, reciben protección frente a *P. falciparum*. Siempre existe cierta reticencia a tomar un fármaco, pero si se sopesan el riesgo de la malaria y el riesgo de un efecto secundario grave, éste resulta desdeñable. Durante miles de años se han utilizado hierbas como tratamiento y prevención del paludismo en todas las regiones del mundo donde existe esta enfermedad. En principio, es adecuado tomarlas, pero probablemente actúan de igual forma que los fármacos ortodoxos. La ventaja de los preparados farmacéuticos reside en que los médicos saben exactamente la cantidad y la sustancia que están administrando. El contenido de los preparados con hierbas es muy variable, por lo que la dosis puede ser excesiva o escasa.

Los fármacos son muy efectivos usados como profilaxis, pero menos como tratamiento, aunque en cualquier caso la diferencia en el pronóstico es muy grande. Lo ideal es que la comunidad científica concentre sus esfuerzos en el control del mosquito *Anopheles*, que transmite el parásito de la malaria. Se está trabajando mucho en este campo, pero, como siempre, la naturaleza es muy tenaz, y también se están desarrollando mosquitos resistentes a los insecticidas con la misma rapidez con que los parásitos de la malaria se vuelven inmunes a los fármacos.

Probablemente, el mejor tratamiento consiste en evitar la picadura. El uso de repelentes farmacológicos entraña el riesgo de absorber productos químicos que ejerzan un efecto negativo sobre la salud general, pero, una vez más, el riesgo de contraer la malaria es mucho mayor que los posibles peligros de intoxicación por insecticida. No cabe duda de que los repelentes naturales son menos agresivos, pero también suelen ser menos eficaces. La predisposición a atraer mosquitos varía de una persona a otra y, aparte de los niveles de vitamina B_6 en la sangre, no existe ningún elemento que explique esta variabilidad.

RECOMENDACIONES

- *A menos que se desarrolle intolerancia o síntomas específicos por el uso de fármacos contra la malaria, éstos deben utilizarse siguiendo las orientaciones de la Organización Mundial de la Salud (OMS), que establecen los mejores fármacos según el área que se vaya a visitar.*

- *Siempre que sea posible se debe evitar el uso de mefloquina, debido a sus efectos secundarios neurológicos.*

- *Si está embarazada o no se encuentra bien, evite viajar a áreas donde la malaria es endémica. Si es inevitable, consulte a su médico.*

- *Es necesario empezar a tomar los fármacos antipalúdicos al menos una semana antes de viajar al área donde la malaria es endémica, y continuar tomándolos durante, como mínimo, 3 semanas después de haberla abandonado, puesto que el parásito deposita los huevos en los glóbulos rojos, y los nuevos parásitos pueden salir de los mismos al cabo de 2 o 3 semanas. Los fármacos no resultan efectivos a menos que el parásito nade libremente en la corriente sanguínea fuera de los glóbulos rojos.*

- *El mejor tratamiento es la prevención. Utilice repelentes de mosquitos de forma controlada pero efectiva.*

- *Tome 650 mg/kg de vitamina B_6 con el desayuno y antes de anochecer para conseguir un fuerte efecto antimosquitos.*

- *Si la prevención falla y presenta fiebre, temblores, fatiga y dolor de cabeza sospechosos de deberse a paludismo, solicite la realización de un análisis de sangre para establecer el diagnóstico. La muestra de sangre debe tomarse, si es posible, en el momento de fiebre máxima. Por lo general, el tratamiento se inicia inmediatamente con fármacos derivados de la quinina, a los que deberían añadir terapias alternativas.*

- *Sólo debe considerar el uso de quina (Chinchona succirubra) si reacciona mal al uso de fármacos: una cucharadita de quina disuelta en una taza de agua hervida a fuego lento durante 30 minutos, 3 veces al día, o 1-2 ml de tintura, 3 veces al día.*

- *Añada una cucharadita de corteza de agracejo (Berberis vulgaris) a una taza de agua fría, llévela a ebullición y déjela reposar 15 minutos; beba esta cocción 3 veces al día, o tome 2-4 ml de tintura de agracejo 3 veces al día.*

- *Los compuestos mencionados anteriormente pueden utilizarse si fallan los fármacos ortodoxos o junto con éstos.*

- *Algunas fuentes homeopáticas no confirmadas sugieren que el remedio homeopático Natrum muriaticum, con potencia 6, 3 veces al día, tiene un efecto de protección frente a la malaria. Confiar sólo en este remedio es un riesgo.*

- *Si contrae el paludismo, revise las preparaciones homeopáticas de Cinchona, conocida como China, o dos de sus derivados, Cinchona arsenicum o Cinchona sulphuricum. Deben tomarse con potencia 6 cada 2 horas durante la fiebre y cada 4 horas entre los brotes.*

MAREOS Y VÉRTIGOS

Comúnmente, los términos mareo y vértigo suelen usarse como sinónimos, pero desde el punto de vista médico es muy útil diferenciarlos para poder identificar su causa.

- El mareo es una sensación de inestabilidad y pérdida de la relación con los objetos circundantes.
- El vértigo es la sensación de que los objetos se mueven alrededor (vértigo objetivo) o de que es uno mismo el que se mueve en el espacio a pesar de estar quieto (vértigo subjetivo).

Según los síntomas, un médico o un terapeuta experimentado podrá determinar si el problema reside en los estímulos sensitivos (alteraciones visuales o en los receptores de presión de los pies en posición de pie) o en el control motor (pérdida de control nervioso del cuerpo o incoordinación muscular). Otra posible causa de mareos y vértigos es la existencia de alteraciones en la percepción originadas en el sistema nervioso central. Procesos graves, como un tumor cerebral, o más benignos, como una baja concentración de azúcar en sangre que no proporciona suficiente energía al cerebro, pueden provocar alteraciones en la percepción.

Los mareos y vértigos pueden ser los síntomas iniciales de una obstrucción arterial por arteriosclerosis, que reduce el aporte de sangre y oxígeno a ciertas regiones del cerebro. Los fármacos y algunos alergenos alimentarios específicos pueden también afectar a la percepción cerebral, los estímulos sensitivos o el control motor del organismo. Excepto cuando la causa es evidente, estos síntomas deben ser valorados por un médico.

La filosofía oriental considera que el vértigo es una deficiencia del «estar en la tierra» o un exceso de espacio/aire. Por consiguiente, el tratamiento consiste en centrar o situar el cuerpo en la tierra, para lo cual, de acuerdo con la medicina china, es beneficioso nutrir o actuar sobre el meridiano del estómago.

RECOMENDACIONES

- *En caso de mareos o vértigos persistentes, consulte con el médico. Éste controlará los niveles de azúcar en la sangre y en la orina y, si son normales, es posible que sugiera otras exploraciones, como una tomografía computarizada (TC) del cerebro, para descartar una afección más grave. El tratamiento al término de estas exploraciones dependerá del diagnóstico.*

- *Una vez establecido el diagnóstico, consulte con un profesional médico alternativo.*

- *En un cuadro agudo, beba un vaso pequeño de zumo de frutas, agua e hidratos de carbono no refinados, como una rebanada de pan integral (de esta forma aumentan los niveles de azúcar en sangre y se nutre el meridiano del estómago).*

- *Puede aplicar presión sobre los puntos del meridiano del estómago; el más utilizado es el punto 36 del estómago, situado cuatro dedos por debajo de la rótula, en una pequeña depresión en la cresta de la tibia (espinilla). Aplique una suave presión durante 2 minutos como mínimo.*

- *Los siguientes remedios homeopáticos a la potencia 6 pueden ser beneficiosos si se toman cada 15 minutos hasta que los síntomas se alivian espontáneamente o hasta que se consulta con el médico: Kali carbonicum si los síntomas empeoran con el movimiento o mejoran al aire libre o al abrir las ventanas, Conium maculatum si los síntomas empeoran al estar acostado y Gelsemium si el vértigo se acompaña de debilidad y sensación de inestabilidad.*

- *Evite el alcohol, la cafeína y los azúcares refinados.*

- *Si se identifica la causa de los síntomas, como hipoglucemia o arteriosclerosis, remítase a los apartados correspondientes del libro.*

MEDITACIÓN

En los diferentes capítulos de este libro aconsejo aprender una técnica de meditación para obtener mejoras físicas, psicológicas y espirituales. Con todo mi respeto, y dando por supuesto el consentimiento de los pocos maestros que he conocido, voy a parafrasear sus enseñanzas.

¿Qué es la meditación?

Para algunos la meditación es un concepto tan ajeno como unas vacaciones en Marte y trae a la mente visiones de indios corpulentos levitando con las piernas cruzadas, con sandalias y vestimentas naranjas. La idea no es del todo incorrecta. La meditación puede ser algo así, pero en un sentido amplio de la palabra es todo aquello que hace falta para permitir a una persona reconocer su papel en el gran esquema de las cosas.

Las filosofías orientales creen que cada molécula de nuestro cuerpo está conectada con todas las demás, tanto dentro del yo y del entorno circundante como en el universo, mediante una energía por el momento no mensurable. El objetivo de la meditación es conseguir una conexión con esta fuente de energía.

La mayoría de nosotros consigue establecer cierto contacto mediante la oración o con técnicas de meditación formales, y todos nos formamos una idea de lo que es la meditación en el momento en que empezamos a conciliar el sueño. Siempre que no nos hayamos llevado con nosotros a la cama ansiedades extremas, o incluso así, esos momentos previos al sueño son una bendición.

Una visión más ortodoxa sugiere que la meditación es una técnica que estimula las sustancias químicas de la relajación presentes en el cerebro, lo que nos traslada a un lugar más feliz. En realidad, tanto las visiones alternativas como las ortodoxas son precisas y, de hecho, iguales.

Maharishi Mahesh Yogi es probablemente quien más ha trabajado para hacer llegar la meditación a la conciencia occidental. Su asociación con las superestrellas de los años sesenta atrajo gran parte de la atención de los medios de comunicación y supuso un cambio importante en la conciencia occidental. Sin embargo, Maharishi se limitó a traer a Occidente técnicas concebidas miles de años antes y probablemente practicadas desde que se desarrolló nuestro estado mental superior. De hecho, este «desde» podría ser injusto con los primates, quienes, por lo que sabemos, meditan a un nivel muy alto.

¿Por qué meditar?

No existe una razón concreta para que alguien tenga que meditar. Sin embargo, tampoco existe una razón concreta para que alguien tenga que realizar ejercicio o comer correctamente. Se trata simplemente de la elección de la conciencia de una persona para conducir su existencia. La opción es llevar una vida sana o no. Se puede considerar la meditación como el ejercicio aeróbico de la mente, y tanto si se escoge el enfoque ortodoxo de la producción de elementos químicos calmantes como si se elige la filosofía oriental de conectarse con el «todo», la meditación es muy beneficiosa.

Cómo meditar

La meditación puede ser silenciosa o fundamentada en la oración, el canto o un ejercicio no aeróbico. Cualquier técnica puede influir en la energía del cuerpo (chi) o la neuroquímica. Lo importante es descubrir la vía que proporciona mayor bienestar.

Posturas de meditación

No existe la postura «correcta» para la meditación. Aunque las dos posiciones ilustradas son bastante populares, vale la pena experimentar y comprobar cuál es la que mejor funciona.

He tenido el privilegio de ser amigo o conocer a algunos de los más importantes meditadores del mundo. Nunca me he sentido cómodo con las técnicas de meditación estáticas, pasivas. Me parecen fáciles de aprender pero difíciles de continuar en mi nivel actual de desarrollo espiritual. Creo que necesito llegar a un punto en el que la meditación pasiva me resulte accesible, y espero que así sea, pero por el momento el uso de chi kung parece perfecto. Las técnicas de respiración, los estiramientos y las posiciones asociadas a la práctica consciente de encontrar el tiempo pueden conducirme hasta un estado de relajación al cabo de 10-15 minutos.

Veinte minutos dos veces al día es un mínimo aceptable para que la meditación tenga resultados beneficiosos, pero cinco minutos al día es mejor que nada. Creo que el ser humano debería dedicar ocho horas al sueño, ocho horas al trabajo, seis horas al ocio y dos horas a la meditación dentro de un ciclo de 24 horas para lograr el equilibrio de las energías corporales. Es difícil imaginarse un tipo de vida que permita esta distribución, pero creo que éste debe ser el objetivo.

He pensado en describir una técnica básica de meditación que, según mi experiencia, ayuda a la mayoría de las personas, pero he tenido la sensación de que estaría faltando al objetivo de este breve apartado si planteara una técnica finita. Una persona podría considerarla perfecta, pero la mayoría pediría una alternativa y se desilusionaría si intentara meditar con el concepto equivocado (algo así como intentar aprender a jugar al tenis sin disfrutarlo y, por consiguiente, concluir que todos los deportes de raqueta son detestables).

RECOMENDACIONES

- *Pregunte a sus amigos o conocidos si practican algún arte de meditación. Con frecuencia, las personas que pertenecen a su círculo social pueden compartir sus preferencias.*

- *No abandone si no se adapta a un tipo concreto de meditación. Pruebe con otros. Compruebe si el yoga, el chi kung, el tai chi o un arte marcial atraen más su atención que las formas más pasivas.*

- *Si descubre una técnica que le agrada pero se aburre, persevere y vuelva constantemente a la práctica, aunque sea sólo durante unos minutos separados por días o semanas. El cuerpo, la mente y el alma saben apreciar incluso momentos aislados de meditación. ¿Recuerda algo que haya conseguido y por lo que no haya tenido que trabajar? Con la meditación ocurre lo mismo.*

PARÁSITOS, COMENSALES Y SIMBIONTES

Los organismos que viven a costa de las células o los fluidos en detrimento de otro organismo se denominan parásitos. Los que consiguen su alimento a partir de un anfitrión o dentro de él pero no le causan daño se denominan comensales. De hecho, algunos comensales entrañan ventajas para sus anfitriones y se denominan simbiontes.

Un ejemplo frecuente de simbionte lo constituyen las bacterias intestinales, un comensal es *Candida* y un parásito es *Plasmodium falciparum*, causante de la malaria. El ser humano se beneficia tanto de la flora intestinal que sin ella moriría. El hombre le brinda alimento y cobijo, y ella le proporciona nutrientes esenciales y procesos digestivos. *Candida* es una levadura que suele vivir en pequeñas colonias dentro de muchos individuos, haciendo poco bien y un daño relativamente escaso. El crecimiento excesivo de *Candida* suele generar problemas, como ocurre con frecuencia en las personas que tienen un sistema inmunológico deprimido, por ejemplo a causa del sida o el consumo prolongado de corticoides. Los parásitos causan daño e, incluso, la muerte. En general, los parásitos son organismos unicelulares, como *Plasmodium falciparum* y las amebas, pero también pueden ser organismos complejos, como la tenia solitaria, que puede crecer hasta alcanzar varios metros de largo en el intestino de la persona infectada.

Las infecciones por parásitos pueden ser asintomáticas o provocar reacciones en el área afectada. Las infecciones intestinales con frecuencia originan diarrea; las infecciones hepáticas pueden causar ictericia, pero la mayoría causa malestar y fatiga. Una tenia solitaria puede captar los nutrientes vitales y causar carencias en su anfitrión.

Como punto de discusión filosófica interesante, intente colocar en alguna de estas categorías a un feto durante la gestación.

RECOMENDACIONES

- *El diagnóstico de un parásito, un comensal o un simbionte se realiza tras la investigación de un número de síntomas.*

Parásitos de la sangre

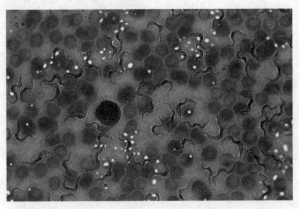

En esta muestra de sangre se observa el parásito que causa la grave enfermedad tropical del sueño, que es transmitida por la picadura de la mosca tsetsé.

- *Los análisis de sangre con un microscopio de alta resolución, conocidos como la prueba de laboratorio de patología humoral, pueden mostrar infestaciones por parásitos en el organismo, ya sea mediante el aislamiento directo del parásito en el torrente sanguíneo o bien por el hallazgo de cambios en las células sanguíneas causados por sustancias químicas producidas por el parásito. Aunque esta prueba no goza de total aceptación por la medicina ortodoxa, en mi opinión es un procedimiento muy adecuado.*

- *La mejor forma de tratar una infección por parásitos es mediante un fármaco ortodoxo adecuado junto con tratamientos alternativos de protección prescritos por un profesional de la medicina alternativa.*

- *Para los que son reacios a utilizar la medicina ortodoxa, los herbolarios con experiencia en este campo pueden ofrecer un buen tratamiento. Desde hace cientos de años se conoce el éxito obtenido con plantas medicinales.*

- *El tratamiento ortodoxo para los parásitos intestinales suele ser efectivo y rara vez produce efectos secundarios. El tratamiento contra los parásitos en el torrente sanguíneo o en órganos, como la malaria o la amebiasis, con frecuencia requiere antibióticos (véase* **Antibióticos***).*

PÉRDIDA DE PESO Y OBESIDAD (SOBREPESO)

Los médicos utilizan la palabra obesidad para definir a las personas que sobrepasan en un 10% la media de peso de los miembros de la población del mismo sexo y talla. En algunas partes del mundo puede tratarse del 50% de la población total, y cada día es más frecuente en nuestros hijos, lo que supone un motivo de preocupación. Diagnosticar el sobrepeso no es tan simple como establecer una proporción entre altura y peso, ya que quienes tienen una mayor masa muscular pueden tener sobrepeso, pero no se los consideraría clínicamente obesos. La obesidad sólo constituye un problema si afecta psicológicamente a una persona o genera una tensión sobre el organismo. Esta tensión puede ser estructural, que afectaría a las articulaciones y a la circulación, o sobrecargar órganos vitales como el corazón, que tiene que trabajar más para transportar la sangre a un mayor volumen corporal.

Resulta interesante señalar que la mayoría de los gráficos que los médicos utilizan para determinar el peso ideal de una persona se basan en una población que ha mantenido una buena salud durante un período de tiempo. Puede resultar más adecuado determinar la obesidad comparando el peso graso con el peso magro. Esta comparación puede realizarse mediante:

- Aparatos que miden los pliegues cutáneos. Estos instrumentos miden el grosor de los pliegues cutáneos, normalmente por debajo del ombligo, por debajo de la paletilla del hombro, por encima del hueso de la cadera y por detrás de la parte superior del brazo.
- La mayoría de los gimnasios y clínicas dietéticas disponen de ordenadores que calculan la velocidad del flujo eléctrico, que es diferente a través de la grasa y el tejido magro. Introduciendo la altura y la edad en el ordenador se puede calcular con gran precisión la relación entre grasa corporal y cuerpo magro.

De hecho, la obesidad depende del tamaño y del número de células grasas. De alguna forma parece que las células tienen el objetivo de alcanzar un tamaño mínimo que aumenta con la edad. Si no se consigue ese tamaño, las mismas células grasas envían hormonas al cerebro para informar al sistema nervioso que tienen hambre. Entonces se produce el hambre insaciable y el resultado es un aumento de la ingesta. Todavía no se conoce por completo la bioquímica de este sistema metabólico, pero existen expectativas porque inevitablemente aparecerán opciones de tratamiento.

Gráfico de altura y peso

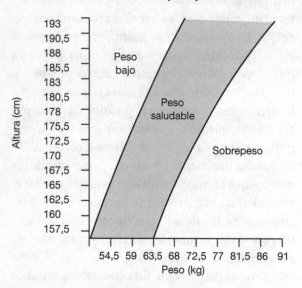

Relación altura/peso para hombres

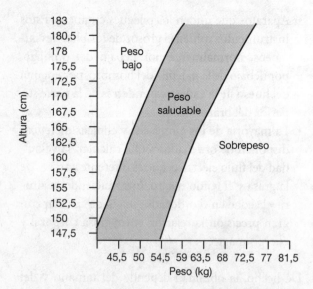

Relación altura/peso para mujeres

Si bien no existe un peso ideal para hombres y mujeres de determinadas alturas, estos gráficos muestran el intervalo de pesos que debe intentarse mantener.

Hay dos tipos de células grasas: las células grasas blancas, que almacenan, y las células grasas marrones, que controlan el almacenaje. Las personas que tienen más células marrones pueden comer grandes cantidades casi sin ganar peso, mientras que quienes tienen pocas células grasas marrones pueden seguir una alimentación extremadamente correcta y, aún así, aumentar de peso. Ciertas enfermedades, como la diabetes, el hipotiroidismo y los trastornos hepáticos pueden actuar a través de mecanismos hormonales o metabólicos para aumentar los depósitos de células grasas. Es posible expulsar alergenos alimentarios y otras sustancias tóxicas almacenándolos en depósitos de grasa, y es obvio que la deshidratación crónica hace que el agua se almacene en los tejidos grasos, que aumentan falsamente de tamaño pero, aún así, las básculas muestran un aumento de peso y la ropa se queda pequeña.

Psicología del peso

Existe un componente psicológico muy fuerte, que es tanto consciente como inconsciente. Es posible que algunas personas no acepten las reglas sociales o médicas y elijan comer en exceso. También puede ocurrir que esas personas sean reacias a practicar ejercicio y, siempre que su obesidad no dañe su salud y que ellas se sientan felices, no existe razón alguna para que cambien de actitud. Sin embargo, el subconsciente no les proporciona necesariamente salud y felicidad.

Respondemos a estímulos externos, como las imágenes, los olores y el gusto de los alimentos, que pueden desencadenar tendencias casi adictivas hacia la comida. El bombardeo de la publicidad es constante, y uno de los principales culpables es la televisión. A las horas de las comidas los anunciantes promocionan sus productos de comida rápida, que hacen pensar en dulces, grasas y otros sabores estimulantes. Resulta interesante señalar que ver televisión va específicamente unido a la obesidad, no sólo por lo que implica de reducción de la actividad física, sino también porque tiene un efecto similar al trance e induce al cerebro a pensar que necesita algo y, no sabiendo exactamente qué quiere, éste decide que la comida es la respuesta más sencilla.

También tenemos cierta tendencia a gratificarnos con comida. Una visita a la abuela o ir al cine, a una feria o a un acontecimiento deportivo suele ir acompañado de una «gratificación» con una bebida dulce o un tentempié elaborado con azúcar refinado o carne procesada. Esta asociación de la comida con la diversión nos deja cierto vacío si estamos relajados pero sin ingerir nada.

El peso y los hábitos

Al final del día, cuando ya está todo dicho y hecho, el aumento de la grasa y del peso se debe a que las calorías ingeridas son más que las gastadas. Medio kilo de grasa humana equivale a unas 3.500 calorías, y sólo se puede conseguir la reducción del peso si el gasto es superior a la ingesta. En términos más realistas, se necesita un equilibrio negativo de 500 calorías entre la ingesta y el gasto diarios para perder medio kilo de peso cada semana. Correr un kilómetro y medio a máxima velocidad quema aproximadamente 400 calorías, pero una hamburguesa consumida en un local de comida rápida aporta unas 450 calorías. Un combinado de ginebra y tónica añade 200 calorías, que se gastan caminando casi 15 minutos a paso rápido. La evolución y la naturaleza recuerdan los tiempos pasados, cuando la comida no era fácil de encontrar y los mecanismos de almacenaje del sistema humano eran importantes como factores de supervivencia, pero todavía no nos hemos adaptado a estos nuevos estilos de vida que disponen de mayores medios.

Es interesante señalar que la obesidad es un problema mucho más grave en los países desarrollados. Las culturas primitivas que permanecen ajenas a los avances modernos y a las comidas refinadas no tienen sobrepeso. Los denominados países del Tercer Mundo afectados por los alimentos refinados y con alto contenido en grasa tienen niveles de obesidad mucho mayores y una esperanza de vida consecuentemente menor. Kenya es un ejemplo interesante. Los africanos que viven en las ciudades tienden a tener sobrepeso, y de hecho se ha desarrollado un aspecto cultural que considera la obesidad como un atractivo añadido. Sin embargo, los pueblos nativos indígenas no afectados por los alimentos no naturales tienden a mantener un peso más bajo y sano.

Peso y chi

En lo referente a la obesidad, el mundo occidental ha centrado toda su preocupación en las calorías. Un punto de vista más holístico considera que los alimentos transportan energía. Es la misma fuerza vital que existe en toda célula viva y que posiblemente sea un reflejo del movimiento de los electrones alrededor de su núcleo. La presencia o la ausencia de los electrones altera la función de todo átomo y, por lo tanto, le confiere muchas de sus características. Esta vibración se transmite a otras sustancias con las que pueden entrar en contacto. Los alimentos creados por los humores de la naturaleza –el aire, la luz, el agua y la tierra– contienen vibraciones específicas y bloques de construcción a partir de los cuales nosotros hemos evolucionado. Nuestra necesidad de almacenar es menos pronunciada cuando se permite al equilibrio de la naturaleza que siga su curso. La fuerza vital que se encuentra en el sustrato de los alimentos puede ser más importante de lo que nos pensamos.

Muchos gurús y sus discípulos que meditan durante varias horas al día requieren pocas horas de sueño o incluso ninguna, y a menudo subsisten con cantidades muy pequeñas de agua y alimento. Su tasa metabólica es reducida, pero incluso este hecho no puede explicar la reducida cantidad de nutrientes y calorías que necesitan para sobrevivir. La hipótesis propuesta por quienes han estudiado meditación es que en realidad la energía se absorbe del cosmos a través del arte de la meditación. En una observación más tangible me he preguntado por qué las personas que gastan la misma cantidad de calorías y viven en climas similares pueden tener pesos tan variados. Por ejemplo, la población que vive en Florida es mucho más gorda que la población de un grupo socioeconómico similar que vive en Bombay. He llegado a la conclusión de que los alimentos procesados y los nutrientes que han sufrido el ataque de los conservantes, los aditivos y la energía con microondas pierden su fuerza vital. Aunque las calorías y los nutrientes siguen estando a disposición de la persona, la fuerza vital ha desaparecido, y por lo tanto es necesario ingerir muchas más cantidades para alcanzar la saciedad. Los alimentos naturales y frescos no carecen de esa energía y consiguen «llenar» más rápidamente. Si le pide a alguien que se coma tres plátanos, le costará acabar con el último. Un donut o una barra de chocolate pequeña contienen una cantidad equivalente de calorías, y lo más corriente es que no tengamos suficiente con una.

Por lo tanto, el almacenaje de grasas puede no ser simplemente una cuestión de calorías, sino girar en torno a la búsqueda de la energía. Los depósitos de grasa no se limitan a retener las calorías, sino que intentan contener una fuerza vital que no llega al sistema de forma regular ni natural. La paralización de este chi es una filosofía oriental bien conocida, y puede tener relación con la falta de movimiento de los electrones de las calorías «muertas».

Peso y déficit

Si el cuerpo tiene carencia de un nutriente concreto, se envían instrucciones a través de los nervios o de las hormonas directamente al cerebro para recomendarle que ingiera el factor deficitario. Los instintos y el hambre son muy precisos en los niños, pero se alteran a medida que envejecemos, principalmente debido a factores psicológicos. Como ya he mencionado, la recompensa y la comodidad asociadas a la ingestión de dulces y alimentos grasos se archivan en los bancos de memoria y el cerebro asocia esos alimentos a recompensas y felicidad. Desde muy pequeños entrenamos a nuestros hijos recompensándolos y felicitándolos con dulces, chocolate, patatas fritas y bebidas carbonatadas dulces, en lugar de hacerlo con fruta y otros edulcorantes naturales. Esta tendencia es muy apreciada por el cerebro, el cual, una vez desarrollada su estructura, sólo utiliza glucosa para funcionar. Los alimentos refinados, los dulces y las grasas proporcionan una fuente de glucosa de rápida absorción que el cerebro puede utilizar más rápidamente que una proteína o un hidrato de carbono complejo. Cuando se envía una instrucción nerviosa u hormonal al cerebro con la intención de registrar la carencia de un nutriente, el cerebro no puede diferenciar si se trata de una necesidad fácil de satisfacer o constituye una situación de hambre. El cerebro desencadena una respuesta que básicamente dice «come» y, dado que el cerebro prefiere los azúcares, nuestra tendencia es a comer dulces. El almidón refinado ocupa el segundo lugar a poca

distancia del azúcar, y las grasas ocupan el tercer lugar, ya que proporcionan azúcares, como hemos comentado anteriormente. Por lo tanto, la deficiencia de un oligoelemento, por ejemplo, cromo, puede generar la necesidad de ingerir azúcar y almidón, y con frecuencia la carencia original se soluciona sólo por casualidad.

Pérdida de peso

Se consigue perder peso abordando las cuatro áreas siguientes.

Dieta correcta

La dieta tiene que ser equilibrada en proteínas, hidratos de carbono y grasas, así como contener las cantidades adecuadas de minerales y oligoelementos esenciales, vitaminas y suplementos. Quizá sea necesario seguir un plan dietético correcto, cuyas directrices se indican en el capítulo 7.

Ejercicio

El cuerpo no puede almacenar calorías y grasa si su gasto es superior a la ingesta. Cada persona tiene un plan de ejercicio correcto según su tipo corporal, y hay que tener en cuenta la tendencia natural a evitar el ejercicio a medida que envejecemos (*véase* **Ejercicio**).

Factores psicológicos

Una educación y una actitud incorrectas constituyen la causa principal de la obesidad desde el punto de vista psicológico. Los consejos de la sociedad, a través de la presión de nuestros semejantes y de la publicidad, para que modifiquemos nuestro peso, hacen que éste oscile de forma que puede alterarse el mecanismo natural del cuerpo para llegar a la saciedad cuando se han ingerido suficientes calorías. Es esencial reprogramar la conciencia y el subconsciente y eliminar el elemento de recompensa que atribuimos a los alimentos calóricos.

Paralización y deficiencia de chi

No sólo causa la obesidad, sino también enfermedades. Una ingesta deficiente de energía en la dieta exige valoración y corrección. Éste es el concepto que quizás enseñan mejor los maestros de meditación y los de yoga y chi kung.

RECOMENDACIONES

- *El inicio repentino de aumento de peso o de obesidad sin una razón obvia requiere inicialmente la revisión por parte de un médico de cabecera, que debería investigar posibles trastornos metabólicos como el hipotiroidismo o la diabetes. El hígado es en gran medida responsable de gran parte del metabolismo de las grasas. El alcohol, junto con otros fármacos y drogas que suponen una sobrecarga para el hígado, pueden afectar al metabolismo hepático y fomentar la obesidad. Es obvio que esta situación requiere también la intervención de un profesional de la medicina alternativa. Si la capacidad digestiva es pobre debido a falta de ácido clorhídrico o de enzimas pancreáticas, también puede requerirse la revisión de un profesional no ortodoxo.*

- *Antes de intentar perder peso por cualquier vía es necesario realizar un análisis simple para ver si la obesidad constituye realmente un problema. Es difícil intentar mantener el cuerpo por debajo de su tamaño correcto, y nos estaremos embarcando en una lucha desigual y condenada al fracaso.*

- *Establezca una dieta adecuada con la ayuda de un experto en nutrición.*

- *Consulte el apartado **Ejercicio** o comente su situación con un profesor de gimnasia. Deberá proporcionarle un programa de ejercicios personalizado, que incluya como mínimo 20-30 minutos de ejercicio aeróbico al menos 3 veces por semana. Asimismo, debe equilibrar el aporte de calorías.*

- *La depresión, la ansiedad y otras emociones fuertes pueden hacer que la comida se convierta en un consuelo. Revise y analice su actitud hacia la comida con la ayuda de sus amigos y familiares, o comente esta cuestión con un psicoterapeuta. La programación neurolingüística y la hipnoterapia pueden resultar de gran ayuda si la tendencia a tener siempre hambre es pronunciada.*

- *No subestime el papel del chi o de la fuerza vital en el aumento del peso. Las técnicas de yoga, el chi kung y el tai chi o incluso el ballet o las artes marciales pueden ofrecerle tanto un programa de ejercicios como técnicas para trasladar energía a través de su sistema.*

- *Cuando la fluctuación del peso es amplia, probablemente se trata de retención de agua, y las causas más frecuentes de esta situación son los cambios cíclicos hormonales y la deshidratación. No confunda la obesidad con la retención del agua, y no olvide beber al menos 1,5-2 litros de agua cada día.*

- *Vea menos la televisión. Se ha demostrado que ver televisión, más que cualquier otra actividad sedentaria, como la lectura, tiene un efecto pronunciado sobre la obesidad a través de otros factores diferentes de la falta de actividad. No coma mientras ve la televisión.*

- *La acupuntura puede ayudar a reducir el apetito, pero sólo debe usarse como parte de un programa orientado a tratar las causas subyacentes de la obesidad.*

- *La técnica de respiración de Buteyko corrige la acidez de la sangre y origina un efecto bioquímico reductor del peso. Si es posible, aprenda esta técnica.*

- *Es posible que algunas dietas de reducción del peso aconsejen realizar ejercicio ligero tras las comidas. Creo que ese planteamiento no es correcto, ya que el ejercicio interfiere en la digestión.*

- *Aumentar la cantidad de fibra en la dieta suprime el apetito sin efectos secundarios porque hincha el estómago y da sensación de plenitud. La fibra también se une a las grasas y, en particular, al colesterol, reteniéndolos en el intestino para ser excretados a través de las heces. Evite por completo los medicamentos supresores del apetito. El efecto rebote es inevitable, ya que necesariamente se producen carencias y se corren riesgos importantes, incluidos infartos de miocardio y apoplejías.*

- *Evite las dietas drásticas o los ayunos totales como método para la reducción de peso. El cuerpo registra el hambre y conserva los depósitos de grasa, y utiliza las proteínas*

321

(músculos) para obtener energía. Por supuesto, algunos depósitos de grasa disminuyen, pero acaban siendo reemplazados antes que el músculo. Sólo se consigue reducir peso si se absorben hidratos de carbono y una pequeña cantidad de grasas saludables. Un programa ideal de reducción del peso no intenta perder más de 1-1,5 kg por semana.

- *La pérdida de peso será bastante pronunciada durante las 2 primeras semanas, debido a la eliminación inicial del agua acumulada en los tejidos. No se desanime si después parece que la pérdida de peso se ralentiza. Ahora está perdiendo grasa, y no agua.*

- *Compruebe la pérdida de peso por la caída de la ropa y por la impresión personal que le cause su cuerpo en un espejo, en lugar de fiarse de la báscula, porque el ejercicio puede generar masa muscular, que es mucho más pesada que la grasa. La mejor guía es revisar la relación entre la grasa corporal y el peso magro.*

PRESIÓN ARTERIAL BAJA (HIPOTENSIÓN)

Algunas autoridades médicas considerarían que la presión arterial baja es un problema que requiere tratamiento. Los médicos alemanes tienen bastante tendencia a aumentar la presión arterial, aunque son pocas o inexistentes las pruebas que sugieren esa necesidad. Una presión arterial baja requiere tratamiento sólo si se asocian síntomas de desmayo, mareo, depresión o letargia persistente con una presión arterial sistólica inferior a 80 o una presión diastólica inferior a 50 (la presión sistólica es la que hay en las arterias cuando el corazón se contrae, y la diastólica es la presión de las arterias cuando el corazón se relaja; *véase* **Presión arterial elevada**).

La hipotensión se produce cuando el corazón no bombea adecuadamente, existe una hemorragia importante o los vasos sanguíneos se dilatan, habitualmente en respuesta a alguna sustancia tóxica, por ejemplo, un fármaco antihipertensivo como un betabloqueante. Por lo tanto, la hipotensión que se produce de forma repentina debe considerarse una emergencia médica y tratarse como tal.

RECOMENDACIONES

- *Un descenso súbito de la presión arterial requiere la evaluación de un médico y un tratamiento adecuado. Es importante no tomar excesivos fármacos para disminuir la presión arterial. Cada persona tiene su propia sensibilidad.*

- *La hipotensión asintomática (sin síntomas) no requiere tratamiento.*

- *Si se acompaña de síntomas, intente aumentar la ingesta de agua y de proteínas para aumentar el volumen de sangre.*

PRESIÓN ARTERIAL ELEVADA (HIPERTENSIÓN)

Cualquier líquido dentro de un tubo ejerce una presión. En una manguera, la cantidad de agua que ésta contenga y la flexibilidad del tubo determinarán la presión del líquido; asimismo, si se coloca un dedo en su extremo de salida, se modificará la fuerza del chorro. Cuanto mayor sea la obstrucción, con más fuerza será expelida el agua. Esto indica un aumento de la presión del líquido. Las arterias del organismo se rigen por los mismos principios.

El corazón bombea la sangre hacia la arteria aorta ejerciendo una presión que se denomina presión sistólica. La aorta y otras grandes arterias del organismo se dilatan cuando se llenan de sangre y, debido al músculo contráctil de sus paredes, se contraen cuando el corazón se relaja igual que lo hace una goma elástica estirada. La presión ejercida por la constricción de estas arterias se denomina presión diastólica. Cuando se mide la presión arterial se obtienen dos cifras. Por ejemplo, 120/80 significa una presión de 120 mmHg causada por el impulso sistólico del corazón y una presión de 80 mmHg causada por la constricción diastólica de las arterias. Una regla práctica para establecer los niveles normales de presión consiste en sumar 100 a la edad del individuo (± 20 mmHg) para la presión sistólica, y considerar normales valores inferiores a 90 mmHg par la presión diastólica.

La presión arterial elevada puede sufrir modificaciones. Es conocido el efecto de la «bata blanca» en la presión arterial, que consiste en un aumento de presión cuando un individuo acude a la consulta de un médico. El hallazgo de presiones persistentemente elevadas en visitas posteriores obliga a realizar una investigación; puede efectuarse un control ambulatorio de la presión durante 24 horas, que a menudo revelará que la presión aumenta sólo en situaciones de estrés. Este estudio tiene gran importancia para evitar la instauración de tratamientos innecesarios.

Muchas son las causas posibles de hipertensión arterial:

- El desarrollo de ateromas en las arterias en ancianos, en fumadores o en individuos con niveles elevados de colesterol disminuye la flexibilidad de las arterias, y por consiguiente su capacidad para dilatarse, y reduce la luz arterial. Esto es comparable a lo que ocurre si se tapa parcialmente el extremo de una manguera.
- El aumento de peso obliga al corazón a bombear con más fuerza puesto que la sangre debe llegar a más cantidad de tejido. Las grasas constriñen también las arterias principales y obligan a los músculos a trabajar más, para lo cual requieren más oxígeno, es decir, mayor trabajo de bombeo del corazón. El aumento de peso también se acompaña de una mayor producción de insulina, la cual incrementa el nivel de sodio, que es conocido por su efecto hipertensivo.
- El estilo de vida sedentario o no practicar ejercicio aumentan la presión arterial. El ejercicio disminuye la adrenalina, oxigena los tejidos y, a través de otras diversas vías bioquímicas, reduce la presión arterial.
- La adrenalina, las hormonas tiroideas y los esteroides naturales del organismo regulan la presión arterial. La dieta y los factores estresantes que incrementan los niveles de dichas sustancias elevarán la presión arterial.
- La sal, el alcohol y la cafeína aumentan la presión arterial. Una reducción o su eliminación de la dieta pueden reducir la presión arterial a sus niveles normales.
- Las sustancias tóxicas y ciertos metales como el cadmio y el plomo pueden aumentar la presión arterial, posiblemente por un efecto directo sobre el centro cerebral de regulación y control de la presión arterial, aumentando o disminuyendo la

frecuencia cardíaca y abriendo o cerrando los vasos sanguíneos del organismo. Las alergias alimentarias pueden provocar hipertensión arterial.

Presión arterial

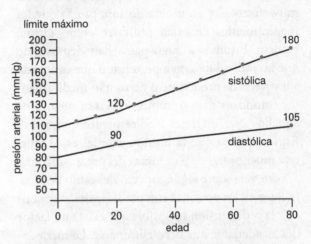

Las cifras de presión arterial sistólica y diastólica se elevan a medida que aumenta la edad del individuo.

Reconocimiento de la hipertensión

La hipertensión arterial puede causar síntomas como cefaleas, mareos, sangrado nasal, percepción de ruidos molestos o acufenos o ser asintomática (ausencia de síntomas). Muchas personas que no controlan su presión arterial regularmente pueden vivir con hipertensión arterial y no presentar problema alguno ni sufrir insuficiencia cardíaca, infarto de miocardio o ictus. Una presión arterial elevada indica que el corazón trabaja en exceso y puede sobrevenir un infarto de miocardio o una insuficiencia cardíaca. Una presión elevada puede causar la rotura de arterias pequeñas o dañadas y provocar hemorragias; si éstas ocurren en el cerebro puede producirse un ictus, si bien es preciso que coexistan otros factores.

Es importante analizar con precisión los riesgos de la hipertensión. Suele decirse que ésta aumenta el riesgo de sufrir un accidente cardiovascular, pero dicho aumento es de dos a seis veces. Esto puede parecer un riesgo elevado. Sin embargo, la probabilidad de que un individuo joven sufra un ataque cardíaco o un ictus es de 1 sobre 1.000, y la hipertensión puede elevar dicha probabilidad hasta 6 sobre 1.000, lo cual sigue siendo un riesgo bajo. En mi opinión, que sería rebatida con vehemencia por la mayoría de los médicos y las empresas farmacéuticas, la hipertensión arterial, aunque potencialmente peligrosa, no debería considerarse tan nefasta como habitualmente se considera. Los tratamientos naturopáticos pueden ser muy efectivos, y en general lo son, por lo que los medicamentos deberían utilizarse como último recurso. Estudios a largo plazo han demostrado que los individuos con hipertensión que controlan sus niveles de presión pero no toman medicamentos ortodoxos para disminuirlos están mejor que aquellos que ingieren medicamentos prescritos. Esto se debe a que la presión arterial es, al igual que muchos signos y síntomas del organismo, una advertencia sobre algún aspecto del estilo de vida. Incluso en las personas con predisposición genética a la hipertensión es posible que exista un factor desencadenante que deba eliminarse. La mera corrección de unas cifras elevadas no implica la curación. Es sorprendente el hecho de que ningún medicamento ortodoxo para la hipertensión esté destinado a su curación, sino que simplemente disminuya las cifras de presión, sin tener en cuenta los factores subyacentes. El intrincado control de la presión arterial a través de centros en el sistema nervioso central, el delicado equilibrio de sodio y otros electrólitos en el riñón, la fuerza del corazón y el control nervioso de los vasos sanguíneos sugiere que el organismo sabe lo que hace cuando establece los niveles de presión arterial. Es posible que un individuo necesite una presión arterial elevada para realizar determinadas funciones y que sólo deban tratarse las presiones muy elevadas persistentes o la hipertensión súbita (denominada hipertensión maligna).

Hipertensión primaria

La mayoría de los casos de hipertensión no se deben a una enfermedad o proceso patológico. Se denominan hipertensión primaria o esencial y son tratados por el médico general con medicamentos ortodoxos. Estos medicamentos son los diuréticos (que eliminan agua de la corriente sanguínea y por consiguiente, como si se abriera la llave de una manguera, disminuyen la presión arterial, pero no actúan sobre la causa que provocó el aumento de la presión), los betabloqueantes (que disminuyen la frecuencia cardíaca o evitan la contracción arterial), los antagonistas de los canales de calcio (que inhiben la contracción del músculo arterial) y los inhibidores de la angiotensina (que bloquean las hormonas renales que regulan la presión arterial). Se están elaborando nuevos medicamentos, pero todos ellos corrigen las cifras de presión sin tener en cuenta las causas subyacentes.

La hipertensión puede afectar a todos los miembros de una familia, pero, como se indicó anteriormente, es probable que en estos casos exista un factor desencadenante en el medio ambiente o en el estilo de vida. Es importante señalar que los estudios geográficos revelan que la hipertensión es mucho más frecuente en las sociedades occidentales. El principal ejemplo lo constituyen los individuos de raza negra, que en Estados Unidos presentan presiones arteriales mucho más elevadas que la población blanca, mientras que en África la incidencia de hipertensión es mínima. Los estudios han demostrado de manera concluyente que la dieta occidental, con un elevado contenido de azúcar refinado, cafeína y alcohol, es la causa directamente responsable.

A grandes rasgos, los métodos complementarios o alternativos para tratar la hipertensión pueden disminuir la presión diastólica (la más frecuentemente aumentada y la que se mide en la mayoría de los casos para comprobar la eficacia del tratamiento) en 10-15 puntos.

Hipertensión secundaria

En el 6% de los casos la hipertensión es «secundaria» a una enfermedad o proceso patológico, como un tumor que produce adrenalina o tiroxina o un tumor del riñón que afecta a las sustancias químicas renales que regulan la presión arterial. Ciertos estados metabólicos, el embarazo y algunos fármacos, como los anticonceptivos orales, pueden aumentar la presión arterial. En teoría, el alcohol y el tabaco pueden considerarse causas de hipertensión secundaria, si bien no corresponden estrictamente a la definición mencionada. El volumen de sangre en las arterias también es importante en la lectura de la presión arterial. Cuanto mayor sea el contenido de sal, más cantidad de agua habrá por el proceso de ósmosis.

RECOMENDACIONES

- *Pierda el exceso de peso mediante un plan dietético regular.*

- *Elimine totalmente la sal de la dieta.*

- *Abandone el tabaco, el alcohol y la cafeína hasta que la presión arterial vuelva a la normalidad y –si le son imprescindibles– reintrodúzcalos lentamente, prestando atención ante un posible aumento.*

- *Practique ejercicio. El yoga ayuda a controlar la presión arterial y su práctica es imprescindible, independientemente de que se realicen otros ejercicios aeróbicos.*

- *Investigue una posible intoxicación por cadmio o plomo mediante pruebas sanguíneas específicas o análisis del cabello.*

- *Compruebe si existen alergias alimentarias mediante técnicas de biorresonancia o pruebas sanguíneas adecuadas.*

- *Reduzca el estrés mediante biorretroalimentación, hipnosis y psicoterapia, para ayudar a disminuir la presión arterial.*

- *Tome calcio y magnesio en dosis diarias fraccionadas para ayudar a disminuir la presión arterial: calcio, 15 mg/kg de peso, y magnesio, 10 mg/kg de peso. Pueden ingerirse en forma de citratos o aspartamo.*

- *La integridad de las arterias es un factor determinante en el riesgo de hipertensión, por lo que deben revisarse las recomendaciones del apartado sobre arteriosclerosis (véase* **Arteriosclerosis***).*

- *Si la hipertensión es resistente, considere la fitoterapia con un especialista. Pueden probarse Crategus y Viscum album.*

- *El tratamiento con fármacos antihipertensivos debe considerarse sólo si han fracasado las medidas anteriores y la presión es persistentemente elevada en una monitorización de 24 horas, en particular si el paciente tiene una historia familiar de ictus o enfermedad cardiovascular, es un fumador, tiene sobrepeso o está tomando anticonceptivos orales.*

PROBLEMAS DEL HABLA

Véanse **Tartamudeo** y **Disfasia**.

PROBLEMAS DEL SUEÑO

El sueño se describe como un estado transitorio, reversible y periódico, durante el cual se produce una disminución de la actividad psicológica y de la conciencia.

El ciclo del sueño en el hombre suele progresar a través de cinco estadios, siendo el estadio 1 el de sueño ligero y el estadio 5 el de sueño profundo. Después de este estadio profundo se produce un intervalo con movimientos rápidos de los ojos (REM) y a continuación se repite el ciclo. Esta fase recibe su nombre por los episodios característicos de movimiento rápido de los ojos (del inglés, *rapid eye movement*), que también coincide con la flaccidez de los músculos faciales y, si se obtiene un registro del electroencefalograma (EEG), la aparición de ondas cerebrales «desincronizadas». La mayoría de los sueños se producen en los estadios más profundos del sueño y están asociados a la fase REM.

Durante el sueño se produce una notable reducción de la actividad de todo el organismo. La función celular continúa y no parece requerir descanso, pero la disminución de la actividad del sistema nervioso reduce el nivel y el número de las órdenes emitidas para estimular el metabolismo celular. No se conoce exactamente por qué el sistema nervioso necesita dormir. Los científicos saben cuáles son las sustancias químicas que se producen en abundancia en el organismo para inducir el sueño, pero no saben el porqué. Yo tengo una teoría.

La naturaleza está en equilibrio. A cada chaparrón sigue la salida del sol, y por cada casquete glaciar hay un desierto. La actividad y el descanso son simplemente la noche y el día del equilibrio natural del ser humano. El sueño es para la mayoría de las personas el estado más próximo a la meditación al que pueden llegar, y se sabe con seguridad que la meditación tiene un profundo efecto sobre el bienestar si se practica de forma adecuada. Los científicos suelen buscar una necesidad química o biológica para el sueño, pero en realidad éste se relaciona con una necesidad espiritual y con la fuente de fuerza vital. Sin el sueño perecemos rápidamente porque el sistema nervioso pierde el control sobre funciones vitales como la digestión y la frecuencia cardíaca. No existe una base neuroquímica para que el reposo «recargue» la actividad de las células nerviosas, por lo que la respuesta se encontrará cuando podamos evaluar mejor el plano espiritual. El sueño es el intento del cuerpo para conectarse a Dios. El instante en que empezamos a conciliar el sueño, si nuestra mente consciente no ejerce influencia, es un momento muy feliz. Espero que ésta sea también la sensación en el momento de entrar en contacto con nuestro «hacedor», cualesquiera que sean nuestras creencias. El despertar de nuestro sueño suele ser desagradable.

Apnea del sueño

La apnea del sueño es el cese o interrupción de la respiración. Su reversibilidad la diferencia de la asfixia. Sin embargo, durante los pocos segundos que dura la apnea, la fisiología se acerca a la insuficiencia respiratoria.

La causa no está clara, pero por alguna razón se cierra el área nasofaríngea de la garganta (la parte situada detrás de la nariz y la boca). Si el problema se asocia a una infección, debe seguirse el mismo tratamiento que para un resfriado común, pero si se produce de forma separada y sin razón, debe intentarse definir un tratamiento específico.

La apnea del sueño rara vez constituye un problema en un adulto, aunque la persona que comparte la habitación con alguien que padece apnea con frecuencia tiene muchos trastornos del sueño. Los síntomas más característicos son los gruñidos, los ronquidos y la impaciencia cuando la persona intenta expulsar aire a través de la obstrucción. La interrupción de la respiración puede durar varios segundos e ir seguida de pánico en estado de sueño aparente, que incluye los ruidos ya mencionados, además de una considerable inquietud y un jadeo final. La persona rara vez se despierta y, al cabo de algunos momentos, suele empezar a repetir el ciclo. En general, los períodos de apnea del sueño se producen durante la noche y no son permanentes.

La apnea del sueño en niños menores de dos años puede acabar en asfixia y se conoce como síndrome de muerte súbita o muerte en la cuna (*véase* **Síndrome de muerte súbita del lactante**).

RECOMENDACIONES

- *Si la apnea es transitoria, consulte en este libro la información sobre posibles problemas concurrentes, como el resfriado común.*

- *Es el homeópata quien debe elegir un remedio homeopático de acuerdo con la constitución física de cada persona.*

- *Antes de acostarse tome el remedio floral de Bach Vervain.*

- *Véase* **Ronquidos**, *ya que la apnea puede ser una consecuencia de este trastorno.*

Narcolepsia

La narcolepsia es un trastorno del ritmo circadiano normal del cuerpo (reloj corporal) con respecto al sueño. La narcolepsia se caracteriza por ataques incontrolables de somnolencia o por quedarse dormido durante el día, una falta súbita de capacidad muscular a menudo asociada a experiencias emocionales, parálisis del sueño (*véase* **Parálisis del sueño**) y alucinaciones frecuentes y vívidas durante el sueño.

Es importante diferenciar la narcolepsia de episodios como la hipoglucemia, que puede manifestarse por los mismos síntomas, aunque más leves. La narcolepsia puede deberse a una lesión cerebral causada por una infección, sustancias tóxicas o un traumatismo. La deshidratación aguda o crónica puede alterar el equilibrio electrolítico en el líquido cefalorraquídeo (a partir del cual se nutre el cerebro). Muchos casos de narcolepsia no tienen una base anatómica ni química, y hay que volver al concepto espiritual y preguntarse por qué una persona desconecta su parte consciente, es decir, por qué el paciente necesita escapar de la realidad.

RECOMENDACIONES

- *Intente aislar la causa eliminando tóxicos obvios como el tabaco, el alcohol y otras drogas. Si la enfermedad ha empezado en un momento específico, revise los acontecimientos de los últimos 3 meses y compruebe si puede influir* *algún cambio en la dieta (alergia a un alimento) o un contacto próximo con un contaminante medioambiental (véanse **Contaminación medioambiental** y **Radiación**).*

- *Asegúrese de que no confunde la narcolepsia con un exceso de cansancio por falta de sueño.*

- *No olvide una buena hidratación bebiendo 1,5-2 litros de agua diarios.*

- *Tome durante 3 semanas el triple de la dosis diaria recomendada de un suplemento de multivitaminas y multiminerales y compruebe si se produce algún efecto.*

- *Revise los fármacos ortodoxos que esté tomando, ya que muchos de ellos pueden tener un efecto narcoléptico. Los antihistamínicos, los tranquilizantes y los hipnóticos son muy importantes.*

- *Consulte a un homeópata cualificado para seleccionar un remedio adecuado a su constitución.*

- *Consulte a un médico para obtener un diagnóstico si con las medidas mencionadas no obtiene resultados.*

Parálisis del sueño

En un momento u otro, la mayoría de las personas atraviesan una circunstancia muy molesta. Al despertarse, el cuerpo no puede moverse. Este trastorno suele durar unos pocos segundos, pero en ocasiones se prolonga. En términos simples, el cuerpo no puede moverse debido a una leve falta de coordinación entre el pensamiento consciente y el control neuromuscular. No es posible realizar estudios de esta afección porque es esporádica, pero se atribuye a un trastorno químico en el cerebelo, órgano del sistema nervioso central que controla la coordinación.

RECOMENDACIONES

- *El problema es transitorio y probablemente se debe a un exceso de sustancias químicas del sueño que no son eliminadas de la parte del cerebro que controla la coordinación.*

- *Si persiste el problema, acuda a un especialista en neurología.*

Patrones del sueño

La bioquímica del cerebro está controlada por sustancias químicas que son estimuladas por los niveles de oxígeno, glucosa y probablemente otros nutrientes del torrente sanguíneo. Además, ante la luz del sol y la oscuridad el cerebro responde produciendo sustancias químicas como la melatonina.

El ser humano ha evolucionado como animal diurno, por lo que deberíamos irnos a dormir cuando se pone el sol y levantarnos con el alba. Nuestros antepasados en la escala evolutiva se beneficiaban de más horas de sueño y de mantener un cociente metabólico reducido en el invierno, cuando el alimento era menos abundante, pero podían disfrutar de períodos más largos de vigilia durante el verano, cuando la naturaleza se prodigaba con generosidad.

Las filosofías orientales establecieron un reloj del tiempo y lo incorporaron a su concepción médica antes de que la ciencia descubriera los ritmos «circadianos» químicos. Este diagrama es una sugerencia de reloj, que muestra cuándo se llenan de

Reloj de energía chino

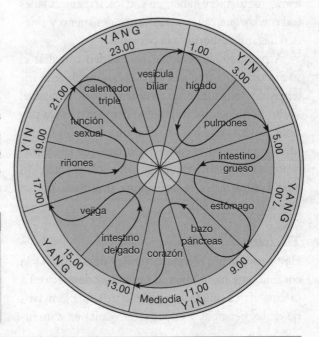

energía varios órganos. El sueño es un proceso muy activo por lo que al flujo de energía se refiere (*véase* **Insomnio**).

Insomnio

Es necesario diferenciar el insomnio de quienes no pueden conciliar el sueño (inducción del sueño) y de quienes se despiertan a menudo (interrupción del sueño). Las causas pueden superponerse, aunque los factores de estrés psicológico suelen impedir conciliar el sueño más que provocar el despertar. La interrupción del sueño es el resultado de una escasa producción de las sustancias químicas del sueño (en particular, la serotonina), de un exceso de hormonas estimulantes, como la adrenalina, el cortisol y el glucagón (el antagonista de la insulina) o de trastornos externos.

Las causas del insomnio son diversas.

Factores psicológicos

Debe valorarse y tratarse cualquier causa de estrés, miedo, ansiedad o tensión. Al igual que cualquier otro problema, si no es posible solventarlo, la persona debe aprender a vivir con él con la ayuda de un psicoterapeuta o con técnicas de relajación. Otros factores de este trastorno son un entorno desfavorable o ruidoso, un nuevo emplazamiento del dormitorio o una pareja que ronque. Las ansiedades psicológicas pueden generar pesadillas, sonambulismo, inquietud y hablar en sueños, irregularidades todas ellas que causan trastornos del sueño y pueden llegar a despertar a la persona.

A menudo las personas no pueden conciliar el sueño debido a que su cuerpo o su mente está intentando solucionar un problema para el cual el sueño no tiene una respuesta. Siempre que sea posible, no se vaya a la cama con una cuestión sin resolver, pero, si no puede evitarlo, dedique 15-20 minutos a una técnica de relajación o a la meditación para contrarrestar la adrenalina originada por el problema no resuelto.

Tóxicos

Hay estimulantes obvios, como las anfetaminas y la cocaína, que mantienen al individuo despierto. La cafeína ejerce un efecto estimulante sobre la mayoría de las personas y puede estar oculta en alimen-

tos como el chocolate o el té de antes de ir a dormir, así como en los helados de café o con sabor a café. Son menos conocidos los efectos excitantes de la nicotina, el queso, las carnes rojas, el alcohol y la marihuana, siendo estas dos últimas sustancias con frecuencia una sorpresa para los no iniciados, que pueden confundir la pérdida de conciencia con el dormir. El alcohol, al estar desnaturalizado, provoca un efecto estimulante que altera el sueño.

Hábitos perjudiciales

Vale la pena tener en cuenta que, además de los tóxicos mencionados, como el tabaco o el café, la falta de ejercicio inhibe los patrones del sueño. El ejercicio regular durante sólo 20 minutos al día gasta la adrenalina excedente y libera endorfinas (los opiáceos naturales del cuerpo). Las cenas abundantes provocan una gran respuesta de insulina, a la que en algún momento de la noche ha de seguir una hipoglucemia refleja. Cuando el cerebro registra un nivel bajo de glucosa, da las instrucciones para liberar adrenalina, glucagón y esteroides a fin de aumentar el nivel de azúcar en sangre, pero al mismo tiempo se autoestimula en exceso y causa trastornos del sueño.

Líneas de ley

La tierra tiene líneas de energía, denominadas líneas de ley, creadas por las partículas con carga positiva y negativa producidas por el flujo de agua. Estas líneas de ley pueden interferir en el patrón electromagnético individual y causar importantes trastornos del sueño. Quienes padecen insomnio constante deberían analizar la posible proximidad de agua, especialmente de arroyos que pueden ser subterráneos. Los departamentos de investigación geológica regional o las compañías locales del agua pueden proporcionar mapas. Puede trasladarse la cama de forma que las líneas de energía se muevan en armonía con el cuerpo.

No recurra a las medicinas botánicas ni a los suplementos a menos que haya descartando todas las posibles causas, porque los síntomas resurgirán de una manera u otra. Si la mente no quiere dormir, ayúdela eliminando la causa y no intente acallarla. Procure evitar el uso de sedantes que se venden libremente (por lo general antihistamínicos) y de sedantes o hipnóticos prescritos por el médico, excepto por un breve período.

Trastornos del sueño

Muchas situaciones, psicológicas y patológicas, pueden ocasionar alteraciones del sueño: el embarazo en las mujeres, una vejiga débil o el prostatismo en los varones, dificultades para respirar a causa de asma o rinitis alérgica, pesadillas, etc.

Deben tenerse en cuenta problemas tan simples como unas cortinas que no impiden adecuadamente el paso de la luz, un colchón o una almohada incómodos o, con menor frecuencia, los efectos iónicos atmosféricos (aire cargado con partículas positivas o negativas) de una corriente de agua subterránea o localizada en las proximidades. Si vive cerca de un curso de agua o sospecha que existe una fuente subterránea, cambie de lugar la cama durante unos días y compruebe si obtiene algún beneficio (*véase* **Líneas de ley**).

Otros factores

Las filosofías orientales creen que en momentos diferentes del día y de la noche se cargan de energía órganos y sistemas específicos. El diagrama del reloj (*véase* **Patrones del sueño**) describe los diferentes momentos en que cada órgano se alimenta de la fuerza vital. El calentador triple, que controla las glándulas suprarrenales y tiroides, está en su momento más débil al final del día y se llena entre las 21:00 y las 23:00 horas.

La vesícula biliar y el hígado se llenan entre las 23:00 y la 1:00 y entre la 1:00 y las 3:00, respectivamente, después de pasar el día ayudando en la digestión y en el procesamiento de toxinas.

Entre las 3:00 y las 5:00 de la mañana los pulmones reciben su energía, de forma que pueden realizar su actividad completa durante el día. La energía para el intestino grueso se llena entre las 5:00 y las 7:00, horario en que con frecuencia se evacuan los intestinos. Cualquier trastorno de estos órganos se corresponde con una demanda mayor o menor de energía que causa variaciones en el flujo general, lo que a su vez genera trastornos del sueño.

A medida que envejecemos necesitamos menos horas de sueño. No existe una razón científica ortodoxa que pueda explicarlo, aunque se sabe que ciertos elementos químicos disminuyen a medida que se deterioran nuestras células, lo que podría tener algún efecto. El principio oriental considera que es pertinente la disminución «de la energía vital» (fuerza de vida), que requiere menos llenado, y el sueño es el momento en que ésta se produce en su mayor parte. Necesitamos menos fuerza de vida porque, al reducir nuestros niveles de actividad, gastamos menos.

Existe una afección conocida como mioclonías nocturnas, caracterizada por la contracción de un grupo de músculos mientras dormimos. Al igual que ocurre con los ronquidos, la persona implicada probablemente ignora que tiene esta afección, y suele ser la pareja que duerme a su lado quien revela su existencia. Esta afección es similar al síndrome de las piernas inquietas (*véase* **Inquietud**) y puede requerir tratamiento.

RECOMENDACIONES

- *Elimine de la dieta y de su estilo de vida todos los estimulantes. Una vez recuperado el patrón del sueño, introduzca los estimulantes a primera hora del día y compruebe si le producen trastornos del sueño. Si es así deberá eliminarlos de forma definitiva.*

- *Valore el nivel de estrés y corríjalo o aprenda y practique una buena técnica de relajación o meditación.*

- *Retroceda hasta 6 horas antes de despertarse y recuerde lo último que ha comido o bebido. Podría tratarse de una intolerancia específica que hay que eliminar.*

- *Cene temprano y poco. Evite los azúcares refinados en la cena.*

- *Asegúrese de que su entorno a la hora de dormir es cómodo, tranquilo y oscuro. El Budha reclinado siempre aparece acostado sobre su lado derecho y con la mano derecha bajo la cabeza. Esa posición facilita el flujo de energía necesario para dormir, y todos deberíamos practicarla.*

- *Aproximadamente una hora antes de acostarse tome los siguientes suplementos y extractos en las dosis recomendadas a continuación (por kg de peso). Pruebe los componentes de uno en uno y* añada el siguiente si el efecto del primero no resulta obvio tras 5 noches: niacina, 1,5 mg; vitamina B₆, 650 mg, y magnesio, 4 mg.

- Puede tomar 5 mg/kg de peso del aminoácido triptófano, pero es difícil de obtener porque existe cierta polémica sobre sus posibles efectos tóxicos. Los profesionales de la medicina pueden tener acceso a este aminoácido, que deberá tomarse una hora antes de ir a dormir con agua y sin más alimentos ni bebidas.

- Puede tomar valeriana, pasionaria y manzanilla, pero debería administrarlas un herbolario o un profesional de la medicina alternativa reconocido. Puede probar suplementos de venta libre, pero procure no exceder la dosis recomendada.

- Hay muchos remedios homeopáticos recomendados en caso de insomnio o trastornos del sueño. Es necesario proceder a una selección precisa, pero considere los remedios Aconitum, Lycopodium, Coffea y Arsenicum. También puede considerar Opium, pero quizá resulte difícil de obtener sin la prescripción de un homeópata. Todos estos remedios deben tomarse con potencia 200 durante 3 noches consecutivas y el resultado se producirá inmediatamente o durante los 10 días siguientes. Tenga paciencia.

- No olvide realizar 20 minutos de ejercicio diarios y, si el insomnio persiste, intente practicar también ejercicio por la noche.

- Se está promocionando la melatonina como «suplemento» seguro. Escribo el término entre comillas porque esta hormona se receta como suplemento, pero de hecho se trata de un medicamento. Puede ser realmente segura, pero las pruebas que lo corroboran son escasas. Lo mejor es no tomar melatonina o utilizarla como último recurso y bajo supervisión médica.

- Si se despierta siempre a una hora concreta, es posible que se esté produciendo un trastorno energético en el órgano o sistema que se corresponde con esa hora de la noche (véase el diagrama del reloj).

- Gire la cama 90° si las líneas de ley así lo indican.

RADIACIÓN

Al hablar de radiaciones la mayoría de las personas piensa en procedimientos médicos como los rayos X y recuerda historias sobre fugas de centrales nucleares que «nuestro gobierno nunca permitiría que ocurrieran». Estas situaciones son muy reales en la vida y yo, personalmente, no creo ni en la industria de la tecnología médica ni en los consejos gubernamentales sobre los niveles de seguridad. También estamos constantemente expuestos a radiación proveniente de otras fuentes:

- El sol (por la cada vez menor capa de ozono protector).
- Los viajes en avión, que aumentan la exposición a los rayos X al estar más cerca del sol.
- Los microondas y los teléfonos para coche, que emiten microondas de bajo nivel que afectan al ADN (material genético). Muchas enfermedades, como asma, síntomas neurológicos y problemas cutáneos podrían ser desencadenadas por el efecto sobre el ADN.
- Los ordenadores y los monitores visuales provocan síntomas menores como cansancio, dolor de cabeza y problemas oculares y cutáneos, pero también se ha demostrado de forma concluyente que aumentan el riesgo de aborto y que pueden crear incluso malformaciones en el feto.
- Los campos pulsados y estáticos, creados por los electrodomésticos y por el cableado dentro de las casas, alteran los campos eléctrico y magnético del medio ambiente. Estas emisiones pueden tener el mismo efecto que la radiación electromagnética.
- Las ondas electromagnéticas (EMR) de las líneas de tensión tienen una fuerte relación con la leucemia (los televisores emiten EMR).
- El material radiactivo procedente de los desechos y las basuras de los hospitales, especialmente en forma de yodo radiactivo, vertido en los ríos.
- La radiación por ultrasonidos, considerada absolutamente segura hasta que se ha descubierto que más de once ecografías durante la gestación causan bebés pequeños para su edad. ¿Significa eso que las ecografías son seguras?

No todas las radiaciones son necesariamente perjudiciales, y el cuerpo es capaz de afrontar la exposición en la mayoría de los casos. De hecho, la radiación nos mantiene vivos. Sin la luz del sol no existiríamos. La energía etérea que denominamos fuerza vital o chi también es radiación. Utilizada correctamente puede impedir los efectos dañinos de las energías «hechas por el hombre». Me pregunto si nuestros pinitos en el reino de la física constituyen un intento profundo o subconsciente de conocer mejor la energía de la fuerza vital que tan poco comprendemos y utilizamos. La radiación se utiliza para «purificar» nuestros alimentos, y en el proceso de eliminación de las bacterias no deseadas se altera, hipotéticamente, la energía natural interna de las moléculas. Los alimentos tienen una energía y la forma de prepararlos es crucial para la disponibilidad de esta fuerza de vida. La radiación actúa en el centro del átomo y, por consiguiente, debe tener algún efecto.

Independientemente de la vía de entrada de la radiación en el organismo, las áreas más afectadas son los cromosomas (que influyen en procesos como el cáncer), el sistema nervioso y los órganos más delicados, como la parte posterior del ojo (retina). Las exploraciones con rayos X y la radioterapia deben utilizarse en ciertas áreas del cuerpo. Hoy en día las técnicas utilizadas son muy precisas, especialmente los procedimientos computarizados, pero lo

que el mundo ortodoxo parece pasar por alto es la sangre que se encuentra en el área hacia donde se orientan los rayos X. Las células sanguíneas quedan irradiadas y «transportan» radiación a otras áreas del cuerpo. Ésta es una de las razones por las que incluso la radioterapia muy precisa puede provocar mareos, cansancio y malestar.

Este tema es muy difícil y delicado. Se requieren estudios muy claros y el abandono de la cultura de la avaricia que fomenta hacer dinero aun a costa de cualquier daño para la salud. No creo que yo llegue a verlo. Hoy en día nos dan la misma seguridad que los científicos daban en los años cincuenta cuando utilizaban radiaciones para realizar amigdalectomías y permitían que los soldados permanecieran sin protección a pocos kilómetros de las explosiones atómicas. Entonces no sabíamos los daños que estábamos causando al conceder a las autoridades el beneficio de la duda, y quizá tampoco ahora conocemos los riesgos. Debemos tener en cuenta las advertencias de muchos estudios sobre los posibles efectos dañinos de la radiación.

No es fácil evitar la radiación en los entornos occidentales u occidentalizados que se están extendiendo por todo el planeta, pero todos podemos introducir pequeños y grandes cambios en nuestro estilo de vida y debemos considerar las opciones.

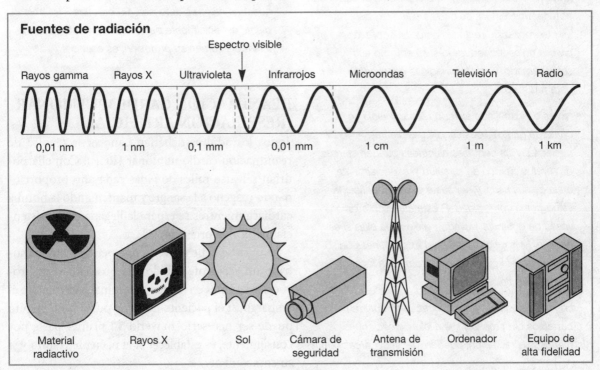

Fuentes de radiación

Espectro visible

Rayos gamma | Rayos X | Ultravioleta | Infrarrojos | Microondas | Televisión | Radio

0,01 nm   1 nm   0,1 mm   0,01 mm   1 cm   1 m   1 km

Material radiactivo   Rayos X   Sol   Cámara de seguridad   Antena de transmisión   Ordenador   Equipo de alta fidelidad

RECOMENDACIONES

- *Utilice el menor número de electrodomésticos posible.*

- *Evite sentarse a menos de 3 m del televisor (esto es especialmente importante para los niños). Hay que situar los muebles lejos de cualquier fuente de electricidad siempre que sea posible.*

- *Evite las emisiones de los microondas limitando su uso. Los teléfonos móviles deben utilizarse en la modalidad de «manos libres» siempre que sea posible. Su proximidad al cerebro puede ser perjudicial.*

- *Utilice filtros protectores en los monitores y ordenadores. Recuerde que las emisiones de las partes laterales y posteriores del ordenador suelen ser mayores que las de la pantalla. Las mujeres embarazadas deben tener todavía más precauciones.*

- *Evite los dispositivos eléctricos en el dormitorio, ya que es posible que pase más de una tercera parte de su vida en ella.*

- *Mida los campos eléctricos de su hogar. Puede comprar un magnetómetro y, tal vez, su compañía eléctrica pueda ir a su casa y realizar pruebas. No lo harán de noche, pero se puede obtener una lectura de día. La dificultad consiste en creernos las directrices actuales sobre los niveles de seguridad, pero si su entorno está sobrecargado, tome las medidas necesarias para reducirlo.*

- *No es descabellado evitar o rechazar alojarse cerca de puntos «de riesgo». Las plantas nucleares y las centrales eléctricas pueden ejercer profundos efectos en su salud y, especialmente, en la de sus hijos, y nunca se puede sacrificar la salud por la comodidad. Preste atención a las líneas de potencia elevada y aléjese de ellas si es posible. Más difícil es saber si existen líneas de tensión bajo la casa, pero su compañía local de electricidad debería decírselo.*

- *Los radiestesistas, que con frecuencia utilizan péndulos para realizar sus evaluaciones sobre los campos de radiación, pueden identificar áreas con una energía inadecuada dentro de la casa. Las camas, y una vez más sobre todo las camas de los niños, no deberían estar cerca de dichas áreas.*

- *Si la radiación en el hogar es inevitable, la colocación de imanes potentes en las áreas potencialmente dañinas puede generar un campo específico que bloquee cualquier otra radiación. La cuestión es si dichos imanes pueden ser también dañinos. En la actualidad no dispongo de pruebas al respecto. Estamos observando y esperamos futuras evaluaciones.*

- *La radiación puede generar radicales libres en el organismo. Por consiguiente, es conveniente el uso diario de antioxidantes. Véase **Radicales libres** para comprobar las dosis terapéuticas y reducirlas a la mitad para utilizarlas como suplemento diario. Aumente el consumo de vegetales y fruta orgánica natural.*

- *Por último, y quizá lo más importante, considere que la fuerza vital o chi es posiblemente la forma más potente de radiación, aunque no se sabe mucho al respecto. Las técnicas de meditación y el control activo del chi a través del chi kung, el tai chi y el yoga son nuestras mejores defensas. Su práctica diaria, especialmente por quienes se enfrentan a la radiación en su profesión, es esencial.*

REANIMACIÓN CARDIOPULMONAR (RESPIRACIÓN ARTIFICIAL)

Todos los adultos deberían conocer la técnica de reanimación cardiopulmonar (RCP). Con ella podrían salvarse miles de vidas cada año proporcionando oxígeno a la sangre y manteniendo la bomba cardíaca mientras se espera la llegada de la asistencia médica de urgencia.

Nunca se debe mover a una persona que ha sufrido un accidente debido a la posibilidad de provocarle lesiones en la médula espinal o el cuello. Sin embargo, si el paciente no tiene pulso o no respira puede ser necesario moverlo. El primer paso, por consiguiente, es establecer si el paciente respira y si su corazón late.

Respiración artificial

- Observe el tórax. Si no se mueve, acerque la oreja a la nariz y la boca del paciente y escuche. La técnica del espejo (que consiste en colocar un espejo o un cristal sobre la boca o la nariz y observar si se empaña) es un antiguo y efectivo procedimiento.
- Para saber si el corazón late, coloque los dedos índice y medio en el cuello, por fuera de la nuez de Adán, y ejerza una ligera presión. El latido de la arteria carótida se percibe fácilmente bajo los dedos. También puede buscarse el pulso en la muñeca (aunque su percepción no es tan fácil como en el cuello) en el extremo del antebrazo, del lado del pulgar, a unos 2 cm de la muñeca.

RECOMENDACIONES

- *Asegúrese de que las vías respiratorias están abiertas. Coloque una mano en la mandíbula del paciente y ábrale la boca. Introduzca un dedo de la otra mano profundamente en la garganta y compruebe que ésta no esté obstruida. Observe. Retire las prótesis dentales, si las hay.*

- *Acueste al paciente plano en el suelo y eleve su mentón. De esta forma se abrirá la boca, y la tráquea (tubo respiratorio) quedará recta.*

- *Coloque un pañuelo o un paño sobre la boca del paciente y luego apoye firmemente sobre ella su boca procurando sellarla.*

- *Realice una inspiración profunda y, a continuación, espire el aire dentro de la boca del paciente (respiración boca a boca), sosteniendo el mentón hacia arriba con una mano y ocluyendo las fosas nasales con la otra mano, apoyada sobre la frente.*

- *Observe si el tórax se eleva. Si no lo hace, vuelva a comprobar que no existe obstrucción alguna en las vías respiratorias.*

- *Repita dos veces la respiración boca a boca antes de comenzar el masaje cardíaco.*

- *Masaje cardíaco: sitúese de rodillas junto al enfermo. Apoye la base de una mano sobre la mitad inferior del esternón (hueso del tórax) y luego la base de la otra mano sobre la primera, entrelazando los dedos; inclínese hacia delante descargando el peso del cuerpo y ejerza una fuerte presión para hundir el tórax. El masaje cardíaco puede causar rotura de costillas. Ésta provoca un sonido y una sensación nada agradables, y aunque indican que el masaje ha sido efectivo se debe tener cuidado de no ejercer tanta presión que se hunda una costilla dentro del pulmón.*

- *Realice el masaje cardíaco 5 veces y luego 2 veces la respiración boca a boca.*

- *Continúe con ambas maniobras hasta que llegue la asistencia médica de urgencia o hasta que el paciente respire espontáneamente.*

- *Es importante interrumpir las maniobras de vez en cuando para comprobar el pulso carotídeo y los movimientos torácicos. La RCP es innecesaria si el corazón late y el paciente respira.*

Es recomendable seguir un curso de primeros auxilios y ensayar la RCP con un muñeco. Esta técnica no debe practicarse en una persona que no presenta un paro respiratorio o cardíaco.

RETENCIÓN DE LÍQUIDOS

La retención de líquidos (edema) es un exceso de fluido en los tejidos causado por un drenaje inadecuado de los vasos sanguíneos, sobre todo los capilares. Los líquidos están presentes en tres compartimientos del organismo: las células (intracelular), los tejidos (intersticial) y los vasos sanguíneos (intravascular). Existe un intercambio constante entre estos compartimientos, los cuales son nutridos por el líquido absorbido en el intestino.

El equilibrio en dichos compartimientos se mantiene mediante procesos de ósmosis (las moléculas grandes «arrastran» consigo agua a través de los vasos sanguíneos y las paredes celulares) y mensajeros químicos que aumentan o disminuyen el tamaño de los poros en los vasos sanguíneos y las paredes celulares.

El líquido puede acumularse por muchas razones en el espacio intersticial, pero, en principio, dicha acumulación se produce por uno de los siguientes mecanismos: las proteínas atraviesan los capilares y penetran en los tejidos arrastrando consigo agua, o bien el líquido no puede entrar en las células debido a un aumento de presión en los capilares. Puede producirse edema en zonas específicas del organismo debido a la obstrucción del sistema de drenaje (sistema linfático) causada por infecciones (que provocan elefantiasis), traumatismos o tumores.

Muchas afecciones afectan a la permeabilidad capilar, siendo el desequilibrio hormonal una de las más frecuentes. Los niveles bajos de hormonas tiroideas, los desequilibrios entre los estrógenos y la progesterona y otras hormonas producidas por los riñones y el sistema nervioso afectan al tamaño de los vasos sanguíneos y su permeabilidad. El agua entra en los tejidos por ósmosis. La ósmosis es un proceso fisiológico causado por la atracción electromagnética de las moléculas. En términos sencillos, consiste en que el agua se difunde a través de una membrana hasta que el número de moléculas de agua a ambos lados se iguala. Lo mismo ocurre con las moléculas de sodio o potasio y otros electrólitos y minerales presentes en la sangre. Un exceso de sal o azúcar en los tejidos atraerá agua, al igual que las toxinas. En este último caso el objetivo del organismo es diluir las toxinas para disminuir sus efectos perjudiciales.

La obstrucción del flujo venoso y la insuficiencia cardíaca provocan un aumento de la presión retrógrada (la sangre se acumula en los vasos sanguíneos situados antes en el circuito debido la obstrucción)

y, por consiguiente, se produce la salida de líquido a través de los poros de los capilares. Los síntomas del edema dependerán del lugar donde se acumule el líquido. Los edemas en los tobillos y las piernas, las manos y los dedos, en la cara y la mandíbula y en el abdomen son motivo frecuente de consulta. Los edemas más graves son los que se producen en órganos vitales, como el cerebro y los pulmones; estos casos se acompañan de complicaciones médicas y requieren atención urgente.

El edema en las piernas suele estar causado por una obstrucción venosa y es frecuente durante el embarazo y en los individuos obesos. Otros trastornos más graves, como la insuficiencia cardíaca o las enfermedades del hígado (cerca del cual pasa la vena cava, la más grande del organismo), aumentan la presión retrógrada y provocan la entrada de líquido en los tejidos.

Un edema más generalizado a menudo se debe a fluctuaciones hormonales, como ocurre en el síndrome premenstrual, en el que representa un síntoma destacado. No es posible usar el calzado habitual a causa de los pies hinchados, y los anillos obstruyen la circulación en los dedos.

Las deficiencias en la dieta pueden causar niveles bajos de electrólitos, aminoácidos y minerales, que provocan el desplazamiento del agua hacia los tejidos. Una alergia alimentaria puede desencadenar un estado tóxico que atraiga mayor cantidad de agua para diluir las sustancias tóxicas. Otros contaminantes, como el alcohol y los aldehídos que se producen tras su degradación, el tabaco y otras drogas, generan sustancias tóxicas que requieren ser diluidas y que pueden ejercer efectos químicos directos sobre la permeabilidad de los capilares. Los medicamentos ortodoxos pueden inducir edema por el mismo mecanismo.

Una de las principales causas de retención de líquidos que, paradójicamente, suele pasarse por alto es la deshidratación (*véase* **Deshidratación**). Aunque sus efectos no se manifiestan inmediatamente, el consumo insuficiente de agua puede provocar un exceso de líquido en los tejidos. Si no se ingiere suficiente agua, las células del organismo reconocen que existe deshidratación. Por lo tanto, retienen agua en su interior y luego rodean sus paredes externas con una capa lipoproteica impermeable. Esta capa protectora, constituida por compuestos de colesterol elaborados por el hígado, provoca un aumento de los niveles de colesterol en la sangre.

Aunque las células conserven su hidratación y, por lo tanto, desarrollen sus funciones metabólicas normalmente, el organismo interpreta que hay una deshidratación y pone en marcha los mecanismos para retener agua porque ésta es insuficiente. La sangre proporciona entonces líquido a los tejidos, originando edema y los efectos abdominales comúnmente asociados con el síndrome premenstrual. Esto conduce a una sangre concentrada, con lo cual se mantiene el estímulo que desencadena la retención de agua.

Otra causa de retención de agua que suele subestimarse es la formación de toxinas en el organismo. Con frecuencia, éste debe retener agua para diluir las toxinas presentes en los compartimientos intersticial y celular y, de esta forma, disminuir sus efectos dañinos. La hinchazón característica que a menudo se produce después de beber alcohol o consumir drogas está causada por una combinación de deshidratación y formación de toxinas.

RECOMENDACIONES

- Es importante descartar la presencia de cambios hormonales o bioquímicos que pueden estar causados por trastornos como hipotiroidismo y diabetes. También debe descartarse la existencia de enfermedades cardíacas, hepáticas y renales. Las dos primeras pueden provocar un aumento de la presión venosa retrógrada, y las últimas, trastornos electrolíticos.

- Revise los medicamentos prescritos por el médico, alguno de los cuales puede tener como efecto adverso la retención de agua. Si éste es el caso, el medicamento debe retirarse o sustituirse por otro.

- Revise la dieta. Restrinja el consumo de sal y alimentos procesados, los cuales tienen un contenido elevado de sodio.

- Considere las pruebas para alergias alimentarias. Siga una dieta de desintoxicación o ayune durante 3 días, manteniendo un consumo adecuado de agua. Si se produce una mejoría, es muy probable que exista una alergia alimentaria.

- Beba mucha agua. Como se ha descrito antes, paradójicamente, cuanto más agua beba, menor será la retención de líquidos. En condiciones normales, hay que beber, como mínimo, 1,5-2 litros de agua, cantidad que debe duplicarse si existe retención de líquidos. Sin embargo, puede ser necesario restringir el consumo de agua en caso de edema de origen cardíaco, hepático o renal. Consulte este punto con el médico.

- En la retención de líquidos durante el ciclo menstrual puede ser beneficiosa la vitamina B_6, 1,5 mg/kg de peso, fraccionados en 2 dosis con el desayuno y la cena.

- El remedio homeopático Natium muriaticum 30, tomado 4 veces por día durante 5 días, ayuda a resolver el problema. Puede repetirse hasta 2 veces por mes.

- Puede realizarse tratamiento con plantas como Uva ursi, Herberus y enebro, pero deben considerarse como un fármaco o un diurético y ser prescritas por un fitoterapeuta.

- Cualquier trastorno de retención (como hinchazón, protuberancias o quistes) que implique acumulación de agua puede ser un reflejo corporal de una actitud mental o espiritual. La retención de agua asociada con la depresión o con incapacidad para comunicarse refleja la represión de emociones, las cuales es necesario afrontar. La psicoterapia tiene un papel inestimable en la retención de líquido que no parece estar causada por una enfermedad física o que no responde a las recomendaciones naturopáticas citadas.

RINITIS ALÉRGICA
Véase **Fiebre del heno**.

RONQUIDOS
Los ronquidos son ruidos secos y audibles causados por la vibración del paladar blando en el techo de la boca durante el sueño. Cualquier factor que influya en la tensión, el peso o el tamaño del paladar blando puede causar ronquidos. Esta parte del

techo de la boca es muy importante en la formación del sonido y para poder tragar los alimentos, por lo que tiene muchas conexiones musculares.

Al dormir, los músculos se relajan. Cuanto más profundo es el sueño mayor es la relajación, por lo que una persona con un sueño profundo puede relajar bien los músculos del paladar blando hasta que éste vibra con la respiración normal. El uso de fármacos que inducen el sueño y el alcohol, que con gran frecuencia se pasan por alto, relajan la tensión en esta área y provocan los ronquidos.

La grasa se acumula alrededor del paladar blando y sus músculos, y su exceso altera el peso del paladar y predispone a los ronquidos. El consumo de tabaco (factor muy importante) y cualquier afección que inflame el área, como un resfriado común, la rinitis alérgica u otras causas de rinitis, pueden causar ronquidos.

Una obstrucción nasal puede producir una respiración ruidosa durante el sueño, que no es en realidad un ronquido creado en el paladar blando. La rinitis, el resfriado común, los pólipos nasales, la sinusitis y las adenoides aumentadas de tamaño pueden producir el sonido característico de los ronquidos. El consumo de drogas como la cocaína, las anfetaminas y la heroína a través de la nariz provoca inflamación y empeora los ronquidos.

RECOMENDACIONES

- *Los ronquidos temporales asociados a una infección común pueden mejorar con el tratamiento de la rinitis (véase* **Fiebre del heno**).

- *Se puede acabar con los ronquidos persistentes perdiendo peso y dejando de fumar y de consumir alcohol y dulces en exceso.*

- *La posición al dormir puede influir en la intensidad de los ronquidos. En general, dormir boca arriba empeora el problema.*

- *Puede tomarse el remedio homeopático Opium con potencia 200 (con frecuencia asequible sólo mediante prescripción) cada noche durante una semana.*

- *También el remedio floral de Bach Vervain, 4 gotas antes de dormir, puede influir sobre los ronquidos.*

- *El L-triptófano, un aminoácido difícil de obtener, puede tener efectos beneficiosos si se toma en dosis moderadas porque el sistema nervioso lo convierte en serotonina, que aumenta la tensión muscular*

- *La medicina ortodoxa ofrece inhaladores nasales con corticoides que tienen cierta eficacia pero requieren un uso continuado.*

- *Hay aparatos conocidos como dispositivos de avance mandibular que evitan el descenso del maxilar inferior, con lo que empujan la lengua hacia delante y la alejan del paladar blando.*

- *Las unidades de presión positiva continua en las vías aéreas bombean aire a alta presión hacia las vías aéreas, lo que puede fortalecer la musculatura.*

- *Se puede considerar la intervención quirúrgica como último recurso, pero debe evitarse siempre que sea posible.*

SALMONELLA (INCLUIDA LA FIEBRE TIFOIDEA)

Las *Salmonellas* son un grupo de bacterias que incluye cientos de subespecies. Causan fiebre y enfermedades generalizadas, como gastroenteritis aguda, y en casos graves puede multiplicarse en el torrente sanguíneo y causar septicemia, que es la diseminación de la infección por todo el organismo.

Una de más peligrosas es *Salmonella typhi,* que suele contraerse en regiones cálidas y se caracteriza por fiebre, dolor de cabeza, tos, manchas en la piel y un estado de intoxicación generalizado. Las bacterias pueden causar ulceración e inflamación en el intestino y afectación del sistema linfático, que se manifiesta por un aumento del tamaño del bazo (situado por debajo de las últimas costillas izquierdas). Otras intoxicaciones frecuentes por *Salmonella* son las conocidas como paratifoideas, de las cuales existen diferentes tipos (A, B y C). La infección más frecuente por *Salmonella* es la que se produce a través de los alimentos, que provoca síntomas variables entre diarrea leve y retortijones hasta episodios que pueden resultar mortales.

RECOMENDACIONES

- *Si se diagnostica una intoxicación por Salmonella, véase* **Intoxicación**.

- *La fiebre tifoidea debe tratarse con antibióticos si un profesional de la medicina alternativa con experiencia no ha controlado el problema en 24 horas.*

SANGRADO

Véase también **Hemorragia**.

Sangrado por traumatismo

La pérdida de sangre es siempre patológica. Una hemorragia causada por una herida o un traumatismo debe controlarse con la mayor rapidez posible. Cuando se corta una arteria, ésta responde –por un mecanismo intrínseco– con un espasmo. Resulta interesante el hecho de que cuanto más limpio es el corte (es decir, cuanto menor es el traumatismo de la arteria), menor es la respuesta de vasoconstricción. A la inversa, cuando el traumatismo es mayor, el espasmo es más probable. Esto explica por qué un corte realizado con un cuchillo sangra más que una amputación.

RECOMENDACIONES

- *Si el sangrado tras una lesión no se detiene en 10-15 minutos debe solicitarse atención médica. Este lapso de tiempo debe ser menor si la hemorragia es copiosa o afecta a un niño, puesto que su organismo contiene menor volumen de sahgre.*

- *Aplique compresión sobre la herida y considere la constricción del vaso sanguíneo por arriba de la lesión sólo si la atención médica está próxima y la compresión resulta ineficaz. La oclusión de una arteria puede causar una lesión irreversible en una extremidad en tan sólo 30 minutos.*

- *No intente suturar una herida sin supervisión médica, excepto en situaciones extremas.*

- *Arnica 6, 4 píldoras cada 10 minutos, es un remedio excelente.*

Sangrado de otras áreas aparte de la piel

El sangrado por un orificio, como el ano, el pene, la vagina o los órganos sensitivos (ojos, oídos y nariz) es *siempre* patológico, excepto durante el período de la menstruación.

RECOMENDACIONES

- *Estos sangrados deben ser investigados por un profesional médico cualificado.*

- *Un sangrado de inicio súbito puede tratarse con Aconitum 6, 4 píldoras cada 10 minutos, y un sangrado lento pero persistente, que dure más de 24 horas, con Phosphorus 30 cada hora mientras se solicita atención médica.*

Sangrado interno

Los accidentes de tráfico o los traumatismos con objetos contundentes pueden provocar hemorragias internas. Aunque el diagnóstico preciso sólo puede efectuarlo personal médico experimentado, los síntomas que deben buscarse son los siguientes:

- Vértigos, alteraciones visuales y cefaleas en caso de lesión en la cabeza.
- Dolor, vértigo y dificultad para respirar en caso de lesión en el tórax.
- Dolor, náuseas, vómitos e hinchazón en caso de traumatismo abdominal.

Toda persona que pierde el conocimiento después de recibir un golpe con un objeto contundente debe acudir inmediatamente a un servicio de urgencias.

RECOMENDACIONES

- *Si sospecha una hemorragia interna, puede administrar Aconitum 6, 4 píldoras cada 10 minutos, mientras lleva al paciente al hospital.*

- *Según el diagnóstico establecido, remítase a los apartados de tratamientos alternativos.*

SHOCK

Entre profanos el término «shock» se utiliza de manera muy amplia para designar una sorpresa extrema, pero en términos médicos es la manifestación clínica de una disminución del volumen de sangre que llega al corazón y, por consiguiente, de una menor cantidad de sangre bombeada en cada latido.

La causa más frecuente de shock es la pérdida de sangre, que puede ser evidente o no. Las lesiones internas en el tórax o el abdomen pueden provocar hemorragias de cierta consideración sin dar manifestaciones externas. Puede verterse gran parte de la sangre circulante en el abdomen o producirse la rotura de la aorta o de una de sus ramas principales y causar un estado de shock en segundos.

El sistema nervioso puede inducir un shock médico por una sorpresa súbita o mayúscula, pero es más frecuente que se desencadene por miedo. El desmayo se debe a menudo a un descenso brusco de la presión arterial causado porque los impulsos nerviosos impiden que llegue una cantidad adecuada de sangre al cerebro. El sistema nervioso puede afectar a las arterias, al igual que tóxicos como los fármacos o elementos químicos producidos por ciertas bacterias. El efecto es una dilatación considerable de los vasos sanguíneos que reduce la presión arterial, lo que a su vez impide el regreso del flujo sanguíneo hacia el corazón. Un infarto de miocardio o cualquier enfermedad que afecte a los latidos del corazón puede causar un shock. Es importante reconocer un shock porque puede ser necesario iniciar una intervención rápida para salvar la vida. Es necesario detener cualquier hemorragia y acudir a un médico para tratar una posible hemorragia interna. Es esencial la aplicación de técnicas de primeros auxilios hasta que pueda intervenir el médico. Los signos de shock son palidez, debilidad y un latido rápido acompañado de mareos, confusión, náuseas y la necesidad de sentarse o echarse. Cuando se puede medir la presión arterial, ésta suele ser baja.

RECOMENDACIONES

- *Siéntese y coloque la cabeza entre las rodillas para situarla por debajo del nivel del corazón o estírese con las piernas elevadas.*

- *Recuerde los puntos básicos de la reanimación cardiopulmonar y actúe para detener cualquier posible hemorragia visible.*

- *No administre nada por la boca, especialmente si sospecha una posible hemorragia interna, ya que podría interferir en alguna actuación médica necesaria.*

- *Mantenga la temperatura de la persona, utilizando el contacto corporal si es necesario.*

- *A pesar de las recomendaciones previas es aceptable poner bajo la lengua unas gotas o píldoras de Arnica 6 o Aconitum 6. Hágalo cada 10 minutos hasta que llegue la ayuda médica.*

Shock eléctrico

Una descarga elevada de electricidad suele interferir en la conductividad eléctrica del corazón y detenerlo de forma momentánea o, en el peor de los casos, permanente. El shock eléctrico también afecta al sistema nervioso al provocar dilatación de los vasos sanguíneos periféricos, de forma que toda la sangre se acumula en los vasos superficiales y, por consiguiente, se reduce el flujo cardíaco.

RECOMENDACIONES

- *No toque un cuerpo que ha recibido una descarga eléctrica a menos que esté absolutamente seguro de que el cuerpo ya no está en contacto con la fuente de energía.*

- *Utilice un instrumento no conductor, como el palo de plástico de una escoba, para desenchufar cualquier cable o tire de la alfombra, si es el caso, situada bajo la persona.*

- *Siga las recomendaciones indicadas para los casos de shock.*

Shock emocional

Como se ha descrito antes, la palabra shock no es en realidad un término médico aplicable a un estado emocional.

SÍNDROME DEL EDIFICIO ENFERMO

Las oficinas modernas, concebidas para obtener el máximo provecho del espacio y para conseguir beneficios, han eliminado los entornos de trabajo más naturales y sanos. El síndrome del edificio enfermo es una expresión acuñada a fines de los años setenta, después del gran aumento en el uso de ordenadores y comunicaciones de alta tecnología.

Síntomas

Las personas que trabajan en oficinas pueden presentar los siguientes síntomas:

- Dolores de cabeza.
- Problemas visuales y oculares.
- Sequedad de garganta y de nariz (o hemorragias nasales).
- Congestión.
- Asma.
- Irritaciones de la piel.
- Dolores y molestias generalizados.
- Síntomas neurológicos, como entumecimiento y hormigueo.
- Letargia y fatiga.
- Problemas del sueño.

Este síndrome no es reconocido por todos, aunque la mayoría de las empresas, especialmente en Estados Unidos, acepta que unas condiciones laborales más modernas no son necesariamente más sanas. Varios son los factores que pueden causar problemas dentro del edificio, y los siguientes comentarios no son más que un esbozo del tema.

El aire

La mayoría de las oficinas contiene una «sopa» de sustancias en la atmósfera, conocidas como compuestos orgánicos volátiles, que se generan a partir de los líquidos limpiadores de las alfombras, los productos de limpieza en seco y los elementos químicos liberados por los ordenadores y los monitores visuales, como el ozono, los radicales con carga negativa y el oro (sí, oro: se utiliza para pintar ciertos componentes de los ordenadores), todo ello mezclado con las lociones para después del afeitado y los perfumes. Estos componentes son absorbidos y actúan como radicales libres dentro del organismo y también como irritantes y alergenos directos.

La luz

La luz ultravioleta no atraviesa el cristal. La luz es necesaria para que la piel produzca vitamina D, que equilibra los niveles de calcio y fósforo del organismo. Ambos elementos son esenciales para el funcionamiento normal de muchas vías bioquímicas. Los músculos resultan especialmente afectados por cualquier desequilibrio, lo que causa dolores, achaques y distensiones. Las sustancias químicas del cerebro que aumentan y disminuyen el nivel de actividad (incluida la melatonina producida de forma natural) dependen de la cantidad de luz ultravioleta recibida. Una carencia debida a un entorno sin luz natural, especialmente en los meses más oscuros de invierno, causa fatiga y trastornos del sueño.

El ruido

El ruido de los extractores y de los equipos de aire acondicionado, el zumbido de los ordenadores y las voces de los compañeros no sólo activan el cerebro de forma continuada, sino que generan una vibración que afecta al sistema nervioso y aumenta la liberación de compuestos orgánicos volátiles por parte de las máquinas.

Las sillas

Cada vez se tiene más en cuenta al usuario al diseñar las sillas; sin embargo, la mayoría de las oficinas cuenta con sillas que fomentan las malas posturas. La postura inclinada sobre el escritorio oprime la caja torácica, lo que impide la respiración y ejerce presión sobre los nervios a su salida de la columna vertebral. Estos efectos, junto con la falta de ejercicio y los desequilibrios del calcio causados por la falta de luz, ocasionan rápidamente problemas estructurales y lesiones constantes por sobreesfuerzo.

La mala nutrición

Muchas oficinas de gran tamaño disponen de comedores donde los alimentos servidos no son saludables, sino procesados y llenos de aditivos, puesto que se compran en grandes cantidades para ahorrar gastos. Es posible que la comida se precocine en microondas, con lo que habrá perdido parte de su fuerza vital.

Otros factores

Véase **Estrés geopático**, que puede estar presente según el emplazamiento mismo del edificio.

> RECOMENDACIONES
>
> - *Insista en la necesidad de tener aire fresco, utilizando filtros adecuados si es necesario.*

- *Insista en la necesidad de disponer de luz natural, preferiblemente a través de ventanas abiertas o, como último recurso, mediante bombillas de luz natural.*

- *Si no se puede evitar el ruido, pase tiempo en silencio cuando no esté en la oficina.*

- *Salga al aire libre siempre que pueda (durante descansos o a la hora de la comida), mire el cielo (no al sol) y no olvide quitarse las gafas.*

- *No olvide dedicar una parte del día a realizar ejercicio.*

- *No olvide llevar una dieta adecuada (véase capítulo 7).*

- *Es adecuado realizar al menos una sesión semanal con un masajista o con un profesional de shiatsu.*

- *Considere la posibilidad de invitar a visitar su oficina a un profesional que conozca el síndrome del edificio enfermo, así como a un profesional de feng shui (véase* **Feng shui***).*

SOFOCOS

Por lo general, los sofocos afectan a mujeres durante la menopausia. Esta sensación de calor se debe a que los vasos sanguíneos periféricos se dilatan y transportan más sangre caliente desde el interior del organismo hacia las terminaciones nerviosas periféricas. La dilatación arterial está causada por la disminución de los estrógenos ováricos, cuyas fluctuaciones hacen que las glándulas suprarrenales compensen dicha disminución. En las mujeres, los estrógenos ejercen cierto control sobre la contracción de los vasos sanguíneos a partir del inicio de la regla.

Los sofocos no asociados a la menopausia habitualmente se relacionan con estados de ansiedad. Procesos nerviosos, enfermedades hepáticas y trastornos que producen un exceso de tiroxina o adrenalina también pueden provocar sofocos.

RECOMENDACIONES

- *Los sofocos no asociados a la menopausia o a estados de ansiedad deben ser investigados por el médico general.*

- *Evite la cafeína, el alcohol, los alimentos muy condimentados y el tabaco, los cuales pueden causar sofocos por sí mismos y, por supuesto, empeorar el cuadro.*

- *Utilice sólo tejidos naturales en sus prendas de vestir.*

- *Aumente el consumo de los siguientes alimentos: hinojo, ruibarbo y productos de soja (éstos pueden estar contraindicados en caso de deficiencia tiroidea, por lo que debe consultarse con un profesional de medicina alternativa).*

- *Consuma las cantidades recomendadas (indicadas por kg de peso) de los siguientes suplementos de forma fraccionada junto con las comidas: vitamina B_6, 1,5 mg; cinc, 350 mg (si provoca náuseas, tomarlo en una sola dosis antes de irse a dormir), y aceite de prímula, 30 mg.*

- *La hierba Agnus castus puede utilizarse en las dosis máximas recomendadas por una buena marca. Los fitoestrógenos (estrógenos obtenidos de plantas), con efectos estrogénicos moderados, pueden usarse con seguridad, excepto en las mujeres que presentan tumores dependientes de los estrógenos, aunque siempre es mejor consultar con un especialista.*

- *Pueden estar indicados los remedios homeopáticos que se indican a continuación, a la potencia 30, cada 3 horas durante una semana. Si el remedio escogido no produce mejoría, debe probarse el siguiente. Una vez obtenido el efecto buscado, hay que reducir la dosis hasta que vuelvan a aparecer los sofocos y mantener esta dosis aumentando la frecuencia durante un mes: Belladonna, Agnus castus, Amyl nitrato, Lachesis, Pulsatilla y Acidum sulphuricum.*

- *Los sofocos persistentes pueden requerir tratamiento hormonal sustitutivo. Antes de utilizar medicamentos ortodoxos, pruebe la progesterona natural en combinación con estrógenos naturales. Éstos deben ser prescritos por un profesional con experiencia en esta área.*

TRASTORNOS DE LA MÉDULA ÓSEA

La médula ósea, presente sobre todo en los huesos planos como las costillas, las vértebras y el esternón (hueso situado en la parte media y anterior del tórax), es responsable de la producción de las células sanguíneas. Según se sabe, los glóbulos rojos (o eritrocitos) y los glóbulos blancos (o leucocitos) son elaborados junto con otras células, incluidas las plaquetas (o trombocitos), un tipo de células sanguíneas que cumple una función decisiva en el mecanismo de coagulación sanguínea.

La médula ósea puede sufrir dos alteraciones: no producir ninguna de las células mencionadas o producirlas en cantidades excesivas. En la policitemia vera hay un aumento de los eritrocitos y, habitualmente, también de los leucocitos, y en la trombocitosis o trombocitemia hay un aumento de las plaquetas. La trombocitopenia es la disminución del número de plaquetas. La producción excesiva de glóbulos blancos anormales por la médula ósea provoca las leucemias mieloides, que se describen en el apartado correspondiente.

Ciertos fármacos, las radiaciones y las infecciones víricas pueden provocar alteraciones de la médula ósea, pero se desconoce por qué éstas se producen en algunos individuos y en otros no. Es posible que exista cierta predisposición genética, pero estos trastornos no suelen tener una incidencia familiar.

Yo tengo una teoría al respecto. En situaciones de estrés se liberan adrenalina y cortisol, productos químicos del estrés (*véase* **Estrés**). Para contrarrestar esto, el organismo intenta elaborar sustancias que alivien el estrés, como serotonina. Las plaquetas contienen y liberan serotonina cuando el organismo se encuentra en situación de estrés. Mi hipótesis es que, ante ciertos grados de estrés, aumenta la liberación de serotonina por las plaquetas y es posible que el organismo tienda a producir más plaquetas debido a alguna respuesta química. Si el estrés es prolongado, este mecanismo puede desencadenar un efecto permanente que conduzca a la trombocitosis. Si el estrés es aún más persistente, es posible que el control químico finalmente se agote y se reduzca la producción de plaquetas, con la consiguiente aparición de trombocitopenia. Estas situaciones son muy infrecuentes y, personalmente, he tratado sólo a unos pocos pacientes, pero todos ellos habían pasado un período de gran estrés antes de la aparición de la dolencia.

Con frecuencia, el trastorno se detecta al practicar unos análisis de sangre de rutina, pero también puede descubrirse por los síntomas asociados a las alteraciones de la coagulación, como la aparición inexplicable de hematomas y hemorragias. Asimismo, puede producirse un ictus debido a una coagulación excesiva.

RECOMENDACIONES

- *Estos trastornos constituyen una amenaza potencial para la vida y deben ser controlados por un hematólogo.*

- *Debido a que se desconocen las causas que los provocan, considere las alergias alimentarias, las deficiencias nutricionales y los contaminantes ambientales como posibles desencadenantes.*

- *Solicite la opinión de un profesional de medicina alternativa cualificado para la valoración del cuadro y para el tratamiento con homeopatía, fitoterapia y suplementos. Ninguno de estos tratamientos ha demostrado ser eficaz, pero pueden ser de ayuda.*

- *Aprenda una técnica de meditación y analice sus problemas y ansiedades con un profesional.*

- *No rechace el tratamiento ortodoxo, que puede incluir corticoides, fármacos supresores de la médula ósea, radiaciones o cirugía. Considere las terapias alternativas, que pueden disminuir la cantidad o el grado de intervención requerida.*

TROMBOSIS VENOSA PROFUNDA

La trombosis venosa profunda (TVP) suele asociarse a la formación de un coágulo sanguíneo en los miembros inferiores y se caracteriza por la aparición de dolor en la pantorrilla. No obstante, puede producirse en cualquier vena profunda del organismo. Aunque su localización más frecuente es en la pantorrilla, puede ocurrir en cualquier parte de las piernas, la pelvis y el abdomen.

La TVP es un trastorno peligroso debido a que, con frecuencia, el coágulo es transportado por la corriente circulatoria desde su lugar de origen hasta el corazón y, desde éste, puede llegar al pulmón y provocar una obstrucción y una embolia pulmonar.

La TVP se caracteriza por dolor, hinchazón, enrojecimiento de la piel y malestar localizados, causados por la obstrucción al paso de la sangre. Estos síntomas deben consultarse con el médico y tratarse con urgencia si hay indicios de dolor torácico o dificultad para respirar.

A menudo la TVP se relaciona con varices en las venas superficiales, si bien los coágulos en estas venas no entrañan peligro puesto que no pueden viajar por las grandes venas y llegar hasta el corazón. Cuando la sangre se vuelve más espesa (por ejemplo, por deshidratación) o se bloquea el flujo sanguíneo, como ocurre en el embarazo, la obesidad, en ciertas lesiones o al tomar estrógenos (componentes de las píldoras anticonceptivas y del tratamiento hormonal sustitutivo), puede producirse una TVP. En los individuos que permanecen quietos durante mucho tiempo seguido, como conductores y pilotos de avión, y en los que se encuentran confinados a una silla de ruedas, el flujo sanguíneo de las piernas puede resultar afectado y, de esta forma, predisponer a la TVP. Estas personas deben estar alerta frente a los síntomas característicos de la TVP y acudir al médico inmediatamente si aparecen.

RECOMENDACIONES

- *Una posible TVP debe ser evaluada por el médico de urgencias y, si es necesario, tratada en la fase aguda con anticoagulantes, como heparina o warfarina.*

- *Debe establecerse la causa más probable y analizarse con un profesional médico alternativo con experiencia en esta afección. La homeopatía, la fitoterapia y las medidas dietéticas son beneficiosas.*

- *Diseñe un programa de ejercicio regular para estimular la circulación sanguínea general.*

- *Considere la práctica de un masaje regular o de shiatsu.*

- *En un cuadro agudo, mientras espera la atención médica, tome el remedio homeopático Lachesis 6, cada 15 minutos.*

- *Beba 2 o 3 litros de agua por día.*

TUBERCULOSIS

La tuberculosis se debe a una bacteria denominada *Mycobacterium tuberculosis*, de la cual hay dos especies, una humana y otra bovina, que se transmiten por inhalación del esputo infectado en el primer caso y por beber leche infectada en el segundo.

Un sistema inmunológico intacto suele superar la tuberculosis, pero si las defensas están bajas debido a enfermedades como la malnutrición, la diabetes y el consumo de drogas o fármacos (incluidos el alcohol, el tabaco y los fármacos para la inmunosupresión, como en el VIH positivo y el sida) tienen más probabilidades de sucumbir si contraen esta enfermedad. También son más propensas las personas que padecen una infección pulmonar.

Los casos de tuberculosis siguen siendo numerosos en países superpoblados y del Tercer Mundo, pero en Occidente, hasta hace poco, estaban en plena decadencia. Desafortunadamente, el uso despreocupado de los antibióticos ha originado la aparición de cepas resistentes que hoy por hoy vencen incluso al fármaco más potente. Al parecer, estamos completando el círculo (como con la sífilis) y volviendo al tiempo en que la salud individual y un sistema inmunológico fuerte consiguen mucho más que cualquier tratamiento farmacológico.

En el pasado esta dolencia se conocía con el nombre de consunción por sus síntomas de malestar, pérdida de peso, retraso del crecimiento y tos persistente con desarrollo de dificultad para respirar. Hay otras muchas características que los médicos conocen e investigan si es necesario. Sin tratamiento, la mayoría de las personas que contraen esta enfermedad simplemente vencen a las bacterias, que dejan un área calcificada característica, visible en la radiografía de tórax, que refleja el intento del cuerpo de limitar la infección. La tuberculosis puede seguir viviendo en esta cavidad y escaparse en ocasiones, cuando la persona está baja de defensas, lo que causa una reactivación de los síntomas.

Las exploraciones más habituales para detectar lesiones en los pulmones son las radiografías del tórax. Se pueden observar algunos cambios en la sangre, pero el diagnóstico definitivo suele realizarse mediante el cultivo de esputo o muestras de orina, dependiendo de la localización de la infección, en medios especiales.

En una persona muy enferma quizá sea necesario iniciar el tratamiento con antibióticos antes de tener el diagnóstico definitivo y antes de saber si los antibióticos utilizados serán eficaces para este tipo de bacterias. A menudo los tratamientos de la medicina complementaria son beneficiosos en casos de menor gravedad, mientras se esperan los informes sobre la sensibilidad de las bacterias para poder administrar un tratamiento con los antibióticos adecuados.

RECOMENDACIONES

- *Es necesaria la intervención de un médico siempre que la enfermedad persista, y vale la pena recordar a los médicos de Occidente, que quizá no suelen enfrentarse a casos de tuberculosis, que deberían considerarla en el diagnóstico diferencial.*

- *No deje de consultar a un profesional de la medicina alternativa con experiencia en este campo. El autotratamiento no es necesariamente la mejor opción.*

- *Introduzca cambios en su estilo de vida para eliminar todos los factores que puedan reducir la inmunidad, especialmente los malos hábitos como el tabaco y el exceso de alcohol. El consumo de cualquier droga o fármaco reduce la respuesta del sistema inmunológico del cuerpo.*

- *Mientras espera la decisión sobre los protocolos específicos de tratamiento utilice el remedio homeopático Tuberculinum 200 cada noche durante 3 noches.*

- *La prevención es generalmente el mejor tratamiento para asegurar un nivel óptimo de salud antes de visitar áreas donde la tuberculosis es endémica. Si no goza de una salud óptima, consulte el apartado dedicado a las vacunaciones para decidir si necesita una inoculación de este tipo.*

Tuberculosis miliar

Si la tuberculosis se extiende a través de la sangre, puede alcanzar cualquier tejido del cuerpo y provocar numerosos síntomas. Se deben tomar en consideración las recomendaciones anteriores sobre el tratamiento, teniendo siempre en cuenta que esta dolencia es mucho más agresiva y que tiene más posibilidades de que el pronóstico sea malo.

ÚLCERAS

Una úlcera puede describirse como una pérdida de sustancia interna o externa, asociada a una base o medio inflamados. Las úlceras suelen deberse a algún episodio traumático o a alguna sustancia tóxica aplicada directamente o producida por una enfermedad.

RECOMENDACIONES

- *Los tratamientos de las úlceras varían según la superficie epitelial dañada.*

- *Consulte los apartados sobre úlceras específicas, por ejemplo, **Úlceras bucales** o **Úlceras pépticas**.*

VIAJES

Viajar se ha convertido en un pasatiempo muy accesible debido a la posibilidad de hacerlo a gran velocidad. Los aviones, los trenes, los coches y los rápidos barcos catamaranes nos permiten llegar a regiones del mundo que de otra forma resultarían inaccesibles. Lo que al doctor Livingstone le llevó siete años y le costó la vida hoy puede realizarse en cuestión de días y con mucha mayor seguridad. Las implicaciones médicas de los viajes son muchísimas, pero se han escrito pocos libros al respecto. Los puntos básicos son los siguientes.

Cómo prepararse para viajar

Al reservar los billetes vale la pena tener también en cuenta algunas preparaciones y precauciones básicas y generales con respecto a la salud. Al viajar nos exponemos a temperaturas, a niveles de sol, contaminación, alimentación e higiene diferentes a las acostumbradas, y nuestra capacidad de adaptación es extremadamente importante. La adaptabilidad es más fácil a un nivel básico de salud, y cuanto más extremo es el viaje o la aventura más sanos deberemos estar. Quienes tienen una salud quebradiza no deberían arriesgarse a viajar a países muy diferentes del propio.

- *Evite viajar cuando su salud está resentida.*

- *Viaje a las áreas tropicales cuando exista un riesgo menor de infección, evitando por ejemplo la estación de los monzones en áreas con malaria endémica.*

- *Para empezar, realice una revisión general con un profesional de la medicina alternativa. Siga sus sugerencias para conseguir un buen nivel de salud y mantenerlo.*

- *No olvide llevar consigo las provisiones médicas adecuadas que se describen en el recuadro adjunto.*

Provisiones médicas para los viajes

Se recomienda llevar y utilizar como se describe los siguientes remedios homeopáticos, así como ciertos suplementos y cremas tópicas. Todos los remedios deben adquirirse con potencia 6 y tomarse hasta cada 15 minutos si aparecen síntomas agudos. A medida que el problema se resuelva, reduz-

ca la dosis tomando el remedio cada dos horas y deje de tomarlo 24 horas después de que la dolencia se haya estabilizado. Póngase siempre en contacto con un médico si los síntomas empeoran o no desaparecen tras tomar varias dosis de un remedio homeopático.

- *Aconitum: para cualquier dolencia que aparezca repentinamente y cualquier problema asociado con el miedo o la agitación.*

- *Apis: para picaduras, mordiscos, zona enrojecida o con calor en la piel o en cualquier articulación. Las mordeduras de serpientes o arañas no identificadas requieren el tratamiento de un médico, aunque se puede tomar Apis antes de la consulta.*

- *Arnica: para cualquier shock, psicológico o físico. Puede utilizarse para hematomas o torceduras hasta disponer de un remedio mejor.*

- *Carbo vegetalis: para la diarrea asociada a dolor y flatulencia. Todos los síntomas abdominales superiores, como la pirosis o el reflujo, pueden mejorar con este remedio, que además es bueno para el trastorno del estómago asociado a infección torácica. Utilice este remedio si se*

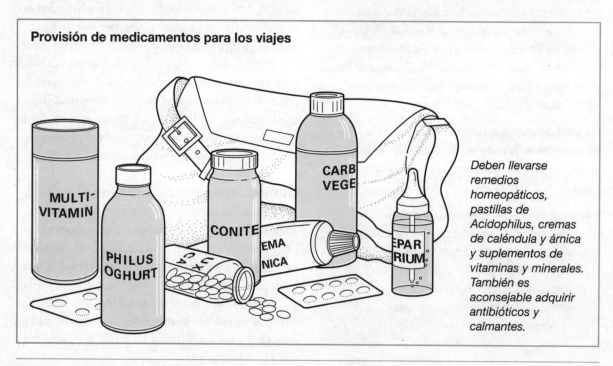

Provisión de medicamentos para los viajes

MULTI-VITAMIN

PHILUS OGHURT

CONITE

EMA NICA

CARB VEGE

EPAR RIUM

Deben llevarse remedios homeopáticos, pastillas de Acidophilus, cremas de caléndula y árnica y suplementos de vitaminas y minerales. También es aconsejable adquirir antibióticos y calmantes.

produce un cambio de hábitos intestinales debido al tipo de alimentos ingeridos, más que a una intoxicación alimentaria.

- *Hepar sulphuris calcarium:* es útil para todas las infecciones tópicas, como un absceso o el dolor de oídos, y las infecciones asociadas a adenopatías, incluida la amigdalitis. Siempre es aconsejable utilizar un remedio específico, pero *Hepar sulphuris calcarium* constituye una elección excelente como primer auxilio.

- *Nux vomica:* es útil contra la disentería o la diarrea causadas por intoxicación alimentaria. Las visitas frecuentes al lavabo o una diarrea que alterne con estreñimiento sugieren el uso de *Nux vomica.*

- *Acidophilus:* se deben tomar pastillas de bacterias de yogur con alta potencia contra todo tipo de trastorno abdominal. Es necesario refrigerarlo, por lo que puede sobrevivir sólo algunas horas en condiciones de calor. Las bodegas de los aviones tienen una temperatura por debajo de cero, por lo que *Acidophilus* debería mantenerse en buenas condiciones a pesar de la falta de refrigeración en el camino hacia el aeropuerto y después del aterrizaje hasta guardarlo en una nevera. Los adultos deben tomar 2 pastillas 3 veces al día, preferiblemente antes de comer, y los niños deberían tomar una pastilla con la misma frecuencia.

- Utilice una crema de árnica hasta 4 veces al día para cualquier magulladura o herida penetrante, torcedura y lesión ósea o de los ligamentos.

- Utilice una crema de caléndula hasta 4 veces al día sobre cualquier corte, arañazo, picadura, quemadura o herida superficial.

- No olvide tomar un suplemento de multivitaminas o multiminerales, doblando la dosis diaria recomendada, ya que durante los viajes suelen ingerirse comidas procesadas y es poco probable que pueda comer las 5 raciones diarias de fruta fresca o vegetales recomendadas. Un cambio en la dieta suele alterar la capacidad de absorción hasta que el intestino se adapta, por lo que debe compensarse ese estado con una multivitamina natural como alimento. Una vez que haya vuelto a la dieta normal, reduzca la cantidad de suplementos a las dosis recomendadas.

Fármacos ortodoxos para viajar

Si el viaje le llevara lejos de atención médica inmediata, su médico de cabecera deberá proporcionarle los siguientes remedios, para incorporarlos a su equipaje.

RECOMENDACIONES

- *Una combinación de paracetamol y codeína como calmante moderado.*

- *Un calmante fuerte (un escalón por debajo de los opiáceos), como el ácido mefenámico.*

- *El antibiótico amoxicilina, de amplio espectro, que sólo se utilizará si se produce una infección y los tratamientos naturópatas no funcionan. Utilícela para cualquier infección general, como el dolor de garganta, la amigdalitis o una infección torácica.*

- *El antibiótico metronidazol, que es útil en las infecciones bacterianas que no requieren oxígeno para reproducirse, y por lo tanto puede resultar adecuado en las infecciones intestinales graves, en las infecciones dentales, en las sinusales o en las heridas profundas.*

Compruebe que el médico o farmacéutico le proporciona las dosis máximas permitidas de todos esos compuestos.

Vacunas para los viajes

En principio, soy contrario al uso de vacunas, ya que considero que en algunas personas pueden resultar más peligrosas que beneficiosas, a menos que el viajero tenga el sistema inmunitario deprimido (bajo) o haya muchas probabilidades de entrar en contacto con una dolencia. En la mayoría de zonas del mundo sólo se recomiendan las vacunas, y a veces son exigidas como requisito para obtener un visado. Cuando sepa cuáles son los requerimientos de su viaje a través de su farmacéutico o de la compañía aérea, remítase al apartado **Vacunaciones**.

Si una vez leída la información en ésta y otras publicaciones usted elige no vacunarse antes de viajar, puede utilizar los siguientes remedios homeopáticos, teniendo en cuenta que su eficacia no ha sido científicamente aceptada a pesar de que las estadísticas gubernamentales indiquen lo contrario. Como alternativa puede tomar estos remedios antes de las vacunaciones regulares, ya que pueden prevenir efectos secundarios adversos causados por los fármacos ortodoxos.

Es aceptable tomar todos estos remedios juntos, pero sería mejor hacerlo por separado. Empiece toda profilaxis homeopática una semana antes de iniciar el viaje.

La profilaxis contra la malaria no consiste en una vacuna, y se recomienda el uso de estos fármacos si es probable la exposición al paludismo (*véase* **Malaria**).

Consejos para viajar

RECOMENDACIONES

- *Si viaja a un país en vías de desarrollo, beba sólo agua embotellada. Incluso en los países del «Primer Mundo» cabe desconfiar de la seguridad del agua. Las pastillas de esterilización sólo deben usarse cuando no se disponga de agua embotellada, ya que esos compuestos matan todos los microbios, incluida la flora intestinal normal.*

- *Evite los alimentos que hayan sido lavados con agua del grifo, como las ensaladas y las frutas con piel comestible. Una vez peladas, éstas no deberían suponer problema alguno.*

- *Intente comer alimentos que haya visto cómo cocinaban. Deberían servírselos frescos, sin que haya pasado tiempo desde su cocción. También se puede comer en restaurantes y hoteles de gran categoría, pero incluso es posible que éstos sean tan poco seguros como los vendedores callejeros.*

Afección	Remedio	Frecuencia
Cólera	*Camphora* 200	Semanal
Encefalitis japonesa	*Belladonna* 200	Semanal
Fiebre amarilla	*Arsenicum album* 200	Mensual
Fiebre tifoidea	*Baptisia* 30	Semanal
Hepatitis (A, B y otras)	*Lycopodium* 200	Semanal
	Chelidonium 200	Semanal
Malaria	*Natrum muriaticum* 12	Por la mañana y por la noche durante el viaje y una semana después de la vuelta
Meningitis	*Belladonna* 200	Semanal
	Iodoformum 200	Semanal
Poliomielitis	*Lathyrus* 200	Semanal
Rabia	*Hydrophobinum* 30	Semanal
Tuberculosis	*Tuberculinum* 200	Cada 2 semanas

Remedios homeopáticos que corresponden a las infecciones contra las que suelen recomendarse vacunas antes de viajar (véase **Vacunas para los viajes***).*

- Plantéese la posibilidad de seguir una dieta vegetariana, ya que muchas infecciones peligrosas se transmiten más fácilmente a través de la carne.

- Valore la limpieza del cocinero o el chef. Si tiene alguna duda no se arriesgue a que le pueda transmitir alguna infección a través de la vía oral-fecal.

- Las bebidas embotelladas y carbonatadas no suelen ser buenas, pero 2 o 3 al día en un clima cálido sustituyen a los azúcares y las sales que se pierden a través del sudor. Tome esas bebidas con agua para evitar el efecto deshidratante.

- El «chai» o «chaa» es un té dulce y lechoso con cardamomo y otras especias, servido con frecuencia en las calles de la India y de otros países cálidos. Funciona como antiséptico maravilloso para los intestinos y su alto contenido en azúcar (desafortunadamente refinado) repone la energía consumida por el proceso de sudar. Además es agradable al paladar.

Jet lag

El *jet lag* es un efecto muy molesto de los viajes de larga distancia con gran diferencia horaria. Se debe a la alteración del reloj interno del organismo que causa la desincronización del sueño, de la hidratación, de los elementos químicos y de los patrones de eliminación. El sistema nervioso se ajusta lentamente y el truco para evitar patrones molestos es reajustarse a un ritmo más rápido.

RECOMENDACIONES

- No tome alcohol durante las 24 horas previas a la partida.

- Si va a cruzar más de cuatro zonas horarias (diferencia de 4 horas) empiece a ajustarse unos cuantos días antes, acostándose más temprano o más tarde y levantándose en el momento en que sale el sol en su lugar de destino.

- Procure no viajar si está resfriado o tiene problemas en los oídos. Consulte con su profesional de la salud habitual.

- Evite los asientos de pasillo. No dejarán de molestarle los demás pasajeros y la tripulación al pasar por su lado.

- Considere la posibilidad de pedir una comida vegetariana, ya que la digestión de proteínas exige más energía.

- No olvide que es muy recomendable beber medio litro de agua por cada 3 horas transcurridas en el avión.

- Lleve consigo tentempiés sanos y tómelos a las horas de las comidas en su lugar de destino.

- Remedios homeopáticos. Quienes tienen problemas con el despegue deberían plantearse tomar Spongia 6, 4 píldoras 4 veces al día antes del vuelo, y cada hora durante las 3 horas previas al despegue. Quienes tengan problemas con el aterrizaje pueden tomar Borax 6 con la misma frecuencia. Otros remedios que se pueden tener en consideración son Arnica, Aconitum, Cocculus indicus, Rhus toxicodendron y Nux vomica.

- La crema de caléndula es el ungüento de elección.

- La estimulación con luz de amplio espectro favorece la producción de melatonina y, si se utiliza en momentos concretos siguiendo las guías de las cartas especializadas, puede mantener el ritmo circadiano (normal del cuerpo).

- Visores de la hipófisis (estimulación de la luz). Existe en la actualidad un visor computarizado de alta tecnología que descarga una dosis adecuada de luz de amplio espectro. El ordenador, situado sobre la frente en un visor para el sol de tipo deportivo, descarga la estimulación apropiada según los tiempos de vuelo. Ese visor estimula la glándulas pineal y la hipófisis para producir melatonina natural y reduce considerablemente el jet lag. Se trata de una ayuda valiosísima para las personas que viajan con frecuencia.

Cuidado de la piel, el pelo y los ojos

- *Se pueden utilizar como hidratantes las cremas con caléndula.*

- *Es posible aplicar 1 o 2 gotas de una solución diluida de eufrasia durante el vuelo y después de éste. Puede resultar útil para los «ojos rojos».*

- *Es necesario lavar y acondicionar el cabello antes y después del vuelo con un champú natural.*

Técnicas de relajación

- *Hoy en día algunas líneas aéreas tienen un canal de vídeo o audio especial para pasajeros con miedo a volar o que desean una ayuda auditiva para la meditación mientras dura el vuelo. Utilice esta posibilidad.*

- *Una sesión con un maestro de yoga o de tai chi puede proporcionarle un plan personal adecuado para ponerlo en práctica durante los viajes y después de éstos.*

- *Masajes. A los que tienen la suerte de volar en primera clase con ciertas compañías es posible que les ofrezcan un masaje en vuelo. Acéptenlo. Los demás podemos aprender de un profesional del shiatsu el automasaje básico utilizando acupresión, técnicas de estiramiento y shiatsu, que nos ayudarán a mejorar la circulación de los músculos y el drenaje linfático. Muchos viajeros descubren que se resfrían y acaban con dolor de garganta después de vuelos prolongados. Ello se debe en parte al aire acondicionado y a la gran proximidad de otros pasajeros con infecciones, pero también a la falta de flujo linfático debida a la rigidez del cuello.*

Tratamientos y remedios

Es posible utilizar varios remedios homeopáticos y suplementos, según cada persona y según los problemas que prevea. Lo mejor es consultar a un homeópata, pero las siguientes sugerencias son siempre seguras.

- *Recomiendo no utilizar el nuevo fármaco melatonina (véase capítulo 10). Probablemente sea seguro y actúe imitando a la melatonina natural del cuerpo, que nos hace dormir. El problema es que no se ha investigado lo suficiente para afirmar de forma categórica su seguridad, y cualquier fármaco que suple una función natural del cuerpo puede, de una forma u otra, inhibir la función normal. Algunas personas también sufren efectos secundarios, como dolores de cabeza.*

- *Si tiene miedo a volar, tome Aconitum 30 cada 4 horas, empezando el día antes del viaje, y cada media hora a partir de la facturación del equipaje.*

- *Si sufre mareos al viajar, pruebe con Cocculus indicus 6, empezando media hora antes de subir al avión y tomándolo cada media hora durante el vuelo si es necesario.*

- *Si tiene miedo a aterrizar o siente náuseas cuando el avión se inclina hacia abajo, tome Borax 30 cada 2 horas una vez haya embarcado y cada 15 minutos a partir de iniciado el descenso.*

- *Si le da miedo el despegue o las alturas, utilice Spongia 30; empiece 6 horas antes del vuelo, tomando una dosis cada 2 horas y, cuando ya esté en el avión, cada 15 minutos. Una vez alcanzada la altura de crucero, tome Spongia sólo cuando sienta que reaparece el miedo.*

- *Dos gotas de aceite de lavanda en un pañuelo o en el cuello de la camisa evitan el dolor de oídos y sinusal si sufre una congestión. Se puede utilizar como inhalación una gota disuelta en agua caliente (que le proporcionará la tripulación).*

- *Para conseguir los aminoácidos esenciales que ayudan al cuerpo a producir sus propios elementos de relajación y sueño basta tomar una pastilla entera de aminoácido con cada comida el día del vuelo y el día siguiente. No se trata de un tranquilizante, ya que se puede tomar todo el frasco sin que exista efecto neurológico alguno. Simplemente proporciona al cuerpo los aminoácidos que necesita para producir sus propias sustancias químicas del sueño cuando así lo desea.*

CABEZA Y CUELLO

CALVICIE

No he encontrado ningún tratamiento médico alternativo especial ante la calvicie masculina. Algunos hombres mejoran con dosis altas de suplementos de minerales, terapias con oxígeno, masajes del cuero cabelludo y posturas yóguicas en las que el cuerpo descansa sobre la cabeza. Si se tiene predisposición genética a perder el cabello, pruebe los tratamientos ortodoxos no invasivos, quirúrgicos o farmacológicos.

RECOMENDACIONES

- *Véase* **Cabello** *para consultar los consejos iniciales.*

- *Visite a un experto en tricología que le proporcione asesoramiento complementario e información sobre implantes y entretejidos de cabello.*

- *Se ha dado gran publicidad al fármaco minoxidil. Funciona en alrededor del 12% de los casos, pero es necesario utilizarlo de forma continuada; aproximadamente en la mitad de los casos obtiene cierto éxito, y en el resto no se aprecia variación. Es un fármaco antihipertensivo que causa hirsutismo (aumento del crecimiento del pelo) y que se aplicó tópicamente de forma experimental. Tiene muchos efectos secundarios, como retención de agua, aumento de peso y taquicardia, que deben tenerse en cuenta si se considera su uso.*

- *Si la calvicie afecta negativamente a su vida, la psicoterapia y la hipnoterapia pueden ayudarlo a reconciliarse con el problema, aunque no a solucionarlo.*

Alopecia

La caída total del cabello en determinadas áreas del cuero cabelludo, en oposición a la calvicie masculina típica, se denomina alopecia y se presenta asociada a:

- Infecciones por hongos.
- Estrés.
- Ingestión de fármacos; por ejemplo, los anticancerígenos.
- Un trauma.
- Carencia de minerales y de proteínas.

El cabello depende de un aporte de sangre adecuado a los folículos pilosos. El estrés puede reducir el suministro de sangre al cuero cabelludo; la carencia de minerales y proteínas puede impedir que el folículo forme el cabello, y los fármacos causan intoxicación de los folículos. Los traumas y los hongos también inhiben la actividad de los folículos.

RECOMENDACIONES

- *Visite a un profesional de la medicina alternativa para establecer la causa.*

- *Recargue el cuerpo con altas dosis de minerales y suplementos de aminoácidos esenciales.*

- *Deje de utilizar champús medicados a menos que se los recomiende un profesional cualificado. Ciertos medicamentos pueden inhibir la actividad de los folículos.*

- *Los masajes suaves y las técnicas yóguicas en que el cuerpo descansa sobre la cabeza pueden resultar beneficiosas, pero es necesario aprenderlas con un maestro. Una fricción excesiva puede resultar perjudicial.*

- *Hay tratamientos homeopáticos y con hierbas, pero es mejor que los prescriba un especialista porque deben orientarse hacia la causa subyacente.*

- *Al igual que en todos los trastornos asociados al estrés, consulte con un profesional experto en su tratamiento.*

FRACTURAS CRANEALES

Un traumatismo o, en casos excepcionales, enfermedades como la de Paget o el cáncer pueden causar una fractura craneal. El tratamiento depende en gran medida del lugar donde se ha producido la fractura. El diagnóstico suele establecerse por la historia clínica, la exploración y las radiografías (rayos X). En general, las lesiones menores no requieren tratamiento. Debe prestarse especial atención a la existencia de una hemorragia intracraneal (*véanse* **Sangrado** y **Hemorragia**).

Las fracturas con hundimiento, en las que el cráneo puede estar ejerciendo presión sobre los tejidos del cerebro, o las fracturas que causan mala alineación pueden requerir tratamiento quirúrgico.

RECOMENDACIONES

- *Cualquier golpe sufrido en la cabeza requiere la revisión inmediata por parte de un médico.*

- *No rechace la exploración con rayos X o incluso la tomografía computarizada si el médico tiene dudas.*

- *Es posible que una fractura de cráneo no entrañe peligro por sí misma, pero que lesione los vasos sanguíneos y provoque un sangrado persistente que ejerza presión sobre el cerebro y ocasione síntomas incluso 2 meses después de sufrir la fractura (véase* **Hemorragia subdural***).*

- *Tome el remedio homeopático Arnica 6, 4 píldoras cada 15 minutos hasta que desaparezcan síntomas como el dolor.*

BOCA

GLOSITIS

La glositis es la inflamación de la lengua, que llega a hincharse y, en algunos casos, enrojecer o producir dolor.

Es importante recordar que la boca es el extremo superior de un tubo que mide 9 m y que acaba en el ano. Al igual que en una manguera, pueden producirse agujeros en cualquier punto de su recorrido, pero los dos extremos son los que reciben la mayor parte de la atención y pueden reflejar la integridad de toda la manguera.

Las filosofías médicas orientales prestan especial atención a la lengua, y una lengua hinchada puede resultar de gran utilidad para diagnosticar cualquier dolencia subyacente.

La lengua se hincha en respuesta a traumatismos, como una mordedura accidental o la picadura de abejas. Las reacciones alérgicas pueden hacer que la lengua se hinche hasta tal punto que llegue a obstruir la respiración y convertirse muy rápidamente en una urgencia médica. La lengua se hincha también en algunas enfermedades infrecuentes. Los profesionales holísticos de la salud consideran que una lengua hinchada refleja una hinchazón en algún otro punto del organismo o el intestino. Este hecho puede producirse en cualquier trastorno inflamatorio, como la colitis ulcerosa, la enfermedad de Crohn o la úlcera péptica. El intestino se hincha también cuando la absorción es insuficiente, reflejando la llegada de más cantidad de sangre para lograr absorber más nutrientes. La hinchazón de la lengua puede presentarse como indentaciones a lo largo del borde causadas por la presión muy prolongada sobre los dientes.

RECOMENDACIONES

- *Si la lengua se hincha súbitamente o de forma persistente, hay que acudir al médico pues puede tratarse de una emergencia. Unos pocos minutos o incluso unos segundos son suficientes para que la lengua se hinche hasta el punto de obstruir la respiración.*

- *Revise cualquier cosa que haya podido ingerir, como alimentos o fármacos, poco antes de que se produjera la hinchazón. La causa puede ser un alimento, especialmente salado o ácido.*

- *Lávese la boca con una solución fuerte con sal, sin tragarla. Las gárgaras son beneficiosas, siempre que no causen náuseas, porque la lengua empieza en la garganta.*

- *Tome el remedio homeopático Aconitum 6 cada 10 minutos si la hinchazón de la lengua se ha producido en forma aguda, o Apis 6 cada 10 minutos si se ha producido la picadura de un insecto.*

- *Si persiste la hinchazón, visite a un profesional de la medicina alternativa con conocimientos sobre medicina homeopática o fitoterapia.*

LENGUA HINCHADA
Véase **Glositis**.

SALIVA Y SALIVACIÓN

La saliva es la secreción de determinadas glándulas situadas en la cavidad oral. Esta secreción debe ser poco espesa, insípida y ligeramente ácida. Algunas de las funciones de la saliva son humedecer y lubricar la comida antes de tragarla, iniciar la digestión (contiene una enzima denominada ptialina, que descompone el almidón en azúcares simples) y actuar como antiséptico. La saliva potencia el gusto de los alimentos porque reduce los azúcares y hace que las moléculas sean más accesible a las papilas gustativas.

La saliva se produce en las glándulas parótida, submaxilar (debajo de la mandíbula) y sublingual (debajo de la lengua). En la mucosa interna de las mejillas hay dos agujeritos (puntos) que son los extremos de los conductos parotídeos. Es posible identificarlos pasando la lengua suavemente y percibiendo la salida de saliva. Por debajo de la lengua se encuentran los extremos de las otras glándulas. Éstas se hallan bajo el control del sistema nervioso, que puede estimularse al ver y oler la comida e incluso al oír el ruido en la cocina. Se trata de un reflejo condicionado muy estudiado por Pavlov (el científico que observó que el perro salivaba más cuando sonaba el timbre que indicaba la presencia de comida, independientemente de que se la sirvieran o no). Una vez la comida se encuentra en la boca, otros reflejos nerviosos continúan estimulando la producción de saliva.

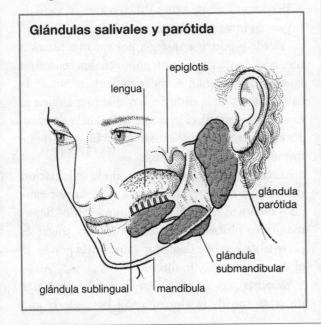

Glándulas salivales y parótida

epiglotis

lengua

glándula
parótida

glándula
submandibular

glándula sublingual

mandíbula

Hipersalivación (exceso de salivación)

El exceso de salivación suele asociarse a la hipersensibilidad al olor y al gusto. Suele producirse cuando hay fiebre y en la gestación, debido a que el calor o ciertas hormonas sensibilizan el sistema nervioso. Las lesiones o el dolor en la boca también se acompañan de hipersalivación, como les ocurre a los niños cuando les salen los dientes o a las personas de más edad cuando existe alguna afección. Cualquier dolencia del sistema nervioso que cause la falta de control de los impulsos también puede estimular la salivación. Esto ocurre, por ejemplo, en la enfermedad de Alzheimer y en la denominada enfermedad de la neurona motora. La dispepsia (dolor en el abdomen superior) y otros problemas digestivos pueden aumentar las secreciones en todo el aparato digestivo, incluida la boca.

El gusto y el olfato pueden reducirse por hábitos como fumar o comer continuamente alimentos demasiado especiados o demasiado dulces. Las papilas gustativas se acostumbran a los efectos químicos potentes y dejan de percibir los sabores más suaves. Si se abandonan estos hábitos, las papilas gustativas recuperarán su sensibilidad en unos días, pero durante el proceso es probable que se produzca un exceso de salivación debido a una sobreestimulación por los gustos redescubiertos.

RECOMENDACIONES

- *Si persiste el exceso de salivación, consulte a un médico general o un especialista para que identifique la causa subyacente.*

- *Los episodios de hipersalivación esporádicos pueden aliviarse con el remedio homeopático Mercurius 6, 4 píldoras 4 veces al día durante 3 días.*

- *Para emplear la fitoterapia o un tratamiento homeopático más profundo se requiere la prescripción de un profesional de la medicina alternativa una vez establecido el diagnóstico, puesto que eliminar el síntoma mediante una acción de «secado» puede significar suprimir un síntoma precoz de una enfermedad que es mejor tratar en un estadio temprano (por ejemplo, una afección de las encías).*

- *Ciertos fármacos, especialmente los quimioterápicos, pueden provocar hipersalivación actuando sobre el sistema nervioso o sobre el aporte sanguíneo, lo que produce sobreestimulación de las glándulas salivales.*

- *Puede producirse una seudosalivación, no por exceso de producción, sino por imposibilidad de tragar la saliva. Esto suele asociarse a trastornos neuromusculares, cuyo tratamiento es muy difícil.*

- *La acupuntura puede aliviar los síntomas, pero debe usarse junto con fitoterapia y según prescripción de un especialista en medicina alternativa.*

Hiposalivación (déficit de saliva)

La hiposalivación se debe a una afección de las glándulas salivales o a una disminución de su inervación o de su aporte sanguíneo. Puede asociarse a la edad avanzada o a una afección, situaciones ambas que disminuyen la sensibilidad de los nervios, sobre todo los del gusto. La sarcoidosis y las infecciones víricas pueden afectar directamente al tejido de las glándulas salivales. Los diuréticos, los antihistamínicos, ciertos fármacos utilizados para trastornos cardíacos y la mayoría de los medicamentos y drogas que afectan al sistema nervioso pueden tener un efecto negativo, aunque normalmente transitorio.

La adrenalina y otras catecolaminas –las sustancias químicas del estrés– suprimen la actividad digestiva, incluida la producción de saliva. Esta supresión es muy acentuada en momentos de miedo extremo, cuando la boca puede secarse, pero también se manifiesta en las personas nerviosas o que sufren ansiedad.

La deshidratación, por supuesto, provoca sequedad bucal, que es uno de los primeros signos por los que se establece su diagnóstico (*véase* **Deshidratación**). No olvide que el tabaco puede hacer que se seque la boca, al igual que la ingestión de cualquier compuesto que aumente el calor, como la comida muy especiada. Los niveles altos de azúcar en la sangre facilitan un efecto de deshidratación y la saliva puede espesarse, causando una sensación de sequedad sin que haya disminuido la producción de saliva. Siempre queda la boca seca después de chupar un caramelo o comer un helado.

RECOMENDACIONES

- *Identifique la causa comentando los síntomas con un profesional de la medicina alternativa o con un médico general. Trate la causa subyacente, teniendo siempre en cuenta que puede resultar peligroso dejar de tomar los fármacos prescritos por su médico.*

- *No olvide mantener una buena hidratación. Beba cada día 1,5-2 litros de agua.*

- *Hay muchos remedios homeopáticos para la boca seca, y para elegir el más adecuado hay que tener en cuenta los síntomas generales. Mientras se evalúa la causa subyacente, pruebe con Nux moschata 30, 4 veces al día.*

- *Aprenda y practique una técnica de relajación o meditación o considere la posibilidad de acudir a un psicoterapeuta si la ansiedad es un aspecto notable de su personalidad.*

GARGANTA

DISFAGIA

Éste es el término médico que designa la dificultad para tragar. Si se presenta sin una causa concreta, o es persistente, acuda a un médico o a un servicio de urgencias inmediatamente.

Puede producirse disfagia por razones físicas o mentales. La garganta es un punto chakra central en la medicina oriental e, independientemente de la causa directa de la disfagia, hay que preguntarse si existe una acumulación o una deficiencia de energía en esa área que esté causando un bloqueo o que impida el paso por el esófago.

Algunas de las causas físicas son la inflamación del esófago o la presión externa ejercida por ganglios linfáticos o por el tiroides aumentado de tamaño. No obstante, si la dificultad para tragar es persistente hay que descartar causas más graves de obstrucción, como un tumor.

Muchas personas con disfagia pueden presentar un trastorno de la alimentación asociado o una fuerte capacidad subconsciente para impedir que los alergenos alimentarios entren en el organismo. La ansiedad en general puede causar dificultades para tragar, al igual que la excitación o el miedo.

RECOMENDACIONES

- *La disfagia persistente sin razón aparente requiere la visita a un médico general y, quizás, a un especialista.*

- *Se pueden tomar los remedios homeopáticos Aconitum y Stramonium, con potencia 6, cada 15 minutos durante un episodio agudo o mientras acude al médico.*

- *Las causas emocionales de la disfagia requieren consultar a un psicoterapeuta.*

DISFASIA

Disfasia es el término médico que designa la dificultad para utilizar el lenguaje; la pérdida completa del habla se denomina afasia.

En realidad, la laringitis puede clasificarse como una disfasia, igual que la mayoría de las enfermedades que afectan a las cuerdas vocales y la garganta, como una inflamación, una infección o incluso un tumor. Sin embargo, ante una incapacidad para hablar es más aconsejable descartar en primer lugar una enfermedad grave del área o del sistema nervioso.

La disfasia puede estar causada por una lesión cerebral, en especial de los centros del habla, debido a una embolia, encefalitis, meningitis y enfermedades del sistema nervioso, como la enfermedad de la neurona motora.

RECOMENDACIONES

- *Toda disfasia persistente o que no tiene una causa evidente requiere la visita al médico general.*

- *Realice las exploraciones recomendadas por el especialista, incluida la tomografía computarizada y la resonancia magnética, para establecer la causa. Una vez obtenido el diagnóstico puede consultar a un profesional de la medicina alternativa.*

DOLOR DE GARGANTA

El dolor de garganta puede producirse a cualquier edad y por diversas causas. Puede ser agudo (repentino) o crónico (de larga duración); en sentido amplio, el dolor de garganta puede ser interno o externo. La mayoría de los dolores de garganta se deben a infecciones bacterianas o víricas que afectan a las mucosas (un dolor de garganta *interno*) o a las amígdalas y a las glándulas del cuello (un dolor de garganta *externo*).

Los traumatismos, los tumores, la amigdalitis y las enfermedades de la glándula tiroides pueden causar dolor de garganta. La laringitis (inflamación de la laringe) y la faringitis (inflamación del área comprendida entre las amígdalas y la laringe) son simplemente términos médicos para definir el emplazamiento exacto de la inflamación.

En caso de dolor de garganta crónico, la causa suele ser evidente, como el hábito de fumar o el abuso de las cuerdas vocales en los cantantes, pero muchas veces se pasa por alto, como en el caso de las personas que toman varias bebidas calientes a lo largo del día. El origen de la dolencia también puede encontrarse en el alcohol y las bebidas gaseosas. La sinusitis persistente puede causar goteo posnasal que ocasiona dolor de garganta, hecho bastante común entre los fumadores. Los dolores de garganta que no tienen una causa obvia requieren exploración por parte de un médico para descartar causas más raras y peligrosas. No olvide que la garganta interviene en el funcionamiento de los aparatos respiratorio y digestivo, y que en las bolsas residuales, la braquial y la faríngea puede instalarse una infección y persistir de forma muy tenaz. Estas bolsas no cumplen función evidente alguna, sino que son un resto del desarrollo evolutivo, como lo es el apéndice.

RECOMENDACIONES

- *Elimine cualquier causa evidente de dolor de garganta, como el consumo de tabaco, hablar a gritos y el exceso de bebidas calientes.*

- *Haga gárgaras con agua y sal, sin tragar el líquido si le duele la porción inicial de la garganta.*

- *Trocee raíz de jengibre fresca en una taza de agua caliente y bébala a una temperatura que le resulte agradable. Puede añadir miel y limón si el sabor del jengibre no le agrada. Haga gárgaras con esta solución antes de tragarla.*

- *Si el dolor de garganta se debe a sinusitis puede colocar la solución de jengibre mencionada, junto con lavanda, o una mezcla de clavo y canela, en agua hirviendo e inhalarla. Este truco resulta útil en casos de laringitis y pérdida de voz.*

- *Se puede aliviar el dolor de garganta interno, pero sobre todo el externo, colocando alrededor del cuello un pañuelo de seda.*

- *Tome bebidas de manzanilla frías o templadas.*

- *Lleve casi hasta ebullición 250 ml de leche descremada con una cucharadita de polvo de cúrcuma, media cucharadita de mantequilla y una cucharadita de miel. Beba esta mezcla a una temperatura agradable; puede calmar el dolor de forma instantánea y resultar curativa.*

- *Quizá resulte útil tomar los siguientes remedios homeopáticos: Aconitum 6 cada 2 horas para el dolor de garganta súbito, independientemente de los síntomas; Spongia 6 para el resfriado con tos perruna seca asociada a pérdida de voz; Aconitum, Hepar sulphuris calcarium o Nitricum acidum, potencia 6, cada 2 horas para los dolores punzantes al tragar; Lachesis para el dolor de garganta causado por los excesos cometidos con la voz.*

- *Hay muchos remedios homeopáticos diferentes que pueden elegirse según los síntomas específicos: alivio del dolor con las bebidas frías o calientes, mejoría al tragar, presencia de tos. Consulte un manual de homeopatía de referencia.*

- *Véanse **Tos** y **Resfriados** si éstos se presentan junto con el dolor de garganta.*

- *Si hay inflamación de alguna membrana tome betacaroteno, 150 mg en dosis divididas a lo largo del día.*

- *Si el dolor de garganta persiste o no tiene una causa obvia, consulte al médico para descartar razones subyacentes más graves.*

LARINGITIS Y FARINGITIS

La laringe se encuentra protegida detrás de la nuez de Adán. El área situada por encima, que llega hasta las amígdalas, se denomina faringe. La inflamación en esta área causa dolor de garganta y puede acabar en ronquera y pérdida de voz.

RECOMENDACIÓN

- *Véase **Dolor de garganta**.*

PÉRDIDA DE VOZ

La pérdida de voz suele asociarse a laringitis (*véase* **Dolor de garganta**). Está protegida por un cartílago, que puede palparse fácilmente y que se conoce como la nuez de Adán. La laringe se compone de dos bandas de mucosa, las cuerdas vocales, que contienen un músculo muy característico, controlado por diferentes nervios de la laringe que son ramas del nervio vago. Por lo tanto, la pérdida de voz puede deberse no sólo a infección o inflamación, sino también a una lesión en dichos nervios.

Los traumatismos, los tumores y las enfermedades nerviosas pueden causar pérdida de voz. Ésta puede deberse también a un proceso que genere presión sobre la laringe, especialmente la inflamación o hipertrofia de la glándula tiroides. La pérdida de voz puede ser signo de hipotiroidismo o de hipertiroidismo. Las toxinas provenientes de la contaminación y del consumo de tabaco también pueden originar una inflamación que cause pérdida de la voz.

RECOMENDACIONES

- *Identifique la causa. Los dolores de garganta recurrentes que no parecen asociarse a inflamación o infección pueden constituir un signo precoz de una enfermedad subyacente. En este caso se requiere una exploración médica.*

- *La pérdida de voz debida a infección requiere tratamiento (véase **Dolor de garganta**).*

RONQUERA

La ronquera es la voz áspera debida a inflamación de las cuerdas vocales. *Véanse* **Dolor de garganta** y **Pérdida de voz**.

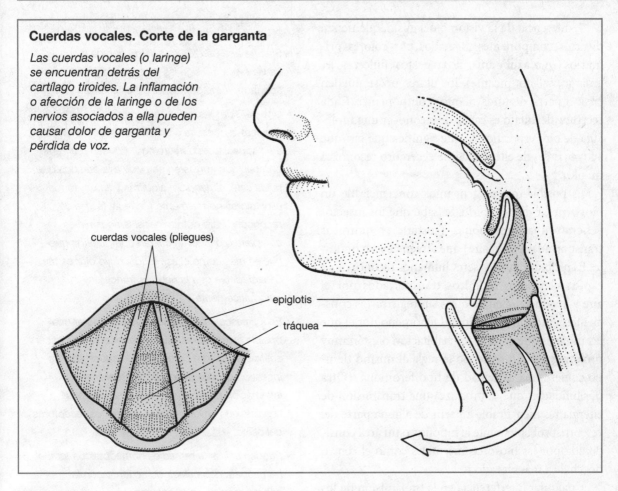

Cuerdas vocales. Corte de la garganta

Las cuerdas vocales (o laringe) se encuentran detrás del cartílago tiroides. La inflamación o afección de la laringe o de los nervios asociados a ella pueden causar dolor de garganta y pérdida de voz.

cuerdas vocales (pliegues)

epiglotis

tráquea

NARIZ

La nariz es la principal entrada del aire que llega a los pulmones. El trayecto que el aire debe recorrer por esta vía es más largo que si se respira por la boca, lo que permite que los pelos de la nariz calienten y limpien el aire con mayor eficacia. Las membranas nasales son sensibles a los contaminantes y producen moco que atrapa los materiales extraños, además de proteger los delicados tejidos pulmonares. Los senos paranasales (espacios llenos de aire situados en el cráneo) son cavidades recubiertas por una mucosa, que drenan líquido hacia la cavidad nasal.

CUIDADO DE LA NARIZ

La nariz tiene una gran capacidad de regeneración y, excepto que sufra una lesión, no requiere cuidados especiales. Las lesiones nasales suelen estar causadas por traumatismos y, con frecuencia creciente, por la inhalación de drogas como cocaína, heroína o anfe-

tamina. El tabaco es muy perjudicial para la mucosa nasal, los pelos y los senos paranasales.

Las técnicas de lavado nasal son populares en Oriente, donde se utilizan pequeños recipientes para agua (conocidos como Neti pot) en la técnica yóguica de limpieza denominada Jala Lota. Es posible adquirir dichos recipientes, pero es mejor aprender la técnica con un maestro de yoga o un profesional de la medicina alternativa con experiencia. También pueden practicarse técnicas de inhalación de agua sin estos recipientes, pero en este caso es imprescindible contar con un maestro (*véase* **Lavado nasal**).

ANOSMIA (PÉRDIDA DE OLFATO)

La parte superior de cada fosa nasal posee un epitelio pardo amarillento que contiene millones de receptores que se unen formando el nervio olfativo, que discurre hasta un área especial del cerebro que es capaz de diferenciar un número increíblemente grande de olores.

A diferencia de la visión o del gusto, que tienen diversos componentes formados por colores primarios (rojo, azul y amarillo) o gustos (dulce, agrio, amargo, salado, picante), los olores no se pueden crear a partir de unos cuantos componentes. Cada receptor del olfato es capaz de reconocer una molécula de olor específica, lo que significa que hay que activar miles de ellos para que el cerebro reconozca un olor.

Es posible que no tengamos conciencia de un olor a pesar de percibirlo. Se sabe que los insectos generan unas feromonas (sustancias químicas transportadas por el aire) que atraen al sexo opuesto. Es probable que los seres humanos reconozcan o capten elementos químicos transportados por el aire y los diferencien de otros sin registrarlos conscientemente como un olor. El fenómeno por el que las mujeres que comparten habitación o están muy próximas acaban teniendo la regla al mismo tiempo sugiere una actividad de tipo feromona. (Otra posibilidad es que se produzca una transmisión de energía no mensurable a partir de alguna parte del cerebro, probablemente la hipófisis o un área considerada por las filosofías orientales como el centro del chakra más elevado.)

Cualquier interferencia en la transmisión de los olores desde el receptor hasta el cerebro, donde está situado el centro olfativo, puede producir la pérdida de olfato.

Durante un resfriado o una inflamación de las membranas nasales puede producirse una pérdida transitoria del olfato. En el caso de dolencias como la rinitis alérgica o los pólipos nasales, en las que las mucosas se hinchan y pueden englobar los receptores del olfato, la pérdida de olfato puede persistir hasta el cambio de estación o la curación de los pólipos.

La anosmia puede ser más prolongada si resultan dañados los receptores del olfato, como ocurre por la contaminación, el consumo de tabaco y la inhalación de drogas como la heroína, la cocaína y las anfetaminas. Esnifar pegamento es una forma rápida y triste de dañar los receptores del olfato. Los traumatismos o una infección como la meningitis o la encefalitis pueden dañar tanto el nervio olfativo como el centro olfatorio del cerebro. Lo mismo ocurre con los tumores.

RECOMENDACIONES

- *Si sufre una pérdida transitoria debida a una causa evidente, siga las recomendaciones en el apartado correspondiente de este libro.*

- *Una pérdida gradual o persistente del olfato requiere la consulta a un médico y posteriormente a un especialista o neurólogo. Pueden realizarse pruebas que consisten en pedir a la persona que huela café, almendras, alquitrán y limón, todos ellos olores normalmente fuertes y fáciles de reconocer. Para determinar si la anosmia es completa o parcial se utilizan compuestos que huelen mal, como el asa fétida, cuyo olor es tan desagradable que la nariz se frunce automáticamente.*

- *En los casos crónicos hay que considerar una posible alergia alimentaria y se recomienda hacer análisis de sangre para aislar los causantes. La ingestión de alergenos puede crear una inflamación permanente en las membranas nasales, que envuelven y bloquean los receptores del olfato.*

- *Pueden utilizarse remedios homeopáticos, que el homeópata debe elegir de acuerdo con la constitución de cada persona.*

- *Las filosofías orientales, especialmente la medicina tibetana, creen que la pérdida de uno de los sentidos indica un trastorno muy profundo. No significa que sea peligroso, sino simplemente que el tratamiento puede resultar difícil y requerir mucha disciplina y terapia. Se recomienda consultar con un médico tibetano o, si esto no es posible, chino o ayurvédico.*

BLOQUEO NASAL (OBSTRUCCIÓN)

La nariz puede taparse a causa de un objeto extraño, una inflamación, excrecencias o pólipos. La inflamación suele deberse a agentes contaminantes, incluido el tabaco y las drogas, o a infecciones como el resfriado común.

RECOMENDACIONES

- *Consulte el apartado correspondiente según la causa de la obstrucción.*

- *Los cuerpos extraños suelen ser fáciles de extraer; en caso contrario, consulte a un médico.*

EPISTAXIS (HEMORRAGIA NASAL)

El sangrado nasal suele estar causado por un traumatismo o por una inflamación persistente de los conductos nasales, causada por infección o por irritantes tan inocuos como el polen en quienes padecen rinitis alérgica.

El sangrado de la nariz no suele ser grave, aunque puede estar asociado a diabetes y a hipertensión. La sinusitis y los pólipos nasales son dolencias menos graves, pero también deben tenerse en cuenta. Los problemas del sistema de coagulación con frecuencia se manifiestan como hemorragias más abundantes.

En niños hay que comprobar que no existe un cuerpo extraño en la nariz y procurar que no se hurguen.

RECOMENDACIONES

- *La hemorragia súbita y persistente (durante más de 25 minutos) o la pérdida de sangre de color rojo vivo requiere el examen de un médico, dado que puede ser necesario realizar una cauterización (sellado de un vaso sanguíneo por calor).*

- *Elimine cualquier posible objeto extraño si es el caso.*

- *Mantenga la cabeza inclinada hacia delante y aplique presión en la parte inferior blanda de la fosa o las fosas nasales.*

- *Aplique una compresa fría sobre el puente de la nariz y en la parte posterior del cuello. Esto disminuirá el flujo sanguíneo y, por consiguiente, ayudará a detener el sangrado.*

- *Evite tragarse la sangre; procure escupirla.*

- *Pueden tomarse los siguientes remedios homeopáticos cada 10 minutos con potencia 6. Si la sangre es de color rojo brillante: Phosphorus. Si la sangre es brillante o el flujo continuo: Ferrum phosphoricum. Después de una lesión: Arnica.*

- *Si sufre sangrados nasales recurrentes, sin una causa grave establecida, triplique la dosis recomendada de un suplemento de vitaminas y multiminerales. Debe tomar betacaroteno, 150 mg/kg de peso, en dosis divididas a lo largo del día. Si la nariz sangra de forma repetida es imprescindible visitar a un otorrinolaringólogo para identificar un posible vaso sanguíneo débil o con defectos o cualquier otra alteración.*

- *Si no se encuentra una causa obvia, consulte con un profesional de la medicina alternativa e investigue una posible carencia de vitaminas y minerales.*

FRACTURA NASAL

Las fracturas nasales son frecuentes, especialmente en las personas que practican deporte. Se trata de un episodio doloroso.

A menudo, el cartílago más blando de la parte frontal de la nariz también se rompe o se desprende del hueso. La hinchazón causada por una fractura del tabique nasal puede ocultar una deformidad importante. Con frecuencia se requiere una radiografía, pero la fractura no podrá tratarse hasta que se haya reducido la hinchazón, lo cual tarda un par de días. Hay que tener en cuenta que la nariz es una zona muy vascularizada y el sangrado suele ser muy profuso.

RECOMENDACIONES

- *Si sospecha que puede haber una fractura nasal, consulte con el médico de cabecera o con un médico de urgencias.*

- *Administre el remedio homeopático Arnica 6 cada 10 minutos, 5 dosis, y después cada 2-3 horas durante 2 o 3 días. Si el daño es grave, alterne Arnica con Symphytum 6 cada 3 horas durante una semana.*

- *Aplique crema de árnica alrededor de la zona dañada.*

- *Quizá sea necesario intervenir quirúrgicamente (véase Cirugía).*

Vías nasales

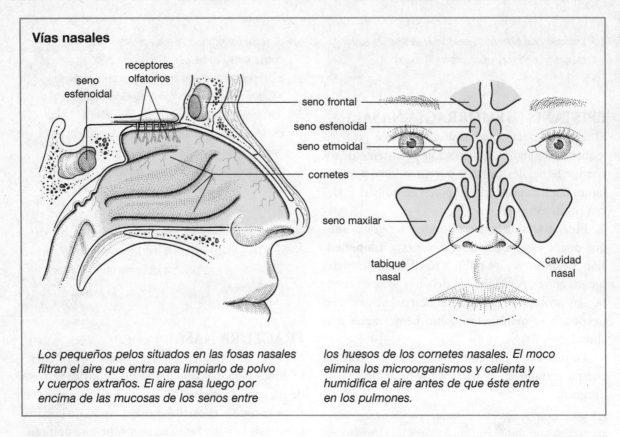

Los pequeños pelos situados en las fosas nasales filtran el aire que entra para limpiarlo de polvo y cuerpos extraños. El aire pasa luego por encima de las mucosas de los senos entre

los huesos de los cornetes nasales. El moco elimina los microorganismos y calienta y humidifica el aire antes de que éste entre en los pulmones.

GOTEO POSNASAL

El goteo posnasal es la sensación de que hay fluido en la parte posterior de la nariz, pero con frecuencia pasa inadvertido. Mientras la persona está despierta y de pie, el goteo posnasal suele tragarse o expulsarse con la tos, pero durante la noche, mientras está dormida o en posición horizontal, el goteo de líquido puede descender hasta los pulmones y causar tos nocturna. Si la secreción posnasal está infectada, puede provocar dolor de garganta, pérdida de voz y bronquitis. La mayor parte de la secreción posnasal proviene de los senos paranasales.

RECOMENDACIONES

- *Véase **Sinusitis**, pero teniendo en cuenta que la secreción sinusal no está necesariamente asociada a infección, por lo que puede no ser dolorosa.*

- *Las adenoides (tejido linfático situado en la parte posterior de la nariz) también pueden inflamarse y originar mocos, al igual que la mucosa nasofaríngea. Si los senos no constituyen un problema, véanse **Tos** y **Resfriados**.*

- *Preste especial atención a las intolerancias alimentarias, a los derivados de la leche de vaca, al alcohol y a los alimentos dulces, ya que fomentan la producción de mucosidad.*

LAVADO NASAL

La mejor forma de realizar el lavado nasal es utilizando el recipiente Neti pot y la técnica de yoga conocida como Jala Lota. Prepare una solución de agua salada vertiendo una cucharadita de sal en una taza de agua salada. Llene el recipiente y, de pie junto a un fregadero o una pila, coloque la cabeza hacia abajo. Respire lentamente, con la boca bien abierta, y vierta el agua a través de la boquilla del recipiente para que entre por una fosa y salga por la otra. No olvide respirar de forma continuada, ya que de esta forma se crea una presión negativa que empuja el líquido hacia dentro. Repita esta técnica cuatro veces al día.

PÓLIPOS NASALES

Los pólipos nasales están en realidad llenos de fluido: son «esponjas» de mucosa habitualmente causadas por irritación persistente debido a un contaminante externo como el polen, el humo o las drogas. El tabaco es una de las principales causas de pólipos. También se relacionan con la rinitis alérgica, el asma y otras respuestas alérgicas, así como con alergias alimentarias. La hipoglucemia ocasiona hinchazón de la membrana nasal y producción de moco, una causa de la aparición de pólipos que con frecuencia pasa inadvertida. Existe también cierta predisposición hereditaria. Los conductos nasales se hinchan en respuesta a las lágrimas, y la represión de las emociones es otra causa que suelen pasarse por alto.

Los pólipos nasales suelen crecer a partir de los senos paranasales, especialmente el etmoidal y el frontal. Su presencia causa obstrucción nasal, exceso de moco y disminución del olfato y del gusto.

RECOMENDACIONES

- *Cualquier secreción o congestión persistentes requieren la visita al médico de cabecera.*

- *Evite los contaminantes nasales, incluido el tabaco.*

- *Es necesario modificar las dietas con elevado contenido en azúcares y alimentos refinados. También deben evitarse los alimentos picantes y el alcohol.*

- *Deben realizarse pruebas específicas para alergias alimentarias.*

- *Es imprescindible aprender una técnica de lavado nasal (véase **Lavado nasal**).*

- *No olvide considerar los remedios homeopáticos, especialmente Calcarea carbonica y Teucrium, que deben tomarse con potencia 30, 2 veces al día durante dos semanas.*

- *La fitoterapia puede ser beneficiosa, pero debe estar indicada por un especialista. Ejemplos de esos tratamientos son los inhaladores nasales de remedios homeopáticos o con hierbas.*

- *Deben tomarse los siguientes suplementos en dosis divididas a lo largo del día (indicadas por kg de peso): betacaroteno, 70 mg; vitamina C, 70 mg; cromo, el doble de la dosis diaria recomendada de un producto de buena calidad, y cinc, 350 mg*

antes de acostarse. Tome estas cantidades durante un mes junto con los remedios homeopáticos.

- *La tristeza y las lágrimas reprimidas tienen que salir a la luz. Puede conseguirlo con la programación neurolingüística o la hipnoterapia antes de acudir a un psicoterapeuta.*

- *Las gotas de corticoides prescritas por un médico general, aplicadas 4 veces al día durante un mes, pueden ser curativas si se elimina la causa subyacente. A la larga, los corticoides son efectivos para aliviar los síntomas congestivos. No supere la dosis recomendada de 2 gotas en cada fosa nasal, dado que siempre se absorbe una parte a través de las membranas y es posible que se trague una cantidad considerable si la cabeza no está en la posición correcta. La persona debe arrodillarse, colocar la cabeza sobre el suelo y quedarse en esa posición durante un par de minutos. No esnife ni trague después de estar en esta postura; es preferible que se suene ligeramente.*

- *En la actualidad existen técnicas endoscópicas muy precisas para la extracción quirúrgica de los pólipos. Si los demás tratamientos fracasan, puede estar indicada la cirugía. Tenga en cuenta que el 40% de los pólipos recurren (vuelven a aparecer) y que el procedimiento es molesto. Es conveniente considerarlo sólo como último recurso.*

SINUSITIS

Los huesos del cráneo son extremadamente pesados, y si no fuera por las cavidades llenas de aire denominadas senos paranasales, el cuello no podría soportar su peso. Dichas cavidades están recubiertas de mucosas que producen secreciones para proteger los huesos de las infecciones y atrapar a los invasores que llegan por el aire. Si esas membranas se inflaman se produce sinusitis.

Los senos paranasales son muy amplios. Todos ellos están interconectados y se abren en la cavidad nasal, excepto el seno mastoideo, que drena en el oído medio. La inflamación de los conductos de drenaje puede generar presión retrógrada, que es extremadamente dolorosa. El submarinismo o el despegue y el aterrizaje en un avión con insuficiente control de la presurización causa una diferencia de presión que puede provocar dolor. La maniobra de Valsalva (espiración forzada con la boca y la nariz tapadas) suele utilizarse para liberar los bloqueos de la trompa de Eustaquio, pero puede usarse también para abrir los conductos de drenaje de los senos paranasales.

La infección sinusal puede ser aguda o crónica. En la sinusitis crónica el dolor es frecuente, pero no está siempre presente, y el punto depende del seno afectado. En la mayoría de los casos la infección desencadena una inflamación; las infecciones bacterianas o víricas son más frecuentes que las causadas por levaduras u hongos, pero estas dos últimas causas se pasan por alto con frecuencia. En uno de cada cuatro casos, los senos maxilares inflamados se deben a la inflamación de los dientes superiores, la mandíbula o las encías.

La inhalación de sustancias nocivas, entre ellas tabaco, drogas como la cocaína y las anfetaminas, humos industriales fuertes, contaminantes ambientales e incluso el cloro de las piscinas, puede desencadenar una inflamación sin infección. A menudo se acompaña de fatiga, fiebre y secreción; la presencia de un moco amarillo o verdoso suele indicar que existe infección bacteriana.

Los dolores de cabeza localizados en el seno frontal tienen la peculiaridad de desarrollarse a media mañana. Aunque se desconoce la causa, es probable que exista algún mecanismo corporal de relojería. La permeabilidad de las fosas nasales tiende a cambiar debido a que la vasoconstricción varía a lo largo del día, y la filosofía ayurvédica sugiere que se absorbe más energía a través de la fosa izquierda que de la derecha. (Por eso todas las efigies de Buda en posición reclinada lo presentan recostado sobre su lado derecho.)

La rinitis causada por un proceso alérgico es un desencadenante frecuente de sinusitis aguda, que puede hacerse crónica si se añaden alergias a alimentos o a elementos transportados por el aire. Los niveles bajos de azúcar en sangre desencadenan inflamación de las mucosas y producción de moco, de forma que hay que tener en cuenta cualquier factor que cause hipoglucemia. Con frecuencia, la presencia de elementos tóxicos en el intestino induce irritación sinusal.

El diagnóstico de la sinusitis suele ser clínico, pero pueden utilizarse métodos de investigación como la tomografía computarizada o la endoscopia con fibra óptica. A menudo las radiografías de los senos resultan inútiles y proporcionan una dosis de radiación que probablemente no sea nada beneficiosa.

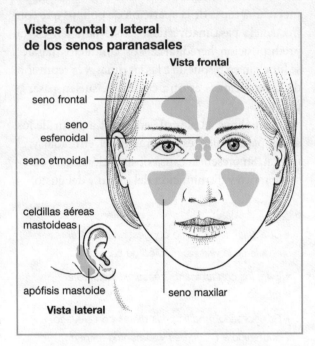

Vistas frontal y lateral de los senos paranasales

Vista frontal

seno frontal
seno esfenoidal
seno etmoidal
celdillas aéreas mastoideas
apófisis mastoide
seno maxilar
Vista lateral

RECOMENDACIONES

- *Intente aliviar la inflamación sinusal con inhalaciones de lavanda o manzanilla diluyendo dos gotas del aceite esencial en un recipiente de agua hirviendo.*

- *Intente mantener la mucosidad diluida y menos viscosa con una buena hidratación: beba 1,5-2 litros de agua diarios y evite las atmósferas secas, como las generadas por el aire acondicionado.*

- *Las duchas calientes y las compresas también calientes colocadas sobre el área inflamada resultan beneficiosas.*

- *Pueden utilizarse remedios homeopáticos para afecciones agudas y crónicas. La selección del remedio dependerá del tipo de dolor y de su localización, de las características de la secreción y de otros síntomas asociados.*

- *En caso de infección aguda, véase el tratamiento en* **Resfriados**.

- *Las infecciones crónicas pueden mejorar con los siguientes suplementos (cantidades indicadas por kg de peso) en dosis divididas a lo largo del día: betacarotenos, 150 mg; vitamina C, 70 mg; cromo, 1,5 mg, y cinc, 350 mg antes de acostarse.*

- *Los siguientes agentes pueden utilizarse como antiinflamatorios y para diluir la mucosidad: N-acetilcisteína y bromelaína, ambos en dosis de 26 mg/kg de peso, divididas a lo largo del día.*

- *Las causas infecciosas pueden mejorar con equinácea y cúrcuma canadiense, al doble de la dosis recomendada por una marca farmacéutica.*

- *Si los problemas persisten, las técnicas de lavado nasal pueden resultar de utilidad. Se pueden limpiar las vías nasales inhalando agua salada por una fosa nasal obstruida, hasta que llegue a la parte posterior de la garganta, y expulsarla, pero así no se facilita la entrada de la solución en los senos. Es mejor utilizar un pequeño dispositivo de lavado denominado Neti pot. Esta técnica se conoce como Jala Lota (véase* **Lavado nasal**).

- *Investigue una posible alergia alimentaria con dietas de exclusión o con pruebas de alergia alimentaria y evite todos los alergenos.*

- *Véanse* **Alergias** *y* **Goteo posnasal**.

- *Considere la posibilidad de consultar a un psicoterapeuta o de realizar hipnoterapia para eliminar posibles penas o tristezas subyacentes.*

- *A veces es necesario el uso ortodoxo de calmantes porque el dolor sinusal puede causar gran debilidad. Quizá le recomienden gotas e inhaladores con corticoides, con antibióticos o sin ellos; suelen utilizarse si la sinusitis está relacionada con los pólipos (véase* **Pólipos nasales**).

- *Si el problema persiste es posible que la medicina ortodoxa le ofrezca la posibilidad de someterse a una intervención quirúrgica, que puede consistir en un lavado sinusal o la extracción de la mucosa mediante un tubito denominado endoscopio sinusal. Esos procedimientos no son agradables, y existe un 40% de probabilidades de que la sinusitis reaparezca a los dos años. Estos procedimientos deben plantearse como último recurso.*

OÍDOS

ENFERMEDAD DE MÉNIÈRE

Es una enfermedad del oído interno que se caracteriza por sordera, vértigo, náuseas y, con frecuencia, vómitos. También pueden producirse acufenos (percepción de un zumbido o pitido en los oídos) y un movimiento involuntario de los ojos de un lado a otro.

La causa de este trastorno no se conoce, aunque es posible que se trate de una infección. Existen indicios de un origen alérgico, pero también podrían estar involucrados la deshidratación o los desequilibrios electrolíticos, que producen el paso de líquido a las cavidades del organismo, en lugar de permanecer en los tejidos o en los vasos sanguíneos.

RECOMENDACIONES

- *Véase* **Mareos y vértigos**.

- *Compruebe posibles alergias alimentarias (véase* **Pruebas de alergia alimentaria**).

- *Reduzca el consumo de sal.*

- *No olvide mantener una buena hidratación ingiriendo al menos 1,5-2 litros de agua diarios.*

LABERINTITIS

El laberinto es una parte del oído interno que contiene fibras nerviosas especializadas en enviar impulsos al cerebro para informar sobre la posición de la cabeza. Si ésta está inclinada, el fluido dentro del laberinto se desplaza y algunos nervios reciben más presión que otros. Esta combinación informa al cerebro sobre la posición exacta de la cabeza, y éste interpreta que el resto del cuerpo tiene la misma posición.

La inflamación de esta área provoca síntomas como mareos, náuseas y vómitos, que pueden durar hasta un mes, aunque los primeros días suelen ser los peores. La infección del laberinto suele ser vírica, pero también pueden tener importancia la deshidratación y el desequilibrio ácido base.

RECOMENDACIONES

• *Véase **Mareos y vértigos**.*

• *Quizá sea necesario interrumpir la actividad y estirarse en posición horizontal, puesto que la laberintitis puede provocar una caída, con los consiguientes daños.*

Ojos

Si se observa un corte horizontal del globo ocular se comprueba su gran complejidad y llama la atención que el sistema ocular no falle con mayor frecuencia. La luz tiene que atravesar la córnea y el cristalino a través de diversos fluidos para llegar a la retina, que es un conjunto de terminaciones nerviosas y de células sensibles a la luz situadas al final de las fibras que se unen para formar el nervio óptico. Estas células, a su vez, transmiten los impulsos a los centros ópticos situados en la parte posterior del cerebro.

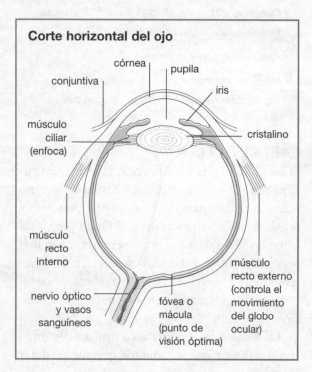

Corte horizontal del ojo

córnea, conjuntiva, pupila, iris, músculo ciliar (enfoca), cristalino, músculo recto interno, nervio óptico y vasos sanguíneos, fóvea o mácula (punto de visión óptima), músculo recto externo (controla el movimiento del globo ocular)

Un problema en cualquier punto de esta vía causa trastornos visuales. Las enfermedades neurológicas, como la esclerosis múltiple, pueden manifestarse por visión doble. Las enfermedades específicas que pueden afectar el sistema ocular se describen en cada apartado concreto.

La función del ojo es dirigir los rayos de luz hacia un foco estrecho situado sobre una capa de receptores sensibles a la luz que se hallan en la parte posterior del ojo, conocidos como retina. Los rayos de luz se dirigen hacia la retina por el paso de la luz a través de la córnea y de las cámaras anterior y posterior del ojo, que están llenas de fluido. Sin embargo, parte del ajuste es realizado por el cristalino, cuya contracción es controlada por el músculo ciliar.

Esta capacidad del cristalino de modificar su curvatura se denomina acomodación. En la juventud el cristalino es elástico y puede enfocar con precisión los objetos mediante la acomodación, pero con el paso de los años pierde progresivamente su elasticidad; así pues, las personas de mediana edad no pueden ver los objetos con la misma nitidez si no cuentan con ayuda. Esta pérdida de la acomodación de cerca se conoce como presbicia o presbiopía. Llega un momento en que los adultos deben llevar gafas, especialmente para leer la letra pequeña.

BLEFARITIS

La blefaritis es la inflamación de los párpados y suele presentarse como un enrojecimiento con secreción. Su tratamiento es similar al de la conjuntivitis.

RECOMENDACIONES

• *Véase **Conjuntivitis**.*

• *Revise los remedios Graphites, Sulphur, Apis y Euphrasia en un manual de homeopatía.*

• *Puede utilizarse el extracto líquido de Euphrasia en una dilución de 2 gotas por cada baño ocular de agua.*

• *Evite los antibióticos tópicos siempre que sea posible, ya que destruyen tanto las bacterias perjudiciales como las beneficiosas, lo que permite que otras más agresivas entren en el ojo.*

EXOFTALMOS

Este término médico designa los globos oculares protruidos (saltones). Por supuesto, cuando su causa es hereditaria o genética no constituyen un problema médico, pero el desarrollo de exoftalmos suele indicar una afección. Lamentablemente, la causa más frecuente es la demacración del rostro por hambre, pero éste no es un exoftalmos auténtico, ya que en realidad se trata sólo del efecto producido por el hundimiento de los tejidos circundantes.

El exoftalmos unilateral suele estar asociado al crecimiento de un tumor en la órbita del ojo, pero la causa más frecuente de exoftalmos, habitualmente bilateral, es la enfermedad de Graves, que constituye una forma grave de hipertiroidismo. Los elevados niveles de tiroxina y, sobre todo, de una sustancia química denominada estimulante tiroideo de acción prolongada (LATS) provocan un aumento de la pequeña cantidad de tejido graso presente por detrás del globo ocular en la órbita, el cual empuja los globos oculares hacia delante.

RECOMENDACIONES

- *Si aparece un exoftalmos debe consultarse al médico.*

- *Una vez establecido el diagnóstico, es posible que un profesional de medicina alternativa le ofrezca tratamiento para la afección subyacente,* *pero, por desgracia, el exoftalmos no es reversible.*

- *En circunstancias extremas pueden realizarse intervenciones quirúrgicas.*

GLAUCOMA

El glaucoma es un aumento en la presión del ojo, habitualmente causada por una obstrucción en la salida del fluido ocular (humor acuoso). Aunque no es frecuente, al aumentar la producción de este fluido, no consigue drenarse con la rapidez necesaria, y se genera un desequilibrio.

Es posible que exista una relación entre el glaucoma de larga duración y la cantidad de una proteína denominada colágeno, que se encuentra en los tejidos corporales y actúa como un andamiaje. El exceso de colágeno puede obstruir la salida del humor acuoso, al igual que una anomalía de los tejidos en la parte posterior del ojo. Hay dos tipos de glaucoma:

Glaucoma agudo (de ángulo cerrado)

El glaucoma agudo se presenta con un dolor pulsátil grave en el ojo, visión borrosa y, con frecuencia, náuseas y vómitos. La pupila está dilatada y fija y no responde a la luz. El glaucoma agudo puede producirse sólo en un ojo.

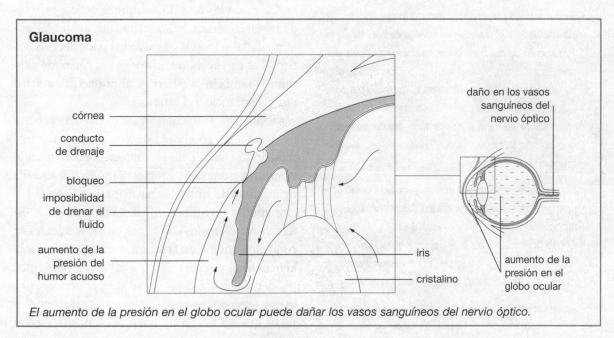

Glaucoma

córnea

conducto de drenaje

bloqueo imposibilidad de drenar el fluido

aumento de la presión del humor acuoso

iris

cristalino

daño en los vasos sanguíneos del nervio óptico

aumento de la presión en el globo ocular

El aumento de la presión en el globo ocular puede dañar los vasos sanguíneos del nervio óptico.

Glaucoma crónico (de ángulo abierto)

Puede no ocasionar síntomas hasta que la enfermedad lleva ya varios años de evolución. Se manifiesta por una pérdida de la visión periférica, que, si no se trata, provoca una visión tunelizada y la aparición de dolor ocular, visión borrosa, cefalea y náuseas. Conozco un paciente cuya presión ocular aumenta en momentos de tensión. Es posible que el estrés provoque glaucoma, aunque no es una causa reconocida.

RECOMENDACIONES

- *El glaucoma agudo constituye una emergencia médica. Sin tratamiento, el dolor se vuelve insoportable y se produce ceguera. Acuda inmediatamente a un servicio de urgencias, ya que es necesario iniciar el tratamiento durante las primeras 48 horas.*

- *Cualquier trastorno de la visión requiere la visita a un óptico o un médico general, el cual decidirá si es necesaria la intervención de un especialista. No retrase la consulta, ya que muchas de estas dolencias pueden progresar rápidamente hacia la ceguera.*

- *Muchos estudios sugieren que la alergia puede tener un papel importante en el glaucoma crónico. Es muy conveniente realizar pruebas de alergias alimentarias.*

- *Se sabe que la vitamina C reduce la presión intraocular. En el glaucoma crónico deben tomarse 100 mg/kg de peso en dosis fraccionadas con las comidas a lo largo del día. En el glaucoma agudo puede tomarse 1 g de vitamina C cada 15 minutos y, una vez que se ha iniciado el tratamiento, cada hora. Tome vitamina C como alimento natural, ya que de otra forma con estos niveles se producirían trastornos digestivos.*

- *En principio, en el glaucoma crónico se puede utilizar el extracto de arándanos (pigmentos antociánicos), 1 mg/kg de peso 3 veces al día. El uso continuado de este compuesto exige la monitorización por parte de un profesional de la medicina alternativa con experiencia en este campo.*

- *Aprenda una técnica de relajación o meditación.*

- *Se pueden elegir remedios homeopáticos según los síntomas, pero inicialmente revise los remedios Spigelia y Phosphorus. Si presenta un glaucoma agudo, tome Spigelia 6 cada 15 minutos mientras se dirige al hospital.*

- *No rechace las gotas oculares ortodoxas, independientemente de que utilice tratamientos alternativos.*

MIOPÍA E HIPERMETROPÍA

Un ojo normal forma una imagen nítida sobre la retina de un objeto situado a cierta distancia sin necesidad de acomodar el cristalino. Sin embargo, no todos los ojos son iguales. Algunos son demasiado largos en sentido anteroposterior y, como consecuencia, el foco (punto en que se forman las imágenes) se encuentra por delante de la retina, lo que ocasiona visión borrosa (miopía). Ésta puede corregirse mediante el uso de lentes de contacto o gafas cóncavas (conocidas también como negativas o divergentes).

Otros ojos son demasiado cortos, en cuyo caso la imagen se forma detrás de la retina, lo que causa también visión borrosa (hipermetropía). Este problema se corrige con lentes de contacto o gafas convexas (denominadas también positivas o convergentes).

La visión borrosa no siempre se debe a defectos de la refracción de la luz. Otras causas son las enfermedades o lesiones de la retina o los nervios ópticos. Las carencias nutricionales y el déficit de vitamina C también pueden causar problemas, al igual que el cansancio y el estrés.

Todos los problemas visuales pueden generar inseguridad y, en el caso de los pacientes miopes, reducir notablemente el contacto con el mundo exterior. Placeres tan simples como ir al teatro o a un partido de fútbol, o participar en deportes al aire libre resultan más difíciles. Los problemas estéticos relacionados con el uso de gafas o lentes de contacto causan con frecuencia dificultades psicológicas leves y reparables. Los niños, en particular, pueden negarse a dejar ver su «imperfección», por lo que se recomienda controlar la vista de todos los niños que no tienen un buen rendimiento escolar

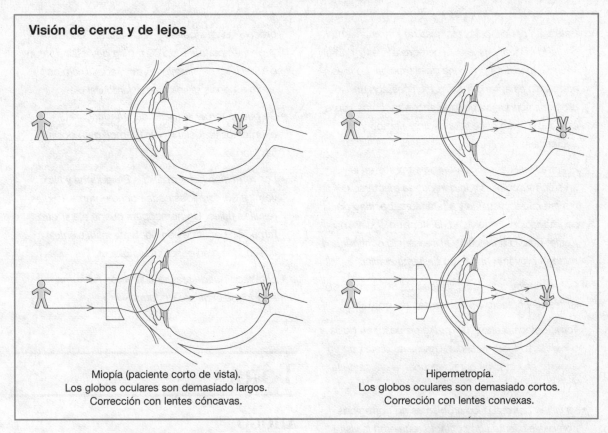

Visión de cerca y de lejos

Miopía (paciente corto de vista).
Los globos oculares son demasiado largos.
Corrección con lentes cóncavas.

Hipermetropía.
Los globos oculares son demasiado cortos.
Corrección con lentes convexas.

o que se vuelven insociables. Un cambio en la coordinación entre la mano y el ojo puede constituir fácilmente un problema visual.

Al enfrentarnos a un problema visual debemos preguntarnos: «¿Qué es lo que no quiero ver?».

MOSCAS VOLANTES

Las «moscas volantes» son pequeños puntos negros de forma irregular que todas las personas perciben, si prestan atención, en sus ojos. Se deben a pequeñas cantidades de suciedad depositadas en el humor vítreo del ojo. Las moscas volantes suelen pasar inadvertidas, pero los traumatismos o las enfermedades de la retina pueden aumentar su tamaño, resultando, por lo tanto, molestas.

RECOMENDACIONES

- *Si el número de moscas volantes aumenta debe visitarse a un oftalmólogo.*

- *Lamentablemente, todavía no he conocido ninguna terapia ortodoxa ni alternativa que solucione este trastorno. Con frecuencia se fraccionan y son reabsorbidas por el*

organismo, por lo que el problema puede no ser persistente.

- *La hipnoterapia puede ayudar a hacer caso omiso de esta molestia visual.*

VISIÓN BORROSA

La visión borrosa puede deberse a un defecto de acomodación, pero, en general y según el tipo de afección, se manifiesta para la visión de lejos o para la visión de cerca. La visión borrosa, tanto de lejos como de cerca, puede deberse a un traumatismo o a una enfermedad que afecta a las vías neurológicas y que debería ser tratada por un especialista.

RECOMENDACIONES

- *Cualquier problema de la visión, sea de inicio agudo o gradual, requiere la revisión de un especialista para conseguir un diagnóstico definitivo.*

- *Los ejercicios oculares pueden ser muy útiles, especialmente los conocidos como método de*

Bates. En principio, las técnicas de entrenamiento ocular de Bates enseñan al cerebro a «ver», y no a «mirar», mediante una serie de ejercicios. Lo más adecuado es aprender estas técnicas con un profesor, aunque se pueden encontrar libros sobre este tema, pero hace falta dedicar tiempo y paciencia.

• *El estrés y el cansancio causan cambios en la tensión muscular, por lo que puede afectarse la curvatura del cristalino y alterar su capacidad de acomodación. En realidad, la «tensión ocular» no existe, pero la ansiedad y el cansancio continuados pueden provocar un efecto bastante similar.*

• *Debe considerarse la posibilidad de utilizar gafas o lentes de contacto (véase* **Lentes de contacto***).*

• *Tome betacaroteno (200 mg/kg de peso) en dosis divididas a lo largo del día y revise su dieta con un experto en nutrición para descubrir la causa de la deficiencia.*

• *La visión borrosa o los problemas no corregidos con gafas o lentes de contacto requieren la visita a un oftalmólogo.*

VISIÓN NOCTURNA

La dificultad para ver por la noche o en un entorno oscuro puede deberse a una miopía incipiente. Sin embargo, la deficiencia de un elemento químico denominado rodopsina, que está asociado a la vitamina A, puede impedir que las células pigmentadas especializadas de la retina (la parte posterior del ojo) trabajen de forma adecuada. Otras posibles causas son el glaucoma y una disminución de la circulación en la retina. Los síntomas pueden ser especialmente evidentes cuando se conduce de noche.

RECOMENDACIONES

• *Cualquier problema de la visión requiere consultar a un médico general o a un oftalmólogo.*

• *Asegúrese de que sus gafas o lentes de contacto son las adecuadas.*

• *Aumente la ingestión de vegetales amarillos y naranjas y muy verdes, como las espinacas, el brócoli, las zanahorias y la calabaza. Puede añadir suplementos tomando 70 mg/kg de betacaroteno o 150 UI/kg de vitamina A por cada 30 cm de altura en dosis divididas a lo largo del día.*

• *Se puede tomar extracto de arándanos (pigmentos antociánicos), 1,5 mg/kg en dosis fraccionadas.*

• *Los remedios homeopáticos Belladonna y Nux vomica 30, tomados cada noche durante 10 días, resultan útiles. Un homeópata puede elegir otros remedios para la visión nocturna insuficiente, adecuados a su constitución global.*

• *El tabaco puede afectar a la visión nocturna. Abandone el hábito de fumar.*

TÓRAX

AHOGO

El ahogo se produce por la inhalación de un alimento o un objeto, que se introduce por la tráquea (conducto del aire).

RECOMENDACIONES

• *Intente eliminar con los dedos la causa de la obstrucción. Si no puede alcanzarla, pase al siguiente punto.*

• *Si está solo, dése un golpe a unos 2,5 cm por debajo del esternón. Sentirá dolor, pero a la vez causará un espasmo en el diafragma, lo que generará una fuerte exhalación de aire que puede expulsar el objeto causante de la obstrucción. Si hay alguien con usted, indíquele que le dé un buen golpe con la palma de la mano entre las paletillas, 2 o 3 veces.*

• *Si no funcionan los procedimientos señalados, pruebe con la maniobra de Heimlich.*

Maniobra de Heimlich

Colóquese detrás de la persona que se está ahogando, rodee su cuerpo con los brazos y entrelace los dedos. Coloque los brazos enlazados a unos 2,5 cm

Maniobra de Heimlich

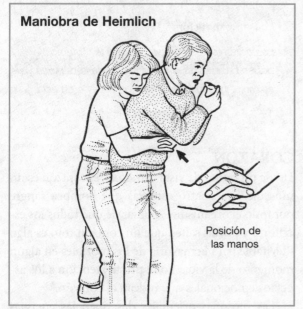

Posición de las manos

Automaniobra de Heimlich

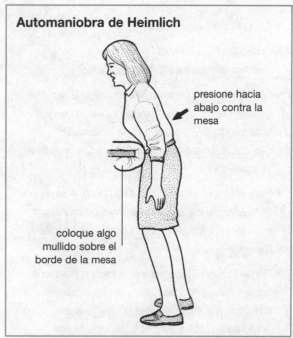

presione hacia abajo contra la mesa

coloque algo mullido sobre el borde de la mesa

por debajo del esternón. Ejerza una fuerte presión hacia arriba y hacia dentro, tres o cuatro veces. Esto provocará un espasmo en el diafragma y expulsará el objeto que provoca la obstrucción.

No practique esta técnica con alguien que no se está ahogando. Si el paciente ha perdido la conciencia en algún momento, inicie la respiración artificial en cuanto haya eliminado la obstrucción.

Automaniobra de Heimlich

Coloque rápidamente un objeto blando y grueso (un jersey o una camisa) sobre el borde de una mesa. Agáchese hasta que el borde quede 2,5 cm por debajo del diafragma. Empuje su cuerpo con fuerza contra la mesa. Repita este movimiento tres o cuatro veces con la fuerza necesaria para expeler rápidamente el aire que tiene en los pulmones.

No utilice esta técnica si hay alguien con usted que puede realizar el procedimiento previo.

BRONQUITIS

La bronquitis es la inflamación del árbol bronquial (los conductos que van a los pulmones). Puede ser aguda (a corto plazo) o crónica (de larga duración).

Bronquitis aguda

A menudo causada por infecciones bacterianas o víricas, la bronquitis aguda puede asociarse a res-

friados y a fiebre. Los síntomas son irritación, tos y a menudo dolor. La bronquitis puede ser seca o productiva y, como regla básica, si el esputo es claro el problema es vírico, y si tiene color es bacteriano o fúngico. No obstante, tenga en cuenta que no siempre es así.

RECOMENDACIONES

* *Betacaroteno, 150 mg/kg de peso en dosis divididas con las comidas.*
* *Vitamina C, 2 g con cada comida.*

Pulmones. Bronquitis

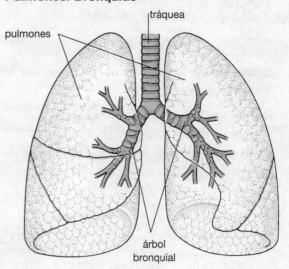

tráquea

pulmones

árbol bronquial

- *Cinc, 15 mg por la noche.*

- *Consulte en un manual de homeopatía los mejores remedios según sus síntomas.*

- *Si los síntomas persisten al cabo de una semana, le interrumpen el sueño o alteran su estilo de vida y observa signos de sangre en la mucosidad expulsada, consulte a un profesional de medicina alternativa.*

- *Evite el uso de antibióticos a menos que se realice un cultivo del esputo, ya que muchas bronquitis son víricas, y los antibióticos podrían empeorar la situación.*

- *Puede resultar útil tomar infusiones de hierbas o hacer inhalaciones de vapor con los aceites esenciales de las siguientes plantas: hisopo, gordolobo, tomillo, esquila y, especialmente, lobelia. Siete gotas de cualquiera de estos aceites en un vaso de agua proporcionan un gran alivio. No olvide comprobar en primer lugar que el producto es adecuado para uso interno.*

- *La acupuntura puede conseguir un alivio inmediato.*

Bronquitis crónica

Suele asociarse a infecciones persistentes de los pulmones, con frecuencia presentes en fumadores o en personas sometidas a contaminantes aéreos como el amianto. La inflamación se localiza profundamente y suele haber infección bacteriana. La auténtica definición de la bronquitis crónica es una tos productiva que dura más de tres meses.

RECOMENDACIONES

- *Pueden seguirse todas las recomendaciones de la bronquitis aguda.*

- *Además, aprenda una técnica de respiración y considere la posibilidad de recibir tratamiento continuado con un psicoterapeuta para limpiar las vías respiratorias, y con un practicante de shiatsu para aprender a dilatar el tórax.*

- *Con el yoga y el chi kung se consiguen muy buenos resultados.*

- *Véase **Respiración**.*

- *Los tratamientos homeopáticos y la fitoterapia deben basarse en la constitución de la persona y es mejor que los seleccione un experto en esta área.*

CORAZÓN

Desde un punto de vista ortodoxo, el corazón es un músculo con cuatro cámaras que bombea sangre por todo el organismo. A pesar de que todos los escritores y poetas saben que un corazón roto es algo inevitable para la mayoría de los mortales en algún momento de la vida, no se presta atención a los aspectos emocionales que rodean al corazón.

Las filosofías orientales describen las energías del corazón como distribuidoras y como sede de las emociones, especialmente del amor y la comprensión. La sangre alimenta todas las regiones del cuerpo y les proporciona nutrientes y oxígeno, que son las manifestaciones materiales de la «energía» de las que las filosofías orientales han hablado durante 5.000 años. Una vez más resulta interesante ver cómo la ciencia moderna llega, lentamente pero con firmeza, a las conclusiones que ya existían hace miles de años.

Ataque cardíaco

Ataque cardíaco es la denominación profana de una interrupción patológica de la función normal del corazón. Si éste deja de latir, la sangre (¿la fuerza de la vida?) ya no puede circular y la muerte sobreviene en dos minutos debido a falta de oxígeno en el cerebro. Sólo hay unas cuantas razones para que el corazón deje de latir.

- Un fallo en el sistema de conducción eléctrica, cuyas causas son el shock emocional, el shock eléctrico, ciertas drogas y enfermedades. Poco se puede hacer para prevenir los shocks súbitos, pero si se presta atención a los fármacos y a las enfermedades cardíacas se puede prevenir la situación.
- Enfermedad del músculo cardíaco. Es poco frecuente, pero puede ocurrir por un exceso de alcohol o por infecciones bacterianas o víricas que afectan sobre todo a las válvulas del corazón, pero

también a los músculos. Además, puede producirse una deficiencia de oxígeno (*véase* más adelante) debido a que la enfermedad de los vasos sanguíneos (arteriosclerosis) limita el flujo de sangre.

- Falta de oxígeno en las células musculares del corazón. La oclusión arterial puede producirse lentamente a lo largo de muchos años o, con menor frecuencia, deberse a la obstrucción de los vasos coronarios por un coágulo. Éstas son las causas más frecuentes de ataques cardíacos. Los espasmos de las arterias coronarias, causados por múltiples procesos, desde el shock hasta los tóxicos, también pueden provocar un déficit de oxígeno en el músculo cardíaco. Si una arteria coronaria queda bloqueada por un coágulo se produce una trombosis coronaria. Si un área del corazón queda privada de oxígeno durante más de algunos segundos, las células mueren y se dice que el área ha sufrido un infarto. Con frecuencia se utilizan los términos trombosis coronaria e infarto de miocardio como sinónimos de ataque cardíaco, pero quizá sólo reflejen un par de las posibles causas.

Vista externa del corazón

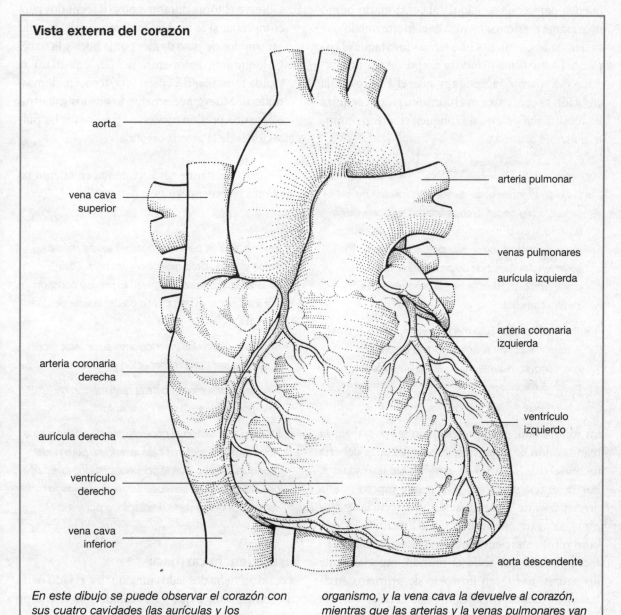

En este dibujo se puede observar el corazón con sus cuatro cavidades (las aurículas y los ventrículos), junto con los principales vasos sanguíneos. La aorta lleva la sangre a todo el organismo, y la vena cava la devuelve al corazón, mientras que las arterias y la venas pulmonares van y vienen, respectivamente, de los pulmones. Los vasos coronarios llevan oxígeno al corazón.

Los ataques cardíacos no suelen ocurrir sin síntomas. No es frecuente que una persona en la flor de la vida se desplome de repente en la pista de squash. Antes del ataque suele presentarse un fuerte dolor paralizante en el tórax que a menudo se irradia hacia el cuello y baja por el brazo izquierdo. Las molestias en la espalda y el brazo derecho son menos frecuentes. El mareo y las náuseas son bastante comunes, y todos estos síntomas se acompañan de dificultad para respirar. Hay otras muchas razones de dolor torácico y abdominal superior que pueden parecer leves ataques al corazón; un punto interesante que los diferencia es el fuerte miedo que suelen padecer quienes han tenido un ataque al corazón. La medicina ortodoxa no puede dar una explicación, pero si aceptamos que el centro de la emoción se encuentra en el corazón, entonces quizá las filosofías orientales sí expliquen el miedo durante el ataque cardíaco.

RECOMENDACIONES

- *Si no se produce una intervención médica de urgencia hay pocas probabilidades de sobrevivir a un ataque cardíaco grave. Los ataques de menor gravedad tienen mejor pronóstico, pero son advertencias claras de un probable ataque más grave. Busque asesoramiento médico inmediatamente.*

- *Tras obtener atención médica ortodoxa o mientras el paciente acude al hospital, déle el remedio homeopático Aconitum, potencia 30 o menos, cada 15 minutos.*

En mi opinión, es imprescindible saber realizar la reanimación de urgencias, cuya enseñanza debería incluirse en los planes de estudios de las escuelas. Por desgracia no es así, por lo que espero que la descripción de la reanimación de urgencias y reanimación cardiopulmonar (RCP) incluida en este libro resulte suficiente como explicación básica. Yo recomendaría que todo el mundo, especialmente los padres, realizaran un curso de primeros auxilios o, al menos, practicaran esta técnica con un oso de peluche grande. No practique la reanimación de urgencias con una persona que se encuentre bien.

Cómo reconocer un ataque cardíaco

El paciente puede sufrir un colapso súbito o tras unas quejas iniciales leves o graves de dolor torácico, sensación de ahogo o incapacidad total para respirar o dolor en el pecho que se extiende al cuello o al brazo.

La reanimación afecta a la respiración y a la circulación:

A. Compruebe que no existe obstrucción visible en la boca ni en la garganta.
B. Observe el tórax durante unos 10 segundos para comprobar si se mueve. También puede intentar oír sonidos de paso de aire por la boca y la nariz.
C. Coloque tres dedos entre la nuez de Adán y la banda muscular del cuello (el esternocleidomastoideo). Mueva ligeramente los dedos mientras ejerce una presión moderada para sentir las pulsaciones de la arteria carótida.

En caso de ataque cardíaco tenga en cuenta las siguientes recomendaciones.

RECOMENDACIONES

- *Envíe a alguien para que consiga ayuda médica, pero no vaya usted mismo si está solo. Cabe esperar que aparezca alguien. El retraso causado por ir a buscar ayuda puede costar la vida de una persona.*

- *Siga claramente las instrucciones para establecer si es necesaria una reanimación de urgencia.*

- *Siga las instrucciones para la reanimación de emergencia descritas en el capítulo 4.*

- *Una vez reanimado el paciente puede administrarle Aconitum 6, 4 píldoras bajo la lengua, pero nada más. (Un médico puede administrarle una inyección de un compuesto anticoagulante denominado estreptocinasa o darle una aspirina por vía oral.)*

Insuficiencia cardíaca

El corazón tiene dos lados funcionales: el lado derecho recoge sangre que ha circulado por el cuerpo antes de bombearla hacia los pulmones, y el lado izquierdo recibe la sangre oxigenada antes de bombearla a través de la aorta hacia el organismo.

El término «insuficiencia cardíaca» significa exactamente que el corazón falla. Si es grave puede resultar mortal, pero si es leve los síntomas varían según el lado del corazón que presenta insuficiencia. Si ésta es del lado derecho se produce una acumulación de sangre en el sistema venoso, lo que causa retención de líquido y, muy a menudo, edema en las piernas. La insuficiencia del lado izquierdo no permite que el oxígeno llegue al organismo, lo que, combinado con el hecho de que los pulmones no pueden vaciarse, causa dificultad para respirar, letargia y debilidad. La insuficiencia crónica del lado izquierdo acaba provocando congestión e insuficiencia del lado derecho.

La insuficiencia cardíaca puede producirse como consecuencia de una enfermedad del músculo cardíaco, ataques cardíacos, infecciones, contaminación, deficiencias y ciertas drogas. La hipertensión arterial, las enfermedades de las válvulas cardíacas y los defectos congénitos, como la comunicación entre el lado derecho y el izquierdo del corazón, pueden causar insuficiencia cardíaca.

RECOMENDACIONES

- *Si existen síntomas que sugieran una insuficiencia cardíaca, es necesario visitar al médico de cabecera y al cardiólogo.*

- *El tratamiento de la insuficiencia cardíaca debería llevarlo a cabo un profesional de la medicina alternativa.*

- *Sométase a análisis sanguíneos para identificar deficiencias, especialmente de hierro y de su proteína portadora (la ferritina), de calcio, de magnesio y de potasio. Compruebe también si existen contaminantes medioambientales mediante análisis de sangre y técnicas de biorresonancia.*

- *Comente con el profesional sanitario el uso de hierbas como Crataegus, y de otros ungüentos de hierbas. Digitalis, Cactus y Aurum metallicum son algunos de los remedios homeopáticos que tienen mayor influencia sobre el corazón. La selección debe ser precisa para tener efecto y es necesario consultar a un homeópata.*

- *Evite cansar al corazón pero no olvide realizar un programa de ejercicio adecuado. El yoga, que presta especial atención al concepto de chakra del corazón, es esencial.*

- *Una dieta correcta debe ser baja en sal y en alcohol y no incluir cafeína.*

- *Dedique tiempo a practicar la meditación con un maestro o consulte con un asesor religioso para establecer las causas subyacentes de los bloqueos emocionales. La emoción y la ira reprimidas son dos factores subyacentes de la insuficiencia cardíaca.*

Latidos cardíacos irregulares (arritmia) y bloqueo cardíaco

Arritmia es el término médico que designa un latido cardíaco irregular. Normalmente no se siente el latido cardíaco, pero en momentos de estrés, ya sea físico por ejercicio o mental por ansiedad, la tensión en el diafragma y en los músculos del tórax y la mayor frecuencia y fuerza del corazón pueden hacer que se perciba el latido. Puede sentirse la «irregularidad» durante la inspiración, cuando disminuye la frecuencia cardíaca, y durante la espiración, cuando se acelera. Se trata de una variación fisiológica (normal) y no se considera una arritmia.

Las arritmias pueden presentarse en forma de un aumento o una disminución de los latidos o falta de latidos. Es recomendable aprender a tomar el pulso. Coloque los dedos corazón e índice en su muñeca por debajo de las arrugas de la muñeca del lado del pulgar. Aplicando una suave presión notará el pulso radial, que debería latir con una frecuencia de 60-70 latidos por minuto, aunque una frecuencia de 50 es aceptable en deportistas que están en forma, y un máximo de 85 es aceptable en caso de ansiedad o si se ha realizado un ejercicio leve. Todo valor fuera de este intervalo debería considerarse excesivamente lento (bradicárdico) o demasiado rápido (taquicárdico).

El corazón tiene un sistema eléctrico relativamente simple que inicia y controla el latido. Una pequeña zona del tejido cardíaco, conocida como nódulo sinoauricular, genera y libera una descarga eléctrica a unos 70 impulsos por minuto. Este impulso se extiende por los tejidos eléctricos conductores, denominados fibras de Purkinje, que viajan hasta el nódulo auriculoventricular antes de distribuirse a todo el músculo cardíaco. Este nódulo auriculoventricular también tiene un latido intrínseco de unos 40 impulsos por minuto y actúa como seguro si falla el nódulo sinoauricular. El sistema nervioso autónomo (involuntarios) envía impulsos a través del nervio vago desde el cerebro, controlando así la frecuencia cardíaca según la demanda de oxígeno, es decir, según si la persona está practicando ejercicio o descansando.

Cualquier interferencia en este sistema eléctrico causa una irregularidad en el latido. La ansiedad y el miedo estimulan una frecuencia más rápida, bloqueando la acción supresiva del nervio vago. Las hormonas y otras sustancias químicas, como ciertos medicamentos, pueden tener un efecto directo sobre el nódulo sinoauricular. Los traumatismos (como un shock eléctrico) y las enfermedades (como el infarto de miocardio) pueden causar interrupción o trastornos del sistema eléctrico.

Si se produce una sobreestimulación, es posible registrar palpitaciones y una frecuencia cardíaca acelerada; por el contrario, si la acción de la interferencia es supresiva, pueden producirse latidos más lentos o un bloqueo cardíaco. Hay muchos tipos de bloqueo cardíaco según el patrón de falta de latidos (por ejemplo, un latido de cada cinco) y según qué fibras estén bloqueadas. El bloqueo puede afectar a la rama derecha o izquierda del haz de fibras del corazón. Éstos son simplemente términos médicos que indican el área de la obstrucción.

Hay diversos síntomas de bloqueo cardíaco. Algunos pueden pasar inadvertidos a menos que se realice un electrocardiograma, mientras que otros tienen la gravedad suficiente para causar insuficiencia cardíaca o incluso un ataque al corazón.

RECOMENDACIONES

• *Es imprescindible realizar una investigación médica ortodoxa y evitar cualquier causa evidente de arritmia.*

• *El tratamiento alternativo debe realizarlo sólo un profesional experimentado, ya que muchos tratamientos prescritos de forma equivocada pueden resultar peligrosos.*

• *La dieta es muy importante, al igual que la restricción de alcohol, cafeína y otras sustancias que afectan a las neuronas.*

• *La práctica de yoga es esencial porque actúa sobre los músculos del corazón desde un punto de vista aeróbico, y también por su efecto sobre cualquier debilidad o exceso del chakra del corazón. Es mejor que un cardiólogo prepare un programa de ejercicios si se desea una actividad más agresiva.*

• *Todos los problemas cardíacos originan temores. Hable de ellos con el cardiólogo.*

Palpitaciones

Las palpitaciones consisten en la percepción de los latidos cardíacos en el tórax. Hay diversas sensaciones, algunas de las cuales son fisiológicas y no deben ser motivo de preocupación. Realizar mucho ejercicio puede inducir una frecuencia cardíaca rápida (taquicardia), que se nota por tensión en el diafragma y en los músculos de la pared torácica. Se debe considerar que las palpitaciones son patológicas si la sensación es de naturaleza irregular. El corazón debería latir rítmicamente con velocidades diversas, dependiendo del nivel de oxígeno requerido, pero un latido cardíaco irregular es inevitablemente patológico. Ello no significa que sea peligroso, ya que varias enfermedades, como la fibrilación auricular, pueden originar un latido cardíaco irregular que se reconoce como una palpitación sin que tenga consecuencias mortales.

La frecuencia cardíaca es controlada por tejidos nerviosos del corazón, que, a su vez, dependen de

Sistema de conducción del corazón

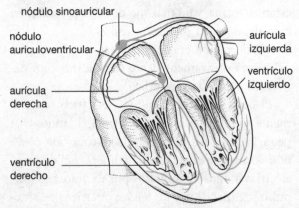

nódulo sinoauricular

nódulo auriculoventricular

aurícula derecha

ventrículo derecho

aurícula izquierda

ventrículo izquierdo

Sistema de conducción eléctrico del corazón.

dos centros nerviosos, los nódulos sinoauricular y auriculoventricular.

El siguiente nivel de control lo ejerce el sistema nervioso autónomo (involuntario) a través del sistema nervioso simpático (acelera) y del parasimpático (ralentiza). El nódulo sinoauricular envía impulsos que causan la contracción de los músculos cardíacos a una velocidad de aproximadamente 70 latidos por minuto. Si este nódulo falla por cualquier razón, el nódulo auriculoventricular permite que el corazón continúe latiendo, pero con una frecuencia menor. Cualquier enfermedad o trastorno traumático que afecte a los nódulos o al sistema de conducción, al sistema nervioso central o a las hormonas que tienen efecto sobre el tejido nervioso, como la adrenalina o la tiroxina, puede originar un latido irregular. La tiroxina en particular puede desencadenar fibrilación auricular y producir palpitaciones irregulares.

Las enfermedades de los músculos cardíacos, con frecuencia causadas por falta de oxígeno después de un ataque al corazón o por la formación de un ateroma, puede hacer que áreas del músculo cardíaco liberen sus propios impulsos y desencadenen la contracción de todo el corazón.

El sistema nervioso autónomo puede resultar afectado por la ansiedad, las fobias y la depresión, trastornos todos ellos capaces de provocar palpitaciones al interferir directamente en la frecuencia cardíaca o al crear tensión dentro del tórax (el pecho). El corazón y el sistema nervioso son sensibles a los tóxicos, y diversas drogas, como la cafeína, la nicotina de los cigarrillos, las anfetaminas, la cocaína y otras que causan adicción, pueden desencadenar palpitaciones. La sustitución con tiroxina y otras medicaciones prescritas por los médicos pueden tener también cierto efecto. La hipertensión arterial puede provocar palpitaciones debido a un aumento del tamaño del músculo cardíaco o a la necesidad de que el corazón palpite con más fuerza para que la sangre pase por los vasos sanguíneos obstruidos.

La sensación real de una palpitación se origina por tensión dentro del pecho, por lo que cualquier grado de ansiedad o nerviosismo puede hacer que la persona sea consciente de su latido.

Según las filosofías orientales, al igual que con cualquier problema cardíaco, la dificultad no está en el corazón mismo, sino en la energía que llega a él. La energía del corazón refleja el miedo y las emociones normalmente asociadas a nuestras relaciones, y es necesario corregir esos aspectos para que cualquier otro tratamiento tenga efecto permanente.

RECOMENDACIONES

- *Si las palpitaciones persistentes y la sensación de latido irregular no está asociada a ejercicio o a shock súbito, consulte a su médico.*

- *Si se produce una palpitación de naturaleza irregular o asociada a dificultades para respirar o a dolor torácico, debe tratarse este trastorno como una urgencia. De camino hacia el hospital aplique una presión suave con dos dedos bajo la nuez de Adán, donde percibirá el pulso de la arteria carótida. Hay dos centros nerviosos a ambos lados de la nuez que, si se estimulan, pueden ralentizar el corazón. No debe utilizarse esta técnica si la palpitación se percibe lenta.*

- *Se debe tomar Aconitum 6 cada 5 minutos hasta recibir atención médica.*

- *El ECG revelará el estado del sistema eléctrico del corazón y, en ocasiones, si las palpitaciones son esporádicas a lo largo del día se puede utilizar un monitor Holter que efectúa el registro eléctrico durante un período de 24 horas.*

- *Intente aislar todos los factores causales, como un alimento, una bebida o un fármaco o droga que puedan causar las palpitaciones. Quizá sea necesario realizar pruebas de alergia alimentaria.*

- *Si no descubre una razón para las palpitaciones, consulte a un profesional de medicina alternativa con experiencia en técnicas diagnósticas por el pulso, la lengua o de otro tipo.*

- *Las palpitaciones pueden deberse a ansiedad consciente o inconsciente, y sería preferible aprender una técnica de meditación o relajación. Puede ser necesario visitar a un psicoterapeuta.*

- *Para las palpitaciones irregulares, véase* **Latidos cardíacos irregulares**.

- *Se puede considerar el uso de los remedios homeopáticos Crataegus o Digoxin y los venenos de serpiente Naja o Lachesis. Cualquier problema cardíaco requiere ser tratado por profesionales y es mejor buscar la opinión de un homeópata.*

- *Evite en lo posible la autoprescripción de hierbas, pero en las manos de un experto éstas pueden utilizarse con seguridad.*

- *La fitoterapia china o tibetana pueden asociarse a la acupuntura. De hecho, los maestros en este arte pueden insertar una aguja de acupuntura que toque el corazón. ¡Tenga mucho cuidado!*

- *Los fármacos para el corazón y otros medicamentos, según las causas, suelen ser efectivos y pueden salvarle la vida. No deje de tomarlos si se los prescriben.*

- *En muy pocas ocasiones es necesario recurrir a la cardioversión utilizando shock eléctrico o se debe colocar un marcapasos, que es un pequeño dispositivo eléctrico que actúa sobre el corazón y el sistema nervioso para que lata a una frecuencia fija. Raras veces se requiere una intervención quirúrgica en los casos de palpitaciones.*

Taquicardia

La taquicardia es un exceso de latidos del corazón a una frecuencia superior a la esperada. El ejercicio puede elevar la frecuencia cardíaca por encima de 200 latidos por minuto, pero debería reducirse con rapidez. Si no desciende existe un estado de taquicardia (*véase* **Latidos cardíacos irregulares**).

Trasplante cardíaco

Esta cirugía intervencionista que puede salvar vidas es uno de los avances con mayor éxito de la medicina moderna. Obviamente, no existe un tratamiento alternativo, pero *véanse* **Ateroma** y **Colesterol** para evitar la congestión de los vasos sanguíneos del nuevo corazón. Además de la trombosis coronaria hay otras causas que hacen imprescindible un trasplante cardíaco, y una vez más la prevención es la mejor cura.

RECOMENDACIONES

- *Véanse* **Ateroma** *y* **Colesterol.**

- *Véase* **Cirugía**.

ENFERMEDADES PULMONARES
Dificultad para respirar

La dificultad para respirar puede producirse por cuatro razones.

Pulmones

Toda enfermedad que afecta a los pulmones o a su irrigación (entrada y salida de sangre) ocasiona dificultad para respirar. La causa más frecuente inducida por los pulmones es la obstrucción de las vías respiratorias superiores por traumatismo, asma, bronquitis, neumonía, enfisema o colapso pulmonar (neumotórax).

Corazón

La insuficiencia cardíaca disminuye el aporte de sangre y reduce la oxigenación o aumenta el fluido en el tejido pulmonar que inhibe el intercambio gaseoso.

Demanda de oxígeno

El ejercicio o cualquier aumento de adrenalina por ansiedad o miedo incrementa la demanda de oxígeno de las células corporales. Este mayor aporte de oxígeno sólo puede cubrirse aumentando la frecuencia respiratoria. Muy a menudo, en momentos de concentración, olvidamos respirar (algo frecuente cuando se sube una escalera), lo que hace que se reconozca la necesidad de respirar más rápidamente. Las situaciones que provocan anemia también se acompañan de una deficiencia de oxígeno, que se manifiesta por la necesidad de aumentar la frecuencia respiratoria.

Insuficiencia de los músculos y los nervios respiratorios

Los accidentes cerebrovasculares y las lesiones o infecciones cerebrales como la meningitis y la encefalitis pueden afectar al centro respiratorio e inhibir la respuesta respiratoria autónoma (involuntaria). Ciertos trastornos metabólicos, como la insuficiencia renal, pueden alterar los niveles de electrólitos en el torrente sanguíneo, que a su vez alteran la capacidad del cerebro para reconocer las necesidades de oxígeno. Las enfermedades musculares o neuromusculares como la poliomielitis avanzada o la enfermedad de la neurona motora pueden afectar a los músculos de la respiración, con lo cual respirar se vuelve difícil.

RECOMENDACIONES

• *Identifique la causa de la dificultad para respirar y trátela de forma apropiada.*

• *Véase* **Respiración**.

Edema pulmonar

Edema pulmonar es el término médico que describe la acumulación de líquido en los tejidos pulmonares debido a un aumento de la presión retrógrada de la parte izquierda del corazón a causa de una insuficiencia. El líquido acumulado ejerce presión y sale de los vasos sanguíneos, lo que hace que los pulmones se conviertan en una esponja llena de agua y, por consiguiente, la respiración sea imposible. Los sínto-

mas son dificultad para respirar y tos, que inicialmente puede ser seca pero luego producir un esputo rosado y espumoso. La enfermedad vascular y los ataques al corazón son las causas más frecuentes.

RECOMENDACIONES

• *Es necesario visitar a un médico siempre que aparezca súbitamente dificultad para respirar.*

• *Consulte en este libro el apartado correspondiente al tratamiento de las causas subyacentes.*

• *Es posible aliviar un ataque repentino con los remedios homeopáticos Aconitum 6 o Arsenicum album 6, mientras se busca atención médica.*

• *Utilice una técnica de respiración y relajación si conoce alguna.*

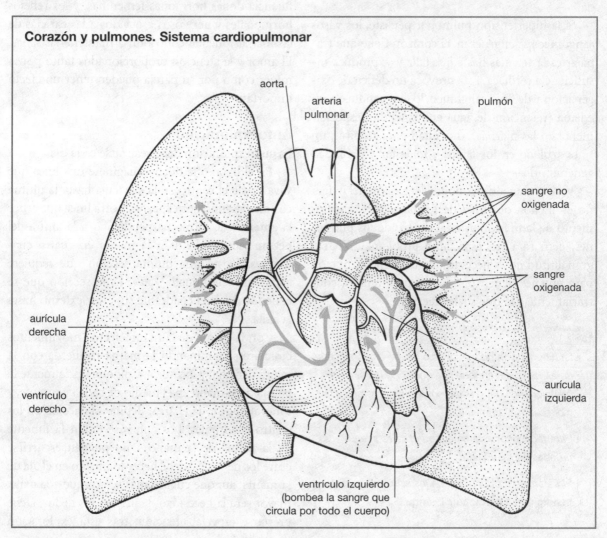

Corazón y pulmones. Sistema cardiopulmonar

aorta

arteria pulmonar

pulmón

sangre no oxigenada

sangre oxigenada

aurícula derecha

aurícula izquierda

ventrículo derecho

ventrículo izquierdo (bombea la sangre que circula por todo el cuerpo)

Hipertensión pulmonar

Hipertensión pulmonar es el término utilizado para describir un aumento de la presión en los vasos sanguíneos del pulmón. El lado derecho del corazón bombea sangre hacia los pulmones que, una vez oxigenada, entra en el lado izquierdo del corazón para ser bombeada a todo el organismo.

Toda dolencia que reduzca la oxigenación de la sangre hará que el organismo envíe impulsos al lado derecho del corazón para que lata más rápido. Este aumento del flujo sanguíneo hacia los pulmones aumenta la presión. Las enfermedades que provocan este efecto son las que causan anemia, las que afectan al tejido pulmonar (como la neumonía, la bronquitis y el enfisema) y las que afectan a las válvulas de la izquierda del corazón, provocando su estrechamiento (estenosis) y, por consiguiente, un aumento de la presión retrógrada.

Si la hipertensión pulmonar persiste, los vasos sanguíneos se engruesan, el corazón tiene que trabajar cada vez más hasta que falla y se produce insuficiencia cardíaca. Ésta provoca un déficit de oxigenación y de flujo sanguíneo, lo que conduce a un edema (retención de agua en los tejidos, especialmente en las piernas), dificultad para respirar, un tinte azulado en los labios y malestar y debilidad generalizados.

Vivir a gran altitud, donde la presión del oxígeno es menor, ocasiona de forma natural un aumento de la presión arterial dentro de los pulmones, pero rara vez ésta causa problemas. Vivir a gran altitud no es necesariamente la mejor opción para quienes tienen problemas pulmonares, contrariamente a lo que suele creerse.

RECOMENDACIONES

- *La hipertensión pulmonar sólo puede diagnosticarla un especialista, aunque cualquiera de los síntomas mencionados debe hacer sospechar su presencia y buscar asesoramiento.*

- *Para reconocer esta enfermedad se requieren pruebas especializadas.*

- *El tratamiento dependerá de los síntomas (véanse* **Insuficiencia cardíaca** *y* **Bronquitis***).*

Falta de aliento
Véase **Dificultad para respirar**.

MAMAS
Cuidado general

Recientemente ha surgido cierta polémica sobre la eficacia y la necesidad de la autoexploración. Independientemente de las conclusiones estadísticas a las que se llegue, creo que el cuidado y la atención de las mamas son muy importantes para el bienestar. No soy un entusiasta de la mamografía (*véase* **Mamografía**), por lo que a lo largo de toda mi vida profesional he animado a las mujeres a practicar la autoexploración. Gracias a esta técnica se han descubierto y tratado muchos bultos, incluidos cánceres, cuya detección precoz puede suponer la diferencia entre la salud y la enfermedad.

Las mamas están en gran medida bajo la influencia de las hormonas femeninas, y los reflejos hormonales y nerviosos asociados a las caricias de las mamas pueden contribuir a mantenerlas sanas. El amor y la atención proporcionados tanto por la mujer como por su pareja pueden tener un efecto importante.

Autoexploración

La autoexploración debe realizarse cada día.

En el baño o la ducha imagínese una línea que vaya desde el centro de la clavícula hasta la última costilla pasando por el pezón, y otra línea que cruce la anterior de forma perpendicular a la altura del pezón. Hemos dividido la mama en cuatro cuadrantes. Existe una quinta sección que requiere atención, denominada «ala». Es la sección que se extiende desde el cuadrante superior externo hasta la axila.

Con la palma de la mano efectúe movimientos circulares, examinando la mama izquierda con la mano derecha, y viceversa. Coloque inicialmente la palma de la mano en el medio de cada cuadrante, y muévala por toda el área. Repita esta acción en los cuatro cuadrantes. Los bultos se notan fácilmente en la palma de la mano y no pueden escurrirse entre los dedos. Se debe hacer lo mismo en el ala de la mama, aunque cuanto más se acerque a la axila, mayor será la necesidad de utilizar los dedos. Debe prestarse especial atención, tras esta exploración

Mamas. Cuatro cuadrantes y axila

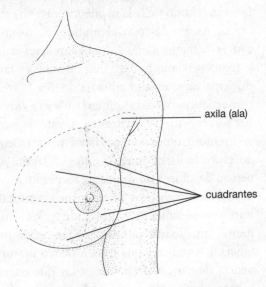

axila (ala)

cuadrantes

RECOMENDACIONES

- *Realice una autoexploración mamaria cada día.*

- *Tome mentalmente nota de los bultos o anótelos en un diario si es necesario, para compararlos durante los diferentes momentos del ciclo.*

- *Advierta a su médico de cabecera sobre la presencia de cualquier bulto duro o persistente (presente durante más de un mes).*

- *Advierta a su médico sobre cualquier posible cambio en los pezones o en el tamaño de las mamas (a menos que se produzca en ambas mamas y asociado al ciclo).*

- *Los tumores no suelen variar a lo largo del ciclo, aunque sí puede hacerlo el tejido que los rodea. Un bulto que aparece y desaparece no es probable que sea peligroso. No se preocupe, pero haga que lo examinen.*

inicial, al pezón y la aréola. Se recomienda palpar suavemente con la punta de los dedos alrededor del pezón y por debajo de éste.

Todas las mamas tienen bultos. La exploración diaria de la mama permite a la mujer conocer esos bultos y advertir sus cambios en los diferentes momentos del ciclo menstrual.

Con frecuencia el tejido mamario es granular, ya sea durante todo el ciclo o en momentos concretos, cuando es mayor la influencia de los estrógenos (dos semanas antes de la regla). Si conoce sus pechos eliminará la posibilidad de pasar por alto un bulto con una textura no habitual o de preocuparse innecesariamente. Es conveniente que su pareja examine también las mamas de forma regular para ofrecer una segunda opinión. Consultar a los médicos y a los ginecólogos resulta esencial, pero no debe considerarse que esta opción es completamente segura. Si bien los médicos tienen más experiencia, una visita anual no descubrirá el bulto que se desarrolla a los dos meses de esa exploración. Los resultados negativos de la exploración no ofrecen absoluta seguridad para todo el año siguiente.

Recuerde que la mayoría de los bultos son inocuos y que una consulta a su médico sobre un bulto no suele implicar un veredicto de cáncer. Si actúa como el avestruz, ocultando la cabeza bajo la tierra y haciendo caso omiso de un posible cáncer, los resultados pueden ser poco favorables. El cáncer de mama, si se detecta a tiempo, es tratable y curable.

Aumento o reducción de mamas

No apoyo la cirugía estética por pura vanidad, pero si la vida de una persona se ve afectada negativamente y no puede modificarse esta situación mediante psicoterapia, cabe considerar el aumento o la reducción de mamas como una opción.

Implantes de silicona

En el momento de escribir este libro, en Estados Unidos se han prohibido los implantes de silicona tras 20 años de uso. Hay pruebas muy claras que sugieren que estos implantes pueden desencadenar enfermedades autoinmunes, aunque todavía no se ha demostrado de forma definitiva. Se ha comprobado una relación entre los implantes de silicona y el cáncer. En el mercado hay nuevos implantes que contienen otros compuestos. Antes de tomar una decisión es aconsejable consultar con dos cirujanos diferentes.

RECOMENDACIONES

- *Compruebe que el cirujano plástico es un especialista en esta área.*

- *A la vista de las recientes noticias alarmantes sobre los posibles efectos cancerígenos o inmunosupresores de los implantes de silicona, considere otras opciones de implantes hasta que haya concluido el debate y se haya determinado que la silicona es inocua.*

- *Véase* **Cirugía**.

- *Véase* **Cirugía plástica**.

Bultos y tumefacciones de mama

Los bultos en la mama suelen deberse a hinchazón del tejido mamario en respuesta a los estrógenos, y se conocen como fibroadenomas o enfermedad fibroquística. Suelen ser inocuos y no tienen mayor tendencia a malignizarse que cualquier otro tejido mamario normal, pero es necesario descartar esa posibilidad (*véase* **Cáncer de mama**).

En general, estos bultos son asintomáticos, pero pueden ser hipersensibles e incluso dolorosos, sobre todo cuando se aproxima la regla. Siempre que los bultos aparezcan y desaparezcan y su ginecólogo (con la confirmación de una ecografía) considere que son inocuos, puede resultar útil seguir estas recomendaciones básicas.

RECOMENDACIONES

- *Consulte en la sección* **Mamas** *(capítulo 5) los apartados* **Cuidado general** *y* **Autoexploración**.

- *Hasta que el bulto se reduzca puede tomar vitamina B$_6$ (100 mg con el desayuno), cinc (30 mg antes de acostarse), aceite de onagra (1 g con cada comida) y vitamina E (400 UI) 2 veces al día.*

- *Evite el café y la cafeína en general; causan bultos en las mamas.*

- *Reduzca la grasa de la dieta si los fibroadenomas son hipersensibles o, mejor, antes de que lo sean si existe un patrón cíclico.*

- *Mezcle y hierva a fuego lento durante 20 minutos 500 ml de agua con una cucharadita de jengibre, dong quai, raíz de regaliz y 4 cucharaditas de pao d'arco. Beba una taza de esta infusión fría.*

- *Consulte los remedios homeopáticos Bryonia, Phytolacca, Silica y Calcarea carbonica.*

CÁNCER DE MAMA

El Reino Unido tiene la incidencia más alta de cáncer de mama de todo el mundo. Se diagnostica cáncer de mama a más de 25.000 mujeres cada año, y 15.000 mueren por esa enfermedad. Es la causa principal de muerte en mujeres de 35 a 54 años. Las consecuencias de estas muertes para la vida familiar son enormes. Las cifras en el resto de Europa y en Estados Unidos son más bajas, pero siguen siendo espectaculares, mientras que en Japón la incidencia de cáncer de mama es sorprendentemente baja. Estas estadísticas y otras pruebas indican que muy probablemente la nutrición y los contaminantes medioambientales tengan gran importancia. Las mujeres que fuman tienen mayor incidencia de cáncer de mama, y las que consumen menos grasas y más antioxidantes tienen una incidencia menor. También es mayor su incidencia en las mujeres que sufren estreñimiento, debido quizás a un nivel inexplicablemente alto de estrógenos o a un simple aumento de las toxinas en el cuerpo. La mama está formada por diversos tipos de tejido. Los cánceres pueden producirse en cualquiera de ellos, y el tratamiento y las consideraciones dependen del lugar en que se ha desarrollado el tumor. Los dos cánceres más frecuentes son el adenocarcinoma (tumor del tejido mamario) y el carcinoma intraductal (tumor dentro de los conductos de la leche). Tres son los signos principales que delatan el cáncer:

- Un bulto inesperado, normalmente más duro que otros bultos que se encuentran en la mama, siendo en ocasiones inmóvil.
- Retracción o inversión del pezón.
- Secreción de sangre por el pezón.

Ante cualquiera de estos signos debe consultar a un médico, preferiblemente que tenga también formación en medicina alternativa, ya que la actitud más extendida entre la mayoría de los especialistas es usar la mamografía como principal herramienta de diagnóstico.

Exploraciones

Está justificado realizar exploraciones si el bulto que se encuentra en la mama no desaparece en ciertos momentos del ciclo, es duro y parece estar fijado a la caja torácica subyacente o distorsiona la piel o el área del pezón.

Examen médico

La mayoría de los ginecólogos tiene gran experiencia en la exploración de las mamas y puede darle una «opinión acertada». Si el especialista no sospecha que exista un tumor, tampoco debe sospecharlo usted. Los ginecólogos suelen ser muy cautos y solicitan más investigaciones ante la mínima sospecha de cáncer.

Análisis de sangre

El compuesto conocido como CA_{153} puede aparecer en algunos cánceres de mama. La presencia de este «marcador» en el torrente sanguíneo indica la existencia de cáncer, pero desafortunadamente su ausencia no asegura lo contrario. Por lo tanto, un análisis negativo no implica que la mama esté sana. Si es posible realizar la prueba de laboratorio de patología humoral con un microscopio de alta resolución se recomienda hacerla, ya que esta prueba puede mostrar cambios en los glóbulos blancos y rojos en el torrente sanguíneo y, aunque todavía no se ha demostrado definitivamente mediante experimentos científicos, aporta importantes datos para el diagnóstico.

Ecografía

La ecografía, una prueba no invasiva e inocua, es cada vez más precisa. Se pasa un pequeño dispositivo alrededor del pecho y por encima de éste; las ondas sonoras rebotan en el tejido normal de la mama y en todos los bultos. Un ordenador redistribuye las ondas de sonido y forma un dibujo que, en manos de un técnico experto, muestra claramente la densidad y consistencia del bulto. Si existe la mínima sospecha se deben realizar más pruebas, como una resonancia magnética o una tumorectomía.

Resonancia magnética

En el capítulo 8 se describe en detalle esta prueba. La resonancia magnética es una técnica muy compleja que no requiere el uso de rayos X y que, en principio, es menos dañina que las radiografías. Actualmente prefiero recomendar la resonancia magnética

antes que las mamografías (véase más adelante). Esta técnica puede detectar bultos y signos de la existencia de cáncer; asimismo, puede utilizarse para comprobar si hay extensión a los ganglios axilares.

Mamografía

Las mamografías pueden ser más perjudiciales que beneficiosas, y es probable que los médicos y el público no tengan acceso a toda la información existente sobre su eficacia y seguridad. A pesar de su compleja tecnología, las mamografías no son inocuas. Los niveles de radiación emitidos por la máquina empleada pueden ser mucho más altos de lo necesario y, por consiguiente, administrar una dosis superior a la considerada segura.

Las imágenes obtenidas pueden sugerir la presencia de un cáncer que, tras la intervención quirúrgica, resulte no serlo. Son múltiples las pruebas de falta de precisión, quizá sobre todo por mala interpretación de los análisis, pero también porque es difícil que los rayos X penetren en el tejido mamario.

No cabe duda de que la radiación es tóxica y puede causar cáncer. No es probable que la cantidad de radiación liberada en una mamografía lo haga, pero la radiación tiene efecto acumulativo. En un vuelo transatlántico se recibe el doble de radiación de la que emite una mamografía; volar regularmente y someterse a mamografías frecuentes pueden ir acumulando radiación en el organismo. Hasta el 3% de la población es portadora de un gen concreto, el de la ataxia-telangiectasia, que es extremadamente sensible a la radiación y puede alterarse hasta llegar a un estado canceroso. Es posible realizar una prueba para detectar dicho gen, pero no se dispone

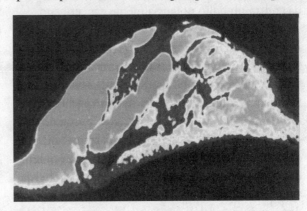

Resonancia magnética correspondiente a la mama de una mujer sana.

fácilmente de ella y su coste es prohibitivo. Quienes deseen realizar esta prueba y puedan pagarla deben solicitarla insistentemente a unos laboratorios privados.

La medicina ortodoxa afirma con estadísticas que las mamografías permiten localizar los bultos cancerígenos antes de que la mujer pueda hacerlo por la autoexploración. Sin embargo, no he hallado estudio alguno que compare las mamografías con las ecografías. Si se descubre un cáncer mediante mamografía en una mujer menor de 50 años, es poco probable que ello vaya a tener influencia alguna sobre el resultado. Dicho de otra forma, ante un bulto canceroso descubierto por una mamografía se instaurará tratamiento más rápidamente, pero este hecho tendrá escaso efecto sobre la tasa de supervivencia de una mujer que descubre el cáncer a través de la autoexploración si tiene menos de 50 años. A partir de los 50 años, reviste cierta importancia, pero una vez más los estudios tienen defectos porque no toman en cuenta el estado de salud general de la mujer ni comparan un grupo de mujeres con cáncer diagnosticado mediante ecografía.

La mamografía es una técnica agresiva y molesta. Se presiona considerablemente la mama entre dos placas de rayos X y se deja en esa posición durante unos minutos. Se ha establecido sin lugar a dudas que estrujar y manipular un tumor puede fomentar su extensión, y si bien la medicina ortodoxa condena rápidamente el uso del masaje en los pacientes con cáncer (de forma bastante injusta, ya que los masajistas cualificados no masajearían un bulto cancerígeno ni los ganglios linfáticos que pudieran estar afectados), no critica la presión ejercida contra un bulto potencialmente cancerígeno.

Biopsia

La biopsia de un bulto es una técnica diagnóstica anticuada, pero todavía la utilizan algunos médicos. Se introduce una aguja en el área sospechosa y se toma una muestra de tejido. La aguja puede no llegar a tocar el bulto o dar en una parte del mismo que no tiene células cancerígenas, con lo que obtendríamos un falso negativo. Por el contrario, si la aguja entra en un área cancerígena, al retirarla pueden sembrarse células en un nivel superior de la mama o incluso en la piel, donde la extensión puede

ser mucho más profunda. No acepto las biopsias y creo que si es necesario realizar más pruebas debería hacerse una tumorectomía.

Tumorectomía

Es el procedimiento para extraer un bulto. Puede realizarse en cualquier parte del cuerpo, pero habitualmente se emplea para extraer los bultos de las mamas. Exige el uso de un anestésico general, aunque los bultos más pequeños pueden extraerse con anestesia local. Se aísla el bulto y se extrae éste junto con 1 cm del tejido que lo rodea. A menudo se envía una muestra al laboratorio inmediatamente, mientras la paciente está bajo los efectos de la anestesia, y si aquél informa que es un cáncer se realiza una escisión más amplia o mastectomía. Siempre se comenta esta posibilidad a la paciente antes de la operación.

Muestras de ganglios linfáticos

Al efectuar la tumorectomía, o en otras pruebas, a menudo se obtienen muestras de ganglios linfáticos aumentados de tamaño o sospechosos y se envían al laboratorio para comprobar si el cáncer se ha extendido a través del sistema linfático. Este procedimiento con frecuencia daña el sistema de drenaje linfático del brazo y provoca su hinchazón (linfedema), así como lesiones en los nervios regionales, que pueden causar parálisis parcial y dolor persistente. Esos efectos secundarios son poco frecuentes, pero las pacientes deben tenerlos en cuenta al autorizar una intervención quirúrgica.

En la actualidad, se están realizando estudios que avalen la extirpación de un ganglio linfático principal en el área de la axila que, según se cree, recoge todo el drenaje linfático de la mama antes de distribuirlo a los demás ganglios. El cáncer se extendería primero a dicho ganglio y, por lo tanto, podrían evitarse la extirpación de otros ganglios y una intervención más agresiva. El uso de este procedimiento no está extendido en la actualidad, y son necesarias más pruebas, que tardarán dos o tres años, antes de que empiece a utilizarse con mayor frecuencia.

RECOMENDACIONES

- *No olvide realizar la autoexploración.*

- *Busque una opinión médica.*

- *Es razonable realizar análisis de sangre rutinarios.*

- *La exploración mediante una ecografía anual es segura y aconsejable.*

- *Si aparece un área sospechosa en la ecografía es necesario realizar una resonancia magnética.*

- *Si la resonancia magnética avala las sospechas, debe realizarse una tumorectomía, nunca una biopsia.*

- *Adviértase que no sugiero la práctica de una mamografía.*

Tratamientos

En el apartado sobre el cáncer (*véase* **Cáncer**) se describe la gran variedad de tratamientos y de medidas preventivas disponibles contra el cáncer. El cáncer de mama se puede prevenir y tratar, pero, al igual que en la mayoría de las enfermedades graves, es necesario elegir el mejor tratamiento consultando con un profesional de la medicina alternativa.

RECOMENDACIONES

- *Véase **Cáncer**. Siga las recomendaciones de este apartado.*

- *En estudios con animales se ha demostrado que el brócoli contiene un compuesto de sulfuro que protege frente al cáncer de mama. Su consumo regular puede ser de ayuda.*

- *Algunos tumores de mama dependen de los estrógenos, lo que significa que crecen más rápidamente en su presencia. Se está discutiendo si los estrógenos de las plantas estimulan el crecimiento del cáncer o bloquean los receptores para los estrógenos de las células cancerígenas, lo que impediría la influencia de los estrógenos sobre la velocidad de crecimiento. Hasta que se resuelva este debate, todas las mujeres con tumores dependientes de estrógenos deberán evitar las plantas y los alimentos que contienen estrógenos, como el lúpulo, los productos de soja, el apio, el hinojo y el ruibarbo. Las mujeres con tumores de mama no dependientes de estrógenos deberían utilizar*

suplementos de fitostrógenos, ya que pueden impedir el crecimiento del tumor.

- *Es aconsejable el uso de cremas de progesterona natural, pero siempre que lo prescriba un profesional de la medicina alternativa con experiencia en este campo.*

- *Durante los 20 últimos años se ha demostrado que el tratamiento ortodoxo del cáncer de mama, excluido el uso de la mamografía, es muy efectivo. Los protocolos de tratamiento incluyen:*

a) *Cirugía. Consiste en la extirpación del tumor (tumorectomía), de una parte de la mama (mastectomía parcial) o de toda la mama (mastectomía total). A menudo se extirpan también los ganglios linfáticos de la axila, lo que puede causar el efecto secundario de hinchazón del brazo, pero la mastectomía radical (extracción total de la mama y de todos los ganglios linfáticos) es poco frecuente hoy en día. Algunos estudios han sugerido que hay menos probabilidades de tener que repetir una operación por un cáncer de mama si ésta se realiza 2 semanas antes de la siguiente regla. Los niveles más altos de progesterona en ese momento pueden tener una influencia protectora.*

b) *Radioterapia. Ciertos tipos de tumor pueden tratarse con radiación, pero previamente hay que insistir en que se realicen las pruebas genéticas para detectar el gen de la ataxia-telangiectasia, cuya presencia indica mayor sensibilidad a la formación de cáncer por radiación.*

c) *Quimioterapia. Está comprobado que los recientes fármacos bloqueadores de los receptores del estrógeno son efectivos en tumores sensibles a los estrógenos. Estos fármacos, como el tamoxifeno, tienen efectos secundarios puesto que bloquean todos los efectos de los estrógenos, por lo que generan síntomas similares a los de la menopausia y mejoran los porcentajes de supervivencia, aunque hasta el momento no se ha demostrado que sean curativos. Hay otros muchos protocolos de quimioterapia.*

Una de las principales críticas es que, a pesar de la capacidad y la coordinación entre los especialistas en cáncer de mama, hay en la actualidad más de 50 protocolos diferentes, ninguno de los cuales parece ser mejor que los demás. Resulta obvio que se necesita cierta unidad de criterio.

- *Averigüe el porcentaje de éxitos de cualquier tratamiento que le propongan y relaciónelo con los cambios en el estilo de vida y la toxicidad del tratamiento propuesto; comente las opciones con un profesional cualificado en medicina alternativa. Un año de vida normal con un posible tratamiento alternativo puede tener mejores resultados que 2 años entrando y saliendo de centros de tratamiento convencionales, con todos los efectos secundarios asociados.*

- *Consulte los diferentes apartados de este libro sobre la terapia alternativa de los tratamientos (véanse* **Cirugía** *y* **Terapias alternativas***).*

- *Busque siempre una segunda o incluso una tercera opinión.*

- *Visite la biblioteca y las librerías y lea un par de libros sobre este tema escritos desde un punto de vista alternativo.*

Mamas dolorosas (mastodinia)

Con frecuencia, las mamas se vuelven dolorosas justo antes de la regla. Pueden seguirse las recomendaciones indicadas para la mastitis.

RECOMENDACIONES

- *Véase* **Mastitis***.*

- *Sumérjase en un baño caliente.*

- *Si toma hormonas, como la píldora anticonceptiva o una terapia sustitutiva, considere que pueden ser un factor importante de la dolencia o, incluso, su causa.*

Mastitis y abscesos mamarios

«Mast» proviene del griego (mamas) e «itis» significa inflamación. La mastitis se presenta como un área enrojecida, con calor, dolor y tensión. A medida que la inflamación se extiende por los vasos lin-

fáticos hasta los ganglios linfáticos axilares, pueden aparecer estrías en la mama. Si no se realiza un tratamiento puede formarse un absceso.

La mastitis suele producirse durante la lactancia, por obstrucción de un conducto mamario, pero puede ser también consecuencia de un traumatismo o, más a menudo, una infección originada en los orificios del pezón. La mastitis rara vez es una forma de presentación del cáncer.

RECOMENDACIONES

- *Aplique compresas frías y calientes en el área.*

- *Coloque sobre la zona inflamada hojas de col recién sacadas de la nevera o del congelador.*

- *Realice un masaje suave con una crema que contenga árnica. No realice el masaje con demasiada fuerza o frecuencia, ya que podría aumentar la inflamación.*

- *Consulte un manual de homeopatía y considere remedios como Belladonna, Hepar sulphuris calcarium, Apis y Bryonia. Phytolacca es el remedio específico si la mastitis se asocia a uno o varios bultos.*

- *Antes de tomar antibióticos, vale la pena probar Phytolacca, una cucharadita en una taza de agua hervida a fuego lento durante 15 minutos, 3 veces al día, o 0,5 ml de la tintura con agua 3 veces al día.*

- *Si persiste la secreción por el pezón fuera de la lactancia, consulte a un médico general. Si está dando de mamar extraiga la leche de la mama afectada, pero no se la dé a su hijo.*

Problemas del pezón

Los pezones pueden doler, molestar y presentar grietas por fricción, infección, traumatismos y trastornos cutáneos como el eccema y la psoriasis. La lactancia es un período especialmente delicado durante el cual debe prestarse especial atención a los pezones.

RECOMENDACIONES

- *Si dar de mamar causa dolor, extraiga la leche y alimente a su hijo mediante un biberón con la tetina adecuada. Si el dolor no es demasiado fuerte, para detener el proceso extienda aciano sobre los pezones antes de dar el pecho. Utilice protectores del pezón hasta que el problema se haya resuelto, pero asegúrese de que el bebé puede mamar bien. No dude en buscar el asesoramiento de su comadrona si tiene que alterar los hábitos de lactancia.*

- *Evite usar sujetadores y ropa apretada.*

- *Pase el máximo tiempo posible con los pechos expuestos al aire y séquelos bien después de lavarse.*

- *Las cremas que contienen caléndula o su tintura (5 gotas en medio vaso de agua) consiguen aliviar y curar.*

- *El picor y el calor en los pezones se puede tratar con Arsenicum album o Sulphur, potencia 6, 4 píldoras cada 2 horas. Para grietas, fisuras y ulceraciones seleccione los remedios en un manual de homeopatía teniendo en cuenta los remedios Arnica, Croton tiglium y Graphites. El dolor generalizado puede aliviarse con Chamomilla, Conium maculatum y Phytolacca.*

Secreción mamaria

La secreción de un pezón en cualquier momento fuera de la lactancia (e incluso entonces sólo debería salir leche) es un signo de enfermedad que requiere la valoración inicial de un médico general o de un ginecólogo.

La secreción mamaria puede estar relacionada con:

- Cambios hormonales.
- Inflamación e infección.
- Mastitis y abscesos.
- Carcinoma intraductal.

RECOMENDACIONES

- *Visite a su ginecólogo.*

- *Una vez establecida la causa, consulte el apartado correspondiente de este libro.*

- *Mientras espera el diagnóstico, si hay secreción de pus puede tomar Silica 6 (4 píldoras cada 3 horas); si aparece sangre, Phosphorus 6, y si la secreción es de leche, Calcarea carbonica.*

MIOCARDIOPATÍA

Es el término médico que designa un problema patológico en el músculo cardíaco. Es un diagnóstico que debe realizar el especialista.

RECOMENDACIÓN

- *En esta enfermedad el paciente no puede autoayudarse. La consulta a un profesional de medicina alternativa le ayudará a encontrar los mejores tratamientos utilizando la homeopatía, la fitoterapia, la dieta y el ejercicio.*

TRAQUEOTOMÍA URGENTE

Una traqueotomía es una abertura en la tráquea, que se realiza, generalmente bajo supervisión médica, cuando existe una obstrucción en las vías respiratorias, producida por un traumatismo en la tráquea por encima del nivel de la nuez o en la boca. En una situación de emergencia en la que no se dispone de ayuda médica y una persona no puede respirar debido a la aspiración de un cuerpo extraño, puede ser necesario realizar los siguientes procedimientos de urgencia.

Esta técnica debe emplearse sólo en circunstancias excepcionales. Para considerar la realización de esta técnica tienen que haber fallado las demás opciones, como la maniobra de Heimlich, y no haber personal médico cerca. La persona debe ser completamente incapaz de respirar, con ausencia de movimiento del tórax, color azul alrededor de los labios y paro cardíaco. La causa del problema debe ser única y exclusivamente una obstrucción por un cuerpo extraño aspirado.

Alguien debe llamar a la ambulancia o al servicio de emergencias inmediatamente.

- Consiga un tubo, como la carcasa de un bolígrafo, y un instrumento afilado.

- Ponga al paciente en posición estirada sobre el suelo y extiéndale el cuello llevando la barbilla hacia arriba.
- Localice la nuez de Adán. Por debajo de la prominencia observará una depresión, aproximadamente de 1,5 cm de anchura en un adulto.
- Aplicando la presión adecuada, inserte horizontalmente el objeto afilado a través de esta membrana cricotiroidea y, una vez que haya atravesado la membrana engrosada y haya entrado en la tráquea, gire el objeto afilado verticalmente.
- Puede salir una cantidad sorprendente de sangre.
- Inserte el tubo lo más rápidamente posible en el agujero y retire el objeto afilado.
- Se debe oír la formación de burbujas a medida que el aire entra en los pulmones a través del tubo y también a través de la sangre de la tráquea.
- Si no lo oye compruebe que la persona está respirando y comience la respiración artificial utilizando el tubo en lugar de la boca. Intente detener la hemorragia aplicando una suave presión.
- Limpie el área lo mejor posible y fije con cinta el tubo en su sitio. Espire en el tubo si se requiere respiración artificial.
- Transporte a la persona a un centro médico lo antes posible.

RECOMENDACIONES

- *No realice una traqueotomía a menos que sea absolutamente necesario, para lo cual el paciente no debe respirar a pesar de los intentos con la respiración boca a boca.*

- *No lleve a cabo una traqueotomía a menos que esté seguro de que la ayuda médica no está a punto de llegar.*

- *Asegúrese de que la causa de la falta de respiración es una obstrucción por comida u otro objeto aspirado.*

SISTEMA DIGESTIVO

ALMORRANAS
Véase **Hemorroides**.

CANDIDIASIS

Hay estanterías enteras llenas de libros que contienen pruebas de los efectos negativos de *Candida* y tratamientos contra esta levadura. La variedad más frecuente es *Candida albicans*, que vive dentro de la mayoría de las personas. El 50% de las mujeres tiene *Candida* en la vagina. Ésta no es un microorganismo especialmente virulento y crece sólo cuando la inmunidad es deficiente. No obstante, cuando *Candida* crece puede tener efectos devastadores.

La medicina ortodoxa nunca ha considerado que éste sea un aspecto especialmente importante de falta de salud, mientras que el mundo alternativo la ha presentado como posible causa de muchas y variadas dolencias. Como siempre, la respuesta está en el punto medio entre ambos extremos. Es importante no dejarse llevar por la «teoría del germen» que el enfoque ortodoxo defiende en su totalidad. *Candida* por sí misma no implica problemas especiales, sino que es la falta de respuesta del sistema inmunológico y la falta de salud generalizada dentro del sistema lo que la hace más agresiva.

Con frecuencia, el diagnóstico de este trastorno es posible sólo por exclusión (descartar otras causas). No debería haber *Candida* en la orina ni en las heces, ni tampoco deberíamos encontrarla flotando libremente en el torrente sanguíneo mediante un análisis de sangre. Con frecuencia el diagnóstico se realiza por:

- La experiencia del médico que diagnostica.
- Técnicas de biorresonancia.
- La exclusión de otras causas.

Los síntomas de candidiasis son tan variados que hacer una lista implicaría necesariamente olvidar alguno. Puede resultar afectado cualquier órgano o sistema, ya sea directamente por la presencia de *Candida* o por las toxinas que ésta produce. Pueden aparecer síntomas mentales, como cansancio y letargia, debido a los efectos tóxicos de una pequeña colonia de *Candida* presente en el colon. Otros síntomas más frecuentes, como el flujo vaginal, las erupciones cutáneas en los niños, la diarrea y el picor pueden deberse a infección directa. La presencia persistente de *Candida* en el intestino puede activar el sistema inmunológico de forma que reaccione en exceso frente a otras cosas, por lo que puede ser causa indirecta de alergias.

RECOMENDACIONES

- *Asegúrese de que el diagnóstico es adecuado mediante algún tipo de análisis. Muchos profesionales de la medicina alternativa se han apuntado al carro de los que sugieren que Candida es la causa de todos los problemas, con lo que pasan tristemente por alto enfermedades más simples y de más fácil tratamiento.*

- *Es posible aislar Candida en frotis vaginales y muestras de la orina y de heces. Los análisis de sangre pueden evidenciar anticuerpos frente a Candida. Si estas pruebas ortodoxas dan resultados negativos considere la posibilidad de realizar la prueba de laboratorio de patología humoral o una biorresonancia (véase capítulo 8).*

- *En principio, Candida no es un problema para el organismo, excepto que el sistema inmunológico esté bajo de defensas y las bacterias que compiten con Candida por el alimento hayan disminuido mucho. El uso de antibióticos y laxantes permite que se desarrolle Candida debido a una mayor disponibilidad de alimentos.*

- *Candida, más que otros microorganismos, se desarrolla con niveles altos de azúcar e hidratos de carbono, y es necesario reducir (si no eliminar) esos alimentos una vez diagnosticada la infección.*

- *Evite los alimentos que contienen levaduras, como el pan y los quesos con hongos. Muchas levaduras excretan compuestos que ayudan a su propio crecimiento.*

- *Los mayores de 14 años pueden tomar 30 mg de cinc cada noche. Antes de esta edad hay que consultar a un profesional de medicina alternativa.*

- *Puede tomarse diariamente extracto líquido de retama (una cucharadita 20 minutos antes de cada comida en un vaso de agua) o un suplemento de hierro poco potente (5 mg).*

- *Se puede tomar ácido caprílico (aproximadamente 700 mg) 15 minutos antes de cada comida, y Lactobacillus acidophilus (2.000 millones de microorganismos) con la comida.*

Dietas y tratamientos anti-Candida

En el mercado hay muchas dietas anti-*Candida*. La experiencia me indica que son difíciles de seguir y que las recomendaciones anteriores suelen funcionar sin alterar el estilo de vida de la persona y su dieta preferida.

No recomiendo usar fármacos anti-*Candida* como la nistatina. Al igual que casi todos los fármacos, matan la mayor parte de la colonia de *Candida*, pero fomentan la aparición de cepas resistentes, que entonces se multiplican porque no se ha estimulado a las bacterias intestinales ni al sistema inmunológico. Estos fármacos proporcionan un falso sentido de seguridad, puesto que la persona se siente mejor durante un corto lapso de tiempo, pero inevitablemente se producen recidivas, y éstas se deben a una cepa de *Candida* mucho más resistente, que puede generar síntomas peores y nuevos problemas.

Lo mismo cabe decir de la irrigación del colon. Si bien esta posibilidad no facilita la aparición de cepas resistentes, a menudo es una medida temporal y sólo debería usarse junto con la terapia anti-*Candida* citada previamente.

CIRROSIS

La cirrosis es un proceso que se caracteriza por la sustitución de tejido hepático dañado por tejido cicatrizal, que no es funcional y bloquea los conductos de las células hepáticas y el aporte de sangre. En Occidente, la idea más popular es que la principal causa de cirrosis es el alcoholismo, pero también puede producirse por malnutrición y hepatitis. Los fármacos y la insuficiencia cardíaca (que causa un aumento de la presión retrógrada de la sangre sobre el hígado) son otras posibles causas.

El hígado es un órgano excepcional, y es posible que el cuerpo no empiece a notar cambios en su bienestar hasta que el 80% del hígado ha dejado de funcionar.

Este principio es fundamental en el tratamiento médico alternativo, ya que la medicina no tiene método alguno para prevenir la extensión de la cirrosis por todo el hígado una vez que ésta ha comenzado. Ayudando a las células hepáticas sanas a trabajar al máximo se fomentan tanto el bienestar como la longevidad.

La cirrosis se diagnostica mediante una biopsia del hígado, que suele realizarse una vez que el médico general concluye por las pruebas realizadas que el hígado no funciona correctamente. Estas pruebas se llevan a cabo cuando el paciente acude a la consulta por exceso de cansancio, ictericia, problemas digestivos, náuseas, vómitos o una combinación de estos síntomas. La cirrosis no causa dolor, excepto que se asocie a inflamación del hígado, como en el caso de la hepatitis.

RECOMENDACIONES

- *Si existe ictericia o se sospechan problemas hepáticos el primer paso es acudir al médico general.*

- *Es esencial dejar todos los hábitos que impliquen un ataque contra el hígado: el alcohol, las drogas, el tabaco, la dieta deficiente y el estrés.*

- *Tomar magnesio, cinc y suplementos de oligoelementos, así como complejo de vitamina B, es beneficioso, pero es conveniente que un naturópata controle la dosis correcta. El hígado es la principal fábrica química del cuerpo, y una dosis excesiva de cualquiera de los compuestos necesarios puede representar una carga para las células sanas del hígado.*

- *Sólo debe usarse betacaroteno, más que vitamina A, si lo recomienda un naturópata.*

- *Pueden tomarse remedios homeopáticos basados en la constitución de la persona, pero prestando especial atención a Berberis vulgaris, Natrum sulphuricum y Lycopodium.*

- *No añada sal a los alimentos, no consuma nada de alcohol, ni grasa de carnes rojas ni productos lácteos. Por el contrario, los aceites de pescado y los vegetales son esenciales.*

- *Recuerde que el hígado, según las filosofías orientales, representa indecisión e irritabilidad, por lo que estas emociones pueden ser acusadas una vez que la cirrosis hace acto de presencia, pero lo más probable es que ya estuvieran allí para permitir la llegada de la cirrosis y, por lo tanto, deben combatirse con la ayuda de un psicoterapeuta.*

- *Las dietas de desintoxicación (véase el capítulo 7) son muy útiles, y deberían realizarse todos los meses.*

COLECISTITIS

Colecistitis es el término médico que designa la inflamación de la vesícula biliar y de sus conductos principales. Esta inflamación se debe a una obstrucción del conducto que va desde la vesícula biliar hasta el duodeno, lo que hace aumentar la presión, o a una infección que suele producirse asociada a un bloqueo del drenaje. La obstrucción de los conductos biliares suele deberse a pequeños cálculos biliares, pero también puede ser causada por enfermedades más graves, como el cáncer de páncreas.

El principal síntoma de la colecistitis crónica es un dolor sordo pero persistente en el lado derecho del abdomen, por debajo de la caja torácica. Este dolor presenta exacerbaciones agudas, que pueden ser implacables. A menudo el dolor se desencadena al comer alimentos, habitualmente, grasos.

La colecistitis aguda (súbita y grave) puede requerir una intervención quirúrgica de urgencia para aliviar el dolor, por lo que cualquier indicio de dolor o molestias en esta zona requiere una exploración en profundidad.

RECOMENDACIONES

- *Visite a un médico general, el cual realizará una exploración y pedirá, como mínimo, un análisis de sangre y una ecografía.*

- *Una vez descartados problemas más graves, véase Colelitiasis.*

- *Se puede aliviar en gran medida el malestar bebiendo dos cucharaditas de zumo de limón disuelto en agua caliente.*

- *No ingiera alimentos grasos hasta que se haya diagnosticado el problema y se haya iniciado el tratamiento.*

- *Deje de tomar vitaminas solubles en grasa, como vitaminas A y E, aceites de hígado de bacalao y de onagra.*

• *Puede tomar los remedios homeopáticos Berberis vulgaris 6, Chelidonium 6 y Lycopodium 6 cada 10 minutos para aliviar el malestar.*

COLELITIASIS (CÁLCULOS BILIARES)

En Occidente, los cálculos biliares están presentes en aproximadamente una de cada cinco mujeres y en uno de cada diez hombres. Por lo general están formados por colesterol, productos de desecho del hígado conocidos como pigmentos biliares, calcio y otros minerales o, en la mayoría de los casos, por una mezcla de todos estos elementos. En general, son asintomáticos y su presencia en la vesícula biliar es bastante inocua.

Los cálculos biliares se desarrollan cuando la bilis (sustancia fabricada por el hígado y que es responsable de la descomposición de las grasas) se vuelve demasiado concentrada. También puede deberse a un exceso de producción de colesterol y pigmentos. El primero indica un exceso de actividad hepática generado por la necesidad de combatir las toxinas del organismo, y el segundo indica deshidratación (*véanse* **Colesterol** y **Deshidratación**).

Los síntomas, cuando se producen, se deben a que los cálculos se desplazan de la vesícula biliar hacia los conductos biliares y, en su recorrido, causan obstrucción y dolor. La ausencia de bilis en el intestino debido a la obstrucción dificulta la digestión y causa distensión abdominal, eructos y flatulencia, náuseas y posibles vómitos. Las molestias suelen presentarse en el lado derecho del abdomen, aunque pueden extenderse hacia la espalda, lo que en ocasiones constituye un signo de la existencia de cálculos o de obstrucción de la vesícula biliar. Un médico con experiencia puede realizar un diagnóstico bastante preciso, pero la ecografía es bastante segura y definitiva.

Es mucho más fácil prevenir los cálculos biliares que tratarlos, debido a que un cálculo en la vesícula biliar no constituye un problema y, cuanto más grande es, menos probabilidades hay de que se escape hacia un tubo estrecho de los conductos biliares. Por lo tanto, los tratamientos que reducen los cálculos biliares pueden entrañar un riesgo y es mejor dejarlos en manos de profesionales de la medicina alternativa que pueden prestar su apoyo y controlar la situación. Por consiguiente, a las personas con cálculos biliares diagnosticados mediante ecografía y a los que han sufrido un ataque les recomiendo, como norma general, que trabajen no para reducir el tamaño de los cálculos, sino para evitar que se formen nuevos.

Las personas que sufren ataques frecuentes o recidivantes o las que se someterán a procedimientos quirúrgicos deberían ponerse en manos de un profesional de medicina alternativa con experiencia, el cual utilizará tratamientos específicos para reducir los cálculos biliares y, al mismo tiempo, animará al paciente a mantener una dieta baja en grasas (no sin grasas), lo que inhibirá la contracción agresiva de la vesícula biliar (en respuesta a los alimentos grasos) que puede desalojar un cálculo. La necesidad de monitorización de los tratamientos que pueden reducir el tamaño del cálculo y facilitar el bloqueo de un conducto biliar o una colecistitis (enfermedades que pueden resultar graves desde el punto de vista médico) es lo que me ha llevado a no mencionar los detalles concretos de esos tratamientos.

Existe un tratamiento popular de los cálculos biliares denominado «descarga de aceite de oliva sobre el hígado». Hay diversas variaciones, pero todas ellas hacen referencia a la mezcla del aceite de oliva con zumo de limón. Algunos pacientes han llegado a afirmar con orgullo que han encontrado

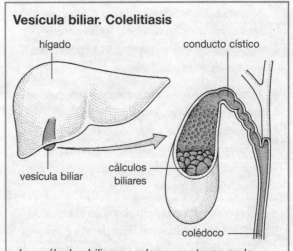

Vesícula biliar. Colelitiasis

hígado

conducto cístico

vesícula biliar

cálculos biliares

colédoco

Los cálculos biliares suelen encontrarse en la vesícula biliar, donde causan pocos problemas. Sin embargo, pueden ser fuente de grandes molestias si se instalan en el colédoco.

piedras verdes en las heces. Eso no es así; lo que han excretado es un complejo de minerales, grasas y ácido que se forma en el intestino. Este tratamiento *no* es una buena idea. El exceso de aceite puede hacer que la vesícula biliar se contraiga, y el ácido oleico del aceite de oliva puede estimular la formación de cálculos biliares.

RECOMENDACIONES

- *Véase* **Colecistitis**.

- *En caso de problemas recidivantes relacionados con los cálculos biliares crónicos, consulte a un profesional de medicina alternativa con experiencia para revisar posibles terapias.*

- *Reduzca la ingesta de alimentos que contienen grasas saturadas, azúcares refinados, colesterol y alimentos fritos. Es necesario mantener las proteínas animales en un nivel mínimo. Aumente la ingestión de fibra mediante frutas y vegetales.*

- *Quizá lo más importante sea asegurar una buena hidratación para evitar que la bilis se concentre (véase* **Deshidratación***).*

- *Compruebe que no existen alergias alimentarias (véase* **Pruebas de alergia alimentaria***). Se sabe que en la formación de cálculos biliares intervienen de forma activa los huevos, el cerdo, la cebolla, los productos lácteos y la cafeína.*

- *Se ha observado que el déficit de vitaminas C y E aumenta la formación de cálculos biliares: se debe tomar vitamina C, 30 mg/kg de peso en dosis divididas, y vitamina E, 3,5 UI/kg de peso, también en dosis fraccionadas.*

- *Si una persona ha tenido un ataque o pertenece a las categorías de riesgo mencionadas anteriormente, debe tomar como profilaxis cada día los siguientes compuestos (indicados por kg de peso): fosfatidilcolina, 7 mg; colina, 15 mg, y L-metionina, 15 mg.*

- *Al comentar esta situación con el profesional de medicina alternativa, asegúrese de que considera incluir el diente de león y el cardo en el tratamiento.*

- *Hay preparados farmacéuticos que pueden disolver algunos tipos de cálculos biliares, pero es necesario consultarlo con el médico de cabecera y usarlos únicamente como último recurso, ya que no tratan la tendencia o la causa subyacente.*

- *Quizá sea necesaria una intervención quirúrgica y en el momento de escribir este libro el método preferido es la eliminación laparoscópica de los cálculos biliares. Con este método se evitan las grandes incisiones abdominales y se reduce el período que la persona debe estar en el hospital. Asegúrese de que el procedimiento lo realiza un cirujano con experiencia en este campo.*

- *En ocasiones se sugiere hacer una litotricia, procedimiento mediante ondas sonoras que sacude los cálculos biliares y que está perdiendo terreno en algunas partes del mundo porque las pequeñas partículas tienden a reagruparse para formar un número mayor de cálculos biliares. Éste sería ciertamente el caso si no se trataran las causas subyacentes de la predisposición, como la deshidratación o un exceso de la función hepática. No descarte por completo esta técnica.*

DISPEPSIA

Dispepsia es un término médico que designa los trastornos de la digestión, pero generalmente se utiliza para describir la sensación de ardor o acidez en el abdomen superior o el tórax inferior, que a menudo llega hasta la garganta. En general, la dispepsia, también conocida como pirosis e indigestión, se debe a inflamación de la parte inferior del esófago (esofagitis por reflujo), el estómago o el duodeno. Todas estas dolencias pueden ser precursoras de úlceras pépticas (*véase* **Úlcera péptica**).

Como norma general, el dolor que se produce tras una comida puede deberse a gastritis, el malestar asociado al movimiento de flexionarse o de acostarse se debe a reflujo ácido (a menudo asociado con hernia de hiato), y el que se produce entre dos y tres horas después de una comida o alrededor de las 2:00 de la madrugada se debe a duodenitis.

Habitualmente se da por sentado que el problema se debe a un exceso de ácido en el estómago, aunque también puede ser cierto todo lo contrario. La escasez de ácido (hipoclorhidria) evita que la comida abandone el estómago porque aún no ha sido descompuesta, y su persistencia causa irritación en la capa que recubre el estómago. Las levaduras y, según descubrimientos más recientes, *Helicobacter pylori* y otras infecciones bacterianas, pueden colonizar el estómago y causar problemas.

La ansiedad y el cansancio provocan el estiramiento del diafragma, que puede llegar a comprimir la parte superior del estómago y a forzar al ácido a subir hacia el esófago (*véase* **Reflujo ácido**).

RECOMENDACIONES

- *Los casos de dispepsia grave o persistente requieren la exploración de un médico para descartar una dolencia grave.*

- *Reconozca y elimine cualquier alimento que suela causar problemas, específicamente el alcohol, la cafeína y los azúcares refinados.*

- *Los problemas persistentes pueden hacer necesario realizar pruebas de alergia alimentaria mediante técnicas de biorresonancia o análisis de sangre. Consulte con un profesional de medicina alternativa.*

- *La raíz de regaliz y el áloe vera son calmantes y pueden utilizarse según la dosis máxima recomendada de cualquier producto farmacéutico.*

- *Evite la menta y la hierbabuena, a pesar de su efectividad, dado que quitan toda eficacia al tratamiento homeopático.*

- *Hay que elegir los remedios homeopáticos según los síntomas. Consulte un manual de homeopatía, prestando especial atención inicialmente a los remedios Aragonite, Carbo vegetalis, Calcarea carbonica y Nux vomica.*

- *Es fácil conseguir pastillas de carbonato de calcio, cuyo uso es recomendable si se comprueba que no contienen aluminio. Tome sólo media pastilla o un cuarto de pastilla cada vez, ya que esta cantidad suele ser suficiente.*

- *Comente con un profesional holístico de la salud el uso de pastillas de ácido clorhídrico con pepsina (una enzima que actúa sobre las proteínas) o sin ella, ya que la causa del trastorno podría ser una escasa cantidad de ácido en el estómago. Recomiendo tomar una dosis mínima antes de una comida (si se produce empeoramiento de los síntomas, no considere esta opción para el tratamiento). Aumente lentamente la frecuencia hasta tomarlas antes de cada comida y después incremente la cantidad durante 2 semanas. El uso repentino de una gran cantidad de ácido clorhídrico puede crear malestar o algo peor.*

ERUCTOS

Eructar es liberar gas del estómago a través de la boca. Normalmente hay una burbuja de aire que flota sobre el contenido del estómago y que permanece en éste por la débil válvula situada en la base del esófago y por la estrechez creada por el diafragma en el punto donde el esófago lo atraviesa. Eructar es algo perfectamente normal y sólo debe considerarse un problema patológico si es excesivo o se acompaña de olor desagradable. El 85% del aire del intestino es ingerido y el otro 15% es producido por bacterias o por la liberación de gas a partir de la fermentación de los alimentos.

RECOMENDACIONES

- *Intente no hablar mientras come o, más exactamente, antes de tragar.*

- *Reduzca los alimentos que contienen aire, como el pan con levadura, las bebidas gaseosas y las legumbres.*

- *Si los eructos se acompañan de olor desagradable, véase* **Mal aliento**.

- *La tensión del diafragma puede comprimir la burbuja de aire situada en la parte superior del estómago, por lo que el estrés excesivo puede causar eructos.*

- *Aunque no es frecuente, la irritación de la mucosa gástrica puede crear la sensación de que se necesita eructar.*

- *Eructar también puede ser un hábito cuya resolución quizá requiera hipnoterapia o análisis.*

ESTREÑIMIENTO

El estreñimiento es un trastorno caracterizado porque los intestinos evacuan con largos intervalos o con dificultad. Esto puede ocurrir por diversas razones:

- El intestino no se contrae lo suficiente.
- El intestino se mueve más lentamente para dedicar más tiempo a la absorción de alimentos y de agua.
- Las heces carecen de volumen.
- Las heces son demasiado grandes o duras y no pasan por el ano sin dolor.

No existe un número ideal de veces para evacuar los intestinos. Cada persona tiene su ritmo y es muy importante que éste se mantenga estable. Si se produce un cambio de los hábitos intestinales y éste persiste, es necesario consultar al médico de cabecera. Todos sufrimos estreñimiento y otros cambios del ritmo intestinal en alguna ocasión, y sólo cabe plantear un tratamiento si el problema persiste o resulta incómodo.

La falta de fibra en los alimentos ingeridos hace que las heces se ablanden, de forma que cuando las ondas peristálticas del colon intentan empujar las heces hacia el ano, una parte de ellas se mueve en dirección opuesta. Si el organismo advierte deficiencias puede ralentizar el movimiento de los alimentos a través del intestino delgado para dejar más tiempo a la absorción. Este hecho puede parecernos estreñimiento simplemente porque no hay nada que eliminar. En el colon (intestino grueso), que constituye los últimos 120 cm del intestino, se absorbe la mayor parte del agua de los alimentos y bebidas. Si existe deshidratación –y creo que la mayoría de nosotros vivimos en estado de deshidratación parcial– el colon se mueve más lentamente para dar más tiempo a la absorción de agua.

Dado que el estreñimiento puede deberse a déficit en el organismo o deshidratación y afectar a las heces blandas o las duras, no existe un único tratamiento que pueda beneficiar a todos los pacientes. Es importante conocer la causa del estreñimiento para elegir el tratamiento adecuado. Si no se consigue aliviar el problema con las siguientes recomendaciones, debería consultarse a un experto en nu-

trición o a un profesional de fitoterapia. Los profesionales ayurvédicos y tibetanos saben muy bien cómo tratar este trastorno.

RECOMENDACIONES

- *Un cambio persistente de los hábitos intestinales requiere la visita al médico de cabecera para que evalúe la situación.*

- *No olvide beber 1,5-2 litros de agua cada día.*

- *Evite las situaciones de deshidratación, como realizar ejercicio sin tomar líquido, el alcohol, la cafeína y un exceso de alimentos dulces o picantes. Estos últimos empujan agua hacia el intestino y evitan que la reciban los tejidos.*

- *No olvide incluir la fibra adecuada en su dieta (véase capítulo 7).*

- *Las bacterias intestinales son esenciales para el proceso digestivo. Una dieta inadecuada y el uso de antibióticos, directamente a partir de los remedios o indirectamente mediante la ingesta de alimentos que contienen esos elementos, pueden alterar la flora intestinal y causar estreñimiento. Corrija esa situación con Acidophilus de buena calidad (2.000 millones de microorganismos con cada comida) durante como mínimo un mes.*

- *En las tiendas naturistas se venden laxantes «naturales» que pueden utilizarse si el estreñimiento es poco frecuente, pero si es necesario emplear un laxante natural más de 3 veces al mes, hay que acudir a consulta con un profesional de medicina alternativa.*

- *Los productos que ablandan las heces y los que aumentan la masa intestinal deben utilizarse sólo como último recurso.*

- *Procure por todos los medios evitar los laxantes de uso regular, que pueden tener un efecto debilitante a largo plazo sobre el colon y su musculatura. El abuso de laxantes a largo plazo debe ser tratado por un experto en nutrición, en fitoterapia o en homeopatía.*

- *Las irrigaciones colónicas son adecuadas en ocasiones, pero no deben considerarse como tratamiento del estreñimiento.*

- *Confirme la idoneidad de su dieta leyendo el capítulo 7 o consultando a un dietista.*

- *A una distancia de 3 dedos por debajo del ombligo se encuentra el punto de acupuntura mar de energía. Se puede obtener mejoría aplicando una presión creciente sobre ese punto 2 veces al día durante 2 minutos en posición estirada.*

- *Pruebe a utilizar 6 gotas de aceite de romero en media taza de aceite de oliva, frotando la mezcla en el sentido de las agujas del reloj alrededor del abdomen 2 veces al día.*

- *La aparición de estreñimiento después de dejar de fumar puede tratarse mediante hierbas, que sustituirán el efecto de la nicotina sobre la contracción intestinal con una hierba más sana. Con el tiempo, las contracciones se reducen. Pruebe a tomar una cucharadita de cáscara sagrada una hora antes de acostarse.*

- *El estreñimiento puede mejorar tomando el zumo fresco de dos manzanas con una cucharadita de zumo fresco de jengibre diluido en un poco de agua 3 veces al día antes de las comidas.*

- *La vitamina C, 2 g con cada comida, puede actuar como laxante natural y utilizarse durante períodos cortos si persiste un problema. Para niños menores de 14 años la cantidad debe ser la mitad.*

FLATULENCIA Y VENTOSIDAD

La flatulencia es el acúmulo de gas en el intestino; la ventosidad es la salida de gas (flato) desde el intestino a través del ano. Personas de todas las edades deberían expulsar gases entre cinco y quince veces al día. Desde el punto de vista de la salud no hay una cantidad adecuada o inadecuada. En Occidente no se considera socialmente aceptable la expulsión de gases. Para la salud no es malo contener los gases, pero suele causar dolor y malestar. El 85% del gas que se encuentra en el tracto intestinal es ingerido, y el 15% restante es producido por bacterias. En general, tragar aire se asocia con comer de forma rápida y hablar mientras se mastica. La mayoría de los alimentos contiene aire como parte de sus componentes celulares o de su estructura, y al masticar

se expulsa. Por lo tanto, si no se mastica lo suficiente se deja que ese aire entre en el estómago y pase al intestino.

Las bacterias perjudiciales (las que no son comensales, es decir, que se supone que no deben vivir en el hombre) con frecuencia producen más gas y son la causa de exceso de gas en un reducido porcentaje de los casos. La flora intestinal natural produce gas, y la velocidad de esta producción dependerá del contenido del colon. Cuanto más altos son los niveles de azúcar más rápido es el metabolismo de las bacterias, con lo que aumenta su producto de desecho gaseoso. El gas de las bacterias es responsable del olor característico y desagradable, que varía según los alimentos ingeridos y el grado en que éstos fomentan la actividad bacteriana. La flatulencia y la ventosidad no son un problema médico a menos que se asocien a dolor intestinal, sean socialmente inaceptables, demasiado frecuentes o con mal olor.

RECOMENDACIONES

- *Coma más despacio, mastique bien y no hable mientras mastica y traga.*

- *Revise su dieta y la asociación entre ésta y el olor del flato para comprobar si identifica alimentos concretos como causa de algún problema. Reduzca los azúcares refinados y los alimentos excesivamente dulces.*

- *Evite comer en exceso o demasiado tarde por la noche.*

- *Las pastillas de bacterias de yogur como Lactobaccillus acidophilus o Probifidus pueden alterar la flora intestinal del colon y tener un efecto leve sobre los flatos desagradables.*

- *Revise la cantidad de alimentos fibrosos y asegúrese de que la dieta no está sobrecargada de alimentos difíciles de digerir, como los vegetales crudos.*

- *Considere la posibilidad de tomar pastillas de ácido clorhídrico con un suplemento de enzima pancreática, ya que una digestión insuficiente puede permitir que los alimentos no digeridos lleguen a las bacterias del colon, que entonces celebran una fiesta. Si la situación mejora con este tratamiento, considere la posibilidad de visitar a un profesional de medicina alternativa para comentar las insuficiencias del proceso digestivo.*

GASTRITIS
Véase **Dispepsia.**

GASTROENTERITIS

La gastroenteritis es la inflamación de la capa interna del estómago y de los intestinos; puede producirse a cualquier edad y por diversas razones. Los síntomas pueden ser leves o graves y comprenden desde náuseas y molestias abdominales hasta vómitos y diarrea, todos ellos con fiebre o sin ésta. Los «dolores de estómago» pueden ser muy importantes en los niños, los ancianos o los enfermos, ya que la pérdida de líquido asociada a los vómitos y a la diarrea puede causar deshidratación y cambios bioquímicos. La gastroenteritis puede deberse a:

- Virus y bacterias ingeridos.
- Fármacos (especialmente los antibióticos que destruyen la flora intestinal normal).
- Alcohol.
- Alimentos excesivamente especiados.
- Incluso un cambio de dieta para los que son especialmente sensibles.
- El estrés, que causa un exceso de producción de ácido en el estómago, puede provocar inflamación en todo el tracto intestinal.

RECOMENDACIONES

- *El malestar abdominal persistente y los síntomas súbitos o intensos requieren la visita de un médico para descartar cualquier otra causa.*

- *No olvide reponer correctamente el agua y los líquidos con sales y azúcares naturales. Los líquidos que se venden en las farmacias para reemplazar los electrólitos son buenos, pero algunas de las alternativas naturales son los caldos y sopas, los tés de hierbas y los zumos de fruta diluidos.*

- *Evite los alimentos de difícil digestión, como las proteínas, las grasas y los alimentos fritos. También deben evitarse la leche, el alcohol y la cafeína.*

- *Resulta beneficioso beber una taza de la siguiente infusión caliente cada 15 o 30 minutos: disponga en medio litro de agua hervida dos cucharaditas de manzanilla, una de romero, otra de salvia y una tercera de miel.*

- *Se consigue alivio con una cucharada de semillas de hinojo con hojas secas de hierbabuena y un pellizco de bicarbonato de sodio, pero no puede utilizarse esta mezcla si se está empleando un remedio homeopático.*

- *Se puede tomar extracto líquido de agracejo (1 cucharadita en una taza de agua) 4 veces al día.*

- *Los remedios homeopáticos resultan beneficiosos, pero hay que seleccionarlos a partir de los síntomas. Revise las secciones de este libro sobre cualquier otro síntoma de importancia o consulte su manual homeopático preferido.*

- *Puede resultar útil tomar pastillas de bacteria de yogur (preferibles al yogur vivo, que podría no sobrevivir al entorno ácido y alcalino del intestino). Tome 16.000 UI/kg de peso de cualquier Acidophilus o derivado 3 veces al día.*

- *No olvide lavarse las manos después de ir al lavabo, ya que en la gastroenteritis es bastante frecuente la transmisión del organismo causante.*

HEMORROIDES O ALMORRANAS

Una hemorroide, también conocida coloquialmente como almorrana, es una vena que se dilata, se congestiona, se inflama, resulta dolorosa y a veces causa trombos o coágulos. Los síntomas comprenden desde picor leve hasta sangrado o dolor intenso. Hay una línea delgada donde la piel de las nalgas se encuentra con la membrana del ano y que se conoce como línea anorrectal. Las hemorroides que se originan por debajo de esta línea se denominan externas, y las que lo hacen por encima de ella, internas. Las hemorroides internas pueden extenderse por debajo de la línea anorrectal.

La causa de las hemorroides es un aumento permanente o intermitente de la presión de las venas de esta zona (que se denominan venas hemorroidales). Esa debilidad puede producirse por falta de fibra en la dieta, por carencias (especialmente de vitamina C, de bioflavonoides y de proteínas) que reducen la fuerza y la cantidad del tejido conjuntivo de las paredes musculares, y por traumatismo causado por una penetración en el ano. Los trastornos médicos que pueden causar hemorroides son el aumento de la presión por tensión, estreñimiento y obstrucción de la salida de la vejiga. Otras posibles causas son el embarazo, la obesidad y un aumento de la presión de las venas por obstrucción en el abdomen, o un hígado hinchado que bloquea la vena principal del cuerpo, la vena cava. Sentarse en una superficie fría puede hacer que el músculo se contraiga y la tirantez posterior puede empujar una vena a través de la pared. También es posible que al estar mucho rato sin moverse o al sentarse sobre una superficie caliente la sangre fluya hacia las venas, que entonces pueden pasar a través de las paredes de los músculos debilitados. Para evitar la reaparición de las hemorroides es necesario tener en consideración todos estos factores. Una almorrana puede sangrar levemente y presentarse sólo como una marca en el papel higiénico o sangrar en abundancia y manifestarse como sangre brillante en el retrete. Siempre que se detenga la hemorragia, ninguno de estos casos supone una enfermedad grave, aunque una almorrana que sangra mucho y de forma persistente puede requerir tratamiento quirúrgico.

Hemorroides internas y externas

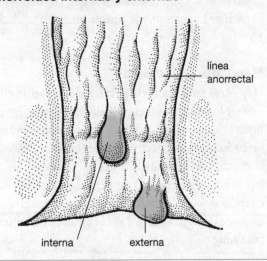

línea
anorrectal

interna   externa

RECOMENDACIONES

- *Cualquier sangrado del ano requiere la revisión de un médico, que puede solicitar una proctoscopia o colonoscopia, para comprobar que el sangrado no se debe a colitis o incluso a cáncer.*

- *Aumente la ingesta de fibra comiendo más vegetales y fruta fresca, ligeramente cocinados. Cuando existen almorranas, 1 o 2 cucharaditas de cáscara de psilio 2 veces al día, sacudidas vigorosamente en 250 ml de agua y bebidas inmediatamente, evitan el estreñimiento.*

- *Beba 1,5-2 litros de agua al día. Evite beber agua durante las comidas.*

- *Evite la cafeína y el alcohol hasta que el problema se haya resuelto. Estas sustancias favorecen la deshidratación y, por lo tanto, aumentan el riesgo de estreñimiento y también debilitan las paredes musculares.*

- *Corte una porción interna de patata cruda del tamaño de su dedo índice e insértela como un supositorio antes de acostarse durante 5 noches seguidas.*

- *Puede aplicarse, siempre con un dedo limpio, aceite de hierbabuena (1 gota por 10 gotas de aceite de oliva; diluir más si produce picor).*

- *Empape un trozo de tela con extracto líquido de hamamelis (una cucharadita diluida en 3 cucharadas de agua); envuelva un cubito de hielo con la tela y aplíquela en el ano.*

- *Antes y después de cada deposición se debe aplicar una crema que contenga árnica o caléndula (o ambas), y también antes de acostarse (antes de insertar el trozo de patata).*

- *Los remedios homeopáticos pueden resultar beneficiosos: Aesculus 6, 4 veces al día para el picor, Hammamelis 6 para el sangrado con sensación de hematoma, y Capsicum 6 si la sensación es de ardor. Se pueden elegir otros remedios según la variedad y la gravedad de los síntomas.*

- *Se puede conseguir alivio sentándose en un baño de agua a aproximadamente 40 °C.*

• *Las hemorroides son venas varicosas. Véase* **Venas varicosas** *para consultar otros tratamientos médicos.*

• *Quizá sea necesario recurrir al tratamiento quirúrgico, pero antes de llegar a eso procure encontrar un profesional que utilice terapia con corriente directa monopolar, que puede aplicarse con anestesia local. Dos posibles procedimientos quirúrgicos son las ligaduras, con colocación de una ligadura elástica alrededor de la base de la vena engrosada, y la inyección de un fluido esclerosante (un irritante químico que produce una reacción inflamatoria con la consiguiente cicatrización) que colapsa la vena y la cierra, con lo que no se permite el paso de sangre al área herniada. Si ninguna de estas dos técnicas es conveniente o adecuada, se puede realizar una hemorroidectomía (extracción de la hemorroide) y quizá sea necesario la oclusión quirúrgica de la vena (véase* **Cirugía***).*

HEPATITIS

La hepatitis es la inflamación («itis») del hígado («hepar»). Entre las numerosas causas de hepatitis, las más frecuentes son las víricas. Sin embargo, la hepatitis puede deberse a fármacos, alcohol, bacterias, tumores, problemas cardíacos y alergia o intolerancia alimentaria. La hepatitis puede causar ictericia (piel amarillenta), pero no siempre es así.

Los síntomas de la hepatitis pueden limitarse a un malestar general en el abdomen derecho superior, pero también pueden incluir fiebre, síntomas gastrointestinales como los vómitos y la falta de apetito, fatiga e ictericia. Si existe ictericia, además de la coloración amarillenta del blanco de los ojos se producen orina oscura y heces pálidas.

Hepatitis A

El virus de la hepatitis A se contrae al ingerir alimentos contaminados. La causa de la contaminación suele ser que los alimentos contienen materia fecal porque quien ha preparado la comida no se ha lavado las manos. La transmisión mediante el agua es posible si alguien enfermo de hepatitis ha defecado en la fuente de agua. Los síntomas físicos tardan entre dos y seis semanas en aparecer, plazo que se conoce como período de incubación.

La hepatitis A en una persona sana es una enfermedad molesta y desagradable, pero no suele ser grave ni mortal. Nunca se vuelve crónica, aunque es posible que la persona no tolere el alcohol ni las grasas durante incluso un año.

Hepatitis B

La hepatitis B se transmite a través de la sangre, la saliva y las secreciones sexuales, como los fluidos vaginales o seminales (esperma) infectados. Éste es el tipo de hepatitis transmitido por las relaciones sexuales, especialmente las anales, el consumo de drogas intravenosas y las transfusiones. El período de incubación es de entre seis semanas y seis meses: la infección es grave y causa la muerte en alrededor del 1% de los pacientes. En el 10% de los casos la persona infectada no puede destruir el virus por completo, el cual se instala en las células del hígado y puede causar problemas leves. Esta situación médica se conoce como portador crónico y hace que la persona pueda infectar a otras y quizá desarrollar cirrosis durante los siguientes 30-40 años.

Hepatitis C

Su mecanismo de transmisión es similar al de la hepatitis B, aunque hasta el 40% de los infectados puede convertirse en portador crónico. Este tipo de hepatitis aparece con mayor frecuencia en pacientes que han recibido transfusiones de sangre. Se cree que el período de incubación es de dos semanas a cinco meses, y algunos estudios han sugerido que la hepatitis C aguda puede causar una mortalidad del 10%.

Hepatitis D, E y otras

Hay otras muchas formas raras de hepatitis vírica, probablemente mutaciones de estas tres. Es muy poco lo que se sabe de ellas y cada vez se van descubriendo nuevos aspectos. Desde el punto de vista de la clasificación, el virus de Epstein-Barr, con mayor frecuencia asociado a la fiebre ganglionar, es consecuencia de una hepatitis similar a la hepatitis A. El citomegalovirus es otra causa conocida, aunque infrecuente.

Vacunas contra la hepatitis

La hepatitis A se trata con una gammaglobulina (un compuesto químico artificial basado en una inmunoglobulina natural producida por el cuerpo que ataca al virus de la hepatitis A) creada contra este tipo de hepatitis y que con frecuencia se denomina vacuna, aunque no lo es.

Existe una vacuna contra la hepatitis B que es fomentada por los gobiernos y por los responsables de la sanidad para la población que corre un riesgo especial, como los trabajadores de la sanidad. Todavía no se han establecido vacunas y tratamientos para otros tipos de hepatitis que generan virus.

Análisis y pruebas

Si se sospecha una hepatitis es necesario acudir al médico de cabecera para que solicite pruebas a fin de investigar un aumento de la función hepática (mediante sustancias químicas específicas que se encuentran en el torrente sanguíneo), diversas pruebas para diferentes partes de los virus que causan la hepatitis, como el antígeno australiano en la hepatitis B, y un análisis de orina para establecer qué funciones hepáticas fallan. También es posible realizar una biorresonancia o un análisis sanguíneo humoral para definir el daño celular sufrido por el hígado.

RECOMENDACIONES

- Si presenta dolor persistente en el área del hígado o le parece que la piel o la esclera (el blanco de los ojos) están amarillentas, consulte al médico de cabecera o a otro médico para que realice una evaluación completa. Recuerde que puede estar transmitiendo y contagiando un virus peligroso sin saberlo.

- Una vez establecido el diagnóstico de hepatitis, consulte a su profesional de medicina alternativa, ya que la autoayuda no suele ser suficiente.

- Véase **Vacunaciones**.

- Evite el alcohol, la cafeína, las grasas saturadas (mantequilla, manteca de cerdo y grasas animales), los aditivos, los conservantes y el exceso de comida. Recuerde que el hígado es la fábrica de elementos químicos del cuerpo y que todo lo que

come pasa por él antes de llegar a cualquier otra parte del cuerpo.

- Si tiene poco apetito o los vómitos impiden la digestión se recomienda un período de ayuno en el que se consuman líquidos o seguir la dieta de desintoxicación básica recogida en el capítulo 7 (véase **Dieta de desintoxicación**).

- El hígado es necesario para fabricar varios compuestos esenciales. Sugiero los siguientes elementos en las dosis recomendadas por el especialista: complejo de vitamina B, vitamina C, coenzima Q10 y todos los aminoácidos, especialmente metionina, colina y ácido lipoico (adultos: 100-200 mg 3 veces al día). Los tratamientos específicos deberían incluir cardo mariano, celidonia, la hierba ayurvédica Phyllanthus amarus y la fórmula ayurvédica conocida como Liv 52.

- Los suplementos intravenosos de vitaminas pueden ser de gran ayuda, pero debe administrarlos un médico. Es posible que el hígado no procese correctamente y se puede mejorar mucho la situación introduciendo directamente en el torrente sanguíneo los nutrientes necesarios.

- Evite el ejercicio agotador, la falta de sueño y el estrés innecesario. El hígado descompone la adrenalina, y cuanto más cantidad produzca, más trabajo tendrá que hacer el hígado.

- Las personas con hepatitis A no deben cocinar para otros, y han de tener especial cuidado con su propia higiene. Quienes presentan otras formas de hepatitis deberían evitar las relaciones sexuales sin protección hasta que se haya acabado el período de incubación y se confirme que no son portadores, para lo cual es imprescindible realizar análisis de sangre.

- Los remedios homeopáticos recetados según la constitución de cada persona y con remedios específicos contra la hepatitis son beneficiosos. Un eminente naturópata recomienda un remedio homeopático concreto: 2 gotas del primer esputo de la mañana del paciente, 2 gotas de la primera orina de la mañana y 2 gotas de sangre añadidas *a 34 gotas de agua y rebajado hasta potencia 6. Se administran 4 gotas cada noche.*

- *Es necesario practicar cada día una técnica de meditación o relajación.*

HERNIA DE HIATO

La hernia es la salida anómala de una parte de un órgano a través de la pared que lo contiene. El hiato (un espacio u obertura) se encuentra, en este caso, en el diafragma, en el punto donde el esófago pasa del tórax a la cavidad abdominal. Hay dos tipos de hernia de hiato diferentes. En el primero el diafragma está simplemente débil, y cuando el estómago se contrae para empujar los alimentos digeridos hacia el duodeno, el reflujo los devuelve al esófago (*véase* **Reflujo ácido**). La segunda situación se produce cuando la parte superior del estómago queda atrapada por encima del diafragma, ya sea de forma temporal o permanente, el diafragma se tensa y el ácido fluye directamente hacia la parte inferior del esófago. El tratamiento debe variar según la situación individual. La tonificación del diafragma es muy importante, y muchas veces el mundo ortodoxo pasa por alto esta cuestión. Si el diafragma está demasiado tenso por hiperventilación y estrés, es necesario utilizar técnicas de relajación, mientras que un diafragma con una abertura debilitada requiere ser tensado. Afortunadamente, las técnicas de

respiración del yoga con enseñanzas específicas para la relajación cubren ambas facetas al tonificar el diafragma. El exceso de acidez es una posible causa de la hernia de hiato, al igual que la obesidad. La cantidad de grasa visible en la parte externa de un cuerpo a menudo se refleja en el interior, y la grasa de la cavidad abdominal empuja el estómago hacia arriba, fomenta el flujo del ácido en el sentido equivocado y fuerza el estómago a través del diafragma.

Puede ser necesario realizar una endoscopia si las molestias persisten después de un tratamiento ortodoxo sin éxito utilizando antiácidos, en particular carbonato de calcio con un compuesto denominado ácido algénico, que se sitúa por encima del ácido del estómago, de forma similar a las algas en una charca, y evita que el reflujo ácido toque las paredes del esófago gracias a la capa aceitosa.

Sólo se puede diagnosticar una hernia de hiato mediante una endoscopia, pero los síntomas que sugieren su presencia son los de la dispepsia (*véase* **Dispepsia**). Pueden utilizarse las siguientes recomendaciones si antes de realizar una endoscopia se sospecha que existe hernia de hiato.

RECOMENDACIONES

- *Aprenda una técnica de respiración yóguica y ejercicios de meditación.*

- *Si tiene sobrepeso, intente perderlo.*

- *No se incline. Es mejor procurar recoger las cosas flexionando las rodillas. Levante el cabezal de la cama colocando dos ladrillos debajo de las patas de la cama. Así se logra que la gravedad desplace el estómago y su contenido hacia abajo.*

- *Evite siempre que sea posible los antiácidos, y no use nada que contenga aluminio. El ácido algénico es un don del cielo para ataques nocturnos o agudos, y puede utilizarse hasta que otras técnicas den fruto.*

- *Utilice compuestos de Ulmus rubra o la propia Ulmus rubra en forma pura (una cucharadita mezclada en una pasta líquida con agua) antes de acostarse, después de las comidas y hasta un máximo de seis veces al día si siente molestias.*

Hernia directa (hiato) e Indirecta

Cuando existe una hernia directa (izquierda), los alimentos digeridos son devueltos por el estómago hacia el esófago. En una hernia indirecta, parte del estómago queda atrapado por encima del diafragma.

- El alcohol, el tabaco, la cafeína y los azúcares refinados aumentan la producción de ácido en el estómago y empeoran la hernia de hiato. Puede observarse intolerancia específica a los alimentos, y se recomienda diagnosticar posibles alergias alimentarias mediante análisis de sangre o biorresonancia. Estas alergias pueden debilitar la musculatura y ser la causa subyacente de la incapacidad del diafragma para actuar como una válvula efectiva.

- No cene tarde por las noches ni se acueste durante las 2 horas siguientes a haber ingerido alimentos. Si tiene costumbre de dormir la siesta, hágalo en posición incorporada.

- En casos graves se puede recurrir a la cirugía, cuando hayan fallado las recomendaciones previas y los tratamientos naturópatas y con fármacos ortodoxos. En tal caso, véase **Cirugía**.

INDIGESTIÓN

Véanse **Dispepsia** y **Úlcera péptica**.

INTOXICACIÓN ALIMENTARIA

El concepto de intoxicación alimentaria es muy amplio y poco utilizado por la profesión médica. Por lo general se debe a la ingesta de una bacteria del grupo de *Salmonella*, pero también puede estar causada por otras bacterias, virus, levaduras y hongos. Los síntomas pueden oscilar entre una náusea leve y vómitos graves, diarrea y dolor abdominal. La gravedad suele depender de la cantidad y el tipo de toxinas que las bacterias producen mientras están en el intestino.

La inflamación local puede deberse a las bacterias que afectan a las paredes, pero cualquier variedad de enfermedad sistémica, como la fiebre o el sarpullido, se debe a estas enterotoxinas. Los hongos en particular, incluidas las levaduras como *Candida*, pueden producir elementos químicos conocidos como aflatoxinas que tienen efectos tóxicos leves o graves que van desde fiebres hasta colapso nervioso y parálisis. Con frecuencia se puede asociar el síndrome de fatiga crónica a estas infecciones.

RECOMENDACIONES

- La prevención es el mejor tratamiento. No tome comidas que puedan haber estado sin refrigeración o haber sido preparadas en condiciones no higiénicas. Si tiene dudas tire la comida.

- La intoxicación alimentaria ocasiona muchos síntomas y es conveniente revisar todas las referencias a los diversos síntomas recogidos en este libro, como la fiebre, los vómitos y las diarreas.

- Si se conoce el agente causante, entonces se debe tomar cada 3 horas una preparación homeopática con una potencia 30 (por ejemplo, Salmonella 30 o Escherichia coli 30).

- Es importante beber al menos 1,5-2 litros de agua para ayudar al intestino a evacuar, mantener las toxinas diluidas y evitar la deshidratación.

- No olvide reponer las bacterias intestinales normales utilizando altas dosis de Acidophilus u otros suplementos de bacterias de yogur mientras dura la intoxicación o después de superada.

- Véase **Gastroenteritis**.

NÁUSEAS Y VÓMITOS

La náusea es la forma que tiene el cerebro de avisar que se ha ingerido algo que puede ser tóxico, como en el caso de intoxicación alimentaria, o que se está haciendo algo que puede resultar dañino. Cuando lo que dispara los niveles de adrenalina es la inmediatez de un examen, la advertencia es justa pero innecesaria. El mareo por movimiento o viaje es una advertencia innecesaria (*véase* **Mareo**). La náusea es el más frecuente de los síntomas precoces que envía el cerebro para avisarnos de la existencia de una situación incorrecta. Las enfermedades de cualquier parte del cuerpo o de muchos de los principales órganos, como los riñones, el hígado, el intestino o incluso el corazón, pueden ser anunciadas con náuseas. La presencia constante de náuseas puede indicar un cáncer. La obstrucción por estrechamiento, inflamación o tumor en cualquier parte del tracto gastrointestinal puede causar vómitos.

En principio, las náuseas o los vómitos pueden estar causados por cualquier toxina presente en el organismo, ya sea producida por un riñón o un hígado que no funcionan bien, por ingestión de una bacteria, por intoxicación alimentaria o por exceso de alcohol.

El vómito suele sugerir que el cuerpo ha llegado a un estado de intoxicación y que está intentando librarse de un elemento tóxico. Con frecuencia, los vómitos se asocian a sudor, otro proceso de eliminación, y pueden también acompañarse de la necesidad de orinar o defecar. Si la toxina está en el estómago o en la parte superior del intestino, los vómitos pueden resultar curativos, pero muy a menudo el tóxico se encuentra en el torrente sanguíneo, ha influido en los centros de vómito del cerebro y, por lo tanto, el vómito como tal no tiene una utilidad directa. Si se vomita sin causa obvia o si los vómitos persisten, es necesario acudir al médico de cabecera.

Otra de las causas más frecuentes de náuseas es un nivel bajo de azúcar en sangre. A menudo asociados al hambre, los niveles bajos de azúcar en sangre pueden desencadenar náuseas. Se trata de una auténtica paradoja, ya que las náuseas suelen reducir el apetito. Creo que la náusea es una forma más agresiva del cerebro de atraer atención sobre la necesidad de alimentos cuando han fallado las punzadas del hambre. La sensación de vómito inmediato no indica necesariamente un problema digestivo. Sin embargo, vaciar el contenido del estómago sí lo indica.

RECOMENDACIONES

- *Las náuseas o los vómitos sin causa evidente que se presentan de forma súbita, son copiosos o persistentes, requieren la consulta al médico de cabecera para descartar una causa grave.*

- *Una vez establecida la causa pueden utilizarse ciertas técnicas incluidas en la siguiente lista, pero el tratamiento principal debería estar orientado a la causa subyacente.*

- *Se puede beber, a una temperatura que resulte aceptable, una taza de agua hervida con 1,5 cm de raíz fresca de jengibre troceada.*

- *Se obtiene un gran efecto calmante bebiendo cada 15 minutos una combinación de dos cucharaditas de manzanilla con una de salvia y otra de romero por cada 500 ml de agua hirviendo.*

- *Los remedios homeopáticos Ipecacuanha, Nux vomica y Carbo vegetalis pueden ayudar a aliviar las náuseas. Pruebe uno de estos remedios con potencia 6 cada 10 minutos y, si no hay respuesta tras 3 dosis, pruebe con el siguiente.*

- *Existe un punto de acupresión que puede resultar muy beneficioso en casos de náuseas o vómitos. Coloque tres dedos por encima de la arruga de la muñeca. El tercer dedo cae sobre un punto sensible. Aplique presión sobre ese punto durante aproximadamente 1 minuto.*

- *Si las náuseas están asociadas al hecho de no haber ingerido alimentos durante varias horas o se presentan tras una comida muy dulce (se produce inevitablemente un descenso reflejo del nivel de azúcar en sangre o estado de hipoglucemia), coma una pieza de fruta y observe lo que ocurre.*

- *Establezca posibles relaciones con intolerancia o alergia alimentaria si las náuseas son esporádicas.*

- *Véase **Mareos** si es pertinente.*

- *Si las náuseas persisten a pesar de estas recomendaciones, consulte a un profesional de medicina alternativa.*

- *Los fármacos ortodoxos contra las náuseas deben utilizarse sólo cuando la dolencia no responde al tratamiento alternativo.*

OBSTRUCCIÓN INTESTINAL

Cualquier obstrucción que se produce en cualquier punto entre la garganta y el ano requiere la intervención de un especialista, a menos que se deba a un objeto extraño fácilmente alcanzable. Consulte las causas específicas en este libro, entre las cuales pueden estar un cáncer, un colon tóxico, un vólvulo (torsión del intestino) y una hernia. En niños y lactantes las causas más frecuentes son la invaginación y los objetos extraños.

Los síntomas son dolor e hinchazón, que habitualmente se presentan poco después de vomitar y, por supuesto, ausencia de motilidad intestinal. Si, además de estos síntomas, no es posible evacuar gases, debe sospecharse que existe algún trastorno.

RECOMENDACIONES

- *Es necesario visitar a un médico general en cuanto aparezcan síntomas de obstrucción intestinal.*

- *Consulte el apartado correspondiente de este libro para tratar la causa de la obstrucción.*

- *No pruebe ningún laxante, ya que sólo conseguirá empeorar las cosas.*

- *No coma ni beba nada hasta que se establezca el diagnóstico.*

- *Se pueden tomar los remedios homeopáticos Carbo vegetalis o Cinchona con potencia 6 cada 10 minutos hasta visitar a un médico. Después un homeópata cualificado debe elegir el remedio adecuado.*

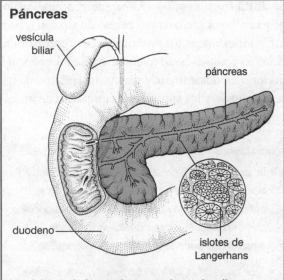

Páncreas

vesícula biliar

páncreas

duodeno

islotes de Langerhans

Los islotes de Langerhans producen insulina, hormona que controla los niveles de azúcar en sangre. El páncreas también fabrica enzimas que ayudan en el proceso digestivo.

PÁNCREAS

El páncreas es un órgano con forma de hacha que se encuentra en la parte superior del abdomen, por detrás del intestino delgado y del estómago.

Tiene dos funciones principales, ambas glandulares. Como glándula endocrina (secreción vertida en el torrente sanguíneo), el páncreas produce insulina a partir de células especiales conocidas como islotes de Langerhans. La insulina controla los niveles de azúcar en el torrente sanguíneo. Su función exocrina (producción de elementos químicos que *no* se vierten en el torrente sanguíneo) es producir enzimas digestivas que pasan al intestino delgado. Estos jugos descienden por los conductos pancreáticos y se unen al conducto biliar común antes de entrar en el duodeno.

El páncreas se encuentra en la parte del cuerpo con frecuencia denominada plexo solar. Está situado debajo de puntos principales de acupuntura a lo largo del vaso de la concepción, y está unido a un eje teórico que va desde la hipófisis hasta el útero y la próstata, pasando por el tiroides. Este eje es sensible, y un problema en cualquier órgano por el que pase puede ocasionar un problema en otro órgano del mismo eje. La gestación es muy buen ejemplo de la aparición de carencias tanto de tiroides como pancreáticas sin una razón ortodoxa. Por lo tanto,

estos problemas requieren un análisis desde el punto de vista de la energía profunda, además del análisis científico práctico.

Cáncer de páncreas

Es un cáncer muy grave porque produce las complicaciones características de la enfermedad maligna y también pancreatitis. El cáncer de la cabeza del páncreas puede obstruir el flujo de la bilis desde el hígado y la vesícula biliar y, por lo tanto, uno de sus primeros síntomas puede ser la ictericia.

RECOMENDACIONES

- *Véase* **Cáncer**.

- *Véase* **Pancreatitis**.

Pancreatitis

La inflamación del páncreas es una enfermedad muy grave. Puede dañar las células que segregan insulina y glucagón (hormona antiinsulina) y causar un caos metabólico. En casos más agudos, las células productoras de enzimas pueden romperse, liberar los jugos digestivos en el páncreas y causar una destrucción considerable. Por lo tanto, la pancreatitis se autoperpetúa y puede tener un desarrollo rápido. La pancreatitis es extremadamente dolorosa y de difícil tratamiento debido a este proceso. Por lo general desencadenada por exceso de alcohol o por infecciones víricas, los síntomas pueden consistir en el inicio gradual de un malestar en el abdomen superior o un dolor fuerte y repentino. Habitualmente las náuseas y los vómitos se acompañan de un letargo profundo.

RECOMENDACIONES

- *La pancreatitis debe ser diagnosticada y tratada por un médico. Además de los síntomas de la pancreatitis, existe un análisis de sangre específico para reconocer un compuesto denominado amilasa que permite establecer el diagnóstico.*

- *Siga al pie de la letra los consejos que le den los especialistas.*

- *Consulte con un profesional de medicina alternativa con experiencia en este campo para iniciar un tratamiento homeopático. Sólo debería permitirse tratar la pancreatitis con medicación a los naturópatas más experimentados.*

- *El páncreas está asociado al vaso de la concepción, por lo que cualquier forma de tratamiento puede resultar beneficiosa. Considere la posibilidad de realizar acupuntura inicialmente.*

- *El yoga y la terapia de polaridad afectan al almacén central de energía o chakras y resultan beneficiosos para esta enfermedad.*

PIROSIS

Véanse **Dispepsia** y **Úlcera péptica.**

PÓLIPOS DEL INTESTINO

Un pólipo es una masa redonda u oval que se proyecta a partir de la mucosa intestinal. Puede tener una base ancha, pero en general está unido a la mucosa por un pedículo. En algunos casos existe un rasgo genético, y entonces esta dolencia se denomina poliposis colónica familiar, y se caracteriza por la presencia de numerosos pólipos por todo el intestino. En la poliposis colónica los pólipos benignos se convierten inevitablemente en malignos, y en la actualidad se considera que el tratamiento ha de ser una colectomía total (extracción del

colon). La mayoría de los pólipos intestinales no son peligrosos, excepto en esta enfermedad. Los pólipos que se descubren en el colon mediante pruebas como la colonoscopia o los enemas de bario suelen extraerse debido al riesgo de que se vuelvan malignos.

Las pruebas diagnósticas suelen realizarse porque se encuentra sangre o moco en las heces o porque se produce un cambio en los hábitos intestinales. Los pólipos también pueden descubrirse por pura casualidad. Aunque no es usual, pueden crecer hasta obstruir el intestino y provocar síntomas de hinchazón, estreñimiento y distensión dolorosa.

La medicina holística considera que los pólipos intestinales se deben a una dieta pobre y a que el cuerpo corresponde al tipo con tendencia a la retención de toxinas en el organismo y a generar irritación de las células que después proliferan.

RECOMENDACIONES

- *Todo cambio de los hábitos intestinales o la presencia de sangre o moco hace que sea necesario visitar al médico de cabecera y al especialista.*

- *Lo mejor es extraer los pólipos, ya que pueden malignizarse.*

- *Un pólipo indica defectos en el estilo de vida y la dieta. Aumente la ingesta de fibra y de agua y reduzca el consumo de tabaco y de alimentos refinados.*

- *Se puede seguir un tratamiento homeopático o de hierbas e intentar eliminar los pólipos sin cirugía, pero entonces es necesario ponerse en manos de un herbolario con experiencia y de un homeópata que prescriba remedios según la constitución del paciente.*

- *Los pólipos suelen indicar tendencia a la contención y es necesario animar a la persona a realizar cambios para conseguir una personalidad más abierta y unas creencias espirituales más expansivas.*

- *Es necesario recibir cuidados médicos antes y después de la intervención quirúrgica (véase* **Cirugía***).*

PROBLEMAS DEL ESÓFAGO
Acalasia esofágica

En este trastorno se encuentran afectados los nervios que controlan el peristaltismo rítmico que permite el paso de alimentos a través del esófago y, como consecuencia, los alimentos quedan atascados en el esófago y causan dolor.

La medicina ortodoxa no ha determinado la causa específica de este síntoma aislado, aunque puede asociarse a problemas neurológicos graves, como la esclerosis múltiple o la enfermedad de la neurona motora. También puede relacionarse con una carencia de vitamina E.

Las filosofías orientales consideran que se trata de una pérdida grave de energía en el chakra de la garganta, normalmente causada por un bloqueo en los centros de energía inferiores. Con frecuencia se asocia a un estrés emocional importante, aunque puede estar muy oculto y requerir hipnoterapia para sacarlo a la luz.

Por sí misma, esta dolencia es molesta y causa dolor y halitosis (mal aliento), pero si no se trata la persona pierde el apetito y se produce malnutrición. El tratamiento ortodoxo incluye la exploración con papilla de bario y endoscopia, a menudo asociada a técnicas especiales de dilatación, a la sección de los músculos del esófago en su extremo inferior e incluso a la extracción de una parte del esófago. Antes de esto se recomienda tomar fármacos antiespasmódicos, que deberán utilizarse únicamente si han fallado las recomendaciones alternativas.

RECOMENDACIONES

- *La imposibilidad súbita o persistente de tragar o la aparición de dolor en el esófago requiere la consulta a un especialista de garganta o del sistema digestivo.*

- *La ingestión continuada de alergenos alimentarios (alimentos que no gustan al cuerpo) puede causar una reacción mente-cuerpo que hace que el esófago impida la entrada al sistema. Las pruebas de alergia alimentaria con biorresonancia o análisis de sangre pueden resultar apropiadas.*

- *Considere la posibilidad de que exista estrés subyacente, especialmente ira, y si no encuentra una causa evidente plantéese realizar hipnoterapia para hallar la causa y ayudar a relajar el espasmo de los músculos.*

- *El remedio homeopático Cimicifuga 6 cada 15 minutos puede ayudar en casos agudos. Pueden recomendarse potencias más altas, pero estas dolencias requieren tratamiento en manos de un profesional holístico competente.*

- *Si se necesita un tratamiento quirúrgico, véase* **Cirugía.**

Dolor en el esófago

El dolor en el esófago puede producirse simplemente por tragar un bolo sólido demasiado grande de alimentos, por ejemplo, un dulce hervido. El músculo del esófago se contrae, pero el dolor pasa rápidamente. Si se produce un desgarro o un corte, el dolor puede ser persistente. A diferencia de los desgarros en otras partes del cuerpo, el dolor a menudo se describe como un calambre. El dolor puede ser muy intenso e incluso simular problemas más graves, como un ataque cardíaco.

Si el dolor persiste sin razón aparente, es necesario investigar las causas, ya que esta molestia puede deberse a enfermedades como el cáncer. El espasmo del esófago puede producirse con ansiedad o reflujo esofágico persistente (*véase* más adelante).

RECOMENDACIONES

- *Si hay dolor del esófago sin una razón obvia, es necesario que un especialista de garganta o del aparato digestivo realice una exploración con un endoscopio.*

- *En caso de espasmo agudo pueden tomarse cada 15 minutos los remedios homeopáticos Magnesia phosphorica o Cuprum, ambos con potencia 6.*

Estenosis del esófago

La estenosis del esófago se presenta como dolor o imposibilidad de tragar. La acumulación de moco o de alimentos inmediatamente después de tragar comida o bebida puede ser un signo precoz. Las estenosis pueden ser agudas o deberse a un espasmo de esófago causado por haber tragado algo demasiado duro. Las estenosis más graves se producen como resultado de cáncer o de esofagitis refleja de larga duración secundaria a una hernia de hiato.

RECOMENDACIONES

- *Véase* **Disfagia**.

- *El malestar persistente o súbito requiere la visita a un especialista de garganta o del sistema digestivo.*

Reflujo esofágico

El reflujo de ácido del estómago hacia la parte inferior del esófago puede deberse a exceso de comida, pero en general se asocia a una hernia de hiato. Para el tratamiento de esta dolencia, *véanse* **Hernia de hiato** y **Reflujo ácido**.

PROLAPSO DEL ANO

Consiste en la extrusión de la parte inferior del tracto intestinal a través del esfínter anal. Esta enfermedad suele deberse a debilidad del ano por traumatismo o por una presión intraabdominal muy elevada. Hay infecciones graves, como el cólera, que pueden provocar una gran debilidad en los músculos, diarrea frecuente y prolapso. La presión por un tumor o la tensión debida a estreñimiento crónico pueden ocasionar prolapso del ano o incluso del recto.

RECOMENDACIONES

- *Si existe la mínima sospecha de prolapso del ano es necesario acudir a un médico.*

- *La compresión voluntaria del ano es un método para fortalecer el esfínter anal y puede aliviar un prolapso originado por una presión interna derivada de estreñimiento.*

- *Véase* **Hemorroides**.

REFLUJO ÁCIDO

El reflujo ácido se debe a la debilidad del estómago y de la musculatura del extremo inferior del esófago.

En la unión del estómago y el esófago no hay una válvula como tal, que sí existe por ejemplo en la vejiga o en el otro extremo del estómago, en su unión con el duodeno, y los músculos del esófago

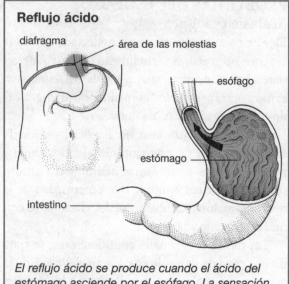

Reflujo ácido

El reflujo ácido se produce cuando el ácido del estómago asciende por el esófago. La sensación de ardor resultante se denomina pirosis.

actúan como válvula parcial. Si el ácido del estómago sube por el esófago se debe a una hernia de hiato (*véase* **Hernia de hiato**), a exceso de llenado del estómago o a que la grasa intraabdominal ejerce presión sobre el contenido del estómago.

Los síntomas suelen ser de sensación de ardor o, con menor frecuencia, de tirantez en la parte superior del abdomen o detrás del esternón. El ardor puede extenderse hasta la garganta.

RECOMENDACIONES

- *Véase* **Hernia de hiato**.

- *Consulte al médico de cabecera si los síntomas persisten.*

- *Está permitido el uso esporádico de antiácidos.*

- *Revise en un manual los remedios homeopáticos Nux vomica, Carbo vegetalis, Lycopodium y Arsenicum.*

- *La leche puede proporcionar alivio inmediato, pero estimula la producción de ácido y puede empeorar las molestias si se toma de forma constante.*

ÚLCERA DUODENAL Y DUODENITIS
Véase **Úlcera péptica**.

ÚLCERA GÁSTRICA Y EROSIONES
Véanse **Úlcera péptica** y **Dispepsia**.

ÚLCERA PÉPTICA

La palabra «péptico» deriva del término griego que significa «facilitar o pertenecer a la digestión». Es el término que designa la úlcera que se produce en las mucosas del estómago y del duodeno.

Por lo tanto, el tratamiento de las úlceras pépticas también incluye las úlceras gástricas, las duodenales y las precursoras de esta enfermedad: la gastritis y la duodenitis. Algunas inflamaciones y úlceras de esta área son «silentes» (no tienen síntomas), pero son poco frecuentes y suelen ser graves debido a que no se identifican con rapidez. La mayoría de las dolencias ulcerosas y preulcerosas de esta área se presentan como sensación de ardor en el abdomen superior que se extiende, en ocasiones, hasta la espalda. El dolor también puede extenderse hacia el pecho y dar síntomas similares a los dolores del corazón (lo contrario también es cierto y con frecuencia se descubre que síntomas que sugieren enfermedad intestinal provienen del corazón). Las úlceras silentes suelen deberse a una inflamación o erosión que no afecta a las terminaciones nerviosas. Estas úlceras pueden «comerse» los vasos sanguíneos y provocar hemorragias, que si son profusas generan vómitos de sangre (hematemesis) y, si no lo son tanto, heces de color negro y brillante denominadas melenas, causadas por la digestión de glóbulos rojos.

El estómago está recubierto de células que producen un moco espeso que protege la mucosa gástrica del ácido clorhídrico muy agresivo producido para desintegrar los alimentos. Si no se produce este moco o hay exceso de ácido, se desarrolla una inflamación y puede formarse una úlcera. El duodeno está recubierto por una fuerte solución alcalina que neutraliza las pequeñas cantidades de ácido que se liberan a través del esfínter pilórico, pero el intestino delgado también tiene una capa de moco protectora contra el fuerte componente alcalino de los jugos pancreáticos con el que entra en contacto. El exceso de acidez que pasa al duodeno supera estas medidas defensivas y, una vez más, causa inflamación y predisposición a la úlcera.

Con frecuencia se produce demasiado ácido clorhídrico como respuesta a una alergia o intolerancia alimentaria al alcohol, la cafeína, el tabaco y el exceso de adrenalina debido a estrés. Los daños en la mucosa protectora pueden producirse por cualquiera de las causas citadas, además de por exceso de comida o por alimentos picantes y especiados. La aspirina, los fármacos antiinflamatorios no esteroideos, los corticoides y otros medicamentos utilizados con menor frecuencia pueden predisponer a dolencias preulcerosas.

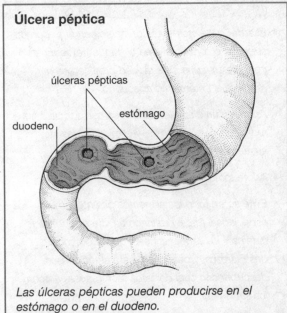

Úlcera péptica

úlceras pépticas

estómago

duodeno

Las úlceras pépticas pueden producirse en el estómago o en el duodeno.

Helicobacter pylori

Recientemente se ha asociado una bacteria específica, denominada *Helicobacter pylori*, a una mayor probabilidad de sufrir dolencias ulcerosas y preulcerosas. Lo cierto es que la mayoría de las personas que padecen una úlcera presentan *H. pylori* activa, pero no todas. Por el contrario, son muchas las personas portadoras de *H. pylori* que no tienen problemas ulcerosos. Por lo tanto, un profesional de la salud holístico no debería hacer caso de la insistencia del mundo ortodoxo que apoya la teoría del «germen» y entender que *H. pylori* puede exacerbar la situación, pero probablemente no es su causa. El tratamiento de *H. pylori* es efectivo, pero suele producirse recidiva si no se trata la debilidad subyacente o el problema dietético. Por supuesto, este hecho es favorable para la industria farmacéutica, que fomenta el uso frecuente y costoso de dos antibióticos con un poderoso antiácido.

RECOMENDACIONES

- El ardor o las molestias constantes en el abdomen superior, el tórax o el área circundante deberían considerarse una enfermedad preulcerosa que requiere el tratamiento adecuado.

- Anote en un diario los alimentos que asocia a las molestias para identificar y eliminar todas las sustancias culpables.

- Anote también los períodos de estrés.

- Evite sobre todo los alimentos picantes, muy especiados, fritos y refinados. Evite el alcohol, la cafeína y los azúcares hasta que la dolencia desaparezca, y después preste atención para descubrir con cuál de estos factores reaparecen los síntomas.

- A pesar de su valor nutritivo, deben eliminarse hasta que la afección haya desaparecido los alimentos de difícil digestión, como los vegetales crudos, los alimentos abrasivos, como las nueces y los cereales completos que no han estado en remojo, el pan integral y la avena.

- Procure tomar alimentos de más fácil digestión, como sopas, zumos de fruta diluidos, cereales en remojo, pescado y pollo. Cueza los vegetales durante más tiempo del normalmente recomendable.

- Evite la leche. Puede proporcionar alivio momentáneo por sus propiedades alcalinas, pero causa un efecto rebote en la producción de ácido, y la caseína de la leche es difícil de digerir, lo que también fomenta la producción de más ácido.

- Si las medidas anteriores no son efectivas, considere algunos de los siguientes tratamientos básicos:

a) Beba un vaso de zumo de calabaza recién exprimido antes de las comidas durante 2 semanas. Contiene vitamina P, que se ha demostrado que ayuda a curar las úlceras. No utilice esta técnica si tiene problemas de tiroides.

b) Tome los siguientes suplementos, cuya capacidad curativa para las membranas es bien conocida, en dosis divididas con las comidas (cantidades indicadas por kg de peso): betacaroteno, 150 mg, o vitamina A, 300 UI; vitamina E, 7 UI, y vitamina C amortiguada, 70 mg; tome también cinc, 350 mg/kg de peso, antes de acostarse.

c) Tome olmo rojo o compuestos que lo contengan siguiendo las instrucciones que lo acompañan (depende mucho del porcentaje del compuesto).

d) El regaliz tiene propiedades curativas y debería tomarse como se indica en las instrucciones.

e) Puede tomarse media pastilla de un compuesto para la indigestión mientras se llevan a cabo las medidas indicadas anteriormente, aunque, como ocurre con la leche, se produce un efecto rebote hiperácido. El zumo de áloe vera es calmante y no fomenta la producción de ácido clorhídrico.

f) La meditación y las técnicas de respiración asociadas que masajean suavemente el estómago son esenciales cuando el exceso de ácido está asociado a estrés.

- Si persiste el malestar o se produce alguna dificultad para respirar, es necesario acudir al médico, que puede remitir al paciente a un cirujano para que realice una gastroscopia o un estudio con bario. Este tipo de exploraciones debe considerarse sólo en situaciones agudas o en casos persistentes en los que las medidas anteriores no han dado resultado, ya que el tratamiento será inevitablemente antiácido, con fármacos como la ranitidina, la cimetidina o el omeprazol. Si se descubre H. pylori, se realiza un tratamiento triple: dos antibióticos y bismuto. Esta combinación puede resultar curativa, pero muchas veces no lo es por las razones expuestas anteriormente.

SISTEMA UROGENITAL

CANDIDA Y AFTAS

Las aftas son lesiones en la vagina que causan irritación y picor. Puede acompañarse de una secreción cremosa y caseosa, de color blanco o amarillo pálido que se adhiere con tenacidad a las paredes de la vagina. También puede producir un ligero olor a pescado, normalmente no producido por las aftas, sino por otros microorganismos. La intensa irritación puede hacer que la paciente se rasque, lo que causa hemorragia. *Candida* puede causar cortes superficiales que sangran.

Algunas mujeres notan varios síntomas o todos ellos cuando se acercan los días de la regla. La flora vaginal es sensible a los cambios de los niveles de estrógeno y progesterona.

Como se comenta más en detalle en el apartado sobre candidiasis, las aftas aumentan por un descenso de la flora vaginal normal. Los antibióticos, una dieta inadecuada, el exceso de azúcar blanco y una higiene insuficiente colaboran en la aparición de esta enfermedad.

Véase **Candidiasis.**

RECOMENDACIONES

- *Consulte a un médico general, una enfermera del centro de planificación familiar, una comadrona o un ginecólogo para establecer un diagnóstico definitivo.*

- *Vista ropas que no compriman en la ingle.*

- *Evite los azúcares refinados mientras dura la irritación.*

- *Pueden utilizarse cada noche durante 7 noches pesarios de árbol del té con lavanda o sin ésta.*

- *Si dispone de pesarios de caléndula y/o cúrcuma canadiense puede utilizarlos durante 3 noches sucesivas y después, al cabo de una semana, durante otras 3 noches.*

- *Evite los desodorantes y los jabones medicados en esa área o en general si toma baños.*

- *Adquiera una bolsa de irrigación o una jeringuilla de 50 ml. Mezcle una cucharada de vinagre de sidra en una taza de agua y utilice esa solución como irrigación cada noche antes de acostarse. Cada mañana debe realizar una irrigación con una cucharada de cultivo de yogur vivo bien mezclado en una taza de agua. Si no observa mejoría alguna al cabo de una semana, consulte a un profesional de medicina alternativa.*

- *Adquiera un remedio homeopático después de consultar con un homeópata y/o utilice fitoterapias tras consultar con un herbolario. Recurrir a la autoprescripción es dar palos de ciego, aunque se pueden revisar los remedios homeopáticos Sepia, Arsenicum album, Lilium tigrinum, Calcarea carbonica y Silica.*

- *A menos que fallen todas estas recomendaciones, evite los consejos dietéticos estrictos, ya que suelen entrañar problemas y no suelen ser eficaces.*

- *Si tiene que usar antibióticos, no olvide realizar las irrigaciones vaginales con cultivo de yogur como se ha descrito.*

- *Para conseguir alivio añada una taza de sal marina al agua del baño.*

- *Véanse* **Irrigaciones vaginales** *y* **Candidiasis.**

CÉRVIX

Cérvix o cuello es el nombre de la porción inferior del útero que prosigue con la vagina y contiene una abertura (el orificio externo del útero) por la cual entra el esperma en el útero en busca del óvulo.

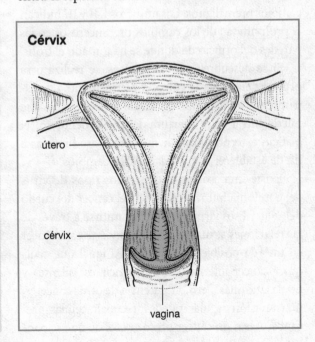

Cérvix

útero

cérvix

vagina

Biopsia en cono

Este procedimiento quirúrgico recorta un borde con forma de cono alrededor de la abertura del orificio externo del útero para eliminar los cambios precancerosos. Esta técnica ha sido superada por la terapia con láser y sólo se usa en ciertas circunstancias.

Cáncer de cérvix

El cáncer de cérvix es un tumor agresivo si no se trata, por lo que es esencial realizar de forma regular la prueba de Papanicolaou (que toma su nombre de un anatomista estadounidense), más conocida como citología o simplemente frotis vaginal. En general se recomienda realizar esta prueba cada tres o cinco años. Se trata de una decisión burocrática que no tiene una justificación médica. El cáncer puede presentarse de un día para otro, y esperar tres años para tener un diagnóstico puede resultar una decisión fatal. Recomiendo una citología cada año una vez que la mujer ha empezado a tener relaciones sexuales, y cada seis meses si en ese lapso de tiempo cambia de pareja sexual.

Según los cambios observados en las células del cérvix, el mundo médico reconoce células precancerosas y cancerosas. Las células precancerosas se subdividen también en células discarióticas (que al microscopio tienen un aspecto atípico pero no son cancerosas) y células correspondientes a neoplasia interstcial de cuello del útero (NIC) I, II y III con cambios premalignos. Los números I, II y III indican la profundidad de los cambios precancerosos en las paredes del orificio de donde se ha tomado el frotis.

Si se descubren células atípicas, se realiza otra prueba denominada colposcopia mediante un instrumento de exploración visual especializado que puede entrar en la abertura del cuello del útero (el orificio externo) y tomar muestras para biopsias a fin de establecer la gravedad de los cambios.

Existe una asociación entre dos tipos de virus del papiloma humano (VPH) y el cáncer del cuello del útero. Esos virus suelen transmitirse a través de las relaciones sexuales, lo que convierte este cáncer en uno de posible transmisión. Al igual que cualquier cáncer interno, con frecuencia es «silente» y no da síntomas. Pero, a diferencia de otros cánceres, una revisión regular puede descubrir células precancerosas o un cáncer precoz antes de que se convierta en un gran riesgo. Parece que recientemente se ha encontrado un gen específico que predispone a la mujer a tener cáncer de cuello del útero. Quizá durante los próximos años se realicen pruebas rutinarias de este gen para poder saber qué mujeres corren un mayor riesgo. Por esta razón el cáncer de cuello de cérvix es más frecuente en las mujeres sexualmente activas.

RECOMENDACIONES

- *Acuda a revisiones regulares y, si puede permitírselo económicamente, asegúrese de que el frotis es examinado también por un anatomopatólogo, además de por un técnico de laboratorio.*

- *Considere la posibilidad de utilizar un método anticonceptivo de barrera cuando cambie de pareja sexual.*

- *Las irrigaciones no frecuentes pero regulares (véase **Irrigaciones vaginales**) fomentan la salud del cérvix y ayudan en la lucha contra las infecciones víricas. Si se observan cambios consulte con un profesional médico cualificado en homeopatía. Siga también los consejos de su ginecólogo.*

- *Si se descubre un cáncer, véase **Cáncer**.*

Displasia

Displasia es el término médico utilizado para designar la presencia de células anómalas. No se trata de un trastorno precanceroso, aunque puede requerir exploraciones más frecuentes para confirmar que no se producen cambios precancerosos (*véase* **Cáncer de cérvix**).

Frotis cervicales (Papanicolaou)

Un frotis cervical es un procedimiento simple, aunque invasivo. El cérvix es una de las áreas donde más comúnmente se producen cambios cancerosos, por lo que su exploración está muy recomendada.

Creo que la recomendación de realizar un frotis cervical cada tres o cinco años es inadecuada pues es un período de tiempo demasiado largo. Un cáncer puede presentarse de un día para otro, y esperar tres años ciertamente permite la extensión de esta enfermedad. Las mujeres sexualmente activas deben someterse a la prueba de Papanicolaou cada año, y las mujeres que no han tenido o no tienen relaciones sexuales deben someterse a esta investigación cada 18 meses. Después de la menopausia es aceptable realizarla cada dos años. Recomiendo efectuar un frotis cervical al cabo de tres o cuatro meses de cambiar de pareja sexual. Las mujeres que tienen más de una pareja sexual deben someterse a esta prueba cada seis meses.

Incompetencia cervical

El cérvix es la porción inferior del útero que se continúa con la vagina. En el centro del cérvix está la abertura denominada orificio externo del útero, que permite el acceso del esperma hasta los óvulos que descienden por la trompa de Falopio hacia la matriz. El orificio externo del útero suele estar cerrado, excepto en el momento del parto y cuando se encuentra bajo el control nervioso y hormonal propio de las relaciones sexuales.

La incompetencia cervical puede producirse por razones traumáticas y consiste en que el cuello externo del útero está constantemente abierto y laxo. Ello no supone un problema hasta que la mujer desea quedar embarazada, ya que en ese caso el orificio externo del útero permeable (abierto) puede permitir que el producto de la concepción caiga fuera del útero.

RECOMENDACIONES

- *Si le indican que su cérvix es incompetente, debe buscar la opinión de un ginecólogo. El único tratamiento ortodoxo existente es el quirúrgico, que consiste en colocar un punto de sutura Shirodkar alrededor de la obertura y apretarlo.*

- *Al igual que para cualquier intervención quirúrgica, veáse* **Cirugía**.

Neoplasia intersticial cervical

La neoplasia intersticial cervical (NIC) es un cambio precanceroso en el cérvix. Los frotis cervicales deberían identificar estos cambios, que tienen más probabilidades de convertirse en cancerosos que la displasia, y que deberían recibir el tratamiento adecuado.

La NIC se divide en los grupos I, II y III, que no indican la gravedad de los cambios, sino simplemente la profundidad a la que llegan las células precancerosas en las paredes del orificio externo del útero.

RECOMENDACIONES

- *Es conveniente que los cambios precancerosos sean controlados por un profesional de medicina alternativa con experiencia en esta área.*

- *Si no se produce una reducción en el número de NIC, por ejemplo, de NIC III a NIC II, al cabo de 2 meses de tratamiento médico alternativo, hay que considerar la posibilidad de realizar un tratamiento ortodoxo mediante láser. Si se produce un cambio, entonces continúe con el tratamiento y repita las pruebas.*

- *Para evitar esta situación, en primer lugar, y por supuesto si se ha diagnosticado enfermedad por NIC, es aconsejable utilizar preservativos o un diafragma en las relaciones sexuales.*

- *Comente con su profesional médico de confianza la posibilidad de utilizar antioxidantes de alta dosis y de llevar una dieta sana.*

- *Véase* **Irrigaciones vaginales**. *Sustituya el vinagre de sidra por una cucharadita de extractos líquidos de árnica y caléndula.*

Pólipos cervicales

Los pólipos son crecimientos excesivos de la mucosa; los que sobresalen a través de la abertura cervical se denominan pólipos cervicales. Tienen una posibilidad ligeramente mayor de convertirse en cancerosos que cualquier otra parte de la mucosa, y pueden sangrar, lo que causa preocupación.

Los pólipos cervicales suelen descubrirse en exploraciones de rutina, porque acostumbran ser asintomáticos. Los ginecólogos y los médicos de cabecera tienden a sugerir la extracción quirúrgica, posibilidad que sólo debería considerarse si las técnicas médicas alternativas no consiguen resolver el problema. Se cree que los pólipos son un exceso de humedad en el cuerpo, y con frecuencia se obtiene mejoría con una dieta correcta, tratamiento homeopático y fitoterapia.

RECOMENDACIONES

- *Obtenga la opinión de un ginecólogo, pero deje la cirugía como último recurso.*

- *Consulte a un profesional de medicina alternativa con experiencia en esta área.*

- *Comente con su profesional médico de confianza la posibilidad de seguir una dieta baja en azúcares y compruebe que no existe deshidratación. Considere el empleo del remedio homeopático Thuja 30, 3 veces al día durante 2 semanas, o mejor busque asesoramiento con un homeópata.*

- *Considere la dieta de Hay (véase capítulo 7).*

- *Las medicinas ayurvédica, tibetana y china pueden tener éxito en la eliminación del exceso de humedad que origina los pólipos.*

- *Si estas recomendaciones no solucionan el problema, considere la posibilidad de cirugía, ya que un pólipo puede representar un aumento del riesgo de cáncer de útero.*

COITO (DOLOROSO)

Véase **Dispareunia.**

DISPOSITIVO INTRAUTERINO (DIU)

Un médico o ginecólogo es el encargado de colocar estos dispositivos anticonceptivos de múltiples formas en la cavidad del útero. Los DIU generan una leve respuesta inflamatoria al irritar la capa interna del útero, que crea un entorno en el que no es probable que el óvulo fertilizado se implante. Así, el óvulo fertilizado pasa a través del cérvix o es expulsado con la siguiente regla, aunque la naturaleza puede superar esta inflamación y producirse el embarazo.

Es importante señalar que si la doctrina religiosa o las creencias personales no permiten la interrupción voluntaria del embarazo, entonces no debería considerarse como opción esta forma de anticoncepción.

Hay otras razones por las cuales debería usarse un DIU como último recurso. Con la inserción de un DIU pueden introducirse infecciones en el útero o formarse alrededor de este objeto extraño. Si la infección desciende por las trompas de Falopio

Dispositivo intrauterino

Hay diferentes diseños de DIU. En este dibujo se muestra uno de cobre «7». Actúan inhibiendo la implantación del óvulo fertilizado en el útero.

Dispositivo intrauterino colocado

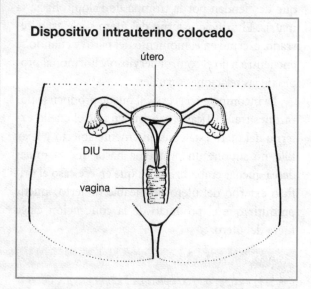

puede bloquearlas y provocar esterilidad. Con frecuencia no se recomienda la inserción hasta que la mujer ha tenido todos los hijos que desea.

Una preocupación frecuente de los profesionales de medicina alternativa, aunque rechazada por la medicina ortodoxa, es el uso de cobre en los diafragmas. Este material fomenta la respuesta inflamatoria, pero puede hacer que el sistema absorba cierta cantidad de ese metal. La intoxicación por cobre puede conducir a enfermedades musculares y neurológicas tan graves como la epilepsia. No existe ninguna prueba científica que sugiera que un diafragma ocasione niveles tan tóxicos, pero pueden aparecer efectos menores que pasan inadvertidos.

RECOMENDACIONES

- *Sólo debería considerarse el DIU como método anticonceptivo una vez que la mujer ha tenido todos los hijos que desea.*

- *Insista en que le pongan un DIU que no sea de cobre.*

- *Cambie el DIU cada 2 años.*

ENFERMEDAD RENAL

Los riñones son el sistema de filtración del torrente sanguíneo, además de ser los productores de las hormonas que controlan la cantidad de glóbulos rojos elaborados y el nivel de presión arterial. El sistema de filtración equilibra el contenido de agua y electrólitos (elementos químicos con carga positiva y negativa, como el potasio, el calcio y el sodio) y, por lo tanto, controla los niveles de hidratación, la presión arterial y la excreción de toxinas. Se trata de un milagro de la evolución, especialmente si se tiene en cuenta que es un órgano que cabe cómodamente en una mano.

Por alguna razón, con el paso de las ideas orientales a las occidentales, el almacén de energía del cuerpo ha quedado etiquetado como el meridiano o «la energía del riñón». La función orgánica de los riñones y la filosofía oriental de «la energía del riñón» no son compatibles, pero, a pesar de todo, quienes siguen los principios del flujo de energía utilizan a menudo este término. Cuando un profesional de medicina alternativa dice que el paciente tiene la energía del riñón débil o en exceso, no implica necesariamente que exista una enfermedad en este órgano. No obstante, cabe señalar que una enfermedad en cualquier órgano puede dejar a la persona cansada, pero la incapacidad funcional de los riñones parece generar una debilidad mucho mayor dentro del conjunto del organismo que la causada por la mayoría de los restantes problemas orgánicos.

Glomerulonefritis

La glomerulonefritis es una enfermedad inflamatoria del riñón que afecta a los glomérulos (parte del sistema de filtrado). Los síntomas varían: sangre en la orina, retención de agua, hipertensión arterial y dolores de cabeza en una inflamación aguda, o ausencia total de síntomas mientras el proceso va dañando los riñones de forma lenta pero irreversible.

**Riñones.
Posición en relación con otros órganos**

esófago

hígado

riñones

páncreas

estómago

intestino delgado

intestino grueso

vesícula biliar

Los riñones actúan como sistema de filtración, eliminando las toxinas del torrente sanguíneo junto con el exceso de agua. También mantienen el equilibrio ácido base de la sangre y controlan los niveles de sales y minerales.

RECOMENDACIONES

- *Un signo delator es la presencia de sangre o espuma en el retrete al orinar que no se disuelve al cabo de 60 segundos (causada por proteínas en la orina). La visita al médico es urgente.*

- *Si la retención de agua o el edema persisten o si se descubre que la presión arterial es elevada, el médico pedirá un análisis de orina porque puede contener proteínas y sangre, aunque éstas no sean visibles.*

- *Esta enfermedad puede causar daño renal permanente y no debería tratarse sin el asesoramiento de un experto. Tras un tratamiento o asesoramiento inicial con un especialista ortodoxo, comente la cuestión con un profesional de medicina alternativa con experiencia en este campo.*

- *Considere la posibilidad de consultar a un homeópata, un experto en nutrición o un herbolario antes de tomar un tratamiento ortodoxo, que puede incluir antibióticos y corticoides. Junto con esos fármacos es necesario seguir un tratamiento naturópata en manos de un especialista cualificado en medicina complementaria, de forma que incluso puede evitarse el uso de fármacos ortodoxos.*

Infección de los riñones
Véase **Pielonefritis**.

Inflamación de los riñones
Véase **Glomerulonefritis**.

Insuficiencia renal
La insuficiencia renal es una enfermedad extremadamente grave que requiere atención médica de urgencia. La medicina alternativa sólo puede ser útil como apoyo a los procedimientos técnicos del hospital más cercano con instalaciones para tratar una emergencia como ésta. Si los riñones dejan de funcionar, el metabolismo del organismo se desequilibra al cabo de unas dos horas y la muerte se produce pasados dos o tres días.

Los síntomas de insuficiencia renal son náuseas, vómitos, mareo, confusión, retención de agua, dolores de cabeza, diarrea, picor cutáneo y finalmente coma. Estos síntomas se deben a cambios metabólicos y a la incapacidad de excretar los productos de desecho naturales del metabolismo normal. La orina toma su nombre de su principal componente, la urea, que es un compuesto que contiene nitrógeno y que se deriva básicamente de la descomposición y utilización de las proteínas. Un aumento de la cantidad de urea en la sangre genera una enfermedad conocida como uremia, que es tóxica para el funcionamiento del sistema nervioso y del cerebro.

Insuficiencia renal aguda
Una caída súbita de la presión arterial, habitualmente causada por un traumatismo o por dilatación de los vasos sanguíneos periféricos después de una ingestión tóxica, causa insuficiencia renal aguda súbita. Una causa menos frecuente es el bloqueo de la uretra por una piedra, tumor o traumatismo, que provoca un flujo retrógrado de orina hacia la uretra y los riñones. Este flujo conduce a una dilatación grave y necrosis por presión. Una infección grave puede también hacer que los riñones dejen de funcionar de forma súbita.

Insuficiencia renal crónica
La insuficiencia renal crónica puede presentar todos los signos y síntomas mencionados antes, pero tiende a desarrollarse más lentamente. Una obstrucción parcial puede producir una hidronefrosis parcial, pero una infección recidivante o los tumores de crecimiento lento también pueden causar este problema. La diabetes o la presión arterial alta no tratadas o no diagnosticadas alteran el flujo sanguíneo hacia los riñones y, de forma lenta pero segura, conducen a insuficiencia renal.

El inicio insidioso de la insuficiencia renal crónica crea un desequilibrio electrolítico y, por lo tanto, genera nuevas enfermedades o empeora las ya existentes. La incapacidad del organismo para controlar sus niveles de sodio hace que aumente la presión arterial y que el calcio y el hierro se depositen por todo el sistema porque el riñón no puede eliminarlos. Como ya se ha comentado, el riñón también funciona controlando directamente la presión arterial mediante una hormona denominada angiotensina. Otra hormona, denominada eritropoyetina, es un mecanismo de control de la cantidad de glóbulos rojos elaborados. La hipertensión arterial y la anemia son dos de las enfermedades más frecuentes asociadas a insuficiencia renal.

RECOMENDACIONES

- *El médico de cabecera debe diagnosticar la insuficiencia renal, ya sea aguda o crónica. Es necesario seguir el tratamiento médico ortodoxo.*

- *Utilice las técnicas médicas complementarias o alternativas dependiendo de las causas subyacentes, sus síntomas y tratamientos.*

- *Consulte las recomendaciones para prevenir la formación de piedras en el riñón.*

- *No subestime la rapidez con que puede deteriorarse un problema del riñón, y no intente tratar la insuficiencia renal sin la guía de un experto en medicina complementaria. Homeópatas, herbolarios y expertos en nutrición con cualificación médica son los únicos que deben establecer el tratamiento inicial.*

- *Se puede utilizar la acupuntura y la sanación después de contar con la atención médica ortodoxa adecuada.*

- *Si se diagnostica una insuficiencia renal aguda, utilice el remedio Aconitum 30 cada 20 minutos durante las 2 primeras horas, y después cada 4 horas hasta que un profesional haya elegido el remedio homeopático adecuado.*

- *No dude en utilizar la diálisis renal. Quizá sea necesario que acuda al hospital para conectarse a una máquina concreta, pero hoy en día se están utilizando máquinas pequeñas especiales de uso domiciliario, tras proporcionar al enfermo información sobre cómo conectarse cada 6 u 8 horas. Este proceso se conoce como diálisis ambulatoria.*

- *Los dietistas o expertos en nutrición que trabajan junto con la unidad renal le recomendarán dietas específicas. Siga esas directrices de forma estricta, incluso si contradicen su dieta preferida o previamente recomendada.*

- *Insuficiencia renal terminal es el horrible término utilizado para describir claramente esta enfermedad. Lamentablemente, el 75% de los que padecen insuficiencia renal crónica fallecen, excepto que se pueda realizar un trasplante. La diálisis sólo puede utilizarse unos cuantos años, ya que algunas toxinas no se pueden eliminar y no es posible simplemente sustituir las funciones del riñón. El uso del remedio homeopático Arsenicum album 30, 4 veces al día, facilita el paso de esta vida a la próxima.*

Piedras en el riñón (cálculos renales) y cólico renal

El dolor súbito y grave, a menudo descrito como insoportable, que se presenta en cualquier punto entre la región lumbar, en los costados y hasta en la ingle o la vagina, el pene o los testículos, puede ser un cólico renal. Lo más probable es que se deba al paso de una piedra, que suele estar compuesta de calcio, ácido oxálico o úrico y fosfatos. Estos compuestos suelen estar en solución, pero un cambio en el estado ácido-alcalino de la orina o la presencia de un cuerpo extraño pueden hacer que precipiten y comiencen la formación de una piedra o «cálculo». Si la piedra es pequeña sale del riñón, baja hacia la uretra, entra en la vejiga y se elimina por la orina, pero si se aloja en uno de los estrechos túbulos del riñón crece lentamente.

Un cálculo que se forma dentro del riñón puede crecer mucho antes de causar problemas, e incluso éstos pueden pasar inadvertidos porque la presión, si bien destruye ese riñón, no tiene efecto alguno sobre el otro, que se ocupará de la filtración del cuerpo sin preocuparse por su compañero. Sin embargo, si una piedra se traslada, llega a la uretra, que es un punto de paso muy sensible. Se puede comparar el dolor al causado por una piedrecita desplazándose por el ojo.

Este fuerte dolor se asocia a náuseas o vómitos, debilidad generalizada y signos característicos de los problemas del riñón. Se considera que el 6% de la población occidental desarrollará en algún momento piedras en el riñón, porcentaje mucho más alto que en otras partes del mundo. La conclusión inevitable es que existe una asociación entre los cálculos y algún aspecto del estilo de vida occidental, aunque los especialistas ortodoxos no quieren ni oír hablar de que haya relación con la dieta. Esta postura es debida a que se han realizado un par de estudios eliminando los principales alimentos que contienen calcio y ácido úrico, sin que se apreciara una diferencia evidente. Resulta obvio que no se puede producir diferencia alguna si no se tienen en cuenta otros factores, como la deshidratación, las deficiencias y la intoxicación por metales pesados. Los estudios han demostrado que los vegetarianos tienen menor riesgo de desarrollar piedras, al igual que los que ingieren poca azúcar (la insulina cumple un papel muy importante en los niveles de calcio mediante vías metabólicas indirectas) y tienen niveles bajos de ácido cítrico (presente en naranjas, uvas, limones y limas). Un exceso de ingestión de leche y de alimentos alcalinos, incluidos los antiácidos, puede causar la aparición de piedras. Se conoce esta enfermedad como síndrome leche-alcalinos. El exceso de vitamina D (frecuente en países como

Estados Unidos, que enriquecen la leche con vitamina D) entraña también un riesgo, ya que así se aumenta la absorción de calcio, con lo que se incrementa el calcio urinario.

Son varias las enfermedades médicas graves que pueden causar exceso de secreción de calcio, oxalato y ácido úrico, y todas ellas deben revisarse si se expulsa una piedra.

RECOMENDACIONES

PARA UN ATAQUE AGUDO

- Si se produce un dolor súbito insoportable y se sospecha que puede tratarse de una piedra, no olvide orinar con un cedazo para recoger el cálculo.

- Visite a su médico de cabecera, preferiblemente con la piedra eliminada. Si la piedra aún no ha salido del cuerpo, es preferible ingresar en el hospital para conseguir el alivio adecuado del dolor. Es necesario realizar investigaciones metabólicas completas y radiografías, incluidas las que utilizan contrastes opacos especiales, para confirmar que la piedra que se elimina no formaba parte de un cálculo más grande.

- Deben alternarse cada 10 minutos los remedios homeopáticos Aconitum e Hypericum, ambos con potencia 6, hasta eliminar la piedra o hasta aliviar el dolor de forma adecuada, normalmente mediante una inyección de petidina.

- Se puede obtener mejoría mediante un paño de aceite de castor colocado en la parte frontal, lateral y posterior del lado que duele. Vale la pena recordar que cualquier dolor que se presente entre el riñón y la punta de la uretra puede ser el reflejo de la piedra que está en algún punto del recorrido. El cerebro no identifica el punto exacto del dolor urogenital.

- Para ayudar a la curación del riñón y la uretra se debe tomar betacaroteno y vitamina C según se indica a continuación: betacaroteno, 150 mg/kg de peso, y vitamina C, 30 mg/kg de peso, en dosis divididas con las comidas.

- Se puede mejorar considerablemente el cuadro tomando tinción de lobelia (3 gotas en agua caliente) cada hora. Para aliviar el dolor se puede tomar un té preparado con hojas de gayuba. Además, este té actúa como diurético suave. No olvide tomar mucha agua.

- Una piedra puede alojarse en la uretra debido a un espasmo. Hace 4.000 años los egipcios ya usaban una hierba conocida como kella en el tratamiento de las piedras de riñón. La dosis depende de la pureza, y es mejor que la prescriba un herbolario. Los productos de áloe vera, que pueden reducir el tamaño de una piedra si se toman en cantidad suficientemente elevada para no causar diarrea, son más fáciles de encontrar.

- Si con kella, áloe vera y una gran ingesta de agua no se consigue eliminar la piedra, la medicina ortodoxa sugiere eliminarla usando un dispositivo uretral en forma de canasta. Se trata de un instrumento que se introduce en la vejiga a través de la uretra y sube por el uréter. Al llegar al nivel de la piedra se lanza una pequeña red de nilón que la rodea. Al apretar y retirar la red, ésta se lleva el cálculo. Hoy en día este método ha sido superado por los ultrasonidos, que hacen añicos la piedra, aunque éstos no existen en todos los hospitales.

RECOMENDACIONES

PARA PREVENIR LA FORMACIÓN DE PIEDRAS

- Las probabilidades de desarrollar una piedra o de que ésta vuelva a formarse aumentan si no se introducen los siguientes cambios en el estilo de vida.

- Asegúrese de que se analiza el tipo de piedra que ha expulsado, ya que la recomendación de las restricciones dietéticas depende del tipo de compuesto que ha ocasionado el cálculo.

- Elimine de la dieta los alimentos que contienen muchas proteínas, grasas y azúcar refinado. Elimine también la cafeína, el alcohol y los refrescos comerciales, que suelen contener ácido fosfórico.

- *No cocine con sartenes de aluminio.*

- *Evite las acelgas, las espinacas, las nueces, la col y el ruibarbo. Especial atención merecen los arándanos y las semillas de sésamo, ambos considerados «sanos» para los problemas de riñón, pero contraindicados en caso de cálculos renales.*

- *Se puede reducir el ácido oxálico con vitamina B$_6$, 50 mg/kg de peso, y magnesio, 3 mg/kg de peso, en ambos casos en dosis divididas a lo largo del día.*

- *Si la piedra contiene calcio, aumente el consumo de salvado de trigo, maíz, patatas, plátanos, aguacate, arroz integral, productos de soja, avena y centeno. Todos estos productos tienen una alta proporción magnesio/calcio.*

- *Asegúrese de que no está tomando regularmente compuestos de vitamina D y compruebe cuáles de los alimentos que toma están enriquecidos.*

- *Tome la dosis diaria recomendada del producto elegido.*

- *Comente con un profesional de la medicina alternativa cuáles son las dosis correctas de vitamina B$_6$, vitamina K, ácido glutámico, magnesio y potasio.*

Pielonefritis

La pielonefritis es una infección del riñón y el término deriva de «nefrona» (la diminuta unidad estructural del riñón que filtra) y «pielo» (que significa pelvis). Una infección aguda puede estar causada por una infección bacteriana de la vejiga, por invasión del riñón a través del torrente sanguíneo o por un traumatismo. En la pielonefritis crónica el cuadro es el mismo, pero suele estar causado por bacterias menos agresivas y simplemente constituye una prolongación de la infección inicial. La pielonefritis crónica puede producirse repetidamente, a causa de debilidad en las válvulas del extremo vesical de la uretra, que permite a las bacterias desplazarse hacia arriba.

Los síntomas son cansancio y dolor en la región lumbar, por lo general unilateral, pero a veces bilateral. Con frecuencia la fiebre sube y baja y es característica la presencia de escalofríos incontrolados. La infección de riñón suele asociarse a cistitis, por lo que con frecuencia se produce micción dolorosa y aparece sangre en la orina (*véase* **Cistitis**).

RECOMENDACIONES

- *Los riñones resultan dañados con mucha facilidad y, si no se instaura tratamiento, puede producirse insuficiencia renal. Siempre debe considerar una opinión médica, que probablemente recomendará el uso de antibióticos. La atención médica complementaria apropiada debe tener como objetivo prevenir los efectos de los antibióticos o que la enfermedad se convierta en crónica.*

- *Lleve una muestra de orina a su médico de cabecera para que realice un cultivo, así como los análisis microscópico y de sensibilidad.*

- *Mientras espera los resultados del análisis de sensibilidad, mantenga una buena hidratación. Empiece a tomar antibióticos si tiene dolor en los riñones mientras espera el resultado del informe sobre la muestra de orina. Beba 1,5-2 litros de agua a lo largo del día.*

- *Siga las recomendaciones para la cistitis (véase* **Cistitis***).*

- *Mientras espera el resultado de las investigaciones sobre la orina, tome Aconitum 6 cada 2 horas. Se puede elegir un remedio más específico consultando un manual de homeopatía.*

- *Repase las recomendaciones para prevenir la formación de piedras en el riñón.*

Síndrome nefrótico

El síndrome nefrótico se caracteriza por el hallazgo de proteínas en la orina y, consecuentemente, de niveles bajos de proteínas sanguíneas, que causan tendencia al edema (retención de agua en los tejidos). Otros hallazgos son los niveles altos de grasa en sangre. Con frecuencia no hay síntomas, y otras pruebas, incluida la presión arterial, son normales. Esta enfermedad traduce un daño en el riñón, que permite la pérdida anormal de proteínas.

El síndrome nefrótico puede ocurrir sin razón aparente durante la gestación, pero en pacientes no gestantes probablemente se asocia con una infección asintomática o una ingesta tóxica, como los elementos químicos, los aditivos, los contaminantes, el tabaco, el alcohol y otras drogas.

RECOMENDACIONES

- *Esta enfermedad suele diagnosticarse mediante un análisis de orina simple, y el médico que lo realiza puede también solicitar pruebas renales, porque las proteínas de la orina pueden indicar la existencia de enfermedades más graves, como infección o tumores. Es importante descartar cualquier otra enfermedad.*

- *Siga al pie de la letra los consejos de un especialista en el sistema urinario. Hoy en día se debate si se debe seguir una dieta alta o baja en proteínas. Independientemente de la opinión que defienda su médico, las proteínas ingeridas deberían estar libres de pesticidas.*

- *Véanse las recomendaciones para prevenir la formación de piedras en el riñón.*

HERPES GENITAL
Véase **Herpes**.

ORINA Y MICCIÓN

La orina es el producto del paso de la sangre por los riñones, que actúan como sistema de filtración y extraen casi todas las toxinas. La orina es básicamente agua con diversos minerales y compuestos conocidos como electrólitos, entre los que se encuentran el sodio, el potasio, el hidrógeno y el cloruro. En su intento por mantener la sangre con un nivel equilibrado entre acidez y alcalinidad, los riñones sacrifican estos compuestos, más que los minerales como el calcio, el magnesio y los sulfatos. La orina recibe su nombre por la presencia de urea, un producto nitrogenado de desecho del metabolismo de las proteínas.

La orina elimina el ácido que el cuerpo suele producir en sus vías metabólicas, y por ello acostumbra a ser levemente ácida. Éste es un factor importante porque muchas bacterias prefieren un entorno ácido, y cambiar el pH para que sea más alcalino puede constituir un tratamiento efectivo para los problemas urinarios y de vejiga.

La micción es la salida de este producto de desecho, que puede llegar a ser entre 1 y 2,5 litros en 24 horas en un adulto sano y normal. Cuanto más bebemos y más diuréticos tomamos en forma de cafeína, alcohol y azúcares refinados, más orinamos.

La necesidad de orinar es controlada por los receptores de estiramiento que se encuentran en la pared de la vejiga. Si ésta está llena, el estiramiento de dichas neuronas supera el umbral y se envía un mensaje al cerebro que dice «vaciar». La conciencia registra malestar y la persona en cuestión se dirige al lavabo. Los receptores de estiramiento reciben no sólo la influencia de la presión dentro de la vejiga sino también de la presión externa. Cualquier «bulto» en la pelvis inferior puede desencadenar el deseo de orinar. La gestación, el crecimiento de la próstata y la obesidad son factores frecuentes. Si el recto o el colon sigmoideo inferior están llenos, pueden ejercer presión, al igual que una próstata dilatada. Algunas causas más graves incluyen el daño nervioso por enfermedades como la esclerosis múltiple y los tumores, sean benignos (como los fibromas del útero) o cancerosos.

La uretra tiene nervios sensibles que, si se irritan, pueden enviar impulsos al cerebro recomen-

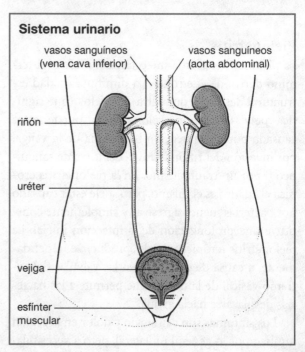

Sistema urinario

vasos sanguíneos (vena cava inferior)

vasos sanguíneos (aorta abdominal)

riñón

uréter

vejiga

esfínter muscular

dando la micción. La intención es que el flujo de orina pase por encima del área irritada para intentar eliminar con el lavado cualquier agente causante.

RECOMENDACIONES

- *Si bien el deseo excesivo de orinar suele indicar una dolencia leve, puede señalar la existencia de enfermedades metabólicas como la diabetes o una afección pélvica, y requiere siempre la opinión del médico de cabecera.*

- *Consulte el apartado correspondiente de este libro una vez determinada la causa subyacente.*

Calidad de la orina

La orina debería tener color amarillo. La presencia de cualquier opacidad (turbidez) o un color más oscuro o rojizo constituye una anomalía. El color y la densidad (grado de concentración) dependen de los alimentos ingeridos. La orina de las personas que toman vitaminas del complejo B puede tener un color amarillo mucho más oscuro o incluso anaranjado claro. La razón del cambio de color debe ser obvia. De lo contrario, cabe suponer que la orina contiene sangre, lo que supone una enfermedad. La orina que no tiene color está demasiado diluida, y suele deberse al uso de diuréticos como el alcohol y la cafeína. Siempre que la razón de esta falta de color sea evidente, no es necesario tomar medida alguna.

RECOMENDACIONES

- *Si se produce un cambio en el color de la orina que no tiene una relación directa con un cambio dietético, es necesario consultar a un médico.*

- *El mínimo rastro de sangre rosa, marrón o anaranjada en la orina supone que existe una hemorragia en el tracto urogenital y que hay que investigar las diferentes posibilidades.*

- *Tome una muestra de la primera orina de la mañana y refrigérela si la visita al médico no se ha de producir dentro de las siguientes 3 horas. En cualquier caso, recoja la siguiente muestra de orina si observa cualquier anomalía.*

- *Ante la posibilidad de que exista sangre en la orina, y hasta que se establezca el diagnóstico definitivo, tome el remedio Phosphorus 6, una dosis cada hora.*

Debilidad del chorro urinario

La debilidad del flujo de orina indica que los nervios que llegan o salen de la vejiga están dañados. También puede indicar obstrucción parcial, que puede deberse al desarrollo de una estenosis, una inflamación o un tumor. Sin embargo, en los varones esta debilidad suele asociarse a crecimiento de la próstata, que causa estrechamiento de la luz de la uretra.

RECOMENDACIONES

- *Es necesario prestar atención a cualquier posible causa de flujo débil. Si no está seguro, consulte al médico o al especialista en urología.*

- *No olvide tratar la causa subyacente siguiendo las instrucciones del apartado correspondiente de este libro.*

Incontinencia

La incapacidad para retener la orina se denomina incontinencia. La combinación de una vejiga excesivamente llena y un aumento de la presión abdominal debido a un estornudo o al hecho de reír puede causar incontinencia natural. Hay que prestar especial atención a la micción si un ligero aumento de la presión abdominal debido a tos, risa o estornudo provoca pérdida de orina, hecho que se conoce como incontinencia de esfuerzo. La gestación y los tumores pélvicos pueden ejercer una presión que supere la capacidad de las válvulas y cause incontinencia. La inflamación de la uretra o de la vejiga, como en el caso de la cistitis, estimula el paso del flujo urinario arrastrando cualquier elemento irritante.

Los problemas neurológicos pueden afectar tanto a las válvulas involuntarias como a las voluntarias, y en los hombres la inflamación o dilatación de la próstata puede alterar el control de la válvula. La incontinencia es parte del cuadro clínico de la prostatitis (*véase* **Prostatitis**). Las mujeres pueden tener debilidad de la musculatura y los ligamentos que mantienen el útero en su lugar, especialmente debido a exceso de estiramiento durante la gestación o a la disminución de los niveles de estrógenos después de la menopausia. Si el útero está caído, ejerce presión sobre la vejiga, con lo que facilita la incontinencia. La vejiga puede perder sus puntos de apoyo por la misma razón, y el prolapso de vejiga también puede ser causa de incontinencia.

La ansiedad y el nerviosismo pueden desencadenar el vaciado de la vejiga por un mecanismo descrito en el apartado sobre el estrés (*véase* **Estrés**). Con frecuencia este mecanismo puede crear tal impulso de orinar que resulte inevitable salir corriendo al lavabo. Esta incontinencia se denomina de urgencia (*véase* también **Incontinencia** en el capítulo 6).

RECOMENDACIONES

- *Consulte a un especialista en urología si la micción o la incontinencia representan un problema.*

- *Si se identifica una causa específica intente remediarla siguiendo las instrucciones recogidas en el apartado correspondiente de este libro.*

- *Los remedios homeopáticos Ferrum phosphoricum o Causticum, potencia 30 tomados 4 veces al día, pueden resultar adecuados hasta que se seleccione un remedio homeopático más específico.*

Micción dolorosa

La micción nunca debería ser dolorosa. Su eliminación del cuerpo suele ser una experiencia agradable y asociada a una sensación levemente placentera, aunque normalmente no somos conscientes de ello. Al cuerpo le gusta librarse de sus toxinas, y el sistema nervioso suele agradecerlo.

Por lo tanto, debe considerarse la micción dolorosa como una advertencia importante. En general, la causa es la inflamación de la vejiga o de la uretra, pero es necesario excluir enfermedades neurológicas si los problemas no se resuelven con la atención médica básica.

RECOMENDACIONES

- *Si la micción dolorosa no responde a los consejos dados en el apartado sobre la cistitis, es necesario*

acudir en primer lugar al médico de cabecera (véase **Cistitis***).*

- *Se pueden utilizar los remedios homeopáticos Berberis, Juniper y Cantharis, con potencia 6, hasta que se disponga de un diagnóstico definitivo y se elijan remedios homeopáticos más específicos según el conjunto de los síntomas.*

Retención de orina

La retención de orina es la incapacidad para eliminar el contenido de la vejiga. El deseo de orinar suele producirse cuando la vejiga contiene aproximadamente 500 ml de orina. El dolor aumenta si no se vacía la vejiga cuando retiene aproximadamente unos 750 ml. La vejiga puede dilatarse y acoger hasta 2,5 litros de orina, pero el dolor puede resultar insoportable.

La razón es la obstrucción del orificio de salida y requiere tratamiento de urgencia porque la presión retrógrada desde la vejiga llena hacia los uréteres (los tubos que salen de los riñones) hace que el riñón desarrolle hidronefrosis (riñones llenos de orina) que a su vez daña la función renal.

La obstrucción puede desarrollarse lentamente debido al crecimiento de la próstata en los varones o a un empeoramiento del prolapso uterino o vesical en las mujeres. Las estenosis por una infección crónica o una inflamación aguda de la uretra y la próstata puede obstruir el flujo. En raras ocasiones, aunque algo más frecuentemente en niños, el flujo de orina queda interrumpido por objetos extraños. Un traumatismo contra la uretra por lesión externa, o internamente por procedimientos quirúrgicos, puede bloquear anatómicamente el flujo o provocar una inflamación. Los tumores del cuello de la vejiga o, muy raras veces, de la uretra pueden suponer un problema.

RECOMENDACIONES

- *Si no puede eliminar la orina acuda inmediatamente a un médico. Quizá sea necesario introducir un catéter.*

- *Si observa que existe retención, no beba hasta recibir atención médica.*

- *Para aliviar la situación puede utilizar el remedio poco frecuente Tarantula cubensis 6 en una dosis cada 10 minutos. Si no consigue este remedio, pruebe con Ignatia o Arnica con la misma potencia e idéntica frecuencia.*

Urgencia urinaria

La urgencia urinaria es un deseo incontrolable de vaciar la vejiga. El cerebro percibe la urgencia porque la vejiga está excesivamente dilatada, existe inflamación de la vejiga o de la uretra o se ha producido una lesión o la estimulación del sistema nervioso entre la vejiga y el cerebro.

La inflamación causada por infección favorece el vaciado de la vejiga en un intento de eliminar al agente invasor, pero con frecuencia la irritación causada por un traumatismo o por una orina excesivamente ácida o alcalina puede tener el mismo efecto. En los varones, la próstata agrandada empuja hacia arriba sobre la salida de la vejiga y envía al cerebro información falsa sobre el grado de llenado de la vejiga. Una pelvis inclinada o una columna vertebral mal alineada en su parte inferior pueden pinzar los nervios sensitivos de la vejiga e informar al cerebro que ésta está llena cuando no lo está. Lo mismo puede ocurrir si existe una lesión en la médula espinal o en el cerebro.

Cuando estamos nerviosos o sometidos a estrés, el cuerpo produce adrenalina, que desplaza sangre a áreas como los músculos, el corazón y los pulmones preparándose para luchar o huir. Esta sangre procede de la piel (nos ponemos pálidos), el intestino (sentimos mariposas en el abdomen) y la vejiga (necesitamos eliminar orina). El estrés y la ansiedad fomentan el deseo de orinar y pueden ser la causa de una urgencia. El cerebro es sensible a adquirir hábitos y una vez que se ha desencadenado un problema en la vejiga, la conciencia se concentra en esa área y la persona se sensibiliza.

RECOMENDACIONES

- *No olvide mantener una buena hidratación, puesto que la orina alcalina o ácida concentrada desencadena las urgencias.*

- *Determine si existe estrés psicológico o nerviosismo y utilice técnicas de relajación, meditación o psicoterapia para eliminarlo.*

- *Si el problema es esporádico, considere la posibilidad de que se trate de alergia o intolerancia alimentaria (véase* **Pruebas de alergia alimentaria***).*

- *Si el problema persiste, lleve una muestra de la primera orina de la mañana al médico de cabecera para pedirle asesoramiento y las pruebas y análisis necesarios.*

- *Revise el apartado correspondiente de este libro si se descubre la causa subyacente.*

- *Consulte en un manual de homeopatía los siguientes remedios homeopáticos: Cantharis, Kreosote, Petroselinum y Sulphur. Si el deseo de orinar se produce por la noche, revise los remedios Causticum, Graphites y Pulsatia, además de los anteriores.*

- *Si existe un trastorno no diagnosticado o que cursa con dolor de espalda, consulte a un osteópata o a un quiropráctico para que evalúe la posición estructural de la región lumbar y la pelvis.*

- *Si no se identifica una causa física o psicológica obvia, la hipnoterapia puede resultar útil.*

PROBLEMAS UTERINOS
Mola hidatiforme

Una mola hidatiforme es un tumor benigno (no se extiende) que se forma en la parte de un óvulo fertilizado implantado en la pared uterina que se convertirá en la placenta (o ya lo es). Las molas hidatiformes pueden simular una gestación (se descubren inicialmente porque no se produce la regla y las pruebas de embarazo dan resultados positivos) y son peligrosas por su potencial para causar hemorragias graves. Si el diagnóstico es precoz (mediante ecografía), el tratamiento se realiza mediante dilatación y legrado, pero las molas que pasan inadvertidas pueden acabar requiriendo una histerectomía. Es evidente que se trata de una enfermedad grave, y creo que debe tratarse con medicina moderna.

RECOMENDACIONES

- *Las molas hidatiformes suelen ser apreciadas sólo por médicos con experiencia o con una ecografía. Siga los consejos ortodoxos.*

- *Consulte a un profesional de medicina alternativa para obtener apoyo global.*

- *Véase* **Cirugía**.

Prolapso uterino

El prolapso es la caída o hundimiento de una parte de un órgano o de su totalidad.

El prolapso uterino es el desplazamiento del útero hacia abajo a través de la vagina. Un prolapso leve puede pasar inadvertido y es bastante frecuente después de varios embarazos, pero en ocasiones desciende hasta llenar la bóveda vaginal y quedar incluso al descubierto. En este caso se generan varios problemas, ya que el cérvix y la parte inferior del útero quedan al descubierto y pierden el entorno húmedo que los protege. El descenso del útero implica presión sobre la vejiga, lo que causa un deseo frecuente de orinar e incontinencia. La presión puede generar dolor.

El prolapso suele ser consecuencia de debilidad de los ligamentos que mantienen el útero en la pelvis, que puede deberse a exceso de dilatación después de una gestación o a disminución de la fuerza tensional por pérdida de estrógenos. Por lo tanto, el prolapso es más frecuente después de múltiples gestaciones o de la menopausia.

RECOMENDACIONES

- *Si las molestias o los síntomas en la vagina o la pelvis no desaparecen, acuda a un ginecólogo.*

- *Mediante los ejercicios del suelo pélvico realizados a través del yoga, el chi kung o la fisioterapia básica es posible corregir un leve prolapso.*

- *Los prolapsos más graves pueden corregirse mediante la inserción de un pesario circular colocado por un ginecólogo en la parte superior de la bóveda vaginal.*

- *Puede ser necesario recurrir a la reparación quirúrgica, que se realiza estirando los ligamentos uterinos o, más radicalmente, mediante histerectomía.*

- *Antes de considerar los procedimientos quirúrgicos, consulte con un especialista en medicina complementaria con conocimientos en acupuntura y fitoterapia, ya que la combinación de ambas técnicas puede tensar los ligamentos más que los ejercicios solos.*

Retroversión/anteversión uterina

Cuando está de pie, la mujer presenta el útero en una posición en que el cérvix señala hacia atrás, pero la parte superior del útero señala hacia delante.

Esta posición de anteversión del útero evita en cierta medida que la gravedad haga caer los óvulos fertilizados, y ha sido favorecida mediante selección natural durante la evolución humana. Sin embargo, muchas mujeres tienen un útero en posición más elevada, y este trastorno se denomina útero en retroversión. Se trata de una anomalía anatómica, y no de una enfermedad, que no suele causar problemas, aunque en ocasiones puede generar presión sobre los nervios sacros, lo cual conduce a esterilidad o malestar en la región lumbar, la pelvis y las piernas, y se debe a tirantez o falta de longitud de los ligamentos de soporte.

Recomiendo que todas las mujeres se sometan a una exploración ginecológica específica para determinar la posición del cérvix en relación con el útero. La ecografía también puede ser muy útil. Los dolores de espalda sin explicación aparente pueden estar asociados a esta posición del útero, y es posible evitar el uso de técnicas prolongadas e invasivas para investigar las causas de esterilidad. Como puede apreciarse a partir del diagrama, si el cérvix señala demasiado hacia delante se puede sospechar que el útero está en retroversión. La concepción puede resultar difícil porque el esperma tiende a acumularse en la parte posterior de la vagina y no accede con facilidad a la abertura cervical, el orificio externo del útero. En esos casos, las relaciones sexuales con la mujer arrodillada boca abajo permite que el peso del útero caiga hacia delante, con

Útero normal y en retroversión

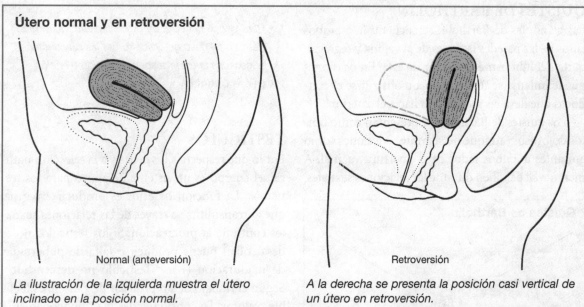

Normal (anteversión)

Retroversión

La ilustración de la izquierda muestra el útero inclinado en la posición normal.

A la derecha se presenta la posición casi vertical de un útero en retroversión.

lo que el cérvix queda en un área más cerca de la línea media y más accesible. También vale la pena que la mujer duerma boca abajo después de las relaciones sexuales para mantener la posición del orificio externo del útero (*véase* **Concepción**).

En casos poco frecuentes el útero puede localizarse a la izquierda o la derecha de la pelvis, y la abertura cervical se encuentra desplazada hacia la izquierda o la derecha de la vagina. También en este caso una posición correcta durante la relación sexual puede solucionar casos prolongados de esterilidad. (*Véase* **Posición y técnica sexual.**)

RECOMENDACIONES

- *Consulte a un ginecólogo para conocer la posición de su útero.*

- *Fortalezca los músculos del suelo pélvico mediante técnicas de yoga o de chi kung, ya que así el útero puede colocarse en una posición de menor retroversión.*

- *En caso de esterilidad considere la posibilidad de utilizar diversas posiciones tanto para el coito como para descansar después de éste.*

- *En caso de dolor de espalda, etc., consulte a un osteópata o quiropráctico y siga sus consejos en combinación con el yoga o el chi kung.*

- *En casos extremos y siempre que sea necesario considere la posibilidad de someterse a una intervención quirúrgica (véase* **Cirugía***).*

Prolapso de la vejiga

El prolapso de la vejiga se presenta como un bulto en la parte anterior de la vagina, por lo común con gran protrusión de la uretra. Se asocia a aumento de la frecuencia de la micción, a incontinencia y, con frecuencia, a síntomas de cistitis. Habitualmente se debe a un debilitamiento de los ligamentos que mantienen la vejiga en su sitio, los cuales presentan dificultades durante la gestación o en caso de tumor pélvico.

RECOMENDACIONES

- *Los ejercicios para el suelo pélvico que proponen el yoga, el chi kung o la fisioterapia básica pueden ayudar en caso de prolapso leve.*

- *Evite que la vejiga se llene en exceso de orina orinando con frecuencia.*

- *Los pesarios vaginales raras veces son beneficiosos, y con frecuencia es necesario recurrir a los procedimientos quirúrgicos (véase* **Cirugía***).*

QUISTES DE BARTHOLIN

Las glándulas de Bartholin se encuentran a ambos lados de las paredes laterales de la vagina y segregan parte del lubricante protector de ésta. En ocasiones puede inflamarse una glándula u obstruirse el conducto que lleva las secreciones hacia el exterior.

Los quistes de Bartholin se presentan como bultos dolorosos (aunque no siempre) o lesiones como guisantes a ambos lados de la abertura vaginal. A menudo se perciben durante las relaciones sexuales.

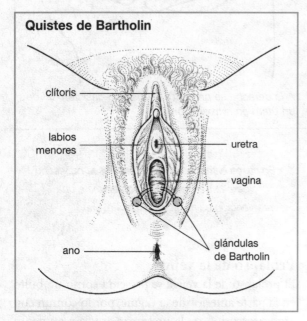

Quistes de Bartholin

- clítoris
- labios menores
- uretra
- vagina
- ano
- glándulas de Bartholin

RECOMENDACIONES

- *Si aparece hinchazón en el área genital que no responde a un tratamiento básico tras 48 horas, es necesario acudir al médico de cabecera o al ginecólogo.*

- *Aplique compresas calientes y frías sobre la zona.*

- *Puede utilizar el remedio homeopático Hepar sulphuris calcarium 30, 4 píldoras cada 2 horas.*

- *Debe evitar las relaciones sexuales.*

- *Evite aplicar presión sobre el área. No se consigue eliminar el bloqueo exprimiendo los quistes.*

- *Si persiste el problema, la medicina ortodoxa fomenta el uso de antibióticos, pero antes de tomarlos consulte con un profesional de medicina complementaria sobre las alternativas homeopáticas o con hierbas.*

- *Rara vez se necesita un procedimiento quirúrgico, pero en tal caso no olvide tomar las precauciones necesarias antes y después de la intervención (véase Cirugía).*

TESTÍCULOS

Por lo que respecta a los genes y a la selección natural, el cuerpo es un sistema de apoyo para los testículos. La función de éstos es producir esperma, que al transmitirse a través de las relaciones sexuales continúa la procreación. Si los testículos no se desarrollan puede producirse falta de pubertad y de maduración (*véase* **Testículo no descendido**). Según el trabajo de un profesor de Zürich, es factible valorar las posibilidades de hipogonadismo según el tamaño de los testículos utilizando como referencia una sarta de cuentas de tamaño creciente denominada orquidómetro. Al parecer, el recuento espermático es cada vez más reducido, quizá debido a la contaminación y a las sustancias tóxicas de la cadena alimentaria, y es posible que el tamaño de los testículos también disminuya. Seguro que nuestro profesor de Zürich estará al tanto.

Hinchazón de los testículos

Igual que debe fomentarse en las mujeres la exploración regular de las mamas, también deben los hombres examinar los testículos a través del saco escrotal. Los tumores de los testículos (utilizando la palabra tumor en su sentido más amplio, el de hinchazón) suelen ser benignos, pero un cáncer no reconocido y no tratado es peligroso.

Cele es el término médico que designa un bulto, al que se añade el prefijo de la causa concreta. Algunos ejemplos son: hidro- (fluido), espermato- (esperma), varico- (la hinchazón de una vena) o hemato- (lleno de sangre). En la mayoría de los casos estos sacos llenos de líquido son causados por traumatismos, pero también pueden aparecer de forma espontánea o asociados a enfermedades como las infecciones o los cánceres. Una hinchazón testicular puede resultar ser un cáncer. Hay diferentes tipos, y algunos son más agresivos que otros, pero la medicina ortodoxa tiene un buen porcentaje de éxitos si el tumor testicular se trata a tiempo.

Hinchazón testicular

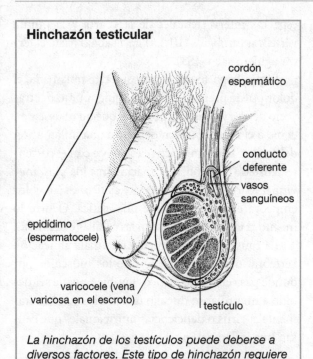

cordón
espermático

conducto
deferente

vasos
sanguíneos

epidídimo
(espermatocele)

varicocele (vena
varicosa en el escroto)

testículo

La hinchazón de los testículos puede deberse a diversos factores. Este tipo de hinchazón requiere siempre que un especialista realice la exploración.

RECOMENDACIONES

• *En caso de hinchazón de los testículos es necesario consultar a un especialista. Se realizan exploraciones endoscópicas y con ecografías, así como análisis de orina, esperma y sangre.*

• *Las aplicaciones tópicas no sirven para nada, pero como norma general, la ropa interior y los pantalones no ajustados resultan más cómodos y hay menos probabilidades de que creen problemas.*

• *En un manual de homeopatía puede encontrar la referencia a los remedios homeopáticos en la sección de tumores o de hinchazón testicular.*

• *Una vez obtenido un diagnóstico negativo definitivo, en la mayoría de los casos no es necesario tomar medida alguna, pero de no ser así quizá se deba realizar una intervención quirúrgica, incluida la extracción de uno de los testículos. El drenaje con aguja de un tumor benigno grande y lleno de fluido es una terapia menos agresiva.*

• *Si la hinchazón es un cáncer, véase **Cáncer**.*

VASECTOMÍA

La vasectomía es una interrupción quirúrgica voluntaria del conducto deferente de ambos testículos. Es un procedimiento simple por el cual un cirujano crea una pequeña abertura en el escroto, localiza el cordón espermático, identifica el conducto deferente (el tubo por el que viaja el esperma) y elimina una sección. Ambos extremos quedan sellados y a partir de ese momento los espermatozoides producidos no pueden llegar al fluido seminal ni a la próstata, y serán reabsorbidos por el cuerpo. El esperma y la función testicular no sufren alteración alguna, aunque algunos estudios recientes han sugerido que la vasectomía puede causar cáncer. Estudios posteriores han refutado esta hipótesis. La vasectomía suele realizarse en hombres que ya no desean tener más hijos. Realmente la esterilización de un hombre es mucho más segura que la de una mujer y es una forma segura de anticoncepción (siempre que se deje pasar un período corto de tiempo después de la operación, ya que todavía puede haber esperma en la parte superior del conducto deferente o en la uretra).

La parte negativa es que un hombre puede crear una familia hasta bien entrada la vejez, pero una vasectomía hay que considerarla irreversible (según la cantidad de tubo eliminada puede conseguirse una reconexión, pero este tipo de operaciones de inversión no suele tener éxito). No existe razón alguna para creer que una vasectomía vaya a alterar la libido o la potencia sexual en un sentido u otro, y ésta depende en gran medida de la psicología de cada persona y de las razones por las que se realizó la vasectomía. No he encontrado ninguna razón espiritual para no interrumpir la fertilidad masculina.

RECOMENDACIONES

• *La operación se realiza bajo anestesia local y, por lo tanto, la agresión contra el organismo es limitada.*

• *Prepare el escroto aplicando una crema de árnica 2 veces al día durante 5 días antes de la operación.*

• *No olvide seguir las sugerencias preoperatorias y postoperatorias (véase **Cirugía**) por ser una operación sensible, aunque el malestar se controla bien con Arnica 6 y un calmante.*

APARATO LOCOMOTOR

BURSITIS

Las bolsas (bursas) son pequeños sacos que rodean las articulaciones del organismo; contienen un líquido nutritivo y lubricante, denominado líquido sinovial. El revestimiento interno de estas bolsas se denomina membrana sinovial.

La bursitis es la inflamación de esta membrana, habitualmente producida por una lesión o por el uso prolongado de los tendones que descansan sobre la bolsa. El higroma es la afección más conocida, si bien los hombres y las mujeres deportistas también pueden desarrollar inflamación en este nivel.

RECOMENDACIONES

- *Sumerja el área inflamada en agua caliente y fría, 2 minutos en cada una durante 20 minutos. Repita el proceso 3 o 4 veces al día.*

- *Aplique árnica en crema en la zona.*

- *Deje en reposo la zona. Puede ser necesario inmovilizarla con un vendaje o un cabestrillo (de 10 días a 6 semanas). En caso de bursitis de la rodilla, no se arrodille.*

- *Si la articulación está roja, hinchada y caliente, tome el remedio homeopático Belladonna 6, 4 píldoras cada hora; pero un malestar persistente requiere un remedio específico, por lo que debe consultar un manual de homeopatía, poniendo especial atención a los remedios Apis, Bryonia, Pulsatilla, Rhus toxicodendron y Ruta.*

- *Una bursitis persistente debería ser evaluada por un acupuntor o un osteópata para un tratamiento realmente rápido y efectivo.*

CIÁTICA

Ciática es el término médico para definir un dolor que se extiende desde la parte inferior de la espalda, a lo largo del muslo y hacia la parte externa del pie. Se debe a la inflamación del nervio ciático, que es el nervio más largo del cuerpo, el principal de la extremidad inferior y tiene ramas que van desde los espacios intervertebrales de la cuarta y la quinta vértebras lumbares (L4-L5) hacia abajo hasta el tercer agujero sacro (S3).

Según la parte del nervio que esté inflamada, el dolor puede presentarse en cualquier punto del trayecto del nervio ciático, de modo que un malestar en el pie o el muslo pueden deberse a una inflamación del ciático. El diagnóstico se establece con el paciente acostado y empujando hacia atrás los pies, movimiento que estira el nervio ciático. Si el dolor empeora es probablemente una ciática. Ocurre lo mismo al elevar la pierna con las rodillas extendidas.

La causa es habitualmente una mala alineación vertebral o una inflamación de los músculos por donde pasa el nervio ciático. También puede ser debido a un prolapso discal o una artritis y, más raramente, a virus o deficiencias nutricionales que causan una inflamación.

RECOMENDACIONES

- *Aplique calor local con una bolsa de agua caliente envuelta o un trapo.*

- *Los remedios homeopáticos Colocynthis o Lycopodium pueden utilizarse si el dolor se sitúa en la pierna derecha y Carboneum sulphuricum si es izquierdo. Tómelos a la potencia 6 cada hora. Para una selección más cuidadosa, en función de los síntomas, consulte un manual de homeopatía de referencia.*

- *La osteopatía, la quiropraxia, el shiatsu y la acupuntura pueden aportar alivio instantáneo y quizá sean preferibles de entrada a la fisioterapia.*

- *El yoga, el chi kung, la técnica de Alexander y la terapia de polaridad pueden considerarse para entrenar y fortalecer los músculos de la espalda a fin de proteger los nervios sensibles.*

- *Tome vitamina B_1, 1 mg/kg de peso con la primera comida tras el inicio del problema. Después tome 650 mg/kg de peso con cada comida durante un máximo de 3 días. Si aparecen náuseas o mareos al tomar el medicamento hay que suspenderlo.*

- *La bromelaína (10 mg/kg de peso en dosis repartidas) con las comidas es un muy buen antiinflamatorio naturopático.*

- *Prepare una infusión con una cucharadita de cúrcuma en 250 ml de leche entera (y miel para dar sabor) y hierva lentamente durante 10 minutos. Tome un trago cada hora hasta que se acabe.*

- *Puede aplicar una compresa en la parte baja de la espalda, sujetada con un vendaje, hecha con dos puñados de pan blanco mezclados con una cucharada colmada de pimienta de cayena y el agua suficiente para obtener una consistencia pastosa. Retírelo a los 20 minutos porque puede quemar la piel, pero, si es efectivo, repítalo cada 6 horas.*

- *Evite si es posible los analgésicos ortodoxos porque al aliviar el dolor se puede favorecer el movimiento, con la consiguiente lesión del nervio inflamado.*

- *La infiltración de corticoide o el bloqueo nervioso son el último recurso pero son útiles si fallan los demás tratamientos.*

CODO DE GOLFISTA
Véase **Tendinitis.**

CODO DE TENISTA
Véase **Tendinitis.**

CURVATURA DE LA COLUMNA

Como se indica en el esquema, la columna tiene una curvatura natural que está mantenida principalmente por los músculos situados a lo largo de las vértebras y entre ellas.

La curvatura natural puede alterarse por enfermedades como tuberculosis, espondilitis anquilosante y osteoporosis, pero con mayor frecuencia está motivada por la mala postura.

En el mundo occidental se entrena poco o nada la buena postura, mientras que en las filosofías orientales ya sea por las artes marciales o simplemente por un punto de vista distinto de la etiqueta, se estimula desde edades tempranas a mantener la espalda erguida. Los colchones duros (o el suelo) han sido reemplazados por otros blandos y sólo en la última década se ha aceptado el concepto de colchón ortopédico para las espaldas patológicas. La escasa curvatura de la columna y la falta de un buen soporte muscular es la causa de la mayoría de los dolores de espalda, iniciados o no por un traumatismo.

Cifosis

La cifosis es una incurvación hacia delante de la columna en la región torácica (parte media de la espalda), que puede afectar a pocas o muchas vértebras. Nuestro amigo de ficción Quasimodo, el jorobado de Notre-Dame, es un ejemplo extremo de cifosis, que suele verse con mayor frecuencia en mujeres ancianas con osteoporosis. De nuevo, la mala postura a lo largo de la juventud es la causa más frecuente de cifosis leve, la cual puede ser un motivo permanente de molestias y dolores de la región superior de la espalda y los hombros. Es interesante señalar que la cifosis es más frecuente en las personas zurdas.

Escoliosis

Es una incurvación lateral de la columna, que se denomina según la localización y la dirección de la convexidad (la dirección que presenta la inclinación). A diferencia de las otras incurvaciones de la columna, la escoliosis puede ser heredada genéticamente o producida por un traumatismo que ocasiona una mala alineación no corregida. Enfermedades como la osteoporosis pueden también ocasionarla.

Todas las filosofías orientales consideran que la columna vertebral se asocia al principal flujo de energía a través del sistema. Una postura correcta es, por lo tanto, esencial para el libre flujo de la energía.

Lordosis

Es una curvatura hacia delante de la columna lumbar (parte inferior de la columna). Este aumento de la concavidad natural se debe habitualmente a una excesiva carga abdominal asociada a una musculatura abdominal pobre.

RECOMENDACIONES

- *Una incurvación de la columna no es en sí misma un problema, excepto si se aprecian molestias o síntomas neurológicos. Tenga presente que pueden aparecer problemas si no se corrige la curvatura.*

Columna vertebral

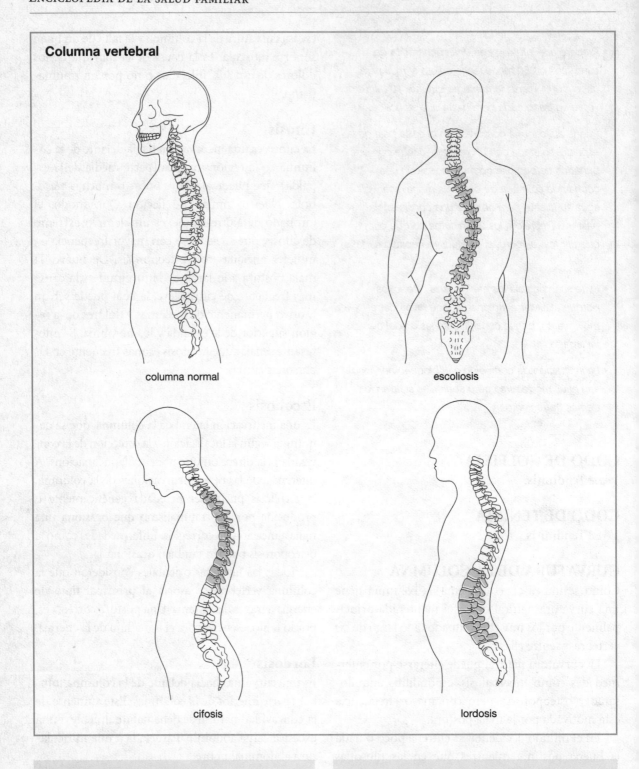

columna normal

escoliosis

cifosis

lordosis

- *Cuanto antes se intente la corrección, mejor será el pronóstico.*

- *Nunca es demasiado tarde para corregir una postura, y los padres deberían estar atentos a los niños que «se desploman».*

- *El aprendizaje de los principios básicos de la técnica de Alexander a una edad temprana es beneficioso. El yoga, el chi kung y la terapia de polaridad pueden asimismo considerarse; los dos primeros son más activos y por ello más divertidos, especialmente para los niños.*

- *Si la curvatura ocasiona problemas, los osteópatas, quiroprácticos y expertos en shiatsu pueden corregirlos.*

- *Una astenia general, malestar y depresiones sin una causa subyacente evidente pueden responder a la corrección de una columna desequilibrada que afecta al flujo de energía a lo largo del sistema.*

DESLIZAMIENTO DISCAL
Véase **Hernia discal**.

DISTENSIÓN TENDINOSA
La distensión parcial o total de un tendón es una situación dolorosa y grave. La mayoría de las veces sucede en el tendón de Aquiles, detrás del talón. Cuando sufre un tirón, aparece un dolor intenso y, si el tendón se rompe, suele apreciarse un ruido sordo y el individuo percibe como si algo o alguien hubiera golpeado el dorso de su pierna. El pie queda flexionado si la rotura es total o con una extensión limitada si algunas fibras permanecen intactas. La rotura tendinosa en otra localización no es tan espectacular, pero sí igualmente dolorosa.

Véase **Tendón de Aquiles**.

RECOMENDACIONES

- *Toda lesión que inmovilice la zona debe ser evaluada por un médico.*

- *Tenga en cuenta todas las recomendaciones sobre la tendinitis (véase* **Tendinitis***).*

- *En caso de rotura del tendón de Aquiles, a menudo es necesaria la reparación quirúrgica, seguida por un período de inmovilización con yeso. Éste puede ser sólo de 6 semanas, pero con frecuencia es más largo. Otros tendones pueden simplemente inmovilizarse.*

- *Si es necesaria la intervención quirúrgica, véase* **Cirugía***.*

DOLOR SACROILÍACO
De todos los dolores de espalda, éste requiere una breve pero especial mención. La pelvis está rodeada por diversos huesos (*véase* el esquema de la pelvis).

El punto de contacto del hueso ilíaco con el sacro se denomina articulación sacroilíaca.

Esta articulación está fusionada pero tiene la suficiente flexibilidad para luxarse sobre sí misma y quedar mal alineada, hecho que sucede a menudo. Incluso los movimientos ligeros pueden distender los ligamentos produciendo desde un breve período de malestar hasta un dolor más intenso y de larga duración. En la cara interna de la articulación se inserta un músculo que flexiona la rodilla sobre la cadera, denominado psoas. Alrededor del psoas y a través de él pasa la mayoría de los nervios de la médula espinal sacra y lumbar inferior. Cualquier inflamación de la articulación sacroilíaca puede producir una inflamación de este músculo o estos nervios y ocasionar numerosos síntomas, incluida la ciática. El malestar abdominal y el dolor de la cadera, así como dolores y síntomas neurológicos a lo largo de las piernas, las nalgas y la parte baja de la espalda están por lo tanto relacionados con la articulación sacroilíaca.

Los ligamentos de la pelvis están muy influidos por los estrógenos, que los hacen más laxos especialmente para prepararlos para el embarazo. Las mujeres, por lo tanto, son propensas a presentar desplazamientos sacroilíacos cuando los niveles de estrógenos están altos durante el ciclo menstrual; también son más propensas a la contractura de la articulación a medida que los ligamentos se endure-

Pelvis. Estructura

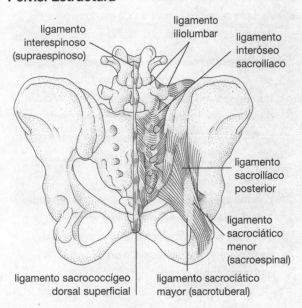

ligamento interespinoso (supraespinoso)

ligamento iliolumbar

ligamento interóseo sacroilíaco

ligamento sacroilíaco posterior

ligamento sacrociático menor (sacroespinal)

ligamento sacrococcígeo dorsal superficial

ligamento sacrociático mayor (sacrotuberal)

cen en la menopausia. Ciertas actividades, sobre todo si no se han realizado previamente ejercicios de estiramiento, o levantar pesos fuertes sin tener la espalda recta conllevarán contracturas sacroilíacas.

RECOMENDACIÓN

• *Véase **Dolores de espalda**.*

DOLORES DE ESPALDA

Los dolores de espalda afectan a la mayoría de la gente en algún momento de la vida. Habitualmente se asocian a posturas incorrectas al sentarse o al caminar mantenidas durante años y también a una musculatura abdominal débil. Si considera el tronco del cuerpo como un tubo y se imagina recortada la mitad inferior de un lado, tendrá una buena descripción de lo que es un cuerpo humano con una musculatura abdominal débil. El esfuerzo recae totalmente en los músculos de la espalda, que indefectiblemente mantienen un nivel de tensión que favorece la aparición de lesiones.

Anomalías estructurales, como el útero en retroversión, o una inflamación renal causan dolores de espalda. Deben descartarse otras enfermedades crónicas, como artritis de la columna vertebral, espondilitis anquilosante y roturas discales, pero para los dolores de espalda básicos que no sean recurrentes ni persistentes, hay que seguir ciertas normas.

RECOMENDACIONES

• *Aplique calor con una bolsa de agua caliente envuelta en una toalla, o baños calientes.*

• *Los remedios homeopáticos que ha de considerar son Arnica, Magnesia phosphorica, Rhus toxicodendron y Ruta. Son sólo algunos de los remedios más habituales entre otros muchos. Consulte un manual de homeopatía de referencia.*

• *Los tratamientos con hierbas, como una infusión fuerte de manzanilla, semillas de anís (que no pueden asociarse con homeopatía), carvi (masque 3 cucharaditas colmadas o en infusión en una taza de agua caliente) y pasiflora (30 gotas en agua cada hora) son algunos de los preparados antiespasmódicos.*

• *Se recomienda el masaje corporal regular. El masaje puede hacer maravillas. La terapia de polaridad, la técnica de Alexander, el yoga y el chi kung son útiles para corregir la postura si los dolores de espalda son recurrentes.*

• *Los dolores de espalda debilitantes deben ser evaluados por un osteópata o un quiropráctico.*

• *Los problemas persistentes que no responden a la osteopatía o a la quiropraxia deberían derivarse a expertos de rolfing o shiatsu para conseguir cierto alivio.*

• *Sentido común. Si usted tiene la espalda delicada, no recoja del suelo objetos pesados y no permanezca demasiado tiempo de pie.*

• *Duerma en un colchón duro, preferiblemente boca arriba, sin almohada.*

• *Evite los analgésicos ortodoxos puesto que al eliminar el dolor se mantendrá la misma mala postura o la lesión, con lo que será peor.*

• *La evaluación por un especialista en ortopedia es el último recurso.*

ESGUINCES

Un esguince es una torcedura de una articulación que produce una distensión o laceración de los ligamentos. Un ligamento mantiene unidos dos huesos y está formado por tejido conjuntivo fibroso flexible, resistente, denso y blanco.

Los esguinces más frecuentes son los del tobillo y los dedos de las manos y los pies. Un esguince leve necesita reposo durante unos días pero un tirón más grave puede requerir una intervención quirúrgica. Los ligamentos están fuertemente adheridos a los huesos que unen y un tirón puede realmente llegar a astillar o fracturar una parte del hueso.

Es difícil distinguir entre un esguince y un tirón muscular. Ambos son dolorosos, aunque la lesión ligamentaria suele serlo más; sin embargo, la percepción de lo «más doloroso» es algo bastante subjetivo, por lo que sólo la experiencia ayudará a diferenciar ambas dolencias.

Un esguince (o un tirón) tiene tendencia a recurrir si no se trata adecuadamente. La recurrencia puede estar asociada a una debilitación de la energía subyacente o del meridiano y debe ser investigada. También hay que tener en cuenta la conexión mente-cuerpo.

RECOMENDACIONES

- *Aplique de inmediato hielo en la zona afectada y restrinja el movimiento mediante un vendaje si se considera necesario.*

- *Administre el remedio homeopático Arnica 6 cada 10 minutos durante una hora y luego utilice Arnica 30 alternando con Ruta 30 cada 4 horas durante una semana. Si es posible, tome extracto líquido de Ruta (una cucharada aproximadamente por cada 15 kg de peso en 500 ml de agua) en tragos repartidos a lo largo del día.*

- *El reposo es esencial. No existe un tiempo establecido pero es necesario disminuir el movimiento hasta que desaparezca el dolor. Recomiendo un reposo de al menos una semana para cualquier esguince que inmovilice la articulación durante más de 24 horas.*

- *Consulte con un osteópata, quien quizá le recomiende una radiografía para descartar una fractura.*

- *La acupuntura facilita la curación.*

- *Toda lesión que tiende a recurrir o provoca dolor después de una semana, debería ser evaluada por un cirujano ortopédico, que tal vez indique entablillar la articulación o poner un yeso.*

- *Evite los analgésicos, salvo por la noche, puesto que la ausencia de dolor puede favorecer el movimiento.*

ESPONDILITIS ANQUILOSANTE

Es una enfermedad autoinmune que afecta a las articulaciones intervertebrales. Se inicia generalmente en la parte más baja de la columna vertebral y se manifiesta como dolor de espalda y rigidez con malestar referido, como dolor torácico, dolor en las piernas y a veces dificultad respiratoria.

RECOMENDACIONES

- *La osteopatía y la acupuntura son esenciales para aliviar el dolor; también pueden ser tratamientos curativos potenciales.*

- *Tratamientos de fitoterapia específicos, especialmente chinos y tibetanos, pueden ser muy beneficiosos.*

- *Hay que tener en cuenta la homeopatía y utilizar los remedios específicos en función del tipo de malestar. El remedio Calcarea fluorica 30, tomado cada 2 horas, puede ser muy útil en los ataques agudos.*

- *Es fundamental realizar ejercicio diariamente para evitar las contracturas musculares. Debe recurrirse al yoga y la técnica de Alexander.*

- *Las visitas regulares al experto en shiatsu o rolfing proporcionan gran alivio, al igual que el masaje básico y la fisioterapia.*

- *Como en cualquier problema de la espalda, asegúrese de dormir en un colchón duro. Practique la posición neutra (la cabeza levantada sobre uno o dos listines telefónicos y las rodillas levantadas hasta que la parte más estrecha de la espalda quede plana sobre el suelo) varias veces al día.*

GANGRENA

La gangrena es una palabra que suscita una reacción inmediata que entraña una nota de temor.

La gangrena se produce en tejidos privados de oxígeno debido a falta de circulación por causas como congelación, traumatismo, procesos patológicos que comprometen la circulación, como la enfermedad de Buerger en fumadores y diabéticos, y problemas derivados de la edad como la arteriosclerosis. Las obstrucciones arteriales, conocidas como embolias, también son una causa habitual. Antes de que la gangrena se establezca, los tejidos se vuelven dolorosos y, si no se tratan de inmediato, se ennegrecen y quedan entumecidos. Esta situación se denomina *gangrena seca*, porque no está infectada. La *gangrena húmeda*, que tiene un aspecto «húmedo», se debe a la invasión de bacterias anaerobias (que no necesitan oxígeno) del tejido muerto. Si se produce un gas hediondo, la situación se denomina *gangrena gaseosa*. La gangrena húmeda y la gaseosa producen sustancias químicas tóxicas que determinarán septicemia (intoxicación de la sangre) y shock.

RECOMENDACIONES

- *Acuda de inmediato a un médico.*

- *Diríjase a los apartados correspondientes de este libro para tratar cualquier problema subyacente.*

- *Los remedios homeopáticos Bothrops o Lachesis a potencia 30, tomados cada 15 minutos, pueden usarse en la gangrena seca mientras se espera la intervención médica posterior.*

- *Pueden utilizarse Echinacea y Tarantula cubensis a potencia 30 cada 15 minutos en la gangrena húmeda y gaseosa (nuevamente, en espera del tratamiento médico).*

- *Pueden ser necesarios el desbridamiento quirúrgico y una amputación, junto con antibióticos y tratamiento médico de la herida.*

HERIDAS

Herida es un término amplio para cualquier lesión, pero suele referirse a un corte o lesión penetrante.

RECOMENDACIONES

- *Véase* **Cortes***.*

- *Otras heridas, especialmente las penetrantes y profundas, deben ser tratadas por un médico, pero los tratamientos básicos complementarios son los mismos que para un corte.*

HERNIA (DESLIZAMIENTO) DISCAL

Un disco intervertebral es una cuña de dos tipos de materia situada entre las plataformas cartilaginosas de las superficies de las vértebras adyacentes.

La parte periférica del disco está formada por un tejido proteico denso denominado anillo fibroso. Dentro de éste, como en un pastel de crema, hay un material gelatinoso, el núcleo pulposo. El anillo fibroso está fuertemente unido a la vértebra mediante la plataforma cartilaginosa y es el principal motivo de la movilidad de las vértebras. La elasticidad del

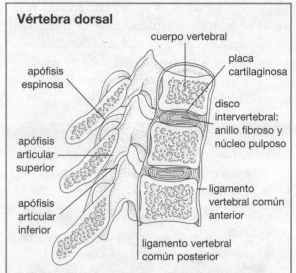

Vértebra dorsal

cuerpo vertebral — placa cartilaginosa — apófisis espinosa — disco intervertebral: anillo fibroso y núcleo pulposo — apófisis articular superior — apófisis articular inferior — ligamento vertebral común anterior — ligamento vertebral común posterior

Un disco puede «deslizarse» si la columna está sometida a una tensión excesiva. La capa más externa del disco, el anillo fibroso, puede romperse y permitir que la capa gelatinosa interna, el núcleo pulposo, se hernie.

disco absorbe la mayor parte de cualquier sobrecarga sobre la columna vertebral. Si el estrés supera la resistencia del disco, el anillo fibroso puede romperse y el núcleo pulposo herniarse. Es lo que se denomina hernia o deslizamiento discal.

Habitualmente se manifiesta por un dolor agudísimo y cualquier movimiento lo empeora. El característico «bloqueo» en posición flexionada hacia delante se debe a que el disco suele deslizarse cuando se intenta levantar un peso importante y el esfuerzo se realiza más sobre la vértebra que sobre las rodillas como en un levantamiento con la espalda recta.

En las filosofías orientales, la columna vertebral representa una señal anatómica del mayor flujo de energía a través del sistema. Esto es así, especialmente, en la medicina tibetana. Una debilidad discal, por lo tanto, supone no sólo una mala lesión sino también una importante debilidad energética global. Es posible que una posición incorrecta al levantar algo haya sido el desencadenante, pero la debilidad subyacente es la causa real de la lesión. Esto es especialmente importante en caso de lesiones recurrentes o crónicas.

El diagnóstico de hernia discal puede ser difícil porque el pinzamiento y la distensión de nervios y músculos pueden manifestarse por síntomas similares. Es posible que un osteópata o un quiropráctico experimentado pueda distinguir los síntomas, pero a veces son necesarias las radiografías.

RECOMENDACIONES

- *Aplique calor con una bolsa de agua caliente envuelta para un alivio inmediato. Quédese en la postura más cómoda y busque el consejo de un osteópata, quiropráctico o experto en shiatsu.*

- *Arnica 6 cada 10 minutos es un remedio homeopático esencial.*

- *El tratamiento osteopático, quiropráctico o de shiatsu pueden sustituir la fisioterapia para aliviar el malestar y el espasmo muscular asociado a la rotura discal.*

- *La acupuntura ofrece alivio instantáneo.*

- *Todo pinzamiento nervioso o lesión asociada debe ser tratado según las recomendaciones para las lesiones nerviosas (véase **Lesión nerviosa**).*

- *Recoja del suelo los objetos pesados con la espalda recta, descargando el peso sobre las rodillas.*

- *El ejercicio regular y los estiramientos mantienen los músculos tonificados y flexibles.*

- *El yoga y el chi kung son esenciales para prevenir las recaídas.*

- *Evite los analgésicos puesto que si el movimiento continúa, el cuadro empeorará.*

- *Un médico puede administrar una inyección de anestésico local.*

- *La intervención quirúrgica es el último recurso. Actualmente se lleva a cabo mediante fibroscopia (se pasa un pequeño tubo a través de la espalda y la operación se realiza «por el ojo de una cerradura»), aunque pueden ser necesarias intervenciones mayores. En los casos extremos se extrae el disco y se fija la vértebra, con lo que la articulación queda inmovilizada.*

HERNIAS

Una hernia es la protrusión de un órgano desde su propia localización o cavidad a otro lugar. Habitualmente se produce a través de un músculo, pero también puede ocurrir a través de una membrana.

Hay más de 170 puntos en que puede producirse una hernia. Las más frecuentes son las hernias inguinales (ingle), las hernias secundarias al embarazo en la línea media del abdomen y las hernias de las incisiones quirúrgicas (postoperatorias). Todas están causadas por el debilitamiento de la musculatura abdominal, que permite la protrusión del intestino o del epiplón (tejido graso que transporta todos los vasos sanguíneos, nervios y vasos linfáticos que llegan al intestino y salen de él). Todas ellas son, efectivamente, hernias externas. Las hernias internas pueden ser igualmente frecuentes, como la hernia de hiato que consiste en la protrusión del estómago a través del diafragma.

La mayoría de las hernias puede corregirse, por lo general mediante cirugía y, más raramente, mediante técnicas de ejercicios y medicinas naturopáticas que fortalecen la musculatura. Las hernias son graves sólo si el órgano implicado es vital, como es el caso del cerebro, que puede herniarse a través de una membrana que lo divide en una parte superior y una inferior. Las hernias que obstruyen o pinzan un órgano, comprometiendo por lo tanto su función normal u obstruyendo su flujo sanguíneo, pueden provocar una gangrena, de curso mortal si no se trata.

Véase **Hernia de hiato**.

Hernia inguinal

La hernia inguinal merece especial atención por ser la más frecuente y de la que más suele hablarse. Existen dos tipos de hernia inguinal: la directa y la indirecta.

La hernia inguinal indirecta se produce por un debilitamiento en el extremo de un pequeño canal a través del cual el testículo desciende desde el abdomen hasta la bolsa escrotal en las fases tardías del desarrollo fetal o en la primera fase de la vida extrauterina. Se forma una membrana que puede rasgarse por una presión interna excesiva, a menudo ocasionada durante el embarazo, por tos muy intensa o por esfuerzo.

La hernia directa se produce habitualmente por un esfuerzo muscular, a menudo por recoger del suelo un objeto demasiado pesado de manera incorrecta. En este caso, la pared abdominal se rasga y el intestino protruye a su través. En ambos casos, la hernia puede ser reductible o no, según el bulto pueda ser reintroducido o no. El signo de alarma, aparte del tirón inicial que puede ocurrir en el momento del esfuerzo, es un bulto no reductible que se vuelve doloroso. Sugiere un compromiso del riego sanguíneo y debe ser tratado como una urgencia.

RECOMENDACIONES

- *Toda masa o bulto no catalogado, persistente o doloroso debe ser evaluado por un médico general. Puede ser necesaria una intervención quirúrgica (véase* **Cirugía***).*

- *Un pequeño desgarro muscular puede repararse, pero debe mantenerse un estricto reposo del grupo muscular afectado durante al menos 6 semanas.*

- *Puede ser beneficiosa la aplicación tópica de árnica en crema, 4 veces al día.*

- *Si el tirón inicial es doloroso, utilice Arnica 6 cada 15 minutos durante 2 horas.*

- *Consulte las posibilidades de fortalecimiento del grupo muscular con un osteópata o un fisioterapeuta de lesiones deportivas.*

- *La acupuntura puede acelerar la curación.*

HIGROMA

El higroma, dolencia también conocida como «agua en la rodilla», es realmente una inflamación de los cojinetes de líquido que protegen las articulaciones de la rodilla. Es desencadenado por un traumatismo, habitualmente por el rozamiento prolongado propio de las criadas que friegan el suelo (*véase* **Bursitis**).

JUANETES

Un juanete es la inflamación de un pequeño saco que está recubierto de membrana sinovial. Sinovial es el término médico que designa el revestimiento interno de todos los sacos que rodean las articulaciones del cuerpo. El término juanete suele aplicarse a la tumefacción de la base del dedo gordo (primer dedo) del pie y se acompaña de un engrosamiento de la piel suprayacente y una desviación de dicho dedo sobre los demás.

Suele ser debido al uso prolongado de calzado estrecho, incluyendo calcetines, y si no se detecta pronto y se trata adecuadamente, la cirugía es la única opción.

RECOMENDACIONES

- *Evite los zapatos estrechos y puntiagudos.*

- *Permanezca el mayor tiempo posible descalzo, especialmente si empieza a aparecer un juanete.*

- *Coloque un algodón entre el dedo gordo y el cuarto dedo para intentar corregir el ángulo durante el mayor tiempo posible.*

- *Aplique árnica en crema a menudo.*

- *Si existe inflamación use el remedio homeopático Apis 6, 4 píldoras 4 veces al día; si la situación no mejora en 5 días o empeora, consulte con un médico complementario.*

- *Solicite a su médico de cabecera un análisis de sangre para valorar niveles de ácido úrico en caso de padecer gota.*

- *Pruebe el ácido eicosapentaenoico y bromelaína al doble de las dosis diarias recomendadas para un producto natural de calidad.*

- *Si es necesario un procedimiento quirúrgico, véase* **Cirugía***.*

LESIÓN DE LOS ISQUIOTIBIALES

Los isquiotibiales son los grandes músculos situados por debajo de las nalgas, detrás del hueso del muslo, que realizan la flexión de la rodilla. Estos potentes músculos se lesionan con frecuencia en los deportistas, con contracturas de aparición súbita, habitualmente tras un movimiento brusco. Irónicamente, cuanto más en forma esté el deportista y más fuerte el músculo, más probables son las roturas fibrilares. La lesión de los isquiotibiales es generalmente muy dolorosa y, si existe rotura de fibras musculares, se aprecia un bulto. El dolor aminora relajando la pierna y empeora al intentar flexionar la rodilla.

RECOMENDACIONES

- Evite la lesión de los isquiotibiales mediante estiramientos adecuados antes y después del ejercicio. Coloque la pierna correspondiente sobre un apoyo a la altura de la cadera o siéntese en el suelo con la pierna extendida. Mantenga la rodilla ligeramente doblada e intente colocar la frente sobre ella. Aplique una suave presión, cuente hasta 8 y vuelva a la posición erguida. Repita el ejercicio 8 veces.

- Aplique calor o hielo, según lo que calme más, para aliviar el dolor inicial. Si la lesión se debe a un calambre, el calor será útil; si ha habido un desgarro muscular con inflamación, será mejor el hielo.

- Si ya se ha producido la lesión, aplique árnica en crema de modo regular por todo el músculo, prestando especial atención a la zona adyacente a la lesión.

- Se recomienda la aplicación de ultrasonidos por parte de un fisioterapeuta o un masajista con el equipo adecuado.

- La acupuntura, el shiatsu y las técnicas de masaje aceleran la curación.

- La osteopatía y la quiropraxis pueden ser útiles y deben ser consideradas en caso de lesiones de larga evolución. Se ejerce un sobrepeso sobre la otra pierna y la desalineación pélvica es inevitable, pero de fácil solución.

- Debe tomarse el remedio homeopático Arnica 6 inmediatamente cada 15 minutos. Considere Ruta y más Arnica cada 4 horas según los síntomas de la lesión.

- Debería tomarse extracto líquido de Ruta (una cucharadita colmada en agua) 3 veces al día hasta que se cure la lesión.

LESIONES POR SOBRECARGA REPETITIVAS

Véase **Tendinitis.**

LUMBAGO

El término lumbago designa un dolor de espalda en la región lumbar o lumbosacra, la parte más baja de la espalda. Es muy importante distinguir cualquier causa subyacente de dolor de espalda bajo y el término lumbago define, simplemente, un síntoma más que un problema en sí mismo. El dolor de espalda bajo puede ser el resultado de una mala postura, sobreesfuerzo muscular, desviaciones estructurales, dolor irradiado de órganos pélvicos o abdominales, procesos patológicos de los huesos como osteoporosis, raras veces tuberculosis o incluso cáncer.

En la medicina ayurvédica la energía sexual se asienta en la pelvis, en la base de la columna vertebral y se denomina kundalini. Problemas espirituales o psicológicos relacionados con la sexualidad pueden conducir a un lumbago persistente. Los médicos chinos consideran que la región inferior de la espalda representa muchos puntos de acupuntura en el meridiano de la vejiga. El chi de la vejiga resulta muy afectado por el miedo, la sospecha y los celos, a la vez que se trata de un órgano que elimina los desperdicios de fluido «sucio». Cualquiera de estas emociones puede estar relacionada con el lumbago y debe ser evaluada en un contexto holístico.

El sobrepeso abdominal o el embarazo con musculatura abdominal débil producen una sobrecarga extra sobre los músculos de la espalda y facilitan la contractura muscular o la desalineación del área lumbosacra. Las articulaciones fusionadas entre los huesos de la cadera y el sacro, conocidas como articulaciones lumbosacras, están a menudo ligeramente mal alineadas. En el embarazo y la menopausia, los niveles aumentados o disminuidos de estrógenos alteran la flexibilidad de los ligamentos pélvicos (cuanto mayor cantidad de estrógenos, más laxo), lo que puede alterar la posición de los huesos de la pelvis. Puede existir inflamación de las articulaciones de la parte inferior de la espalda por artrosis, artritis reumatoide, espondilitis anquilo-

Posición «neutra» para la espalda

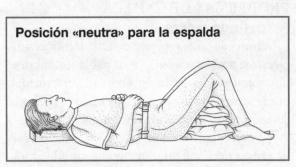

sante y ciertas infecciones; todas estas posibilidades deben investigarse para poder establecerse un tratamiento correcto.

RECOMENDACIONES

- *Utilice medidas simples, como la aplicación de calor o hielo (según lo que ofrezca alivio) y dedique un tiempo a la «posición neutral»: con la cabeza levantada sobre un listín telefónico (¡dos si vive en una ciudad pequeña!) y cuatro cojines debajo de las rodillas.*

- *Los ejercicios de estiramiento suaves pueden proporcionar alivio (mejor si los enseña un masajista o un profesor de gimnasia).*

- *Si el problema persiste hay que considerar una visita al osteópata o quiropráctico para establecer el diagnóstico.*

- *La terapia de polaridad, la técnica de Alexander, el yoga y el chi kung deben tenerse en cuenta como parte de un tratamiento preventivo a largo plazo.*

- *El dolor de espalda en el embarazo y la menopausia puede ser hormonodependiente y debería ser tratado por un profesional de medicina alternativa con conocimientos en tratamientos naturopáticos relacionados con las hormonas. Los remedios homeopáticos son útiles y deben escogerse en función de los síntomas. Deben considerarse Arnica, Bryonia, Rhus toxicodendron y Ruta.*

- *El shiatsu y el masaje proporcionan alivio, o incluso curación, al igual que la acupuntura asociada a otro tipo de masaje corporal.*

- *Si existe un problema específico causante del lumbago, revise los apartados correspondientes en este libro.*

PROBLEMAS DE CADERA
Artrosis de cadera

La artrosis de cadera merece especial atención simplemente por su prevalencia en la población anciana. El tratamiento en cualquier fase de la enfermedad puede ser efectivo, pero muy a menudo es necesaria la sustitución de la articulación (prótesis).

El procedimiento quirúrgico para una artrosis de cadera tiene muy buenos resultados y los cam-

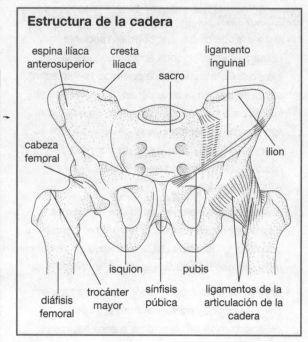

Estructura de la cadera

espina ilíaca anterosuperior · cresta ilíaca · sacro · ligamento inguinal · cabeza femoral · ilion · isquion · pubis · diáfisis femoral · trocánter mayor · sínfisis púbica · ligamentos de la articulación de la cadera

bios recientes en la técnica quirúrgica animan al paciente a levantarse de la cama en 48 horas. Las complicaciones son infrecuentes, pero puede existir una mala fijación de los componentes del cotilo o la cabeza femoral, y esta operación es conocida, sobre todo si el paciente no se levanta pronto de la cama, por el desarrollo de coágulos sanguíneos que pueden producir una embolia pulmonar. Sin embargo, estos riesgos son escasos y las técnicas están mejorando. Hace 20 años habría sido necesario considerar el recambio de una prótesis a los 5-7 años, pero hoy en día con las técnicas y los materiales más estandarizados, una cadera puede durar hasta 20 años.

RECOMENDACIONES

- *Véase **Artritis** para informarse sobre cómo evitar la necesidad de una operación.*

- *Véase **Cirugía** si se requiere una intervención quirúrgica.*

- *Asegúrese de realizar una fisioterapia, osteopatía y ejercicios de yoga adecuados antes y después de cualquier operación. El fortalecimiento de los músculos adyacentes a la articulación de la cadera y la correcta realineación de la inevitablemente dislocada pelvis, aceleran la curación y mantienen la articulación en un mejor nivel de salud.*

Fractura de cadera

La gravedad tiene un efecto importante en todas las cosas y el calcio de nuestros huesos no es una excepción. Con la edad, la matriz proteica sobre la cual se deposita el calcio en los huesos disminuye, debido en parte a la falta de ejercicio, a la disminución de los niveles de estrógenos y, especialmente, de progesterona en la mujer y, por diversos motivos, a la dieta occidental. El resultado es que el hueso más largo del cuerpo (el fémur o hueso del muslo) se vuelve menos denso en su extremo superior (la cadera). Por múltiples razones, incluyendo una pérdida de control en los centros del equilibrio del cerebro y el debilitamiento muscular, las personas de edad avanzada tienen mayor tendencia a caerse y esto, junto con un cuello femoral frágil, hace que las fracturas de cadera sean una de las dos roturas más frecuentes en los ancianos.

Una fractura de cadera puede cortar la arteria que irriga la cabeza femoral y, como consecuencia, al quedarse sin riego sanguíneo, se produce necrosis (muerte) de la parte superior del hueso. Esto puede ser extremadamente doloroso e incluso evolucionar a gangrena, lo cual suele ser mortal.

RECOMENDACIONES

- *Cualquier traumatismo que provoque inmovilización y dolor de cadera debe ser evaluado en un departamento de urgencias, donde han de realizarse exploraciones radiológicas.*

- *Véase* **Cirugía** *si se requiere una intervención quirúrgica.*

- *Los remedios homeopáticos Arnica y Symphytum, a potencia 30, deben administrarse cada 2 horas y, después de la intervención médica, cada 4 horas.*

- *Véase* **Artrosis de cadera** *para las recomendaciones y el cuidado preoperatorio y postoperatorio.*

- *La prevención es la mejor medicina. Desgraciadamente, la densidad ósea suele estar determinada en nuestros años de adolescencia y, en el momento en que la cadera amenaza con fracturarse, es necesario el tratamiento intervencionista (véase* **Osteoporosis***).*

PROBLEMAS DEL CUELLO

El cuello es asiento frecuente de molestias y dolores, que pueden aparecer a cualquier edad. Hay numerosos músculos que controlan los movimientos de la cabeza, y dado que el cráneo es un objeto pesado, se requiere un considerable esfuerzo de estos músculos. La columna cervical es flexible y, más que cualquier otra parte de la columna vertebral, está sometida a muchos movimientos.

Los músculos del cuello están en tensión constante para mantener el cuello erguido, y la ansiedad y el nerviosismo los contracturan todavía más. Esto los hace más proclives a las distensiones que otros músculos y por ello los dolores y molestias son más frecuentes. El constante movimiento interno de las vértebras cervicales favorece el desarrollo de artrosis, sobre todo a edades avanzadas. Las filosofías orientales consideran que varios meridianos viajan a través de los músculos del cuello. El intestino delgado y el grueso, la vejiga, la vesícula biliar y el calentador triple tienen todos ellos puntos de acupuntura a lo largo de la superficie de los músculos cervicales. Puntos débiles en cualquiera de estos órganos o sistemas pueden determinar una disfunción muscular y, por lo tanto, problemas. Es fascinante que el triple calentador, que puede representar la glándula suprarrenal y por lo tanto el estrés, pase a través del cuello y sobre los hombros. Creo que esto explica por qué sentimos tensión en estos músculos y notamos alivio tan fácilmente con un masaje sobre los hombros más que sobre otros músculos, como los del muslo, las nalgas y la parte inferior de la espalda, los cuales soportan mucho más peso y, teóricamente, deberían agotarse con mayor facilidad.

RECOMENDACIONES

- *Para los problemas específicos de columna, véase el apartado correspondiente.*

- *Los dolores de cuello asociados a un traumatismo, como un accidente de carretera o una lesión deportiva, deben ser evaluados inicialmente por un médico en caso de que la columna vertebral esté afectada.*

- *Las lesiones, especialmente el traumatismo cervical, pueden estudiarse mediante radiografías. Evítelo*

Cuello. Músculos, ligamentos y columna cervical

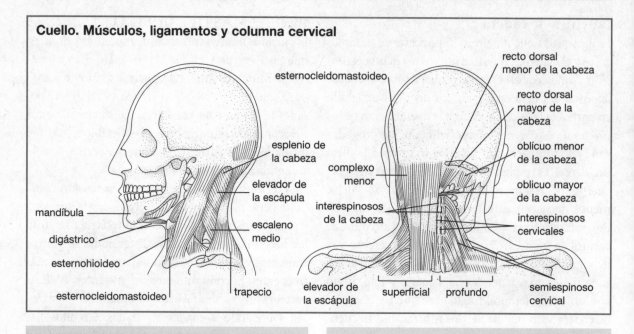

esternocleidomastoideo

recto dorsal menor de la cabeza

recto dorsal mayor de la cabeza

oblícuo menor de la cabeza

complexo menor

oblicuo mayor de la cabeza

interespinosos de la cabeza

interespinosos cervicales

esplenio de la cabeza

elevador de la escápula

mandíbula

escaleno medio

digástrico

esternohioideo

esternocleidomastoideo

trapecio

elevador de la escápula

superficial

profundo

semiespinoso cervical

---

a menos que se sospeche una lesión de la columna vertebral o que persista el problema.

- *Aplique calor o hielo, según lo que proporcione mayor alivio y no deje el cuello en un peor estado.*

- *Permanezca el mayor tiempo posible en la posición neutral; la cabeza apoyada sobre dos listines de teléfono y las rodillas elevadas de modo que la parte estrecha de la espalda quede plana en el suelo (véase **Lumbago**).*

- *Considere el empleo de un collarín si el movimiento del cuello es doloroso, aunque existe cierta discusión sobre la conveniencia de su utilización. Coméntelo con su profesional de la salud.*

- *Tome el remedio Arnica 6 cada 15 minutos tras la lesión, 3 dosis, y después cada 2 horas durante las 24 horas siguientes. Posteriormente tome Arnica 30 cada 6 horas hasta que se calme el malestar. Efectúe un masaje con árnica en crema, 3 o 4 veces al día, siempre suave y con un movimiento en dirección descendente.*

- *Los osteópatas, quiroprácticos, terapeutas craneosacros, expertos en shiatsu y otros masajistas con experiencia en este campo conocen diversas técnicas para solucionar lesiones cervicales.*

- *La acupuntura puede proporcionar alivio instantáneo.*

- *Los problemas cervicales sin una causa evidente pueden estar relacionados con los meridianos de acupuntura, de modo que una consulta con un profesional de medicina alternativa con experiencia en este campo puede establecer al diagnóstico de algún problema o punto débil en el intestino delgado y grueso, la vesícula biliar, la vejiga, las glándulas suprarrenales o el tiroides.*

Fractura cervical

El término «fractura cervical» es muy amplio y puede indicar una fractura en una vértebra o la rotura de la médula espinal.

RECOMENDACIONES

- *Toda lesión cervical que se acompaña de cualquier síntoma neurológico, como entumecimiento, hormigueo, insensibilidad, sensaciones extrañas o parálisis, debe ser evaluada por un médico especialista.*

- *Inmovilice de inmediato el cuello.*

- *Según el tipo de lesión, como fractura, dolor o parálisis, véase el apartado correspondiente.*

Cabeza y cuello. Puntos y meridianos de acupuntura

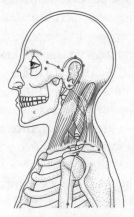
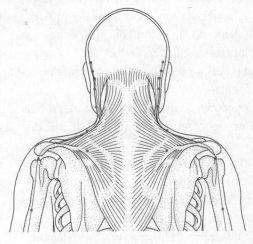

Los intestinos delgado y grueso, la vejiga, la vesícula biliar y el calentador triple tienen puntos de acupuntura en la cabeza y el cuello.

Traumatismo cervical

El traumatismo cervical es un síndrome que incluye cefalea, dolor y sensibilidad del cuello y de los músculos que mantienen la cabeza y el cuello. El traumatismo cervical consiste en una hiperflexión del cuello, habitualmente producida durante un viaje en un vehículo que se detiene bruscamente o es golpeado por delante o por detrás. El movimiento hacia delante del vehículo hace que la cabeza se mueva en esa dirección a tal velocidad que cualquier interferencia provocará la flexión del cuello. Lo más frecuente es que, cuando se recibe un golpe por detrás, el asiento del coche empuje el cuerpo hacia delante dejando la cabeza detrás, con lo que sobreviene la lesión. El daño se debe a la distensión de los músculos que mantiene sujetas las vértebras entre sí, y los otros músculos del cuello que se tensan para proteger el movimiento. Intentar mover la cabeza forzando estos músculos contraídos y los músculos vertebrales distendidos resulta doloroso.

Aparte del dolor, puede haber síntomas neurológicos en caso de contusión de la médula espinal en el accidente. Los síntomas comprenden desde el hormigueo y entumecimiento hasta la parálisis parcial o total, que habitualmente es transitoria.

RECOMENDACIONES

- *Aplique calor o hielo, según lo que proporcione más alivio, lo antes posible tras la lesión.*

- *Tome el remedio homeopático Arnica 6 cada 15 minutos durante una hora y después cada 2 horas durante 3 días.*

- *Se aconseja practicar exploraciones radiológicas (rayos X) en caso de dolor grave o síntomas neurológicos evidentes.*

- *Debe iniciarse osteopatía y acupuntura lo antes posible.*

- *También debe valorarse el masaje.*

- *Existe cierta controversia con respecto al uso del collarín cervical. Actualmente las pruebas son dudosas y pienso que debería usarse durante los 3 primeros días y posteriormente iniciarse movimientos suaves. Su uso durante la noche es probablemente una buena idea para prevenir movimientos bruscos e inesperados.*

- *Toda lesión neurológica persistente debe ser tratada según lo expuesto en el apartado sobre lesiones nerviosas (véase **Lesión nerviosa**).*

SÍNDROME DE LA ARTICULACIÓN TEMPOROMANDIBULAR

Se trata de una situación bastante complicada y cualquier actuación puede empeorarla. La articulación temporomandibular (ATM) es el punto donde el maxilar inferior (mandíbula) se une al cráneo y se mueve mediante uno de los músculos más potentes del cuerpo, el músculo masetero. Cualquier desalineación de la articulación o espasmo del músculo producirá dolor en la mandíbula, las sienes, los dientes y las mejillas. Las molestias pueden extenderse hacia el cuello y por el cráneo, ocasionando cefaleas y migrañas.

El chasquido en la articulación de la mandíbula puede ser un signo del establecimiento de una disfunción de la ATM o puede acompañarse de molestias. La causa suele ser una mala alineación de los dientes o una lesión en la zona. Problemas de la glándula parótida pueden provocar inflamación y determinar tensión sobre el masetero, que desplazará la mandíbula fuera de lugar; la artrosis relacionada con la edad es otra causa infrecuente.

RECOMENDACIONES

- *Acuda a un osteópata craneal como primera medida.*

- *Las técnicas de relajación y meditación para eliminar la tensión del masetero son muy recomendables. Durante unos días procure tomar sólo alimentos blandos. Tenga en cuenta que la falta de alimentos masticables en la dieta puede aumentar inicialmente el problema.*

- *Si existe un punto doloroso justo por delante del ángulo de la mandíbula, puede aliviarse con una ligera presión.*

- *La aplicación de calor puede reducir los síntomas.*

- *Puede tomar el remedio homeopático Arnica 6 cada hora en la fase aguda y 4 veces al día como mantenimiento cuando se obtenga mejoría.*

- *La acupuntura puede añadirse a todo lo anterior en caso de persistir el problema.*

- *La persistencia puede deberse a un problema de ortodoncia, por lo que habrá que consultar con un dentista especializado en el tema. Puede ser necesario modificar la mordida o extraer algún molar que haya erupcionado de forma incorrecta.*

SÍNDROME DEL TÚNEL CARPIANO

El síndrome del túnel carpiano (STC) es la más frecuente de las lesiones por sobrecarga repetitiva. Ha-

bitualmente es producido por el sobreuso de las muñecas en una posición incorrecta y, por lo tanto, es propio de mecanógrafas, usuarios de ordenadores y teclistas. Es menos frecuente en trabajadores que utilizan sus muñecas y manos de forma repetitiva.

El STC puede asociarse a enfermedades como la artritis reumatoide y otros trastornos autoinmunes, hipotiroidismo, déficit de calcio, ciertos fármacos (especialmente los anticonceptivos orales y la terapia hormonal sustitutiva) y, con cierta frecuencia, al embarazo. Estas situaciones provocan un déficit de vitamina B_6 que es el factor determinante.

Se caracteriza por dolor, agujetas y pérdida de sensibilidad en los dedos pulgar, índice y corazón, así como en la palma de la mano y, hasta cierto punto, el dorso de la mano y la muñeca. La técnica diagnóstica consiste en flexionar la muñeca (doblar la mano hacia abajo) durante un minuto aproximadamente, lo que provocará o intensificará los síntomas, y después extender la muñeca para aliviarlos.

El STC se debe a la tumefacción de los tendones que regulan la flexión de la muñeca y los dedos. El uso excesivo provoca un aumento de la circulación sanguínea en la zona para abastecer de oxígeno a los músculos, y esta hinchazón produce presión sobre el nervio mediano, que se halla entre estos tendones. Estas estructuras, junto con otros nervios, venas, arterias y el sistema linfático, están enfundados en una estrecha vaina que no permite que la inflamación se movilice y, por lo tanto, ejerce presión directa sobre el nervio.

RECOMENDACIONES

- *La persistencia de este problema debe ser valorada por un médico general para descartar una causa subyacente.*

- *Asegúrese de que la posición de su silla, cuando esté delante del ordenador, escribiendo a máquina o ante un teclado, es tal que las muñecas están a un nivel ligeramente más elevado que el teclado.*

- *Si está tomando algún fármaco, compruebe que no provoca déficit de vitamina B_6 o calcio.*

- *Evite los anticonceptivos orales o la terapia hormonal sustitutiva, cualquier colorante* alimentario y todo exceso de proteína en la dieta; todo ello reduce niveles de vitamina B_6.

- Suplemente su dieta diaria con vitamina B_6 (50 mg) y calcio (400 mg) en cada comida.

- Tome una cucharadita colmada de cúrcuma mezclada con 250 ml de leche descremada 4 veces al día.

- Puede ser necesario evitar el movimiento repetitivo que desencadena el problema por un plazo de hasta 6 semanas, lo cual puede ser un inconveniente para muchas profesiones. La persistencia del problema obliga a este reposo como una necesidad médica y, si no se cumple, puede ocasionar una lesión permanente que requerirá intervención quirúrgica.

- Muy a menudo la combinación de acupuntura y osteopatía resulta curativa.

- Las fitoterapias china, tibetana y ayurvédica pueden ser beneficiosas y deben usarse antes de considerar la cirugía.

- Los remedios homeopáticos Magnesia phosphorica, Hypericum y Nitricum acidum pueden utilizarse a potencia 6, una dosis cada 2 horas durante 3 días en un ataque agudo y después una dosis 2 veces al día durante 10 días.

- La aplicación de compresas calientes y frías alrededor de las muñecas y en el brazo y un suave masaje con crema de árnica pueden ser rápidamente calmantes e, incluso, definitivamente curativos.

TENDINITIS

La tendinitis es el término médico que indica inflamación de la parte del músculo que se une al hueso, la cual recibe el nombre de tendón (los ligamentos unen hueso con hueso). Las formas más frecuentes de tendinitis son el codo de tenista, el codo de golfista y la tendinitis del talón de Aquiles. Las lesiones por sobrecarga repetitiva se incluyen también entre las tendinitis (que consisten en la inflamación de los tendones de los músculos del antebrazo que controlan los dedos).

Los síntomas consisten habitualmente en un dolor agudo que se acompaña de una molestia persistente. El dolor empeora con el movimiento: cuanto mayor es el movimiento realizado, mayor es el dolor.

Una tendinitis persistente, rebelde al tratamiento, puede estar asociada con el meridiano suprayacente o al canal de energía. Es útil el asesoramiento de un profesional de medicina alternativa con conocimientos en este campo.

Dedo en gatillo

El dedo en gatillo se caracteriza por una limitación inicial de la flexión o extensión del dedo, seguida por un brusco tirón que suele ser doloroso. Se debe a tendinitis crónica.

Tenosinovitis

Alrededor de la mayoría de las articulaciones hay un líquido nutritivo y lubricante que se denomina líquido sinovial. Está envuelto por una membrana llamada membrana sinovial. Muy a menudo, cuando un tendón o una zona articular se inflama, lo hace también la membrana sinovial. Esta situación se conoce como sinovitis y, si se acompaña de inflamación tendinosa, se denomina tendosinovitis.

RECOMENDACIONES

- Tanto el calor como el hielo alivian las molestias. Pruebe ambos para saber qué le va mejor.

- Deje en reposo la zona el mayor tiempo posible. No trabaje el músculo contra resistencia.

- Escoja un complejo vitamínico B y tome diariamente la dosis recomendada con cada comida durante 3 días. A partir de los 14 años, debería tomarse manganeso (20 mg) y vitamina C (1 g) con cada comida. Puede aplicar árnica en crema 3 veces al día en la zona de la lesión; si no dispone de ella, tome una cucharadita de pimienta de cayena con dos cucharadas de crema de vitamina E (o simplemente aceite de oliva), mézclelo bien y aplíquelo localmente una vez al día, manteniéndolo durante 20 minutos. Límpielo bien y vigile que el producto no afecte a un corte, puesto que escuece.

• *Consulte un manual de homeopatía de referencia los remedios Arnica, Bryonia, Rhus toxicodendron y Ruta.*

• *Tanto la acupuntura como la acupresión pueden ser curativas, especialmente si se asocian con osteopatía. La tendinitis puede conducir a un uso anómalo del grupo muscular, convirtiendo la parte contralateral del cuerpo en más dependiente y originando, por lo tanto, desalineaciones estructurales.*

UÑAS
Cuidado de las uñas

Las uñas son la versión reducida de las garras que en una época fueron imprescindibles para la supervivencia. Están formadas por la unión de células epiteliales o de superficie, integradas por una proteína denominada queratina. La uña crece a partir del lecho ungueal, que es una parte de piel modificada muy vascularizada. La media luna es más pálida porque está menos vascularizada pero, sin embargo, es una parte de crecimiento importante de la uña. Ésta tarda aproximadamente tres-cuatro meses para crecer desde su base hasta el borde libre distal en los dedos de la mano, y alrededor de seis-ocho meses en los dedos del pie.

La uña procede de un tipo de piel superficial o epitelio modificado y, por lo tanto, cualquier compuesto que sea beneficioso para la piel lo será para las uñas y su dureza. La queratina procede de aminoácidos y, por lo tanto, cualquier deficiencia en la ingesta proteica puede también ocasionar problemas cutáneos. Aunque la función de las uñas ha disminuido con la evolución a lo largo de los tiempos, su uso ornamental en las mujeres es muy respetado por la industria cosmética y, por supuesto, una manicura bien hecha tiene su atractivo y puede reflejar una actitud subconsciente de su propietaria con respecto a la limpieza y el cuidado personal. Las uñas mordidas o estropeadas pueden indicar una predisposición nerviosa. La salud queda ciertamente reflejada en deformidades, arrugas, uñas quebradizas y el color del lecho ungueal.

Las uñas crecen hacia delante en un plano llano, excepto que el lecho ungueal esté dañado o infectado. Mantener las uñas recortadas al nivel del extremo de los dedos ofrece una buena protección a una parte muy sensible del cuerpo y evita lesiones. La compresión de los dedos de los pies pueden provocar el crecimiento excesivo de las partes blandas periungueales sobre la uña, lo que produce dolor y conduce a la infección. Al cortar las uñas es mejor hacerlo con una pequeña forma de V en la parte media (*véase* **Uña incarnada**) para favorecer el crecimiento hacia delante más que hacia los lados.

No existe riesgo ni inconveniente para la salud por usar un barniz o endurecedor de uñas siempre y cuando el lecho ungueal y el tejido adyacente no estén infectados.

Cambio de color de las uñas

El cambio de color de la uña suele ocurrir por una infección fúngica, que tiende a colorear la uña de amarillo. Excepcionalmente, ciertas sustancias pueden ser eliminadas del organismo a través de las uñas provocando el cambio de color. Pequeños puntos negros indican una enfermedad denominada endocarditis bacteriana y representan pequeños coágulos. Es una enfermedad grave que debe ser tratada por un médico de forma inmediata. Las manchas blancas indican déficit de calcio, cinc o vitamina A. Estas manchas son frecuentes en las fases de crecimiento acelerado de los niños, pero en los adultos habitualmente representan deficiencias dietéticas o falta de calcio inducida por fármacos. Los cambios de color del epitelio subyacente a la uña

Estructura de las uñas

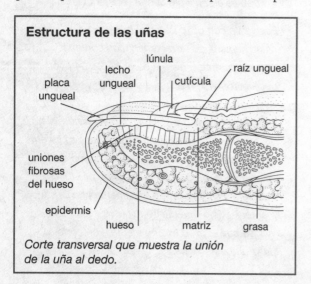

Corte transversal que muestra la unión de la uña al dedo.

pueden indicar anemia si está pálido, ictericia si está amarillo y la infrecuente enfermedad por exceso de ingesta de hierro si está marrón. Una contusión en una uña se manifiesta por un color morado o negro.

Infección fúngica

Los hongos tienen predisposición a asentarse en el lecho ungueal, ocasionando deformidad ya sea por lesionar el área de crecimiento o por provocar un crecimiento más rápido que conduce al engrosamiento de las uñas (*véase* **Infecciones fúngicas**).

Morderse las uñas

El hecho de morderse las uñas no es un problema, aunque habitualmente se acompaña del mordisqueo de la piel y la cutícula circundante. Hay que evitarlo si provoca dolor o predispone a las infecciones. El hábito de morderse las uñas sugiere una predisposición nerviosa o ansiedad subyacente, que podría beneficiarse del uso de técnicas de relajación o meditación. También pueden ser necesarias la hipnoterapia y la psicoterapia.

Uña deformada

Las uñas deformadas se deben por lo común al daño del lecho ungueal por una lesión.

Uña incarnada

Este doloroso problema se debe al crecimiento de los bordes de la uña hacia abajo, lo que provoca un corte en la parte blanda del dedo. En la mayoría de los casos esta dolencia afecta al dedo gordo del pie

Uña incarnada del pie – Tratamiento

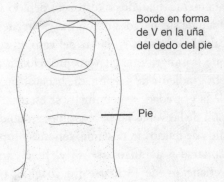

Borde en forma de V en la uña del dedo del pie

Pie

No recorte demasiado la zona problemática de la uña. Un corte del borde en forma de V favorece el crecimiento fuera de la zona afectada.

y se debe, fundamentalmente, a un traumatismo o a una compresión persistente por un calzado estrecho.

Una uña incarnada no cuidada puede presentar una inflamación mínima, pero también puede provocar una infección local que, dejada a su libre evolución, comprometa la uña o permita el desarrollo de gangrena.

RECOMENDACIONES

PARA LAS UÑAS INCARNADAS

- *Desde edades tempranas hay que acostumbrarse a llevar un calzado ancho y permanecer el mayor tiempo posible descalzo.*

- *Recuerde que también los calcetines apretados pueden producir compresión.*

- *Toda lesión que afecte a una uña del pie debe ser valorada por un podólogo o pedicuro.*

- *Asegúrese de mantener cortas las uñas de los dedos del pie. No recorte demasiado la parte de la uña que está enclavada en el dedo porque ello podría, paradójicamente, favorecer el crecimiento más rápido. Es mejor hacer un pequeño corte en forma de V en el medio del borde libre de la uña del pie.*

- *Empape un poco de algodón o gasa en una loción de árnica o caléndula y colóquelo con cuidado bajo la uña.*

- *Aplique árnica o caléndula en crema alrededor de la zona inflamada.*

- *Revise un manual de homeopatía de referencia, con especial atención a Arnica, Hypericum y Calendula.*

- *Si el problema o la inflamación o infección persisten a pesar de los tratamientos anteriores, debe ser evaluado por un podólogo o un médico general, quien podrá extirpar total o parcialmente la uña bajo anestesia local.*

Infección periungueal (panadizo, paroniquia)

El panadizo o paroniquia, popularmente conocido como uñero, consiste en una infección dolorosa, enrojecida o con pus localizada al lado de las uñas y que en ocasiones se extiende por debajo. Estas infecciones son dolorosas, habitualmente por la presión que ejercen, y se recomienda el tratamiento en fases precoces según se describe en las recomendaciones siguientes.

Irregularidades de las uñas

Pueden indicar deficiencias de vitaminas A, complejo B y D, calcio, cinc y ácidos grasos esenciales.

RECOMENDACIONES

- Al cortar las uñas, haga un pequeño corte en forma de V en el medio del borde para favorecer el crecimiento hacia delante.

- Evite el calzado estrecho porque facilita que los bordes de la uña se claven en el tejido que la rodea.

- El cambio de color de una uña sin motivo aparente debe ser evaluada por un médico de cabecera para su diagnóstico.

- Las uñas quebradizas, irregulares o rotas suelen indicar deficiencias o intoxicación por metales pesados, por lo que debe practicarse análisis de sangre y de cabello para detectar el compuesto específico y reponerlo. Puede administrar suplementos de los nutrientes antes mencionados pero, puesto que cualquiera de ellos puede ser el causante y la mejoría no ser evidente antes de 3-4 meses (el tiempo que tarda la uña en crecer), es un método caro de corrección del problema.

- Un hematoma en un dedo puede ser doloroso por la presión producida bajo la uña inflexible. Coloque el dedo en agua muy fría para intentar reducir la hinchazón. Puede ser útil la aplicación de árnica en crema. Es posible que haya que recurrir a una punción, realizada por un médico, para liberar la sangre subyacente. Si no hay un médico disponible, coloque una aguja de coser en agua hirviendo durante unos minutos, retírela y mantenga la aguja sobre una llama (asegurándose de no quemarse los dedos porque ambos extremos de la aguja se calientan). Aplique la aguja aún caliente sobre la uña ejerciendo una suave presión, sin que llegue a penetrar en el epitelio subyacente que es muy sensible. Asegúrese de limpiar cuidadosamente la uña, si es posible con alcohol, antes de insertar la aguja. Debe tomarse el remedio homeopático Arnica 6 cada hora, 3 dosis, y después cada 3 horas hasta que mejore.

- La paroniquia o panadizo debe sumergirse en agua caliente y después en agua muy fría alternativamente durante unos 5 minutos. Puede aplicarse árnica o caléndula en crema y administrar el remedio homeopático Hepar sulphuris calcarium 6 cada hora. En caso de persistir, debe consultarse a un profesional de medicina alternativa.

- Toda lesión en la uña o los dedos se beneficiará del remedio homeopático Hypericum 6, ya sea administrado cada hora o alternándolo con los remedios homeopáticos antes mencionados.

- El hábito de morderse la uñas puede responder a la aplicación de una sustancia de sabor desagradable alrededor de la uña o a la hipnosis.

- Las rugosidades (irregularidades) pueden indicar deficiencias y deberían ser evaluadas por un profesional de medicina alternativa.

VENAS VARICOSAS

Las venas varicosas se localizan principalmente en las pantorrillas y los muslos y se presentan como bultos o finas rayas azuladas. Se trata de vasos anormalmente dilatados o tortuosos debido a una debilidad de sus paredes o, con mayor frecuencia, de las válvulas situadas en la luz del vaso. El resultado es que la sangre que suavemente retorna al corazón por gradiente de presión, cae hacia abajo por acción de la gravedad, se acumula y se estanca. La distensión de las venas las hace visibles y, debido a la pérdida de tejido circundante, son más propensas a lesionarse y a inflamarse. Si el flujo sanguíneo se detiene puede formarse un coágulo, que podría provocar una trombosis venosa. Estrictamente hablando, las hemorroides (almorranas) también son venas varicosas.

La estasis y el coágulo no suelen ser un problema en las venas superficiales pero pueden tener consecuencias mortales en una vena más profunda. Este problema se trata en un apartado específico (*véase* **Trombosis venosa profunda**).

La causa de las venas varicosas suele ser múltiple. Una debilidad congénita se exacerba habitualmente por largos períodos de bipedestación o por aumento de la presión intraabdominal durante el embarazo o al levantar objetos pesados. Una ingesta proteica deficiente puede debilitar la estructura de la pared, y las toxinas que afecten a los tejidos circundantes pueden tener un papel relevante.

Aunque las venas varicosas son principalmente un defecto anatómico, los tratamientos médicos alternativos o complementarios pueden ser útiles.

RECOMENDACIONES

- *Aumente la fibra dietética junto con las proteínas vegetales para asegurar una buena pared muscular y fortalecer el tejido circundante.*

- *Evite las posibles causas de incremento de la presión abdominal, como los esfuerzos, la bipedestación y la compresión de las venas de las piernas, sentándose con las piernas sobre un borde duro.*

- *Aumente los ejercicios que involucren los músculos de las piernas, especialmente los de las pantorrillas, porque favorecen la compresión de las venas y el movimiento del flujo sanguíneo hacia arriba.*

- *El castaño de Indias puede ser beneficioso por su efecto antiedema y sus propiedades antiinflamatorias. Tome el extracto de la raíz 3 veces al día a la dosis de 15 mg/kg de peso.*

- *Los bioflavonoides de los arándanos, las cerezas y otras bayas de color azul y/o rojo pueden ser beneficiosos. Los suplementos con una dosis de 10 mg/kg de peso al día repartidos en las comidas aumentan la resistencia de las paredes venosas.*

- *La bromelaína (70 mg/kg de peso) 3 veces al día fuera de las comidas disminuye la destrucción de la fibrina. La fibrina es una de las proteínas que sostienen las venas en sus tejidos.*

LA PIEL

La piel es un órgano multifuncional cuya función básica es envolver y proteger los tejidos y órganos del cuerpo. La piel proporciona también información sensorial y, gracias a su impermeabilidad y su capacidad aislante, permite mantener el calor interno aislándolo del ambiente externo.

La piel contiene dos tipos de glándulas: las glándulas sudoríparas (*véase* **Sudación**) y las glándulas sebáceas (*véase* **Glándulas sebáceas**).

La capa basal celular crece y se desplaza hacia la superficie, engrosándose a medida que una proteína denominada queratina se deposita entre las células y dentro de ellas. Esta capa queratinizada es más gruesa en el pie debido a la presión persistente del peso corporal. Es esta capa la que ofrece la mayor protección frente a los elementos. En las capas más profundas se hallan las glándulas sudoríparas, implicadas en el enfriamiento del cuerpo y en la eliminación de toxinas, y las glándulas sebáceas, que producen una secreción oleosa que ayuda a mantener la humedad de la piel y contiene inmunoglobulinas para combatir la infección.

Existen unas células en la piel conocidas como melanocitos que segregan una sustancia química denominada melanina, que se produce en presencia

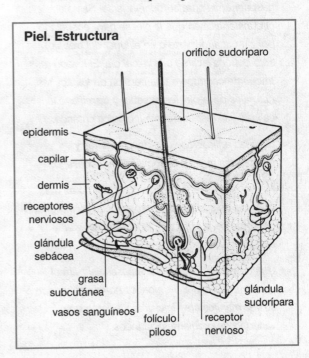

Piel. Estructura

orificio sudoríparo
epidermis
capilar
dermis
receptores nerviosos
glándula sebácea
grasa subcutánea
vasos sanguíneos
folículo piloso
receptor nervioso
glándula sudorípara

del sol. El oscurecimiento de la piel está desencadenado por la absorción de los rayos de sol, que de otro modo serían perjudiciales, en particular la luz ultravioleta. Cuanto más melanocitos hay, más oscura es la piel y mejor es la protección.

La enfermedad o disfunción de la piel puede ser un problema local o reflejar problemas sistémicos o internos. La piel depende de una nutrición y una higiene adecuadas, más que muchas otras partes del cuerpo que protege. Los problemas específicos se exponen en diversos apartados de este libro.

A través de las capas situadas por debajo de la piel transcurren las principales líneas de energía o meridianos que las filosofías orientales de medicina consideran esenciales en la salud. Una debilidad en estas líneas de energía por procesos patológicos de un determinado órgano o sistema puede reflejarse en la piel. Y, a la inversa, la piel dañada puede conducir a un bloqueo del flujo de energía y, por lo tanto, ocasionar enfermedad.

RECOMENDACIONES

- *Mantenga la piel lo más limpia posible. La mayor parte de la población lo consigue con agua pero, en caso de disponer de jabones, los mejores son los no medicados. Los poros cutáneos reaccionan a la medicación como si se tratara de un cuerpo extraño e, incluso aunque no haya síntomas, se gasta energía para autodefenderse. Salvo en circunstancias en que la piel se haya ensuciado por practicar deporte o en el lugar del trabajo, sólo debería lavarse una vez al día. El lavado más frecuente conduce a una pérdida de los aceites naturales de la piel (en el sebo) y disminuye la calidad y la respuesta inmunológica cutánea.*

- *Evite las aplicaciones de desodorantes y maquillajes más de lo socialmente necesario.*

- *Recuerde que la superficie de la piel no es más que una de sus muchas capas y que su integridad depende de la nutrición, la hidratación y la oxigenación internas.*

- *Una dieta bien equilibrada es esencial para el bienestar de la piel y un déficit nutricional puede a su vez manifestarse inicialmente como una variedad de problemas cutáneos.*

- *Los niveles elevados de azúcares refinados y grasas se abren camino hacia la piel, proporcionando un exceso de nutrientes a las bacterias de la superficie, lo que incrementa la tasa de crecimiento. El azúcar atrae asimismo la humedad y, por lo tanto, interfiere en la correcta distribución de líquidos por la piel.*

- *La integridad y la tensión de la piel dependen de los nutrientes para formar elastina y colágeno (los tejidos subyacentes de la piel que previenen las arrugas). A medida que envejecemos o estropeamos la piel con la luz del sol y la deshidratación crónica, estas fibras disminuyen causando los característicos cambios de piel arrugada y celulitis.*

- *Masaje, saunas y ejercicio tienen un efecto definitivo sobre la piel, bien incrementando el riego sanguíneo, bien favoreciendo la excreción natural. Todo ello debería practicarse regularmente.*

PROBLEMAS DE LA PIEL
Arrugas

La repleción y la turgencia de la piel se mantienen por el nivel y la calidad de los tejidos intersticiales (los tejidos conectivos), compuestos por proteínas y grasas. Los compuestos tisulares especiales conocidos como colágeno, fibrina y elastina proporcionan consistencia y elasticidad a los tejidos del organismo. Estos tejidos dependen de una oxigenación, nutrición e hidratación correctas. La falta de las dos primeras conduce a la rotura de la estructura proteica, y la carencia de agua lesiona las células: el resultado es similar al de la uva convertida en pasa.

Las arrugas no son, por lo tanto, un problema estrictamente cutáneo, aunque el efecto se refleja en la capa más externa. Todo lo que deshidrate o disminuya la nutrición y la oxigenación de los tejidos provocará la aparición de arrugas.

Las arrugas son algo natural en el envejecimiento y no son de ningún modo un proceso patológico. Los intentos naturopáticos de reparación o rejuvenecimiento de la piel pueden ser efectivos, pero es poco probable que la piel recupere su pasado glorioso. Con la sabiduría vienen las arrugas y, afortunadamente, lo inverso también es cierto.

- La reparación de la piel arrugada es mucho más difícil que su prevención.

- Favorezca un riego sanguíneo correcto y permanente evitando las situaciones que obstruyen las arterias. Evite fumar, las comidas ricas en grasas y la falta de ejercicio.

- Siga las recomendaciones de suplementos para la arteriosclerosis (véase **Ateroma**), reduciendo las dosis según la cantidad de fruta fresca o verduras ingeridas. 5 raciones de fruta o verdura no requieren suplementación; añada la quinta parte de la recomendación por cada ración no ingerida al día.

- Favorezca la oxigenación mediante el ejercicio frecuente. El yoga y el chi kung son adecuados pero deberían combinarse con ejercicio aeróbico al menos 3 días a la semana.

- Practique un técnica respiratoria; ésta puede verse favorecida mediante técnicas de meditación y relajación.

- Realice una ingesta proteica diaria adecuada mediante judías secas, lentejas, nueces o soja.

- No evite los alimentos grasos, pero asegúrese de que están constituidos por grasas poliinsaturadas y de origen vegetal.

- El masaje mejora la circulación sanguínea, y el masaje facial específico ayurvédico mediante puntos de acupresión es particularmente útil porque las arrugas faciales son las que originan mayor preocupación.

- El uso de árnica o caléndula en crema puede ser beneficioso porque favorece el aporte de sangre y nutrientes a la zona.

- Quizá lo más importante es beber 1,5-2 litros de agua como norma general e incrementarlo en un 50% en caso de tratamiento activo de problemas cutáneos.

- La luz del sol es lesiva sólo si se toma en exceso, por lo que la exposición no debe contraindicarse sino sólo controlarse cuidadosamente.

- Evite las cremas cosméticas pues tienden a aumentar el nivel de líquido en la zona de aplicación. Tienen un efecto «desarrugante» artificial, que disminuye al suspender la aplicación. Mientras se utilizan estos productos el organismo puede dejar de aportar nutrientes y líquido a la zona puesto que aparentemente no los necesita. Esto crea dependencia de su aplicación.

- La corrección quirúrgica (cirugía plástica) es una opción que puede ser muy efectiva.

Piel seca

La piel mantiene su hidratación protegiéndose a sí misma mediante la capa más externa de la epidermis y produciendo el sebo de las glándulas sebáceas. El sebo está compuesto por grasa, proteínas, queratina, hialina y restos celulares. La producción de este compuesto depende de la calidad de la oxigenación y nutrición aportadas por un apropiado flujo sanguíneo a las glándulas sebáceas en las capas más profundas de la piel. Una nutrición o una oxigenación inadecuadas impiden la formación de sebo y conducen a la piel seca.

El sebo asciende por el folículo piloso desde la glándula sebácea, por lo que cualquier obstrucción por suciedad o infección impedirá que el hidratante natural alcance las capas superficiales. Sin el sebo, las inmunoglobulinas defensivas esenciales están ausentes y es más fácil que asiente la infección.

El exceso de calor externo deshidrata la piel como lo hace la falta de ingesta de agua. Las filosofías orientales consideran que cualquier cosa que caliente el cuerpo, como por ejemplo el estrés, el ejercicio excesivo, las bebidas calientes y las comidas especiadas, también pueden ocasionar sequedad de la piel.

- Tenga en cuenta la rehidratación interna más que la aplicación de hidratantes tópicos. Una piel seca pero falsamente hidratada no enviará respuestas nerviosas reflejas para intentar aportar más líquido al área (esto lo notan principalmente los que usan *protectores para labios secos. Cuanto más los usan, más los necesitan).*

- *Asegúrese de aportar la cantidad adecuada de grasas y aceites en la dieta. Las dietas pobres en grasas son conocidas por provocar piel seca.*

- *Elimine las comidas y bebidas calientes, como alcohol, pimienta, pimientos y alimentos picantes.*

- *Un cigarrillo quema a 250 °C. Este calor es absorbido rápidamente por el torrente sanguíneo a través de los pulmones y calienta el cuerpo. Es un deshidratante poderoso y habitualmente una causa infravalorada de piel seca.*

- *Evite el contacto con aceites o productos químicos que pueden obstruir los poros de la piel. Aquí se incluyen la mayoría de los desodorantes en aerosol y en barra.*

- *No use antitranspirantes.*

- *Los remedios homeopáticos pueden ser muy beneficiosos y los que debería revisar en su manual homeopático de referencia son Calcarea carbonica, Graphites, Petroleum, Silica y Sulphur. Use potencias bajas, de 6 o 12, en cuadros agudos 4 veces al día, o potencias más altas, de 30 y 200, con menor frecuencia si se trata de un problema de larga evolución.*

CALLOS

Un callo, cuyo término médico es clavo, es habitualmente una zona en forma de cono de piel seca acompañada del crecimiento de una sustancia córnea, localizado sobre todo alrededor de los dedos de los pies. Se debe a la presión de fricción.

RECOMENDACIONES

- *Ante el mínimo signo de cambio de la textura de la piel de los pies, revise su calzado y evite todos los zapatos y calcetines estrechos.*

- *La aplicación de forma regular de crema de árnica, ortigas o caléndula (o las tres) puede suavizar y finalmente reducir el callo.*

- *Los podólogos, dermatólogos y cirujanos plásticos pueden extirpar los callos de modo eficiente, pero asegúrese de utilizar las anteriores cremas antes y después de la intervención para evitar infecciones y reducir el riesgo de recurrencias.*

CAMBIOS DE COLORACIÓN CUTÁNEA

Los cambios de color de la piel suelen ser temporales debido a una alteración del flujo sanguíneo: demasiado poco hace empalidecer la piel, un exceso la hace enrojecer. Las causas fisiológicas, como la vergüenza o el exceso de calor, deben distinguirse de las causas patológicas. Las personas pueden adquirir un ligero tono verdoso cuando se marean (no sé por qué sucede esto y estaría agradecido si alguien pudiera aportarme información). Una coloración marrón puede deberse a variaciones en los niveles de estrógenos y se manifiesta durante el embarazo o la menopausia. Estas últimas suelen denominarse manchas hepáticas, aunque no tienen nada que ver con el funcionamiento del hígado.

Ciertas enfermedades metabólicas pueden alterar el color de la piel de un modo más permanente. Un exceso de hierro puede teñir la piel de color marrón y la ictericia volverla amarilla.

Tiña nigra

Esta enfermedad, también conocida como pitiriasis *nigra*, que es frecuente en Oriente y el continente americano, se caracteriza por una coloración negra o marrón oscura predominantemente en el tronco, el cuello y las palmas de las manos. Se debe a una infección fúngica y hay que tratarla con cremas antifúngicas específicas.

Tiña versicolor

Es una infección fúngica superficial crónica de la piel, producida por un hongo denominado *Malassezia furfur*. Este hongo provoca unas lesiones pálidas, de bordes lisos, habitualmente redondeadas u ovales. Los hongos afectan o destruyen los melanocitos, que son los responsables del color de la piel, y ocasionan las lesiones pálidas. Suele transmitirse a través de toallas o por contacto directo con la piel y es más frecuente en el Mediterráneo y en las playas de la costa oeste de Norteamérica.

RECOMENDACIONES

• *Aplique un champú con selenio sobre las lesiones durante 3 noches seguidas. Lávelo por la mañana. Ante cualquier sospecha de irritación, consulte otros tratamientos con un médico alternativo.*

• *Tome selenio, 1,5 mg/kg de peso, en una dosis única con la cena.*

CÁNCER DE PIEL

Hay tres tipos de cáncer de piel:

• Carcinoma de células basales (*ulcus rodens*).
• Carcinoma de células escamosas.
• Melanoma.

Identificación del cáncer de piel

Puede sospecharse un cáncer de piel ante la presencia de cualquiera de los siguientes síntomas:

• Toda lesión que crece.
• Toda lesión que cambia de color o presenta una coloración heterogénea.
• Una lesión persistentemente pruriginosa o dolorosa.
• Una lesión que sangre.
• Toda lesión recurrente.

Carcinoma de células basales

El carcinoma de células basales o *ulcus rodens* se desarrolla a partir de las capas más profundas de la piel y tiene un crecimiento lento y sin tendencia a la diseminación. Puede manifestarse como un bulto rugoso o escamoso, o como una pequeña úlcera. Generalmente se desarrolla en el punto de unión entre la piel y una membrana en el ángulo del ojo o de la boca. Esta lesión de color carnoso e indolora raramente crece más de 1 cm de diámetro antes de ser diagnosticada y tratada.

Carcinoma de células escamosas

El carcinoma de células escamosas habitualmente aparece en piel dañada por el calor, la luz ultravioleta, una infección crónica o un riego sanguíneo

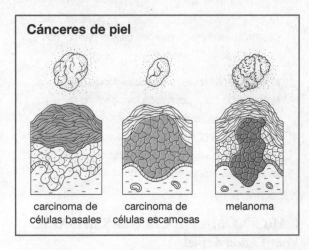

Cánceres de piel

carcinoma de células basales   carcinoma de células escamosas   melanoma

afectado, como en el caso de una arteriosclerosis o una ulceración venosa. Es un tumor invasivo de los tejidos locales, se ulcera fácilmente y aparece como una lesión friable que sangra con facilidad. El carcinoma de células escamosas metastatiza (se disemina) y puede asentar en los ganglios linfáticos y en otras partes del cuerpo.

Melanoma

El melanoma se expone en un apartado propio (*véase* **Melanoma**). Los carcinomas de células basales y escamosas se denominan a partir del tipo celular en que se origina el desarrollo del cáncer.

Sin embargo, el carcinoma de células escamosas es menos peligroso que el melanoma puesto que su crecimiento es más lento y con menor tendencia a la diseminación y suele ocasionar algún síntoma local. Además, en caso necesario, es susceptible de tratamiento mediante quimioterapia o radioterapia.

RECOMENDACIONES

• *Preste atención a las recomendaciones; hágase extirpar una lesión de ese tipo. Sin embargo, por muy experto que sea el médico, sólo el microscopio puede distinguir una célula cancerígena.*

• *Toda lesión cutánea que no se resuelve fácilmente debe ser considerada como un cáncer de piel y extirparse.*

• *El carcinoma de células escamosas y el melanoma deben tratarse con respeto. Tenga en* *cuenta las recomendaciones para el cáncer en general (véase **Cáncer**).*

- *El carcinoma de células basales requiere sólo tratamiento local, pero toda tendencia a la recurrencia sugiere una predisposición subyacente al cáncer que puede aparecer en otro punto y convertirse en una dolencia mucho más grave.*

CARCINOMA DE CÉLULAS BASALES
Véase **Cáncer de piel**.

CELULITIS

La celulitis no es estrictamente un término médico, pero ha entrado en el campo de la medicina a través de la cirugía plástica, a la que se someten un número creciente de individuos (el 95% de los cuales son mujeres) que luchan contra este deformante problema.

La celulitis es una formación ondulante en las capas más profundas de la piel, localizada preferentemente en zonas donde se deposita la grasa. Puede ser asintomática y simplemente desfigurante o causar malestar, una sensación de tensión o tirantez y, raras veces, dolor.

Debajo de la capa superficial (epidermis) y la dermis cutáneas se asienta una capa de grasa. Ésta es mayor en mujeres de cualquier edad. Las células grasas están separadas por un tipo de tejido denominado tejido conjuntivo o conectivo, que literalmente conecta los diferentes tejidos en todo el cuerpo. Ciertos alimentos y condiciones –mala circulación y estreñimiento– producen la degeneración de este tejido, con lo que las células grasas quedan agrupadas de forma irregular y más cerca de la superficie de la piel.

La celulitis se divide en tres grupos:

- Primer estadio: la piel es suave hasta que se pinza, haciéndose entonces visible el efecto de piqueteado.
- Segundo estadio: el piqueteado es visible al tensar el músculo subyacente o en bipedestación.
- Tercer estadio: el piqueteado es evidente en todo momento.

RECOMENDACIONES

- *Al reducir el contenido graso del cuerpo se reduce la capa grasa subcutánea y, por lo tanto, el efecto celulítico.*

- *El fortalecimiento de los músculos subyacentes a la zona de celulitis aumenta el riego sanguíneo y mantiene o incluso repara la pérdida de tejido conjuntivo local, con lo que se reducen los depósitos grasos antes mencionados.*

- *El masaje de la zona, tanto individual como profesional, ayuda a romper parte de los cúmulos grasos y, además, incrementa el flujo sanguíneo y mejora la estructura del tejido conjuntivo.*

- *Puede tomarse, mezclado con un alimento, el extracto de hidrocotile, en el caso del adulto, a una potencia de 30 mg, 3 veces al día. Este extracto vegetal ayuda a reestructurar el tejido conjuntivo y es el único tratamiento con hierbas que goza de una evidencia científica razonable.*

- *Una paradoja interesante. Existe un compuesto llamado Cola vera que contiene un 14% de cafeína. Aplicado en una solución de hasta al 1,5% puede ser localmente efectivo. Sin embargo, la cafeína ha sido citada como una causa de celulitis tomada por vía oral y es importante en la lucha contra la celulitis evitar el café, el té, las bebidas enlatadas que contengan cafeína y el chocolate.*

- *Muchas preparaciones cosméticas se basan en la hidratación de la zona, y simplemente empujan el agua en la piel piqueteada, produciendo hinchazón y pérdida parcial de su feo aspecto. Tras suspender la aplicación, el problema reaparece al poco tiempo.*

ENFERMEDAD DE RAYNAUD

La enfermedad de Raynaud, que debe su nombre a un médico francés, se caracteriza por episodios repetidos de palidez y cianosis o enrojecimiento de los dedos de las manos, de los pies o de ambas extremidades, habitualmente desencadenados por la emoción o el frío. Este trastorno puede ser secundario a muchas enfermedades, pero sobre todo a las enfermedades arteriales oclusivas crónicas, como la diabetes, la arteriosclerosis o la enfermedad de Buerger relacionada con el tabaco.

Esta dolencia, no infrecuente, se manifiesta a menudo en un único dedo, que cambia de color, por lo común a blanco. Es producida por la obstrucción del flujo arterial, lo cual se debe habitualmente al control nervioso de las arterias, ya sea por sus propios plexos nerviosos o por la acción del sistema nervioso central. Aparte de ser algo doloroso o indicar una enfermedad subyacente, el problema no es grave, aunque en casos intensos podría producirse gangrena o ulceración si la falta de riego sanguíneo es prolongada.

Los dedos de las manos y los pies representan diferentes órganos, humores (elementos) y sistemas, según las distintas filosofías orientales estudiadas.

La mayoría de ellas se correlacionan en cierto grado, siendo un buen ejemplo el principio ayurvédico, representado en el diagrama adjunto.

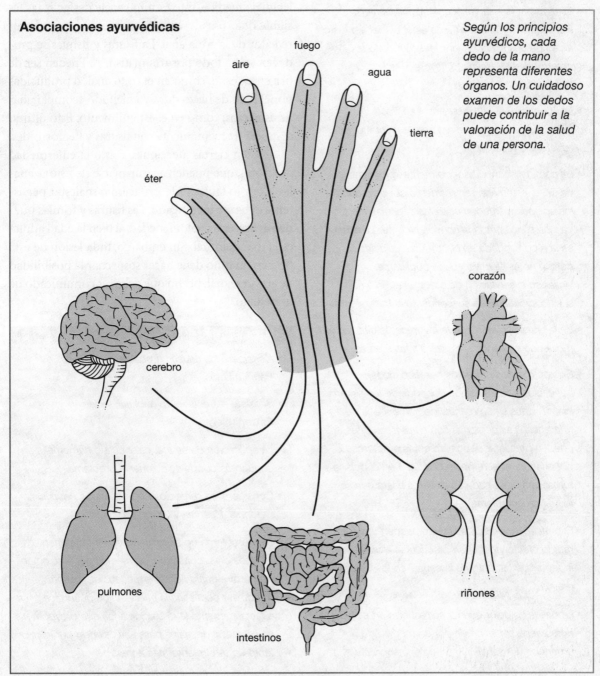

Asociaciones ayurvédicas

fuego

aire

agua

tierra

éter

cerebro

corazón

pulmones

intestinos

riñones

Según los principios ayurvédicos, cada dedo de la mano representa diferentes órganos. Un cuidadoso examen de los dedos puede contribuir a la valoración de la salud de una persona.

- *Los episodios esporádicos de la enfermedad de Raynaud no requieren estudios, pero si son dolorosos o persistentes debería consultarse al médico para descartar una enfermedad subyacente.*

- *Recuerde las precauciones de sentido común, como ponerse guantes o calcetines de abrigo y no asir con fuerza objetos durante demasiado tiempo.*

- *Evite fumar (causa vasoconstricción periférica). Por otro lado, una bebida de alcohol diaria o justo antes de una situación que desencadena la enfermedad de Raynaud, favorece la vasodilatación periférica.*

- *La vitamina E (7 UI/kg de peso) en dosis repartidas a lo largo del día puede favorecer la resistencia vascular.*

- *La comida picante, especialmente la pimienta de cayena, tomada regularmente puede reducir los episodios. Pueden utilizarse cápsulas de cayena si no agrada la comida picante. La dosis es la recomendada en el producto adquirido, pero si no es efectivo puede duplicarse, vigilando la sensación de ardor en el estómago; si esto sucede debe suspenderse el tratamiento.*

- *En las crisis agudas puede favorecer la circulación moviendo o girando los brazos y las piernas.*

- *Existen muchos remedios homeopáticos beneficiosos. La elección depende de los síntomas identificados en un manual de homeopatía de referencia. Las personas con crisis frecuentes, que pueden presentar dedos ardientes o dolorosos, deberían llevar el remedio Cactus 6 en el bolsillo y tomar una dosis cada 15 minutos hasta que se resuelva el problema.*

- *El biofeedback y la meditación pueden tener un rápido efecto y deberían practicarse a diario, independientemente de la causa, en los casos graves.*

- *La palidez o dolor que no se resuelve en pocas horas debe ser valorado por un médico de urgencias. La parálisis o un dolor insoportable*

deben tratarse de inmediato. Pueden administrarse fármacos vasodilatadores periféricos en casos agudos o crónicos graves.

FISURAS Y FÍSTULAS

Las fisuras son cortes en la piel o úlceras que se manifiestan sobre las mucosas. Las fístulas son fisuras que comunican con el interior del cuerpo. En el lenguaje médico, este término suele designar las lesiones dolorosas, a veces sangrantes que aparecen alrededor de la zona anal. La fisuras y fístulas se producen sobre todo por traumatismos. Pueden ser de origen externo, como en el coito anal, o producidas por el paso de heces duras, a menudo acompañadas de esfuerzos, como en el estreñimiento. Esto último se asocia frecuentemente con fisuras y hemorroides.

Existen ciertas afecciones, como la enfermedad de Crohn, que pueden acompañarse de fisuras anales y, por lo tanto, toda irritación o malestar persistente debe ser investigado. Las fisuras y fístulas pueden aparecer a cualquier edad, si bien la edad adulta es la más habitual. Sin embargo, toda lesión de este tipo en un niño debe hacer sospechar la posibilidad de abuso sexual, hecho que debe ser comunicado de inmediato.

- *Considere las causas probables y evite los traumatismos.*

- *Si existe estreñimiento habitual, véase* **Estreñimiento***.*

- *La aplicación de árnica, caléndula o hamamelis en ungüentos puede solucionar el problema.*

- *Considere los remedios homeopáticos Aesculus, Ratanhia, Paeonia y Graphites.*

- *Si el problema no se resuelve espontáneamente en unos días, consulte a un médico general, quien descartará cualquier enfermedad subyacente. Puede ser necesaria la intervención quirúrgica, específicamente la dilatación anal, que provoca un pequeño desgarro para abrir, siendo por lo tanto un tratamiento más agresivo.*

HERPES ZOSTER

El herpes zoster es una erupción agresiva, dolorosa, de aspecto ampollar que puede presentarse en cualquier parte del cuerpo, aunque tiende a desplazarse por una zona de piel relacionada con una terminación nerviosa determinada y es unilateral.

El diagnóstico de herpes zoster debe establecerlo un médico de cabecera puesto que muchas otras situaciones pueden ser muy similares. Una vez confirmado el diagnóstico, debería considerarse el tratamiento profesional de medicina alternativa antes de realizar un tratamiento ortodoxo con fármacos antivíricos, ya que éstos provocan la aparición de cepas resistentes. Cualquier lesión herpética interna o relacionada con órganos delicados como el ojo debería ser controlada por un médico con experiencia; éstas son las excepciones para el uso de fármacos antivíricos ortodoxos.

El herpes zoster está causado por un virus del grupo *Herpes* denominado varicela zoster. El virus, como todos los virus herpes, asienta en una raíz nerviosa y se desplaza a lo largo del nervio y sus terminaciones produciendo dolor, inflamación y vesículas cutáneas. La sensibilidad es el signo guía, puesto que el herpes es extremadamente doloroso al principio.

RECOMENDACIONES

- *Véase* **Herpes simple**.

- *La aplicación de hielo envuelto en un material de seda puede ser intensamente calmante durante breves momentos.*

- *Se acepta la administración regular de fármacos comunes analgésicos en las crisis agudas debido al intenso dolor.*

- *Los remedios homeopáticos Rhus toxicodendron, Kali muriaticum, Ranunculus y el nosode específico Variolinum pueden utilizarse a potencia 30 o menos, cada hora durante 3 dosis y cada 2 horas en la fase aguda; una vez que el cuadro inicial empiece a ceder, se reduce a 4 veces al día.*

- *Pueden aplicarse regularmente crema de ortigas o caléndula, que ejercen un efecto calmante.*

- *El café aplicado sobre las lesiones activas puede aliviar el dolor y acortar la duración de la erupción.*

INFECCIONES DE LA PIEL

La piel posee una fuerte capacidad de protección. Es impermeable y, por lo tanto, las bacterias y otros agentes infecciosos tienen dificultades para penetrar en ella. Las capas más superficiales de la piel son células muertas, con lo que los virus no pueden vivir en ellas. La superficie cutánea es un hábitat precario puesto que la flora bacteriana propia compite por el alimento con las cepas nocivas y las ataca directamente.

El sebo contiene inmunoglobulina A, una sustancia de defensa que ataca los agentes extraños. Las capas más profundas de la piel están provistas de gran cantidad de leucocitos (células blancas de la sangre) y la membrana basal sobre la que crecen las células basales de la piel constituye otra barrera impenetrable de grasas y proteínas.

Para que se establezca una infección, es preciso destruir previamente la integridad de estas barreras o secreciones protectoras. Una vez que penetra el agente infeccioso, puede asentarse y alimentarse a partir de los nutrientes sanguíneos. Las infecciones también pueden verse favorecidas por el azúcar contenido en el torrente sanguíneo procedente de la ingestión de azúcares refinados y grasas.

Si el sistema de defensa del organismo está deprimido o no se trata una infección, pueden formarse abscesos y furúnculos. Las infecciones de la sangre puede exteriorizarse a través de la piel, como sucede con la varicela, el sarampión y otras infecciones más graves producidas por bacterias en el torrente sanguíneo (septicemia).

Finalmente, las infecciones estafilocócicas y estreptocócicas pueden ocasionar una afección denominada impétigo.

RECOMENDACIONES

- *Diríjase a los apartados específicos de este libro para afecciones como abscesos, furúnculos e impétigo.*

- *Revise y preste atención a su estado nutricional global puesto que la piel puede reflejar cualquier deficiencia antes que otros órganos.*

- *Las infecciones cutáneas persistentes deben ser estudiadas por un médico general para descartar problemas subyacentes, aunque es mejor el tratamiento propuesto por los médicos alternativos.*

- *Utilice caléndula en crema en la zona de la infección.*

- *Asegure una buena hidratación bebiendo 1,5-2 litros de agua durante el día para conseguir la dilución del sebo, que podría espesarse sobre todo en caso de fiebre.*

- *Evite los antibióticos tópicos, que destruyen las bacterias cutáneas, tanto las beneficiosas como las perjudiciales, y pueden favorecer la aparición de cepas resistentes.*

- *Evite la aplicación de corticoides que, si bien reducen el grado de inflamación, pueden al mismo tiempo eliminar el mecanismo de defensa del organismo.*

INJERTO DE PIEL

La piel puede requerir la aplicación de un injerto cutáneo, debido a un traumatismo o a una quemadura. Se extirpa un trozo de piel sana de un tamaño similar al área lesionada, asegurándose de incluir la capa de células basales de crecimiento.

El injerto debe acompañarse de una parte de tejido subcutáneo para favorecer el crecimiento de nuevos vasos sanguíneos en la zona para nutrir las células basales.

RECOMENDACIONES

- *Véase* **Cirugía**.

- *Una vez realizado el injerto, pude ser útil la aplicación de crema de árnica y caléndula.*

- *Véase* **Eccema** *y siga las recomendaciones que sobre este caso se hacen acerca de los aportes de suplementos y hierbas.*

LOBANILLOS

Un lobanillo es en realidad un quiste sebáceo que suele localizarse en el cuero cabelludo (*véase* **Glándulas sebáceas**).

MELANOMA (MELANOMA MALIGNO)

El melanoma maligno, conocido habitualmente sólo como melanoma, es un cáncer que se inicia en las células que contienen melanina situadas en la capa más profunda de la piel. Se caracteriza por una lesión marrón o negra parecida a un lunar. Como todo cáncer de piel, los signos ominosos que ayudan a reconocerlo son un aumento del tamaño (habitualmente expansivo más que sobreelevado), un oscurecimiento o variación del color de la lesión, prurito, sangrado o un bulto asociado en la región ganglionar linfática más próxima (por lo general, localizada en la articulación más cercana).

Lamentablemente, los melanomas no siempre caen dentro de esta categoría y pueden ser pálidos y muy poco evidentes. Éstos son, sin embargo, raros.

Las personas que tienen muchos lunares no tienen mayor riesgo de que uno de ellos desarrolle un melanoma pero, al tener más lunares, hay más lesiones para vigilar.

Un melanoma maligno puede permanecer localizado por unos cuantos meses pero, dejado a su libre evolución, generalmente se diseminará y crecerá en otras partes del cuerpo con rapidez. En ocasiones, los melanomas se detectan en una exploración de rutina del ojo, puesto que pueden formarse en la retina, pero, al igual que en la mayoría de los cánceres internos, salvo que sean detectados en una exploración rutinaria, pueden no dar síntomas hasta que ya se hayan diseminado.

RECOMENDACIONES

- *Véanse* **Cáncer**, **Cáncer de piel** *y* **Cirugía**.

- *Preste especial atención a las hierbas Astragalus y Chaparral, ambas han demostrado ser útiles en este tipo de cáncer en estudios científicos.*

- *Actualmente se está estudiando una vacuna preparada a partir de células de melanoma que desencadene una respuesta del organismo para atacar al melanoma de forma general. Esperamos con interés el desarrollo de estos estudios, que aún están en las primeras fases.*

PAPILOMAS

Un papiloma es un crecimiento de las células superficiales que se diferencia de una verruga simplemente porque está más vascularizado en su interior (*véase* **Verrugas**).

PRURITO CUTÁNEO

El picor es un dolor leve. Se debe a una irritación de las terminaciones nerviosas, que no basta para desencadenar un impulso doloroso pero es suficiente para actuar como una alarma. Las terminaciones nerviosas reaccionan ante cualquier irritante externo obvio incluyendo: productos químicos, inflamación por un traumatismo o infección, irritantes que pueden haberse ingerido y que se eliminan por el sudor, liberación de histamina por una alergia alimentaria o una picadura de insecto, una enfermedad metabólica, como la ictericia, y el eccema o dermatitis.

RECOMENDACIONES

- *Identifique la causa o consulte inicialmente con un profesional de medicina alternativa para diagnosticar un problema subyacente. Elimine la causa si es posible.*

- *El prurito persistente debe ser evaluado por un médico de cabecera para su diagnóstico.*

- *Las aplicaciones de calor o frío pueden ser muy útiles.*

- *En zonas aisladas o pequeñas, la aplicación de una patata o cebolla puede proporcionar alivio.*

- *Puede ser útil el baño en agua con una cucharada colmada de aceite de almendra. No frote el aceite sino que es mejor dar pequeños toques o secar al aire.*

- *Consulte un manual de homeopatía de referencia para identificar uno de los muchos remedios relacionados con el prurito.*

- *Puede utilizarse fitoterapia, pero puesto que las hierbas actúan como una especie de antihistamínico, es mejor seguir las instrucciones de un herbolario.*

- *Muchas causas de prurito cutáneo están relacionadas con alergias (véase* **Alergias***).*

- *Véase* **Prurito***.*

QUELOIDES

Un queloide es el sobrecrecimiento de un tejido cicatrizal. La mayoría de las veces aparece tras un traumatismo o cirugía y el origen de este excesivo crecimiento del tejido cicatrizal es incierto. En general, el organismo posee un mecanismo que impide la formación de una cicatriz excesiva, del cual carecen las personas que desarrollan queloides. Son más frecuentes en personas de piel negra. Todavía no he descubierto ninguna terapia complementaria que pueda solucionar este defecto, probablemente genético.

Se ha desarrollado un derivado de silicona aplicado a una hoja de gel adhesivo que se dice que actúa aplanando, suavizando y aclarando las cicatrices rojas y elevadas. Se ha demostrado que es útil en las cicatrices de más de 20 años de evolución y, por supuesto, se afirma que carece de riesgos. Actúa hidratando la zona de la cicatriz, lo que ayuda a disminuir el tamaño y el enrojecimiento de la cicatriz y puede mejorar la elasticidad del tejido.

RECOMENDACIONES

- *El tratamiento quirúrgico de un queloide puede dar buenos resultados transitorios, pero se formará uno nuevo alrededor de la cicatriz producida por la intervención.*

- *El uso de corticoides infiltrados puede ser beneficioso, siendo la experiencia individual de cirujanos plásticos o dermatólogos la guía que se debe seguir.*

- *Si se produce un traumatismo o es inevitable una intervención quirúrgica en un individuo que desarrolla queloides, considere el uso del remedio homeopático Silica 30, 2 veces al día, empezando una semana antes de la operación y continuando durante 3 semanas después de ésta o del traumatismo.*

> • *Una crema de caléndula puede ser beneficiosa y aplicarse con frecuencia en el punto susceptible de formar queloide.*

SARPULLIDOS (ERUPCIONES)

Sarpullido es un término no técnico utilizado para prácticamente toda erupción cutánea, pero sobre todo para una zona de piel enrojecida. Un sarpullido puede estar también inflamado y caliente, liso o sobreelevado, seco o húmedo y acompañado o no de otros síntomas.

Muchas infecciones, ya sea tópicas (locales) o sistémicas (de todo el organismo), pueden presentar un sarpullido. El sarampión, la varicela y la rubéola (sarampión alemán) son ejemplos comunes de infecciones no demasiado graves. Sin embargo, un sarpullido producido por una bacteria como el estreptococo, como en el caso de la faringitis estreptocócica o en el de la meningitis, hallado sobre todo en los muslos de los lactantes, es una enfermedad mucho más grave.

La dermatitis de contacto (inflamación de la piel debida a un irritante) es frecuente, como el sarpullido producido por una ortiga o por productos químicos en el trabajo; un sarpullido también puede deberse a una alergia ya sea por contacto, ingestión o inhalación. Las picaduras de insecto pueden producir un sarpullido, especialmente las garrapatas y pulgas. Un sarpullido por calor puede deberse a la exposición solar excesiva.

Enfermedades más graves, como trastornos de la coagulación sanguínea o leucemia, pueden manifestarse como una erupción. Indica una forma de inflamación superficial. La irritación o daño celular determina la liberación de productos químicos, como la histamina, que favorecen el flujo sanguíneo, el cual, a su vez, aporta leucocitos para la defensa y nutrientes para reparar la lesión. Un sarpullido es en general un signo de alerta o de curación y raramente la fase final de una afección grave. «Preste atención al aviso y favorezca la reparación» debería ser el lema ante cualquier sarpullido.

Las filosofías orientales consideran que una erupción está asociada a un exceso de calor en el organismo y que deben investigarse las causas subyacentes más que centrarse en el sarpullido. La homeopatía considera que la piel es un órgano muy importante de excreción. Las patologías se desplazan de adentro afuera y a menudo la aparición del sarpullido indica el final del proceso. Un tratamiento incorrecto puede suprimir la causa subyacente, inhibiendo la curación.

RECOMENDACIONES

- *Diríjase al apartado correspondiente en caso de que el sarpullido se deba a una causa determinada.*

- *Las aplicaciones de frío pueden calmar el sarpullido.*

- *Puede seleccionarse un remedio homeopático según la localización y el tipo de sarpullido, en un manual de homeopatía de referencia o siguiendo las indicaciones de un médico homeópata.*

- *Debería aplicarse crema de ortigas o caléndula sobre toda área irritada.*

- *Pueden aplicarse emplastos de avena, que se preparan remojando avena en agua durante unos pocos minutos y escurriéndola después, para reducir el calor de la zona.*

- *La aplicación de una infusión fuerte de manzanilla o de avena remojada en manzanilla como se ha descrito puede resultar calmante.*

- *Beba abundante agua para limpiar el organismo. No debe estar demasiado caliente ni demasiado fría porque la primera añade más calor al cuerpo y la segunda provoca la producción de más calor por parte del organismo.*

- *Una erupción persistente sin una causa evidente debería ser valorada por un médico general para descartar una enfermedad subyacente. Debe prestarse especial atención a las erupciones que no están enrojecidas ni mejoran a las 48 horas. Rechace el tratamiento con corticoides u otros fármacos, excepto en caso de fracaso de los tratamientos alternativos.*

- *Pueden ser necesarios análisis de sangre y, en casos extremos, el dermatólogo podría solicitar una biopsia de la erupción.*

SUDAMINA

Es una afección caracterizada por prurito y pequeños granos no infectados que pueden aparecer en cualquier parte del cuerpo. Generalmente afecta a personas de tez blanca en ambientes calurosos, y empeora con la humedad. Se debe a un calentamiento que desencadena la liberación de mediadores químicos tipo histamina, y a la obstrucción de las glándulas del sudor.

RECOMENDACIONES

- *Véanse* **Sudación**, **Urticaria** *y* **Golpe de calor**.

- *El remedio homeopático Sol (un remedio elaborado a partir de la energía solar), a potencia 6, cada 10 minutos, puede ser notablemente efectivo.*

- *Aplique geles o lociones de áloe vera si la zona de sudamina es pequeña; en caso contrario, tome la máxima cantidad de áloe vera recomendada en el prospecto.*

- *Un profesional de medicina alternativa con experiencia en este campo puede establecer un diagnóstico de debilidad en el intestino delgado y grueso, la vesícula biliar, la vejiga, el tiroides o las glándulas suprarrenales.*

URTICARIA

La urticaria es una reacción alérgica caracterizada por lesiones (habones) circunscritas, rojas, sobreelevadas, pruriginosas o irritantes que aparecen en cualquier parte del cuerpo, habitualmente agrupadas o, en ocasiones, aisladas.

La urticaria es una respuesta causada por la liberación de histamina y sustancias químicas afines, que determinan la extravasación de pequeños capilares, con la consiguiente hinchazón tisular. Estas sustancias favorecen asimismo la apertura de arterias pequeñas, produciendo un mayor aflujo sanguíneo puesto que el cuerpo ha detectado un invasor «extraño» e intenta expulsarlo.

La urticaria puede estar desencadenada por alergias, producidas a su vez por múltiples causas, desde tóxicos, alimentos, fármacos o infecciones por levaduras u hongos. Está demostrado que el estrés puede ocasionar una reacción urticariada y debe tenerse en cuenta si no se encuentran otras causas.

RECOMENDACIONES

- *Preste especial atención a los posibles desencadenantes, especialmente fármacos como antibióticos que pueden encontrarse en alimentos preparados.*

- *Véase* **Alergias** *para el tratamiento.*

- *Intente aplicar hielo, zumo de cebolla o una solución de ortigas.*

- *Un suplemento de Acidophilus puede ser curativo si se trata de una reacción a una cepa de levaduras intestinales propia.*

- *La quercetina (30 mg/kg de peso), en dosis repartidas entre las comidas, puede ser útil.*

- *El remedio homeopático Urtica urens 6 tomado cada 15 minutos puede eliminar la irritación.*

- *Asegúrese de mantener una ingesta elevada de agua para limpiar el sistema.*

VITÍLIGO

Es una enfermedad de la piel caracterizada por la pérdida de pigmento, con aparición de zonas blancas. En muchos casos están rodeadas por zonas hiperpigmentadas que las hacen más notorias.

El vitíligo se presenta en muchos casos asociado a ciertas enfermedades, como el hipertiroidismo y la anemia perniciosa. En ocasiones el organismo crea anticuerpos frente a sus propias células formadoras de melanina (melanocitos), aunque la causa más común es la infección por hongos. Los déficit nutricionales pueden producir vitíligo, sobre todo en los niños.

Si no existe una causa subyacente, la prevención de la enfermedad es poco probable. Las filosofías orientales consideran que la pérdida del color normal de la piel o el cabello es un signo de falta de fuerza vital. No estoy seguro de la veracidad de esta afirmación, porque la mayoría de las personas que encanecen prematuramente no parecen gozar de menor salud o longevidad que las otras. Sin una enfermedad subyacente, no parece que el vitíligo cause problemas de salud a largo plazo en otras áreas.

RECOMENDACIONES

- *Tome un suplemento de complejo vitamínico B en una dosis 4 veces superior a la recomendada durante una semana y después el doble de la recomendada durante un mes más.*

- *Los suplementos de betacaroteno (150 mg/kg de peso) deberían tomarse 2 veces por día durante una semana y después 1 vez al día durante 3 meses. Con estas dosis no es probable que aparezca un color amarillento de piel, pero si existe la menor sospecha o en caso de embarazo, disminuya la dosis a la mitad.*

- *Debería realizarse análisis de cabello, sudor y sangre para evaluar deficiencias de minerales, que pueden corregirse tomando el doble de la dosis diaria recomendada durante un mes.*

- *En caso de deficiencias debe consultarse con un nutricionista para descartar una dieta pobre o escasa capacidad de absorción. Podrían requerirse enzimas digestivas, que deben ser prescritas por un profesional.*

- *Debe tratarse cualquier enfermedad subyacente.*

- *Pueden intentarse cremas antifúngicas tópicas. Los ungüentos naturopáticos, aunque recomendables, no dan buenos resultados según mi experiencia.*

XANTELASMAS

Son placas sobreelevadas amarillentas localizadas alrededor de los párpados como resultado de la acumulación de lípidos en las células de la piel. Se consideran indicativos de hipercolesterolemia y de un mayor riesgo de padecer ateromas; esto no es estrictamente cierto en la mayoría de los casos, pero puede ser un signo de aumento de grasas en sangre.

El campo ortodoxo no puede explicar por qué se forman en esta zona del cuerpo en particular, aunque la hipótesis más razonable sugiere que se trata de una zona de piel delgada y, por lo tanto, de pequeños vasos que pueden obstruirse por depósitos grasos. Una valoración más holística es que los meridianos del intestino delgado y del estómago se unen en esta área y son los responsables de la absorción de grasas.

RECOMENDACIONES

- *El xantelasma puede reflejar los niveles lipídicos (grasa), por lo que vale la pena determinar los niveles sanguíneos de triglicéridos y colesterol.*

- *Revise la dieta y reduzca la ingesta de colesterol.*

- *Asegúrese una buena hidratación bebiendo por lo menos 1,5-2 litros de agua y duplique esta cantidad si se ha formado un xantelasma.*

- *La aplicación de árnica en crema puede disminuir los depósitos y, en casos graves, puede recurrirse a la terapia con láser.*

- *El remedio homeopático Calcarea carbonica 6, 2 veces al día durante 2 semanas y repetido al cabo del mes en caso de no obtener respuesta, ha sido recomendado por algunos especialistas.*

- *Consulte con un profesional de medicina alternativa para catalogar su constitución, que puede mostrar una tendencia a la retención.*

SISTEMA NERVIOSO

DOLOR

El dolor es una sensación localizada o difusa que abarca desde el malestar hasta el dolor intenso. Es producido por la estimulación de terminaciones nerviosas especiales, conocidas como fibras del dolor. Un traumatismo o una enfermedad irritan estos nervios, ya sea directamente o a través de la liberación de sustancias químicas, que incluyen el ácido araquidónico (AA) o la sustancia P. Existen cuatro fases en el reconocimiento del dolor. Una estimulación leve o la presencia de pequeñas cantidades de estos mediadores químicos puede ocasionar prurito o irritación, pero a medida que la estimulación aumenta aparece el dolor. Este proceso se conoce como *iniciación*.

A continuación sigue la *transmisión*. Las terminaciones de estas fibras envían impulsos químicos a lo largo del nervio periférico hasta el sistema nervioso central al nivel de la médula espinal. Por el camino, el mensaje químico pasa a través de las uniones entre los nervios denominadas sinapsis. Algunas de estas conexiones equivalen a puntos de control. Debe acumularse cierta cantidad de mensajes químicos antes de que se transmita al próximo nervio. Estas uniones se conocen como umbrales de dolor. Una vez superados estos umbrales de dolor, la transmisión finaliza en los centros de dolor del cerebro.

La tercera fase es el *reconocimiento*. Los centros del dolor están conectados con la conciencia y envían estímulos para originar la respuesta adecuada. La cuarta y última fase del dolor es la *respuesta*. La respuesta inicial es refleja y la posterior es consciente. Una vez estimulado el centro del dolor, se envían impulsos, que generalmente inducen la contracción muscular de la zona, produciendo de este modo un reflejo de retirada. Este reflejo consiste en apartar la zona de toda agresión externa. La siguiente respuesta es consciente. Movimientos como sacudir o agarrar pueden ser beneficiosos al cambiar el nivel de compresión sobre las terminaciones nerviosas afectadas. Mientras se produce esta acción casi instantánea, el cerebro libera endorfinas, los opiáceos naturales del organismo, que inician el proceso de calmar el dolor actuando sobre los centros nerviosos, los umbrales de dolor y la transmisión nerviosa.

El alivio del dolor se consigue gracias al descenso de la sensibilidad local mediante la liberación de compuestos calmantes a partir de leucocitos específicos y fibras nerviosas. Los nervios periféricos y el sistema nervioso central están sometidos a la acción de sustancias químicas calmantes.

Es importante entender que el dolor no es un enemigo. La medicina ortodoxa ha estudiado y fabricado compuestos antiálgicos, que son por supuesto los fármacos más vendidos y rentables. En efecto, el alivio del dolor es quizás una de las mejores cosas que el médico puede lograr para el paciente. El punto de vista holístico es, sin embargo, establecer la causa del dolor y tratarla para conseguir un efecto de mayor duración. Los laboratorios farmacéuticos quizá prefieran que tomemos analgésicos para tratar una esquirla clavada en la mano, mientras que un médico sensato retiraría la esquirla.

Un reciente estudio publicado por un especialista en el control del dolor ha demostrado que el uso de los fármacos ortodoxos supresores del dolor pueden, en realidad, favorecer y aumentar su duración. La hipótesis es que los analgésicos artificiales suprimen la propia respuesta analgésica del organismo. Cuanto más fármaco se toma, mayor es la supresión. El dolor crónico tratado con fármacos puede mejorar después de un período doloroso inicial de seis semanas y dejar al individuo con un menor requerimiento de analgésicos.

El cuerpo produce dolor por tres razones:

- *Dolor como alarma.* Si acercamos nuestra mano al fuego, los receptores de dolor nos hacen detener la mano. Si bebemos café y nos aparece dispepsia por acidez, el organismo nos está indicando que no bebamos café. Es interesante señalar que el dolor suele estar ausente en enfermedades graves, como el cáncer, la diabetes o el sida, hasta que es demasiado tarde.

- *Dolor como proceso de reparación.* El dolor desencadena respuestas reflejas. No sólo aparta el cuerpo de un estímulo nocivo, sino que produce un reflejo en los vasos sanguíneos. Un nervio que transmite dolor envía un impulso a la médula espinal, y una reacción refleja manda un impulso a los vasos circundantes. Éstos se dilatarán permitiendo un mayor aflujo de sangre en la zona, que aportará más oxígeno, leucocitos y nutrientes para la reparación. El dolor se asocia con la inflamación y ésta consiste en el aumento de flujo sanguíneo que ocasiona calor, inflamación y enrojecimiento. La inflamación y el dolor son procesos de curación y no deberían ser inhibidos salvo que interfieran en la curación, como sucede cuando la respuesta es demasiado intensa.

- *Dolor sin propósito.* Se trata de situaciones en las que el dolor ya no tiene utilidad desde el punto de vista de la alarma, ni es preciso que continúe porque el proceso de reparación ya está en marcha. Lesiones graves y las fases finales de procesos patológicos no se benefician del dolor. En estos casos la conciencia del dolor es incorrecta. El dolor referido, el que se siente en una zona no lesionada, entra en esta categoría. El dolor en el «miembro fantasma» (después de una amputación) es un ejemplo. Con mayor frecuencia podemos sentir dolor en la pierna por un nervio comprimido en la espalda, lo cual es un dolor referido que actúa como alarma y como proceso de reparación, aunque está en un sitio incorrecto.

Es importante no tratar el dolor como un problema, sino como un síntoma. Incluso la medicina ortodoxa tiende a evitar suprimir el dolor hasta que ha establecido la causa. El alivio de dolor debe enfocarse hacia la disminución de la sensibilidad de los receptores nerviosos locales, periféricos o centrales, pero también de todo aquello que aumente la sensibilidad. Las carnes grasas (que contienen niveles elevados de aminoácidos y mediadores químicos de estrés como la adrenalina) y la cafeína sensibilizan el sistema nervioso.

RECOMENDACIONES

- *Establezca siempre la causa del dolor. Busque consejo médico y técnicas de diagnóstico en caso de duda.*

- *Examine la causa y valore si se trata de un signo de alarma o de reparación. Preste atención a la alarma y favorezca la reparación antes de iniciar un tratamiento calmante.*

- *Esté atento a los efectos adversos de los analgésicos ortodoxos. Los compuestos específicos se tratan en el capítulo 10. Sin embargo, puede administrarse un calmante ortodoxo suave, como la aspirina o el paracetamol, si no existen contraindicaciones.*

- *El dolor agudo puede tratarse con medicación naturopática, pero no piense que es segura o que está libre de efectos secundarios. Los siguientes productos pueden utilizarse con seguridad por vía tópica, pero su ingesta debe ser prescrita por un herbolario puesto que la calidad y la cantidad de cualquier ingrediente activo en un extracto de hierbas nunca son seguras: clavo y tomillo (aceite o extracto en polvo) pueden ser muy útiles en heridas abiertas, especialmente en el dolor gingival y dental; el aceite de gualteria, el sauce y la reina de los prados contienen todas ellas ácido salicílico (aspirina), pero no presentan ventajas con respecto a los preparados comerciales; por las razones mencionadas, no se indican cantidades.*

- *Los remedios homeopáticos son numerosos pero no actúan de la misma manera que un analgésico ortodoxo o una hierba. Una dosis de un remedio no tiene un efecto instantáneo, pero aumenta la respuesta analgésica y ayuda a disminuir la conciencia si el dolor carece de utilidad. Los remedios homeopáticos favorecen la curación; por lo tanto, sea el dolor de alarma o de reparación, el remedio puede empeorar el malestar inicial. Consulte un manual de homeopatía de referencia para la selección. Puede tomarse Arnica 6 para cualquier dolor, cada 10 minutos, hasta escoger un tratamiento homeopático adecuado.*

- *Considere la corrección estructural mediante osteopatía, quiropraxia o shiatsu si el dolor se debe a un problema estructural. La mala alineación craneal, espinal, pélvica o articular es una causa frecuente de pinzamiento nervioso.*

- *La osteopatía craneal puede ser muy beneficiosa, especialmente si es un dolor persistente.*

- *La estimulación nerviosa eléctrica transcutánea (ENET) consiste en hacer pasar un impulso eléctrico suave a través de los nervios, que puede estimular la liberación de los mediadores químicos calmantes.*

- *La acupuntura puede ofrecer alivio instantáneo y ser curativa, al igual que la acupresión. Los puntos específicos pueden ser indicados por un experto en acupuntura o shiatsu o en libros de acupuntura y acupresión.*

- *El dolor crónico puede aliviarse tomando los siguientes compuestos en dosis repartidas a lo largo del día y en las siguientes cantidades (indicadas por kg de peso): ácido eicosapentaenoico, 20 mg; D,L-fenilalanina, 20 mg, y vitamina B_1, 650 mg (con las 3 comidas diarias durante 3 días y después una vez al día).*

- *La cayena (en forma de pimientos picantes en la dieta diaria) y la manzanilla (en forma de infusión fuerte) pueden ser beneficiosas para el dolor crónico.*

- *El dolor es subjetivo y, por lo tanto, las técnicas tipo hipnoterapia, relajación y biofeedback resultarán útiles.*

ENTUMECIMIENTO

El entumecimiento se conoce en el lenguaje médico como parestesia, y describe una sensación parcial o local de anestesia o de déficit de sensibilidad. El término puede utilizarse como experiencia psicológica, pero no es estrictamente médico.

El entumecimiento se debe a una interferencia parcial de la función nerviosa, generalmente ocasionada por una lesión, inflamación, infección o enfermedad, que afecta al nervio directamente o alterando su riego sanguíneo.

RECOMENDACIONES

- *El entumecimiento persistente debería ser valorado por un médico de cabecera para una posible derivación al neurólogo a fin de efectuar estudios posteriores. Enfermedades como la esclerosis múltiple y la diabetes pueden presentarse inicialmente como un entumecimiento y, especialmente en esta última, un diagnóstico y un tratamiento precoces pueden marcar una profunda diferencia a largo plazo.*

- *Véanse **Neuralgia** y también **Ateroma** si existe un daño vascular asociado.*

- *Varios remedios homeopáticos están indicados y se recomienda consultar un manual de homeopatía o acudir a un homeópata. Los remedios Argentum nitricum, Gelsemium, Lycopodium y Rhus toxicodendron deben estar habitualmente en el botiquín casero y pueden utilizarse a potencia 6 cada 3 horas hasta que se elija un remedio adecuado.*

- *El entumecimiento puede indicar una deficiencia mineral o vitamínica, especialmente de vitamina B_{12}. Se recomienda realizar análisis de sangre y cabello antes de administrar un suplemento.*

- *La osteopatía y la quiropraxis pueden aliviar la presión en caso de que el entumecimiento tenga un origen estructural, ya sea por una mala alineación de la columna o por una contractura muscular.*

- *El entumecimiento puede asociarse, como toda enfermedad neurológica, a un estancamiento de chi (energía). La acupuntura y el shiatsu pueden aliviarlo, así como los tratamientos específicos de fitoterapia china o, preferiblemente, tibetana.*

INQUIETUD

La inquietud no es un problema médico grave, pero la mayoría de las personas se enfrentan a ella en algún momento de la vida. Habitualmente, se asocia al aburrimiento y, cuando existe una correlación evidente, la solución es desahogarse de la inactividad.

El problema es que a menudo no nos damos cuenta de nuestro aburrimiento espiritual, psicológico o físico y la inquietud puede interferir en nuestras funciones normales.

La inquietud es el resultado químico de los neurotransmisores de estrés en el sistema nervioso. El tratamiento debe dirigirse a eliminar el exceso de mediadores químicos de estrés y corregir cualquier deficiencia que pueda haber surgido en el sistema nervioso.

RECOMENDACIONES

- *Identifique cualquier causa de vacío espiritual o psicológico y llénelo con una actividad o ejercicio mental, de meditación u oración.*

- *Si no existe una razón evidente para la inquietud, considere la psicoterapia o la hipnoterapia para identificar un deseo subconsciente.*

- *Elimine todo estímulo nervioso tipo cafeína, cigarrillos, exceso de alcohol u otras drogas, todo lo cual, directa o indirectamente, sobreestimula el sistema nervioso.*

- *Si la inquietud va y viene, tenga en cuenta una posible correlación con los alimentos ingeridos, puesto que la alergia alimentaria puede ser importante.*

- *Si la inquietud persiste a pesar de las medidas anteriores, puede indicar alguna deficiencia nutricional por lo que debería realizarse análisis de vitaminas y minerales en sangre y cabello, bajo la supervisión de un profesional de medicina alternativa.*

> • *La osteopatía craneal puede ser un tratamiento temporal.*

LESIÓN NERVIOSA

Un nervio lesionado puede causar dolor, parálisis, parestesia (sensibilidad alterada) o una alteración en la percepción de cualquiera de los cinco sentidos. Los efectos dependen del nervio afectado y el tratamiento se establece según la localización.

Los nervios pueden dividirse en dos grandes grupos: los del cerebro y la médula espinal, conocidos como sistema nervioso central, y los que están fuera de estas áreas, denominados nervios periféricos. Todas las partes del cuerpo están inervadas, salvo la piel engrosada, el cabello y las uñas, pero muy a menudo sus zonas adyacentes compensan siendo extremadamente sensibles.

Los nervios se dividen, además, en motores y sensitivos, que controlan el movimiento y la sensibilidad, respectivamente. Los nervios motores se subdividen a su vez en los que están bajo control voluntario y los que no lo están. El sistema nervioso *autónomo* (sin control voluntario) regula el latido cardíaco, la respiración inconsciente, los esfínteres vesicales involuntarios, etc. Los nervios *simpáticos* y *parasimpáticos* son partes de este sistema y actúan de forma opuesta entre sí. Por ejemplo, el sistema nervioso parasimpático reduce la frecuencia cardíaca, mientras que el sistema nervioso simpático la acelera. Adrenalina y noradrenalina son las catecolaminas o neurotransmisores que afectan a ambos sistemas pero de diferente forma. Los recovecos del control bioquímico son complejos y no particularmente relevantes desde el punto de vista del autotratamiento de los nervios lesionados.

El tratamiento depende del problema real y, como siempre, hay que establecer la causa subyacente de la lesión nerviosa siempre que sea posible. Las causas principales son:

- Lesión directa: puede tratarse de una lesión parcial del nervio o de su sección parcial o total.
- Deficiencia: los nervios están compuestos por proteínas y grasas especializadas así como vitaminas y otros nutrientes; deficiencias muy fre-

cuentes son las de vitamina B_{12}, ácido fólico y ácidos grasos esenciales.

- Procesos patológicos: esclerosis múltiple, otras enfermedades esclerosantes, infecciones y enfermedades metabólicas como diabetes o hipotiroidismo. Infecciones específicas como tétanos, poliomielitis y herpes son conocidas por causar dolor o parálisis de los nervios afectados.
- Toxicidad: alcohol, drogas, tabaco y productos químicos agrícolas son los culpables. Plomo, mercurio, aluminio y, raramente en la actualidad, arsénico son todos ellos causas conocidas de lesión nerviosa. Es interesante que el exceso de vitamina E puede ser perjudicial.

La medicina ortodoxa afirma que los nervios no se regeneran. Esto no es estrictamente cierto y alguna transmisión nerviosa puede reconstruirse incluso en un nervio totalmente seccionado si los extremos se unen ya sea de modo espontáneo o mediante una técnica quirúrgica. Y, lo que es más importante, el cuerpo tiene la capacidad de desarrollar nuevos nervios o reeducar otros para inervar el área que ha quedado desnervada por el nervio lesionado.

NEURALGIA

Es el término médico para indicar un dolor de origen nervioso; se asocia principalmente a la neuralgia del trigémino o la ciática (*véanse* **Neuralgia del trigémino** y **Ciática**).

RECOMENDACIONES

- *Los fármacos ortodoxos para aliviar el dolor pueden ser necesarios como tratamiento de primera línea debido a la intensidad del dolor asociado a la lesión.*

- *Revise los remedios homeopáticos Hypericum, Arsenicum, Ranunculus, Aconitum e Iris en un manual de homeopatía.*

- *Toda incapacidad de movimiento o cambio en la sensibilidad, como el entumecimiento o el hormigueo, deben ser evaluados por un médico para establecer el diagnóstico. Recuerde que muchos síntomas neurológicos no se deben a la lesión nerviosa sino a problemas vasculares o musculares.*

- *Pueden utilizarse los siguientes suplementos en las cantidades indicadas (por kg de peso), repartidos con las comidas a lo largo del día: manganeso 33 mg; magnesio, 7 mg, y lecitina, 15 mg. Si no se aprecia mejoría en un par de días, contacte inicialmente con un profesional de medicina alternativa y considere investigar deficiencias específicas mediante análisis de sangre o cabello.*

- *Tome el doble de la dosis diaria recomendada de un complejo multivitamínico B. Puede tomar cromo (2,5 mg/kg de peso en dosis repartidas con las comidas), 3 veces al día.*

- *El extracto de avena común (Avena sativa) puede tomarse como extracto líquido (una cucharadita con agua) cada 3 horas.*

- *La acupuntura y el tratamiento de electroacupuntura suave pueden proporcionar alivio inmediato y ayudar a la curación.*

- *El masaje marma y otras técnicas ayurvédicas derivadas, como la neuroterapia, pueden ser beneficiosas.*

- *Cualquier síntoma neurálgico persistente o un nervio gravemente lesionado debe ser evaluado por un neurólogo. En caso de nervios importantes deberían llevarse a cabo estudios de conducción nerviosa y de resonancia magnética.*

- *La técnica de Alexander, el yoga y el chi kung pueden ser útiles en la regeneración de áreas denervadas.*

NEURALGIA DEL TRIGÉMINO

La neuralgia del trigémino es un dolor súbito intenso y lacerante que afecta a la frente, la región de las mejillas o mandíbulas de un lado de la cara. Se debe a la irritación del nervio trigémino, que recoge la sensibilidad dolorosa de sus tres ramas principales que pasan por cada una de estas áreas. La irritación suele proceder de una zona de traumatismo en el ángulo de la boca, el lado de la nariz o delante del oído, pero puede deberse a una inflamación a lo largo del trayecto nervioso o incluso a un tumor.

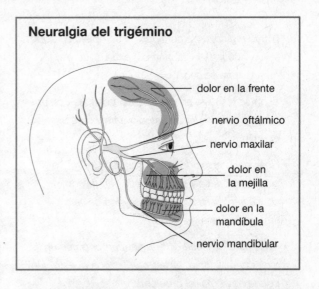

Neuralgia del trigémino

dolor en la frente
nervio oftálmico
nervio maxilar
dolor en la mejilla
dolor en la mandíbula
nervio mandibular

RECOMENDACIONES

- *Debe establecerse el diagnóstico por parte de un médico o un neurólogo y descartar cualquier problema grave.*

- *Véase **Neuralgia**.*

PARÁLISIS DE BELL

Así llamada por el médico que la describió por primera vez, la parálisis de Bell es una parálisis, habitualmente unilateral, de los músculos de la cara debida a un traumatismo o inflamación del nervio facial, localizado en la base del cráneo y que transcurre por la cara. Suele asociarse a un traumatismo, corrientes de aire intensas (como sucede cuando se mantiene la cabeza fuera de un vehículo en movimiento), infecciones víricas y, excepcionalmente, causas más graves, como tumores.

La parálisis de Bell puede solucionarse en pocos días, mientras que otras parálisis pueden no llegar a resolverse nunca por completo.

RECOMENDACIONES

- *Consulte a un homeópata para el remedio adecuado.*

- *Consulte a un osteópata craneal para el tratamiento.*

- *Tome vitamina B_1 (100 mg en cada comida) durante 3 días, sola o en combinación con lecitina*

(1.000 mg en cada comida), un complejo B, ácido fólico (400 mg) y vitamina B_{12} extra, todo ello durante una semana.

- *Si no se resuelve en pocos días, consulte con un médico para iniciar un estudio a través de un neurólogo.*

- *Una vez establecida que la causa no es grave y si la homeopatía y la osteopatía han fallado, considere la acupuntura con ayuda de la fitoterapia china.*

- *Hasta que consulte con un acupuntor o con un experto en shiatsu, evite frotar la zona puesto que puede empeorar el problema.*

SÍNDROME DE LAS PIERNAS INQUIETAS

Es una enfermedad caracterizada por movimientos de arrastre, prurito y a veces sensación dolorosa en las piernas y los muslos, que mejora moviendo las piernas, ya sea agitándolas o caminando. Este problema rara vez está asociado a una enfermedad neurológica grave subyacente, aunque se ha establecido la hipótesis de un desequilibrio neuroquímico en el sistema nervioso central.

Aparte de ser una situación desagradable, puesto que suele aparecer al cabo de media hora de haberse acostado, convirtiéndose en una frecuente causa de insomnio, no se trata de un problema grave.

Ciertamente, existe una relación con estimulantes, sobre todo la cafeína y otros compuestos que afectan al sistema nervioso, como la nicotina o el alcohol. La abstinencia de drogas puede ser una causa y es importante recordar que abstinencia no significa, necesariamente, el cese completo de un consumo importante. El olvido de un «porro» nocturno, cuando constituye una costumbre regular, puede producir abstinencia y ésta puede manifestarse hacia el mediodía. Hay una correlación hereditaria y el embarazo puede desencadenar la situación. Este último aspecto ha conducido al estudio de deficiencias, siendo el ácido fólico y el hierro frecuentemente deficitarios en quienes lo padecen. Es importante establecer el motivo de estas deficiencias; si existe un síndrome de malabsorción

hay que tratarlo, más que limitarse a aportar un suplemento.

La ansiedad y el estrés pueden tener relevancia, al estimular la producción de mediadores químicos que interfieran en el proceso calmante.

RECOMENDACIONES

- *Investigue mediante análisis de sangre y cabello cualquier deficiencia vitamínica o mineral y corríjala con suplementos, administrando 3 veces la dosis recomendada diaria repartida en las comidas durante el día. Preste especial atención a las deficiencias de hierro, ácido fólico y complejo vitamínico B (consulte con un nutricionista si está embarazada).*

- *El ejercicio regular, preferentemente al final de la tarde, puede reducir la excesiva producción nocturna de mediadores del estrés.*

- *Practique una técnica de meditación o chi kung, yoga o tai chi.*

- *Acuda a un manual de homeopatía para escoger un remedio adecuado. Existen múltiples posibilidades, según el cuadro sintomático.*

- *Considere las dietas de desintoxicación si está tomando algún tóxico o fármaco de forma habitual o lo ha suspendido recientemente (véase **Dieta de desintoxicación**).*

- *La mala alineación de la columna puede producir presión sobre los nervios, por lo que la osteopatía y las terapias de masaje podrán ser beneficiosas.*

ASPECTOS PSICOLÓGICOS

AGORAFOBIA

Literalmente, agorafobia significa miedo a espacios o sitios abiertos, aunque también se usa con frecuencia para describir el miedo a abandonar el hogar. Esta enfermedad es más frecuente de lo que uno creería y afecta principalmente a mujeres.

Los casos leves pueden tratarse de forma eficiente mediante homeopatía, pero si el problema interfiere en la vida normal y no responde al tratamiento básico, se recomienda la psicoterapia. La agorafobia se asocia habitualmente con un hecho pasado, que una vez examinado suele ser tratable.

RECOMENDACIONES

- *Revise y pruebe los remedios homeopáticos Anthemis nobilis, Anacardium y Lycopodium. Deben tomarse a potencia 200, una dosis cada noche durante 7 noches.*

- *En casos agudos pueden usarse Aconitum y Arsenicum album potencia 6, 4 píldoras cada 10 minutos.*

- *Use D, L-fenilalanina (50 mg por cada 30 cm de altura) con cada comida.*

- *Acuda a un psicoterapeuta especialista en hipnoterapia, programación neurolingüística o desensibilización movimiento-ojo.*

ANSIEDAD

La ansiedad, como toda emoción, es un factor de supervivencia necesario. La ausencia de ansiedad significa ausencia de temor frente a un peligro potencial. La naturaleza no lo favorece. La ansiedad no es una emoción negativa, salvo que sobrepase su función normal.

La ansiedad puede ser aguda o crónica: la ansiedad aguda se presenta en relación con sucesos atemorizantes o preocupantes, mientras que la ansiedad crónica es persistente y, sin un fundamento lógico, es patológica. Estar ansioso, por ejemplo, por la pérdida del trabajo o una relación fallida no es malo y lo mejor será tratarlo mediante psicoterapia y algunos remedios homeopáticos básicos.

RECOMENDACIONES

ANSIEDAD AGUDA

- *Considere los siguientes remedios homeopáticos a potencia 6 cada 10 minutos: Arsenicum album o Pulsatilla para la ansiedad nocturna y Sulphur al despertar; Aconitum, Causticum o Ignatia para la ansiedad por miedo; Aconitum o*

Baryta carbonica para la ansiedad con fiebre. Como siempre, lo mejor es revisar el manual de homeopatía para escoger el más adecuado.

- *Un té dulce ligero o una manzanilla son beneficiosos porque la ansiedad puede acompañarse de hipoglucemia.*

- *Aprenda y practique técnicas de respiración y relajación.*

ANSIEDAD CRÓNICA

- *Acuda a un homeópata para el tratamiento adecuado.*

- *Considere la psicoterapia si los niveles de ansiedad están alterando su vida cotidiana.*

- *Las técnicas de relajación y meditación son esenciales.*

- *Evite comidas estimulantes por la noche, especialmente queso, chocolate y especias.*

- *El alcohol puede ofrecer una mejoría transitoria, pero podría conducir a un uso continuado y una posible dependencia, de la misma manera que lo haría un betabloqueante. Evite ambos.*

DEPRESIÓN

Cualquier persona puede experimentar una depresión como parte del ciclo normal de emociones. La depresión no debería tratarse, a no ser que la tristeza, la melancolía o el abatimiento no estén justificadas o sean desproporcionados en relación con la causa aparente.

Si uno puede aceptar que el ser humano es una fuente de energía de la cual una parte es material (cuerpo), otra es función mental (mente) y la parte restante es emoción o ser (espíritu), entonces la depresión debería considerarse en los tres niveles. La depresión se manifiesta en los tres y el tratamiento debe dirigirse a corregir ese desequilibrio.

Manifestaciones de la depresión

- Mentales: niveles aumentados o disminuidos de actividad, insomnio o excesivo deseo de dormir, incapacidad para concentrarse o memorizar y prolongados períodos de hiperactividad o inactividad física.

- Espirituales: indiferencia hacia uno mismo o hacia quienes lo rodean, disminución de la capacidad para disfrutar de los placeres, sentido de incapacidad, inutilidad y, muy a menudo, de culpabilidad, disminución de la libido, pensamientos recurrentes sobre las ventajas de estar muerto.
- Físicas: pérdida o ganancia de peso, debilidad injustificada, sentimientos persistentes de cansancio o falta de energía y aumento o descenso del apetito.

Desde el punto de vista médico, son necesarios cuatro de los síntomas antes mencionados o más para definir la depresión y deben persistir más de unos días.

Depresión endógena y exógena

Los términos endógena (originada desde dentro) y exógena (causada por una influencia externa) son en realidad académicos, puesto que se solapan en gran manera. Sin embargo, esta diferenciación ayuda a conocer mejor por qué una depresión puede no ser una falta de voluntad; además, distinguir si se trata de un problema endógeno o exógeno es esencial para establecer el tratamiento. Años de psicoterapia pueden ser inútiles en una depresión endógena y los fármacos más potentes no van a curar una depresión exógena alérgica.

Depresión endógena

Las causas de depresión endógena son:

- Falta del «fluido de la felicidad» natural del sistema nervioso, como la serotonina y la dopamina.
- Exceso de los mediadores químicos depresores del sistema nervioso central.
- Deficiencias de los nutrientes necesarios para producir el «fluido de la felicidad», como triptófano, fenilalanina, vitaminas B_6, B_3 y lecitina, por citar unos pocos.
- Déficit hormonales, en especial de hormonas tiroideas y cortisol. Las fluctuaciones hormonales femeninas de estrógenos y progesterona pueden provocar profundos cambios de humor.

- Hipoglucemia (niveles bajos de glucosa en sangre), a menudo asociada a una dieta rica en azúcares refinados.
- Trastorno afectivo estacional (*véase* el apartado correspondiente).
- Depresión posnatal debida a la fluctuaciones de las hormonas femeninas.

Depresión exógena

Las causas de depresión exógena son:

- Sucesos de la vida, como duelo por la muerte de un familiar, pérdida del trabajo o ruptura de una relación.
- Efecto tóxico directo por sustancias químicas como la nicotina de los cigarrillos, aldehídos como producto de metabolización del alcohol y los efectos de la mayoría de los «bajones» de las drogas recreacionales.
- Fármacos específicos de prescripción médica como corticoides, antibióticos y fármacos que pueden tener un efecto depresor sobre la glándula tiroides o sobre los niveles de azúcar.
- Alergias alimentarias.
- Contaminantes ambientales, ya sea inhalados o ingeridos a través del alimento.
- Infecciones habitualmente víricas, aunque muy a menudo se infravaloran las infecciones por hongos o parásitos.
- Falta de ejercicio, que impide la producción de los opiáceos naturales del organismo: endorfinas y encefalinas.

RECOMENDACIONES

- *Si los sentimientos negativos persisten más de unos pocos días o parecen exagerados, consulte el tema con un profesional de medicina alternativa.*

- *Se recomienda una consulta posterior con un psicoterapeuta en caso de persistencia de los síntomas. Recurrir a un médico ortodoxo, salvo que tenga un punto de vista intensamente holístico, debería considerarse como último recurso, puesto que con demasiada frecuencia la única arma dentro de su arsenal terapéutico es el tratamiento farmacológico.*

- *Considere el uso de los siguientes suplementos, preferentemente bajo la supervisión de su profesional de medicina alternativa, a dosis elevadas en función de la calidad y la cantidad del apetito durante la depresión. Un complejo de aminoácidos esenciales que incluya triptófano (mínimo, 2 g al día) y D, L-fenilalanina (mínimo, 700 mg al día); aunque existe cierta controversia con respecto a la seguridad del triptófano a raíz de publicaciones sobre su toxicidad en dosis elevadas (consulte con un nutricionista experto). Complejo vitamínico B hasta 10 veces la dosis diaria recomendada; vitamina C, ácido fólico y magnesio al triple de la dosis diaria recomendada.*

- *Evite los hidratos de carbono refinados y cualquier alimento demasiado dulce.*

- *Investigue la posible coincidencia temporal de los períodos de depresión con alimentos específicos mediante un cuidadoso diario dietético o realizándose pruebas de alergia alimentaria a través de análisis de sangre o biorresonancia.*

- *Cuide su estilo de vida y elimine el tabaco, la cafeína, el alcohol y otras drogas hasta que desaparezca la depresión. Asegúrese de tener un adecuado equilibrio existencial entre mente, cuerpo y espíritu. La falta de ejercicio adecuado, no dedicar suficiente tiempo a la meditación o la oración o, por supuesto, un exceso de actividad física o mental provocará un flujo de energía de un nivel a otro, provocando deficiencias que pueden manifestarse como depresión.*

- *Revise cualquier medicación ortodoxa, incluyendo los anticonceptivos, que puedan producir depresión.*

- *Si persiste el problema, consulte con su médico de cabecera para estudiar los niveles de hormonas tiroideas, cortisol y azúcar en sangre. También puede investigarse, tanto por parte de un médico general como alternativo, la existencia de infecciones persistentes como la fiebre ganglionar u otras manifestaciones del virus de Epstein-Barr o la candidiasis. Debe descartarse el síndrome de fatiga crónica.*

- *Considere la posibilidad de un trastorno afectivo estacional o posnatal.*

- *Las deficiencias nutricionales deben corregirse según los criterios mencionados, pero no olvide beber 1,5-2 litros de agua al día, puesto que la deshidratación crónica puede manifestarse como una depresión.*

- *Favorezca la producción de endorfinas y encefalinas a través del ejercicio.*

- *El ejercicio regular aeróbico es importante, pero el trabajo diario de chi kung, tai chi o yoga puede curar la depresión.*

- *Los remedios homeopáticos a potencia elevada (1M o más) son potencialmente curativos, pero deben seleccionarse en función de todos los síntomas de la depresión. Consulte con un homeópata.*

- *La fitoterapia proporciona tratamientos farmacológicos efectivos. El cuerpo puede reaccionar a los medicamentos naturopáticos mejor que a los compuestos ortodoxos, pero para mí son muy similares, ya que no tratan la causa subyacente. El hipérico ha adquirido notoriedad tras la publicación de un ensayo en una revista médica de buena reputación, pero es sólo uno de tantos que ha demostrado ser antidepresivo después de años de observación y cientos de pequeños estudios. Evite su uso salvo como penúltimo recurso y siempre bajo la orientación de un naturópata.*

- *Si todo lo anterior ha fallado, considere el tratamiento farmacológico. Los productos químicos como el carbonato de litio están bien indicados y, bajo control, son suficientemente seguros en trastornos como la depresión maníaca.*

DEPRESIÓN MANÍACA (DEPRESIÓN BIPOLAR)

Todo el mundo sufre cambios de humor. Los que presentan cambios incontrolables en su patrón de conducta, desde la sobreexcitación con hiperactividad e insomnio hasta períodos de depresión, letargia evidente y apatía, se dice que padecen depresión maníaca o depresión bipolar.

Si bien existe una tendencia familiar a padecer esta enfermedad, la verdadera depresión maníaca generalmente se debe a un desequilibrio neuroquímico causado por la producción excesiva o demasiado escasa del «fluido de la felicidad».

Ciertos factores (hormonales, fármacos o comidas estimulantes, hipoglucemia o alergia alimentaria) pueden incrementar las emociones y, por lo tanto, convertir lo que normalmente habría sido un cambio de humor habitual en un tipo de depresión maníaca. El embarazo y el síndrome premenstrual producen con frecuencia profundos cambios de humor debido a la sensibilidad individual a los niveles de estrógenos y progesterona. ¡No se trata de una depresión maníaca, aunque algunos maridos puedan pensarlo!

RECOMENDACIONES

- *Si los cambios de humor son marcados y alteran la vida normal, consulte el problema con un psicoterapeuta para confirmar si es probable el diagnóstico de depresión maníaca. La psicoterapia por sí misma puede ser beneficiosa, y la programación neurolingüística puede ayudar al individuo a reconocer los signos precoces de cada extremo de la escala emocional y enseñar métodos de control.*

- *Elimine el alcohol, la cafeína, los alimentos refinados (especialmente azúcares), los cigarrillos y las drogas recreacionales.*

- *Sométase a una prueba de alergia alimentaria o mantenga un cuidadoso diario con el listado de alimentos ingeridos y el estado de humor. Observe si existe algún alimento aislado o grupo de alimentos que desencadenen cada estado emocional.*

- *Las deficiencias de cinc, complejo B, calcio, magnesio o la sustancia activa de la lecitina denominada fosfatidilcolina pueden ser importantes y tomar 4 veces la dosis diaria recomendada puede marcar la diferencia. Debería realizarse como ensayo durante 2 semanas y, si se observa alguna mejoría, informar a un profesional de*

medicina alternativa con experiencia en este campo para que analice la dieta o considere la causa de la falta de absorción.

- *La deficiencia de aminoácidos, especialmente el triptófano y la fenilalanina, es frecuente.*

- *Las infecciones intestinales por levaduras, especialmente Candida, pueden ocasionar deficiencias que conducen a una depresión bipolar, así como la producción de sustancias químicas que empeoran la situación. Véase **Depresión** para el aspecto depresivo de la enfermedad e **Histeria** para la tendencia maníaca.*

- *Como último recurso, puede ser necesaria la administración de litio por parte de un psiquiatra.*

EMOCIONES

La emoción es la expresión normal de un sentimiento, y el desahogo de cualquier emoción es esencial para el bienestar a largo plazo. La contención de una emoción y el mantenimiento consecuente de altos niveles de adrenalina en el organismo pueden ser responsables de problemas tan diferentes como las erupciones y el cáncer. Las filosofías orientales consideran que la emoción crea un calor interno, el cual necesita expresarse, y acabará haciéndolo.

La emoción sólo es un proceso patológico si se manifiesta de forma desproporcionada con respecto al desencadenante. Tampoco es inteligente permitir que la emoción se exprese como una emoción secundaria. Esto significa que si uno está triste por un suceso pero después se enfada por el hecho de estar triste, la emoción es de tipo secundario. Los sentimientos sobre sentimientos generalmente no son productivos y conducen a un trastorno psicológico interno.

RECOMENDACIONES

- *Si uno no se siente capaz de controlar su enfado o éste se enfoca hacia otra emoción, consulte con un psicoterapeuta para establecer la terapia más adecuada.*

- *Revise un manual de homeopatía y utilice la potencia 200 del remedio que más coincida con su estado emocional, cada noche durante 10 noches.*

- *Aprenda una técnica de meditación y practíquela diariamente con el yoga o la técnica de chi kung adecuada para su estado emocional.*

- *Inicie un tratamiento de trabajo corporal regular, sea masaje o shiatsu, que son maravillosos para disipar sustancias químicas emocionales indeseables.*

ESTRÉS

El estrés es un término popular de uso creciente que invade nuestra vida y nuestro lenguaje. Desde el punto de vista médico, el estrés se relaciona con un conjunto de sustancias químicas conocidas como catecolaminas y corticoides. Las mejor conocidas son la adrenalina (epinefrina) y la noradrenalina (norepinefrina). Los corticoides naturales del organismo, entre los cuales el cortisol es el más importante, tienen una notable influencia en el organismo y se producen como respuesta al estrés.

El estrés puede estar inducido psicológicamente, como el uso común del término indica, pero estas sustancias también se producen por un malestar físico, desde el exceso de ejercicio, el cansancio excesivo y condiciones ambientales desfavorables (demasiado calor o demasiado frío). Los mediadores del estrés pueden también aparecer como respuesta a la toxicidad de la contaminación, ingesta de sustancias tóxicas o alergia alimentaria.

Vale la pena distinguir entre estrés y presión. Todo animal reacciona mejor si tiene cierta cantidad de adrenalina en el sistema. Un desafío o un proyecto excitante puede producir una pequeña cantidad de mediadores de estrés, que crearán cierta cantidad de «empuje» para realizar una función. Esto es bueno. De hecho, yo iría más lejos y diría que sin presión no nos iría tan bien. El estrés es una sobreproducción de adrenalina y otros mediadores de estrés.

Los estresantes (como se denomina a los mediadores de estrés en conjunto) han evolucionado con el ser humano y son la principal razón de la supervivencia de los animales. Si otras hormonas tuvieran una influencia tan fuerte como los mediadores de estrés, emociones distintas del miedo y la necesidad de luchar se habrían vuelto predominantes. Por ejemplo, si las hormonas sexuales ejercieran una influencia más fuerte que la adrenalina, entonces nuestros antepasados lejanos podrían haber seguido haciendo el amor a pesar de la llegada de un tigre de dientes de sable. Aquellos de nuestros antepasados con mayor respuesta de adrenalina habrían salido corriendo. Los que no, habrían acabado el trabajo y, probablemente, habrían resultado muertos.

La selección natural, por lo tanto, nos ha provisto de una respuesta de ansiedad muy sensible. Ya no nos enfrentamos al tigre de dientes de sable y las situaciones amenazantes para la vida son contadísimas, pero todos tenemos que enfrentarnos a la ansiedad, abarcando desde cuestiones como «¿dónde conseguiremos nuestra próxima comida?» o «¿tendremos un techo donde cobijarnos?», hasta conflictos con nuestros compañeros, directores de bancos y ¡otros conductores! Nuestro cerebro reconoce una situación muy estresante e intenta producir una cantidad considerable de adrenalina para ello. Ir cada día a un trabajo desagradable producirá cierta cantidad de adrenalina, enfrentarse a un enemigo enmascarado blandiendo una navaja producirá más. Sin embargo, este último suceso que produce gran cantidad de adrenalina inmediatamente puede equipararse a la producción de bajos niveles en respuesta a una menor ansiedad durante un período de tiempo más largo. Los efectos a largo plazo de situaciones de estrés de bajo nivel son bien conocidos y pueden causar un amplio abanico de enfermedades y problemas, que comprenden desde la angina hasta las úlceras. Se considera que existen tres estadios en la reacción de estrés.

Respuesta inicial o reacción de alarma

Ante una situación peligrosa, el nivel de hormonas de estrés aumenta determinando dos cambios fundamentales. La adrenalina y la noradrenalina dilatan los vasos sanguíneos del cerebro, el corazón, los pulmones y los músculos, facilitando por lo tanto la oxigenación y nutrición de los órganos que necesitan pensar, oxigenar y mover el cuerpo. El cortisol y los otros corticoides inundarán el torrente sanguíneo con glucosa, proporcionando energía. En combinación con las catecolaminas, el aporte sanguíneo a los órganos que no se necesitan para la lucha se reduce cerrando sus arterias. Las funciones hepática y renal disminuyen y, lo que es más evidente, la falta de riego sanguíneo de la piel nos hace empalidecer, la falta de riego vesical nos hace evacuar la orina y la falta de sangre intestinal provoca la necesidad de defecar. En un shock extremo podemos quedar pálidos, mojados y ensuciados.

Esta respuesta, también llamada de «lucha o huida», aumenta la frecuencia cardíaca y la fuerza de contracción del corazón, aumenta la frecuencia respiratoria, incrementa la producción de sudor (que disminuye la temperatura corporal y elimina los subproductos del metabolismo incrementados por la acción de la adrenalina) y nos prepara de forma efectiva para la acción.

Resistencia o desplome

La segunda fase es la reacción de resistencia o desplome. En ella el cuerpo ya no se ve abocado a la acción, sino que debe tratar con los abundantes mediadores químicos, así como con los cambios en su fisiología que se han producido.

Agotamiento

En algún momento después de la fase de resistencia puede manifestarse la fase de agotamiento. Bajo un estrés extremo el organismo puede desfallecer o incluso morir. Esto pueden confirmarlo quienes hayan observado que al ayudar a un animal herido, inicialmente éste puede tolerar el shock, pero fallece mientras permanece en la caja para trasladarlo al veterinario. El miedo inicial había sido tan grande que mientras «ahorraba» vida, las fases de resistencia y agotamiento lo conducían a cambios bioquímicos graves que le causaban la muerte. Esto raramente sucede en el ser humano, pero todos nosotros hemos experimentado el «anticlímax» y el agotamiento tras sucesos que producen ansiedad o destrozan los nervios como un examen o ¡la primera cita!

El aspecto importante de toda esta exposición es saber que el estrés es una reacción química y no un estado de ánimo psicológico, aun cuando este último provoca la anterior. El estrés no tiene por qué manifestarse como insomnio, trauma u ojos abiertos y saltones, sino que puede ser asintomático, con una baja pero mantenida tasa de producción de mediadores químicos de estrés. El estrés provoca un exceso de energía o actividad extra para el cerebro, el corazón, los pulmones y los músculos, y el agotamiento de estos órganos conducirá a la tendencia a la enfermedad. Por otro lado, los órganos que no reciben riego sanguíneo pueden presentar deficiencias de nutrientes y oxígeno y también presentar enfermedades.

Tratamiento del estrés

Todos atravesamos períodos de ansiedad; es parte de la existencia y del propio deseo de «mejorar». Como seres humanos, no funcionaríamos ni tendríamos éxito si no nos empujaran las catecolominas, el cortisol y otros estresantes. Es importante, sin embargo, diferenciar entre estar bajo presión y estar estresado. La mayoría de las personas que tienen éxito, cualquiera que sea su campo, lo consiguen gracias a la presión. Esta directriz debería enfocarse hacia el suceso apropiado y no ser transferida a otro punto. Un empleado enfadado con su jefe no debería tomarla con su pareja, amigos o hijos. Esta acción de transferencia es el principal indicador de que la directriz ha pasado de presión a estrés. Los mediadores del estrés son abundantes y le están indicando al organismo, mente y alma que tienen problemas. Estos raramente vienen en pequeños brotes, según nuestro desarrollo evolutivo, y por lo tanto un problema en el trabajo se extiende al hogar. Es importante aprender a reducir la producción de mediadores de estrés y a consumir cualquier exceso de ellos en el torrente sanguíneo.

Es difícil distinguir entre presión y estrés. Creo que la respuesta puede ser simplemente preguntarse «¿soy feliz?» o «¿puedo aceptar esta situación concreta?». Si la respuesta a ambas cuestiones es «no», entonces usted está bajo estrés y no bajo presión. Si hay estrés, se corre el riesgo de presentar diversos problemas o enfermedades. Quienes poseen una fuerte creencia espiritual argumentan que todas las dolencias físicas, salvo las producidas por la edad (e incluso esto está en discusión), se deben a un exceso de mediadores de estrés.

RECOMENDACIONES

- Siéntase feliz o al menos en paz con las actividades y emociones de su vida. De lo contrario, siéntese con un psicoterapeuta y comente las razones.

- De todas maneras, aprenda técnicas de meditación o relajación. Producen mediadores antiestrés que actuarán como tratamiento o medida preventiva. Practicar unos minutos al día es mejor que nada, pero lo ideal sería dedicar 1 o 2 horas diarias a la meditación (¡se me ha acusado de apoyar el concepto de «aerobic espiritual»!).

- Considere las posibles causas físicas de estrés descartando la presencia de alergias alimentarias mediante análisis sanguíneos y evitando estos estresantes.

- Procúrese un ambiente sano tanto en el trabajo como en casa. Evite la contaminación y la suciedad y tenga en cuenta los efectos de la radiación (véase **Radiación**).

- Los mediadores de estrés producen radicales libres que lesionan las células y son carcinogénicos.

- Tome los siguientes suplementos (dosis indicadas por kg de peso, repartidas durante el día con las comidas) en caso de estrés o si la dieta no incluye cinco raciones de fruta o verduras diarias: betacaroteno, 150 mg; vitamina C, 70 mg; vitamina E, 7 UI; selenio, 2,5 mg; coenzima Q10, 350 mg, y picnogenol (extracto de semilla de uva) en la dosis máxima recomendada por un buen producto natural.

- Tome un suplemento del aminoácido D, L-fenilalanina, 10 mg/kg de peso en dosis repartidas a lo largo del día. Si se encuentra, el triptófano puede tomarse a las mismas dosis pero, debido a un injustificado temor tras unos problemas de fabricación defectuosa, este aminoácido ya no está disponible como suplemento sin prescripción facultativa. El triptófano está disponible para los no vegetarianos en la carne, el pescado y el pavo y para todos en el queso fresco, la leche, los plátanos, los cacahuetes y las lentejas. Es interesante saber que los dátiles secos contienen una elevada proporción.

- Los remedios homeopáticos específicos y los tratamientos con hierbas y antioxidantes están disponibles, pero la mayoría de los que pueden adquirirse ya preparados tienen una potencia incorrecta o una concentración demasiado baja para ser eficaces. Los individuos estresados deberían estar controlados por un profesional de medicina alternativa.

- El ginseng y el extracto de glándula suprarrenal pueden comprarse ya preparados y tomarse al doble de la dosis diaria recomendada durante una semana y después reducir a los niveles recomendados según el producto, en caso de haber notado efectos en los primeros 7 días.

- El ejercicio quema los mediadores de estrés. El sobreesfuerzo, sin embargo, puede estresar más al organismo. Establezca un programa de ejercicios de acuerdo con sus capacidades y progresiva y suavemente incremente la actividad. Una sesión con un profesor de gimnasia o un instructor personal para mantenerse en forma puede solucionar sus problemas.

- El masaje corporal de cualquier tipo es beneficioso. El tacto humano es calmante y produce sustancias químicas que contrarrestan el estrés.

- La aromaterapia mediante aceites de lavanda u otros extractos más específicos, según la personalidad y el estrés del individuo, actúa como feromona (sustancia química inhalada) y estimula las sustancias químicas relajantes.

- Los remedios florales de Bach seleccionados según los síntomas del individuo son beneficiosos.

- Se ha investigado la terapia de sonido y ya sea simplemente oyendo música o sentándose en sillas acústicas, que transmiten una vibración a través del organismo, se favorece la aparición de sustancias químicas relajantes para contrarrestar el estrés.

Aromaterapia

El masaje con aceites de aromaterapia es especialmente beneficioso para aliviar el estrés. El efecto calmante del trabajo corporal se combina con las propiedades relajantes de los aceites esenciales como la lavanda.

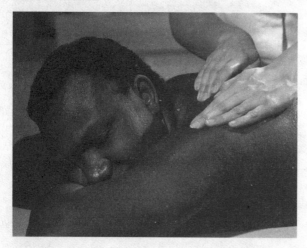

TRATAMIENTO DE ELECTROSHOCK (TERAPIA ELECTROCONVULSIVA)

Muchas personas se sorprenden de que la terapia electroconvulsiva (TEC) no sólo se siga practicando sino que sea muy frecuente. Ciertos psiquiatras siguen manteniéndola como un tratamiento efectivo para la depresión grave que no responde a la terapia farmacológica, a pesar de los riesgos potenciales para la vida, la memoria a largo plazo y otras funciones cerebrales. Se crea o no, la TEC fue utilizada en su momento para cambiar rasgos de la persona-

lidad, como la conducta agresiva o las tendencias suicidas. Se usó incluso como terapia por aversión en la homosexualidad. Afortunadamente, hemos avanzado.

RECOMENDACIONES

• *La TEC sólo debe utilizarse cuando se hayan agotado todas las demás vías.*

• *Asegúrese de haber explorado todas las vías médicas alternativas puesto que la medicina ortodoxa con frecuencia infravalora la posibilidad de deficiencias y alergias alimentarias.*

TRASTORNOS OBSESIVOS O COMPULSIVOS

Los trastornos obsesivo-compulsivos son un conjunto de dolencias caracterizadas por acciones repetitivas de actividades inútiles o no esenciales. Pueden considerarse hábitos físicos incontrolables. Los ejemplos más comunes son el lavado frecuente de las manos, contar hasta cierto número antes de entrar en una habitación o realizar una tarea o buscar detrás de la puerta cada vez que entra en una habitación. Las actitudes obsesivo-compulsivas menores, como mirar debajo de la cama antes de acostarse, no son graves y son muy frecuentes. Sólo se requiere tratamiento en casos de conducta antisocial o desorganización de la rutina normal.

RECOMENDACIONES

• *Son problemas que tienen un autotratamiento fácil. Busque consejo en un psicoterapeuta. Las técnicas de programación neurolingüística y de modificación conductual son muy efectivas, así como la desensibilización de los movimientos oculares.*

• *Pueden utilizarse remedios homeopáticos, pero deben ser prescritos por un homeópata y acompañarse de psicoterapia.*

EDAD MADURA Y AVANZADA

EDAD MADURA Y AVANZADA

He decidido no incluir en este libro un capítulo dedicado a los ancianos. Los tratamientos médicos alternativos son menos eficaces en las personas de edad avanzada debido a que su fuerza vital está disminuida y los procesos de curación son más difíciles. Los tratamientos para ancianos son más paliativos que curativos.

Para gozar de salud en los últimos años de vida es necesario aplicar pautas y conceptos saludables desde una edad temprana. No obstante, nunca es tarde para cambiar hábitos y estilos de vida. Cabe esperar que los consejos proporcionados aquí animen a revisar la salud en cuanto aparezcan los problemas asociados con el envejecimiento, y no una vez que éstos han causado daños. Si no se han producido alteraciones importantes, el proceso de envejecer puede ser agradable, saludable y prolongado.

El envejecimiento depende de dos factores. El primero es la pérdida de fuerza vital, esa inestimable energía que mantiene los procesos de reparación y replicación de las células. El segundo es el mantenimiento de una nutrición y una oxigenación adecuadas de todas las células del organismo.

La existencia de fuerza vital es un tema muy discutido, y la opinión de los científicos occidentales difícilmente coincide con el punto de vista filosófico oriental. Se podrían llenar cientos de estantes con los libros y revistas escritos sobre la fuerza vital. Los que proponen la meditación y trabajan con la energía mente-cuerpo pueden aducir que es factible y fácilmente posible atraer la fuerza vital del universo para mantener la salud y la juventud. De hecho, muchos yoguis ingieren muy poca alimentación y aun así mantienen un estilo de vida saludable basado en la energía que absorben del cosmos. Esto supera la capacidad de comprensión de los occidentales, que carecemos de una actitud no materialista y el tiempo requerido para practicar las técnicas espirituales.

Una orientación más occidental del envejecimiento sería considerar que los productos del metabolismo, los radicales libres absorbidos o producidos, la disminución de hormonas esenciales y el proceso natural de obstrucción de las arterias, que conlleva una reducción del aporte de oxígeno y nutrientes a las células, son los factores que conducen al envejecimiento.

RECOMENDACIÓN

- *Véanse* **Arteriosclerosis**, **Antioxidantes y radicales libres**, **Estrés** *y* **Meditación**. *Conocer a fondo estos temas y seguir las recomendaciones indicadas es la forma de retrasar el proceso del envejecimiento y evitar las enfermedades asociadas a la edad avanzada.*

GENERAL

COAGULACIÓN DE LA SANGRE Y COÁGULOS

El término médico para un coágulo de sangre es *trombo*. La formación de un trombo se denomina *trombosis*. Un trombo se diferencia de un coágulo en que se forma dentro del sistema cardiovascular y representa un peligro, ya que puede ocluir un vaso sanguíneo o desprenderse y dirigirse hacia un órgano vital, produciendo una obstrucción en ese punto distante. Si un trombo se desplaza se denomina *émbolo*.

Un trombo se forma sólo si se rompe un vaso sanguíneo, lo cual permite que la sangre fluya hacia los tejidos o quede expuesta al aire, desencadenando de esta manera el mecanismo de la coagulación. La formación de un coágulo depende de una reacción en cascada que involucra a trece sustancias químicas distintas, de forma que una provoca la activación de la siguiente. La ausencia de una de ellas impide o hace más lenta la coagulación, en ocasiones con consecuencias fatales. El caso mejor conocido es la hemofilia, en la que no hay factor VIII. El factor IV es el calcio, y una deficiencia en la disposición de este mineral puede influir en la coagulación.

RECOMENDACIONES

- *Si tiene tendencia a sufrir cardenales o presenta sangrados frecuentes o durante más tiempo de lo normal debería consultar al médico, quien realizará pruebas para determinar el tiempo y los factores de coagulación.*

- *Las terapias alternativas deben basarse en los síntomas hallados. En particular, considere la homeopatía.*

- *Si no hay una causa evidente de déficit de coagulación, consulte a un médico chino, tibetano o ayurveda; éstos considerarán que la sangre es «demasiado fluida» e indicarán cambios en el estilo de vida, suplementación nutricional, fitoterapia y acupuntura para corregirla.*

- *Véanse* **Trombosis (coágulos sanguíneos)**, **Trombosis venosa profunda** *y* **Embolia pulmonar**, *si es necesario.*

DEMENCIA SENIL

La demencia senil es una enfermedad mental progresiva crónica causada por una pérdida de tejido cerebral asociada con el envejecimiento. Hay una pérdida de memoria característica (generalmente a corto y medio plazo) y un deterioro de otras funciones intelectuales.

RECOMENDACIÓN

- *Véase* **Enfermedad de Alzheimer** *para las opciones de tratamiento.*

MENOPAUSIA FEMENINA

La menopausia es la desaparición fisiológica de la menstruación, lo cual suele ocurrir entre los 45 y los 55 años de edad; habitualmente, la mujer presenta la menopausia entre dos años antes y dos años después de la edad a la que su madre la presentó. Coloquialmente conocido como «el cambio» (y denominado «climaterio» desde el punto de vista médico)

este período de transición suele durar entre dos y cinco años, pero puede notarse durante veinte.

En un principio se pensó que era una consecuencia de la disminución de los niveles de estrógenos producidos por los ovarios, pero la menopausia realmente se debe a una caída en los niveles de estrógenos y al cese de producción de progesterona. La mayoría de los síntomas de la menopausia están causados por la pérdida de progesterona y estrógenos y de sus efectos en los vasos sanguíneos (que tienden a dilatarse, causando cambios en el flujo sanguíneo) y en el sistema nervioso directamente. Estos efectos producen:

- Síntomas psicológicos: cambios de humor, mal genio, depresión, ansiedad, libido en general disminuida, pero en ocasiones aumentada, e insomnio.
- Síntomas físicos: sofocos, sudores (especialmente por la noche), retención de líquidos, incremento del depósito de grasas, cefaleas, malestar, letargia y síntomas similares a los de la cistitis.
- Signos físicos: pérdida de tejido mamario, sequedad vaginal, osteoporosis (adelgazamiento de los huesos), cambios en la piel por la retención de líquidos, incrementos en el depósito de grasas, cambios en la textura, arrugas y «manchas» oscuras.

Estos síntomas y la opinión de la industria farmacéutica han llevado a considerar la menopausia como un proceso patológico, lo cual, por supuesto, no es verdad. Muchos hombres que no sufren esta espectacular caída en los niveles hormonales también presentan estos síntomas. Es un cambio natural, que se ha producido desde que apareció la especie humana.

Siete de cada diez mujeres padecerán algunos o todos estos síntomas durante un corto período de tiempo, habitualmente hasta de seis meses, pero una de cada dos sufrirá algunos o todos ellos durante tal vez cinco años. De hecho, se diferencian tres etapas en la menopausia:

- Premenopausia: cuando las menstruaciones aún son regulares y están presentes pero puede aparecer alguno de los síntomas anteriormente mencionados.

- Perimenopausia: cuando los períodos empiezan a ser irregulares.
- Posmenopausia: cuando ya no hay más menstruaciones. El tiempo que debe transcurrir sin reglas para considerar que se ha producido la menopausia es muy arbitrario, pero, generalmente, seis-doce meses sin menstruación sugieren que se trata de la posmenopausia. La aparición de nuevas reglas es muy poco frecuente y debería consultarse con un ginecólogo.

La hormona foliculostimulante (FSH), producida por la hipófisis, es la hormona que estimula el desarrollo de los óvulos en el ovario. Los niveles de FSH pueden incrementarse en un intento de estimular los óvulos en los ovarios, pero si no se produce el ciclo normal, los mecanismos normales de retroalimentación negativa que suprimen la producción de FSH no se activan. De esta forma, los niveles de FSH se mantienen elevados y pueden medirse para establecer la menopausia.

Otras investigaciones que pueden llevarse a cabo durante la menopausia incluyen análisis de saliva y sangre para detectar estriol y estradiol, los principales estrógenos. Los niveles de progesterona y testosterona también proporcionan información, como los niveles de deshidroepiandrosterona (DHEA) (*véase* más adelante).

Podría realizarse un análisis de orina para determinar dos proteínas (piridinio y desoxipiridinio) excretadas en la orina como productos del metabolismo óseo. Los niveles elevados de estas proteínas indican un aumento de la pérdida de hueso, en cuyo caso deberían considerarse medidas preventivas (*véase* **Osteoporosis**). También puede llevarse a cabo un estudio ultrasónico de la densidad ósea, cuya práctica se recomienda al principio de la menopausia para poder comparar los resultados cada dos años. A diferencia de las radiografías de columna y cadera de la medicina ortodoxa, esta técnica es sencilla e inocua. Pueden llevarse a cabo análisis de sangre, de células y de cabello para determinar los niveles corporales de calcio, vitamina D y tóxicos que puedan afectar la estructura ósea, como el fluoruro. Estas técnicas están indicadas o no en función de cada caso individual.

RECOMENDACIONES

PARA SOFOCOS, SUDORES, PALPITACIONES Y CEFALEAS

- *Tome vitamina B_6 (100 mg con el desayuno), vitamina E (400 UI con el desayuno y el almuerzo), inositol (1.000 mg con cada comida), cinc (30 mg antes de irse a la cama), ácido gammalinoleico (1 g con cada comida) y calcio y magnesio (ambos a una dosis de 200 mg con cada comida). Si los síntomas mejoran, reduzca las dosis de estas vitaminas, una cada vez, hasta encontrar la dosis mínima requerida. Es posible que no necesite tomar todas ellas.*

- *Puede usar esencia de áloe en baños o en inhalaciones, aspirando el aroma de una botella situada a unos 8-10 cm de la nariz.*

- *El áloe tomado por la noche y antes de cada comida puede ser beneficioso.*

- *Puede usarse la hierba china y tibetana dong quai (1 g con las comidas), así como el ginseng siberiano (50 mg con cada comida).*

- *Revise en su manual de homeopatía los remedios Belladonna, Lachesis, Amyl nitrosum y Veratrum viride. El remedio indicado debe ser tomado a una potencia 12 o 30 cada 2 horas durante 5 días y siempre que reaparezcan los síntomas.*

- *Deben eliminarse el alcohol, y los alimentos estimulantes, como las comidas picantes, y la cafeína. Deje el tabaco y cualquier otra droga porque pueden contribuir a la aparición de sofocos y sudores.*

- *Los niveles bajos de azúcar en sangre (hipoglucemia) y la adrenalina sensibilizan el organismo y, por consiguiente, los síntomas son más intensos. Aprenda una técnica de meditación o relajación, acuda a un consejero o al psicoterapeuta y evite estrictamente los azúcares refinados si no se ingieren junto con otros hidratos de carbono complejos o proteínas.*

- *Los siguientes extractos de plantas pueden tomarse en dosis fraccionadas antes de las comidas (cantidades diarias indicadas por kg de peso): angélica, 30 mg; glicerina a partir de regaliz, media*

*cucharadita de café de extracto líquido por cada
15 kg de peso, y Agnus castus, 30 ml de tintura o
la dosis máxima de un preparado en cápsula o
píldora. Otras hierbas han demostrado ser útiles,
pero deberían ser recetadas por un herbolario.*

- *Pueden utilizarse cremas de progesterona o
estrógenos naturales, pero deben ser prescritas
por un especialista en este campo.*

- *La osteopatía, el shiatsu y la acupuntura
proporcionan también alivio sintomático.*

- *El masaje y, especialmente, la aromaterapia
pueden ser beneficiosos.*

- *Sólo si los síntomas son insoportables y no se
obtiene éxito con las recomendaciones
anteriores, debería considerarse el empleo
de la THS.*

MENOPAUSIA MASCULINA

Después de los 40 años muchos hombres aprecian
cambios en su persona, que abarcan desde fatiga,
depresión e irritabilidad, hasta una reducción del
vigor sexual e impotencia.

Se ha acuñado el término «menopausia masculina», aunque rara vez se produce un descenso de la
testosterona u otras hormonas sexuales masculinas
(andrógenos) en el torrente sanguíneo. La reposición con testosterona puede aumentar ligeramente
el deseo sexual, pero muchos otros síntomas no resultan afectados. Es más probable que el estrés
combinado con la arteriosclerosis sean la causa de
los síntomas.

RECOMENDACIONES

- *Véanse **Estrés** y **Arteriosclerosis**.*

- *Incremente el ejercicio y las técnicas de relajación
o meditación.*

- *Considere el desarrollo de una alergia alimentaria
y realice los análisis pertinentes.*

MUERTE Y AGONÍA

Este tema podría llenar una librería. Este breve
apartado se dedicará más a la agonía que a la muerte, porque el hecho de morir es una parte de nuestro ciclo, y es necesario preparar de una «forma
sana» el camino hacia la muerte, del mismo modo
que se debe estar sano antes de concebir.

Desde el punto de vista espiritual, la muerte
puede considerarse un punto final o un principio.
Lo importante no es establecer si se trata de uno u
otro, sino estar en paz con la decisión que uno,
como individuo, ha tomado. Tanto si uno termina
a la diestra de Jesús o en la casa de Alá, como si se
reencarna para proseguir sus lecciones, una creencia es una gran ayuda para evitar el temor asociado con la agonía. De hecho, es posible estar en paz
tanto con una creencia religiosa como con la idea
de que todos somos «alimento para los gusanos».
Si uno mantiene una convicción a lo largo de la
vida, es posible liberarse del temor a la muerte.

El miedo a morir no está asociado, a menudo,
con el punto final real sino más con el temor al malestar y al sufrimiento relacionados con ese momento final. Morirse plácidamente y sin dolor, ansiedad o angustia para el individuo o para los que
lo rodean es el principal objetivo.

A veces la muerte sobreviene de forma súbita, a
causa de un accidente o una enfermedad rápidamente fatal, pero más a menudo la muerte es un
proceso que dura varios días, meses o incluso años.
Durante este tiempo, el ser humano atraviesa una
variedad de emociones descritas por la doctora Eli-
sabeth Kübler-Ross.

Negación

Inicialmente, se niega la posibilidad de aquello que
siempre se ha sabido que es inevitable. A pesar de
poseer una sólida convicción en una creencia espiritual o religiosa, el miedo a lo desconocido origina una duda en nosotros. ¿Mantenemos la creencia
que hemos tenido durante toda nuestra vida o no?
A lo largo de nuestra existencia hemos podido
optar, y nuestra mentalidad no acepta el hecho de
no tener elección. En consecuencia, tendemos a
negar la posibilidad de este acontecimiento.

Miedo

El miedo se debe a la inevitabilidad de la muerte,
pero tiende a reflejarse o transferirse al cuerpo, a la
persona o a aquellos que están cerca.

Negociación

El individuo negociará consigo mismo, con su estilo de vida o con su dios, frecuentemente como reacción al segundo estadio del miedo: «Tal vez he sentido miedo porque he estado acongojado; a partir de ahora, estaré tranquilo y comprenderé la situación y, quizá, de esta manera desaparecerá».

Depresión

Llega un momento en que se reconoce la situación real y se advierte que un capítulo de la existencia está llegando a su fin; entonces aparece la depresión. Reproches sobre actos e ideas no llevados a cabo, sentimientos hacia las personas que se dejarán, todo ello entra en juego y origina una depresión, que puede ser desde leve hasta profunda.

Aceptación

La mayoría de las veces, el paso por los sucesivos estadios mencionados conduce a la aceptación. Es un punto final apropiado y preferible a todos los demás estados emocionales ya que, invariablemente, proporciona un estado de calma tanto al individuo como a los que lo rodean.

Cada etapa puede durar unas pocas horas o unos meses y, como si fuera una escalera vertical, es posible pasar por todas ellas o saltar de una a otra, pero en conjunto el movimiento es en general hacia la aceptación. No hay un modo sencillo para afrontar la muerte a corto plazo, por lo que quizás es mejor considerar el fin de la vida desde una edad temprana.

En Occidente, con la desaparición de la familia «amplia», que incluye varias generaciones, la mayoría de las personas han perdido el contacto directo con la muerte. Para los que agonizan, la proximidad de vidas jóvenes es motivo de alegría, y para los que se encuentran muy lejos de la muerte, ésta resulta menos atemorizante si se la ha conocido de cerca. En Occidente la muerte se ha convertido en un tema tabú; raras veces se habla sobre ella si no es en términos morbosos y con frecuencia las conversaciones terminan con un «no quiero hablar de ello». La muerte debe volver a formar parte de nuestra estructura social a una edad temprana si queremos afrontar esta importante etapa de nuestras vidas.

RECOMENDACIONES

- *Comience a hablar de la muerte desde una edad temprana y, cuando sea posible, visite a las personas que agonizan.*

- *Analice los niveles de negación, miedo, negociación, depresión y, finalmente, aceptación y explíquelos a todos los que lo rodean.*

- *Considere continuamente sus propias creencias espirituales acerca de la muerte. Cambie sus actitudes, pero mantenga una creencia, tanto si considera la muerte como un punto final o como el principio de una nueva vida.*

- *Plantéese los problemas pendientes. Hable con las personas que puedan percibir su muerte como algo traumático y descargue su propia conciencia diciendo lo que crea necesario decir a aquellos a los que corresponda. Si es posible, cumpla el mayor número de ambiciones posible, tanto prácticas como emocionales.*

- *Hable sobre la muerte con un consejero espiritual y analice todos los puntos positivos y negativos de dejar esta vida.*

- *Centre su atención en sentirse bien y libre de dolor. Consulte con médicos ortodoxos y con profesionales de medicina alternativa, ya que muchas terapias disponen de procedimientos potencialmente útiles.*

- *El remedio homeopático Arsenicum album puede estimular el organismo cuando se acerca a la muerte. Si es posible reorientar la fuerza vital y ésta favorece el bienestar del individuo, Arsenicum album puede contribuir. Este remedio es innecesario si la fuerza vital está ausente; en este caso, el final será más suave y menos traumático.*

Eutanasia

A pesar de que ciertas actitudes están cambiando en todo el mundo y que en algunas partes de Europa y Australia la eutanasia médicamente asistida es legal en determinadas circunstancias, quitarse la propia vida es ilegal. Muchas religiones han convertido la eutanasia en un tabú, y las filosofías orientales tienen diferentes puntos de vista al respecto. La sociedad japonesa cuenta con el hara-kiri, que es una tradición aceptada, esperada y honorada en las circunstancias adecuadas. El concepto de reencarnación, sin embargo, sugiere que el suicidio o la eutanasia impiden sufrir el dolor, pesar o malestar que el alma requiere soportar para evitar tener que regresar y aprender la lección en la siguiente ocasión. Desde el punto de vista médico es complicado, a veces, situar el aspecto espiritual por encima del sufrimiento físico que presentan los que han padecido graves ictus o los que luchan contra enfermedades neurológicas como la esclerosis múltiple o aquellos cuyas circunstancias sociales están más allá de lo que el ser humano puede soportar.

RECOMENDACIONES

- *Discuta siempre sus ideas sobre la eutanasia con consejeros, y no con amigos o con la familia.*

- *Contacte con los organismos relacionados con la eutanasia.*

- *Busque a su alrededor y encontrará médicos o profesionales sanitarios capaces de aconsejarle acerca de las mejores técnicas de eutanasia. Es posible que algunos de ellos estén dispuestos a ayudarlo, a pesar de los riesgos legales. He decidido no incluir en este libro la técnica mejor y más adecuada.*

TERAPIA HORMONAL SUSTITUTIVA

La terapia hormonal sustitutiva (THS) ha sido promocionada de tal modo que tanto el público como la profesión médica consideran que es tratamiento necesario para toda mujer que presenta la menopausia. Sin embargo, las investigaciones llevadas a cabo desde los años sesenta han llevado a la conclusión de que el uso de hormonas origina riesgos que superan sus supuestas ventajas.

La medicina ortodoxa, sin duda, estimula el uso de la THS; sin embargo, los tratamientos alternativos pueden aliviar los problemas sin exponer a los riesgos potenciales y a los efectos secundarios de la THS.

La osteoporosis y las enfermedades cardiovasculares (como los ataques cardíacos y los ictus) no son una consecuencia inevitable de la menopausia

(*véanse* las recomendaciones para estas enfermedades en los apartados correspondientes).

Junto con las vacunas, la THS es, en mi opinión, una de las medidas terapéuticas más devastadoras y erróneas del mundo médico ortodoxo. La profesión médica parece considerar la menopausia como una «enfermedad por déficit». La falta de hormonas femeninas se compara con las deficiencias de tiroides o de insulina, lo cual es simplemente una falacia. Cuatro quintas partes de la población mundial no tendrán acceso a THS artificial. Resulta irónico que la población del denominado «Tercer Mundo» tenga una incidencia notablemente baja de osteoporosis, enfermedades cardíacas, cáncer y síntomas menopáusicos, de los que supuestamente protege la THS.

Japón y África tienen una incidencia insignificante de osteoporosis, enfermedades cardiovasculares e ictus en comparación con Occidente, debido a un estilo de vida más saludable, a la nutrición y al mayor ejercicio físico. Todos ellos están muy relacionados con los procesos patológicos que la THS supuestamente ayuda a prevenir.

Real y objetivamente, los procesos de envejecimiento que el mundo médico ortodoxo occidental pretende hacernos creer que se deben a un déficit de estrógenos y progesterona, no se manifiestan en las sociedades en las que no se emplea la THS. La mayoría de las enfermedades y de los desagradables síntomas son provocados por otros factores distintos a la depleción hormonal femenina; la nutrición, el estilo de vida y el ejercicio están mucho más relacionados con ello que los niveles hormonales.

No se han comprobado ni la eficacia ni la seguridad de la THS. La industria farmacéutica y muchos médicos generales posiblemente no conocen los estudios científicos publicados en prestigiosas revistas médicas que afirman que la THS entraña riesgos y no es tan efectiva como se creía.

Inicialmente, la THS fue concebida para eliminar los síntomas que las mujeres occidentales consideraban molestos. Esto no significa que las mujeres de países menos desarrollados no sufran los mismos síntomas, pero en Occidente nos han acostumbrado a creer que cualquier síntoma es innecesario y debe ser eliminado, sin tener en cuenta la razón por la que está presente. La mayoría de las sensaciones desagradables son signos de alerta o de un proceso de reparación y, si la causa subyacente se diagnostica y se trata, los síntomas suelen desaparecer. Desafortunadamente, al cabo de unos pocos años se descubrió que el 50% de las mujeres que habían sido tratadas con THS para aliviar los síntomas menopáusicos dejaron de tomar la medicación debido a los efectos secundarios o a la inefectividad del tratamiento. Las compañías farmacéuticas experimentaron con diferentes cantidades de estrógenos y progesteronas y proclamaron que los nuevos preparados eran mucho más efectivos. Mi experiencia y la de mis colegas confirman los resultados de estudios recientes, que indican que muchas mujeres aún están luchando contra los efectos secundarios, incluida la persistencia de menstruaciones.

El siguiente paso fue anunciar que la THS prevenía la osteoporosis. Muchos estudios ampliamente difundidos mostraron que el uso de estrógenos artificiales evitaba la pérdida de hueso. Desafortunadamente para los partidarios de la THS, un amplio estudio realizado en mujeres de Framingham (Massachusetts) demostró que los estudios de corta duración no eran exactos y, de hecho, presentaban defectos. Sólo las mujeres que han recibido THS durante más de siete años muestran una diferencia apreciable en la densidad ósea y, debido a que estas mujeres se encuentran en una situación de muy alto riesgo de desarrollar cánceres dependientes de estrógenos, el peligro de patologías más graves supera todos los posibles beneficios. Es más, si las mujeres interrumpen el tratamiento después de diez años, tendrán el mismo riesgo de sufrir fracturas que la población no tratada con THS. Puesto que la THS probablemente se aconseja a las mujeres hacia los 50 años de edad y dado que la mayoría de las fracturas de cadera (el mayor peligro de la osteoporosis) ocurren después de los 70 años, es evidente la inutilidad de la THS para prevenir esta enfermedad.

La industria farmacéutica prosiguió con sus intentos de demostrar que la THS protege frente a enfermedades coronarias, el infarto y los niveles elevados de colesterol. Me temo que no es así. El estudio de Framingham mencionado sugiere que, en realidad, aumenta el riesgo de enfermedad cardíaca, lo que contradice los resultados de numerosos estudios.

No fue hasta 1993 que se descubrió que los principales estudios que apoyaban el uso de THS como protección frente a las enfermedades vasculares eran notablemente imprecisos. Un ejemplo de ello en uno de los experimentos más importantes se designa en los círculos médicos como «elección sesgada». Las mujeres del estudio fueron divididas en dos grupos: uno de ellos recibiría la THS y al otro se administraría un placebo. Ninguna de las mujeres sabría qué estaba tomando. Por razones «éticas», todas las mujeres del grupo que recibía la THS que presentaban algún factor de riesgo (por ejemplo, problemas de salud o predisposiciones genéticas a enfermedades asociadas a los estrógenos o a la progesterona) fueron descartadas; sin embargo, este mismo factor no se tuvo en cuenta en el grupo de control. Esto significa que las que recibieron THS presentaban un nivel de riesgo mucho menor de sufrir enfermedades cardiovasculares que las del grupo de control. Los resultados obtenidos fueron, evidentemente, mucho más favorables a la THS como factor de protección frente a infartos e ictus. El debate continúa, aunque no ha aparecido ningún nuevo experimento que apoye el empleo de la THS. De hecho, un artículo reciente publicado en el *British Medical Journal* no mostraba beneficio significativo alguno derivado de la THS en enfermedades cardiovasculares durante un período de diez años.

La sugerencia más reciente es que la THS puede proteger frente a ciertas afecciones intestinales, pero incluso la industria farmacéutica parece darse cuenta de que éste es un débil argumento para vender.

Riesgos de la terapia hormonal sustitutiva

La disponibilidad y promoción de la THS ha llevado a los médicos generales a descuidar o evitar la necesaria discusión sobre los cambios en la dieta y la práctica de ejercicio o sobre los efectos potencialmente dañinos del tabaco, el alcohol y las drogas. La menopausia ha supuesto una excusa para que los médicos generales receten preparados de estrógenos solos o en combinación con la progesterona.

Para comprender los riesgos es conveniente conocer qué hacen las hormonas sexuales. Los estrógenos y la progesterona estimulan la división celular, especialmente en la capa más interna del útero, el tejido mamario y los ovarios. Para ello, incrementan el flujo sanguíneo a estos tejidos aumentando la fuerza de los vasos sanguíneos y abriéndolos de golpe. Éstos son exactamente los mismos mecanismos que provocan los dolores de cabeza, las migrañas y los calambres.

Las hormonas también incrementan la capacidad de coagulación de la sangre, aumentando la velocidad de la adhesión plaquetaria, y elevan el nivel de grasa en la sangre. Esta combinación en el flujo sanguíneo enlentecido de unas arterias dilatadas conduce a la formación de coágulos, ataques cardíacos e ictus.

Aparte de la ineficacia de la THS artificial, también deben tenerse en cuenta los riesgos derivados de tomar estos productos químicos. A pesar de las discusiones mantenidas con ginecólogos y especialistas científicos en esta materia, sigo estando perplejo por lo que para mí es un contrasentido. En el *British National Formulary*, publicación oficial de la Real Sociedad Farmacéutica de Gran Bretaña que incluye una lista de todos los fármacos disponibles, hay 27 contraindicaciones y 17 efectos secundarios derivados del uso de la píldora anticonceptiva oral. La THS, constituida en su mayor parte por los mismos productos químicos, presenta sólo siete contraindicaciones, pero prácticamente los mismos efectos secundarios. Por alguna razón, cuando las mujeres alcanzan la edad en que puede prescribirse la THS, todos los efectos secundarios que podían presentarse con la píldora anticonceptiva justo un año antes ya no significan un riesgo. A los médicos se nos dice que la píldora anticonceptiva oral no debería usarse en mujeres con presión arterial elevada antes de la menopausia, pero en la menopausia esta combinación de hormonas artificiales puede ser realmente beneficiosa para las hipertensas ya que presenta efectos «protectores» contra el infarto de miocardio y el ictus. Esto no tiene sentido.

Además de la ineficiencia de la THS, realmente existen riesgos comprobados que cada cual debe tener en consideración antes de embarcarse en un tratamiento de este tipo.

Cánceres

El cáncer de útero (de endometrio) fue siete veces más frecuente en las mujeres que recibían THS. Esto se produjo cuando se administraban estróge-

nos sin progesterona para «contrarrestarlos». La medicina ortodoxa rápidamente anunció que el uso de progesterona evitaba estos resultados, aunque olvidó mencionar el riesgo persistente de cáncer uterino, el cual aún era tres veces superior a pesar del uso de progesterona.

El cáncer de mama también se incrementaba por el uso de la THS. Las compañías farmacéuticas promovieron entonces estudios que sugirieron la protección por parte de la THS, contrarios a los resultados de grandes estudios que indican que la combinación de la THS (estrógenos y progesterona) aumenta cuatro veces el riesgo de sufrir cáncer de mama, en comparación con las mujeres que no reciben la THS, si la terapia se administra durante más de seis años.

Algunos experimentos han demostrado que los estrógenos y la progesterona (artificial) incrementan la incidencia de otras neoplasias, como el cáncer de ovario, cérvix, hipófisis, hígado y piel (melanomas).

La razón por la cual estos resultados no están bien documentados es que no hay dinero disponible para realizar experimentos que repitan resultados negativos.

RIESGO DE CÁNCER DE MAMA CON LA THS

Años de THS	Casos de cáncer de mama entre los 50 y 70 años	Cáncer extramamario en usuarias de THS
Nunca recibió THS	45 por 1.000	Cero
5 años	47 por 1.000	2 por 1.000
10 años	51 por 1.000	6 por 1.000
15 años	57 por 1.000	12 por 1.000

Osteoporosis
Véase **Osteoporosis**.

Trombosis (coágulos sanguíneos), ictus y cardiopatías

Todos los médicos advertirán a una mujer que la píldora anticonceptiva puede causar coágulos sanguíneos, sobre todo trombosis en las venas profundas de las piernas. La existencia de episodios previos o antecedentes familiares de coágulos sanguíneos, presión arterial elevada u obesidad, ictus u otros problemas cardiovasculares, contraindica el uso de píldoras anticonceptivas orales. Si se sabe que éstas causan problemas, no hay razón para creer que, por el hecho de envejecer, los efectos de los fármacos vayan a modificarse.

Una de las principales hipótesis que fundamentan el uso de la THS para prevenir las enfermedades cardíacas y vasculares se basa en la capacidad de la THS para reducir el colesterol. Todos los experimentos, de acuerdo con eminentes investigadores, han sido imprecisos y se han basado en la suposición de que disminuyendo los niveles de colesterol se reduciría la incidencia de alteraciones cardiovasculares en las mujeres posmenopáusicas. Nada de esto ha sido demostrado de forma concluyente. Lo más preocupante es la continua promoción de estos estudios carentes del mínimo rigor científico, a pesar de las pruebas irrefutables de las investigaciones realizadas sobre la ineficacia de la THS en la reducción de los problemas cardiovasculares e, incluso, sobre la posibilidad de que aumenten los riesgos.

Otros efectos secundarios

Problemas específicos como alteraciones en la piel, ictericia, vómitos, flatos y trastornos fisiológicos como depresión e irritabilidad pueden ser todos causados por la THS. Un estudio en el Reino Unido demostró un incremento de los suicidios en las mujeres que recibían THS. Lo más penoso es que los síntomas de la menopausia pueden empeorar o iniciarse por la THS. He visto pacientes con dolores musculares, espasmos abdominales y síntomas neurológicos como vértigo y hormigueos. No puedo asegurar categóricamente que todos estos síntomas estuvieran causados por la THS, pero todos ellos mejoraban cuando se suspendía el tratamiento.

Se ha presentado un informe que revela un aumento de seis veces en la aparición de asma en mujeres que recibieron la THS.

Estrógenos y progesteronas naturales

La moda actual es estar a favor de las hormonas femeninas naturales. En realidad, estas sustancias son derivados de plantas que contienen exactamente los mismos tipos de hormonas sexuales que el cuerpo humano, en oposición a las sustancias químicas artificiales de la THS que sólo son parecidas a las hormonas femeninas. Los estrógenos naturales derivados de plantas, conocidos como fitoestrógenos, son mucho menos potentes que las hormonas artificiales, pero el organismo parece responder a ellas si su aplicación es adecuada. Estos estrógenos se obtienen a partir de lúpulos, hinojo, apio, productos derivados de la soja y el ruibarbo, todos los cuales pueden administrarse fácilmente en la dieta. En tiendas naturistas pueden adquirirse extractos de plantas específicas como «productos alimentarios», lo cual evita las protestas médicas al respecto. Es interesante señalar que las mujeres japonesas, que reciben un nivel mucho más elevado de productos derivados de la soja en sus dietas (además de no tomar carne roja ni grasa saturada), tienen una incidencia mínima de osteoporosis y enfermedades cardíacas.

La popularidad de la progesterona natural ha aumentado a raíz del trabajo de un médico estadounidense llamado John Lee. El doctor Lee no se dejó impresionar por la eficiencia y los efectos de los estrógenos, y dirigió su atención a la disminuida progesterona como una posible causa de los problemas menopáusicos. Sus investigaciones y su experiencia personal sugirieron que muchos síntomas y enfermedades asociados al envejecimiento –como la osteoporosis– pueden estar causados por el déficit de progesterona y no de estrógenos. Existen muchas pruebas que así lo demuestran. Como la industria farmacéutica no puede patentar un componente natural, no tiene sentido experimentar con la progesterona natural, y por esta razón no se han repetido los trabajos del doctor Lee.

La progesterona natural se extrae del ñame silvestre (otras patatas dulces no la contienen) y debe administrarse por vía intradérmica (a través de la piel) ya que, como cualquier cadena compleja, no es probable que sobreviviera intacta al sistema digestivo. La progesterona natural no parece tener efecto sobre los sofocos y sudores, principales síntomas de la mayoría de las mujeres que padecen la menopausia, pero puede actuar sobre todos los demás síntomas y, lo que es más alentador, ejerce un intenso efecto sobre la osteoporosis (véase **Osteoporosis**).

Los tumores dependientes de los estrógenos, localizados en su mayor parte en la mama, pueden beneficiarse de estos fitoestrógenos. Actualmente se está llevando a cabo un estudio en uno de los mejores hospitales de Londres, del cual podría desprenderse que estos estrógenos de origen vegetal pueden ocupar los receptores de estrógenos y evitar así los efectos de las hormonas, más potentes. Podría ocurrir que los extractos de las plantas activaran los tumores sensibles a los estrógenos, pero hasta la actualidad los experimentos son muy alentadores. Podría plantearse el uso de fitoestrógenos y progesterona natural en mujeres premenopáusicas como factores de protección frente a muchas patologías relacionadas con los estrógenos.

Tipos de THS

Los estrógenos se administran en forma de tableta, parche, implante o gel. Toda mujer que aún tiene útero (que no ha sido sometida a una histerectomía) debe recibir regularmente progestágeno (progesterona artificial), generalmente administrada en tabletas. El progestágeno bloquea los efectos de los estrógenos. Habitualmente, el progestágeno se toma durante doce días, pero muchas mujeres sufren los efectos secundarios de la progesterona, sobre todo retención de agua, dolores de cabeza, reacciones cutáneas como acné y otros síntomas del síndrome premenstrual. A las mujeres que padecen la menopausia y no hayan tenido el período durante al menos doce meses, se les administra la preparación combinada, que debe tomarse de forma continua. Esto no provoca la aparición del período, lo cual es ciertamente una opción positiva. Otra opción es tomar una preparación de estrógenos y progesterona, por ejemplo, cuatro veces al año, lo que determina una menstruación cada tres meses. Esta opción se recomienda para las mujeres que padecen la menopausia y aún presentan períodos esporádicos. La mención de estas terapias es meramente informativa, puesto que no apoyo su aplicación. De hecho, mis puntos de vista son totalmente los opuestos.

Dosificación de la THS

La terapia hormonal sustitutiva se administra generalmente por vía oral o mediante parches en la piel. Puede ser una combinación de pastillas o estrógeno con pequeñas dosis de progesterona para promover una menstruación u ofrecer «protección» frente al estrógeno. Los implantes se están volviendo muy populares pero su seguridad es muy cuestionable. Para empezar, los ovarios, las glándulas adrenales y los depósitos de grasa (donde realmente se sintetiza el estrógeno) pueden producir hormonas en concentraciones variables durante varios años después de empezar la menopausia. Un implante libera una determinada dosis sin tener en cuenta la cantidad producida por el organismo de manera natural. Este hecho puede causar sobredosis, la cual puede conducir a todos los riesgos y efectos secundarios mencionados anteriormente.

RECOMENDACIONES

- *No haga caso de los consejos de su médico, que la animará a tomar THS.*

- *Acuda a un profesional de medicina alternativa si los signos y síntomas de la menopausia son muy molestos.*

- *Solicite los análisis sanguíneos necesarios para establecer el estado de su menopausia.*

- *Considere la práctica de análisis de proteínas urinarias y densitometría ultrasónica de los huesos para establecer el grado de osteoporosis.*

- *Véase* **Arteriosclerosis** *para los mejores regímenes dietéticos y tratamientos suplementarios que protegen frente a las enfermedades cardiovasculares.*

- *Si ya recibe THS o piensa iniciar ese tratamiento, consulte con un profesional de medicina alternativa con experiencia en este tema.*

- *Véanse* **Osteoporosis, Ictus** *y* **Ataque cardíaco** *para conocer las alternativas que ayudan a protegerse de estas afecciones en los últimos años. Estas técnicas son tan útiles como cualquiera de los aspectos positivos de la THS.*

- *Considere el uso de cremas de hormonas naturales, disponibles a través de los profesionales de medicina alternativa y de los médicos ortodoxos.*

TROMBOSIS
Véase **Coagulación de la sangre y coágulos.**

Cabeza y cuello

BOCA

RETRACCIÓN DE LAS ENCÍAS

La retracción de las encías conduce a la pérdida de dientes, a molestias persistentes y a visitas frecuentes al dentista para tratar las infecciones. Es esencial el cuidado de las encías desde una edad temprana para evitar que tenga lugar esta patología a medida que vamos envejeciendo y sufrimos, con el transcurso de los años, el ataque de bacterias en estos tejidos tan expuestos.

> **RECOMENDACIONES**
>
> • *Véase* **Cuidado de las encías**.
>
> • *Evitar los alimentos con azúcares refinados es extremadamente importante.*
>
> • *Se recomienda practicar la higiene dental diaria mediante el uso adecuado del cepillo de dientes y visitar al dentista cada 3 meses.*
>
> • *La vitamina C (30 mg/kg de peso en dosis fraccionadas con las comidas) y cinc (350 mg/kg de peso a antes de irse a dormir) son suplementos adecuados.*
>
> • *Otros nutrientes son esenciales para unas encías saludables y se obtienen comiendo, como mínimo, 5 piezas de fruta y verdura diarias. También es muy importante masticar la fibra, porque favorece la circulación sanguínea y, por lo tanto, el aporte de oxígeno y nutrientes a las encías.*

OÍDOS

SORDERA

La sordera o pérdida de la audición es una afección muy debilitante. Puede variar desde una pérdida de un tono o notas concretas hasta una incapacidad total para oír cualquier sonido. Sea cual fuere el grado de sordera, origina dificultades sociales, con lo que cualquier ayuda que pueda proporcionarse significará una mejoría sustancial en el bienestar del individuo.

La sordera se aborda en este capítulo debido a que el envejecimiento se asocia a cierta pérdida de audición, a menudo dentro de los límites socialmente aceptables, aunque, por supuesto, este trastorno puede ocurrir a cualquier edad.

La sordera aguda o súbita debe ser tratada como una urgencia y requiere ser examinada por un especialista. La sordera puede ser de dos tipos: de conducción o de percepción (neurológica).

Sordera de conducción

El sonido es transmitido desde el conducto auditivo externo, a través del tímpano y los huesecillos del oído, hasta el oído interno, donde se alojan las terminaciones de las fibras nerviosas auditivas. Esta parte del oído puede considerarse la zona conductiva. Traumatismos, obstrucciones, infecciones y enfermedades óseas, como artritis de los huesecillos, pueden ser causa de una pérdida de la audición.

Sordera de percepción (neurológica)

La sordera debida a la lesión del sistema neurológico puede ocurrir a causa de un traumatismo o una infección en el oído interno, una enfermedad neurológica (por ejemplo, tumores como el colesteatoma), un traumatismo o una infección a lo largo del nervio auditivo hasta el área del cerebro que registra los sonidos. La sordera congénita o hereditaria puede ser consecuencia de una malformación o lesión en cualquier estructura del cerebro o del oído.

> **RECOMENDACIONES**
>
> • *Establecer la causa de la sordera es esencial, y cualquier disminución en la audición debe ser examinada por un médico general, el cual le remitirá a un especialista del oído.*
>
> • *Las causas obstructivas deben, en lo posible, ser eliminadas. La obstrucción puede estar causada por la presencia de líquido en el oído medio (infectado o no). Para el tratamiento, véase* **Otitis serosa**.
>
> • *Si bien las lesiones artríticas en los huesecillos del oído pueden responder a tratamientos*

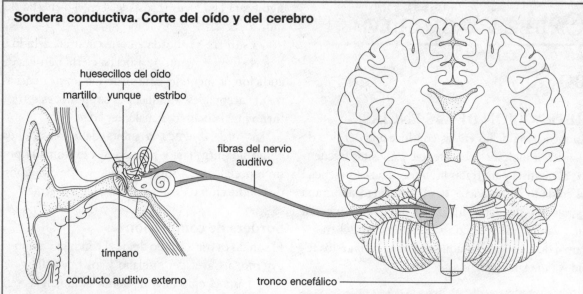

Sordera conductiva. Corte del oído y del cerebro

huesecillos del oído

martillo   yunque   estribo

fibras del nervio auditivo

tímpano

conducto auditivo externo

tronco encefálico

La obstrucción o infección en el conducto auditivo externo o en el oído medio, que contiene los huesecillos del oído, puede interferir en las ondas sonoras e impedir que sean traducidas en impulsos en las fibras del nervio auditivo.

naturópatas, en la sordera de conducción el tratamiento debe ser específico, por lo que se recomienda una visita al homeópata y al herbolario.

- *No dude en utilizar dispositivos para oír mejor. Si los tratamientos naturópatas no son eficaces y el tratamiento quirúrgico no fuese beneficioso, el uso de audífonos puede proporcionar un importante aumento del bienestar.*

- *Si su sordera se debe a problemas específicos, como colesteatoma, laberintitis u oído «pegado», remítase a los apartados correspondientes de este libro.*

OJOS

CATARATAS

El cristalino –situado en la parte anterior del ojo–, al igual que el pelo y las uñas, no recibe aporte de sangre. Obtiene el oxígeno directamente del medio para mantener su buen estado. A partir de los 65 años, la mitad de las personas padecen una opacidad o enturbiamiento del cristalino. Los síntomas son visión borrosa (las cosas se ven como a través de la niebla), dispersión de la luz del sol o de las luces de los coches de noche y cambios en la percepción del color. Si la catarata no se detiene, puede conducir a la ceguera, generalmente recuperable mediante cirugía.

Las cataratas se desarrollan a diferente velocidad y pueden estar asociadas con diversos procesos patológicos. La diabetes y la malnutrición pueden conducir a un desarrollo más temprano y rápido de las cataratas.

Una vez instaurada la catarata, su eliminación mediante procedimientos médicos es difícil. Sin embargo, las siguientes recomendaciones consiguen lentificar el proceso.

RECOMENDACIONES

- *Cualquier problema en los ojos debe ser examinado por un médico general y, si es necesario, por un especialista en oftalmología.*

- *La terapia antioxidante, particularmente los betacarotenos y las vitaminas C y E, ayudan a prevenir el proceso de oxidación y el empeoramiento de las cataratas. Estos nutrientes pueden obtenerse a partir de vegetales amarillos, naranjas y verdes o tomarse en cantidades adecuadas de acuerdo con el peso y la edad. Consulte al respecto con un*

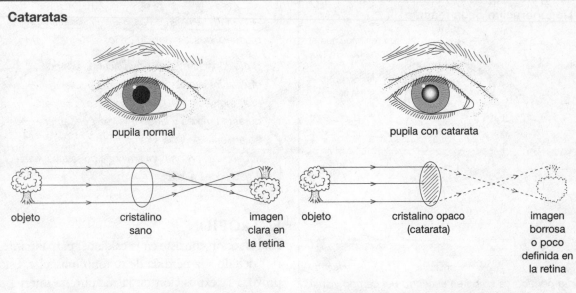

Cataratas

pupila normal

pupila con catarata

objeto — cristalino sano — imagen clara en la retina

objeto — cristalino opaco (catarata) — imagen borrosa o poco definida en la retina

Las cataratas constituyen una alteración habitual en la edad avanzada y pueden deberse a muchas causas.

Las cataratas provocan la opacificación del cristalino del ojo y una imagen borrosa resultante en la retina.

profesional de medicina alternativa (véase **Arteriosclerosis***).*

- *El remedio homeopático Immature cataract 2000 puede administrarse en 3 dosis, una por noche, cada 2 meses.*

- *Una vez instaurada la catarata, según los síntomas pueden indicarse varios remedios homeopáticos, por lo que es aconsejable consultar a un homeópata.*

- *Existe un preparado ayurvédico, llamado Triphalat. Vierta una cucharada de café en una taza de agua y hiérvala durante 3 minutos. Una vez fría y colada, realice un baño ocular completo 2 veces al día.*

- *Como ocurre con cualquier otro problema relacionado con la vista, aprender a ver más que a mirar puede devolver la visión incluso a los ciegos. Esta diferenciación requiere un entrenamiento especializado, que puede aprenderse en libros dedicados a la técnica ocular de Bates.*

- *Las técnicas quirúrgicas evolucionan constantemente. Consulte con un cirujano oftalmológico, que le aconsejará al respecto y le*

indicará el mejor momento para realizar la operación. Actualmente se sustituye el cristalino con catarata por una lente artificial, y aunque éstas no poseen la misma agudeza visual que los cristalinos naturales, generalmente son seguras y efectivas. Si se somete a una intervención quirúrgica, consulte el apartado **Cirugía***.*

DEGENERACIÓN MACULAR

La mácula se encuentra en el centro de la retina en el fondo del ojo. Es un conjunto de bastones y conos (los receptores para la luz del sistema nervioso) y esta área es la responsable de una buena visión.

Degeneración macular es un término médico que se aplica a esta área cuando está lesionada, generalmente debido a un aporte sanguíneo insuficiente a causa del envejecimiento natural, la arteriosclerosis, la diabetes o una presión arterial elevada.

Fuera de la compleja técnica de la cirugía por láser, que puede ser beneficiosa para algunas personas con esta alteración, no existe otro tratamiento ortodoxo.

Degeneración de la mácula

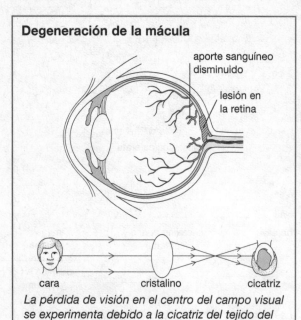

aporte sanguíneo
disminuido

lesión en
la retina

cara   cristalino   cicatriz

La pérdida de visión en el centro del campo visual se experimenta debido a la cicatriz del tejido del centro de la retina.

RECOMENDACIONES

- *El diagnóstico de degeneración macular sólo puede establecerlo un especialista. La monitorización regular permite conocer el grado de deterioro, aunque evidentemente el factor determinante es la visión del paciente.*

- *Véase **Arteriosclerosis** y asegúrese de seguir las indicaciones dietéticas y de suplementaciones.*

- *Puede tomar vitamina C (1 g, 3 veces al día), vitamina E (400 UI, 2 veces al día), selenio (200 mg/día), betacaroteno (3 mg, 2 veces al día), cinc (10 mg, 3 veces al día) y picnogenol (20 mg, 2 veces al día). Al cabo de, como mínimo, 6 meses de seguir estos tratamientos el oftalmólogo le informará si el deterioro se ha detenido.*

- *Dos compuestos de hierbas han demostrado ser especialmente beneficiosos para los vasos sanguíneos del ojo. Así, algunos estudios han puesto de manifiesto que pueden detener el deterioro o, incluso, mejorar la visión: ginkgo (24% de heterósidos), en dosis de 40 mg, 3 veces al día, y extracto de arándano (25% de antocianidina), en dosis de 80 mg, 3 veces al día.*

- *Los nutricionistas pueden aconsejarle acerca del uso de potencias más altas, y los homeópatas tal vez le indiquen remedios visuales constitucionales o específicos en función de los síntomas.*

- *Profesionales médicos cualificados pueden ofrecer infusiones intravenosas de selenio (200 mg) y cinc (10 mg), 2 veces a la semana durante un mes y luego una vez por semana. Este tratamiento se lleva a cabo junto con la administración oral del aminoácido taurina, hasta 1 g, 3 veces al día.*

ECTROPIÓN

Esta afección consiste en la caída del párpado inferior debido a la pérdida de su tono muscular. Esto provoca la exposición de la membrana interna o conjuntiva, lo que conduce a sequedad, molestias y predisposición a la infección. La pérdida de integridad del párpado inferior también impide que las lágrimas sean retenidas en el ojo, por lo que éstas tienden a caer por la cara.

RECOMENDACIONES

- *Este problema suele requerir una solución quirúrgica.*

- *Mientras no se corrija, use extracto líquido de eufrasia en forma diluida (2 gotas en 10 ml de agua hervida) y bañe el ojo 4 veces al día.*

- *Pueden utilizarse los remedios homeopáticos apropiados para los síntomas a potencia 6, 4 veces al día. Recomiendo seleccionar entre los siguientes remedios: Borax, Mercurius, Aconitum, Pulsatilla y Euphrasia.*

ENTROPIÓN

Es la situación inversa al ectropión, es decir, la contracción de los músculos del párpado inferior; como consecuencia, las pestañas presionan sobre el globo ocular y la conjuntiva, lo que causa irritación e inflamación y predispone a la infección.

RECOMENDACIONES

- *Al igual que en el ectropión, la solución suele ser quirúrgica.*

- *Puede usarse extracto líquido de eufrasia (2 gotas en 10 ml de agua hervida) en forma de baño ocular 4 veces al día.*

- *Considere el empleo de remedios homeopáticos apropiados para los síntomas en una potencia 6, 4 veces al día. Puede elegirse entre los siguientes: Aconitum, Rhus toxicodendron, Arnica y Hamamelis.*

- *Véase* **Conjuntivitis.**

PRESBICIA

Esta alteración de la visión suele apreciarse a partir de los 40-45 años, pero en realidad comienza en los últimos años de la niñez. Consiste en una disminución de la elasticidad del cristalino, que provoca dificultad para enfocar los objetos próximos y para leer la letra pequeña.

Esta alteración tiene los mismos efectos que la hipermetropía, pero su causa es diferente.

RECOMENDACIÓN

- *Véase* **Miopía e hipermetropía.**

PTERIGIÓN

El pterigión es un crecimiento del tejido membranoso que cubre la córnea.

Este sobrecrecimiento se atribuye a una excesiva exposición a la luz del sol, pero es probable que se requiera la asociación con otros factores, porque muchas personas no desarrollan este problema a pesar de estar muy expuestas al sol. Las deficiencias en minerales, especialmente el cinc, pueden ser relevantes.

RECOMENDACIONES

- *La corrección de cualquier deficiencia mineral puede detener el progreso.*

- *Las personas con tendencia a desarrollar esta afección deberían utilizar gafas de cristales oscuros en condiciones extremas de luz solar.*

- *La extirpación quirúrgica es un procedimiento sencillo para un cirujano oftalmológico.*

PTOSIS

La ptosis es el prolapso o «caída» de un órgano o una parte de un órgano. Se aplica generalmente a la caída del párpado superior. Suele estar causada por una lesión o por una inflamación del nervio oculomotor (tercer par craneal). Existe una afección, denominada síndrome de Horner, caracterizada por la caída del párpado, el hundimiento del ojo y la contracción de la pupila.

También debe considerarse una posible lesión en la unión neuromuscular, que ocurre en enfermedades poco frecuentes, como la miastenia grave, pero la ptosis puede ser sencillamente debida al envejecimiento.

RECOMENDACIONES

- *Las técnicas ayurvédicas de masaje facial pueden mejorar la situación.*

- *La acupuntura puede ejercer un profundo efecto. El punto más alto de acupuntura para la vejiga se encuentra en el párpado, y una debilidad energética de la vejiga puede ser responsable.*

- *Véase* **Lesión nerviosa.**

TÓRAX

ANGINA

Angina es el término médico que designa el dolor causado por la falta de oxígeno en una parte del organismo. Comúnmente se asocia al dolor en el pecho causado por la falta de oxígeno en el músculo cardíaco. Esta privación del aporte de oxígeno está causada generalmente por la arteriosclerosis de los vasos sanguíneos cardíacos, pero también puede estar causada por un espasmo en estas arterias o por una lesión en el músculo cardíaco. El dolor torácico de la angina se describe generalmente como una sensación opresiva en el centro del pecho, a veces irradiado hacia la espalda, el cuello, las mandíbulas y el brazo izquierdo. La angina está habitualmente asociada con un esfuerzo excesivo, y puede aparecer al caminar, al subir las escaleras e incluso al hacer el amor. Un ejercicio más intenso, evidentemente, provocará también el dolor. A menudo se asocia a dificultad para respirar.

El dolor de pecho que no se alivia con el reposo o que aparece al estar sentado o tumbado se denomina angina *inestable* y requiere atención inmediata. Otra forma de angina, conocida como *angina de Prinzmetal*, está causada por la contracción de los vasos coronarios, que puede asociarse o no con cambios ateromatosos.

RECOMENDACIONES

- *Cualquier dolor en el pecho que no se alivia fácilmente o que vuelve a aparecer debe ser examinado por un médico ortodoxo.*

- *Una vez diagnosticada la angina, el médico ortodoxo recomendará la medicación adecuada, que puede incluir desde trinitrato de glicerina, que se administra en forma de pastillas que se colocan debajo de la lengua o en aerosol, hasta fármacos cardíacos más agresivos. Tome estos medicamentos y posteriormente acuda a un profesional de medicina alternativa para obtener otros consejos curativos.*

- *Si padece problemas cardíacos, lo mejor es que éstos sean tratados bajo estricta supervisión por un profesional de medicina complementaria cualificado, un cardiólogo o un médico general. No deje de tomar los fármacos cardíacos sin supervisión médica.*

- *En la mayoría de los casos la angina se debe al bloqueo de las arterias coronarias (véanse* **Arteriosclerosis** *y* **Colesterol**).

- *Consulte a un nutricionista, a un herbolario y a un homeópata, porque todos ellos pueden ofrecerle juicios bien fundados y buenos tratamientos.*

- *Utilice antioxidantes (véanse* **Arteriosclerosis** *y* **Antioxidantes**).

- *Considere las dietas Ornish o Pritikin (véase capítulo 7).*

- *Es recomendable practicar ejercicio hasta el nivel en que aparece el dolor, pero el yoga y el chi kung son los métodos preferidos. Caminar y nadar son actividades obligatorias.*

- *Yo no recomiendo otra automedicación para las afecciones cardíacas que los antioxidantes.*

- *El mundo médico ortodoxo le ofrecerá cirugía de varios tipos si la situación no puede controlarse con fármacos. Sea muy cauteloso y lea el siguiente apartado sobre procedimientos de bypass en las arterias coronarias.*

Procedimientos de bypass en las arterias coronarias

Si las arterias coronarias están obstruidas por un ateroma y los fármacos no consiguen abrirlas para permitir el paso de suficiente flujo sanguíneo, entonces a la medicina ortodoxa no le queda otra opción que la cirugía. Existen dos procedimientos.

Angioplastia

Literalmente significa cirugía plástica de un vaso sanguíneo lesionado o enfermo, pero en la actualidad la técnica más utilizada consiste en insuflar un pequeño globo dentro de la arteria ocluida. El especialista inserta un catéter en la arteria femoral en la ingle y lo hace avanzar por la aorta hasta los vasos coronarios (del corazón) mediante el uso de un equipo de rayos X especializado. Una vez en el lugar adecuado, se insufla un globo situado en la punta del catéter. De esta forma, se estira la pared de la arteria ocluida, se desprende el ateroma y, con suerte, se elimina la oclusión.

Esta técnica entraña riesgos, ya que el globo puede romper los vasos, y se realiza sólo en unidades especializadas. Deben estar inmediatamente disponibles un cirujano cardíaco y una sala quirúrgica de urgencias. Este procedimiento sigue siendo motivo de discusión porque estudios y datos a largo plazo sugieren que es menos seguro y no más eficiente que el bypass de la arteria coronaria.

Bypass de la arteria coronaria

Hasta hace un tiempo, el bypass de la arteria coronaria se consideraba el mayor beneficio de la cirugía mayor. Un reciente informe en *Heart*, una de las publicaciones médicas más prestigiosas, ha demostrado que su éxito a largo plazo es sólo parcial. El cirujano cardíaco abre el corazón y sustituye la porción del vaso ocluido por un injerto obtenido de una vena del propio paciente (de la pierna). El procedimiento es arriesgado pero, indudablemente, tiene efectos muy favorables a corto plazo. Por desgracia, esta técnica no parece aumentar la esperanza de vida en la mayoría de los casos.

RECOMENDACIONES

- *Considere todas las alternativas posibles, tanto ortodoxas como complementarias, antes de plantearse una operación quirúrgica de cualquier tipo.*

- *El mundo ortodoxo rápidamente condena el tratamiento quelante (véase a continuación), pero algunos estudios sugieren que es una aceptable alternativa a las técnicas quirúrgicas que no tienen éxito.*

- *Véase* **Cirugía**.

Terapia quelante

Quelación es una palabra derivada de *chela*, vocablo griego que significa pinza de cangrejo o de langosta. Esta palabra ilustra sobre la forma en que ciertos compuestos pueden interactuar con otros; en medicina se usa para describir los compuestos que se unen a sustancias tóxicas, especialmente metales pesados y depósitos de colesterol que se encuentran en las arterias, conocidos como ateroma.

La quelación médica se realiza mediante un compuesto denominado ácido etilendiaminotetraacético (EDTA). La quelación se ha utilizado para tratar la aterosclerosis, la presión arterial elevada, la angina, la enfermedad vascular oclusiva, la porfiria, la artritis reumatoide y el cáncer. Existen buenos razonamientos e investigaciones científicas que demuestran cómo puede actuar el EDTA, pero todavía existe controversia al respecto. Sospecho que ésta se debe al potencial uso del EDTA en muchas situaciones actualmente dominadas por la industria farmacéutica y enormemente provechosas para ella. Si se comprueba que el EDTA es un tratamiento efectivo para estas situaciones, perderían miles de millones de dólares de beneficios. El compuesto EDTA no puede patentarse, lo que ha motivado la detención de las investigaciones.

RECOMENDACIONES

- *Considere el uso de la terapia quelante en todas las afecciones mencionadas.*

- *En mi opinión, la terapia quelante con EDTA debe utilizarse antes de considerar la cirugía coronaria.*

- *La terapia quelante debe ser administrada por un médico cualificado o con muchos años de experiencia en este tratamiento. Deben realizarse varios análisis específicos de las funciones hepática y renal a lo largo de todo el tratamiento, ya que existen evidencias de que el EDTA es tóxico.*

ASMA EN LA POSMENOPAUSIA

El asma y su tratamiento se describen en otro apartado. Sin embargo, merece la pena señalar que la terapia hormonal sustitutiva (THS) incrementa la posibilidad de ataques de asma en mujeres posmenopáusicas.

RECOMENDACIONES

- *Si ha iniciado la THS y presenta crisis asmáticas o un empeoramiento del asma preexistente, considere la interrupción de la THS.*

- *Véase* **Terapia hormonal sustitutiva**.

BRONQUITIS CRÓNICA

La bronquitis crónica se define por la expulsión de una secreción pulmonar con la tos, durante al menos tres meses. Con el envejecimiento, a menudo la tos no tiene fuerza suficiente para eliminar la mucosidad y es necesaria la fisioterapia para ayudar a expulsar las secreciones. La bronquitis crónica es más frecuente en los fumadores y en las personas que han vivido en medios contaminados. La destrucción, a lo largo de los años, de los pequeños pelos (denominados cilios) que normalmente eliminan las secreciones de los pulmones favorece las infecciones, y es responsable de las bronquitis crónicas.

RECOMENDACIONES

- *Véase* **Bronquitis**.

- *Póngase bajo los cuidados de un profesional de la medicina alternativa cualificado.*

- *Las inhalaciones de aceite esencial de eucalipto, olbas y lavanda (5 gotas en un cazo de agua, 4 veces al día) pueden aliviar siempre y cuando no se empleen junto con remedios homeopáticos.*

- *Los remedios homeopáticos son esenciales. Deben elegirse en función de la constitución del paciente y de los síntomas.*

- *Pueden tomarse betacaroteno (2 mg con cada comida), cinc (10 mg por la noche) y vitamina C (500 mg con cada comida), pero consulte con el profesional de la medicina alternativa la posibilidad de ingerir dosis más elevadas.*

- *Las visitas regulares a un fisioterapeuta le ayudarán a limpiar el pecho mediante la técnica del palmeo del pecho.*

- *Profesionales ayurvédicos, chinos y tibetanos poseen una selección de hierbas que pueden aliviar los problemas respiratorios. Puede utilizar también la técnica del vaso en el pecho (una técnica de eliminación de la congestión de los pulmones mediante la aplicación de vacío en la pared del tórax).*

- *Si los síntomas varían de un día a otro, lleve un registro de su dieta durante 2 semanas para intentar descubrir si algún alimento se relaciona claramente con la producción de moco. Si aprecia una relación obvia, evite el alimento implicado.*

EMPIEMA

Empiema es el término médico que designa la presencia de pus en una cavidad o espacio corporal. Comúnmente se utiliza para referirse al pus existente en el espacio pleural, generalmente como consecuencia de una infección grave en el pecho, neumonía o pleuresía (infección o inflamación de la pleura, capa más externa del pulmón).

RECOMENDACIONES

- *El pus en cualquier parte del organismo es una situación grave que requiere la valoración de un médico ortodoxo y el posible uso de antibióticos. Puede ser necesaria una operación para drenar la infección de la cavidad da la pleura.*

- *Una vez resuelta la situación de urgencia, puede considerarse la consulta con un profesional de medicina alternativa.*

- *Si toma antibióticos, ingiera altas dosis de Lactobacillus acidophillus o un equivalente (unos 2.000 millones de gérmenes) antes de cada comida.*

- *Pueden utilizarse remedios homeopáticos en función de los síntomas, pero específicamente Hepar sulphuris calcarium 6, que es especialmente eficaz para eliminar el pus atrapado en el organismo. Tómelo cada 2 horas, independientemente de cualquier otra intervención médica. Por sí mismo puede ser suficiente.*

ENFISEMA

Enfisema es el término médico para designar el agrandamiento de los espacios aéreos en los pulmones, causado por la destrucción del tejido de las paredes de los pulmones, conocido como alvéolos.

Esta pérdida de tejido pulmonar significa que menos oxígeno podrá ser absorbido y que el anhí-

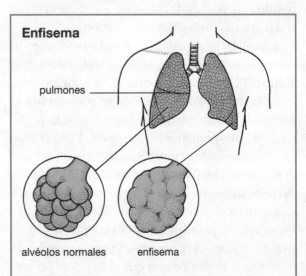

Enfisema

pulmones

alvéolos normales   enfisema

La rotura de las paredes de los alvéolos, los pequeños sacos aéreos de los pulmones, provoca un menor número de alvéolos más grandes con la consiguiente pérdida de capacidad respiratoria.

drido carbónico acumulado en estos espacios agrandados causará dificultades en la respiración y el característico pecho ensanchado, comúnmente conocido como pecho en barril.

A medida que se envejece, todas las personas presentan cierto grado de enfisema y el cuerpo pierde la capacidad de sustituir el tejido pulmonar destruido, pero a menudo el enfisema aparece a edades más tempranas y en grados avanzados a causa del tabaco y de infecciones recurrentes en personas con bronquitis crónica o incluso con asma mal tratado.

Una vez destruido el tejido pulmonar, es poco probable que el organismo sea capaz de reemplazarlo. Por consiguiente, detectar cuanto antes el enfisema y prevenir su progresión es el mejor tratamiento.

RECOMENDACIONES

- *Cualquier dificultad persistente para respirar debe ser examinada por el médico.*

- *Si se sospecha un enfisema, ya sea por la exploración clínica o por la radiografía de tórax, debe iniciarse inmediatamente el tratamiento.*

- *Deje de fumar y evite los entornos con humo, contaminados o polvorientos.*

- *Toda persona que padezca lesiones pulmonares por inhalación de partículas debe ser tratado con el remedio homeopático Pothos foetidus 200, una dosis al día durante 5 días.*

- *Aprenda y practique a diario los ejercicios de respiración de Buteyko, el yoga o el chi kung, para favorecer el flujo de energía hacia el pecho, así como el aporte de oxígeno y la eliminación de anhídrido carbónico.*

- *Las siguientes vitaminas deben tomarse en las dosis indicadas (por kg de peso) para favorecer la estabilidad de la membrana y proteger contra la infección: betacaroteno, 150 mg; vitamina E, 1,5 UI; vitamina C, 30 mg, y cinc, 350 mg. Todas ellas deben tomarse en dosis divididas a lo largo del día excepto el cinc, que se toma en una sola dosis antes de irse a dormir.*

- *En el enfisema avanzado, la acupuntura puede ser beneficiosa.*

- *El médico general puede indicar el uso de oxígeno, administrado por mascarilla o por sonda nasal, en el hogar del paciente.*

NEUMONÍA

La neumonía es una grave infección torácica que afecta al tejido pulmonar y a los sacos aéreos (conocidos como alvéolos), en oposición a la bronquitis, en la que está implicado sólo el árbol bronquial. Los síntomas son una tos persistente, habitualmente con producción de un esputo de color amarillo verdoso, dificultad para respirar, respiración superficial, fiebre, escalofríos y, si la membrana del pulmón está afectada, dolor debido a la pleuresía. La radiografía de tórax muestra imágenes poco uniformes de aspecto blanquecino, y el estetoscopio revela la ausencia de ruidos respiratorios si la congestión es intensa o crepitaciones y sibilancias en el área de infiltración.

La neumonía, como la bronquitis, es más frecuente en los fumadores y en individuos cuyo sistema inmunológico está debilitado. Las causas más comunes son víricas y bacterianas, aunque gases nocivos, infecciones fúngicas y parásitos pueden desencadenar la neumonía. La neumonía es particularmente peligrosa en las personas de edad avanzada debido a la acusada disminución en la absorción de oxígeno. Es la quinta causa de muerte en el mundo occidental.

RECOMENDACIONES

- *Véase **Bronquitis**. Si se sospecha una neumonía debe buscarse asistencia médica cuanto antes.*

- *Las dosis de suplementos vitamínicos son las mismas que para la bronquitis.*

- *Si las siguientes opciones alternativas no parecen ser beneficiosas al cabo de 24-36 horas, una neumonía aguda en personas inmunodeprimidas, en niños o en ancianos debe tratarse con antibióticos después de obtener una muestra del esputo.*

- *Estimule la expectoración mediante inhalaciones de lavanda, olbas y lobelia. Vierta los extractos líquidos en agua hirviendo y a continuación inhale.*

- *Beba una taza de agua caliente con 7 gotas de lobelia y 7 gotas de regaliz, 4 veces al día (dosis para un adulto). Para un niño, hasta los 14 años de edad, administre la mitad de esta dosis.*

- *Pueden tomarse equinácea o cúrcuma canadiense en forma de polvo, al doble de la dosis recomendada por la medicina convencional.*

- *Se recomienda el reposo en cama, porque el esfuerzo incrementa la demanda de oxígeno.*

- *Reduzca la ingestión de azúcares refinados porque favorecen el crecimiento bacteriano.*

- *Beba agua en abundancia ya que así diluirá el moco y facilitará su eliminación de los pulmones.*

- *La osteopatía relajará los músculos inevitablemente contraídos del tórax.*

- *La acupuntura puede producir alivio inmediatamente.*

- *Los médicos orientales utilizan una técnica que consiste en la aplicación de vacío sobre el pecho y la espalda para estimular el flujo sanguíneo hacia la superficie.*

PSITACOSIS

La psitacosis es una infección torácica que a menudo provoca una pulmonía. El ser humano adquiere la infección a partir de las aves, sobre todo periquitos, loros y palomas. Otras mascotas y aves de corral pueden, asimismo, transmitir esta enfermedad, que también se conoce como fiebre del loro. Está causada por un parásito similar a *Chlamydia* (responsable de infecciones venéreas).

La infección se adquiere a partir de los excrementos de los pájaros, por lo que la limpieza de las jaulas y de los gallineros es la fuente de infección más común. Esta afección no es exclusiva de los ancianos, pero éstos tienen a menudo este tipo de animales, y son más propensos a padecerla, debido a la reducción de su capacidad de respuesta inmunológica. Los niños y los profesionales en contacto con pájaros pueden estar más expuestos, pero también tienen mejores defensas.

RECOMENDACIONES

- *Utilice una máscara cuando limpie zonas con excrementos de pájaros.*

- *Véase* **Neumonía**.

SISTEMA DIGESTIVO

ENFERMEDAD DIVERTICULAR
Diverticulosis y diverticulitis

El colon o intestino grueso posee una capa muscular que recorre a lo largo toda su longitud, así como las bandas de músculo que lo rodean. Estos músculos se contraen para formar las ondas peristálticas que empujan las heces hacia delante a lo largo del intestino hasta su expulsión.

Una tendencia a la debilidad de la pared muscular, tanto hereditaria como debida a una dieta baja en fibra durante un período prolongado, que no permite al intestino ejercitar su musculatura y mantenerla en forma, favorece la formación de pequeñas bolsas de mucosa, que protruyen a través de la capa muscular, en forma de hernia.

Esta situación, denominada diverticulosis, puede ser asintomática o causar ligeras molestias. Si las heces quedan atrapadas en estos divertículos, pueden producir hinchazón e inflamación, que a su vez puede conducir a una infección. Cuando esto ocurre, se denomina diverticulitis.

La diverticulosis puede no requerir tratamiento alguno, pero la diverticulitis, caracterizada por fuertes dolores de tipo calambre, sensibilidad a la palpación, tendencia a alternar la diarrea con el estreñimiento y, rara vez, hemorragia, debe tratarse adecuadamente. Una diverticulitis prolongada y sin tratar puede conducir a abscesos de colon, con el consiguiente riesgo de perforación y peritonitis. Éstas son afecciones graves y potencialmente mortales. La aparición de fiebre asociada con estos síntomas debe hacer sonar la sirena de alarma puesto que es probable que ya se haya instaurado la infección.

Enfermedad diverticular

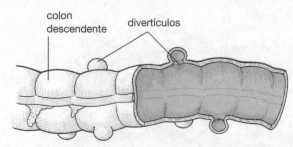

colon descendente   divertículos

La debilidad de los músculos intestinales causa la protrusión de pequeños bultos o divertículos en la pared intestinal. Esto puede conducir a la inflamación y al malestar asociados con la diverticulosis.

RECOMENDACIONES

- *El diagnóstico específico de un dolor abdominal debe ser establecido por un médico general. Una sospecha de diverticulosis o diverticulitis puede conducir a otras exploraciones, como ecografía, enemas de bario y colonoscopia. Como siempre, en los apartados correspondientes se indican las medidas de protección y recomendaciones para estas exploraciones, aunque en las afecciones abdominales es muy importante establecer un diagnóstico seguro.*

- *Pida consejo acerca de su dieta a un nutricionista; preste especial atención al incremento de la fibra. Los médicos ortodoxos enseguida le aconsejarán ingerir salvado u otra fibra especialmente extraída, pero todas ellas tienden a retener sales y electrólitos, como el calcio o el magnesio, que son necesarios para fortalecer el músculo intestinal, siendo por lo tanto menos eficaces que las fibras naturales obtenidas a partir de la fruta y la verdura.*

- *Evite cualquier hierba que pueda favorecer la motilidad intestinal y, por consiguiente, empeorar los síntomas.*

- *La diverticulosis y la diverticulitis se asocian frecuentemente con deshidratación, por lo que es esencial una ingestión apropiada de líquidos.*

- *Después de desayunar beba el jugo de dos zanahorias, dos trozos de apio y 100 g de col, mezclados con agua, hasta obtener 250 ml de líquido.*

- *Puede tomar remedios homeopáticos y hierbas en función de los síntomas, pero lo mejor es que sean prescritos por un especialista.*

- *Asegúrese de tomar Acidophilus u otra combinación bacteriana de buena calidad junto con cada comida. La corrección de cualquier anomalía en la flora intestinal puede ser rápidamente beneficiosa.*

SISTEMA UROGENITAL

CÁNCER DE ÚTERO (CÁNCER DE ENDOMETRIO)

El cáncer de útero habitualmente se manifiesta por una hemorragia inesperada por la vagina, pero en ocasiones su diagnóstico es difícil puesto que apenas produce síntomas hasta que se halla muy desarrollado. Como cualquier cáncer, es necesario que esté bajo los cuidados de especialistas, tanto ortodoxos como de medicina alternativa (*véase* **Cáncer**).

El cáncer de útero es más frecuente en mujeres nulíparas (que nunca han estado embarazadas), y es conocido que el tratamiento hormonal sustitutivo durante más de siete años aumenta seis veces la incidencia de cáncer de útero. Las mujeres que pertenecen a cualquiera de estas dos categorías deben ser reconocidas regularmente por un médico mediante ecografía, análisis sanguíneos específicos (si se dispone de ellos) y análisis de sangre complementarios, como la prueba de laboratorio de patología humoral o la biorresonancia.

Las visitas regulares a un profesional de medicina alternativa permitirán detectar el problema, a través del pulso, la iridología u otras técnicas diagnósticas complementarias, antes de que se instaure.

RECOMENDACIONES

- *Véase* **Cáncer**.

- *No pase por alto una hemorragia o malestar en la zona baja de la pelvis o en la vagina. Pida consejo de un médico ortodoxo o a un profesional de medicina alternativa.*

• Una vez eliminados los factores que pueden favorecer el desarrollo del cáncer, las técnicas quirúrgicas son a menudo necesarias y curativas. En el caso de un cáncer de útero diagnosticado a tiempo, la histerectomía puede ser curativa y apropiada.

DIFICULTADES EN LA ERECCIÓN

Los problemas de erección en la edad madura se deben sobre todo a un deficiente control de la circulación sanguínea, bien a causa de una lesión en los vasos sanguíneos, bien por un aumento de tamaño de la próstata que ejerce presión sobre los nervios o sobre los vasos sanguíneos (*véase* **Prostatismo y aumento de tamaño de la próstata**). En el capítulo 4 se describen otros tratamientos relacionados con problemas de erección (*véase* **Impotencia**).

INCONTINENCIA

La incontinencia o incapacidad para retener la orina es una situación estrechamente relacionada con la edad. Durante la infancia, la incontinencia es una cuestión de aprendizaje y de algún modo está relacionada con la ansiedad, pero en las personas de edad avanzada se debe principalmente al debilitamiento del control muscular. El prolapso de útero o de la vejiga empeora la situación. La incontinencia puede ocurrir también después del embarazo, y una alteración conocida como incontinencia de estrés consiste en la pérdida de orina en situaciones de aumento de la presión intraabdominal, como ocurre al toser o al estornudar, asociadas a un esfínter vesical debilitado.

La incontinencia se asocia con el debilitamiento de los músculos que actúan como esfínter; el tratamiento se dirige a fortalecer estos músculos mediante el ejercicio, las medicinas naturopáticas y, si todo esto falla, la cirugía. En ocasiones, se utilizan fármacos para relajar la contracción de los músculos de la pared de la vejiga y, de esta forma, reducir la presión, pero esto no resuelve la debilidad subyacente; en el mejor de los casos, es un remedio temporal, pero habitualmente carece de sentido.

La incontinencia puede estar causada por infecciones de la uretra o la vejiga (cistitis), en cuyo caso

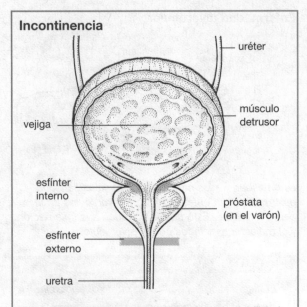

Incontinencia

uréter

músculo detrusor

vejiga

esfínter interno

próstata (en el varón)

esfínter externo

uretra

La principal causa de incontinencia es la debilidad de los músculos del esfínter, que actúan como válvulas de la vejiga. Las infecciones del sistema urinario también pueden favorecer la incontinencia.

es temporal. Las vértebras lumbares o sacras mal alineadas pueden ejercer presión sobre el sistema nervioso central y afectar al control de la vejiga y sus esfínteres.

La incontinencia debe diferenciarse de la necesidad de orinar. En esta última, hay una necesidad y a veces un deseo imperioso de orinar, que puede conducir a la incontinencia. Esta situación puede ocurrir debido a un problema en el músculo de la vejiga (detrusor), pero más a menudo está relacionado con inflamaciones leves durante la relación sexual o con infecciones de uretra o de vejiga.

RECOMENDACIONES

• *Tome una muestra de orina a primera hora de la mañana y llévela a su médico de cabecera o al laboratorio para asegurarse de que no existe una infección y que, por lo tanto, se trata de un problema temporal.*

• *Consulte a un instructor de yoga sobre los ejercicios pélvicos específicos en el suelo.*

• *Los remedios homeopáticos se han considerado útiles en la incontinencia, aunque en mi experiencia no son efectivos. La elección debería realizarla un homeópata cualificado, teniendo en cuenta la constitución del paciente y los síntomas.*

- *Evite beber grandes cantidades de agua o líquido de una sola vez. Acostúmbrese a orinar regularmente, aunque no sienta la necesidad de hacerlo.*

- *El uso de compresas es una necesidad, tanto higiénica como social. Utilice caléndula en crema y polvos de talco no medicados para proteger la piel.*

- *La hipnoterapia y las técnicas de biofeedback pueden tener efecto sobre el control mental de los músculos pélvicos externos que regulan la salida de orina.*

- *La acupuntura puede ser beneficiosa.*

- *Las técnicas osteopáticas pueden aliviar el problema si se sospecha una causa neurológica. La osteopatía es particularmente eficaz durante el embarazo.*

PROLAPSO

El prolapso uterino es más frecuente en mujeres que han estado muchas veces embarazadas y en un creciente número de mujeres occidentales cuyos músculos del suelo de la pelvis no están bien tonificados.

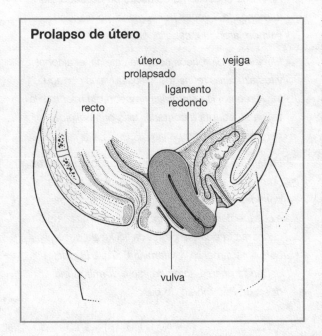

Prolapso de útero

útero prolapsado

vejiga

ligamento redondo

recto

vulva

El prolapso está causado por el estiramiento de los ligamentos que sostienen el útero y el debilitamiento de los músculos que dan soporte a este órgano. Como resultado de ambos efectos, el útero cae hacia la cavidad vaginal.

La intensidad y los síntomas de esta dolencia varían desde un aumento de la frecuencia y del deseo de orinar debido a la presión del útero sobre la vejiga, hasta molestias en la relación sexual o, incluso, la localización del cérvix en la entrada de la vagina. En casos graves y no tratados, todo el útero puede salir fuera y ser recolocado en su sitio por la propia paciente.

RECOMENDACIONES

- *Consulte con un ginecólogo.*

- *El ginecólogo puede colocar un soporte anular especial que encaje en el techo de la vagina y mantenga el útero en su sitio. Este tratamiento es perfectamente aceptable en los casos leves.*

- *Las técnicas de yoga para fortalecer los músculos del suelo de la pelvis benefician, sin duda, en caso de prolapso leve.*

- *Los casos más graves pueden requerir cirugía (véase* **Cirugía***).*

PRÓSTATA

La próstata es un órgano que rodea el cuello de la vejiga urinaria y la porción inicial de la uretra en el hombre. Se compone de tejido muscular y glandular rodeado de una cápsula. Sus funciones consisten en actuar como una válvula involuntaria para la salida de la orina y producir el 40% del fluido seminal (o semen) que nutre a los espermatozoides.

En la próstata se halla el punto energético más bajo en el hombre, de acuerdo con la mayoría de las filosofías orientales y, por lo tanto, tiene un papel esencial en la provisión de energía del organismo. Un bloqueo o una debilidad en el flujo de energía conduce a la enfermedad prostática.

Prostatismo y aumento de tamaño de la próstata (hipertrofia)

Esta situación se caracteriza por una dificultad al paso de orina, aumento de la frecuencia y del deseo

Próstata

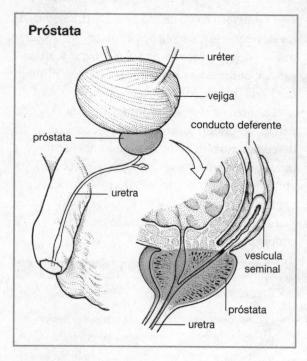

- uréter
- vejiga
- conducto deferente
- próstata
- uretra
- vesícula seminal
- próstata
- uretra

de orinar y excesivo goteo posmiccional. Los síntomas se deben al aumento de tamaño de la próstata, y se producen, en mayor o menor grado, en todos los hombres a partir de los 40 años. En, aproximadamente, el 10% de las personas mayores de 70 años el aumento ocasiona tantas molestias que es necesario el tratamiento.

La hipertrofia de la próstata se produce, en primer lugar, como consecuencia natural del uso continuado de un órgano durante muchos años, pero en algunas personas hay un exceso de una hormona masculina denominada dihidrotestosterona (DHT), que provoca la multiplicación de las células de la próstata. Se sabe que el exceso de esta hormona se asocia a una deficiencia de cinc y de ácidos grasos esenciales. Asimismo, los metabolitos del colesterol producen un crecimiento excesivo en la próstata e incluso cambios cancerígenos, fenómenos que se incrementan si existe un nivel elevado de colesterol.

RECOMENDACIONES

- *Si aparecen síntomas antes de los 40 años, el paciente debe ser examinado inmediatamente por un médico. Después de los 40 años es posible que sean sólo parte del proceso del envejecimiento.*

- *La aparición súbita de síntomas puede estar causada por una prostatitis (véase más adelante).*

- *Se recomienda someterse a un tacto rectal anual (el médico percibe el tamaño, la forma y la textura de la próstata mediante la palpación) y, si no existe la seguridad de que se trata de una hipertrofia benigna, es aconsejable efectuar análisis de sangre.*

- *Si aparecen síntomas precoces de prostatismo o se aprecian cambios en la exploración física debe administrarse el tratamiento profiláctico descrito más adelante.*

- *Incremente el consumo de comidas que contengan cinc, como carne, hígado, marisco (especialmente ostras), trigo entero, semillas de calabaza y huevos. Son mejores las comidas orgánicas puesto que los metales contenidos en los productos químicos de la agricultura pueden eliminar el cinc. Algunos pesticidas aumentan los niveles de DHT, por lo que pueden ser los responsables del creciente número de hipertrofias prostáticas que se diagnostican en la actualidad. Deben reducirse al mínimo los alimentos que contienen colesterol. Si los niveles de colesterol sanguíneo están elevados hay que disminuirlos de forma activa.*

- *Aumente el consumo de aceite de pescado, por lo menos, a 3 veces por semana, comiendo salmón, arenque, caballa, etc.*

- *Elimine los diuréticos como la cafeína, el alcohol y los azúcares refinados, y sustitúyalos por agua. Inicialmente, los síntomas empeorarán mientras la vejiga se adapta a contener más orina diluida, pero esta situación pasará.*

- *La terapia específica debería incluir los siguientes nutrientes, tomados en dosis divididas con las comidas (indicadas por kg de peso): ácido eicosapentanoico, 20 mg; aceite de linaza, media cucharadita de café por cada 15 kg de peso aproximadamente, y vitamina E, 7 UI. El cinc debería tomarse antes de irse a dormir a una dosis de 350 mg/kg de peso.*

- *Debería considerarse la administración de suplementos de los siguientes aminoácidos en dosis de 3 mg/kg de peso fraccionados a lo largo del día: glicina, ácido glutámico y D, L-fenilalanina.*

- *Pruebe las hierbas sabal (1,5 mg/kg de peso en dosis divididas, 2 veces al día) y pigeum (650 mg/kg de peso en dosis divididas, 2 veces al día). El ginseng en forma de raíz seca (150 mg/kg de peso) puede producir un profundo efecto. Todas estas dosis deben reducirse a medida que los síntomas mejoran.*

- *El compuesto Lycopene y las proteínas de soja pueden ser efectivos en caso de prostatismo. También ejercen un intenso efecto en la prostatitis.*

- *La medicina ortodoxa considerará el uso de fármacos denominados alfabloqueantes o de medicamentos que inhiben la producción de testosterona, ya que todos ellos pueden reducir químicamente el tamaño de la próstata. Actualmente se lleva a cabo un procedimiento quirúrgico, denominado resección transuretral de la próstata, mediante un complejo instrumental, pero puede provocar impotencia en el individuo. Recurra a la cirugía sólo si las medidas alternativas fracasan.*

Prostatitis

La próstata puede sufrir una inflamación a causa de una infección ascendente por la uretra, un traumatismo o una actividad sexual excesiva. A los síntomas del prostatismo, se suma un dolor continuo e intenso, que a menudo empeora al orinar. Las molestias pueden producirse en cualquier punto desde la punta del pene hasta la región renal en la espalda, pero con frecuencia se localiza en el área situada entre la bolsa escrotal y el ano.

RECOMENDACIONES

- *El diagnóstico se establece mediante un examen médico. La próstata puede ser extremadamente dolorosa en el tacto rectal.*

- *Deben obtenerse muestras de orina y semen para establecer un diagnóstico preciso de la infección en caso de ser necesario el uso de antibióticos. Éstos deben considerarse sólo si fracasan los métodos alternativos, ya que a menudo se requiere un tratamiento prolongado.*

- *Siga las recomendaciones referidas a los suplementos para el prostatismo (véase **Prostatismo**).*

- *El remedio homeopático Sabal serrulata, tomado a una potencia 30, 4 veces al día, hasta que un homeópata le indique un remedio más específico, puede ser curativo.*

- *Siéntese dentro de la bañera, con agua caliente hasta la altura de la cadera. Con el teléfono de la ducha, aplíquese chorros de agua fría durante 30 segundos en la zona perineal (la zona entre el escroto y el ano), repitiendo el proceso 10 veces. Vuelva a calentar el agua del baño entre las aplicaciones de agua fría.*

- *Tome equinácea y cúrcuma canadiense en una cantidad 3 veces superior a la recomendada en una preparación comercial.*

- *A los suplementos aconsejados para el prostatismo, añada vitamina C (70 mg/kg de peso, en dosis divididas con las comidas).*

- *Todas las recomendaciones deben seguirse durante más de 3 meses para evitar recidivas o prostatitis crónicas.*

- *El ginseng (150 mg/kg de peso en dosis divididas con las comidas) puede ser beneficioso.*

Cáncer de próstata

El cáncer de próstata es una afección cada vez más frecuente. Es posible que esta creciente incidencia se deba a la disponibilidad de mejores técnicas para descubrir el cáncer. Entre ellas cabe destacar el análisis de sangre para detectar una sustancia química liberada por las células prostáticas inflamadas o cancerígenas denominada antígeno específico de la próstata (PSA). Este análisis de sangre se realiza a menudo de forma rutinaria y cuando un paciente

ÍNDICE DE SÍNTOMAS DE LA ASOCIACIÓN UROLÓGICA AMERICANA (AUA)

Preguntas a responder

Puntuación de síntomas AUA (marque con un círculo un solo número por línea)

Durante el pasado mes, ¿con qué frecuencia ha tenido la sensación de no vaciar completamente la vejiga después de terminar de orinar?	0	1	2	3	4	5
Durante el pasado mes, ¿con qué frecuencia ha tenido que orinar de nuevo 2 horas después de haberlo hecho por última vez?	0	1	2	3	4	5
Durante el pasado mes, ¿con qué frecuencia se ha dado cuenta de que se detenía y empezaba a orinar de nuevo varias veces mientras estaba orinando?	0	1	2	3	4	5
Durante el pasado mes, ¿cuántas veces ha tenido dificultades para retrasar el ir a orinar?	0	1	2	3	4	5
Durante el pasado mes, ¿con qué frecuencia ha presentado un chorro urinario débil?	0	1	2	3	4	5
Durante el pasado mes, ¿cuántas veces ha tenido que presionar o hacer un esfuerzo para empezar a orinar?	0	1	2	3	4	5
Durante el pasado mes, ¿cuántas veces ha tenido que levantarse, en promedio, para orinar desde el momento en que se fue a la cama por la noche hasta que se levantó por la mañana?	0	1	2	3	4	5
Suma de los 7 número marcados (puntuación de síntomas AUA)	0x	1x	2x	3x	4x	5x

(Puntuación: 7 o menos = síntomas leves; 8-19 = moderados; más de 20 = graves)

refiere síntomas de prostatismo. La confirmación puede realizarse mediante ecografía y biopsia.

Existen, sin embargo, pruebas evidentes de que muchos hombres desarrollan cáncer de próstata y no presentan problemas. Aunque este cáncer puede ser muy agresivo y extenderse a los huesos y otras partes del cuerpo, en muchos casos no lo hacen.

El tratamiento es bastante agresivo, tanto mediante cirugía, que puede provocar impotencia o pérdida del control de la vejiga, como con fármacos similares a los estrógenos, que pueden producir efectos laterales, incluyendo crecimiento de las mamas y pérdida de la libido.

RECOMENDACIONES

- *Véase* **Cáncer**.
- *Consulte a fondo todas las opciones con un especialista ortodoxo en este campo.*

- *Con independencia de los síntomas, siga las recomendaciones referidas a los suplementos para el prostatismo y la hipertrofia de la próstata.*

RETENCIÓN DE ORINA

Véanse **Orina y micción** y **Próstata**.

VAGINA ATRÓFICA (SEQUEDAD)

A medida que la mujer entra en la menopausia, disminuye el efecto de los estrógenos y la progesterona sobre las células que recubren la vagina y, por consiguiente, se reduce progresivamente la secreción de moco. Ello provoca una sequedad que puede ser irritante y dolorosa durante las relaciones sexuales.

Algunos productos que contienen estrógenos naturales pueden ser beneficiosos, así como los suplementos y sustancias de aplicación tópica.

RECOMENDACIONES

- *Incremente la ingestión de productos derivados de la soja, incluida la leche de soja (hasta 250 ml al día), tofu, hinojo, apio, ginseng, alfalfa, regaliz y granos de anís. Cuando sea la temporada, coma ruibarbo.*

- *El lúpulo es una extraordinaria fuente de fitoestrógenos, que puede ingerirse en forma de cerveza o como suplemento.*

- *Tome vitamina B_6 (50 mg) con el desayuno y el almuerzo.*

- *Los lubricantes no medicados son preferibles a las cremas de estrógenos, cuando son efectivos. Si no lo son, utilice ungüentos farmacéuticos, que no parecen ser particularmente perjudiciales. Son preferibles las cremas con aceite de caléndula.*

- *Si el problema persiste, puede usar extractos de estrógenos naturales en aplicación tópica, aunque antes debe consultar con un profesional de medicina alternativa.*

- *La terapia hormonal sustitutiva puede ser el último recurso cuando las restantes recomendaciones no han tenido éxito (véase* **Terapia hormonal sustitutiva***).*

APARATO LOCOMOTOR

ARTRITIS

Artritis es el término médico que designa la inflamación de una articulación. La artritis puede ser *aguda* o *crónica*, dependiendo de la duración del malestar. El dolor puede ser una molestia sorda o un dolor agudo e intenso. Las articulaciones pueden estar inflamadas y deformadas o no presentar ningún cambio externo.

La *artritis reumatoide* y la *artrosis* son las formas más comunes. La artritis reumatoide es una enfermedad autoinmune en la que el organismo ataca sus propias articulaciones. No se sabe por qué se produce este ataque, pero las posibilidades se exponen en el apartado sobre enfermedades autoinmunes (*véase* **Enfermedades autoinmunes**).

La artrosis es un proceso de envejecimiento, producido sencillamente por el desgaste de la articulación. En los individuos que a lo largo de sus vidas han practicado deporte y llevado una vida activa, la artrosis es más frecuente que en las personas que han llevado una vida sedentaria, debido a las repetidas pequeñas lesiones en las articulaciones. Merece la pena destacar que diversos estudios han demostrado que fumar empeora la artritis. Otro estudio ha mostrado una menor incidencia de artritis en las mujeres que llevan oro.

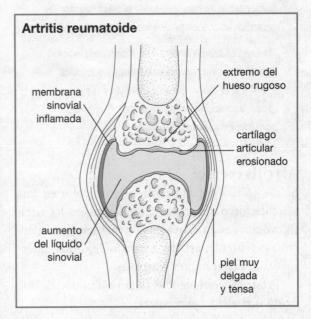

Artritis reumatoide

extremo del hueso rugoso

membrana sinovial inflamada

cartílago articular erosionado

aumento del líquido sinovial

piel muy delgada y tensa

Artritis aguda

Las artritis agudas están causadas por infecciones víricas, bacterianas o parasitarias, pero algunos fármacos y, por supuesto, lesiones pueden también ocasionar un ataque agudo.

RECOMENDACIONES

- *La aplicación de hielo envuelto en un paño sobre la articulación reduce temporalmente la inflamación sin influir en la capacidad sanadora del organismo. Si el hielo no alivia las molestias, pruebe con la aplicación de calor.*

- *Además de aplicaciones de calor, utilice remedios homeopáticos como Arnica si puede mantener la articulación en reposo, o Rhus toxicodendron si la articulación es necesaria para moverse.*

- *La aplicación de árnica en crema varias veces al día puede ser beneficiosa.*

- *Como regla general, mantenga la articulación en reposo hasta que la mejoría sea evidente.*

- *Si las molestias articulares persisten, consulte con un profesional de medicina alternativa con conocimientos en osteopatía, quiropráctica y acupuntura especializada. Estas terapias pueden producir un alivio inmediato.*

- *Evite las inyecciones de antiinflamatorios y corticoides ya que pueden eliminar el dolor pero facilitar el movimiento y, por consiguiente, aumentar la lesión. Además, el tratamiento antiinflamatorio evita que se produzca la curación.*

- *Pueden utilizarse analgésicos con baja acción antiinflamatoria, como el paracetamol, para disminuir el dolor. Si esta medida y las recomendaciones naturopáticas fracasan, considere los antiinflamatorios.*

Artritis crónica

Se caracteriza por la persistencia de dolor en una articulación o en varias. A grandes rasgos, las artritis crónicas están causadas por una lesión o infección persistente, artritis reumatoide, otras enfermedades autoinmunes o artrosis.

Preste especial atención a la posibilidad de que exista una alergia alimentaria.

La artrosis es el deterioro progresivo de las articulaciones, asociado con el sobreúso y el envejecimiento. Todas las articulaciones presentarán signos de artrosis a medida que uno envejece, y todas las articulaciones mostrarán algo de rigidez. El tratamiento puede ser útil en todas las fases de la artritis, desde la rigidez hasta el dolor.

RECOMENDACIONES

PARA LAS ARTRITIS CRÓNICAS

- *Tome selenio (100 mg, 2 veces al día), vitamina C (1 g, 3 veces al día), vitamina E (200 mg, 2 veces al día) y aceite de onagra (2 g con cada comida). Todas las dosis pueden reducirse a medida que los síntomas mejoren.*

- *Tome vitamina B_5 y vitamina B_3 (ambas a una dosis de 25 mg al día).*

- *El cartílago de pollo es un remedio ruso. Debe consumirse el cartílago de un pollo una vez al día. Esto incluye la parte móvil del esternón y el cartílago de las articulaciones del ala y de la pata. Actualmente no existe ninguna preparación de este tipo, por lo que se debe acudir a un carnicero conocido o a un granjero de pollos.*

- *Los brazaletes de cobre pueden ser efectivos, pero sólo si el nivel de cobre del cuerpo es el normal. El nivel normal de cobre varía de una persona a otra, de forma que estos brazaletes deben utilizarse con suplementos de cobre para ser efectivos.*

- *Pueden añadirse 6 gotas de aceites esenciales de romero y de manzanilla al baño o aplicarse directamente mezclados con aceite de almendras. El aceite de sésamo es efectivo aplicado mediante frotación, y su eficacia aumenta si se calienta ligeramente junto con cayena y jengibre.*

- *El zumo de un aguacate diario o el fruto consumido entero puede ser preventivo.*

- *La homeopatía es muy útil. El remedio debe escogerse de acuerdo con los síntomas de la artritis. Es mejor acudir a un homeópata, pero preste atención a los remedios Rhus toxicodendron, Bryonia, Apis y Pulsatilla.*

- Solicite que le midan el ácido clorhídrico gástrico y, si es bajo, supleméntelo con tabletas de ácido clorhídrico.

- Lleve joyas de oro cerca de la piel (una alianza por ejemplo).

- La reflexología, junto con el masaje, es beneficiosa.

- El yoga y el chi kung producen beneficios a largo plazo.

- El ácido acetilsalicílico, los antiinflamatorios no esteroideos y los corticoides son de los primeros fármacos utilizados por los ortodoxos en sus tratamientos, pero deben utilizarse como última opción debido a la gran incidencia de efectos colaterales.

RECOMENDACIONES

PARA LAS ARTRITIS REUMATOIDE Y AUTOINMUNES Y PARA LA ARTROSIS CON DESTRUCCIÓN DE LA ARTICULACIÓN

- Siga las recomendaciones para las artritis crónicas.

- Tome sulfato de glucosamina (500 mg) en cada comida. También puede ingerir condritina (500 mg).

- Evite los miembros de la familia botánica Solanum, específicamente patatas, pimientos y tomates.

- Evite el tabaco, que pertenece también a la familia Solanum.

- Si no se produce mejoría, evite el trigo, el maíz y las proteínas animales (incluyendo el queso, la leche y los huevos) y considere la posibilidad de realizar una prueba de alergia alimentaria.

- El té puede exacerbar las situaciones artríticas. Elimínelo de la dieta durante 3 o 4 semanas y, si ha percibido una mejoría, reintrodúzcalo. Si reaparecen las molestias, el té podría ser el culpable.

- Un ayuno durante 6 días, bebiendo sólo agua, se ha mostrado eficaz en brotes agudos en pacientes crónicos. Este ayuno debería realizarse bajo la supervisión de un profesional de medicina alternativa.

- El tratamiento ortodoxo no es curativo. Todos los medicamentos están dirigidos hacia el alivio del dolor, pero no ayudan a mejorar el estado de la articulación. Por lo tanto, deberían utilizarse como último recurso.

- Únicamente bajo supervisión médica, tome 10 g de aceite de pescado a diario. Los pacientes y sus médicos deben ser alertados sobre el riesgo de hemorragias cerebrales y de que se debe monitorizar el recuento de células blancas sanguíneas. Este tratamiento debería ser indicado sólo en los casos muy graves de artritis, que no ceden.

- Si con las medidas anteriores no se obtiene mejoría, puede considerarse la opción de la cirugía en las grandes articulaciones.

ARTROSIS

La artrosis es la pérdida de cartílago y el consiguiente deterioro óseo en los extremos o en las caras articulares de un hueso que se producen con el envejecimiento. Es causada por el desgaste de las articulaciones y suele manifestarse hacia los 60 años de edad, pero en deportistas o en personas persistentemente obesas puede aparecer antes.

RECOMENDACIÓN

- Véase **Artritis**.

CONTRACTURA DE DUPUYTREN

Esta afección, denominada así en honor del cirujano francés que la describió a fines del siglo XIX, es una contractura no dolorosa del tendón o de los tendones de la palma de una mano, que hace que los dedos se curven hacia dentro y no puedan extenderse completamente. Por lo general, afecta a los dedos meñique y anular, sobre todo en los varones adultos, y no se conoce la causa, al menos en lo que se refiere a la medicina occidental. Los meridianos energéticos de la acupuntura muestran

Contractura de Dupuytren

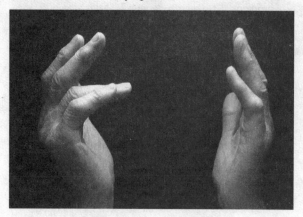

que los tendones que más suelen afectarse son los del corazón, el pericardio o la función sexual y el calentador triple (quemador triple). Estos meridianos o canales de energía se afectan sobre todo por el calor, como el generado por un exceso de adrenalina o estrés y por fumar, y por alteraciones emocionales. Como la contractura de Dupuytren puede tardar años en desarrollarse, he observado que a menudo se asocia en fumadores con la represión de emociones de larga duración.

RECOMENDACIONES

- *En las primeras fases, el reconocimiento y la corrección de deficiencias emocionales pueden detener el progreso.*

- *Un masaje suave 3 veces al día junto con la aplicación de árnica en crema puede prevenir un deterioro posterior e incluso aliviar el problema.*

- *Las técnicas osteopáticas, quiroprácticas, de acupuntura y de shiatsu pueden estirar el tendón y prevenir un empeoramiento e, incluso, mejorar realmente la situación.*

- *Si tiene serias dificultades para utilizar los dedos, un procedimiento quirúrgico, preferentemente por un cirujano plástico o un cirujano ortopeda especializados en las manos, puede resolver el problema durante años, pero es posible que éste recurra.*

CIRCULACIÓN

A medida que envejece, el cuerpo tiende a que las arterias se ocluyan con depósitos de colesterol y otras sustancias químicas inevitables. Esta reacción creada por el propio sistema de defensa del organismo, que se describe en detalle junto con la arteriosclerosis (*véase* **Arteriosclerosis**), es dirigida y potenciada por los mastocitos, que son células blancas de la sangre especializadas que recogen moléculas indeseables como el colesterol y los radicales libres y las unen a la superficie más cercana, quitando de la circulación los componentes más peligrosos. Este proceso es inevitable y necesario para el buen funcionamiento de órganos muy delicados como el cerebro.

El cuidado de la circulación debe empezar a temprana edad, evitando las comidas que contengan colesterol y con la práctica de ejercicio diario, unas técnicas respiratorias adecuadas y una nutrición apropiada, llena de antioxidantes. Desafortunadamente, no suele prestarse atención a este consejo, y los estragos en años posteriores son entonces inevitables.

RECOMENDACIONES

- *Véase* **Arteriosclerosis***.*

- *Las cápsulas de cayena o una cucharada de café de cúrcuma en una taza de leche caliente, 3 veces al día, pueden favorecer la circulación periférica en las personas con las manos y los pies fríos.*

- *Ante la primera señal de alteraciones circulatorias, aplique el sentido común y utilice gorro, guantes y calzado apropiado.*

- *Los problemas circulatorios internos, como la formación de coágulos en las arterias coronarias, pueden no detectarse hasta un estadio muy avanzado. Si presenta síntomas, acuda a los apartados correspondientes de este libro y contacte inmediatamente con un profesional de medicina alternativa.*

- *Nunca es demasiado tarde para hacer ejercicio, y el yoga, el chi kung y el tai chi son las mejores formas de hacerlo.*

Aneurisma

Aneurisma es el término médico que designa una arteria que pierde su integridad a partir de una si-

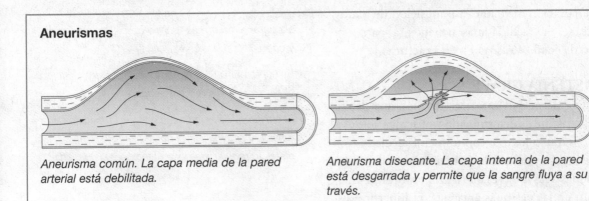

Aneurismas

Aneurisma común. La capa media de la pared arterial está debilitada.

Aneurisma disecante. La capa interna de la pared está desgarrada y permite que la sangre fluya a su través.

tuación distinta de una lesión. En un sentido amplio, un aneurisma puede describirse como una debilidad de la pared arterial, o como una «disección», en la que la capa interna de la arteria se rompe pero la capa más externa se mantiene, causando una hinchazón de la pared arterial.

Si no se tratan quirúrgicamente, los aneurismas pueden ser mortales cuando se localizan en arterias cerebrales, otros órganos vitales o en la aorta (el principal vaso que sale del corazón). Un dolor súbito en el pecho o el abdomen, un dolor en la cabeza como un martillazo, una ceguera repentina o síntomas neurológicos (parálisis, dolor) deben ser tratados de urgencia y examinados por un cirujano.

RECOMENDACIONES

- *Los aneurismas son difíciles de diagnosticar, por lo que cualquier dolor repentino debe ser revisado por un médico.*

- *No existe ningún tratamiento complementario, fuera de los cuidados de sostén en el preoperatorio y el postoperatorio.*

- *De camino al hospital o mientras espera la llegada del médico, tome Aconitum 6, 12 o 30, una dosis cada 10 minutos.*

Enfermedad de Buerger y claudicación intermitente

Denominado así en honor de un médico norteamericano, este proceso patológico de oclusión arterial progresiva puede presentarse a cualquier edad, pero es mucho más frecuente en la mediana edad y está asociado con el hábito de fumar. La arteriosclerosis (*véase* **Arteriosclerosis**) con inflamación asociada, especialmente en las arterias de las extremidades inferiores, produce un dolor muy intenso que empeora al andar. Esto se conoce con el nombre de *claudicación intermitente*, lo cual puede ocurrir también en los no fumadores. La oclusión de las arterias puede ser tan grave que provoque, especialmente en los que siguen fumando, la amputación. La oclusión puede producirse también en otras arterias, por ejemplo, del intestino, en cuyo caso se requieren intervenciones mucho más complicadas y graves.

RECOMENDACIONES

- *Deje de fumar (véanse* **Fumar** *y* **Cigarrillos***).*

- *Véase* **Arteriosclerosis***.*

- *Acuda a un acupuntor y sométase preferentemente a electroacupuntura.*

- *Un masaje regular puede ser muy beneficioso.*

Fracturas y huesos rotos

Los huesos en los ancianos a menudo curan más lentamente, por lo que es importante mantener la ingestión de calcio y magnesio mediante los remedios *Calcarea phosphorica* y *Symphytum* (*véase* capítulo 4).

Los huesos se curan mejor si se mantienen activos. Por consiguiente, es muy importante practicar ejercicios suaves, como los de la técnica de Alexander o de yoga, para prevenir que la artritis se instaure rápidamente. Debe excluirse la posibilidad de una osteoporosis (*véase* **Osteoporosis**), que retrasaría el proceso de curación.

La curación mediante la imposición de manos puede ser la medida más beneficiosa para este grupo de edad. (*Véase* también **Fracturas**.)

MIASTENIA GRAVE

Es una enfermedad caracterizada por una debilidad fluctuante de determinados músculos voluntarios. Los músculos más comúnmente afectados son los de la cara y del cuello. Este trastorno afecta dos veces más a las mujeres que a los hombres y es más común en las personas ancianas. El hipertiroidismo, problemas en el timo o un cáncer pueden estar asociados con esta patología, por lo que es necesario que sea examinada por un médico.

La enfermedad se debe a un ataque autoinmune (el cuerpo se ataca a sí mismo) a determinados receptores musculares, lo cual impide que los nervios transmitan sus órdenes.

RECOMENDACIONES

- *Un médico homeópata con experiencia puede escoger remedios homeopáticos constitucionales. Los remedios Natrum muriaticum y Silica pueden tener efectos muy beneficiosos.*

- *Véase* **Lesión nerviosa** *y tome los suplementos recomendados. Véase* **Enfermedad autoinmune**.

- *La acupuntura puede ser beneficiosa.*

- *La medicina tibetana, dirigida sobre todo hacia los flujos de energía a través del sistema nervioso, puede aportar algunas respuestas.*

MOLESTIAS Y DOLORES

Las molestias y los dolores articulares en la edad madura pueden estar asociados con la artritis y la artrosis (*véase* **Artritis**).

A diferencia de lo que ocurre en la edad juvenil, en la edad madura generalmente se deben a la falta de uso y a una lesión previa.

RECOMENDACIONES

- *Asegure una buena hidratación: ingiera, como mínimo, 1,5-2 litros de agua al día.*

- *Ingiera regularmente verduras de hoja verde, tubérculos, carne, pescado y pollo para asegurar el aporte adecuado de calcio, magnesio y cobre.*

- *Es útil tomar un suplemento multimineral 2 veces al día en la dosis recomendada.*

- *El chi kung y el yoga mantienen los músculos en tensión y activos. Practíquelos junto con un ejercicio regular, como la natación y los paseos.*

OSTEOPOROSIS

La osteoporosis es la disminución del tejido óseo que conduce a una debilidad estructural y a un aumento del riesgo de padecer fracturas. Los huesos más comúnmente afectados son los de la columna, las caderas y las costillas.

Generalmente, los síntomas no se manifiestan hasta que la osteoporosis es grave, momento en que aparecen dolores de espalda o cambios estructurales, como disminución de la altura, o deformidades óseas como la «giba». Como resultado de la osteoporosis se producen fracturas espontáneas o tras accidentes sin importancia.

La densidad del hueso se reduce en todas las personas, hombres y mujeres, habitualmente a partir de los 40 años de edad. Esto se debe, en parte, a la reducción del ejercicio, el cual mantiene la integridad del hueso, pero también a la disminución de los niveles de estrógenos en las mujeres y de la calcitonina (una hormona que controla los niveles de calcio producida por la glándula tiroides) en ambos sexos. Niveles decrecientes de ácido gástrico y cambios en la piel y en la mucosa intestinal pueden conducir a unos niveles cada vez más bajos de calcio, magnesio, boro y vitamina D en la sangre, elementos todos ellos esenciales en la producción de hueso. Una dieta demasiado alta en proteínas puede favorecer la pérdida de calcio a través de la orina, siendo ésta probablemente una de las principales causas de osteoporosis en el mundo occidental. Otros factores dietéticos son indudablemente relevantes, como se deduce del hecho de que la osteoporosis es una alteración mucho más frecuente en Occidente que en África o Japón, donde su incidencia es prácticamente insignificante. El envejecimiento es, con gran diferencia, la causa más común de osteoporosis, pero antes de atribuir una osteoporosis a la edad avanzada deben descartarse otras patologías.

El alcohol, los corticoides y determinados medicamentos pueden producir alteraciones osteoporóticas. La parálisis u otras situaciones que reduzcan la movilidad, como la artritis, enfermedades cardíacas o pulmonares, también disminuirán la densidad del hueso. Algunas alteraciones congénitas, malnutrición y varias enfermedades glandulares (endocrinas) pueden también causar osteoporosis.

La osteoporosis posmenopáusica no se debe, como la industria farmacéutica pretende hacernos creer, sólo a una disminución en los niveles de estrógenos. De hecho, los estrógenos tienen un papel pequeño en el mantenimiento de la densidad ósea, mientras que otras hormonas como la progesterona y la deshidroepiandrosterona (DHEA) contribuyen de manera decisiva a la formación del hueso. Muchos experimentos han demostrado categóricamente que el ejercicio realizado para mantener el peso es tan beneficioso, si no más, que la restitución de los estrógenos. Esto se manifiesta por el hecho de que el riesgo de una fractura en el hombre es el mismo que en la mujer después de los 70 años. Una buena dieta que contenga todos los suplementos necesarios es, del mismo modo, esencial.

La mayoría de las personas considera que la densidad ósea depende de los niveles de calcio, y hasta cierto punto es así. Sin embargo, el calcio está atrapado dentro del hueso por una red o matriz de fibras proteicas. La osteoporosis se debe tanto a la deficiencia de esta matriz como al déficit de mineral. Es interesante destacar que una dieta con alto contenido en proteínas animales tiene un efecto adverso, mientras que las dietas vegetarianas, que contienen gran cantidad de proteínas vegetales, parecen ser protectoras.

Recientemente ha salido a la luz un factor importante. Al parecer, la osteoporosis es más grave en mujeres que han sufrido malnutrición antes de la edad de la menarquia (comienzo de las menstruaciones). Y, según parece, la base para la formación de la densidad del hueso se establece a esta temprana edad. Esto ha llevado a pensar que la leche de vaca es una necesidad para los niños. Es incorrecto, ya que la leche no es una buena fuente de calcio absorbible, siendo realmente un alimento al que muchos seres humanos son alérgicos (*véase* **Leche**).

Exploraciones

La medicina ortodoxa se ha apresurado a promover el uso de rayos X para el estudio de la columna y de la cadera para medir la densidad ósea. Aunque los niveles de radiación son bajos, es preciso recordar que el 3% de la población posee un gen que es sensible a la radiación y puede volverse canceroso. A menudo los rayos X son necesarios, pero como procedimiento sistemático, hay otras técnicas no invasivas y más sencillas disponibles.

Orina

Debería realizarse un análisis de orina para detectar dos proteínas denominadas piridinio y desoxipiridinio –las principales proteínas que conforman la matriz ósea que retiene el calcio–, ya que un aumento en sus niveles sugiere una tendencia osteoporótica.

Densiometría de la columna

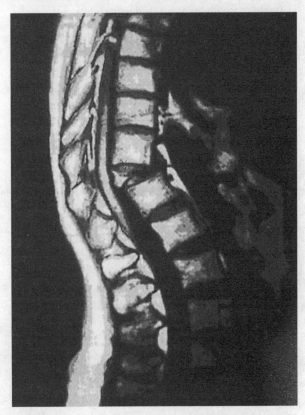

Densiometría de la zona lumbar de la columna. Esta técnica mide la densidad del hueso y se emplea para valorar la osteoporosis.

Ecografía

Estudios comparativos han demostrado que la ecografía del hueso del talón (calcáneo) es tan efectiva como el estudio radiológico (rayos X). Los ultrasonidos empleados en las ecografías son inocuos (con excepción de una utilización excesiva durante el embarazo), por lo que son preferibles.

Otras pruebas

Puede investigarse la presencia de minerales (oligoelementos) mediante un sencillo análisis de sangre y de cabello y detectar déficit de calcio, magnesio, cinc, cobre, silicio y boro, todos los cuales se sabe que son esenciales en la formación de huesos robustos.

La medicina ortodoxa puede considerar que el incremento de estos minerales en la dieta no producirá efecto alguno, y tendrá toda la razón si se toma una forma sintética de alguno de ellos y se administra sin los otros. Muchas pruebas han demostrado que las formas naturales de suplementación mineral, especialmente en forma combinada (quelada), se absorben rápidamente, no sólo en la circulación, sino también en los huesos.

Las vitaminas B_6, C, D y K son esenciales para el crecimiento y la estabilidad del hueso. Sus niveles pueden medirse en la sangre. Su capacidad para ser absorbidas, así como la de todos los minerales y proteínas necesarios, depende de la integridad del intestino. Bajos niveles de ácidos gástricos, una mala función pancreática (*véase* **Gastrografías**) y la actividad bacteriana intestinal son factores muy importantes.

Las alteraciones intestinales, como la enfermedad celíaca o hipersensibilidad al gluten (una proteína del trigo), la enfermedad de Crohn y otras alteraciones inflamatorias y el síndrome del intestino permeable, deben considerarse causas posibles de osteoporosis y realizarse los análisis pertinentes para todas ellas.

Los niveles de fósforo, y de su derivado el fosfato, son mantenidos en la circulación por los riñones. El fósforo favorece la eliminación de calcio por los riñones. Los fosfatos están presentes en la mayoría de los alimentos, pero sobre todo en las bebidas carbonatadas y los productos cárnicos. ¿Habrá una correlación entre la elevada incidencia de osteoporosis en los países desarrollados y su consumo de bebidas con gas y hamburguesas?

El uso de la progesterona natural (extraída del ñame silvestre) es aún motivo de discusión. El doctor Lee, un ginecólogo de Estados Unidos, ha dedicado casi una década al estudio de los efectos de la progesterona en la osteoporosis y otros problemas de la menopausia. Sus conclusiones son que la progesterona es más efectiva en el mantenimiento de la densidad del hueso que los estrógenos. Su trabajo requiere posteriores estudios, pero teóricamente es correcto. La utilización de la progesterona natural es cada vez más popular, y los estudios durante los próximos años ayudarán a decidir si es el método preferido para mantener la densidad ósea y evitar la osteoporosis.

RECOMENDACIONES

- *La prevención es la mejor forma de curación. Asegure, especialmente en los niños, una buena fuente de calcio y otros minerales esenciales. Soja, pescado, nueces y verduras de hoja verde, como espinacas, col y brécol, son fuentes excelentes. La leche y los productos lácteos, como el queso, no son necesariamente una buena fuente, aunque el yogur es excelente.*

- *Debe evitarse la terapia hormonal sustitutiva ortodoxa, que será la primera medida terapéutica que propondrá el médico de cabecera, a menos que hayan fracasado otros procedimientos bajo la guía de un profesional de medicina alternativa especializado en este ámbito.*

- *Aumente las proteínas vegetales más que las animales y, si existe osteoporosis, cambie a una dieta predominantemente vegetariana.*

- *Los productos cárnicos son particularmente ricos en fósforo, el cual incrementa la excreción de calcio, por lo que debe reducirse su consumo. Las bebidas carbonatadas contienen una importante cantidad de fosfatos, por lo que también deben evitarse.*

- *Asegure un consumo adecuado (alrededor de 1.000–1.500 mg) de calcio cada día a partir de las fuentes citadas en el capítulo 7 (véase **Calcio**), en lugar de la leche.*

PERFIL DE OSTEOPOROSIS

Referencia: DJ1J ASSB C90
Paciente: Sra. Juana Gómez
Doctor: José Pérez

Edad: 72
Sexo: Femenino
Fecha: 10/02/91

SUERO	Resultado	Unidades	Valores de referencia
Fosfatasa alcalina			
Total	109	Unidades	40–190
Ósea	24	Unidades	35–90
Fosfatasa ácida resistente al tartrato	2,6	Unidades	1,5–4,3
Fósforo inorgánico	0,93	mmol/l	0,8–1,4
Calcio	2,46	mmol/l	2,25–2,75
Cobre	22,0	µmol/l	12,5–25,0
Manganeso	14	nmol/l	9–25
Vitamina C	1,1	mg/dl	0,4–2,0
CÉLULAS BLANCAS			
Cinc	5,7	µg/10-6	5,4–8,2
CÉLULAS ROJAS			
Magnesio	2,03	mmol/l	2,8–3,00
ORINA DE 24 HORAS			
Volumen	1.900	ml	
Fósforo	38	mmol/24 horas	15–45
Calcio	3,1	mmol/24 horas	2,5–7,5
Cinc	3,70	µg/24 horas	220–590
Hidroxiprolina	11,00	mg/24 horas	hasta 13

Esta prueba incluye nutrientes esenciales de los que se conoce su importancia en el desarrollo y mantenimiento del hueso. Pueden producirse cambios en la excreción de calcio y fósforo en algunos tipos de enfermedades óseas, y un incremento del cinc y de la hidroxiprolina urinarios en la osteoporosis. Investigaciones recientes demuestran cambios en los niveles de fosfatasa alcalina ósea en las mujeres osteoporóticas.

Este perfil no sustituye la medición de la densidad ósea.

Comentarios de los resultados
No existe reducción en la formación del hueso (fosfatasa alcalina ósea baja) con un índice de resorción normal (fosfatasa ácida resistente al tartrato normal). Sugiere una pérdida ósea leve.

- Evite los excesos de proteína, alcohol, tabaco y cafeína. Hay fórmulas disponibles específicas para la osteoporosis, que combinan los cofactores necesarios para una buena absorción del calcio. Un nutricionista le recomendará las mejores.

- Recuerde que el calcio está directamente relacionado con la vitamina D, de la que deberían tomarse hasta 200 UI diarias si aparece algún signo de adelgazamiento de los huesos. Pueden ser necesarias dosis más altas en función del consejo del profesional de medicina alternativa.

- El uso de deshidroepiandrosterona (DHEA) puede ser aceptable bajo supervisión médica, junto con cremas de progesterona natural para aumentar la densidad ósea.

- Incremente el ejercicio para cuidar el peso. Paseos de 30-40 minutos diarios es lo mínimo para las personas con osteoporosis, pero 20 minutos en un gimnasio o un deporte de raqueta 3 o 4 veces a la semana es bueno para mantenerse.

- La suplementación con los siguientes nutrientes puede ser beneficiosa, pero es preferible revisar sus niveles antes de automedicarse. La sobredosis no es posible si se administran las dosis recomendadas, pero la suplementación no es necesaria si los niveles no son deficitarios. Considere los siguientes suplementos, tomados en dosis divididas a lo largo del día (indicadas por kg de peso): calcio, 10 mg; magnesio,10 mg; cobre, 30 mg; manganeso, 250 mg; silicio, 15 mg; boro, 30 mg, y cinc, 30 mg antes de irse a la cama.

- Los siguientes suplementos vitamínicos deberían tomarse en dosis divididas con las comidas (indicadas por kg de peso): vitamina B_6, 650 mg; ácido fólico, 3 mg; vitamina D, 7 UI, y fitomenadiona (vitamina K_1), 15 mg.

- Deberían realizarse análisis de sangre y cabello para detectar deficiencias minerales, en fósforo y fluoruro, toxicidad por estroncio y calcitonina, establecer los niveles basales y monitorizarlos anualmente, tratándolos si es necesario. Cabe señalar que el estroncio, que resulta tóxico en

exceso, es necesario para lograr unos huesos fuertes, por lo que las deficiencias deben corregirse.

- Los estrógenos vegetales (fitoestrógenos), la progesterona natural y los tratamientos con hierbas específicas deben tenerse en cuenta en la osteoporosis, siempre recetados por un profesional de medicina alternativa.

POLIMIALGIA REUMÁTICA

Es un proceso inflamatorio que afecta a los músculos. Se caracteriza por rigidez, dolor y limitación de los movimientos, en particular de las caderas y de los hombros. Asimismo, puede haber malestar general, pérdida de peso, sudores y fiebres nocturnos. Esta alteración está asociada a menudo con la inflamación de los vasos sanguíneos.

En el 50% de los casos hay una inflamación arterial que, sin tratamiento, puede provocar problemas neurológicos (incluyendo ceguera o ictus) si afecta a las arterias del sistema nervioso o del cerebro. La polimialgia reumática se considera una enfermedad autoinmune (el sistema inmunológico ataca al propio organismo). Por lo general, ocurre después de una alergia subclínica prolongada, normalmente una intolerancia alimentaria o una respuesta incorrecta a una infección vírica, bacteriana o de otro tipo. Es necesario un análisis constitucional completo, teniendo en cuenta el bienestar del individuo desde el nacimiento, para acelerar el proceso de reparación y prevenir una nueva enfermedad autoinmune. Las filosofías orientales consideran esta alteración como un estancamiento de energía (chi) y un exceso de calor en la sangre.

RECOMENDACIONES

- Una pérdida de fuerza inexplicable o un dolor persistente deben ser investigados por un médico.

- Los exámenes mostrarán una VSG (análisis que mide la velocidad de sedimentación de las células sanguíneas) elevada y otras alteraciones.

- Si existen signos de inflamación de las arterias (diagnosticada por un médico), utilice corticoides.

- *Herbolarios experimentados y médicos que conocen las técnicas chinas pueden emplear extractos de plantas que contienen esteroides, pero la cantidad es variable en función del proceso de destilación de cada planta y, a pesar de que están disponibles, creo que está indicada la utilización de fármacos convencionales si existe una polimialgia reumática con afectación arterial.*

- *Si no hay afectación arterial, la fitoterapia bajo la supervisión de un experto puede ser beneficiosa. Debe continuarse hasta que el paciente se encuentre libre de síntomas durante, al menos, 3 meses. Un período de prueba sin tratamiento puede permitir que los síntomas reaparezcan, en cuyo caso debería reanudarse el tratamiento durante un mínimo de 3 meses más.*

- *Esta enfermedad es de origen autoinmune (véase* **Enfermedades autoinmunes***).*

- *El yoga, el chi kung, la acupuntura y el masaje ayudarán a los grupos musculares y a mover el chi inmovilizado.*

- *Las pruebas de alergias son esenciales, y una dieta que elimine los alergenos y los alimentos que producen calor, como la cafeína, el alcohol, las comidas picantes y los alimentos refinados, debe observarse estrictamente.*

SISTEMA NERVIOSO

ACCIDENTE ISQUÉMICO TRANSITORIO

Un accidente isquémico transitorio es un déficit neurológico temporal, que suele manifestarse por visión borrosa, disminución de la fuerza o el movimiento de un lado del cuerpo, entumecimiento, vértigo y dificultad en el habla y que generalmente no dura más de diez minutos, aunque puede llegar a persistir 24 horas. Estos ataques están por lo general relacionados con un bloqueo temporal en un vaso sanguíneo cerebral, causado bien por un espasmo de un vaso aterosclerótico o bien por una embolia (coágulo de sangre o de otro material desplazado). Cuanto más prolongado sea el ataque, más probable es que haya sido causado por una embolia. La recuperación generalmente es completa, aunque los accidentes isquémicos suelen repetirse y ser el aviso de un ictus inminente. Las recomendaciones para su tratamiento son las mismas que para el ictus (*véase también* **Arteriosclerosis**).

ENFERMEDAD DE LA NEURONA MOTORA

Esta enfermedad, que en medicina se denomina atrofia muscular espinal progresiva, se caracteriza por un desgaste progresivo de músculos individuales o grupos musculares, debido a la degeneración de células y vías nerviosas que afectan a la columna y las zonas del cerebro que controlan el movimiento muscular. Es una enfermedad particularmente invalidante ya que disminuye lenta e implacablemente la capacidad del individuo para moverse, tragar y comunicarse, pero deja intactos el razonamiento, la conciencia y los receptores del dolor.

Esta afección, que puede ocurrir a cualquier edad, suele manifestarse después de los 50 años y puede progresar hasta un nivel incapacitante en dos años, aunque a veces tarda más de 15 años en alcanzar su punto terminal. Los pacientes suelen morir a causa de una infección debida a la incapacidad de respirar de forma adecuada, lo cual permite que las bacterias se establezcan en los pulmones. En un momento dado, los reflejos de la tos y del cierre mandibular pueden desaparecer.

Es posible que exista un factor genético, pero es más probable que la enfermedad sea de causa tóxica o infecciosa. Se sabe que esta alteración se desencadena por deficiencias de vitaminas, especialmente B_{12}, B_6 y E.

No recomiendo la autoterapia en esta afección, porque es necesario un tratamiento agresivo, que debe ser establecido y monitorizado por un médico experimentado.

Mucho más que en otras alteraciones neurológicas, debería plantearse una actitud filosófica, y creo que es necesario hacerse una pregunta: «¿Qué lecciones podemos aprender desde el punto de vista espiritual o de karma al ser atacados por una alteración que conduce lentamente al individuo a una posición de total dependencia?» Probablemente más que en ninguna otra enfermedad, en esta alteración se plantea la cuestión de la eutanasia, por lo que es esencial abordar francamente el tema en un plano espiritual tan pronto como se establezca su diagnóstico.

RECOMENDACIONES

- *Deben realizarse análisis de sangre y cabello para determinar deficiencias en vitaminas, nutrientes y aminoácidos, intoxicación por metales pesados y sustancias agroquímicas (incluidos los pesticidas).*

- *Debe valorarse la capacidad digestiva, es decir, los ácidos gástricos y la producción de enzimas pancreáticas.*

- *Deben corregirse las deficiencias en vitaminas y aminoácidos (productos de la desintegración de las proteínas).*

- *Un herbolario valorará los posibles beneficios de las plantas medicinales, especialmente los derivados de la alfalfa, la retama y los champiñones.*

- *Es esencial la consulta homeopática con un experto.*

- *La práctica de yoga y chi kung, junto con la técnica de Alexander, puede mantener el control neurológico y muscular durante más tiempo.*

- *Deberían practicarse técnicas especializadas de masaje ayurvédico y tibetano, como el marma y la neuroterapia.*

- *La medicina tibetana, basada en gran medida en el flujo de energía a través de vías neurológicas, puede aportar algunas respuestas.*

ENFERMEDAD DE PARKINSON

Parkinson fue un médico inglés del siglo XVIII que describió un estado clínico que lleva su nombre. La enfermedad de Parkinson se caracteriza por una cara sin expresión, parpadeo infrecuente, escasez y lentitud de movimientos voluntarios, rigidez muscular con un temblor a un ritmo de tres-cuatro veces por segundo (más pronunciado durante el descanso), postura encorvada y un andar con pasos más cortos de lo normal. Este último síntoma se debe a la pérdida de los reflejos posturales normales. La enfermedad se caracteriza por la dificultad para iniciar e interrumpir los movimientos y por arrastrar los pies al andar. En casos extremos, cruzar una calle puede resultar especialmente difícil, ya que la medida del tiempo es importante en esta situación y el paciente tiene dificultad para detenerse. La pérdida de memoria y la incapacidad para concentrarse son otros de sus síntomas.

La enfermedad de Parkinson puede aparecer en la edad madura o la vejez y es causada por la degeneración de células en el cerebro que producen una sustancia química denominada dopamina. La dopamina ejerce un importante efecto en el control de los músculos y la postura. La enfermedad de Parkinson puede aparecer como una secuela de la encefalitis o por intoxicación con ciertos fármacos o drogas.

El aluminio se ha citado como potencial causa de la destrucción del área del cerebro que produce la dopamina. Se sospecha de otras sustancias químicas, incluidos los pesticidas, pero todavía no se ha demostrado que sean agentes causales. Muchos productos químicos son destruidos en el hígado, por lo que la enfermedad de Parkinson puede ser una consecuencia de una afección hepática o de deficiencias en antioxidantes, los cuales son responsables de la desintegración de los compuestos tóxicos. Las carencias nutricionales pueden provocar una disminución de la dopamina, por lo que el mantenimiento de dietas deficientes durante mucho tiempo pueden conducir a la aparición de esta enfermedad.

RECOMENDACIONES

- *Cualquier síntoma neurológico persistente debe ser investigado por un especialista, para que establezca un diagnóstico concluyente.*

- *Los fármacos ortodoxos están diseñados para corregir la pérdida de dopamina (véase **Medicamentos antiparkinsonianos**). Estos medicamentos pierden, al parecer, su efecto al cabo de unos años, y por esta razón muchos neurólogos empiezan a utilizarlos cuando el proceso está inhibiendo las funciones normales. Los tratamientos alternativos reseñados más* *adelante deberían probarse cuanto antes, y el tratamiento ortodoxo retardarse el máximo posible.*

- *Consulte a un profesional de medicina alternativa con experiencia en este campo sobre la medición de la toxicidad, las deficiencias nutricionales y la función hepática. Todos estos factores deben corregirse.*

- *Hay que prestar especial atención a los niveles de cobre en las células sanguíneas y, si se detecta un déficit, corregirlo mediante la ingestión de un suplemento de cobre absorbible a una dosis de 70 mg/kg de peso.*

- *Las técnicas de biorresonancia pueden ayudar a demostrar una causa subyacente en la destrucción de las células cerebrales productoras de dopamina.*

- *Debe tomarse el aminoácido tirosina (25 mg/kg de peso) en dosis divididas a lo largo del día. La L-metionina es otro aminoácido que debería administrarse a una dosis de 70 mg/kg de peso.*

- *Ante cualquier nivel de intoxicación debe considerarse la administración de altas dosis de antioxidantes.*

- *Toda sustancia tóxica específica que se identifique debe tratarse con su equivalente homeopático a una potencia de 30, 2 veces al día durante un mes, y luego volver a medir los niveles. Si no se aprecia disminución, se repite el tratamiento a una potencia 200, 2 veces al día durante 2 semanas.*

- *La osteopatía craneal, la osteopatía, la terapia de polaridad, el yoga y el chi kung tienen un efecto beneficioso al reducir los síntomas y retrasar la progresión de la enfermedad.*

- *El masaje marma y la neuroterapia, ambas disciplinas ayurvédicas, pueden producir mejorías.*

- *Si la enfermedad avanza, puede emplearse la medicina tibetana bajo el cuidado de un médico experto en esta disciplina.*

- *Estamos esperando con interés los resultados de experimentos de implantación de células productoras de dopamina de cerdos en el tejido cerebral, así como el uso de implantes eléctricos que estimulan las células que segregan dopamina.*

ICTUS (ACCIDENTE VASCULAR CEREBRAL, APOPLEJÍA)

Un ictus traduce un déficit neurológico, con mayor frecuencia la parálisis de un lado del cuerpo, con efectos en el lado contrario de la cara o sin ellos. Esta situación puede instaurarse en cuestión de minutos, en cuyo caso suele asociarse con un problema arterial, o producirse a lo largo de un período mucho más prolongado, incluso de meses, lo cual es indicativo de otro proceso patológico, por lo general un tumor. El 95% de los ictus están causados por falta de oxígeno al bloquearse un vaso sanguíneo cerebral debido a un coágulo, un ateroma o un espasmo producido por alguna influencia neurológica o química. El ateroma también puede provocar la perforación de un vaso sanguíneo, el cual se perfora, produce una hemorragia y, como consecuencia de ella, un coágulo y una obstrucción de la circulación.

Así, la mayoría de los ictus o apoplejías son accidentes vasculares cerebrales, tanto hemorrágicos (causados por extravasación de sangre) como infartos (originados por un bloqueo). Un ictus se clasifica además atendiendo a si la situación es definitiva o si aún se está instaurando. Por último, el tipo y la gravedad de la alteración neurológica que provoca pueden orientar acerca de la localización de la lesión arterial. Todos estos datos tienen, sobre todo, valor diagnóstico, ya que el tratamiento será el mismo y estará basado por completo en el déficit neurológico.

Cualquier alteración que pueda conducir a una lesión vascular predispondrá a un ictus. Una presión arterial elevada puede provocar el estallido de los pequeños vasos cerebrales, a pesar de que el mecanismo que protege la presión arterial cerebral es uno de los más evolucionados en el ser humano. El ateroma y el taponamiento definitivo de las arterias, junto con la elevada tendencia a la coagulación en estos vasos sanguíneos, es muy probable que produzcan un ictus, y pequeños émbolos (coágulos originados en otras partes del organismo) pueden provenir de placas de ateromas en otros vasos o provenir de las válvulas lesionadas del corazón, ocluyendo las arterias. Prevenir estos factores es el principal objetivo en la lucha contra el ictus, e incluso si éste ya se ha producido, la terapia activa contra estos factores puede evitar un empeoramiento o una recurrencia del problema.

El ictus es la tercera causa más frecuente de muerte en el mundo occidental, después del ataque cardíaco y el cáncer. Sin embargo, es la causa más común de incapacitación crónica grave, que afecta a dos de cada mil personas al año. Tres cuartas partes de estas personas tienen más de 65 años, siendo esta alteración dos veces más frecuente en los negros que en los blancos. Merece la pena tener en cuenta estos datos porque se lucha activamente contra condiciones como la hipertensión sin tener en cuenta los riesgos de los efectos colaterales de estos fármacos. De una forma sencilla, y sin ser excesivamente rigurosos, estos datos sugieren que uno de cada 500 adultos de 65 años o más tendrá un ictus. Se nos ha dicho que si uno tiene hipertensión, el riesgo es seis veces mayor, lo cual significa que uno de cada 83 corren este riesgo. Aunque es un aumento notable, las posibilidades de que un individuo con presión arterial elevada no padezca un ictus son aún de 82:1. Menciono esto únicamente porque a muchísimas personas les asusta su presión arterial elevada. Las posibilidades son, a pesar de todo, bajas aunque no se trate el problema. Más personas que toman fármacos antihipertensores terminarán sufriendo un ictus, que aquellas que no los toman. Este tema se analiza más extensamente en el apartado dedicado a la hipertensión (véase **Presión arterial elevada**).

Prevención es la palabra clave en el ictus, porque la recuperación total tras un déficit neurológico rara vez es posible. Muchas personas que padecen un ictus moderado presentarán cierto grado de recuperación. Si se sigue el tratamiento correcto, al cabo de tres meses es posible que se haya recuperado el 90% de las capacidades perdidas.

Los primeros auxilios y la medicina ortodoxa de urgencia reducen el riesgo de muerte; por consiguiente, es siempre aconsejable conocer las técnicas de reanimación cardiopulmonar porque un ictus puede afectar a la respiración y la respuesta cardíaca.

RECOMENDACIONES

- *El mejor tratamiento consiste en un control adecuado de un ateroma y de la hipertensión a temprana edad (véanse **Arteriosclerosis** y **Presión arterial elevada**).*

- *Considere seguir una dieta macrobiótica (véase capítulo 7).*

- *Es esencial una atención completa por parte de un neurólogo, así como descubrir si el ictus está causado por una hemorragia o por una oclusión (o ambas). El tratamiento varía en función de la causa.*

- *El tratamiento de un ictus depende de la causa. Existe la firme recomendación de utilizar la aspirina de forma profiláctica ya que previene la formación de coágulos, pero sin duda este fármaco empeorará las cosas si el ictus está causado por una hemorragia. Mucha gente toma aspirinas erróneamente porque han oído que reduce el riesgo de padecer un ictus, pero puede tener el efecto contrario.*

- *Deje de tomar la píldora anticonceptiva oral si corre el riesgo de padecer una enfermedad cardiovascular o un ictus o existen en su familia antecedentes de estas afecciones. La píldora incrementa el riesgo de que se formen coágulos sanguíneos.*

- *La fisioterapia es una parte integral de la rehabilitación, pero todas las formas de medicina oriental, principalmente las de origen chino, tibetano o ayurvédico, tienen tratamientos físicos, de acupuntura y plantas que se han empleado durante miles de años con grandes efectos. No descarte las técnicas terapéuticas occidentales, pero utilícelas junto con un médico oriental experimentado.*

- *Aunque plantas medicinales, como el ginkgo, se recomiendan frecuentemente, no es aconsejable incrementar el flujo sanguíneo cerebral en las personas con tendencia a ictus hemorrágicos.*

TEMBLOR Y ESTREMECIMIENTO

Un temblor es una oscilación regular y rítmica de una parte del organismo causada por contracciones alternas de los músculos de ambos lados de una articulación. El estremecimiento es una exacerbación de un temblor que afecta a una parte más extensa del cuerpo, como un brazo o una pierna.

Cualquier factor que afecte a los nervios o las uniones neuromusculares tiene capacidad potencial para provocar un temblor; la causa más común es el efecto tóxico de la abstinencia del alcohol (*delirium tremens*), la cafeína u otras drogas estimulantes, como las anfetaminas o la cocaína. Un exceso de tiroxina o adrenalina (como en el caso del nerviosismo extremo) puede producir temblores e indicar una alteración subyacente, como hipertiroidismo o un tumor suprarrenal. Habitualmente se asocian otros síntomas, como sudación y pérdida de peso.

Enfermedades neurológicas como la enfermedad de Parkinson, que causa temblores durante el reposo o el ictus, que afecta los centros de coordinación, pueden ser diferenciadas por provocar un temblor involuntario (que no desaparece durante un movimiento voluntario, como coger un bolígrafo). La fiebre puede desencadenar temblores o estremecimientos puesto que el organismo utiliza los movimientos musculares para aumentar su temperatura y acabar con los gérmenes.

Un movimiento espasmódico es la contracción involuntaria de un grupo muscular aislado, y habitualmente indica el pinzamiento de un nervio o una lesión neurológica periférica. El nombre médico del tic es fasciculación, y puede ser indicativo de alteraciones neurológicas más graves, como la enfermedad de la neurona motora.

RECOMENDACIONES

- *Cualquier contracción no asociada con una causa evidente, como nerviosismo, consumo excesivo de drogas o su abstinencia, debería ser examinada por un médico para establecer un diagnóstico seguro.*

- *El tratamiento dependerá de la causa subyacente, por lo que se debería recurrir al apartado correspondiente de este libro.*

- *El remedio homeopático Agaricus muscarius puede tomarse a potencia 30, 4 veces al día, hasta establecer el diagnóstico. Los estremecimientos debidos al nerviosismo pueden tratarse con Ignatia 6 tomada cada 15 minutos o, en su lugar, Argentum nitricum.*

ASPECTOS PSICOLÓGICOS

AFLICCIÓN Y PESAR

En un sentido amplio, todas las personas atraviesan en algún momento de la vida una reacción de pesar por la pérdida de una persona querida. La aflicción es un hecho inevitable a medida que un individuo envejece. Incluyo la aflicción en este capítulo porque, más allá de los achaques que se padezcan al ir envejeciendo, la pérdida de los seres queridos y amigos es una pena intensa que no tiene respuesta en medicina.

El pesar asociado con la muerte de las personas próximas generalmente sigue un patrón típico. Todos sufrimos emociones y sentimientos de negación, rabia, transigencia, depresión y resignación.

La cantidad de tiempo que dura cada una de estas emociones varía según las circunstancias. La negación normalmente dura poco tiempo, quizá sólo unos pocos días, mientras que la rabia, ya sea contra aquellos a los que el individuo culpa por la muerte, contra uno mismo porque no hizo lo suficiente para evitar la muerte, puede durar años. La depresión puede ser leve y de corta duración o profundamente arraigada y persistente. Pueden producirse pensamientos e, incluso, intentos suicidas.

Cada individuo tiene su manera de enfrentarse a la aflicción, pero la mayoría tendrá recuerdos y reacciones que pueden reaparecer, posiblemente, durante el resto de sus vidas. La llamada «reacción de aniversario» es un estado emocional que ocurre en el aniversario de una muerte (*véanse* **Reacción de aniversario** *y* **Muerte y agonía**).

RECOMENDACIONES

- *Desahóguese con amigos y con la familia. No debe avergonzarse de mostrar sus emociones.*

- *Si el apoyo de los seres más próximos no es posible o no ayuda, consulte al médico de cabecera o a un profesional de medicina complementaria y acuda a una sesión con un consejero experto en aflicciones. Es posible que sean necesarias varias sesiones.*

- *Inmediatamente después de recibir malas noticias, tome el remedio Arnica 200, una dosis cada 4 horas. Si la reacción inicial es de miedo o de «qué me ocurrirá ahora», tome Aconitum 200 en la misma dosis. Una vez que el shock inicial ha remitido, tome Ignatia 200, una dosis al despertarse y otra al irse a la cama. Si presenta manifestaciones clínicas, como erupciones cutáneas, indigestión y síntomas parecidos a los de la gripe, emplee Natrum muriaticum 200, una dosis 3 veces al día durante una semana.*

- *Los remedios florales de Bach pueden proporcionar grandes beneficios: Elm (olmo) y Larch (alerce) para los que no saben qué hacer; Pine (pino) si la culpa es la emoción preponderante; Sweet Chestnut (castaño dulce) y Star of Bethlehem (leche de gallina) si hay desolación y emociones reprimidas.*

- *El masaje corporal, empleando aceites de aromaterapia seleccionados, puede ser muy útil.*

DESORIENTACIÓN

La desorientación en los ancianos se debe a menudo a un proceso natural de disminución del tejido cerebral (*véase* **Enfermedad de Alzheimer y demencia senil**).

Sin embargo, la desorientación puede estar causada también por cambios metabólicos, como una incapacidad para controlar los niveles de azúcar, una nutrición deficiente, fiebre, enfermedades como catarros, resfriados y gripe, y reacciones a fármacos, como las que sufren las personas que toman pastillas para dormir, antidepresivos y otros fármacos como los antibióticos.

RECOMENDACIONES

- *Descarte cualquier infección o medicamento, acudiendo al médico de cabecera.*

- *Asegure un correcto consumo nutritivo equilibrando la dieta o visite a un nutricionista o a un dietista. Considere el empleo de una dieta macrobiótica (véase capítulo 7).*

- *Favorezca una oxigenación adecuada del cerebro mediante una técnica respiratoria, si es posible enseñada por un profesor de yoga o de meditación.*

- *Si los problemas persisten, consulte con un naturópata o un homeópata (véase **Enfermedad de Alzheimer y demencia senil**).*

ENFERMEDAD DE ALZHEIMER Y DEMENCIA SENIL

La enfermedad de Alzheimer es un proceso de demencia senil precoz. El tratamiento de ambas afecciones es similar.

La principal causa de la demencia es la disminución del flujo arterial cerebral a causa de coágulos, que impiden que el oxígeno y los nutrientes lleguen al tejido cerebral. Virus, toxinas ambientales, como el aluminio, y la falta de uso de las facultades mentales son otros factores causales. También existe una predisposición genética para la demencia precoz.

Tomografía cerebral. Enfermedad de Alzheimer

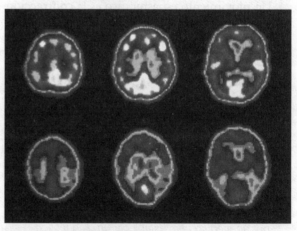

Registros tomográficos de un cerebro normal (hilera superior) y del cerebro de un paciente con enfermedad de Alzheimer (hilera inferior). Los tonos más brillantes del cerebro normal demuestran una actividad cerebral superior.

RECOMENDACIONES

- *Conversar y discutir, hacer crucigramas, escuchar la radio y leer libros educativos también ayuda. La televisión y la lectura no estimulante son parte, aunque discutible, del aumento de los niveles de demencia.*

- Es esencial mentalizarse para mantener los niveles de colesterol bajos y para reducir la arteriosclerosis y los ateromas (véase **Arteriosclerosis**).

- El consumo diario de antioxidantes (véase **Antioxidantes y radicales libres**) es necesario, tanto a través de la dieta como mediante suplementación. La vitamina C, en particular, es útil para la cognición en la enfermedad de Alzheimer (tome 1 g con cada comida).

- El ginkgo (la dosis estándar es de 40 mg con cada comida) ha demostrado cierta utilidad, así como varias mezclas de plantas ayurvédicas y tibetanas, que en lo posible deben ser recetadas por especialistas en estos campos.

- La osteopatía craneosacra puede aumentar la circulación sanguínea hacia el cerebro y, por lo tanto, ser muy beneficiosa.

- Merece la pena destacar que la demencia no es necesariamente un gran problema para el paciente, pero sí suele serlo para sus familiares. Si su vida se ve afectada por alguien con demencia, busque el apoyo de un grupo o de un asesor.

PÉRDIDA O DETERIORO DE LA MEMORIA

El fenómeno de la memoria es una cuestión compleja en la que intervienen procesos de entrada de datos y su recuerdo, que dependen de sustancias químicas cerebrales (neurotransmisores) y de la integridad de las vías nerviosas.

Como se aprecia en el diagrama, es importante identificar el área donde se produce el problema de memoria. Dificultades en la entrada de datos, por ejemplo en los sentidos de la vista, el oído, el tacto, el olfato y el gusto, pueden conducir a un juicio incorrecto. Una vez que el cerebro ha valorado la situación, decidirá si guarda el acontecimiento en una sección de corta, media o larga duración de la memoria. Por ejemplo, el cerebro memorizará el color de la corbata que alguien viste en una reunión, un factor sin importancia para la supervivencia, probablemente en la memoria a corto plazo. Al cabo de un rato, las sustancias químicas que se

hayan sintetizado y almacenado en una parte del cerebro se descompondrán y se borrará esa memoria. La memoria de media duración almacenará, por ejemplo, la dirección para ir a una fiesta; pero si es probable que la persona no vuelva otra vez, también se borrará. La memoria a largo plazo poseerá los neurotransmisores y las vías nerviosas preparados para cosas importantes, o para aquellas que se retienen en la juventud, cuando el cerebro está en su punto más receptivo. Como muestra el diagrama de la página siguiente, la memoria a corto plazo puede pasar a ser de media duración, y ésta, a su vez, puede convertirse en memoria de larga duración.

Recuperar recuerdos desde un centro de memoria es una parte importante de la función de la memoria, y la capacidad de expresarlo es el fin de todo el recorrido memorístico. ¿Cuántas veces sabemos una respuesta pero ésta no nos viene a la cabeza?

Cualquier alteración que interfiera en las vías, en la síntesis de neurotransmisores o en las áreas concretas del cerebro que retienen los hechos y los acontecimientos, puede causar el deterioro o la pérdida de la memoria.

La fatiga, tanto debida a un exceso de actividad como a un proceso patológico como el hipotiroidismo, provocará un incremento en la producción de adrenalina o de otras catecolaminas. La ansiedad, el nerviosismo y el miedo también provocan la síntesis de estas sustancias químicas. La función de las catecolaminas es, en primer lugar, salvar nuestras vidas, y decirle al cerebro que se centre en las situaciones que puedan amenazar nuestras vidas, más que en memorizar. Un mal ejemplo sería intentar memorizar una receta para preparar un pastel mientras se observa un león amenazante que se acerca. ¿Cuántas veces hemos olvidado algo de la lista de la compra que nos ha encargado nuestra pareja cuando estábamos saliendo por la puerta de casa en un día ajetreado? Las catecolaminas redirigen la información a través de distintos caminos posibles, con lo que interrumpen la información que se está suministrando a los centros de la memoria. La hipoglucemia (bajos niveles de azúcar en la sangre) puede tener los mismos efectos al incrementar las sustancias químicas estresantes, pero también disminuye la función cerebral, la cual existe únicamente gracias a su aporte de glucosa.

Diagrama de la pérdida de memoria

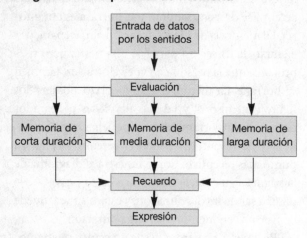

Tóxicos como el alcohol, drogas, tabaco, sustancias químicas agrícolas (incluidos los pesticidas) y alimentos concretos a los cuales el individuo sea alérgico pueden producir sustancias químicas en el sistema que interfieran tanto en la síntesis de neurotransmisores como en las vías nerviosas.

Lesiones en el cerebro o en las vías nerviosas por un traumatismo, un ictus o un tumor pueden afectar a la memoria. La disminución de tejido cerebral, como en la enfermedad de Alzheimer o en la demencia senil, y un reducido aporte de oxígeno y nutrientes por un estrechamiento de las arterias (ateroma) interferirán en la memoria mediante la destrucción de tejido cerebral o de las vías nerviosas.

RECOMENDACIONES

- *Una pérdida temporal de la memoria generalmente se debe a una concentración insuficiente o al consumo de una sustancia tóxica, como el alcohol. En estos casos no se requiere tratamiento, pero se aconseja precaución.*

- *El deterioro o la pérdida de memoria persistentes deben ser investigados por un especialista. Pueden realizarse pruebas de memoria y tomografías computarizadas del cerebro. Recuerde que es posible que los neurólogos ortodoxos no tengan en consideración las sustancias agroquímicas, la alergia alimentaria o el bajo nivel de azúcar en sangre como posibles causas de pérdida de memoria.*

- *Los ancianos, los individuos sometidos a estrés y las personas indispuestas y sin apetito, a*

menudo presentan deficiencias en proteínas, cinc, vitamina B_{12}, ácido fólico, lecitina y grasas.

- *Deberían llevarse a cabo análisis de sangre y de cabello para detectar deficiencias e intoxicaciones por metales pesados.*

- *Las personas que sufren un intenso estrés pueden considerar la relajación y la psicoterapia.*

- *Es esencial ejercitar el cerebro mediante lectura intelectual, crucigramas, discusiones...*

- *Asegúrese de que no padece hipoglucemia (véase **Hipoglucemia**).*

- *Evite fumar, el exceso de alcohol y las drogas, y evitará lesiones a largo plazo en la producción de neurotransmisores y en las vías nerviosas.*

- *Algunos remedios homeopáticos pueden ser útiles. Plumbum , Mercurius y Alumina a potencias elevadas pueden ser beneficiosos si se comprueba que existe intoxicación por metales pesados. Los remedios homeopáticos Anacardium y Sulphur pueden ser útiles a una potencia 200 tomados a diario durante 5 días, si existen dificultades para recordar nombres y palabras.*

REACCIÓN DE ANIVERSARIO

La reacción de aniversario ocurre a cualquier edad, pero es más común a medida que se envejece. La reacción de aniversario es, como su nombre indica, una tristeza, ansiedad o depresión que ocurre en el aniversario de una situación penosa.

Casi todas las personas tienen algún recuerdo de experiencias desgraciadas que vuelve a la memoria al llegar a una fecha determinada. Puede aparecer incluso una fuerte depresión, que debe ser tratada.

RECOMENDACIONES

- *Los remedios homeopáticos son excelentes en este campo, pero es necesario administrarlos a altas potencias y tras una consulta con un homeópata.*

- *El asesoramiento por parte de un experto en aflicciones suele ser útil.*

SEGUNDA PARTE

NUTRICIÓN

NUTRICIÓN

INTRODUCCIÓN

Existe una plétora de libros sobre nutrición tanto en las librerías como en las tiendas de productos naturales. Todos tienen sus virtudes y defectos y no es mi intención comentar aquí el grado de preparación de mis colegas ni el acierto de sus puntos de vista sobre dietética.

Mi opinión es que no existe una dieta que sea válida para todas las personas. Sería incorrecto aconsejar que modificaran sus hábitos los esquimales, que consumen durante toda su vida grasa de ballena, o los miembros de las tribus de Nueva Guinea, cuya dieta presenta un marcado contraste con la de los parisienses. El mejor método para determinar el régimen dietético más idóneo para cada uno es el del ensayo y error.

Aunque en este capítulo no sea posible abarcar más que una pequeña porción de los conocimientos que poseemos sobre nutrición, su objetivo es destacar algunos elementos básicos y esenciales sobre los que todos deberíamos tener nociones mínimas. A pesar de la brevedad de este capítulo, en él se dan mil veces más datos sobre nutrición que los que generalmente reciben los médicos a lo largo de su formación. La dieta no sólo se limita a unos aportes y unas pérdidas calóricas ni a un equilibrio en la nutrición. Además de estos factores, hay que tener en cuenta la fuerza vital proporcionada por los alimentos, la conexión espiritual y psicológica con la nutrición y la necesidad de retornar al instinto al seleccionar y preparar los alimentos.

Las filosofías orientales consideran que todos los alimentos poseen diversas energías, algunas en mayor cantidad que otras. Todos los alimentos tienen un equilibrio de energía masculina o femenina, que en algunos casos se combinan. Los alimentos contienen diferentes categorías y estados de nuestro universo, en concreto espacio, aire, fuego o calor, tierra, madera, metal y agua. La comida es dulce, amarga, ácida, salada o picante y puede estar caliente, tibia o fría.

La selección de los alimentos debe basarse en las necesidades que en un momento dado tiene una persona en relación con el equilibrio de todas estas energías. No es difícil hacerlo y, si se deja al cuerpo que siga sus instintos, cuando está sano equilibrará y absorberá de forma automática lo que necesita.

RECOMENDACIONES

- *Al seleccionar la dieta, olvídese por el momento de los conceptos tradicionales y céntrese en los requisitos energéticos.*

- *Preste atención a su instinto. Coma lo que le apetezca pero no ceda a los antojos poco saludables. Si el objeto de sus ansias es el chocolate, el cuerpo está expresando el deseo de recibir algo dulce y energético. Tome pues un poco de fruta. Si las ansias se decantan hacia la pasta, cómala integral.*

- *Compense las temperaturas. En un día caluroso disfrute de las ensaladas; en invierno prepare sopas calientes. En general, los alimentos crudos y cocidos al vapor son refrescantes; los estofados cocidos al horno y salteados aportan tibieza, y los fritos y asados, al horno o a la parrilla, calor. (¿Barbacoas en verano? ¡Una aberración de vez en cuando tiene también su lado divertido!)*

- *Equilibre los alimentos crudos y cocinados, según el grado de calor ambiental. Incluso en un caluroso día de verano hay que tomar algo caliente, pero es mejor que predominen los alimentos crudos.*

- *Intente equilibrar todos los sabores a lo largo del día o incluso en cada comida. La sal de un pescado puede equilibrarse con la acidez del limón. El sabor picante de la comida hindú a menudo se compensa al final con el aroma amargo de las semillas del anís.*

FACTORES PSICOLÓGICOS Y ENERGÉTICOS RELACIONADOS CON LA COMIDA

Todos los practicantes de la medicina holística creen que existe una conexión entre el cuerpo y la mente, de modo que la energía de uno tiene una influencia directa en la energía del otro. La ciencia comienza a captar longitudes de onda energéticas que pueden incidir en el sistema nervioso e influir por lo tanto en la mente y el cuerpo. Nuestra actitud psicológica con respecto a la comida guarda relación (tanto en la teoría como en la práctica) con los beneficios que nos aportará su ingestión.

RECOMENDACIONES

- *La cocina. El lugar de preparación debe ser acogedor, cómodo y alegre. A menudo las cocinas cumplen estos requisitos, y no es una coincidencia que la gente migre a la cocina durante las fiestas. Con frecuencia la familia se reúne sólo en torno a la mesa, y mantener una cocina limpia, higiénica, luminosa y ventilada es una condición esencial para sacar el máximo provecho de la nutrición.*

- *Reservar tiempo para comer. Durante todo el día gastamos energía y, al igual que un coche, debemos parar de vez en cuando para repostar combustible. Las comidas breves y precipitadas equivaldrían a poner pequeñas cantidades de gasolina en el depósito, con las que el coche sólo podría funcionar durante un rato. Cuanto más tiempo pasemos comiendo, mayor provecho obtendremos. Dejando de lado la analogía del coche, lo que cuenta no es la cantidad sino el tiempo que se invierte en un estado mental y físico dedicado a la absorción por oposición a la actividad.*

- *Los chinos dicen que «el estómago no tiene dientes». Mastique bien la comida y reducirá así el trabajo del sistema digestivo.*

- *Los chinos creen que deberíamos trabajar con un poco de frío y un poquitín de hambre. Un exceso de comida sobrecarga el organismo y exige mucha energía para procesar lo ingerido. Las filosofías orientales describen este exceso como algo que origina un estancamiento, y lo cierto es que cuando volvemos a nuestros quehaceres después de comer nuestra energía debe dividirse entre la actividad y la digestión.*

- *Alimente el cuerpo de acuerdo con sus necesidades. Un desayuno copioso para un día de ajetreo, una comida menos abundante al mediodía (porque ya queda sólo por delante una tarde de actividad) y una cena ligera porque después vamos a descansar.*

- *Ríjase por el concepto de la energía contenida en la comida. Coma alimentos con fuerza vital. La comida orgánica producida en un medio ambiente determinado imparte energía procedente del lugar donde fue elaborada. La comida en conserva está contaminada con productos químicos o radiación que matan las bacterias, pero que también matan la vida y la energía. Evite todo lo que contenga conservantes, aditivos o los alimentos que hayan sido «irradiados» con microondas. Tenga presente que todos los productos de los estantes de los supermercados pueden haber sido irradiados, pues éste es un procedimiento que la industria utiliza para alargar la fecha de caducidad. Como norma general, evite todo lo que tenga una fecha de caducidad posterior al tiempo que usted guardaría ese producto en la nevera si lo hubiera preparado usted mismo.*

PREPARACIÓN DE LA COMIDA

Muchos de los llamados pueblos primitivos que han mantenido contacto con su pasado espiritual creen que todos los alimentos poseen energía. El cazador, por ejemplo, pedirá disculpas y rezará a la víctima que abate con su flecha o su lanza. Él es el tipo de predador que lleva a su culminación espiritual el ciclo de la vida que tanto han popularizado los documentales. Es difícil trasladar esta actitud a la cultura moderna de Occidente porque ahora los animales son sacrificados por una tercera persona en un matadero. La falta de tiempo y de espacio limitan asimismo la posibilidad de cultivar nuestra propia fruta y verdura. En un mundo ideal comeríamos todos lo que produce la tierra del entorno donde vivimos, porque el equilibrio de la naturaleza –según cuál sea el entorno– nos proporcionará lo que necesitamos. De acuerdo con las filosofías orientales, la miel que se produce en países soleados como Australia contendrá más energía de fuego o pitta que la que fabrican las abejas de países más fríos, como Inglaterra. Y en la misma Inglaterra, el polen que recolectan las abejas en Surrey es distinto del que procede de Lancashire. Nuestro sistema inmunológico está adaptado para lo que se produce en nuestro propio ambiente y aceptará mejor la miel de nuestra región que la de otros lugares. Los climas cálidos generan alimentos adecuados para la digestión de las personas adaptadas al calor, de modo que los chiles se consumen en zonas calurosas, mientras que los pepinos se comen más en zonas frías. De esta forma se equilibran el calor externo e interno (corporal) en situaciones extremas. Al variar las estaciones, también cambian de manera instintiva nuestras apetencias. Las sopas y los guisos presiden la mesa durante los meses de invierno, proporcionando calor para contrarrestar el frío, y las ensaladas y frutas pasan a un primer plano para hacer más llevadero el calor del verano.

Si se le permitiera comer de acuerdo con el instinto, sin restricciones de tiempo ni de disponibilidad, el cuerpo humano establecería sus propias pautas. La comida consumida debería elegirse y prepararse en consonancia con el instinto y con una actitud de respeto. Las filosofías orientales nos recuerdan el intercambio que se produce entre las distintas fuerzas vitales, y que el león, en un extremo de la cadena alimentaria, acabará siendo alimento para la hierba.

RECOMENDACIONES

- *Hay que seleccionar la comida basándose en el instinto, el olor y el aspecto. Deben evitarse los alimentos poco o demasiado maduros.*

- *Una vez adquiridos los alimentos, deben guardarse convenientemente lo antes posible.*

- *La zona donde se prepara la comida debe ser limpia y acogedora. Si la persona que cocina no se encuentra a gusto en ese espacio, generará una energía que se transferirá a la comida y a los que la consumen.*

- *Para limpiar y preparar la comida hay que utilizar el agua más pura posible, con ayuda de filtros (véase **Agua**).*

- *En el seno de la familia, no se debe impedir tocar la comida sino al contrario, pero antes hay que lavarse las manos con un jabón no medicado.*

LAS COMIDAS

El acto de comer no se reduce a ingerir calorías. En él intervienen también la energía y la comunicación. La maravillosa expresión de «cultura de la mesa» que me enseñaron hace poco pone de manifiesto una virtud que poseen los habitantes de algunas partes del mundo.

La tendencia a tomar comidas rápidas delante del televisor está eliminando un tiempo muy importante para la comunicación. Los niños aprenden modales y mejoran su vocabulario y sintaxis en torno a la mesa, y es a la hora de las comidas cuando se intensifican más los vínculos personales. Es pertinente recordar que el cuerpo humano obtiene placer tanto con la ingestión como con la expulsión. Conviene por ello prolongar el tiempo dedicado a comer y beber (y para equilibrar el párrafo, debería reservarse a la evacuación el tiempo que sea necesario).

Hay que poner en juego todos los sentidos siempre que sea posible. La visión y los olores de una comida bien preparada estimulan los jugos gástricos. El aspecto de un plato depende de una buena preparación, lo cual, a su vez, está determinado por la experiencia y paciencia del cocinero. El gusto, a pesar de ser el sentido que más se asocia con la comida, es el último que entra en acción.

Si a cualquiera de los sentidos le repugna un alimento, lo mejor es descartarlo.

RECOMENDACIONES

- *Reserve un tiempo para las comidas. Tenga en cuenta que uno sólo es lo que incorpora, y la nutrición es capital en este sentido.*

- *Procure que los alimentos, las encimeras, los utensilios y, en especial, las manos estén limpios.*

> • *Cree un entorno agradable para preparar e ingerir la comida. Las personas que cocinan pasan una parte considerable de sus vidas en la cocina. Debe invertirse una parte proporcional de energía en hacer de ella un lugar cómodo y acogedor.*

CONSUMO ELEVADO DE FIBRA

Más adelante se describen las distintas variedades de alimentos y tipos de nutrientes, pero lo más importante quizá sea destacar la necesidad de un consumo elevado de fibra.

Los alimentos ricos en fibra son difíciles de digerir debido a su contenido en celulosa. Dado que el intestino humano no es idóneo para descomponer la celulosa, esta sustancia, presente en la mayoría de las plantas, permanece en el intestino, donde ejerce una acción de limpieza y desintoxicación. La celulosa actúa como una esponja, absorbiendo muchas sustancias, en especial grasas y colesterol. Su función sería comparable a la de un desatascador de tuberías, ya que arrastra los residuos adheridos a las paredes del intestino. Esta acción tiene una importancia capital en el colon, donde se acumulan los productos de desecho y las toxinas.

La fibra aporta volumen a las heces, lo que contribuye a mantener el tono de la pared muscular del colon (intestino grueso). Esto estimula la eliminación rápida de los residuos y la oxigenación del colon, con lo que se reduce de forma considerable el riesgo de enfermedades.

Dado que la fibra se hincha en presencia de líquidos, resulta muy útil para suprimir el apetito sin causar efectos secundarios. Las pepitas de calabaza y girasol son muy adecuadas para las dietas de reducción de peso, porque aportan fibra que al hincharse en el estómago crea una sensación de saciedad. Los alimentos que contienen fibra son: verduras, fruta, cereales integrales, frutos secos y semillas.

LA DIETA IDEAL

Existen miles de libros que supuestamente ofrecen la dieta ideal. Con toda franqueza, la dieta ideal no existe porque cada persona es diferente y tiene su propio concepto de lo que es ideal. Las actitudes y los tipos corporales varían tanto que lo que es beneficioso para una persona puede ser contraproducente para otra. Intentar convencer a un esquimal de que lo mejor para él es seguir una dieta vegetariana rica en fibra (cuando podría pasarse toda la vida sin ver una verdura) es tan fútil como aconsejarla a los argentinos, grandes consumidores de carne.

Los esquimales son un ejemplo extremo de la capacidad de adaptación de los seres humanos. La mayoría de los pueblos deberían basar su alimentación en los instintos individuales y los alimentos que les procura su entorno. Nuestros instintos se ven sofocados por productos no naturales, «elaborados por el hombre», como los azúcares refinados. Las zanahorias son dulces, pero son pocas las personas que lo recuerdan. Prescinda durante cinco días de cualquier edulcorante refinado y volverá a apreciar esa cualidad de las zanahorias. Ponga un trozo de chocolate en la boca de un niño de meses y verá que lo escupe. Cuando tenga dos años, sin embargo, los azúcares contenidos en muchos alimentos procesados habrán modificado ya su instinto natural.

LAS PROPORCIONES IDEALES

Ahora debemos complementar las indicaciones previas con consejos de carácter más ortodoxo.

Básicamente, la dieta debe consistir en una combinación equilibrada de hidratos de carbono, proteínas y grasas. Los nutrientes se extraen de productos incluidos en los tres grupos, y es importante comprender a cuál de estas categorías pertenece cada alimento. Una dieta ideal debería respetar las siguientes proporciones:

- Verduras y frutas: 50% de la dieta.
- Cereales: 35% de la dieta.
- Proteínas: 15% de la dieta.

En otras palabras, la mitad de lo que comemos debería consistir en fruta y verdura y deberíamos consumir el doble de cereales que de proteínas. ¡Sabiendo esto no tendrá que leer más libros de nutrición! Lo que sigue son meros detalles que giran en torno a este pilar.

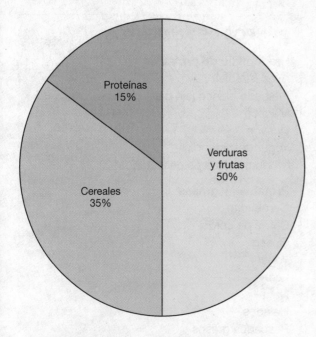

Proteínas 15%

Verduras y frutas 50%

Cereales 35%

Verduras y frutas

Lo mejor es ingerir una fruta diferente en cada comida. Las verduras pueden combinarse. Varíe las verduras según su color, consumiéndolas de color verde oscuro, verde claro, amarillo, blanco y rojo en una proporción de 5:4:3:2:1 en un período de siete días. (Las verduras blancas son las patatas. Los boniatos se encuentran entre los grupos amarillo y blanco.)

La fruta debe ingerirse cruda, aunque un pastel de manzana o unas ciruelas cocinadas de vez en cuando son placenteras además de nutritivas. La mitad de las verduras deben consumirse cocinadas, y la otra mitad, crudas. Las que se preparan ligeramente hervidas al vapor o salteadas se consideran una forma intermedia.

Cereales

Entre los cereales integrales se incluyen trigo, cebada, avena, centeno, maíz, arroz integral o silvestre y una gran cantidad de especies menos conocidas ricas en hidratos de carbono complejos como el mijo y el trigo sarraceno. Las patatas y otras verduras con almidón entran en parte en este grupo.

Proteínas

Muchas personas creen que la carne y el pescado son las mejores fuentes de proteínas. De hecho, son alimentos ricos en estas sustancias, pero debe te-

nerse en cuenta que las proteínas animales son más difíciles de descomponer, digerir y asimilar que las vegetales. Las legumbres, los derivados de la soja y los frutos secos contienen gran cantidad de proteínas. Los productos de origen animal, como el yogur y el queso, se encuentran entre ambos grupos en cuanto a la facilidad de asimilación.

Agua

La mayoría de los libros sobre dietas y nutrición mencionan con frecuencia el agua, pero casi ninguno destaca que sin una buena hidratación todos los demás consejos son inútiles. Dado que ningún proceso bioquímico funciona sin agua, sería fútil equilibrar la alimentación sin aportar y mantener una hidratación adecuada.

El consumo mínimo es de 1,5-2 litros de agua, al que hay que añadir una cantidad adicional para compensar una sudación excesiva, el consumo de cafeína o alcohol y la ingestión de cualquier producto con azúcares artificiales (*véase* **Agua**, más adelante).

Dieta equilibrada

El tipo de alimentos puede variar, pero deben respetarse las proporciones básicas de los grupos de nutrientes. Todo régimen dietético debería incluir 60-70% de hidratos de carbono complejos, 20-25% de proteínas y 10-15% de grasas.

En lo posible, todos los alimentos deben estar exentos de aditivos y conservantes y consumirse frescos. Cada grupo de alimentos contiene nutrientes específicos, y el organismo debe recibir con regularidad todos los minerales, vitaminas y oligoelementos. En la lista siguiente los alimentos se han distribuido según su contenido predominante. Es de notar que muchos de ellos combinan más de un grupo. Por ejemplo, el queso contiene a la vez grasa y proteínas, las lentejas son ricas en proteínas e hidratos de carbono, los aguacates contienen hidratos de carbono y grasas. Todos ellos aportan una diversidad de nutrientes y ninguno es especialmente bueno o malo si se consume con moderación y equilibrio.

La palabra «desequilibrio» reaparece una y otra vez en la práctica de la medicina holística y la medicina preventiva. Si la naturaleza nos hubiera proporcionado alimentos simples incluidos en categorías individuales no tendríamos seguramente tantos problemas, pero la naturaleza no funciona en blanco y negro: hay muchas zonas de gris. Son pocos los alimentos que contienen sólo proteínas o sólo hidratos de carbono.

Es importante saber qué se está comiendo. La lista adjunta posiblemente servirá para ello, así como para planificar una dieta personalizada. Tomándola como referencia, intente equilibrar todas las comidas respetando las proporciones de hidratos de carbono (60-70%), proteínas (20-25%) y grasas (10-15%) mencionadas. Si no puede hacerlo en alguna comida, intente corregirlo en las restantes. Por ejemplo, un desayuno con tostadas y miel y una comida de frutas al mediodía dejarían margen para una cena con más cantidad de proteínas, como pescado y verdura.

El mantenimiento de las proporciones tiene una importancia vital. Es un error creer que la mejor manera de bajar peso es eliminar las grasas. Ello produciría una deficiencia de muchas vitaminas y ácidos grasos imprescindibles y desencadenaría el ansia de comer los nutrientes deficitarios que, a la larga, sería irresistible.

De igual modo, la extendida idea de que la carne roja es «mala» puede acarrear deficiencias en aminoácidos si no se compensa la carencia con unas cantidades adecuadas de otros alimentos ricos en proteínas.

GRUPOS DE ALIMENTOS

Predominio de proteínas
Aves (sin piel)
Pescado blanco (sin piel)
Marisco
Huevos
Yogur desnatado
Productos lácteos desnatados

Proteínas y grasas
Carne roja
Carne de cerdo
Queso
Yogur
Leche
Nata
Helados
Pescados grasos
Pescado con piel

Proteínas e hidratos de carbono
Soja
Legumbres
Semillas

Predominio de hidratos de carbono
Todos los cereales refinados
Patatas
Fruta
La mayoría de las verduras
Azúcares, incluida la miel

Hidratos de carbono y grasas
Aguacate
Patatas fritas
Fritos tipo aperitivo
Pasteles
Galletas
Salsas

Predominio de grasas
Aceites
Mantequilla
Margarinas
Manteca
Tocino

Proteínas, hidratos de carbono y grasas
Frutos secos
Todos los cereales integrales

TÓXICOS Y ALIMENTOS CARENTES DE CHI

Los alimentos que inevitablemente contienen sustancias tóxicas o que carecen de fuerza vital o chi (*véase* **Obesidad y pérdida de peso**) son:

- Alimentos fritos.
- Alimentos con azúcares refinados, como el chocolate y los dulces.
- Mermeladas y conservas a las que se ha añadido azúcar blanco.
- Alimentos elaborados con harina refinada, incluido el pan blanco.
- Carne con hormonas o antibióticos y productos del cerdo en general (ya que los cerdos se alimentan sobre todo de los desperdicios provenientes de la comida del hombre).
- Sustancias con cafeína (café, té fuerte, chocolate y muchas bebidas carbonatadas), la mayoría de los zumos envasados –muchos contienen azúcar añadido, pese a lo que indiquen las etiquetas, porque los fabricantes están autorizados a sustituir la cantidad de azúcar que se calcula que puede perderse durante el proceso de elaboración– (*véase* **Zumos de fruta**).
- Todos los productos ahumados en cuya preparación se haya utilizado carbón tratado químicamente.
- Todos los productos alcohólicos.
- Todos los productos que lleven sal añadida.
- Alimentos con alto contenido en grasa, como pizzas, hamburguesas y patatas fritas.
- Huevos o aves producidos en granjas masificadas.
- Todos los alimentos enlatados y que contengan colorantes o aromas artificiales.

El consejo de evitar los alimentos citados no pretende fomentar un exceso de celo. Se trata sólo de evitar los alimentos que se ha comprobado que causan enfermedades. Actualmente, me sorprende la falta de conocimientos sobre nutrición que yo mismo tenía antes, pese a mi formación como médico y a que mi padre se interesaba por el tema. Lo mismo le ocurre a la mayoría de la gente que conozco.

La culpa no es nuestra, por supuesto. La responsabilidad recae en las deficiencias de la educación y en el bombardeo publicitario de la industria alimentaria.

No se promueve una alimentación sana ni se proporcionan facilidades. Los pocos comercios dedicados a la venta de carne y verduras biológicas deben vender sus productos a precios elevados para que sus negocios sean rentables.

El agua es un elemento extremadamente importante de la dieta. Más adelante trataré con más detalle el tema, pero es necesario destacar algunos consejos:

- Utilice agua purificada para beber y cocinar.
- Beba como mínimo 1,5-2 litros de agua distribuidos a lo largo del día.
- Tenga en cuenta que los líquidos que no son agua, como los zumos y las infusiones, *no son*, en efecto, agua. Se pueden tomar además del agua, pero no para sustituirla.

UTENSILIOS DE COCINA

La clase de utensilios de cocina y su adecuada limpieza tienen una importancia capital para proteger la nutrición. Los restos de comida en los utensilios fomentan la proliferación de bacterias, y también puede ser perjudicial la ingestión de productos químicos de los lavavajillas.

Se sabe desde hace tiempo que todos los detergentes son potencialmente cancerígenos, pero apenas se proporciona información sobre cómo deben aclararse los platos. Hay que hallar la justa proporción entre la cantidad de lavavajillas necesaria para eliminar los restos de comida y un meticuloso aclarado. La mayoría de los lavaplatos son adecuados, pero no es aconsejable añadir sustancias destinadas a dar brillo a los utensilios.

Evite las cazuelas que desprenden sustancias químicas en el agua o en las grasas al cocinar. El aluminio es el caso más destacable, y a menudo se cita como factor en dolencias neurológicas. No cocine en latas de conserva cuando salga de acampada. El acero inoxidable es un material seguro. Las superficies antiadherentes son seguras siempre que no se desprendan de la sartén. Cambie este tipo de utensilios con regularidad y de forma inmediata si observa cualquier desgaste o desprendimiento.

ALIMENTOS YIN Y YANG

En pocas palabras, el yin es el líquido del cuerpo, que actúa como reserva de combustible y como lubricante del organismo; el yang es el calor o fuego del organismo. El yin es el combustible y el yang la chispa que lo enciende.

La mayoría de los trastornos de salud se deben a un exceso o a una deficiencia del yin o del yang. Una revisión atinada de la evolución de la enfermedad puede aportar pistas sobre las necesidades alimentarias basadas en la complementariedad del yin y el yang.

Todos los alimentos contienen yin y yang, muchos de ellos en proporciones casi idénticas, por lo que no se adscriben ni a un grupo ni a otro. A continuación se indican los alimentos que pueden acelerar el proceso de recuperación.

Alimentos yin

Los productos yin tienden a ser dulces y refrescantes. Crean humedad, como los lácteos, que producen mucosidad, y en general son alimentos que contienen una amplia variedad de nutrientes. Entre los alimentos yin destacan:

- La mayoría de las frutas, sobre todo la manzana, la piña, los cítricos, la pera y la sandía.
- Huevos, ostras, conejo, pato y cerdo.
- Tofu, boniato, tomates, espárragos, judías y guisantes.
- Leche y queso.
- Miel.

Alimentos yang

Estos productos suelen aportar calor. Son adecuados para cocinar y poseen sabores fuertes y aromáticos. Los condimentos y las especias son por lo general yang.

En este grupo se encuentran:

- La mayoría de las hierbas aromáticas y especias, en particular el jengibre y el ajo.
- Cordero, langosta y gamba.
- Frutos secos, en especial castaña y nuez.
- Vísceras como el riñón.
- Clavo y nuez moscada (ambos tienen unos efectos yang muy potentes).

DIETAS ESPECÍFICAS

DIETA ANTI-CANDIDA (ANTILEVADURAS)

No soy un gran entusiasta de esta dieta. En general, la proliferación de levaduras en el intestino se debe a una disminución de la flora intestinal normal como consecuencia de una alimentación deficiente, el consumo incontrolado de antibióticos y la ingestión involuntaria de antibióticos a través de productos cárnicos.

Para combatir las levaduras *Candida* hay quien recomienda largos períodos de abstinencia (que van desde los tres meses hasta el año) de azúcares y alimentos que contengan levaduras, lo que lleva a eliminar sobre todo el pan, la cerveza, la fruta, la leche, el queso, el alcohol y también la cafeína, los helados, las lentejas, la calabaza, las patatas y los guisantes. Es ridículo.

Las personas que disponen de tiempo para preparar las verduras al vapor y siguen una dieta que evita la mayoría de los alimentos rápidos y de fácil acceso podrán seguir estas recomendaciones con relativa facilidad, pero éste no es el caso de la mayoría de la gente.

Es mejor reducir de manera sustancial los productos que más estimulan la proliferación de las levaduras, como los azúcares refinados, la cafeína y los alimentos con alto contenido en grasas, moderar el consumo de productos que contienen levadura como el pan normal y las setas y seguir una terapia anti-*Candida*.

Si se intenta eliminar estas levaduras con medicamentos fuertes cabe la posibilidad de que se desarrollen cepas resistentes, mientras que si se inhibe su multiplicación, morirán de viejas y no habrá otras que las sustituyan. En este caso es menor el riesgo de que se desarrollen resistencias, y el resultado final al cabo de tres meses (el tiempo de vida normal de una célula de levadura) es parecido al de una dieta estricta. En el apartado sobre **Candida** y **aftas** se trata con más detalle este tema.

Los alimentos que favorecen el desarrollo de levaduras, cuyo consumo hay que disminuir aunque no necesariamente eliminar, son:

Pan (a menos que no tenga levadura)	Frutos secos
Derivados de la leche de vaca	Uva
Setas	Vinagre
Tomates	Sal
Vino y cava	Cafeína
Manzanas	Azúcar blanco
Peras	Edulcorantes artificiales

DIETA BUDWIG

Se trata de una dieta específica contra el cáncer ideada por el doctor Budwig, que incluye varios nutrientes anticancerígenos.

La combinación básica consiste en una cucharada sopera de aceite de linaza virgen no procesado, prensado en frío, y media taza o una taza de queso fresco desnatado. Esta combinación de ácidos grasos y proteínas ricas en sulfuro se puede tomar por separado o mezclada. También pueden añadirse aromas naturales u otros ingredientes para hacerlo más apetecible. Tome esta mezcla tres veces al día.

Dieta recomendada

- Fruta fresca: tres o cuatro piezas de tamaño mediano al día.
- Verduras frescas: cuatro-seis tazas. Para el aderezo de ensaladas o verduras pueden añadirse varias cucharadas soperas de linaza y/o dos cucharadas soperas de aceite. No se olvide de incluir col, brécol y setas maitake.
- Pan y cereales integrales no procesados: tres o cuatro tazas o porciones.
- Pescado fresco: 125-225 g. Una excelente fuente de ácidos grasos omega-3 es la trucha arco iris (preferentemente la variedad de aguas frías).
- Carne fresca: sin hormonas, baja en grasa y proveniente de animales alimentados sin pesticidas ni antibióticos.
- Líquidos: agua embotellada o agua purificada por ósmosis inversa. Es recomendable tomar 2 litros al día, pero no se preocupe si no lo consigue. Ponga un vaso de su zumo preferido en una botella de 1 litro y llene el resto con agua. Es una pequeña trampa para que resulte más fácil de beber.

- Zumos de fruta fresca: los cítricos deben tomarse siempre varias horas después de ingerir la combinación de aceite de linaza y queso fresco.

El consumo de cualquier variedad de aceite procesado contrarrestará todos sus intentos de llevar una alimentación sana. Tanto estos aceites, al igual que los alimentos fritos en general, deben considerarse venenos. Elimine de su dieta el máximo posible de azúcar. Tenga en cuenta que la miel es básicamente azúcar y que los alimentos preparados no deben llevar conservantes artificiales ni aditivos químicos. Hay que prescindir por completo de los edulcorantes artificiales.

DIETA DE DESINTOXICACIÓN

Toda el agua debe ser embotellada o filtrada, preferentemente mediante ósmosis inversa (*véase* **Agua**). Si tiene hambre a lo largo del día, coma unas cuantas pepitas de calabaza o de girasol.

Prepare una infusión con su hierba predilecta e intente beber entre 500 ml y 1 litro al día, dejando siempre un margen de media hora antes y después de las comidas.

Día 1

Al levantarse antes del desayuno
500 ml de agua.

Desayuno
0,5-1 kg de uva lavada.

Entre el desayuno y el almuerzo
500 ml de agua.

Almuerzo
Cualquier verdura al vapor, pero una sola variedad.

Entre el almuerzo y la media tarde
500 ml de agua.

Media tarde
Un puñado de pepitas de calabaza y girasol mezcladas.

Entre la media tarde y la cena
500 ml de agua.

Cena

100 g de salvado o copos de avena con dos cucharaditas de zumo de limón y zumo de manzana o agua mezclados para restar sequedad. Es preferible tenerlos en remojo durante todo el día.

Día 2

Al levantarse antes del desayuno
500 ml de agua filtrada o embotellada (hay que tomar entre comidas la misma cantidad de agua que el día 1).

Desayuno

Dos mangos, papayas u otra fruta tropical.

Almuerzo

Cualquier verdura al vapor pero de una sola variedad.

Cena

0,5-1 kg de patatas (sólo se puede añadir pimienta, pero pueden cocinarse de cualquier manera, sin mantequilla).

Día 3

Tomar el agua igual que el primer día.

Desayuno

Uno o dos pomelos.

Almuerzo

Cualquier verdura al vapor, pero una sola variedad.

Cena

200 g de yogur con gérmenes vivos, con una pieza de fruta y dos cucharaditas de miel (se pueden añadir dos cucharadas soperas de copos de cereal sin endulzar).

DIETA GERSON

Esta dieta forma parte de un tratamiento que incluye enemas de café, suplementos de yodo y potasio y preparación de zumos de verdura y frutas. Basada en el consumo de grandes cantidades de frutas, verduras y cereales integrales de cultivo biológico, es baja en grasas y proteínas animales y muy rica en hidratos de carbono complejos. Excluye la sal y aumenta el consumo de alimentos con alto contenido en potasio. A veces se administran suplementos de tiroides y en un principio se prescribía jugo de hígado crudo, pero esta práctica ya no se utiliza debido al peligro de proliferación de bacterias.

Max Gerson, médico alemán que emigró a Estados Unidos, descubrió este tratamiento porque aplicaba técnicas sililca para luchar contra la tuberculosis. Es difícil cumplir las rigurosas normativas científicas cuando se utiliza una técnica dietética porque es posible que simultáneamente se estén aplicando otras terapias. No obstante, tanto el Instituto Nacional de Cáncer de Estados Unidos como un estudio publicado en la revista *Lancet* reconocieron que había que realizar una investigación más exhaustiva y que esta dieta podía representar «un avance» en el tratamiento contra el cáncer. En la actualidad se está llevando a cabo un estudio retrospectivo con más de 5.400 pacientes, que confiamos que aportará algunas respuestas.

La terapia Gerson ejerce sin lugar a dudas efectos beneficiosos en la confianza personal y el estado de ánimo, pues favorece el bienestar general, una curación más rápida después de las intervenciones quirúrgicas y una reducción del dolor.

RECOMENDACIÓN

- *Ésta es probablemente la dieta anticancerígena sobre la cual se ha investigado más, por lo que puede seguirse sin peligro y, probablemente, con resultados efectivos.*

DIETA HAY

En los años veinte, el doctor Hay planteó la hipótesis de que, dado que el género humano evolucionó en comunidades de cazadores o recolectores, era improbable que consumiera proteínas animales e hidratos de carbono a la vez. Sus conclusiones apuntaban a que el estómago y el aparato digestivo estaban adaptados para digerir un solo tipo de alimento por vez.

A partir de esa hipótesis surgieron diversos regímenes basados en la combinación (o no combinación) de alimentos.

En breves palabras, los alimentos proteínicos, incluidas las lentejas y la soja, deben consumirse por separado de los hidratos de carbono como el arroz, las patatas y el trigo. Las verduras pueden combinarse con uno de ambos grupos, pero la fruta debe comerse aparte de los otros alimentos, con una diferencia de una hora como mínimo.

El razonamientos subyacente es que las proteínas requieren más tiempo para ser digeridas que los restantes nutrientes y, por lo tanto, deben someterse a una acción más prolongada del medio ácido del estómago. Si las féculas permanecen durante un tiempo excesivo en el estómago, se produce una mayor desintegración de los hidratos de carbono en la glucosa, la cual se absorbe mucho más rápidamente una vez que llega al intestino delgado. Esto causa una mayor producción de insulina, que desencadena un estado hipoglucémico reflejo, el cual, a su vez, provoca –entre otras muchas alteraciones bioquímicas– cansancio. El aumento de glucosa disponible puede derivar asimismo en una proliferación de levaduras en el intestino, con los consiguientes problemas.

Debido a su elevado contenido en fructosa (un tipo de hidrato de carbono), la fruta fermenta en un entorno ácido, y los alcoholes producidos pueden tener una incidencia directa en el organismo y estimular también la proliferación de levaduras en el intestino. Por ello debe comerse por separado, para exponerla poco tiempo al medio ácido del estómago.

Aunque se han escrito muchos libros sobre este tema, los principios básicos son simples. Hay que intentar tomar cada día una comida basada en proteínas, otra rica en almidón y otra consistente sólo en fruta o verdura. Dado que la fruta y la verdura promueven la alcalinidad, esta dieta puede aplicarse como régimen de desintoxicación. Para aumentar sus beneficios, es útil comer exclusivamente fruta y verdura dos días a la semana.

DIETA MACROBIÓTICA

La dieta macrobiótica fue creada por un profesor japonés que utilizaba el seudónimo de Georges Oh-

sawa. Éste ideó una dieta, en la que integró las culturas oriental y occidental, consistente en diez etapas, desde -3 a +7. La dieta -3 se compone de un 10% de cereales, un 10% de sopas, un 30% de verduras, un 30% de productos animales, un 15% de ensaladas y fruta, un 5% de «postres» y muy poca bebida. A medida que se asciende en la dieta, ésta va variando, hasta que en el estadio +3 el individuo se alimenta de un 10% de sopas, un 30% de verduras y un 60% de cereales. En mi opinión es necesario consultar con un especialista en nutrición macrobiótica o leer y asimilar con paciencia un buen libro para apreciar de lleno el sentido holístico de esta dieta.

Se han realizado estudios sobre el efecto de la dieta macrobiótica en la presión arterial, los niveles de colesterol y el metabolismo de los estrógenos. Aunque la mayoría de ellos se han centrado en el tratamiento o la prevención de enfermedades crónicas, los buenos resultados de la dieta macrobiótica con respecto a la presión arterial y al colesterol apoyan su aplicación para tratar las alteraciones de estos parámetros.

RECOMENDACIONES

- *Es un dieta sana y segura, sin sombra de duda.*

- *Deberían prestar especial atención a este régimen las personas con hipertensión o colesterol elevado, las que tienen antecedentes familiares de accidentes cardiovasculares y los fumadores.*

DIETA ORNISH

Esta dieta fue ideada por Dean Ornish, un médico de San Francisco. Es estrictamente vegetariana y no admite carne ni proteínas animales, excepto la clara de huevo. Su objetivo es ingerir menos de 2.000 calorías al día, casi todas aportadas por hidratos de carbono, con menos de un 10% proveniente de grasas.

Esta dieta se recomienda para las personas que padecen enfermedades cardiovasculares, en especial angina de pecho, colesterol elevado y obstrucciones arteriales. Los estudios realizados sobre su empleo en estas dolencias han arrojado resultados satisfactorios cumpliendo rigurosos requisitos científicos.

DIETA PRITIKIN

Esta dieta, que debe su nombre a Nathan Pritikin, es vegetariana, rica en hidratos de carbono y fibra y baja en colesterol y grasa. Se prescribe junto con una actividad física que consiste en caminar 45 minutos al día.

Es posible encontrar libros sobre esta dieta, pero a las personas que desean utilizarla se les recomienda asistir a un programa de 26 días para adaptarse al nuevo tipo de vida.

Diversos estudios con una base científica adecuada demostraron que esta dieta es muy beneficiosa para los pacientes con problemas cardiovasculares y puede ser idónea para los diabéticos que no requieran la administración de insulina, siempre que la dieta se adopte en una fase temprana después del diagnóstico.

DIETA VEGAN

Los veganos son vegetarianos que eliminan de su alimentación todas las proteínas y otros productos de origen animal. Si el hombre debe comer carne o no es motivo de discusión desde hace mucho tiempo. Lo cierto es que poseemos enzimas capaces de digerir las proteínas animales y dientes incisivos que podrían usarse para matar presas. Puede argumentarse que estos dientes tienen sólo una finalidad defensiva y que las enzimas están presentes para digerir las proteínas vegetales, de modo que es difícil determinar cuáles son los designios de la naturaleza. El caso es que el hombre se ha convertido en un ser omnívoro, que subsiste consumiendo gran variedad de alimentos. Los antropólogos señalan que el ser humano posee una capacidad de adaptación extraordinaria; así, por ejemplo, el esquimal puede pasarse la vida sin ver una verdura y sobrevive a base de carne, mientras que muchas poblaciones son eminentemente vegetarianas.

Seguir una dieta vegan es un complicado arte, porque exige grandes conocimientos para obtener las cantidades necesarias de proteínas de los vegetales. Muchas vitaminas, como la B_{12}, se hallan sobre todo en productos animales, y con frecuencia las personas que siguen esta dieta presentan deficiencias en dicha vitamina. Al cabo de varios años, la mayoría de los veganos desarrollan deficiencias si no toman suplementos.

La dieta vegan es muy útil como tratamiento de depuración. Siempre que no se padezca una alergia al gluten o a otras proteínas presentes en los cereales, estas dietas son sanas si se siguen durante un breve período. En mi opinión, éste no debe superar las seis semanas sin incluir un paréntesis de diez días como mínimo de ingestión de productos animales.

Toda persona es libre de convertirse en un vegano bien informado, pero creo que esta dieta es más adecuada para los tipos raciales con una estructura ósea y muscular más menuda, como es el caso de los orientales.

RECOMENDACIONES

- *Evite como norma general seguir un régimen vegan durante un período prolongado.*

- *Asegúrese de ingerir suficiente proteína vegetal. Para ello tome a diario legumbres y tofu.*

- *Una constitución ósea y muscular menuda puede predisponer a una mayor tolerancia a una dieta baja en proteínas.*

- *Es imprescindible consultar con un especialista en nutrición o seguir estrictamente las recomendaciones de un libro especializado en la dieta vegan, que aportará más datos de los incluidos aquí.*

- *Cada seis meses controle el nivel de vitaminas y minerales mediante un análisis de sangre y de cabello.*

HIPOGLUCEMIA
Alimentos permitidos

- Verduras: todas.
- Fruta: todas, con las excepciones que se especifican más adelante.
- Zumos: cualquier zumo de frutas o verduras, sin añadir azúcar.
- Infusiones: infusiones de hierbas, café descafeinado y sucedáneos del café (cuando el tratamiento ya esté avanzado, pueden endulzarse las bebidas con miel si se desea. Debe tenerse presente que se puede tomar miel sólo en los casos leves o cuando se han superado las restrictivas condiciones iniciales del tratamiento).

- Postres: fruta, yogur o preparados endulzados con algarrobo.

Dieta para la hipoglucemia

Al levantarse
Una taza pequeña de yogur o medio pomelo.

Desayuno
Un huevo y media rebanada de pan (puede tostarse) con una infusión de hierbas.

Dos horas después del desayuno
Dos puñados de frutos secos crudos o bien de pepitas de calabaza y girasol mezcladas.

Almuerzo
- Ensalada (ración copiosa de lechuga y tomate, aderezadas con vinagre y aceite).
- Verdura (opcional).
- Rebanada de pan o tostada con mantequilla.
- Postre: véase la lista de alimentos permitidos.
- Infusión.

Dos horas después del almuerzo
Igual que después del desayuno o dos piezas de fruta.

Dos horas antes de la cena
Un tentempié de frutos secos crudos, queso, apio u otras verduras.

Cena
- Sopa (opcional) no espesada con harina.
- Verdura.
- Ración abundante de carne o pescado.
- Infusión.

Dos horas después de la cena
Postre: véase la lista de alimentos permitidos.

Cada dos horas hasta el momento de acostarse
Un pequeño puñado de frutos secos o fruta.

Alimentos y bebidas prohibidos
- Bebidas gaseosas y alcohólicas, como agua carbónica, ginger ale, whisky y licores. También deben evitarse el vino, el vermut y la cerveza (el alcohol que contienen es rico en hidratos de carbono).
- Azúcar, chocolate, caramelos y otros dulces, como pasteles, pastas, budines y helados.
- Cafeína: café normal, té fuerte e infusiones que contengan cafeína.
- Bebidas descafeinadas.
- Uvas, pasas, ciruelas, higos, dátiles y plátanos (todos tienen un alto contenido en azúcar).
- Mermeladas y jaleas (todas tienen un alto contenido en azúcar).

ALGUNOS ALIMENTOS Y NUTRIENTES ESPECÍFICOS

Son varios los grupos que, movidos por intereses económicos, promocionan informaciones tendenciosas. Considero necesario alertar sobre algunos de los consejos más peligrosos que están propagando «los poderes ocultos» que mueven los hilos de los medios de comunicación. Con este objetivo intentaré aclarar las preguntas más frecuentes y describir los alimentos que suelen generar conceptos erróneos.

ACIDOPHILUS
Acidophilus es el tipo de bacteria más conocida del yogur, aunque éste contiene otras muchas, como *Probifidus* y *Bifidus*. Estas bacterias forman parte de la flora intestinal humana, al igual que *Escherichia coli*. Existen especies de *E. coli* nocivas, que pueden provocar infecciones; en estos casos, hay que tomar *Acidophilus* (que equilibran la flora intestinal).

Existen cepas muy variadas en el mercado, algunas presentes en el yogur y otras se venden en polvo o en cápsulas. Yo recomiendo una marca francesa, *Lactibiane*, que se presenta deshidratada y se reconstituye al mezclarse con agua. Disminuye la acidez del estómago y permite que *Acidophilus* llegue al intestino. Otras presentaciones deben tener envolturas resistentes al ácido. Son pocos los microorganismos que resisten la acidez del estómago, lo cual es beneficioso y natural. Lo mismo ocurre con *Acidophilus*, aunque es ligeramente más resistente que los demás microorganismos. Una pequeña proporción de *Acidophilus* llega al intestino alcalino al ingerir yogur o *Acidophilus* en polvo en cantidad suficiente, pero es dudoso que surta un efecto importante en el colon, donde vive la gran mayoría de *E. coli*. Siempre que sea posible, hay que tomar esta sustancia con la comida o inmediatamente después, a fin de evitar la acidez.

ADITIVOS ALIMENTARIOS

En el transcurso de millones de años de evolución, el organismo ha desarrollado un sistema enzimático y bioquímico. El organismo humano es complejísimo, tal vez el más logrado que existe en el planeta, como resultado de sucesivos aprendizajes y del desarrollo de capacidades a lo largo de un período prolongado, que le han permitido superar con eficacia la mayoría de los retos planteados por la naturaleza. En la actualidad, el organismo humano debe adaptarse a una serie de sustancias químicas artificiales que varían a un ritmo alarmante. La capacidad evolutiva no puede seguir esa velocidad y, en un intento de defenderse, el organismo almacena esos aditivos, conservantes, insecticidas, pesticidas, detergentes domésticos y contaminantes ambientales, cuya capacidad de alterar el material genético y de provocar graves enfermedades como el cáncer está bien demostrada. Siempre que sea posible, evite ingerirlos.

AGUA

La importancia del agua se expone en el apartado sobre la deshidratación (*véase* **Deshidratación**).

La calidad del agua ingerida tiene una importancia extrema para la salud. Hoy en día raras veces es posible acceder a manantiales naturales, y en la mayoría de las sociedades occidentales el agua bebida se ha reciclado hasta siete veces. El agua debería llegar desde el cielo en estado puro para llenar los lagos y pantanos, pero la contaminación del aire también causa alteraciones en este sentido. Las explosiones atómicas crean nubes y partículas radiactivas que la lluvia debe atravesar. Los pesticidas, insecticidas y otros productos utilizados en la agricultura llenan el suelo y los ríos y se introducen en la cadena alimentaria. Las compañías de aguas (controladas por los gobiernos) de muchos países de Occidente tratan el agua con productos químicos que pasan al sistema nervioso del hombre. En los países en vías de desarrollo, el agua se halla contaminada por heces debido a la falta de instalaciones purificadoras; además, la superpoblación agudiza el problema.

No parecen buenas perspectivas. Debemos confiar en la fortaleza de nuestra constitución y en nuestro sistema inmunológico para hacer frente a las sustancias tóxicas que inevitablemente ingerimos. El agua embotellada, a pesar de sus detractores, es probablemente más segura que la del grifo. En algunas muestras se han encontrado células humanas, pero con seguridad éstas también se hallarían en muestras de agua del grifo. Uno de los principales argumentos en contra del agua embotellada es su contenido en minerales. Si bien el organismo necesita minerales, para absorberlos consume energía, por lo que seguramente es mejor no tomar agua con un sabor salado. En todas las botellas se especifica su composición: es conveniente evitar las que tienen un contenido en sodio superior a 5 mg/l.

Los sistemas de filtro utilizados en el grifo de la cocina eliminan gran parte de los contaminantes, y aún son más eficientes los filtros de ósmosis inversa que comienzan a comercializarse. Hoy en día son caros, pero merecen la pena. Cuanto más se vendan, mayor será su producción y, por lo tanto, su precio disminuirá.

El agua posee unas propiedades especiales que la física no acaba de explicar y es uno de los elementos y categorías más destacados de las medicinas orientales. Es probable que se descubra que los efectos «no científicos» y la eficacia de la homeopatía se basan en las propiedades exclusivas de los electrones contenidos en las moléculas del agua.

Bébala en abundancia y en estado puro.

ALCOHOL

El alcohol es placentero. No es nutritivo y resulta perjudicial si se consume en exceso. También es probable que tenga un efecto protector en determinados trastornos, como la formación de ateromas o la aterosclerosis, pero los riesgos superan a los beneficios. En cualquier caso, es muy probable que no sea el alcohol el que protege, sino los nutrientes que se toman junto con él.

Es difícil establecer un nivel seguro de consumo de alcohol, pero, en general, si no se advierten efectos psicológicos significa que el organismo está asimilando bien la cantidad ingerida. Por desgracia, este criterio no sirve si se bebe de forma constante para emborracharse y se necesita cada vez más alcohol. En este caso, el cuerpo está desarrollando tolerancia. Los no adictos pueden aplicar el siguiente método para determinar la cantidad de alcohol segura para ellos: después de unas tres semanas sin beber alcohol, tome una comida ligera y beba una pequeña cantidad de alcohol al cabo de diez minutos. Repita esta ingestión de alcohol a los diez minutos; cuando se sienta relajado o contento habrá llegado a su límite. Éste se halla habitualmente entre una o dos copas. Es improbable que esta cantidad de alcohol al día le cause daño alguno.

Si sobrepasa su nivel de tolerancia, tenga presente que el hígado tarda unos dos días en recuperarse de los estragos de una borrachera. Intente dejar ese margen de tiempo al hígado entre un exceso de alcohol y el siguiente y nunca beba hasta el punto de que se afecte seriamente la capacidad de coordinación. No obstante, con independencia de que la persona lo advierta o no, siempre que se supera el nivel de tolerancia individual, establecido en la forma descrita, la coordinación resulta afectada, por lo que no deben llevarse a cabo actividades manuales importantes, ¡y conducir es una actividad manual importante! El cuerpo no puede reaccionar ante una situación imprevista a una velocidad superior a la de la marcha. La conducción, aunque sea a 50 km por hora, representa un riesgo de muerte. No conduzca si ha bebido.

ALERGIAS E INTOLERANCIAS ALIMENTARIAS

Es importante diferenciar las alergias alimentarias de las intolerancias alimentarias. La *alergia* es una reacción sanguínea frente a un organismo extraño. Cuando una sustancia ajena al cuerpo alcanza el torrente sanguíneo, el organismo produce inmunoglobulinas para combatirla. Estas inmunoglobulinas, comúnmente conocidas como anticuerpos, identifican a las partículas invasoras, a fin de hacerlas más reconocibles para los glóbulos blancos que las ingieren. La *intolerancia* no está tan bien definida por la medicina ortodoxa, pero desde el punto de vista holístico se considera que es una reacción del cuerpo frente a una sustancia, que incluye síntomas diversos, como náuseas y vómitos, sarpullidos, diarrea, micción frecuente y otras manifestaciones ligadas a los procesos de eliminación. En mi opinión, la intolerancia es una confrontación energética. Todas las células del cuerpo vibran a una frecuencia determinada, y cualquier molécula externa cuyos electrones vibren de una forma que inhiba u obstaculice la vibración natural del cuerpo provocará una intolerancia.

Las alergias e intolerancias alimentarias son mucho más frecuentes de lo que plantean incluso los profesionales de medicinas holísticas. Los síntomas pueden ser leves o bien desencadenar graves trastornos, como diabetes y cáncer.

La medicina ortodoxa divide la alergia en cuatro tipos principales, el primero de los cuales es la anafilaxia y el cuarto la reacción alérgica de inicio retardado.

Véase también **Alergias**.

Desarrollo de alergias e intolerancias

En el torrente sanguíneo sólo deberían circular las sustancias producidas y extraídas por el cuerpo o las que se absorben a través de los pulmones y los intestinos (y, hasta cierto punto, la piel). Estos órganos filtran partículas superfluas y, en el caso del sistema digestivo, descomponen la comida en componentes más pequeños, como los aminoácidos y péptidos (pequeñas cadenas de aminoácidos), nutrientes básicos, pequeñas cadenas de hidratos de carbono y ácidos grasos. Cuando éstos llegan a la sangre, el sistema inmunitario no inicia ninguna reacción porque no son identificados como virus ni bacterias. Si se produce la omisión de alguno de estos mecanismos de descomposición o selección y se absorben moléculas de mayor tamaño, el organismo no puede diferenciarlas de los gérmenes invasores y, por consiguiente, pone en marcha una reacción alérgica. En el caso de la intolerancia, incluso pequeños péptidos son capaces de provocar una resonancia o vibración que es perjudicial para el cuerpo, pero que no llega a producir una reacción alérgica.

Toda acción o reacción que inhiba los mecanismos protectores y digestivos puede causar una alergia o intolerancia prolongada, que durará tal vez toda la vida. Con frecuencia, las infecciones intestinales o el uso de antibióticos que inhiben la flora natural del organismo y dañan las delicadas membranas intestinales pueden permitir la absorción de moléculas grandes a través de la pared intestinal, proceso que hoy se denomina «síndrome del intestino permeable» (*véase* **Síndrome del intestino permeable**). El intestino se inflama y pierde su capacidad selectiva, lo que posibilita la absorción de moléculas de mayor tamaño. Los contaminantes y productos inhalados como el humo del tabaco provocan una inflamación en los pulmones, lo que permite la entrada de moléculas grandes en el torrente sanguíneo; ciertos elementos que flotan en el aire, como el polen y el pelo de animales domésticos, tienen capacidad potencial para desencadenar respuestas alérgicas. Hoy en día, la piel está sometida al contacto de numerosos cosméticos y productos químicos, que generan reacciones de tipo inflamatorio como los eccemas, los cuales, a su vez, posibilitan que dichas sustancias lleguen a la sangre y provoquen reacciones alérgicas o de intolerancia.

Por lo tanto, es importante comprender que las alergias e intolerancias no se circunscriben a un agente específico sino que son el reflejo de nuestro estilo de vida, hábitos y contaminantes ambientales. Habría que saber cuáles son los alimentos que causan problemas. Para ello se requiere un proceso de investigación y pruebas, que incluyen diversas opciones (*véase* **Pruebas para alergias**).

La medicina holística a menudo considera sinónimos los términos alergia e intolerancia. Este error es un triste reflejo de la falta de formación científica de muchos profesionales de medicinas alternativas, de la cual ellos no son culpables. Los centros de enseñanza de medicina alternativa deberían prestar más atención también a los principios básicos de la psicología, pero ésta es otra cuestión.

La definición de intolerancia es muy simple: una hipersensibilidad o falta de capacidad para resistir a una sustancia. Generalmente se debe a una reacción química directa entre un producto alimenticio y sustancias o células del cuerpo, mediante la liberación de productos químicos por los tejidos donde se produce la intolerancia. Una alergia, en cambio, es un trastorno adquirido que se inicia como consecuencia de la exposición a una sustancia (denominada alergeno) que provoca una reacción en las células sanguíneas y la liberación de sustancias tipo histamina o inmunoglobulinas (anticuerpos).

Puede sufrirse una intolerancia sin ser alérgico y a la inversa. Un ejemplo sería la persona que tras beber café o comer trigo presenta una indigestión con acidez o una irritación cutánea. Si no se producen alteraciones en el torrente sanguíneo ni en los glóbulos blancos del tejido, se tratará de una intolerancia, pero no de una alergia. En el caso contrario, el sistema inmunológico puede producir anticuerpos contra una sustancia sin que se manifiesten síntomas.

La distinción entre intolerancia y alergia es sólo relevante cuando se realizan pruebas de alergia, porque muchas personas se sorprenden cuando sus resultados son negativos pese a sufrir reacciones claras y evidentes.

La kinesiología aplicada (pruebas musculares) y las técnicas de biorresonancia computarizada se utilizan para la detección de intolerancias. Los cabellos, que a menudo se analizan en medicina alternativa mediante la técnica del péndulo o la radiónica, sólo muestran los niveles de sustancias que han sido eliminadas y sugieren por lo tanto la existencia de una intolerancia. Los análisis de sangre son el único método para identificar las alergias.

ALIMENTOS ÁCIDOS-ALCALINOS

El cuerpo humano funciona con un pH (estado del grado de acidez o alcalinidad) de 7,35-7,45. Frente a cualquier alteración de este estrecho margen, el organismo responde inmediatamente, sobre todo por medio de los riñones y los pulmones, que corrigen el desequilibrio eliminando iones de hidrógeno y otras partículas a través de la orina o acelerando la respiración.

Los alimentos no se consideran alcalinos o ácidos por su propio pH sino por el efecto que producen en el cuerpo.

Alimentos «ácidos»	Alimentos «alcalinos»
Proteínas animales	La mayoría de las verduras
La mayoría de los cereales	La mayoría de las frutas
La mayoría de los frutos secos	Pescado salado
Semillas de plantas	Soja
Azúcar	Almendras y nueces del Brasil
Miel	Mijo y trigo sarraceno
Café	Productos lácteos
La mayoría de las bayas	Tomate

Es un error muy común creer que la leche actúa como antiácido. Si no está pasteurizada conserva su cualidad neutra, pero la leche habitualmente consumida es alcalina y provoca un aumento de la secreción ácida del estómago.

La producción de ácido depende de la cantidad de comida ingerida: cuanto más se llena el organismo, mayor es la acidez. Si no se mezclan los diversos tipos de alimentos, como aconsejan la dieta Hay y otras, el tránsito por el estómago suele ser más rápido, con lo se reduce la producción de ácido y se tiende hacia la alcalinidad.

ALIMENTOS MODIFICADOS GENÉTICAMENTE

A lo largo de la presente década la poderosa industria alimentaria y su correspondiente grupo de presión político han investigado, producido y promovido alimentos modificados genéticamente o transgénicos. Los científicos tienen métodos para alterar los genes en el núcleo de las células de los alimentos que consumimos. Con estos procedimientos consiguen alimentos que crecen más rápido o que son resistentes a los hongos o que repelen incluso a los insectos. Se ha elogiado como una medida destinada a eliminar la carencia de alimentos en el mundo, lo que constituye una farsa, pues la comida disponible es suficiente, pero no se distribuye como debiera porque ello no reporta grandes ganancias. En principio, parecería una buena técnica. El problema reside en que los científicos no pueden

garantizar que los procedimientos (químicos y radiación) aplicados para alterar los genes de los alimentos no desencadenen efectos en el cuerpo humano. Existe asimismo el temor de que los genes modificados puedan de alguna manera incorporarse a nuestras células y alterar su función. Un gen de tomate o soja manipulado por el hombre (superbiónico) podría transmitir a una célula hepática instrucciones para que elaborara las sustancias producidas por la célula vegetal.

RECOMENDACIÓN

• *Hasta que transcurran 10 o 15 años de estudios rigurosos con animales y personas voluntarias, evite los alimentos transgénicos.*

ANTIOXIDANTES Y RADICALES LIBRES

Los radicales libres son partículas con carga negativa que, según se ha comprobado, inciden en las tendencias genéticas de las células, desencadenando cambios potencialmente cancerígenos. Estos iones negativos dañan asimismo las paredes de las células de los vasos sanguíneos, propiciando la formación de coágulos, que a su vez atraen el calcio y el colesterol y forman placas obstructivas.

Los antioxidantes (que, por cierto, nada tienen que ver con la oxigenación de una molécula o célula) se mezclan con los radicales libres y neutralizan sus efectos. Los antioxidantes son las vitaminas A, C y E, el selenio, el extracto de pepita de uva, la coenzima Q10 y, en menor grado, el cinc. Muchos extractos de diversas plantas contienen todas o algunas de estas sustancias y, por lo tanto, poseen un poder antioxidante. Los especialistas en nutrición ofrecen sin cesar sustancias antioxidantes cada vez más potentes.

Los radicales libres se encuentran en los productos animales, los alimentos fritos y cualquier grasa expuesta al calor, el oxígeno y la luz. Los productos ahumados y asados a la barbacoa son especialmente abundantes en radicales libres. Cualquier cosa que produzca humo, incluidos el tabaco y los combustibles de los motores, origina radicales libres.

Cinco raciones de fruta y verdura fresca bastan para proteger a un adulto normal siempre que no ingiera un exceso de radicales libres. De lo contrario, se recomienda la ingestión diaria de suplementos desde la edad más temprana posible.

AYUNO

El ayuno se está convirtiendo en una práctica cada vez más popular. Existen diversas modalidades, que comprenden desde el ayuno total (no se ingiere absolutamente nada) hasta un variada gama de abstinencias, que permiten tomar sólo agua y zumos de fruta, por ejemplo, o frutas y verduras.

El ayuno reporta muchos beneficios. Pasar un tiempo sin beber permite a la boca limpiarse por medio de la saliva natural, que contiene muchos anticuerpos y sustancias depuradoras. Las células parietales del estómago (que segregan ácido clorhídrico), el páncreas, el hígado y la vesícula biliar disponen de un descanso en su labor de producción de jugos digestivos. La pared muscular intestinal no se contraerá con tanta frecuencia y el colon tendrá un tiempo para evacuar las heces acumuladas y adheridas a la pared del intestino grueso.

El hígado, la fábrica química del cuerpo, puede dedicar un tiempo a limpiar la sangre en lugar de digerir nuevos alimentos, y el riñón puede filtrar las toxinas que permanecen más tiempo en el organismo. Los depósitos de grasa, en los que se almacenan sustancias tóxicas para evitar su circulación, dejarán libres una parte de ellas, que pasarán al torrente sanguíneo y serán eliminadas con mayor eficacia por el hígado y los riñones.

Los islotes de Langerhans del páncreas, que producen insulina, también disfrutarán de un descanso. En conclusión, el cuerpo se beneficia de un período sin ingerir alimentos. No obstante, como todas las cosas buenas, también tiene su parte negativa. El ayuno total excluye todo alimento, pero debe incluir el consumo de 1,5-2 litros de agua por día. Los ayunos con restricciones en el consumo de agua deben seguirse únicamente bajo la supervisión de un médico naturópata experto y sólo son beneficiosos en ciertos tratamientos. No soy un gran entusiasta de los ayunos totales porque considero que los efectos de limpieza pueden conseguirse sin privar por completo de alimento al cuerpo. Son preferibles las dietas parciales, de las cuales a continuación recomiendo una a modo de orientación.

No existe una técnica de ayuno adecuada para todo el mundo. Las personas con tendencia a la hipoglucemia (descenso del nivel de azúcar en la sangre) no deberían hacer ayuno absoluto. Los individuos con deficiencias nutricionales pueden padecer síndromes de malabsorción o enfermedades crónicas debilitantes como el cáncer o el sida, por lo que un ayuno completo empeoraría su estado.

Las filosofías orientales analizan en cada individuo si existe un exceso o una deficiencia de aire, agua, tierra, madera o metal, lo que permite establecer si el ayuno puede tener efectos nocivos.

RECOMENDACIONES

- *Excepto que se siga el consejo de un profesional experto, todos los ayunos deben incluir una cantidad adecuada de agua.*

- *Los ayunos parciales concretos pueden probarse durante un período de 24 horas. Si la persona se siente mejor, un segundo día podría aportar mayores beneficios. No se someta a ayunos de más de 48 horas a menos que siga el consejo de un profesional experto.*

Dieta de ayuno parcial

Un breve período de dieta parcial puede mejorar el tono vital y aportar un vigor notable a los que sufren cansancio crónico. Es mejor iniciar la dieta un día en que no se tengan que realizar esfuerzos físicos.

Día 1

Beba zumos recién exprimidos o licuados de fruta o verduras cada cuatro horas. Sacie la sed con agua mineral o infusiones. Beba al menos 2 litros de líquido a lo largo del día. Puede tomar, entre otros, zumos de manzana, naranja, uva, piña, pomelo, mango, arándano, zanahoria, remolacha y apio.

Día 2

Siga la pauta del día 1 y añada tres plátanos y hasta un máximo de 500 g de uvas. Coma sólo la cantidad que le apetezca.

Día 3

Añada verduras crudas y poco cocidas y alguna fruta de la dieta de los días anteriores.

Día 4

Escoja lo que le apetezca de los día anteriores y añada cereales integrales, frutos secos y semillas.

Día 5

Siga la pauta del día 4 y añada pescado.

Día 6

Siga la pauta del día 5 y agregue aves o carne de caza.

Día 7

Vuelva a su dieta normal, que habrá consultado con un especialista en nutrición.

AZÚCAR

El azúcar es un hidrato de carbono (*véase* **Hidratos de carbono**). En su forma natural posee un sabor agradable y constituye una fuente excelente y rápida de energía. Ya sea en forma de glucosa o fructosa (azúcar de la fruta) o en diversas combinaciones, el azúcar se encuentra en la naturaleza asociado a otros nutrientes, unido a moléculas mayores. Esto implica que, junto con el azúcar, el cuerpo absorbe también otros nutrientes útiles. De esta forma, los azúcares no se absorben con una rapidez excesiva porque, para llegar a ellos, primero se deben descomponer los hidratos de carbono complejos.

Con el azúcar refinado no ocurre lo mismo, porque no constituye hidratos de carbono complejos y, por consiguiente, se absorbe fácilmente. Esto provoca como respuesta la producción de insulina, que almacena rápidamente el azúcar absorbido en forma de grasas, lo que provoca un descenso en picado de los niveles de azúcar. Por lo tanto, de esta forma se consiguen sólo breves períodos de aumento energético. El azúcar refinado es mucho más dulce que el natural, y las papilas gustativas se acostumbran deprisa, de modo que se pierde el placer por el azúcar natural, por ejemplo, de una zanahoria o una manzana. Rápidamente nos «enganchamos», en especial los niños, a la dulzura no nutriti-

va. El azúcar no es malo. De hecho es muy bueno, siempre que no sea refinado.

El mecanismo de producción de insulina conduce a estados de hipoglucemia, que se acompañan de un sinfín de síntomas: fatiga, depresión, irritabilidad, debilidad muscular, temblores, dolor de cabeza e incluso asma. Por otra parte, se propicia el desarrollo de diabetes y de arteriosclerosis y se eleva la presión arterial. Para su utilización, el azúcar requiere vitaminas y minerales, y su consumo en elevadas dosis, aunque mantiene el metabolismo en funcionamiento, a la larga provoca deficiencias. Además, el azúcar refinado engorda, lo cual tiene serias repercusiones sociales y de salud. Sólo he expuesto los peligros más evidentes de los azúcares refinados para el metabolismo y la salud, pero aún hay más (*véanse* **Hipoglucemia**, **Diabetes** y **Pérdida de peso**).

BACTERIAS DEL YOGUR
Véase **Acidophilus**.

BEBIDAS

El agua y sólo el agua es lo que el organismo utiliza como fluido. El cuerpo, que aprovecha muy bien el agua, la traslada a los compartimientos adecuados (células, tejidos o vasos sanguíneos) fácil y rápidamente. Cualquier elemento añadido al agua implica que debe separarse de ésta, lo cual requiere energía, proceso que a su vez utiliza agua; como consecuencia, se reduce la cantidad de agua disponible para el resto del cuerpo. Los zumos de fruta muy diluidos y las infusiones de hierbas no ocasionan tal vez tantas alteraciones, pero todo lo que sea dulce o contenga cafeína, alcohol o aromas artificiales es asimilado de la forma descrita, lo que redunda en un esfuerzo extra para el organismo.

Aunque más adelante se dedica un apartado específico a la leche (*véase* **Leche**), hay que decir que constituye un método totalmente erróneo para obtener hidratación (*véase* **Deshidratación**).

Todo esto no significa que no pueda disfrutarse de agradables sabores en forma de bebida. Es posible elegir entre un amplio número de infusiones de hierbas y zumos frescos de frutas y verduras con la seguridad de que tendrán un efecto depurador y nutritivo, pero no deben considerarse sustitutos del agua.

Las bebidas artificiales como las colas, los refrescos, las carbonatadas y las que contienen una alta proporción de azúcares artificiales no sólo no son buenas para el organismo, sino que pueden ser claramente perjudiciales. Deshidratan, provocan una sobrecarga en los procesos bioquímicos y los órganos y estimulan el sistema nervioso. Lo mismo cabe decir de la cafeína y del alcohol, pero multiplicado por diez.

Si se cometen estos «pecados», cada vaso ingerido debe compensarse con la misma cantidad, como mínimo, de agua, preferentemente 30 minutos antes o después.

CAFEÍNA

La cafeína es un estimulante del sistema nervioso, abundante en el café, el té, los refrescos, el chocolate y otros productos con cacao y un sinfín de medicamentos empleados a menudo para tratar desde resfriados hasta trastornos gástricos.

En un primer momento la estimulación del sistema nervioso provocada por la cafeína produce un aumento de la energía y la concentración y una sensación de euforia. La cafeína es una sustancia similar a la adrenalina. Su efecto consiste en una elevación de los niveles de azúcar en la sangre y, como consecuencia de ello, un aumento de la disponibilidad de energía a corto plazo.

El café descafeinado raras veces está exento de cafeína, y los productos químicos utilizados para eliminarla pueden ser estimulantes *per se* y tienen un potencial cancerígeno. Conviene también tener presente que la mayoría de los países productores de café tratan los cultivos con pesticidas e insecticidas, que luego pasan a nuestro organismo.

¿El café causa cáncer? El consumo de cafeína se ha relacionado con el cáncer de páncreas, próstata y vejiga urinaria. Se sabe, asimismo, que la cafeína puede estar asociada a abortos, diabetes e hipertensión.

Yo sospecho que puede originar un estado de alergia alimentaria causante de asma, eccemas y rinitis alérgica. De hecho, creo que la cafeína es la peor de las agresiones a la salud, por encima incluso del tabaco y el consumo de alimentos refinados.

Elimine la cafeína de su vida de manera radical. No aporta beneficio alguno. Si le resulta difícil interrumpir su consumo significa que padece adicción y, a la larga, toda adicción va en detrimento del bienestar personal.

CALCIO

El calcio está presente en todo el organismo, y es un elemento indispensable tanto para su estructura como para los procesos bioquímicos. Es el principal componente de los dientes y los huesos y el que hace posible la contracción de los músculos. Raras veces se producen deficiencias de calcio, porque éste se encuentra en todos los alimentos consumidos. Es una falacia afirmar que la leche es esencial para el aporte de calcio o que la ausencia de la leche en la dieta origina problemas por falta de calcio como la osteoporosis.

En realidad, la mayoría de la población mundial no toma productos lácteos, y presenta intolerancia a la leche. La incidencia de osteoporosis (pérdida de masa ósea) es mayor en los países donde se consume más leche (*véase* **Osteoporosis**).

El calcio está presente en abundancia y de forma fácilmente absorbible en las semillas de sésamo, algas marinas, almendras, carne, pescado, en especial el salmón, y en la mayoría de verduras de color verde intenso.

Estos alimentos deben consumirse con regularidad, sobre todo en el caso de los niños y las adolescentes. Éstas tendrán menos probabilidades de padecer de osteoporosis más adelante si reciben un aporte elevado de calcio cuando se está formando su estructura ósea.

COLESTEROL

Los estudios realizados a lo largo de los últimos 30 años han demostrado que el exceso de colesterol es peligroso. El colesterol circula en la sangre unido a lipoproteínas. Las tres que se conocen mejor son las lipoproteínas de alta densidad (HDL), las de baja densidad (LDL) y las de muy baja densidad (VLDL). Las LDL, las VLDL y otras proteínas ricas en grasas, denominadas apolipoproteínas, se adhieren a las zonas dañadas de las arterias para contribuir a su regeneración (y también transportan grasas a los tejidos). Por desgracia, este proceso de reparación cuenta con un mecanismo de control insuficiente, y la excesiva acumulación de lipoproteínas forma placas, que pueden acabar obstruyendo la arteria. Las HDL bloquean la acción de las LDL y transportan las grasas al hígado para su absorción. En otras palabras, las HDL contienen colesterol «bueno», y las LDL colesterol «malo». Los médicos miden el colesterol total, la proporción HDL/LDL y el índice de riesgo, que se explica a continuación.

Los niveles elevados de colesterol y triglicéridos se convirtieron en un tema de gran interés debido al descubrimiento de unos agentes reductores de los lípidos (grasas), que pronto se convirtieron en medicamentos patentados. No hay duda de que el colesterol elevado aumenta las posibilidades de sufrir ataques de corazón y apoplejías, pero lo que la medicina ortodoxa omite decir al paciente es que los riesgos que entrañan estos medicamentos pueden superar sus beneficios. Tienen muchos efectos secundarios importantes, incluida la propensión a sufrir depresiones graves, que incluso pueden conducir al suicidio. Algunos de los agentes reductores de los lípidos inhiben asimismo la producción de ciertos nutrientes imprescindibles para el corazón, como la coenzima Q10. El colesterol es necesario para el mantenimiento de las membranas celulares de casi todos los tejidos del cuerpo, para la producción de hormonas suprarrenales, que regulan el estrés y el equilibrio hídrico, para la formación de la sustancia que recubre los nervios y permite la conducción y para la elaboración de las hormonas sexuales. Es cierto que se ha elevado el nivel de colesterol a partir del cual se recomienda medicación, pero los peligros del colesterol deben analizarse teniendo en cuenta otros factores de riesgo cardiovascular, como el tabaquismo, el consumo de anticonceptivos, la falta de ejercicio y el tipo de alimentación.

El colesterol elevado por sí solo no entraña peligro; el factor más importante es la cantidad de HDL protectoras. El índice de riesgo se calcula dividiendo el nivel de colesterol total por la cantidad de HDL. Si el resultado es superior a 5 en los hombres y a 4,4 en las mujeres, los niveles de colesterol pueden tener consecuencias negativas para la salud. Por debajo de esos valores, su influencia es irrelevante. Por ejemplo, un nivel de colesterol total de 6 mmol/l con un nivel de HDL de 2 mmol/l da un ín-dice de riesgo de 3, a pesar de que el colesterol total supere los 5,2 mmol/l, que es el nivel superior de normalidad (*véase* **Ateroma**).

El colesterol sólo debe considerarse peligroso cuando confluyen otros factores, como deficiencias en ciertas vitaminas, minerales y aminoácidos, que se mencionan a continuación en las recomendaciones. El exceso de colesterol en la dieta puede ser un factor importante, pero gran parte del colesterol es producido por el hígado en respuesta a las demandas del organismo. Hay que reducir el consumo de los alimentos detallados a continuación, no sólo debido a su contenido en colesterol, sino también a que pueden formar radicales libres, cuyo efecto en el desarrollo de arteriosclerosis, ataques cardíacos y apoplejías es probablemente mayor.

Alimentos con un alto contenido en colesterol

- Carnes rojas.
- Despojos, en especial riñones e hígado.
- Queso.
- Productos lácteos (con excepción de los desnatados).
- Langostinos y gambas.
- Cerdo.

Los que hayan leído u oído acerca de los nefastos efectos del colesterol se sorprenderán tal vez porque no he incluido los huevos y el aguacate en esta lista. Aunque la yema contiene una cantidad considerable de colesterol, los huevos propician de hecho un aumento de las HDL. Cuando se produce la digestión en el medio ácido del estómago, el colesterol de la yema se combina con la lecitina de la clara del huevo, lo que dificulta la absorción de aquél. Los aguacates no contienen, en realidad, colesterol. Son muy ricos en grasas y no son recomendables para las personas con niveles elevados de triglicéridos o que pretendan perder peso, pero un aguacate pequeño no es tan malo como, por ejemplo, una tira de tocino.

En resumen, el colesterol y otros lípidos no son tan peligrosos como pregona la medicina ortodoxa. El problema real radica en las deficiencias y en otros factores perjudiciales para los vasos sanguíneos, que se intensifican con un nivel elevado de LDL.

- *Es aconsejable medir con regularidad los niveles de colesterol, pero los resultados deben analizarse junto con los factores de riesgo ya mencionados.*

- *Las dietas macrobiótica, Ornish y Pritikin pueden ser opciones interesantes.*

- *No fume y evite la cafeína, el estrés, los anticonceptivos orales, el azúcar refinado, los contaminantes y los aditivos.*

- *Si tiene antecedentes familiares de enfermedades cardíacas, aterosclerosis o apoplejías debería consultar a un profesional de medicina alternativa y prestar especial atención a los niveles de cobre, cromo y magnesio, pues su insuficiencia predispone a sufrir problemas.*

- *Procure llevar una alimentación rica en vitamina C, niacina (vitamina B_3), vitamina E y aceites esenciales omega-3 y omega-6. La ingestión de caballa, arenque, salmón o sardina 3 veces por semana asegura el aporte de cantidades adecuadas de estos aceites. Los vegetarianos quizá deberían tomar suplementos de aceites esenciales. En cuanto a las vitaminas, las necesidades quedan cubiertas con 3-5 raciones de fruta o verdura al día.*

- *Evite los alimentos con un alto contenido en colesterol (véase antes), que pueden elevar sus niveles sanguíneos.*

- *Tome cantidades adecuadas de agua cada día. Si una persona está deshidratada, el organismo creará más colesterol para proteger a las células y evitar que pierdan el agua (véase **Deshidratación**).*

- *Hay que evitar el aumento de la actividad del hígado ocasionado por la ingestión de tóxicos o por un exceso de estrés (el hígado debe trabajar más para procesar el exceso de adrenalina). Cuanto más rápido trabaja el hígado, más colesterol produce.*

- *Si tiene niveles elevados de colesterol y su reducción en la dieta ha sido ineficaz para bajarlos, tome los siguientes suplementos (cantidades indicadas por kg de peso) distribuidos en las tres comidas diarias: vitamina C, 70 mg; vitamina B_3 (niacina), 1,5 mg; vitamina E, 10 UI; cobre, 30 mg; magnesio, 7 mg; cromo, 3 mg; L-carnitina, 10 mg, y N-acetilcisteína, 17 mg. Si esto resulta complicado, puede consultar con un profesional de medicina alternativa. Una opción más simple es tomar cápsulas de ajo (15 mg/kg de peso por día, fraccionados con las tres comidas).*

- *Modifique su estilo de vida o practique la meditación para reducir el estrés. Con ello no sólo conseguirá disminuir los niveles de colesterol, sino también se beneficiará de un efecto protector frente a los daños que el colesterol puede causar en combinación con otros factores.*

EDULCORANTES ARTIFICIALES

Ya cuando se inventaron, allá por los años cincuenta, los edulcorantes artificiales denominados ciclamatos se descubrió que estaban relacionados con el cáncer. Los ciclamatos se sustituyeron por la sacarina, que también suscitó temores similares. El siguiente sustituto fue una sustancia denominada aspartamo, que se fabrica a partir del aminoácido fenilalanina, otro aminoácido y un alcohol. La fenilalanina es el precursor de la serotonina, uno de los sedantes naturales que produce el cuerpo. El aumento de producción de serotonina debido a la mayor disponibilidad de su precursor provoca la disminución de otros neurotransmisores relajantes, como la dopamina. Esto puede tener efectos leves en el sistema nervioso, perceptibles o no. El alcohol puede causar un efecto de resaca y se sabe que, en grandes cantidades, el aspartamo incluso puede provocar convulsiones. Es posible, asimismo, que el cuerpo considere extraña esta sustancia y desencadene una respuesta inmunitaria o una alergia alimentaria, que se manifiesta por erupciones cutáneas y picores. Cabe plantearse, pues, si ésta no podría ser la causa del aumento del asma en Occidente.

Los niveles de insulina están condicionados sobre todo por la cantidad de azúcar presente en el organismo. Es posible que el aspartamo, que molécula a molécula es mil veces más dulce que el azúcar, desencadene la producción de insulina como acto reflejo causado por el reconocimiento del sabor dulce por las papilas gustativas. Como norma general, no deben consumirse edulcorantes artificiales.

ESPECIAS Y COMIDAS PICANTES

Los alimentos muy condimentados se consumen sobre todo en climas calurosos, porque ayudan a aumentar la temperatura corporal y, por consiguiente, se percibe menos el calor exterior.

Los aficionados a las comidas picantes que residen en zonas más frías deberían consumirlas sólo con moderación y preferentemente acompañadas de alimentos refrescantes (crudos o poco cocidos al vapor) para compensar. De acuerdo con las filosofías orientales, los alimentos excesivamente condimentados provocan un exceso de calor en el organismo y problemas asociados con inflamaciones (*véase* **Alimentos yin y yang**).

FLORA INTESTINAL

Desde que nacemos, comenzamos a engullir bacterias, tanto las presentes en el ambiente como las transmitidas por los inevitables besos y el contacto con los padres, parientes y amigos. Al amamantar a su hijo, la madre también pasa bacterias a su cuerpo. Las que necesitan oxígeno no suelen sobrevivir en el intestino, pero las bacterias anaerobias (que no requieren oxígeno) alcanzan una concentración de 10^{14} por cm^2 de intestino. En el estómago y la parte superior del intestino delgado la cantidad de bacterias es mucho menor, pero aumenta progresivamente en los tramos inferiores del tubo digestivo.

Esta flora es esencial para la descomposición de los alimentos no digeribles, la absorción de los nutrientes de las células vegetales y la provisión, como producto de su propio metabolismo, de vitaminas y oligoelementos. Por ejemplo, nuestro organismo depende de la flora intestinal para la producción de vitamina K.

La mayoría de estas bacterias intestinales son *Lactobacillus bifidus*. El resto se compone de *Escherichia coli* y diferentes cepas de estreptococos, con un grupo variable más reducido conocido como enterobacterias. Estos microorganismos son de gran utilidad dentro del intestino, pero fuera de él pueden resultar peligrosos puesto que se multiplican con rapidez y generan gran cantidad de toxinas que en el intestino son inocuas pero en otras partes pueden ser perjudiciales. De las miles de cepas existentes, sólo unas cuantas tienen un potencial dañino acusado.

El mantenimiento de una flora intestinal sana es un requisito indispensable para la salud del organismo. Muchos trastornos, desde las alergias y las alteraciones asociadas a ellas (como eccemas, asma y rinitis alérgica) hasta la artritis, pasando por enfermedades crónicas como el cáncer, pueden estar relacionadas con un funcionamiento intestinal deficiente, causado por una disbacteriosis intestinal. Este término designa la proliferación de variedades dañinas de la flora intestinal.

En mi opinión, el síndrome del intestino irritable y el síndrome de intestino permeable están siempre relacionados con una disbacteriosis intestinal, y es probable que ocurra lo mismo con otras dolencias crónicas, como la colitis ulcerosa y la enfermedad de Crohn.

En los confines del intestino existe una miríada de levaduras, hongos y otros parásitos que se mantienen a raya gracias al fenómeno denominado inhibición competitiva. El alimento disponible es limitado y si la flora intestinal es abundante y sana, consume la mayor parte de él. Esto implica que hay menos nutrientes para los microorganismos «malos» que, por lo tanto, no pueden multiplicarse a gran velocidad. Si las bacterias intestinales se encuentran alteradas, su grado de competitividad disminuye y, por consiguiente, se favorece la proliferación de levaduras como *Candida*. Los antibióticos prescritos por los médicos o ingeridos de forma involuntaria en ciertos alimentos (sobre todo, carnes procesadas) y en aditivos y conservantes alimentarios presentes en la comida matan la flora intestinal, pero no afectan a las levaduras y los hongos.

Una dieta equilibrada y normal no debería amenazar la flora intestinal, pero cuando se sigue una dieta «típica» de Occidente es muy aconsejable tomar con regularidad suplementos con bacterias de yogur para promover la presencia de bacterias beneficiosas (*véanse* **Antibióticos y Acidophilus**).

GLUTEN Y GLIADINA (PROTEÍNAS DE LOS CEREALES)

Esta proteína se encuentra sobre todo en el trigo, pero también está presente en diferentes proporciones en otros cereales. Constituye la causa principal de reacciones alérgicas, de intolerancia e inflamatorias en las personas. A menudo estas reacciones se deben a la introducción del trigo en una fase demasiado temprana de la alimentación del niño, a la gran cantidad de cereales consumidos o a la disminución de la capacidad del intestino humano para descomponer estas moléculas de proteínas complejas.

La hipersensibilidad al gluten se manifiesta por un trastorno denominado enfermedad celíaca (*véase* **Enfermedad celíaca**) y es probable que otras proteínas causen problemas similares, aunque todavía no se les haya atribuido un cuadro patológico concreto.

GRASAS

Las grasas son buenas para el organismo y, de hecho, resultan esenciales para el bienestar. No es ésta la impresión que se recibe a través de los medios de comunicación, aunque cada vez se perfila mejor la diferencia entre grasas buenas y grasas malas.

La grasa sólo es un problema cuando está presente en una proporción superior al 15-20% de la dieta. Ahora bien, es importante que la grasa ingerida sea «buena», que contenga nutrientes que puedan ser absorbidos y que se asocie a las vitaminas denominadas liposolubles, que no se encuentran en los alimentos con una base de agua.

En primer lugar conviene comprender el significado de algunos términos muy utilizados.

- *Ácidos grasos esenciales.* Son los que no pueden sintetizarse y deben obtenerse a través de la dieta. Las grasas se componen de ácidos grasos, que son principalmente moléculas de carbono, hidrógeno y oxígeno unidas en diferentes tipos de combinaciones.
- *Triglicéridos.* Son tres ácidos grasos combinados con glicerina que varían en su longitud y en la proporción hidrógeno/carbono. La grasa ingerida corresponde casi en su totalidad a triglicéridos, presentes tanto en el reino vegetal como en el animal.
- *Fosfolípidos y glucolípidos.* Son triglicéridos que contienen fósforo y otras moléculas, constituyentes importantes de las membranas biológicas, el plasma sanguíneo y la mayoría de las paredes celulares. El tejido nervioso está compuesto de un tipo de fosfolípido denominado esfingomielina y no puede funcionar sin ella.
- *Colesterol y derivados.* El colesterol es un esteroide. ¿No se afirma por doquier que los esteroides son malos? Así es, cuando son fabricados de manera artificial (aunque algunas dolencias requieren ser tratadas con corticoides, que son un tipo de esteroides), pero la vida depende de ellos. A partir del colesterol se forman las hormonas suprarrenales y sexuales, la vitamina D y los ácidos biliares, todos los cuales son esenciales para la vida. El colesterol se trata con mayor detalle en otro apartado (*véase* **Colesterol**).
- *Vitaminas A, D, E y K.* Son todas vitaminas que no se disuelven en agua y sólo se encuentran en las grasas.
- *Grasas saturadas e insaturadas.* Una cadena de ácidos grasos está saturada cuando tiene todos sus átomos de carbono unidos mediante un solo enlace electromagnético. Si la cadena está unida por más de un enlace, está insaturada. Cuanto menor sea la cantidad de enlaces, más difícil es romper la cadena; por consiguiente, resulta más difícil utilizar como energía las grasas saturadas (porque es la rotura de los enlaces lo que libera energía), que el organismo tiende a almacenar. Cuanto más saturada sea la grasa, mayor es su tendencia a mantenerse unida. Una manera fácil de saber si una sustancia está muy saturada o no consiste en observar su solidez a temperatura ambiente. La grasa del buey, cerdo o cordero es dura, la mantequilla algo menos, y el aceite de oliva es fluido. Existen más grasas saturadas en las proteínas animales que en las vegetales.

Grasas, enlaces fuertes y débiles

Saturadas	$(CHO)_x\text{—}(CHO)_y$
Insaturadas	$\text{—}(CHO)_x\text{=}(CHO)_z$
Poliinsaturadas	$(CHO)_a\text{=}(CHO)_b\text{=}(CHO)_c\text{—}(CHO)_d\text{—}$

- Es importante tener en cuenta que muchas grasas son necesarias y beneficiosas para el organismo, en especial los aceites grasos omega-3 y omega-6, presentes en los pescados grasos, el ácido eicosapentaenoico (EPA) y la linaza. En esencia, las grasas saturadas son «malas», y las insaturadas no.

- Las cadenas de ácidos grasos que tienen muchos enlaces se denominan poliinsaturadas; al tener más enlaces son más débiles y, por lo tanto, más fáciles de romper y asimilar. Por lo general, estas grasas son más sanas y, como ya se ha mencionado, se reconocen por su tendencia a conservar la forma líquida a temperatura ambiente. Las grasas poliinsaturadas presentan además la ventaja de que no contienen colesterol y, aunque esto no siempre es necesariamente bueno (*véase* **Colesterol**), en general los alimentos exentos de colesterol son menos nocivos.

- *Grasas hidrogenadas*. Por desgracia, este término se presta a tergiversaciones. La grasa hidrogenada es la que posee iones de hidrógeno adicionales, que se han añadido, generalmente exponiéndola al calor y alterando su estructura natural. Después de someterla al calor, una grasa poliinsaturada saludable puede convertirse en dañina. Para nuestra desgracia, al procesar los aceites vegetales poliinsaturados, la industria alimentaria los expone a altas temperaturas, al oxígeno y a la luz (que también hidrogenan las grasas) y los vende pregonando sus grandes virtudes para la salud.

- *Ácidos grasos trans*. Últimamente, se oye hablar de productos que están exentos de ácidos grasos *trans*. Se trata de variantes de ácidos grasos esenciales, alterados mediante exposición al calor y al oxígeno. El cuerpo no puede utilizar los ácidos grasos *trans*, que interfieren en la elaboración de una de las sustancias protectoras del cuerpo, conocida como prostaglandina E_1.

A modo de resumen, no se deben comer grasas animales, incluida la mantequilla, por su condición de saturadas y su elevado contenido en colesterol, pero tampoco se deben consumir los aceites vegetales poliinsaturados tal como se presentan porque se han hidrogenado como consecuencia de la manipulación. Por desgracia, así están las cosas.

Hay que reducir al mínimo la cantidad de grasa de la dieta hasta que los «poderes fácticos» produzcan a gran escala una grasa poliinsaturada no manipulada. Por el momento ésta se reduce a los denominados aceites «prensados en frío», que se encuentran en tiendas de dietética y algunos supermercados.

Si debido a la dificultad de encontrar grasas y aceites poliinsaturados prensados en frío, no hidrogenados o que no sean *trans*, siente la tentación de renunciar, no lo haga (aunque Dios sabe que no es fácil decidir con qué acompañar la tostada del desayuno). Existen «productos buenos», y si al final del día se han consumido pequeñas cantidades de sustancias refinadas y peligrosas, cualquier organismo sano las tolerará y extraerá de ellas los ácidos grasos esenciales y vitaminas imprescindibles que contienen. Si se toman a diario suplementos purificados y se ingieren de vez en cuando pescados grasos (como salmón, caballa y sardina), se proveerá al organismo de las cantidades adecuadas. Recuerde que las grasas son necesarias para sobrevivir, y es mejor tomar grasas malas que ninguna.

Grasas sintéticas

En los últimos tiempos se han llevado a cabo investigaciones con el objetivo de producir grasas que conserven el sabor y el aroma característico de este grupo de alimentos, pero que no sean almacenadas en los depósitos de grasa del cuerpo. La industria alimentaria tiene como aliciente la fortuna que haría ganar un producto alimentario que permitiera disfrutar de natas, salsas y fritos sin preocuparse por el peso.

Hay que tener mucha cautela al respecto. Los estudios son muy recientes y todavía no se sabe cómo reaccionará el cuerpo ante una sustancia tan artificial. Al igual que con los alimentos producidos mediante ingeniería genética (*véase* **Alimentos modificados genéticamente**), deben transcurrir 20 años antes de tomar estas sustancias. Entonces, si no se han observado efectos adversos, quizá sea posible su consumo. No se fíe de los «estudios científicos», porque no es probable que se publiquen los que muestran resultados negativos. La industria alimentaria ha invertido millones de dólares en el asesoramiento y la producción de este producto y no renunciará por las buenas a sus beneficios.

HIDRATOS DE CARBONO

Los hidratos de carbono son sustancias orgánicas que contienen carbono, hidrógeno y oxígeno. Dado que no soy licenciado en química, expondré el tema de la manera más sencilla: las moléculas de azúcar como la glucosa se componen de cadenas de carbono que, cada cinco o seis átomos, constituyen un hidrato de carbono. A medida que estas cadenas son más largas, se forman sustancias como la celulosa, principal constituyente de las plantas, junto con proteínas y nutrientes. Si se modifica ligeramente la configuración molecular y se añade un par de sustancias más, se obtiene el almidón. Los hidratos de carbono se hallan presentes en las plantas y sus productos, como patatas, bayas, frutas y todo lo que es dulce. El 70% de la energía debería obtenerse de los hidratos de carbono, y el resto de las proteínas (20%) y las grasas (10%).

LECHE

Hay quienes piensan que la leche es un producto que sólo es adecuado para los terneros, mientras que otros creen que es un maravilloso alimento polivalente.

Se sabe que la caseína, la lactoalbúmina y la lactoglobulina (proteínas de la leche) son causa de alergias y que el intestino humano las descompone con dificultad. Si una proteína no está bien desintegrada puede absorberse entera, en cuyo caso el cuerpo la identificará como un virus o bacteria potencial y producirá anticuerpos. Si la proteína parcialmente descompuesta es similar a las proteínas del organismo, esta reacción del sistema inmunológico podría conducir a un ataque contra las propias células.

Son muchas las razas que no toleran bien la lactosa, el azúcar de la leche. El 90% de los filipinos, el 50% de los indios y alrededor del 8% de los habitantes de Estados Unidos y el Reino Unido carecen de la enzima necesaria para metabolizar la lactosa. Para estas personas, la lactosa es nula como fuente de energía y, además, propicia que los fluidos permanezcan en el intestino, ocasionando deshidratación.

La homogeneización, un método de «esterilización» de la leche para hacerla más segura, conduce a la producción de una sustancia llamada xantina-oxidasa, que destruye un elemento de la sangre denominado plasminógeno, que cumple un importante papel protector de las paredes arteriales. Su déficit favorece el desarrollo de ateromas.

La leche suele considerarse una fuente esencial de calcio y, en efecto, posee un elevado contenido en calcio. Varios estudios demuestran, no obstante, que el calcio de la leche no se absorbe fácilmente y no provoca el aumento de los niveles de calcio que cabría esperar (*véase* **Calcio**).

La leche se ha relacionado con numerosos síntomas y afecciones, entre los que se incluyen problemas asociados con la secreción de mucosidades, como infecciones respiratorias y problemas de oído, nariz y garganta, sinusitis, asma, colitis, acné y eccemas, artritis, pirosis y úlceras.

La leche está muy presente en nuestra dieta y a la mayoría nos gusta tomarla en el desayuno (a pesar de su tendencia a generar ácidos, sobre todo si se añade azúcar refinado en cantidad). Es difícil encontrar alternativas para el desayuno: la leche de cabra y de oveja tienen un sabor que no resulta muy atractivo; la leche de soja tiene una textura granulosa, y los zumos de frutas no acaban de satisfacernos a los que estamos acostumbrados a la leche de vaca. Vale la pena, con todo, preparar una «leche» con diversos frutos secos y semillas siguiendo estas instrucciones:

- Pruebe con almendras, anacardos, avellanas, sésamo y semillas de girasol o de calabaza.
- Mantenga los frutos y las semillas en remojo toda la noche en agua suficiente de modo que ésta los sobrepase por lo menos 1 cm.
- A la mañana siguiente, deshaga las semillas remojadas junto con agua en una batidora (tire el agua utilizada para el remojo, porque no tiene buen sabor). Si la solución es demasiado espesa, añada más agua.
- Si no acaba de agradarle el sabor, agregue una cucharada de miel o pasas a la mezcla.

Yo no considero que la leche sea un buen alimento. Si no provoca síntomas evidentes, es probable que no resulte nociva, pero las personas con dolencias cardiovasculares deben tomar leche biológica, no homogeneizada. Tampoco la recomiendo para los niños y prefiero, a pesar de los alarmismos recientes, las leches de fórmula.

NITRATOS

De todos los aditivos y conservantes alimentarios, los nitratos son unos de los más comunes. Se utilizan para conservar los alimentos y darles color, en especial las carnes. Se ha descubierto que estos productos desestabilizan la disponibilidad de oxígeno del cuerpo, lo que puede tener consecuencias fatales si se consume en grandes cantidades.

Aunque no es frecuente, la ingestión de nitratos puede ocasionar desmayos debido a un descenso de la presión arterial. Como de costumbre, la medicina ortodoxa ha establecido un nivel de seguridad de 200 ppm (partes por millón) en cualquier alimento, lo que significa que 190 ppm no acarrean peligro alguno, pero 201 ppm sí. Por supuesto, las cosas no son blancas o negras, y existe una franja de grises, a la que algunas personas son más sensibles que otras. Evite los alimentos que contengan nitratos.

SAL

La sal se compone de dos elementos: sodio y cloro. El más relevante es el sodio, una pequeña molécula que controla numerosos procesos bioquímicos y cuya función primordial es mantener la integridad de los líquidos de los tejidos y de la sangre.

La deshidratación del cuerpo, la presión arterial y la permeabilidad de casi todas las células del cuerpo dependen del sodio, que por fortuna se encuentra presente en prácticamente todo lo que comemos. Los problemas surgen a causa del *exceso* de sal. La sal es esencial y nunca debe considerarse tóxica a menos que se abuse de ella y se superen las cantidades necesarias.

La esencia vital del sodio ha fomentado, a través de nuestra evolución, que nos resulte muy placentero el sabor de la sal. Nuestra conexión cuerpomente sabe que la sal es imprescindible y por eso nos estimula a ingerirla haciendo agradable su sabor.

Por desgracia, la industria alimentaria también lo sabe. El resultado es una sobreabundancia de sal en todos los productos manufacturados de forma masiva para la venta. Si en las estanterías de un supermercado se encuentra un producto que no lleve sal añadida, se tratará sin duda de un producto natural o bien de un artículo que tiene poca aceptación.

RECOMENDACIONES

- *Procure no añadir sal a la comida. Limite su uso a la cocción. Puede llevarle 2 semanas, pero la dieta sin sal añadida resultará al final sabrosa para el paladar.*

- *Preste atención al contenido de sal de los alimentos manipulados y reduzca el consumo de los que ya son salados de por sí, como el pescado de mar.*

SOJA

Se ha escrito y hablado mucho sobre la soja, la legumbre que tradicionalmente se cultivaba en Oriente. En su forma natural, en salsa de soja, tofu o leche de soja, contiene inhibidores de las proteasas e isoflavinas y otras sustancias, que pueden tener una acción anticancerígena y preventiva de los ateromas.

La soja ha sido la planta con que más se ha experimentado en técnicas de modificación genética. Cerciórese de que todos los productos derivados de la soja que consuma provengan de cosechas naturales, biológicas, y no contengan sustancias transgénicas (*véase* **Alimentos modificados genéticamente**).

La soja y sus derivados contienen fitoestrógenos. Estas sustancias inhiben una enzima que convierte unas sustancias similares a los estrógenos, poco activas, en una variedad más potente, el estradiol. Además, los fitoestrógenos ocupan los receptores celulares para los estrógenos. Ambas acciones producen como resultado una disminución de los efectos de los estrógenos.

Desde hace tiempo los japoneses y los chinos consumen soja en grandes cantidades en su dieta normal y no se han observado en ellos los efectos nocivos atribuidos a los estrógenos. De hecho, la soja podría ser la causa de la baja incidencia del cáncer de mama entre las japonesas. Se ha sugerido que la unión de la soja a los receptores de los estrógenos previene los efectos de éstos sobre determinadas células cancerosas sensibles a los estrógenos. La paradoja reside en que la soja se emplea por su acción similar a los estrógenos en la menopausia y, a la vez, se utiliza como neutralizador de los estrógenos en el cáncer.

Hasta que se disponga de pruebas más convincentes acerca de si la soja actúa como un estrógeno débil o como un neutralizador de los estrógenos o como ambas cosas, tómala como alimento pero no la consuma en dosis excesivas a menos que presente el riesgo de padecer un cáncer sensible a los estrógenos.

Unos estudios llevados a cabo con animales en Nueva Zelanda en 1994 indicaron que tal vez no es conveniente que los bebés y niños tomen soja en grandes cantidades. Todavía no se han realizado estudios en seres humanos y por ello se trata sólo de suposiciones. Cabe destacar que los niveles de estrógenos a los que está sometido el feto en el útero son probablemente mucho más elevados que los que puedan originar la soja y sus derivados.

La soja es una valiosa fuente de proteínas, esencial en la dieta vegan. Siempre es aconsejable consultar a un especialista en nutrición antes de adoptar una dieta que pueda ocasionar algún desequilibrio.

VITAMINAS

Las vitaminas son un grupo de sustancias orgánicas que se hallan presentes en cantidades ínfimas en los alimentos naturales y son necesarias para el crecimiento normal y el mantenimiento de la vida. En líneas generales, el cuerpo humano es incapaz de sintetizar estas sustancias. La mayoría de las vitaminas se necesitan sólo en pequeñas cantidades y no poseen un valor calorífico, por lo que no aportan energía, pero son imprescindibles para la transformación de la nutrición en energía y la regulación de casi todos los procesos bioquímicos del cuerpo.

No es necesario tener amplios conocimientos sobre las vitaminas, pese a que la prensa popular y las publicaciones de medicina alternativa puedan crear la impresión contraria. Una dieta equilibrada que contenga cinco raciones de fruta o verduras poco cocidas, junto con hidratos de carbono no refinados, proteínas y una pequeña cantidad de grasas «buenas» impedirá la aparición de deficiencias. El cuerpo es muy eficiente para absorber lo que necesita de las fuentes más diversas y, si uno come guiándose por el instinto, ingerirá la mayoría de las vitaminas requeridas.

Por consiguiente, en este apartado no desarrollaremos más este vasto y fascinante tema. En las dolencias en las que están indicados los suplementos vitamínicos por sus efectos positivos, se especifican las dosis y recomendaciones. Éstas se basan en productos «naturales» que, por desgracia, tienden a separar los suplementos concretos de sus coenzimas y otras sustancias que contribuyen a su absorción. Por este motivo, aconsejo utilizar las vitaminas en el mismo estado en que se encuentran en los alimentos naturales.

Toxicidad de las vitaminas

A medida que aumenta el conocimiento sobre los efectos beneficiosos de los tratamientos con dosis elevadas de vitaminas se hace necesario que tanto los profesionales como el público en general tomen conciencia de su posible toxicidad.

En general, es difícil padecer una sobredosis con vitaminas, sobre todo si se utilizan las obtenidas de alimentos naturales. En la tabla adjunta se indican las cantidades máximas diarias y algunos signos y síntomas que deben tenerse en cuenta cuando se toman suplementos vitamínicos.

ZUMOS DE FRUTAS

Los zumos de frutas son sin duda uno de los productos más sanos. Las frutas son una fuente riquísima en vitaminas, preferida por la mayoría de los herbívoros frente a otros alimentos. Todas las frutas contienen diversas vitaminas, nutrientes, minerales e incluso proteínas, lo que las convierte en una parte vital de la cadena alimentaria; en forma de zumo son fáciles de digerir y aportan nutrientes que se absorben sin dificultad a través de la membrana intestinal.

Las afirmaciones anteriores son válidas para la fruta fresca o recién exprimida, pero siga leyendo.

Los zumos preparados, procesados y envasados que se encuentran en las tiendas son, desde un punto de vista nutricional, inservibles en el mejor de los casos, y perjudiciales en el peor. Incluso en los que se especifica «sin azúcar añadido» es posible que se hayan agregado hasta seis cucharaditas de glucosa refinada. No estoy seguro de cuáles son los mecanismos políticos exactos, pero la cuestión es más o menos la siguiente.

VITAMINAS. DOSIS Y TOXICIDAD

Vitamina	Dosis máxima diaria	Signos y síntomas de toxicidad
Vitamina A	Bebés 10.000 IU Adultos 50.000 IU	Pérdida de apetito, dolor de cabeza, visión borrosa, sangrados, piel seca y resquebrajada, caída del cabello, rigidez y dolor muscular
Vitaminas del complejo B	*Véase* cada vitamina específica	
Niacina (vitamina B_3)	100 mg	Sofocos, dolor de cabeza, calambres, náuseas, vómitos y escozor o picores cutáneos
Niacinamida	100 mg	Como la niacina
Ácido pantoténico (vitamina B_5)	No determinadas	Diarrea esporádica
Pirodoxina (vitamina B_6)	200 mg*	Entumecimiento, hormigueo y otros efectos sensoriales
Riboflavina (vitamina B_2)		No tiene efectos tóxicos
Tiamina (vitamina B_1)		No tiene efectos tóxicos
Vitamina B_{12}		No tiene efectos tóxicos
Betacaroteno	250 mg/día.	No se ha observado toxicidad
Biotina		No se han registrado efectos tóxicos
Vitamina C	10 g al día, excepto bajo supervisión	Náuseas, diarrea, flatulencias
Vitamina D	1.000 IU/kg de peso	Náuseas, vómitos, pérdida de apetito, diarrea, cefalea, diuresis excesiva, estreñimiento, palidez
Vitamina E	800 IU	Debilidad y fatiga extremas, puede empeorar la hipertensión
Ácido fólico	15 mg	Distensión abdominal, pérdida de apetito, náuseas y sueños vívidos
Vitamina K		No tiene efectos secundarios administrada por vía oral

* *Todavía existe controversia sobre esta dosis. Las normas oficiales indican que más de 10 mg pueden ser tóxicos.*

Los fabricantes de alimentos, que componen un grupo muy potente, aducen que durante el proceso de manipulación se pierde parte del azúcar que contiene la fruta. Por consiguiente, sostienen que al añadir azúcar (aunque no sea exactamente de la misma clase que el que han extraído antes) no hacen más que restituir el que ya tenía la fruta. Según esta lógica, no hay azúcar añadido. Los gobiernos lo creen y, como consecuencia, nosotros y nuestros hijos estamos sometidos a azúcares artificiales, refinados, añadidos a esos zumos de fruta «naturales».

Para cumplir las normas de higiene, la fruta de la que se extraen los zumos suele ponerse en contacto con algún conservante. Incluso la fruta se produce de forma masificada y a menudo se fomenta su crecimiento rápido (a expensas del sabor) con sustancias químicas artificiales. Por otra parte, al zumo se le añaden muchas sustancias químicas para eliminar el sabor desagradable de la piel y pepitas que se pulverizan durante el proceso de elaboración. Una de ellas es el formaldehído, que se utiliza por ejemplo para conservar cadáveres.

Durante la manipulación se desnaturalizan o alteran muchas vitaminas, en especial la vitamina C, que se altera en contacto con el aire. La industria pretende contrarrestarlo con la adición de vitamina C artificial en una fase posterior, pero ésta no se absorbe tan bien como la vitamina C original de la naranja porque desequilibra la proporción de bioflavonoides que se necesitan para una buena absorción.

En conclusión, una de las mejores formas de nutrición consiste en beber zumos de fruta recién exprimidos, los cuales tienen poco que ver con los zumos artificiales que nos venden haciéndonos creer que son saludables. En el mejor de los casos, al tomarlos, nuestro cuerpo eliminará el veneno químico y el exceso de azúcar ingeridos, y en el peor, no. El aumento espectacular de la diabetes que se registra en algunos países de Occidente, sobre todo en niños menores de cinco años, muy probablemente esté relacionado con el aumento de azúcar blanco ingerido a través de los zumos de fruta.

TÉCNICAS DIAGNÓSTICAS

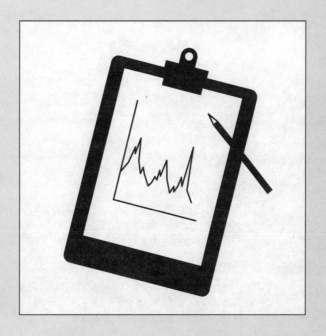

CAPÍTULO 8

TÉCNICAS DIAGNÓSTICAS

Si hay un elemento de la medicina moderna digno de elogio es el avance en la investigación y en las técnicas de diagnóstico. La capacidad actual del médico para diagnosticar un trastorno, tanto si se realiza por medios indirectos como mediante análisis de sangre o por observación directa con ecografías o endoscopias, no tiene ni punto de comparación con las opciones disponibles hace sólo 50 años. Hoy en día, los ordenadores hacen avanzar aún mucho más rápidamente nuestras posibilidades de diagnóstico.

Por desgracia, paralelamente a este ímpetu tecnológico parecen ir desapareciendo muchas habilidades de diagnóstico clínico y gran parte de la capacidad de trato con los enfermos. Es totalmente factible que un médico realice diagnósticos precisos sin tocar al paciente, y con la llegada de las consultas por televisión, el médico ni siquiera necesita estar en la misma ciudad.

Desde el punto de vista ortodoxo, esto no tiene por qué ser un problema, ya que el diagnóstico es por lo general superficial, poniéndose más interés en la causa inmediata de un síntoma y no en las posibles causas subyacentes y a largo plazo de una enfermedad. La visión holística debe ser que las técnicas modernas de diagnóstico necesitan completarse con el examen clínico, la experiencia, la intuición y el «sexto sentido». Este concepto abstracto está con toda probabilidad estrechamente vinculado con una capacidad curativa individual. No faltan pruebas de que la curación existe y de que incluso los cirujanos más intervencionistas pueden haber conseguido parte de su éxito gracias a una capacidad curativa innata, aunque no aceptada de forma consciente.

Un médico holístico examina a un paciente a través de cuatro grandes procedimientos:

- Observar.
- Escuchar.
- Tocar.
- Explorar.

No debe haber diferencia si se visita a un acupuntor o a un profesor de yoga. El profesional de medicina alternativa pondrá todo su interés en cada una de estas cuatro fases.

Algunos aspectos de la consulta para un diagnóstico pueden resultar incómodos tanto para el profesional de medicina alternativa como para el paciente. Los practicantes de medicina complementaria llevan mucho más lejos la práctica de la observación para el diagnóstico que los facultativos ortodoxos y no es extraño no encontrar en la consulta de un osteópata o de un quiropráctico un biombo tras el cual pueda desnudarse un paciente. Es posible que el médico complementario se siente y mire, lo que puede resultar embarazoso y desconcertante para el paciente. Un profesional de medicina alternativa sensible explicará las razones de esta actitud, pero como muchos no lo hacen, yo lo explicaré en los párrafos siguientes.

Se formularán preguntas, cuyas respuestas pueden desconocer el cónyuge o el mejor amigo y el concepto incluso de abordar estos temas puede resultar cuanto menos embarazoso o chocante. La justificación de algunas preguntas parecerá escapar a toda lógica, pero un profesional conocedor de la energía mente-cuerpo y de la medicina necesita conocer el estado de ánimo del paciente, incluso si éste sufre sólo una simple infección por hongos en una uña de un dedo del pie. En el transcurso de una consulta por depresión pueden formularse preguntas acerca de cuestiones ginecológicas. Por lo general existe una razón para estas interrelaciones aunque no sea evidente.

Una exploración debe ser completa. Cada parte del cuerpo está directa o indirectamente vinculada a las otras partes, y cualquier profesional de medicina alternativa que utilice el diagnóstico hara o del meridiano examina el abdomen, la espalda y los miembros, aunque el problema se relacione con la nariz. Generalmente no se requiere una exploración íntima si el trastorno no está asociado a esa zona. Es posible que los profesionales de medicina china tradicional, especialmente los pertenecientes a una escuela concreta, no mantengan ninguna conversación con el paciente. Las pequeñas figuras de marfil que a menudo se usan como adorno en Occidente se diseñaron en principio para que el paciente señalara la parte que le dolía o dónde sufría molestias. El profesional de medicina alternativa establece un diagnóstico completo y ofrece un tratamiento, basándose únicamente en el diagnóstico por la lengua y el pulso. Esto también puede realizarse en silencio, simplemente escribiendo en un papel que se entrega al paciente, el cual se lo lleva a un ayudante. El paciente occidental no acepta esta actitud y, con tanta cobertura de los medios de información sobre la medicina alternativa, pregunta y exige saber, con toda razón, el fundamento del tratamiento sugerido.

RECOMENDACIONES

- *No dude en preguntar al profesional de medicina alternativa por qué mira, pregunta o examina cualquier parte de su espacio mente-cuerpo. Ningún profesional pondrá objeciones, aunque algunos prefieran el silencio.*

- *Si no «conecta» con el profesional, háblele de sus reservas o cambie de profesional. Es mucho más probable que la curación se produzca en manos de alguien de su agrado y confianza.*

- *No se deje desanimar por la idea de las exploraciones a las que lo someterán. Esconder la cabeza bajo el ala (¡el síndrome del avestruz!) puede retrasar el diagnóstico de una dolencia subyacente y, por lo tanto, la elección de un programa de tratamiento adecuado.*

- *Deje en casa sus inhibiciones. Hable de su dolencia con franqueza y responda a cualquier pregunta, por muy irrelevante que le parezca.*

OBSERVAR

Todos los profesionales de medicina alternativa comenzarán la exploración tan pronto como el pa-

ciente entre en la consulta o lo reciban en la sala de espera. Observarán su forma de caminar o de sentarse para establecer cualquier irregularidad estructural evidente. Se fijarán en la calidad del cabello, la piel y los ojos e incluso en la elección del color de su ropa. Una tez pálida o cetrina, ojos amarillentos y el modo en que una persona entra en la consulta, por ejemplo cojeando, son ejemplos de cómo una observación inicial conducirá al profesional de medicina alternativa al diagnóstico. Un caso psicológico de depresión o ansiedad puede reflejarse en la elección del color negro para vestir; el tipo de ropa también puede ocultar la anorexia o la obesidad.

Lectura del aura

El aura es como una pelusa que rodea el cuerpo. Cualquiera puede aprender a leerla. No hay misterio ni magia en ello. Se trata de la habilidad de relacionar lo que se ve con una dolencia subyacente, por ello también puede enseñarse y aprenderse por medio de la experiencia.

La mayoría de las personas conocen de forma subconsciente la existencia de un aura y ello se manifiesta de varias maneras. Todos hemos entrado en una habitación y «conectado» al instante con alguien al coincidir nuestras auras. Las auras tienen el sentido de un color (y algunos lectores de auras pueden verlo), por lo que a algunas personas les sientan bien ciertos colores. Todos nos damos cuenta, en especial con las personas más cercanas a nosotros, cuándo le sucede algo malo a alguien. No es sólo por un semblante serio o un destello en los ojos, es un sentimiento o una sensación que no podemos explicar. Instinto sería la palabra adecuada. Si bien el aura se halla a unos centímetros del cuerpo, su capacidad de transmisión no tiene límites. Una atracción instantánea desde el otro lado de la habitación es probable que se deba a la unión o al encuentro de dos longitudes de ondas que simpatizan, y el término «telepatía» puede también formar parte del aura. Todos hemos experimentado la certeza absoluta de que el teléfono está a punto de sonar y ha resultado que nuestro mejor amigo nos llama en ese momento.

El aura aún tiene que medirse de una forma satisfactoria para el mundo científico ortodoxo. Al ser parte de la fuerza vital, es dudoso que podamos medir este campo de energía en un futuro próximo. La fotografía de Kirlian es el proceso de tomar fotografías de la energía que se irradia en picos a partir de la superficie del cuerpo. A diferencia de la tecnología médica ortodoxa altamente compleja, que puede medir el calor, la fotografía de Kirlian es sensible no sólo a la temperatura sino también a otros campos electromagnéticos. Esto es lo más cerca, en mi opinión, que podemos llegar de convertir la energía del aura en una fotografía en dos o tres dimensiones.

Los que leen el aura son capaces de ver colores y de utilizar esa capacidad para establecer el estado general de salud o comparar el aura con los puntos superficiales conocidos como meridianos o canales de energía que viajan a través del cuerpo.

En caso de depresión a menudo se observa un área «negra» sobre la cabeza, y ello se debe a que la energía (a veces denominada «luz blanca») no logra pasar a través del chakra y no llega a sobrepasar la cabeza. Si un aura se ve disminuida a lo largo de un meridiano, se observa una inclinación.

La lectura del aura es un instrumento útil si se considera junto con otras técnicas de diagnóstico, pero no es una forma aceptable de diagnóstico por sí sola.

Aprender a leer el aura

El primer paso es saber verla. Coja una caja de cartón y fórrela con un material negro. Colóquela sobre una mesa. Ponga una vela detrás de la caja y aísle la habitación de cualquier luz exterior en la medida de lo posible. El aprendizaje debe comenzarse de noche.

Coloque una mano dentro de la caja. La mano debe parecer cubierta por una pequeña capa de pelusa. Ésta tendrá sólo 1 o 2 cm de grosor y puede mezclarse entre los dedos. Si no ve nada, encienda otra vela y continúe iluminando la habitación desde atrás de la caja hasta que observe la pelusa. Intente fijar la atención en la capa de energía. Cuando sienta confianza en sí mismo, empiece a examinar otras partes del cuerpo utilizando el mismo principio de proteger la zona examinada de la luz directa de la vela.

A continuación, pida a un amigo o a un familiar que le deje examinar la mano y, tras un corto lapso

de tiempo, será usted capaz de fijar los ojos inmediatamente en un aura al encontrarse con alguien en una habitación en penumbra. A la larga, con la práctica, es posible observar auras bajo cualquier luz, aunque siempre será más fácil en una habitación en penumbra.

Usted puede ver o sentir un color en el aura y este color refleja por lo general la salud del individuo. Si goza de buena salud, ése es probablemente el color de su aura. Si no, el color cambia al mejorar (o empeorar). No hay ningún color que sea más sano o menos sano pero, como regla general, el resplandor refleja bienestar. Existe cierta relación con los colores verde y amarillo, que producen un efecto sedante sobre el cerebro (como se ha establecido mediante pruebas eléctricas cerebrales), pero no estoy en disposición de discutir si ello significa que un aura amarilla o verde es un aura saludable.

Para utilizar esta técnica diagnóstica, el profesional de medicina alternativa necesita relacionar el aura con los meridianos o canales de energía, así como poseer sólidos conocimientos de anatomía.

Los ojos

El color de la esclerótica (el blanco de los ojos) y la viveza general pueden proporcionar pistas tanto ortodoxas como instintivas. No se sienta desanimado o incómodo por un médico alternativo que parezca estar mirándolo fijamente a los ojos (*véase* en **Iridología** el comentario sobre el iris).

Los profesionales médicos examinan la parte posterior del ojo, conocida como fondo del ojo, por medio de un oftalmoscopio. Los vasos sanguíneos pueden verse con claridad en la parte posterior del ojo y proporcionan al observador información sobre la permeabilidad (apertura) de los vasos en general. La presión arterial elevada produce un aumento en el grosor de la pared arterial, que en la oftalmoscopia da una apariencia como de «vías del tren».

La lengua

«Enséñeme la lengua» es una frase popular entre los médicos de la televisión y se oye en ocasiones en boca de los profesionales ortodoxos. El color, la humedad y la cantidad de sarro pueden aportar información a los médicos de formación occidental,

Diagnóstico por la lengua

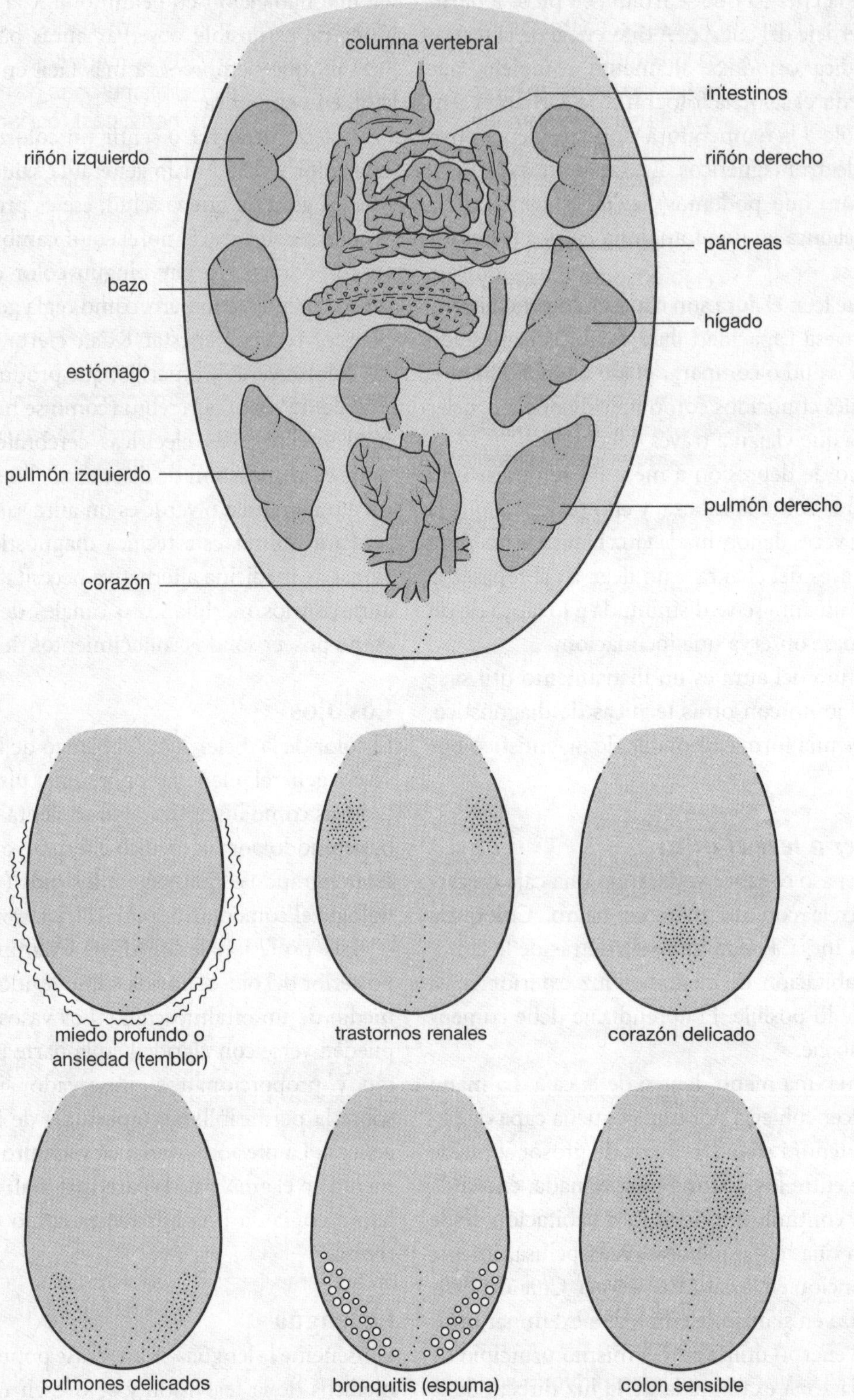

columna vertebral

intestinos

riñón izquierdo

riñón derecho

páncreas

bazo

hígado

estómago

pulmón izquierdo

pulmón derecho

corazón

miedo profundo o
ansiedad (temblor)

trastornos renales

corazón delicado

pulmones delicados

bronquitis (espuma)

colon sensible

Ejemplos de los hallazgos en la lengua que proporcionan pistas a un profesional de medicina alternativa.

Exploración clínica de la lengua

Color

Muy roja	Fiebre presente o inminente
Roja y seca	Inflamación del cerebro y/o de sus membranas, inflamación del estómago, intestinos u órganos internos del tórax
Roja, brillante	Exceso de calor
Pálida	Agotamiento general y anemia (pérdida de fluidos vitales)
Azulada	Deficiencia circulatoria, anemia, escorbuto, intoxicación por metales pesados (especialmente mercurio)
Amarilla	Vesícula biliar y afecciones hepáticas
Marrón oscuro	Hemorragia oral
Negra	Debilidad del hígado o bazo, disentería e infecciones víricas graves, abscesos

Humedad

Húmeda o muy húmeda	Agotamiento
Seca	Calor excesivo y trastornos psicológicos, en especial ansiedad, aunque también depresión

Temperatura

Caliente	Calor excesivo
Fría	Falta de calor, cáncer
Fría + fiebre	Muerte inminente

Saburra

Con frecuencia normal	Tras despertar, fumar, tomar té o café
En la punta	Tuberculosis
En un lado	Enfermedades unilaterales, hígado, bazo
Parcheada	Afecciones del estómago
Gruesa, blanca	Tracto respiratorio superior
Aspecto de cuero	Enteritis, hepatitis, amigdalitis

Forma y tamaño

Pequeña	Enfermedades caquécticas
Encogimiento súbito	Enfermedades inflamatorias pulmonares o hepáticas, formación de abscesos, agotamiento general
Reducción gradual	Enfermedades rebeldes, problemas craneales
Ancha	Carencia de calcio o vitamina D, afecciones linfáticas o abdominales
Estrecha, puntiaguda	Inflamaciones internas
Gruesa, hinchada	Carencia de calcio o vitamina D, afecciones pulmonares, gastritis, problemas catarrales, intoxicación por mercurio

Consistencia

Dura	Congestión, inflamación en la parte superior del tórax
Blanda	Afecciones con mucosidad catarral o crónicas, problemas gástricos, intoxicación por mercurio

Grietas y fisuras

(Normales por lo general aunque pueden indicar inflamación)

Secas y sangrantes	Enfermedad grave
Mitad inferior	Problemas de espalda o columna

Movimiento

Sin movimiento o temblor	Problemas del sistema nervioso central, fiebre alta, septicemia, enfermedad de la neurona motora
Incontrolado	Normal
En aumento	Lesiones del sistema nervioso central

quienes sólo la utilizarán para confirmar un diagnóstico considerado previamente.

Los profesionales de medicina alternativa ayurvédicos, chinos y tibetanos prestan gran atención a la lengua. En la tabla de la página anterior se dan algunos ejemplos del uso de la observación de la lengua para muchas dolencias diferentes.

Para la medicina ayurvédica la lengua es como un mapa real en el que se sitúan los órganos principales del cuerpo, y las manchas pueden representar la carencia o el exceso de energía en un órgano o sistema.

Otras áreas de exploración

Las filosofías orientales prestan atención a la mayoría de las partes del cuerpo en la observación de un paciente. Los profesionales de medicina alternativa ayurvédicos y tibetanos pueden obtener información a partir del rostro. Algunos ejemplos:

- Ojeras: riñón deficiente en chi.
- Hinchazón: riñón/bazo.
- Facciones irregulares: desequilibrio yin-yang a largo plazo.

Las manos explican muchas cosas. El color del lecho de las uñas, su ondulación o su falta de color, la sequedad o la humedad y la musculatura de las manos aportan muchas pistas. Los pies también proporcionan información.

La estructura de la espalda, el equilibrio de los hombros y la cadera constituyen pistas importantes para encontrar la posible causa subyacente de una enfermedad.

RECOMENDACIONES

- *Cuando visite a un profesional de medicina alternativa, no se ponga maquillaje ni esmalte de uñas y utilice la ropa que lleva normalmente. No trate de aparentar lo que supone que un médico esperaría; cuando entre en la consulta sea tal como es normalmente.*

- *Si bien no deben descuidarse ni la limpieza ni la higiene básicas, no hay que aplicarse ni desodorantes ni colonias o lociones para después del afeitado de aroma penetrante. El olor de*

cada persona puede ser indicativo de una enfermedad subyacente y el olor corporal forma parte de la observación.

ESCUCHAR

Los médicos ortodoxos han aprendido que el 90% de los diagnósticos se deducen a partir de la historia de la dolencia y de lo que dice el paciente. Las filosofías orientales, como ya he mencionado con respecto a experimentados médicos chinos que sólo toman el pulso, prestan a menudo poca atención a los síntomas relatados por el paciente y se concentran en los signos y las técnicas diagnósticas basadas en la observación y el tacto.

No creo que sea una sorpresa para el lector saber que para mí la respuesta está en la combinación de ambas tendencias. No existe la menor duda de que escuchar el relato conduce a la comprensión de la dolencia, en especial de sus orígenes, siempre que se formulen las preguntas adecuadas.

Es importante no dar por sentado que una enfermedad comienza cuando el paciente siente por primera vez los síntomas. El principio de un dolor de cabeza puede deberse a haber bebido la noche anterior. Los síntomas del cáncer o de la diabetes pueden manifestarse en el último estadio de la enfermedad.

Creo que también es importante que un paciente exprese sus preocupaciones, y la forma en que las expresa puede proporcionar pistas al profesional de medicina alternativa sobre cómo responder a ellas. Un relato entre lágrimas no debe recibir una respuesta brusca. Un paciente claramente realista que recita los síntomas de forma clara y concisa con toda probabilidad no querrá oír hablar de desequilibrios etéreos de su chi. La exposición de los síntomas también indica las necesidades del individuo.

Por lo tanto, desde el punto de vista del paciente es importante que presente el problema a su manera y no como cree que desea oírlo el médico complementario. Trate de no ser un paciente del tipo: «Ah, y otra cosa...». A un médico holístico le interesa el «conjunto» y es importante que se le expliquen todos los síntomas, por muy irrelevantes que éstos le parezcan al paciente. Un buen profesional de medicina alternativa debe obtener toda la información necesaria, pero a veces el paciente no confiesa síntomas importantes, y éstos pueden estar tan lejos de la razón de la consulta que el médico complementario no llega a preguntar por ellos. Por ejemplo, una paciente estuvo sentada conmigo durante más de 40 minutos mientras analizábamos las posibles causas subyacentes de su insomnio. Al despedirnos oí el comentario que nos aterra a todos los médicos: «Ah, otra cosa doctor..., hace tres semanas que pierdo sangre cuando voy al lavabo». No hay que decir que aquel día trabajé hasta las tantas.

Utilización de instrumental

El estetoscopio es el requisito que debe llevar sobre los hombros el arquetipo de médico. De hecho, la mayoría de los médicos le dirán que el uso del estetoscopio es limitado en un diagnóstico, con la excepción de los cardiólogos. Muy pocos protocolos de tratamiento cambian debido a los hallazgos de la exploración con el estetoscopio. Un médico es capaz de decir si un pulmón está muy congestionado o si un intestino está bloqueado escuchando directamente mediante la oreja. El estetoscopio facilita las cosas o confirma el diagnóstico. La maquinaria moderna puede permitirnos oír y controlar los latidos del corazón de un feto y puede ser ciertamente útil en obstetricia.

RECOMENDACIONES

- *Si usted cree que su profesional de medicina alternativa no escucha sus síntomas o dolencias, coménteselo. Si no recibe explicaciones satisfactorias, cambie de profesional.*

- *Haga una lista de los síntomas, ya que incluso el factor más pequeño puede ser de la mayor importancia al diagnosticar o prescribir, particularmente en el caso de la homeopatía.*

- *Proporcionar una copia de la lista al médico complementario al entrar en la consulta puede facilitarles a ambos las cosas.*

TOCAR

Es posible obtener mucha información a partir de una exploración física. La medicina ortodoxa utiliza el término «palpación» para designar el movimiento de presión que se realiza sobre el abdomen. El médico da golpecitos con la punta de los dedos sobre el tórax y el abdomen para saber la cantidad de aire que contienen. Este procedimiento se denomina percusión. Un pulmón congestionado produce un ruido sordo, mientras que el exceso de aire en el intestino suena como un tambor. Hacer flexionar las articulaciones y ejercer presión sobre zonas doloridas de la musculatura y el esqueleto del cuerpo proporciona mucha información a un médico acerca de posibles lesiones e inflamaciones. Todo esto es necesario y, aunque resulte ligeramente invasivo, debe permitirse sin tener en cuenta lo alejada que pueda estar la exploración de la zona de la molestia. La exploración de la parte inferior de la espalda y la parte superior de los muslos es esencial para un dolor en el pie, y es muy importante al establecer un diagnóstico firme. La nuca puede ser la razón de que aparezcan calambres en las pantorrillas. Este fenómeno se conoce como dolor referido.

Los médicos con formación oriental utilizan todos estos procedimientos occidentales, pero poseen algunas habilidades propias. Su observación a lo largo de miles de años ha sugerido que diferentes partes del cuerpo reflejan un flujo de energía que atraviesa el sistema como un conjunto. Los acupuntores clavan sus agujas en los puntos a través de estos meridianos o canales de energía y los practicantes de shiatsu y los reflexólogos aplican la presión para alterar el flujo de energía. Los practicantes de shiatsu estudian el hara y los reflexólogos los puntos reflejos en los pies y en las manos, mientras que en la kinesiología aplicada se examinan grupos de músculos para comprobar su fuerza o su debilidad, que varía según el compuesto con el que el cuerpo esté en contacto.

Diagnóstico del hara

Los japoneses han desarrollado sus artes curativas a partir del flujo de energía que atraviesa todo el sistema corporal. Sus profesionales de la medicina han constatado y enseñado durante miles de años la capacidad de diagnosticar por el exceso (jitsu) o la carencia (kyo) de varios sistemas u órganos del cuerpo. Cada órgano o sistema está representado por un lugar en el abdomen o la espalda (*véanse* los diagramas). Una ligera presión puede encontrar resistencia (jitsu) o permitir al médico aplicar presión con muy poca resistencia (kyo), lo que representa la energía contenida en el órgano. Los dolores abdominales específicos pueden estar relacionados o no con el área de energía, y también es posible que los tirones musculares en la espalda no tengan relación con ningún sistema ni órgano. Un profesional de medicina alternativa que los utilice junto con la técnica del pulso, el diagnóstico por la lengua o técnicas similares puede captar las sutiles diferencias que indicarán si se trata de una deficiencia aguda o de larga evolución. Por lo general, los pulsos cambian rápidamente, mientras que los cambios del hara son lentos. Esto podría explicar por qué un profesional de shiatsu puede reconocer una serie de fuerzas y debilidades, mientras que uno que practique la técnica del pulso reconocerá otras fuerzas y debilidades

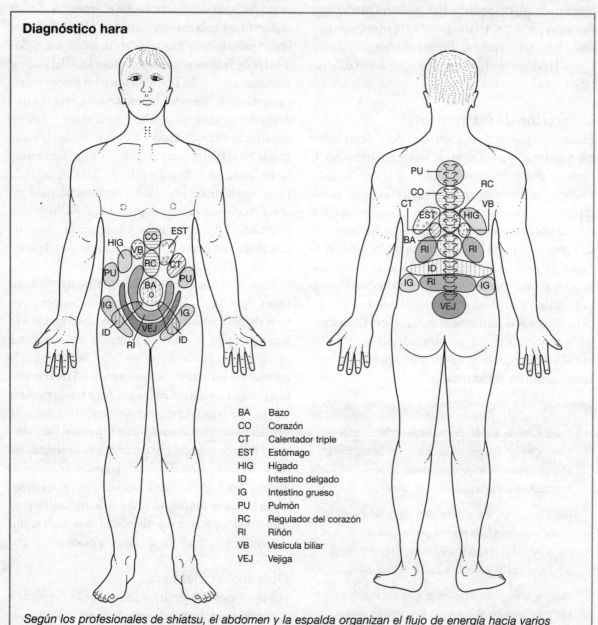

Diagnóstico hara

BA	Bazo
CO	Corazón
CT	Calentador triple
EST	Estómago
HIG	Hígado
ID	Intestino delgado
IG	Intestino grueso
PU	Pulmón
RC	Regulador del corazón
RI	Riñón
VB	Vesícula biliar
VEJ	Vejiga

Según los profesionales de shiatsu, el abdomen y la espalda organizan el flujo de energía hacia varios órganos.

antes de que pase una hora desde la primera exploración o incluso si se realizan al mismo tiempo.

También es importante indicar que la presión en un punto shiatsu o sobre un punto de pulso debilitado o excesivo puede constituir un tratamiento o terapia y, por lo tanto, alterar mucho el flujo de energía.

Tomar el pulso

La medicina ortodoxa considera el pulso en la muñeca como un punto accesible para comprobar diversas funciones cardíacas. Es posible medir la frecuencia cardíaca, el ritmo y, con la experiencia, formarse alguna idea sobre la presión arterial. Tocar la arteria puede aportar pistas en cuanto al desarrollo de la arteriosclerosis, pero el mundo ortodoxo no va más allá.

Las filosofías ayurvédica, tibetana y china creen que los diferentes sistemas y órganos reflejan su fuerza vital intrínseca en diferentes partes del cuerpo. La muñeca es un punto del pulso muy accesible y es la zona más documentada para que los profesionales complementarios aprendan a medir la energía del sistema. En principio, todas estas disciplinas comparten las mismas creencias fundamentales, aunque utilizan distintos nombres y maneras de describir las energías.

Las filosofías orientales creen que el cuerpo está hecho de humores, órganos, sistemas y elementos. El profesional de medicina alternativa examina la frecuencia del pulso, los lapsos entre latidos y su «calidad». La formación ortodoxa enseña lo que es un pulso «lleno» o un pulso con un latido doble, por ejemplo, y a relacionarlo con la función o la estructura del corazón. Un médico con formación oriental podría describir el pulso como lleno o vacío, con calor o humedad excesiva o débil.

El profesional de medicina alternativa, por medio de cualquier técnica que haya aprendido –y posiblemente correlacionando diferentes filosofías en una técnica de tomar el pulso–, puede realizar la exploración con el paciente sentado o de pie. Es importante que ninguna parte del cuerpo esté cruzada (piernas o tobillos) y que no se haya ingerido nada que pueda afectar a la frecuencia del pulso. Esto incluye la cafeína, el alcohol y los azúcares refinados, aunque también los alimentos excesivamente condimentados o los que pueden enfriar el cuerpo, como las bebidas frías o los helados.

Si bien el médico ortodoxo que toma el pulso sólo está interesado en la función del corazón o en la influencia de las sustancias químicas sobre la frecuencia cardíaca, el médico complementario oriental tiene todo eso en cuenta, pero también conside-

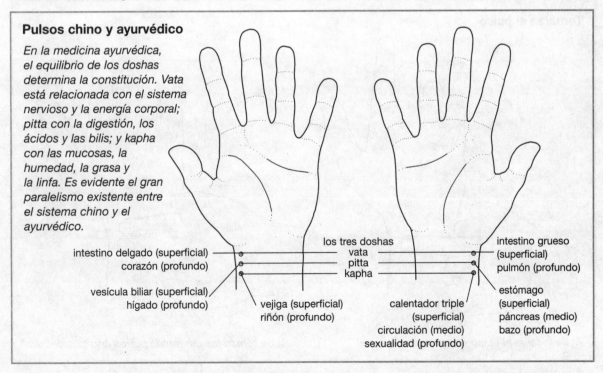

Pulsos chino y ayurvédico

En la medicina ayurvédica, el equilibrio de los doshas determina la constitución. Vata está relacionada con el sistema nervioso y la energía corporal; pitta con la digestión, los ácidos y las bilis; y kapha con las mucosas, la humedad, la grasa y la linfa. Es evidente el gran paralelismo existente entre el sistema chino y el ayurvédico.

intestino delgado (superficial)
corazón (profundo)

vesícula biliar (superficial)
hígado (profundo)

vejiga (superficial)
riñón (profundo)

los tres doshas
vata
pitta
kapha

calentador triple (superficial)
circulación (medio)
sexualidad (profundo)

intestino grueso (superficial)
pulmón (profundo)

estómago (superficial)
páncreas (medio)
bazo (profundo)

PULSOS DE LOS ÓRGANOS	ACTITUD POSITIVA	ACTITUD NEGATIVA
Pulmón	Tolerancia	Desdén, prejuicio, desprecio
Hígado	Felicidad	Infelicidad
Vesícula biliar	Amor	Rabia, furia
Bazo	Fe en el futuro	Desazón ante el futuro
Riñón	Seguridad sexual	Promiscuidad
Intestino grueso	Autoestima	Culpa
Circulación/función sexual/ cardioprotectora	Renuncia del pasado generosidad, relajación	Celos, arrepentimiento
Corazón	Amor, perdón	Cólera
Estómago	Contento	Disgusto
Calentador triple	Felicidad	Depresión, soledad, pesar
Bazo	Alegría	Pena, tristeza
Vejiga	Paz, armonía	Desasosiego, impaciencia

ra los efectos según una gama de diagnóstico mucho más amplia.

Las filosofías chinas creen que los pulsos no sólo reflejan el estado físico, sino también el emocional y el psicológico. Se puede escuchar a un profesional de medicina alternativa describir un bazo débil o un hígado lleno, lo que no corresponde necesariamente a la función ortodoxa normal de dicho órgano.

Otra filosofía oriental sugiere las siguientes correlaciones psicológicas y espirituales con los pulsos de los órganos.

Tomarse el pulso
En cada muñeca se encuentra una prominencia ósea de unos dos dedos de ancho a partir del pliegue de la muñeca en el lado del dedo pulgar (*véase*

Tomarse el pulso

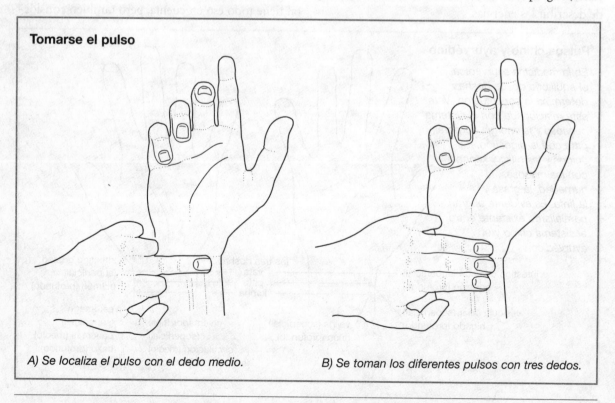

A) Se localiza el pulso con el dedo medio.

B) Se toman los diferentes pulsos con tres dedos.

el diagrama de la página anterior). A) Coloque el dedo medio de una mano sobre dicha protuberancia de la otra mano y presione ligeramente. Debe notar un pulso. B) Coloque los dedos índice y anular a ambos lados y presione para establecer el pulso en todos los dedos. Presione profundamente con cada dedo por separado y luego a la vez. Sentirá los pulsos superficiales y profundos.

Los médicos ayurvédicos afirman que el lado derecho del cuerpo es el lado masculino y emite energía, y el lado izquierdo es el femenino y recibe energía. Pueden detectarse desequilibrios en órganos y humores específicos al comparar cada punto con todos los demás, y una debilidad generalizada en una serie de pulsos en comparación con los de la otra muñeca puede representar carencia o exceso generales de energía masculina o femenina. La energía masculina representa la agresión, el logro, el empuje y la ambición, mientras que la energía femenina representa la educación de los hijos, el amor, el

hogar, la tolerancia y la aceptación. Todos tenemos un equilibrio y todos debemos esforzarnos por conseguir una igualdad de energía. Los pulsos cambian a lo largo del día, dependiendo de la cantidad de energía utilizada. Se dice que la energía renal es una reserva de energía y debe disminuir hacia el final del día. Cada punto representa un aspecto espiritual, psicológico y físico, y por lo tanto cuando se oye hablar a un profesional de medicina complementaria sobre la energía renal no se refiere necesariamente a posibles problemas renales. La energía pulmonar puede representar la tristeza y la pena, la energía gástrica la capacidad de asimilar un concepto y la energía de la vesícula biliar la de digerir los hechos.

El tema es a la vez fascinante y extenso y hace falta toda una vida para practicarlo con precisión.

Reflexoterapia

Una suave presión aplicada en los pies y las manos puede proporcionar información vital sobre las

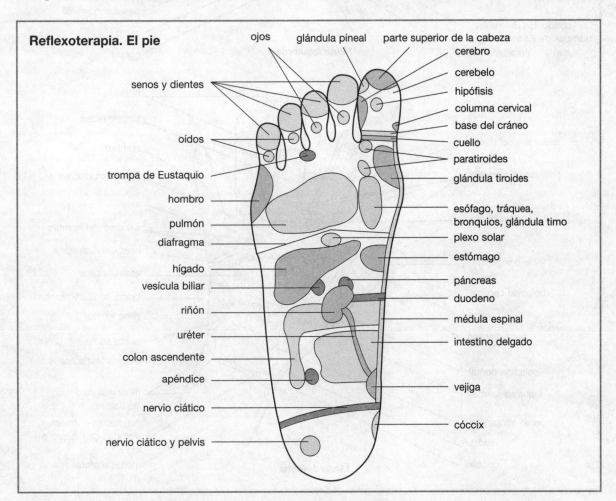

Reflexoterapia. El pie

ojos
glándula pineal
parte superior de la cabeza
cerebro
cerebelo
hipófisis
columna cervical
base del cráneo
cuello
paratiroides
glándula tiroides

senos y dientes

oídos

trompa de Eustaquio

hombro

pulmón

diafragma

hígado

vesícula biliar

riñón

uréter

colon ascendente

apéndice

nervio ciático

nervio ciático y pelvis

esófago, tráquea, bronquios, glándula timo

plexo solar

estómago

páncreas

duodeno

médula espinal

intestino delgado

vejiga

cóccix

Reflexoterapia. Las manos

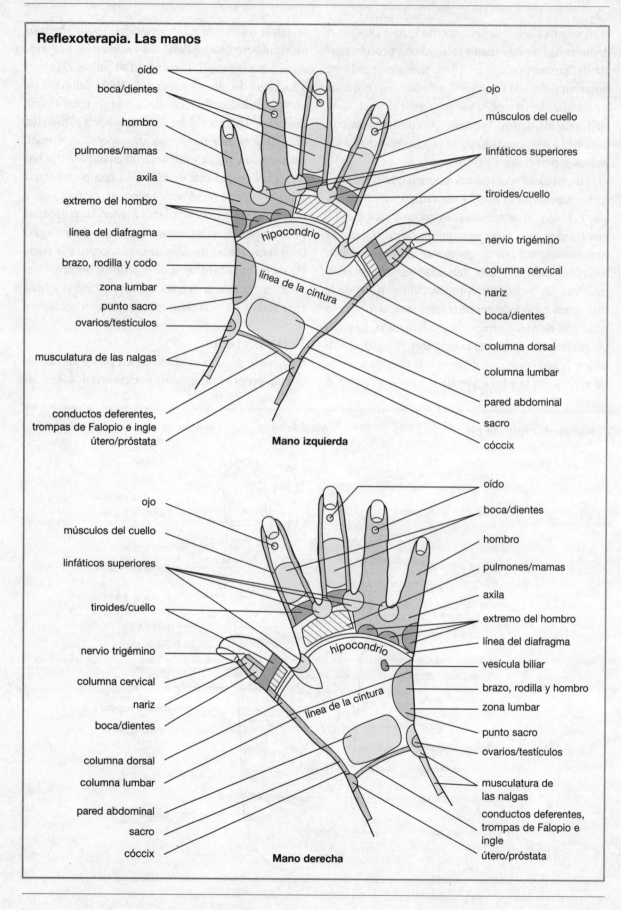

oído
boca/dientes
hombro
pulmones/mamas
axila
extremo del hombro
línea del diafragma
brazo, rodilla y codo
zona lumbar
punto sacro
ovarios/testículos
musculatura de las nalgas
conductos deferentes, trompas de Falopio e ingle útero/próstata

hipocondrio
línea de la cintura

Mano izquierda

ojo
músculos del cuello
linfáticos superiores
tiroides/cuello
nervio trigémino
columna cervical
nariz
boca/dientes
columna dorsal
columna lumbar
pared abdominal
sacro
cóccix

ojo
músculos del cuello
linfáticos superiores
tiroides/cuello
nervio trigémino
columna cervical
nariz
boca/dientes
columna dorsal
columna lumbar
pared abdominal
sacro
cóccix

hipocondrio
línea de la cintura

Mano derecha

oído
boca/dientes
hombro
pulmones/mamas
axila
extremo del hombro
línea del diafragma
vesícula biliar
brazo, rodilla y hombro
zona lumbar
punto sacro
ovarios/testículos
musculatura de las nalgas
conductos deferentes, trompas de Falopio e ingle
útero/próstata

zonas subyacentes de debilidad desde un punto de vista energético. El aprendizaje es académicamente bastante sencillo, pero lo que cuenta es adquirir experiencia. Pueden existir diferencias muy sutiles en la textura del tejido donde reside el punto de energía, y una protuberancia o dolor no refleja necesariamente debilidad en el sistema o el órgano. Los diagramas adjuntos muestran una representación básica. Un automasaje suave puede ser de utilidad en el autotratamiento.

RECOMENDACIONES

- *Venza toda timidez antes de entrar en la consulta de un profesional de medicina alternativa. La exploración médica incluirá la toma del pulso y la presión sobre los puntos de acupuntura por todo el cuerpo.*

- *Una exploración de medicina complementaria, aunque pueda ser informal, nunca debe ser invasiva. El profesional realiza las exploraciones internas o las exploración de los senos, el ano o los genitales estando presente un miembro del mismo sexo que el paciente durante toda la exploración.*

- *Si el profesional de medicina alternativa utiliza la técnica del pulso pregúntele por sus hallazgos y hable con él sobre su significado espiritual, psicológico y físico.*

EXPLORACIONES COMPLEMENTARIAS

¿Qué quiere decir ese joven médico de la serie de televisión *Urgencias* cuando grita precipitadamente: «Necesitamos analítica, electro, placas, BM-test, orina y un Drum»? Respuesta: está pidiendo que se tomen muestras de sangre y de orina para enviarlas al laboratorio, quiere varias radiografías y que preparen una vía intravenosa; intenta obtener la información que podría necesitar para salvar una vida.

La mayoría de las exploraciones están justificadas y son, sin discusión, un don de la medicina mo-

derna para la salud. El conocimiento sobre el equilibrio de ciertos minerales en la corriente sanguínea nos indica el estado de los riñones y del hígado; los niveles de azúcar señalan el estado del páncreas; el nivel de leucocitos nos dice cómo funciona el sistema inmunológico, y la lista continúa. Existen muchas pruebas complejas que sólo se realizan en caso de enfermedad, pero hay diversas exploraciones que pueden utilizarse como pruebas de detección sistemática y podrían incluso fomentarse para permitir a un profesional de la salud controlar el bienestar del paciente. Más adelante se enumeran pruebas básicas que pueden ser beneficiosas o mencionarse para proporcionar al profano una guía para la información que busca. El principal problema de las exploraciones es el concepto de una escala «normal» de resultados. La normalidad se mide estudiando a un elevado número de personas y trazando una curva de desviación estándar.

Esto significa que el 3% superior e inferior de cualquier grupo se considera automáticamente demasiado alto o demasiado bajo. Esto no siempre es así, y un resultado que sugiera una anomalía puede de hecho ser perfectamente normal para un individuo. Asimismo, un resultado dentro de la franja «normal» puede, en realidad, ser bastante anómalo. Por ejemplo, la medicina ortodoxa diría que un nivel de hemoglobina de 11,5 en una persona es

Curva de desviación estándar

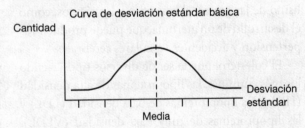

Curva de desviación estándar básica

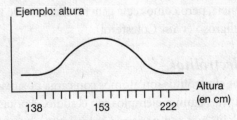

Ejemplo: altura

Mientras que la «normalidad» puede ser un reflejo razonable de una población general, también puede conducir a error cuando se aplica de forma individual.

«normal». Pero si esa persona debe tener un nivel de 15, entonces es considerablemente más bajo de lo que debiera, y sin embargo es posible que no se le dé tratamiento.

En cuestión de salud no todo es o blanco o negro. El mundo médico ortodoxo tiende a perder de vista las zonas grises y puede depender demasiado de los resultados. Las exploraciones complementarias no deben considerarse de forma aislada, sino que han de integrarse en el contexto clínico global, incluida la elaboración del historial y las exploraciones físicas.

Análisis de sangre

Los médicos han estudiado la sangre desde la invención del microscopio y posiblemente también con anterioridad. Los microscopios de alta resolución y los ordenadores han convertido la observación y la medida de los componentes de la corriente sanguínea en algo extremadamente fácil y rápido. Casi todo puede medirse, desde el número y el tipo de glóbulos rojos hasta la presencia de pesticidas y otras toxinas. La siguiente información puede proporcionar una idea de los análisis más corrientes.

Colesterol y triglicéridos

Los triglicéridos son moléculas pequeñas de grasa que se absorben en el aparato digestivo o se producen en el hígado. La medición de ambos componentes proporciona información sobre el metabolismo de las grasas, el consumo y los riesgos, como el desarrollo de un ateroma, que puede producir hipertensión y accidentes vasculares cerebrales.

El colesterol puede ser de diversos tipos, siendo los más comunes: las lipoproteínas de alta densidad (HDL), las lipoproteínas de baja densidad (LDL) y las lipoproteínas de muy baja densidad (VLDL). Todas estas formas son necesarias para la supervivencia, pero como regla general el exceso de LDL es peligroso (*véase* Colesterol).

Electrólitos

Los electrólitos son átomos con carga positiva o negativa. Algunos ejemplos son el sodio, el potasio y el calcio, que son positivos, y los iones cloruro y bicarbonato, que tienen carga negativa. El equilibrio de estos electrólitos controla la cantidad de fluido en el organismo y sus niveles se mantienen mediante el funcionamiento de los riñones y la cantidad de agua y nutrientes ingeridos. La medición de los electrólitos, cuyos valores se mantienen dentro de márgenes muy estrechos, permite al médico valorar el equilibrio del agua y la función renal.

La urea es un derivado del metabolismo de las proteínas y es el compuesto que da nombre a la orina. La medición de la urea permite al médico evaluar la función renal, ayudándose por lo general de una proteína específica denominada creatinina, que se mantiene en niveles normales sólo si el riñón funciona correctamente.

Hemograma completo

Esta prueba mide el número de glóbulos rojos, glóbulos blancos y plaquetas, y examina mediante microscopio la forma, el tamaño y el color de las células. Todo ello proporciona información sobre la presencia de anemia; la forma en que los glóbulos rojos incorporan el hierro, la vitamina B_{12} o el ácido fólico; y el número y tipo de leucocitos (el sistema inmunológico del cuerpo transportado por la sangre). El recuento diferencial señala los tipos de leucocitos e indica al médico si hay infección y si ésta es bacteriana, vírica o por hongos. Se encuentra un número excesivo de leucocitos en caso de infección o de una dolencia más grave, como la leucemia. En esta última, además de su abundancia las células tienen otra apariencia.

Pruebas de función hepática

Si las células hepáticas están dañadas su contenido se vierte en el flujo sanguíneo y puede medirse. El hígado produce una proteína denominada albúmina que indica más el estado de la función hepática que el grado de afectación del órgano. Enfermedades que afectan al hígado, como la hepatitis, el alcoholismo y el cáncer, alteran la función hepática al dañar las células. Cada parte de la célula contiene sustancias diferentes, cuya presencia en la corriente sanguínea permite conocer el grado de afectación hepática. Algunos elementos químicos están presentes en el citoplasma de la célula, mientras que otros viven en el núcleo o cerebro de la célula. Estos últimos no se liberan a no ser que se produzca un deterioro celular grave. Por lo tanto, la medición de

Resultados de un análisis de sangre

Hematología	Valores de muestra		Intervalos en varones
Hemoglobina	14,9	g/dl	13,0–17
Hematócrito	44,3	%	40–50
Recuento de hematíes	5,14	x 10^6/µl	4–6
VCM	86,3	fl	82–97
HCM	29,0	pg	23–32
CHCM	33,6	g/dl	32–35
RDW	15,3	%	12–16
Recuento de plaquetas	194	x 10^3/µl	150–350
Recuento de leucocitos	6,0	x 10^3/µl	4–10
Neutrófilos	52%	3,12 x 10^3/µl	2,0–7,5
Linfocitos	36%	2,16 x 10^3/µl	1,5–4,5
Monocitos	8%	0,48 x 10^3/µl	0,2–1,0
Eosinófilos	3%	0,18 x 10^3/µl	0,1–0,7
Basófilos	1%	0,06 x 10^3/µl	0,0–0,2
(Comentario: *Todas las poblaciones de las células parecen ser normales*)			
Velocidad de sedimentación globular	2	mm/h	1–20

Bioquímica			
Sodio	138	mmol/l	135–146
Potasio	4,0	mmol/l	3,5–5,1
Cloruro	109	mmol/l	98–111
Bicarbonato	25	mmol/l	18–31
Urea	32	mg/dl	20–40
Creatinina	0,7	mg/dl	0,6–1,1
Bilirrubina	0,5	mg/dl	0,2–1,2
Fosfatasa alcalina	137	UI/l	65–300
AST (GOT)	17	UI/l	10–38
ALT (GPT)	26	UI/l	7–33
LDH	190	UI/l	150–450
Creatinfosfocinasa	73	UI/l	33–186
GammaGT	23	UI/l	5–35
Proteínas totales	7,2	g/dl	6,5–8,7
Albúmina	4,1	g/dl	3,5–5
Globulinas	3,1	g/dl	1,8–4,2
Calcio	8,7	mg/dl	8,5–10,5
Fosfato	3,6	mg/dl	2,5–4,8
Ácido úrico	5,8	mg/dl	hasta 7,5
Glucosa en sangre al azar	93	mg/dl	75–115
Triglicéridos	70	mg/dl	44–150
Colesterol	200	mg/dl	140–220
Colesterol HDL	52	mg/dl	35–65
HDL (% del total)	26	%	20 y más
Colesterol LDL	146	mg/dl	80–185
Hierro	108	µg/dl	53–170

Endocrinología			
Tiroxina total (T_4)	1,2	mg/dl	0,8–2
Hormona estimulante del tiroides (TSH)	1,32	µUI/ml	0,25–5

las cantidades en la corriente sanguínea es tan importante como determinar su presencia.

Pruebas de función tiroidea

Las pruebas de la función tiroidea miden la tiroxina, que es la principal hormona producida por la glándula tiroides, y otra forma de la tiroxina denominada triyodotironina (T_3). La T_3 se produce en pequeñas cantidades, pero sus efectos son mucho más importantes. Los niveles de ambas hormonas indican el funcionamiento de la glándula tiroides.

También puede medirse la hormona que regula la secreción de hormonas tiroideas, denominada hormona estimulante del tiroides (TSH), que es segregada por la hipófisis (*véase* Tiroides).

Pruebas de toxicidad

Algunos laboratorios suficientemente complejos y con visión de futuro analizan muestras de sangre para detectar sustancias tóxicas. Es posible identificar la mayoría de las sustancias químicas, pero quizás haga falta presentar una solicitud especial. Estos laboratorios tienen grupos de expertos para detectar metales pesados, pesticidas, insecticidas y otros tóxicos del medio ambiente. Cualquier dolencia neurológica o problema crónico, como el síndrome de fatiga posvírica o incluso el cáncer, debe evaluarse desde el punto de vista de la toxicidad.

Velocidad de sedimentación globular

La velocidad de sedimentación globular (VSG) es una prueba inespecífica para diversas dolencias. La exploración se realiza vertiendo una muestra de sangre en un tubo y midiendo la velocidad con la que sedimentan los eritrocitos. Dicha sedimentación debe producirse a una velocidad de 1 cm/hora, aunque puede alterarse en diversas condiciones. El embarazo puede producir un «aumento» en la VSG (la velocidad puede aumentar desde 10 mm hasta 20 o 25 mm). Las enfermedades destructivas como la artritis y el cáncer pueden producir un aumento mayor, y ciertas enfermedades inflamatorias pueden incluso hacer que la VSG sobrepase de 100. La VSG aumenta porque disminuye la viscosidad del suero en el que sobreviven las células sanguíneas. Una corriente sanguínea sana reacciona de forma similar a cuando se coloca una moneda en un tarro lleno de miel, en comparación con otra moneda en un vaso lleno de agua.

Otras pruebas

La mayoría de los compuestos conocidos pueden hoy en día estudiarse (evaluarse) mediante análisis de sangre. Los niveles de glucosa, de hierro, de tóxicos, de fármacos y de sustancias químicas especiales producidos por tejidos inflamados concretos pueden identificarse y utilizarse en el proceso de evaluación tanto del funcionamiento de un órgano como de la toxicidad y de las carencias del cuerpo.

MUESTRAS Y ESPECÍMENES
Muestras de orina

La orina es producto de la filtración de la sangre, que, a su vez, recoge toxinas de todo el organismo. La medición de la toxicidad y de lo que contiene la orina proporciona una indicación clara del estado del cuerpo. En el pasado el simple examen con la vista, el microscopio, la medición de la densidad o incluso el sabor proporcionaban mucha información al médico. Hoy en día los ordenadores proporcionan a los médicos conocimientos sobre el mismo funcionamiento de las células del cuerpo.

Un análisis básico de orina mide la acidez, el contenido de agua, la presencia de azúcar o glucosa y de ciertas sustancias químicas producidas por el hígado. La medición de estos últimos compuestos (bilinógeno y urobilinógeno) es un sencillo método no invasivo para evaluar la salud del hígado. El análisis básico incluye también la detección de hematíes, leucocitos y proteínas, que no deben encontrarse en la orina ya que son indicativos de mala salud.

Las cetonas son productos de la descomposición del metabolismo de las grasas. Aparecen en la orina si existe algún indicio de inanición o de control deficiente del metabolismo de las grasas y de los azúcares.

Por lo general son preferibles las muestras de orina de primera hora de la mañana para la evaluación del metabolismo, pero ante cualquier indicio de infección es preferible tomar la muestra de la mitad de la micción. Así se reducen las posibilidades de contaminación de una muestra por bacterias presentes en la salida de la uretra y, en los varones, por restos de fluido seminal que puede ir a parar a la muestra con las contracciones finales de la vejiga. Las muestras se someten a cultivo, análisis microscópico y sensibilidad (CMS). Se observa la muestra a través del microscopio y luego se coloca una parte sobre un platillo de laboratorio que contiene un caldo de cultivo especial que permite el desarrollo de las bacterias. Si se produce crecimiento bacteriano se denomina cultivo, y a continuación se colocan en el platillo diversos antibióticos para observar cuáles matan las bacterias. Esta técnica permite a los médicos determinar a qué antibióticos es resistente una variedad o cepa de bacterias en concreto y elegir los que sean eficaces para matar a estos microorganismos; se dice que una bacteria es «sensible» a estos agentes.

ANÁLISIS DE ORINA
Análisis químico

pH	7,0
Proteínas	+ (0,30 g/l)
Glucosa	Negativo
Cetonas	Negativo
Sangre	+

Examen microscópico

Leucocitos	> 100/campo
Cilindros	No se detectan
Hematíes	100/campo
Células epiteliales	+
Cristales	No se detectan
Microorganismos	++
Cultivo	No se observa crecimiento bacteriano

Otras muestras

Puede recogerse una muestra de una excreción o secreción directamente en un recipiente para muestras o mediante un escobillón. Esas muestras se entregan a un laboratorio o a un técnico para que las prepare (las «fije»). Pueden aplicarse ciertas tinciones para colorear agentes bacterianos concretos o la presencia de otros compuestos y utilizarse diversas técnicas de evaluación.

Cualquier materia eliminada al toser o al escupir recibe el nombre genérico de muestra de esputo. También pueden tomarse muestras de piel mediante un ligero raspado, denominado raspado epitelial. Asimismo, es posible obtener muestras de otras zonas por medio de una pipeta clínica, y como describe un manual muy usado por los médicos novatos, «no hay una cavidad corporal de la que no pueda extraerse una muestra mediante una aguja larga y una actitud decidida».

Biopsia

La biopsia es una muestra de un tejido para su examen bajo microscopio o mediante otros análisis. En teoría pueden tomarse biopsias de cualquier parte del cuerpo, pero en cada caso debe determinarse la proporción entre los riesgos y los beneficios. Las biopsias de tejidos epiteliales o la aspiración por punción de un quiste pueden realizarse en la consulta del médico, pero las biopsias de otros tejidos han de tomarse bajo anestesia.

La anestesia local se utiliza para biopsias de órganos más accesibles, que se realizan mediante una aguja larga para biopsias, procedimiento que requiere cierta experiencia. La anestesia general se emplea para obtener muestras de tejido cerebral o cuando la sospecha de cáncer es elevada, en cuyo caso puede requerirse el envío inmediato de la muestra al anatomopatólogo para que realice con rapidez un informe que permita al cirujano continuar con la intervención si es necesario. Esto es frecuente durante la tumorectomía de bultos sospechosos en las mamas.

Por lo general, las biopsias se consideran necesarias, ya que pueden confirmar un diagnóstico y permitir que se prescriba el protocolo de tratamiento más exacto.

TECNOLOGÍA MÉDICA ORTODOXA
Ecografía

Las ecografías (sonografías) se han desarrollado en la comunidad médica durante los últimos treinta años. El principio en que se basan se conocía desde hacía mucho tiempo y los geógrafos ya lo utilizaban para trazar mapas de las profundidades de los océanos. El principio es muy simple. Un transmisor emite ondas ultrasónicas a los tejidos, que rebotan en un receptor colocado junto al transmisor. Un tejido poco denso refleja menos las ondas sonoras, mientras que un objeto sólido hace rebotar todas las ondas. Un ordenador transforma esta información en una representación visual, de forma muy parecida a como una radio capta ondas de radio inaudibles y las transforma en sonido a través de medios mecánicos.

Un ensayo ha revelado que la práctica de once ecografías durante un embarazo puede ocasionar niños pequeños para la edad gestacional, pero no se han demostrado otros efectos nocivos. Sospecho que los ultrasonidos provocan molestias al feto, que es altamente sensible, y originan una respuesta de estrés, pero es probable que no tengan efectos nocivos sobre los tejidos en crecimiento.

Con las ecografías es posible obtener imágenes de casi todo el organismo, excepto de órganos como el cerebro, que está encerrado en un caparazón sólido, o de órganos situados a gran profundidad, puesto que se producen interferencias por otras estructuras. Básicamente, las ecografías permiten descubrir alteraciones y establecer su diagnóstico en cualquier parte del cuerpo desde el cuello hacia abajo. La densidad ósea puede medirse sin rayos X utilizando este método.

Los aparatos de ultrasonidos varían en cuanto a su tamaño, aunque el transmisor-receptor rara vez es mayor que un teléfono móvil y se coloca sobre la zona que se desea explorar. Se aplica un gel transmisor del sonido para permitir mayor libertad en el movimiento y una menor interferencia a partir de la superficie de la piel. Los diagnósticos por ecografía rara vez requieren más de unos minutos en manos de un técnico cualificado, y los informes pueden leerse inmediatamente.

Electrocardiograma

El electrocardiograma (ECG) es el registro de la actividad eléctrica del músculo cardíaco. Para una explicación del origen, inicio y recorrido de estos impulsos eléctricos, *véase* **Latidos cardíacos irregulares**.

El ECG es un procedimiento no invasivo de gran utilidad en el diagnóstico de enfermedades cardíacas. No hay razón para evitar esta exploración, aunque es necesario correlacionar los resultados con los síntomas, como sucede en todas las exploraciones complementarias.

El registro de un ECG mientras la persona practica una prueba en un tapiz rodante se denomina ECG de esfuerzo y muestra la actividad eléctrica cuando el corazón requiere un aumento de oxígeno. Esta prueba puede ser muy útil para demostrar enfermedades del músculo cardíaco, ya que si existe una lesión, por ejemplo, producida por un ataque cardíaco, la zona dañada no presentará actividad eléctrica.

Se colocan electrodos sobre el área cardíaca y en las muñecas y los tobillos, ya que los impulsos eléctricos se registran incluso a distancia. Un ordenador correlaciona la información obtenida por las derivaciones e imprime un registro, cuya interpretación requiere cierto grado de pericia.

Monitor Holter

El monitor Holter es un pequeño dispositivo que se sujeta al cuerpo y está conectado a unas derivaciones que se colocan sobre el pecho. El monitor registra la frecuencia cardíaca y el patrón eléctrico durante un período de 24 horas. El paciente anota las horas en que presenta síntomas cardíacos, como dolor en el pecho o taquicardia, datos que luego se relacionan con el registro cardíaco.

Electroencefalograma

El cerebro realiza sus funciones mediante la transmisión de sustancias químicas de un nervio a otro. Este proceso libera electricidad, que puede medirse colocando electrodos alrededor del cuero cabelludo. El electroencefalograma (EEG) permite conocer no sólo el funcionamiento del cerebro, sino también si existen cambios estructurales o lesiones. El EEG es un método de diagnóstico seguro y eficaz muy útil en enfermedades como la epilepsia y en el diagnóstico de tumores.

Medición de la presión arterial

La presión arterial se mide por medio de un esfigmomanómetro. Se coloca un «manguito» hinchable alrededor de la parte superior del brazo y se llena de aire hasta que alcance un nivel de 250 mmHg. La presión obstruye las arterias subyacentes. El médico coloca el estetoscopio sobre el brazo, por debajo del manguito, y ausculta. No debe oírse nada.

Lentamente va liberando el aire del manguito y, por consiguiente, va disminuyendo su presión, hasta que llega un punto en que la fuerza de los latidos del corazón sobrepasa la presión del manguito y la sangre circula de golpe por las arterias. Esa sangre golpea la pared arterial con un fuerte latido, que puede oírse a través del estetoscopio. Al conti-

nuar disminuyendo la presión del manguito, el flujo sanguíneo se vuelve más regular y cesan los latidos. Los cardiólogos indican que hay cinco fases de sonido, que van de la fase I (los latidos iniciales) a la fase V (otra vez el silencio).

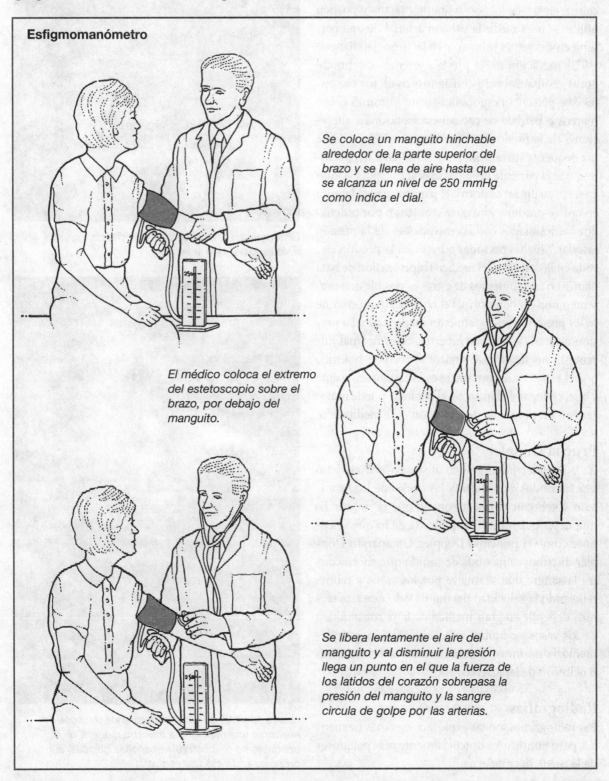

Esfigmomanómetro

Se coloca un manguito hinchable alrededor de la parte superior del brazo y se llena de aire hasta que se alcanza un nivel de 250 mmHg como indica el dial.

El médico coloca el extremo del estetoscopio sobre el brazo, por debajo del manguito.

Se libera lentamente el aire del manguito y al disminuir la presión llega un punto en el que la fuerza de los latidos del corazón sobrepasa la presión del manguito y la sangre circula de golpe por las arterias.

Aparatos para la medición de la presión arterial simple y durante 24 horas

En la actualidad se utilizan unos pequeños dispositivos informatizados sensibles para tomar la presión arterial, que consisten en una especie de dedal que se coloca en un dedo. Son bastante exactos y pueden utilizarse para medir la presión arterial de una persona en diferentes momentos a lo largo del día.

La medición de la presión arterial durante 24 horas resulta útil para el diagnóstico en los pacientes que presentan esporádicamente síntomas como mareos o pérdida de conciencia asociados a alteraciones de la presión arterial. Ésta se mide mediante un pequeño aparato informatizado con derivaciones, que el paciente lleva pegadas al cuerpo. Cuando aparece cualquier síntoma, el paciente anota la hora en que se produjo, y luego se comparan por ordenador los resultados con las mediciones de la presión arterial. Muchas personas que tienen la presión elevada en la consulta del médico (hipertensión de bata blanca) o en momentos de estrés es posible que presenten una presión normal el resto del tiempo y que se les prescriba un tratamiento inadecuado. La presión arterial de muchos hipertensos es normal durante la noche, lo que sugiere al médico holístico que el estrés de la conciencia es la causa subyacente y que, en lugar de fármacos, el paciente puede mejorar con un programa de relajación o de meditación.

Prueba Doppler

C. J. Doppler fue un físico austríaco que advirtió que las ondas de sonido (y las ondas de luz) cambian si rebotan contra un objeto que se mueve. Es una descripción muy simplificada de lo que se conoce como el principio Doppler. Un aparato Doppler distribuye una onda de sonido que choca contra la sangre que se mueve por los vasos y rebota reflejando la velocidad del flujo. Dado que esta técnica depende en gran medida de la permeabilidad de los vasos, se utiliza como exploración complementaria no invasiva para detectar arteriosclerosis u oclusión de las arterias.

Radiografías

Las radiografías son las exploraciones más frecuentes, pero también las potencialmente más peligrosas de la medicina moderna.

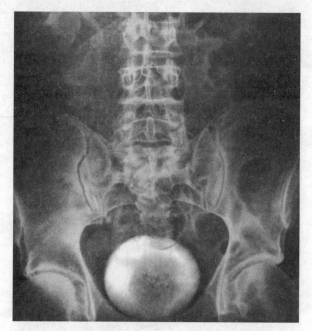

Cistograma. Una radiografía especial para revelar deformaciones de la vejiga.

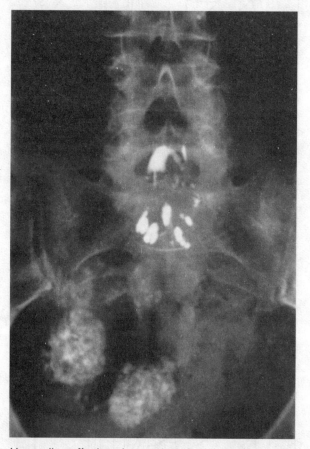

Una radiografía de columna dos años después de realizarse una mielografía muestra material de contraste no reabsorbible (manchas blancas) aún presente en la médula espinal.

Los rayos X son ondas de frecuencia muy alta que traspasan la mayoría de los compuestos. Una radiografía es básicamente una fotografía producida por los rayos X que inciden sobre una placa sensible a las ondas. Cuanto más denso sea el tejido del cuerpo que es atravesado por los rayos X, mayor será la cantidad de rayos absorbida. El tejido menos denso permite el paso de mayor cantidad de rayos X, que inciden sobre la placa y se muestran como una zona negra o gris. Los huesos, al ser densos, aparecen blancos en la radiografía, ya que ningún rayo X incide en la placa, mientras que el aire en los pulmones aparece negro, puesto que todos los rayos inciden en la placa. Los rayos X son dañinos sin la menor duda. La discusión reside en saber si la cantidad que se recibe en una exploración es perjudicial o no (*véase* **Radiación**).

Angiografía

La angiografía es un procedimiento basado en el empleo de rayos X utilizada con frecuencia. Se inyecta una sustancia de contraste radiopaca en la corriente sanguínea y se toman radiografías de las arterias que pueden tener alguna anomalía o estenosis. Es una técnica muy popular, aunque tiene sus detractores. La repetición de algunos estudios ha permitido comprobar que las angiografías a menudo son malinterpretadas o incluso proporcionan información falsa. Así, se han llevado a cabo intervenciones innecesarias. Este hecho, combinado con los posibles riesgos de los rayos X, convierte a la angiografía en un procedimiento que debe utilizarse como último recurso y no en primera elección. Sin embargo, con toda probabilidad es beneficiosa en los casos adecuados.

Densitometría

La exploración de la densidad ósea (densitometría) goza de creciente popularidad; aunque entraña un riesgo bajo de exposición a los rayos X, no es una prueba particularmente fiable. Varios estudios han sugerido que su exactitud es cuestionable y que la densidad ósea puede cambiar, dependiendo de factores como el movimiento o una dieta reciente, por lo que los datos proporcionados por una exploración general o anual no son relevantes. Un estudio realizó el seguimiento de 1.000 mujeres considera-

das de alto riesgo para osteoporosis a partir de la información aportada por esta prueba. Se determinó que habían sufrido menos fracturas de cadera que el grupo de control. Ninguno de los grupos fue sometido a un tratamiento ortodoxo.

Existen otras alternativas (*véase* **Osteoporosis**) para medir la densidad ósea que, en principio, son seguras.

Mielografía

La mielografía es también un procedimiento que utiliza rayos X y contrastes radiopacos para observar el canal vertebral. El contraste inyectado en la columna vertebral para detectar lesiones discales puede causar inflamación que conduce a dolor persistente y a problemas en el movimiento. Los contrastes por sí mismos pueden ser tóxicos para los riñones y tener un efecto directo sobre el sistema nervioso, que conduce a la parálisis. Los contrastes utilizados para las TC contienen yodo, cuya toxicidad para la glándula tiroides si se ingiere en exceso es bien conocida. El problema es que todas las personas son diferentes y nadie sabe con certeza cuánto es demasiado para un paciente en concreto. Intente otras técnicas de obtención de imágenes que no requieran el uso de sustancias de contraste.

Tomografía computarizada

La tomografía computarizada (TC) se realiza pasando una imagen obtenida mediante rayos X por una computadora altamente sensible y que, por lo tanto, produce imágenes mucho más detalladas. Estas exploraciones utilizan una imagen tridimensional, por lo que proporcionan al médico una idea de la profundidad y del tamaño del tumor mucho más precisa que las radiografías bidimensionales.

La TC utiliza una cantidad enorme de radiación, en especial si se repite el procedimiento debido al movimiento del paciente, a un error en el sistema del ordenador o porque se está utilizando la técnica para controlar una situación cambiante. Aunque sus resultados son muy precisos, la mayoría de ellos pueden obtenerse mediante resonancia magnética con menores riesgos. Asimismo, a menudo se realizan TC a sabiendas de que sus resultados no incidirán en el tratamiento. Simplemente se llevan a cabo para conocer el pronóstico.

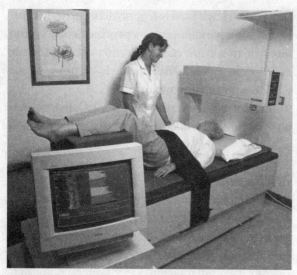

Exploración de la densidad ósea para determinar una osteoporosis.

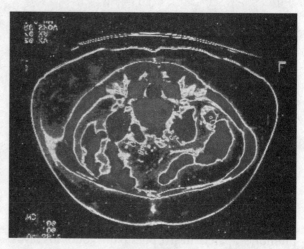

Tomografía axial computarizada (TAC) de la columna, riñones e intestinos (mujer).

Resonancia magnética

Durante la última década se ha desarrollado una técnica de observación de los órganos y estructuras internos basada en la energía magnética en lugar de hacerlo en el sonido o los rayos X. Esta técnica, denominada resonancia magnética (RM), es compleja. A partir de la información obtenida al someter los tejidos a un campo magnético, un ordenador proporciona una imagen de la zona del cuerpo estudiada.

La RM tiene sus detractores, que sugieren que las imágenes no son tan precisas en algunas zonas del cuerpo (la próstata o las arterias coronarias) y a menudo es necesario utilizar sustancias, denominadas de contraste, que pueden causar problemas aún por determinar. Estas sustancias son, sin embargo, mucho más seguras que las utilizadas en las tomografías computarizadas (TC), que contienen yodo y producen lesiones bien conocidas (*véase* **Radiografías**).

Por lo general, para realizar la RM se coloca al paciente en un tubo del tamaño del cuerpo y se le pide que permanezca totalmente inmóvil. Aunque puede provocar cierta claustrofobia, esta técnica no es dolorosa. Una exploración de todo el cuerpo puede requerir una hora. La RM es una técnica de gran sensibilidad, que en numerosos casos, si no la mayoría, puede sustituir a la TC (*véase* **Radiografías**) como exploración complementaria.

La RM puede entrañar peligros. Se está empezando a observar que la energía magnética puede

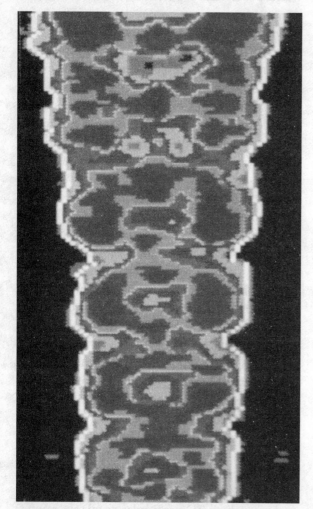

Densitometría de la columna vertebral. Se utiliza para medir la densidad mineral de los huesos en la evaluación de una osteoporosis.

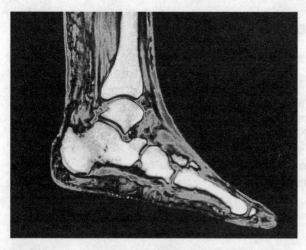

Resonancia magnética del tobillo de una mujer de 58 años.

alterar el funcionamiento electromagnético del cuerpo, pero por el momento es más segura que los rayos X. Ante la necesidad de someterse a una exploración complementaria de alta tecnología, pregunte siempre si puede utilizarse la RM y si su precisión es suficiente para su caso.

EXPLORACIONES DIAGNÓSTICAS ALTERNATIVAS

Si madame Curie hubiera hecho caso a quienes se reían de ella, hoy no existirían los rayos X. Sus experimentos se cobraron el precio de su vida, porque murió a causa de los efectos de la radiación. Ella es el mejor ejemplo de científicos cuyas ideas se han puesto en duda y que han sido ridiculizados y condenados al ostracismo. Sin embargo, debido a su firme determinación poseemos hoy una asombrosa gama de procedimientos de exploración.

Hoy en día, existen métodos de exploración que tienen su origen en sólidas hipótesis científicas y médicas, pero para los cuales es difícil encontrar financiación, *porque* las técnicas podrían ser muy exactas y económicas. La verdad es que, en ocasiones, las reglas del juego de las finanzas inhiben el estudio y la investigación de técnicas nuevas. A continuación describiré algunas de las que, en mi opinión, tienen

más futuro, ya sea porque el estudio y la investigación llevados a cabo hasta el momento son prometedores o bien porque las he utilizado en mi profesión durante casi doce años. Una o dos de dichas técnicas se conocían desde hacía décadas, pero fueron suprimidas o difamadas hasta tal punto que sólo recientemente han recuperado cierta credibilidad.

Las técnicas presentadas a continuación no están bien establecidas ni desde el punto de vista científico ni mediante estudios a doble ciego, por lo que no deben considerarse técnicas de diagnóstico apropiadas si se utilizan por sí solas. Sin embargo, pueden ser beneficiosas en combinación con otras técnicas ortodoxas o cuando los procedimientos de exploración complementarios actuales no son adecuados.

ANÁLISIS DEL CABELLO
Un mechón de cabello es suficiente para realizar dos exploraciones complementarias.

Análisis de minerales y de metales tóxicos
El análisis del cabello para detectar un déficit o un exceso de minerales tiene unos fundamentos científicos muy sólidos, aunque se utiliza poco en la medicina ortodoxa debido a la escasa importancia otorgada a la carencia de minerales y al exceso de metales tóxicos como causa de enfermedad.

Intolerancia alimentaria
Soy muy escéptico en cuanto a la utilización del análisis del cabello como prueba de intolerancia o alergia alimentarias (*véase* **Pruebas para alergias**).

BIORRESONANCIA
En los años treinta, un científico llamado Royal Rife inventó un aparato para aplicar ondas de energía a través del cuerpo y comprobó que éstas producían cambios beneficiosos para la salud. A lo largo de las seis últimas décadas, científicos y compañías de investigación tecnológica interesados en el trabajo original desarrollaron transmisores cada vez más sofisticados asociados a complejos ordenadores. Basándose en el concepto de que las enfermedades tienen una resonancia o longitud de onda energética particular –hecho demostrado en el caso de muchas bacterias, virus y dolencias como el cáncer– se han llevado a cabo diversos estudios e investigaciones.

INFORME DEL ANÁLISIS MINERAL DE CABELLO

Referencia: SHB/ASJD/N91   **Fecha de la muestra:** 10-02-1998
Edad: 30
Sexo: Varón
Altura: 1,55   **Champú:** Infantil   **Acondicionador:** No usa
Peso: 93 kg   **Decoloración:** No   **Reflejos:** No
Color del cabello: Negro   **Permanente:** No   **Tinte:** No

	Intervalos de referencia	Resultados (partes por millón):	Intervalo de referencia Bajo — Alto	
Calcio	200–600	442		Ca
Magnesio	30–95	38		Mg
Fósforo*	100–210	187		P
Sodio*	90–340	202		Na
Potasio*	50–120	34		K
Hierro*	20–60	27		Fe
Cobre	10–40	18		Cu
Cinc	150–240	196		Zn
Cromo	0,60–1,50	0,56		Cr
Manganeso	1,0–2,6	1,1		Mn
Selenio	1,5–4,0	2,8		Se
Níquel	0,40–1,40	0,66		Ni
Cobalto*	0,10–0,70	0,19		Co

* No se ha establecido el significado clínico de la concentración en el cabello.

Metales tóxicos	Aceptable	Elevado	Tóxico	Resultados	Aceptable — Elevado — Tóxico	
Plomo	< 15,0	15,0–40,0	> 40,0	8,9		Pb
Mercurio	< 2,0	2,0–5,0	> 5,0	0,55		Hg
Cadmio	< 0,5	0,5–2,0	> 2,0	0,21		Cd
Arsénico	< 2,0	2,0–5,0	> 5,0	0,11		As
Aluminio	< 10,0	10,0–25,0	> 25,0	5,2		Al

Proporción	Normal	Resultado	Proporción	Normal	Resultado
Ca/Mg	6,1:1	12	Zn/Pb	> 10:1	22
Ca/P	2,6:1	2,36	Zn/Cd	> 400:1	933
Na/K	2,3:1	5,94	Se/Cd	> 3,4:1	13
Zn/Cu	8,5:1	11	Se/Hg		5,09

Se ha demostrado que la aplicación de una longitud de onda que se opone o bloquea las longitudes de onda naturales de una dolencia puede eliminar los microorganismos o las células enfermas. Un corporativismo médico temeroso destruyó en gran medida el trabajo de Royal Rife y desde entonces circulan historias sobre confiscación de archivos y obstrucción de fondos para sus investigaciones. Otras técnicas, como las pruebas de Vega y Voll, han sustentado esta teoría.

Hoy en día, los aparatos son capaces de establecer diagnósticos mediante la comparación de las longitudes de onda de un organismo con las longitudes de onda almacenadas en la memoria de un ordenador. Si la resonancia de una persona coincide, por ejemplo, con la tuberculosis puede hacerse el diagnóstico de esta dolencia. Aunque el diagnóstico no es infalible, este procedimiento puede respaldar un hallazgo ortodoxo o guiar a un profesional de medicina alternativa en la dirección adecuada.

INFORME DE BIORRESONANCIA

Diagnóstico primario: *Leucemia*
Diagnóstico secundario: *Ninguno*

Complicaciones adicionales: *No parece haber reacción energética frente a la leucemia*
Posibles causas de enfermedad/Sugerencias: *Estrés psicológico múltiple; muchas posibilidades de estrés geopático*
Alergias: *Mohos y polvo; hidrocarburos aromáticos*
Posibilidades tóxicas: *Véase sumario*
Problemas nutricionales: *Carencia de ácidos grasos, posiblemente también de enzimas*
Problemas de comportamiento: *No se observan*
Traumas: *No se observan*
Estrés: *Psicológico*
Exposiciones a energía nociva: *Reacciona a las exposiciones de radiación*
Tendencias o trastornos heredados: *Véase informe*
Problemas mentales u obsesiones emocionales: *No se observan*
Indicios de naturaleza sarcoide: *No se observan*

Informe del paciente

Puntos altos en la exploración principal
C: Carencia de ácidos grasos
Soponaria... dolor de garganta
Riesgo de catalasa intradérmica radicales libres
Belladona
Nux vom
Coxsackie...virus
Licor hepático
Tiña...hongos

Aurícula...oído
Gelsemium
Dulcamara
Lecitinasa

Licor renal
Radiación de algina
Aesculus Hipp
Lyco
Carencia y debilidad de leucocitos
Dietilestilbestrol
Hierba
Miasma cólera
Miasma alergia

C: 14 ácidos grasos
Anhidrasa carbónica
Zingiber... para la digestión
Aconitum... Angustia mental
Sicosis
Cromosoma 16 Q catarata, mucopolisacaridosis
Disentería
Passiflora
Linfa, bazo, glándulas mamarias

Nutrición
Vitamina F
Enzimas internas 80
Minerales 86

Pruebas de alergias
Alergia alimentaria 109
Medicamentos inhalados 98
Pelo animal 88
Productos lácteos 124
Fibras 105
Polen 104
Sulfitos 123
Moho 96
Azúcar 110

Alergenos específicos
Tomate
Polen
Hierba
Perro
La detección de energía revela una posible reacción al estrés geopático

Otros remedios
Alkaplex G
Bone C Dent
B_{12} e hígado
Adreno neucleo
MNX pituitaria anterior y E
Enzastatin

Homeopatía
113 Nux Vom
Uranio 106
Dulcamara 109
Gels 109
Lyco 105
Lobelia 91
Myristica 97
Uva ursi 101
Iris vers 101
La máquina recomienda Nux Vom como el más similar por ahora

Pruebas de Vega y Voll

Los predecesores de las computadoras de biorresonancia más complejas fueron dos aparatos denominados como sus inventores, Vega y Voll. Se basan en el mismo principio: el paso de una pequeña corriente eléctrica a través de un paciente y de un aparato sensible a la electricidad. Un calibrador sensible mide el flujo tras introducir diferentes compuestos en el aparato y se observa si la electricidad disminuye o aumenta. Muchos profesionales aún utilizan estos aparatos con gran precisión, pero el proceso es mucho más lento que el de los ordenadores.

FOTOGRAFÍA DE KIRLIAN

La técnica de la fotografía de Kirlian toma «fotos» del aura (*véase* Lectura del aura). Creada inicial-

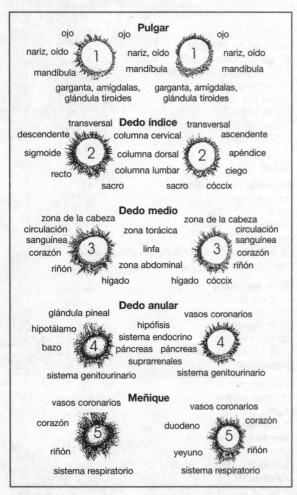

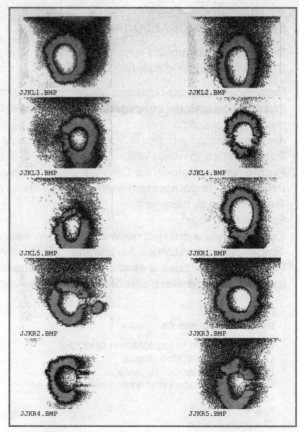

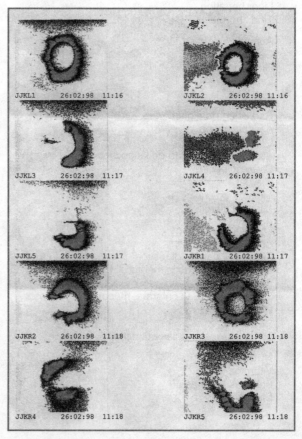

Las imágenes de Kirlian de la derecha, obtenidas por ordenador, pertenecen a los dedos de un paciente con síndrome de fatiga crónica. La segunda impresión es significativamente peor ya que el paciente sufría gripe. Arriba aparece una tabla utilizada para diagnósticos.

mente como procedimiento diagnóstico por un ingeniero ruso, Semyon Kirlian, el equipo original consistía en una bobina eléctrica, una bandeja de aluminio y una película sensible a la luz cubierta de cristal. Las cámaras modernas, basadas en los mismos principios, envían una carga de alto voltaje que mide la energía liberada cuando parte del cuerpo se pone en contacto con ella. Las auras de cuerpo entero se fotografían sin contacto real.

El aura de una persona se modifica según su salud, y ciertos patrones se relacionan con ciertas enfermedades. Como con la iridología, me pregunto por qué no se ha establecido una correlación clara entre ciertos patrones y unas enfermedades concretas. Sospecho que las auras no se correlacionan con enfermedades específicas, pero sufren alteraciones en relación con la respuesta de una persona ante el proceso patológico. Hasta que se demuestre lo contrario, la fotografía de Kirlian debe utilizarse sólo en combinación con una evaluación clínica y otras exploraciones complementarias.

GASTROGRAFÍAS Y PANCREATOGRAFÍAS

La gastrografía mide la cantidad de ácido clorhídrico que produce el estómago, y la pancreatografía la secreción enzimática liberada por el páncreas. Por el momento, se trata de procesos invasivos que requieren la obtención de muestras del estómago. Sin embargo, se está desarrollando un método no invasivo que sólo requerirá beber una solución que se medirá con un aparato de control externo. Muchos problemas intestinales y síntomas dispépticos pueden asociarse con una falta de ácido clorhídrico y no con su exceso, y esta sencilla prueba puede demostrarlo.

IRIDOLOGÍA

La iridología es el estudio del color y de los dibujos del iris de los ojos. Esta técnica, utilizada desde hace miles de años, tiene su origen probablemente en Oriente. Sin embargo, fue un médico húngaro, Ignacz von Peczely, el que estudió el iris como un espejo de la salud del cuerpo, observando los cambios que se producían en los ojos de un búho mientras le curaba una pata rota. Hasta hace poco, el profesional de medicina alternativa estudiaba el iris y establecía el diagnóstico mediante la observación directa, ayudado por una cámara fotográfica de aumento. Ahora las cámaras pueden adaptarse a los ordenadores, que realizan el diagnóstico a partir de la comparación del iris estudiado con miles de iris almacenados en sus bancos de datos.

Me sorprendí al saber que se han realizado pocos estudios para comparar la exactitud de los iridólo-

Topografía del iris

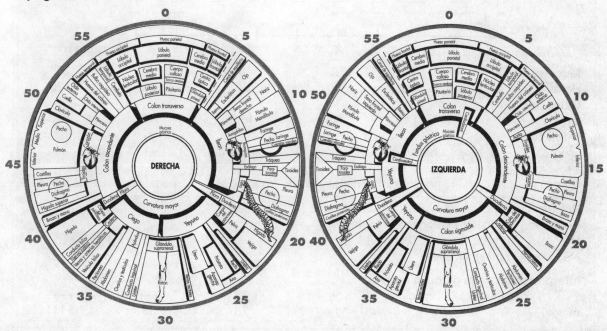

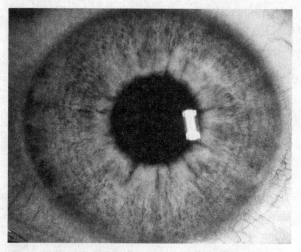

Tendencia al reumatismo y a la artritis. Anillos de estrés. Falso hipoparatiroidismo por exceso de calcio en el estómago.

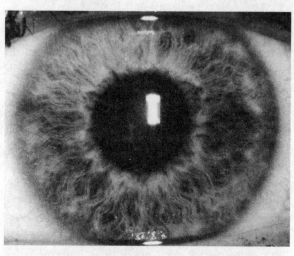

Tendencia a la toxicidad de los ganglios linfáticos. Las manchas traducen una dificultad en el metabolismo: sobrepeso, debilidad pulmonar, asma.

PRUEBA DE TOLERANCIA A LA GLUCOSA
(75 gm de glucosa oral)

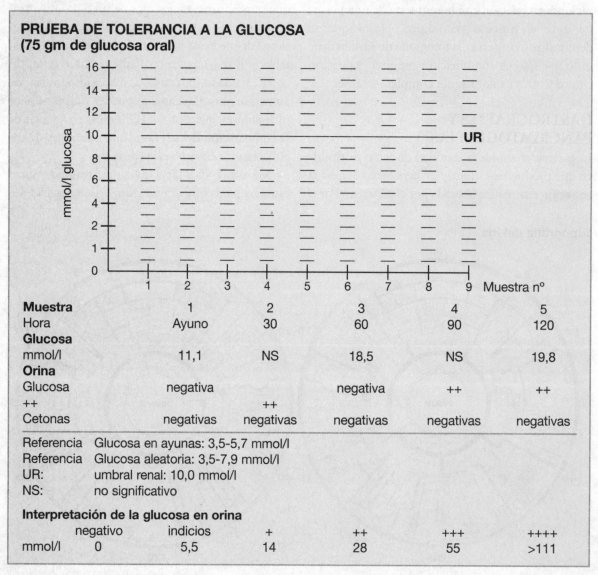

Muestra	1	2	3	4	5
Hora	Ayuno	30	60	90	120
Glucosa					
mmol/l	11,1	NS	18,5	NS	19,8
Orina					
Glucosa	negativa		negativa	++	++
++		++			
Cetonas	negativas	negativas	negativas	negativas	negativas

Referencia	Glucosa en ayunas: 3,5-5,7 mmol/l
Referencia	Glucosa aleatoria: 3,5-7,9 mmol/l
UR:	umbral renal: 10,0 mmol/l
NS:	no significativo

Interpretación de la glucosa en orina

	negativo	indicios	+	++	+++	++++
mmol/l	0	5,5	14	28	55	>111

gos o sus ordenadores con los diagnósticos ortodoxos. Creo que se trataría de un simple estudio comparativo y sólo cabe suponer que es difícil encontrar financiación. Estoy seguro de que se realizarán investigaciones en el futuro para demostrar con fundamento hasta qué punto puede ser beneficiosa la iridología. Como técnica diagnóstica en combinación con otras pruebas y observación clínica, ¡la iridología puede abrir muchos ojos!

PRUEBA DE PERMEABILIDAD INTESTINAL

Esta exploración complementaria se llevó a cabo por primera vez en un laboratorio de Londres. Brillante en su simplicidad, es una prueba para determinar la permeabilidad del intestino, por lo que es particularmente importante para demostrar el síndrome del intestino permeable, que puede ser responsable de alergias alimentarias causantes de numerosos trastornos.

Tras orinar a primera hora del día, el paciente ingiere una solución que contiene una variedad de moléculas de diferentes tamaños. Según el grado de permeabilidad del intestino, estas moléculas son absorbidas por la corriente sanguínea. El riñón filtra las moléculas absorbidas y las elimina con la orina, cuyo análisis permite conocer el tamaño de las moléculas. Si éstas son de gran tamaño, puede diagnosticarse un intestino permeable y prescribirse un tratamiento para su curación.

Hoy en día la disponibilidad de esta prueba es limitada, pero su acceso está aumentando y creo

PRUEBA DE PERMEABILIDAD INTESTINAL

Fracción	Peso molecular	Dosis (mg)	Recogida orina (de 6 horas)		
			mg	%	Intervalo de referencia
1	198	4,0	1,3	31,5	26,6–33,4
2	242	9,0	2,7	30,2	26,5–31,6
3	286	39,0	11,2	28,7	25,2–29,4
4	330	96,0	25,7	26,8	21,1–25,0
5	374	157,0	35,6	22,7	17,9–22,0
6	418	171,0	30,4	17,8	12,5–16,2
7	462	176,0	18,0	10,2	6,4–10,8
8	506	145,0	7,8	5,4	3,6–6,0
9	550	105,0	1,9	1,8	1,0–2,4
10	594	67,0	0,5	0,7	Hasta 1,4
11	638	31,0	0,1	0,2	Hasta 0,7
	TOTAL	**1.000,0**	**135,2**	**13,5**	**10,0–13,3%**

Comentario
Ligero aumento de la permeabilidad hasta un peso molecular de 450.

que será una de las pruebas disponibles más importantes.

PRUEBA DE TOLERANCIA DE LA GLUCOSA

Por lo general esta prueba se utiliza para demostrar una tendencia a la diabetes. El profesional de medicina alternativa puede emplearla para confirmar un estado hipoglucémico (*véase* **Hipoglucemia**). Se administra a un paciente una dosis de 75 g de glucosa disuelta en agua tras un ayuno de, como mínimo, seis horas. Se obtienen muestras de sangre cada 30 minutos durante 2,5-5 horas para determinar si se mantiene el control del azúcar del cuerpo. El nivel de azúcar en sangre debe aumentar inicialmente y luego descender al incrementarse los niveles de insulina segregada para hacer frente al exceso de azúcar. El nivel de glucosa debe descender por debajo del umbral normal de glucemia y volver a aumentar al disminuir los niveles de insulina.

PRUEBAS DE ALERGIA

La medicina ortodoxa utiliza más la piel que la sangre para investigar posibles alergias. Las pruebas mediante pinchazos o raspados parecen tener sensibilidad para detectar alergenos que se encuentran en el aire, pero por lo general son menos sensibles que los análisis de sangre para descubrir alergias alimentarias.

Es importante distinguir entre intolerancia y alergia (*véanse* **Alergias** y **Alergias e intolerancias alimentarias**).

Asimismo, antes de someterse a las pruebas de alergia alimentaria es recomendable consultar con un médico que conozca el síndrome del intestino permeable, ya que este trastorno modifica rápidamente las alergias, y algunas de estas costosas pruebas pueden ser ineficaces antes de que transcurra un mes de la eliminación de los alimentos con alergenos (*véase* **Síndrome del intestino permeable**).

Autoevaluación

Si sospecha que padece una alergia alimentaria, seleccione los cinco alimentos que más le gustan, los cinco que come con mayor fruición, los cinco que más come y los cinco que ingiere porque sabe que son saludables aunque no le apetezcan demasiado. Es posible que algunos alimentos aparezcan en varias listas y que finalmente obtenga una lista de los 10 alimentos o más que quizá sean los culpables de sus molestias o su alergia.

Con frecuencia me encuentro con miradas de sorpresa cuando expongo esta paradoja de que los alimentos que más se desean suelen ser los que causan problemas. Es importante recordar que un cuerpo, cuando no está bien, fomenta reacciones porque por lo general las reacciones son curativas. El cuerpo, que no es una máquina perfecta, cuando advierte que no está bien ingiere alimentos para provocar una reacción corporal o una sensación psicológica de bienestar con el fin de originar una reacción o de suprimir una ansiedad. Ésta es la razón por la que tomamos alimentos que no nos sientan bien y tenemos tendencia al alcohol o a las drogas para escapar de nuestra conciencia de enfermedad.

Elimine los alimentos identificados durante un mes y analice los cambios. Si se produce una mejoría reincorpore los alimentos de uno en uno cada semana y observe qué alimentos son más agresivos contra su bienestar. Al cabo de un tiempo será capaz de determinar qué alimentos puede ingerir sólo una vez por semana y cuáles debería eliminar porque le provocan una reacción inmediata y persistente.

Autoevaluación mediante una dieta de exclusión

Existen ciertas dietas hipoalergénicas basadas en alimentos que rara vez causan alergias o intolerancias. Según mi experiencia tras haber tratado a cientos de personas, no estoy de acuerdo con este principio. Una popular dieta hipoalergénica obliga a los pacientes a consumir sólo cordero, vegetales ricos en agua, manzanas, aceite de oliva virgen, productos de la cabra y miel. He conocido muchos pacientes que sufrían alergias por estos alimentos y, como puede verse, la dieta es restrictiva en extremo.

Es preferible experimentar con dietas como la Hay (dieta sin combinar alimentos), la dieta de la edad de piedra o cualquier otra dieta concreta tomada de un libro. Encuentre una que le resulte adecuada y con la que se sienta bien, sígala durante cuatro-seis semanas y luego reincorpore los posibles culpables uno a uno cada semana; las reacciones se producirán mucho más deprisa y se notarán al cabo de pocos días.

Pruebas de alergia alimentaria
Análisis del cabello
Se toma una muestra de cabello y se somete a pruebas mediante anticuerpos preparados. En principio, el cuerpo eliminará los alimentos que no le gusten y se ha demostrado que el cabello contiene (en sus fibras de queratina) moléculas de alimentos rechazados. Los anticuerpos reaccionan frente a estos alimentos y pueden medirse.

A mí no me convence la precisión de esta prueba, ya que es posible que ciertas moléculas no encuentren su camino hacia las partículas del cabello, puesto que la piel es sólo un mecanismo secundario en la eliminación de toxinas y el cabello una mera ayuda de la piel. Las sustancias químicas de los champús pueden alterar también la estructura de las moléculas de los alimentos o incluso eliminarlas y, por lo tanto, originar resultados falsos.

Ponga buen cuidado en que el análisis del cabello se realice mediante alguna técnica energética o con una varilla de zahorí. Aunque la utilización de la medición energética y del péndulo (la técnica más popular entre los zahoríes) está bien fundamentada, el paciente depende una vez más de la habilidad del profesional de la medicina alternativa y no de un razonamiento científico.

Análisis de sangre
Prueba de alergia alimentaria celular. Se basa en una sencilla hipótesis. La mayoría de las pruebas de alergia alimentaria se basan en las inmunoglobulinas, especialmente la IgG4 y la IgE. Éstas son producidas por leucocitos específicos y pueden alterarse en la corriente sanguínea dependiendo de la hidratación de la persona y de cuándo comió por última vez. Sin embargo, la corriente sanguínea transporta células con memoria, que son leucocitos adaptados específicamente para recordar infecciones pasadas. Estas células con memoria no presentan el mismo grado de variación y pueden reconocer un alergeno alimentario años después

de ingerirse. Por esta razón, la prueba de alergia alimentaria celular es más sensible que otras pruebas de alergias alimentarias.

Prueba de radioalergoabsorción. Se trata de un análisis de sangre específico para detectar anticuerpos IgG4 o IgE en la corriente sanguínea y que ha sido superado por el análisis de inmunoabsorción ligado a enzimas (*véase* a continuación).

Las pruebas para la IgG4 y la IgE deben, en mi opinión, combinarse: la respuesta de la IgE es de corta duración, mientras que la IgG4 tiende a permanecer durante algunas semanas en la corriente sanguínea.

He realizado un pequeño estudio de comparación entre pruebas muy precisas de la IgE con la IgG4 y los resultados fueron muy diferentes. No deseo entrar en discusión con la ciencia, pero es importante realizar pruebas con ambas inmunoglobulinas, y dado que los estudios son bastante caros, no hay necesidad de malgastar el dinero en una prueba que sólo incluya una.

No hay duda de que esta prueba detecta una respuesta alérgica en la corriente sanguínea, pero no hay seguridad de que la alergia sea relevante para la enfermedad de una persona concreta. La alergia a los huevos puede hacer que una persona estornude sólo una vez al día y no ser la causa subyacente de su síndrome de fatiga crónica. Por el contrario, una respuesta alérgica moderada puede ser el origen de un cáncer. Es importante, por lo tanto, que un profesional de la medicina alternativa con una visión general y un conocimiento profundo del paciente revise las pruebas.

Análisis de inmunoabsorción ligado a enzimas (ELISA). Este método, muy utilizado por la medicina ortodoxa, consiste en mezclar la sangre con unas sustancias químicas específicas que se fijan a ciertos componentes sanguíneos, especialmente a las inmunoglobulinas (anticuerpos), que pueden detectarse mediante un aparato computarizado. La prueba de radioalergoabsorción todavía se practica en algunos laboratorios, pero ha sido superada por el análisis ELISA, que es más sensible. Es la mejor técnica para evaluar una alergia alimentaria.

RECOMENDACIONES

- *Una vez elegida la prueba de alergia alimentaria, no dude en hablar con un profesional de medicina alternativa para que le dé una visión general.*

- *No dedique toda su atención al resultado de una alergia alimentaria, ya que un cuerpo sano es capaz de enfrentarse a cualquier alergia alimentaria.*

Kinesiología aplicada o prueba del pulso

Esta técnica depende de la sensibilidad del profesional de la medicina alternativa. En principio se coloca un compuesto alimentario en la boca del paciente o sobre su cuerpo y se examina la fuerza de un grupo de músculos, por ejemplo, los del hombro. Un alimento que no conviene al paciente origina momentáneamente una sensación de debilidad que es percibida por el profesional. Se detecta una respuesta similar en el pulso, que aumenta o disminuye como reacción al compuesto.

Estas pruebas están bien fundamentadas mediante experimentos, pero se han de tener en cuenta la pericia y la sensibilidad de cada profesional. A este respecto, algunos profesionales de la medicina alternativa opinan que con sólo leer el nombre de un compuesto el paciente puede presentar alteraciones en el pulso o los músculos. No he encontrado ningún estudio que demuestre esta afirmación, pero conozco profesionales de la medicina alternativa y curanderos populares que tienen mucho éxito con estas técnicas.

Pruebas electromagnéticas

Los aparatos Voll y Vega han sido sustituidos en los últimos años por los ordenadores norteamericanos y alemanes, que aplican impulsos electromagnéticos a través del cuerpo, y en muchos casos a través de los meridianos de acupuntura, y miden los cambios de frecuencia que se producen al ponerse en contacto con alimentos y otros compuestos. Estos aparatos no detectan las alergias (como se ha explicado antes) pero son, en mi opinión, muy eficaces para detectar intolerancias.

El profesional de medicina alternativa conecta al paciente a un ordenador y le aplica un impulso electromagnético indoloro. El flujo de energía medido disminuye o aumenta en respuesta a los diferentes alimentos puestos en contacto con el paciente o la máquina. Es una técnica sencilla y relativamente barata, que en manos expertas puede ser muy precisa.

PRUEBAS DE LABORATORIO DE PATOLOGÍA HUMORAL (ANÁLISIS SANGUÍNEO HUMORAL)

Estoy seguro de que el análisis sanguíneo humoral de laboratorio será una de las exploraciones complementarias más beneficiosas en el futuro de la medicina holística. Como tantas grandes ideas, este análisis de sangre se basó en la observación de un hecho muy simple: la sangre, sus células, el plasma y el suero cambian y reaccionan en respuesta a factores químicos liberados a partir de tejidos enfermos.

Se colocan cuatro gotas de la muestra de sangre sobre un portaobjetos en un microscopio de alta resolución, cuyo aumento es de hasta 1.500 veces. Las imágenes obtenidas se introducen en un ordenador que compara las muestras con miles de otras muestras tomadas de enfermedades conocidas. Carencias, oxigenación deficiente y presencia de sustancias químicas procedentes de células cancerígenas son sólo ejemplos del extenso banco de enfermedades con las que se compara cada muestra. El ordenador indica los posibles diagnósticos y, si está programado correctamente, puede ofrecer consejo sobre tratamientos que han tenido éxito y que han devuelto la sangre anómala otra vez a su estado normal.

La disponibilidad de esta prueba está aumentando, pero por el momento sólo se realiza en algunos centros.

PRUEBAS EXOCRINAS PANCREÁTICAS

Es de gran utilidad para un profesional de medicina alternativa conocer la capacidad de sus pacientes para digerir los alimentos. Muchas dolencias asociadas a carencias se deben a una falta de capacidad digestiva y no a una ingesta insuficiente. La

PRUEBA DE LABORATORIO DE PATOLOGÍA HUMORAL (MÉTODO LBH)

Nombre: **Fecha:**

Interpretación:

Nota: Estas interpretaciones, desarrolladas por Heitan, Legard y Bradford (1930), se basan en las leyes de Newton. Se utiliza mucho en el mayor instituto de investigación contra el cáncer de Estados Unidos, el Instituto Bradford, y en varios centros de Europa.

Los resultados pueden verse alterados por la influencia de los antioxidantes, la quimioterapia y la radioterapia. Para su lectura exacta, es aconsejable esperar dos semanas desde la administración de los tratamientos mencionados, de otro modo, es posible que se produzcan ligeras alteraciones en los resultados.

SÍNTOMAS	RESULTADOS
Oxidación que produce alergias	✓
Anemia de origen cualitativo	
Oxidación que produce artritis	
Falta de capacidad para asimilar los alimentos	
Asma de origen celular	
Estados degenerativos I, II, III, IV	
Deshidratación renal	✓
Actividad de los radicales libres	
Patrones de oxidación indicativos de hongos	✓
Carencia de vitamina C	✓
Oxigenación de origen MS	
Cuerpos de Heinz	✓
Hipocalcemia	
Estrés físico	✓
Aumento de la acidez en el estómago	
Sistema linfático congestionado	
Estrés psicológico (catecolamina)	✓
Indicaciones de desequilibrio hormonal	

Próximo control de patología humoral propuesto al cabo de 6 semanas

medicina ortodoxa presta poca atención a este factor y, hasta hace poco, los profesionales de medicina alternativa tenían que basarse sólo en su juicio clínico y su experiencia para evaluar la posibilidad de que un paciente no digiriera correctamente.

En la actualidad existe un procedimiento no invasivo que sólo requiere ingerir un líquido, el cual permite evaluar la capacidad digestiva y la producción de enzimas, pero la disponibilidad de esta prueba es muy restringida.

Véase también **Gastrografías y pancreatografías.**

Prueba de laboratorio de patología humoral

Agrupamiento sanguíneo normal

Toxicidad linfática e intestinal

Oxidación intensa

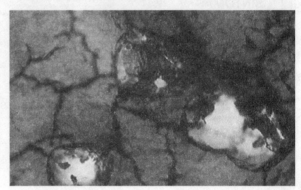

Hongos en la sangre

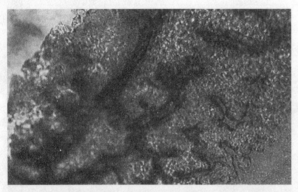

Infección sanguínea por hongos

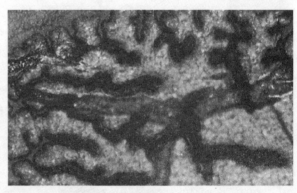

Hongos en sangre

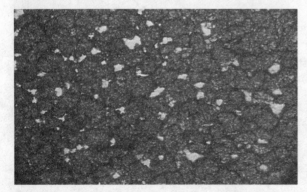

Estrés por adrenalina

Sangre en un caso de cáncer

CAPÍTULO 9

TERAPIAS ALTERNATIVAS

Capítulo 9

Terapias alternativas

En este capítulo se describen brevemente varias terapias alternativas que, junto con la medicina ortodoxa, son opciones posibles en el marco de una concepción global de la medicina.

Elección del terapeuta

La mayoría de las ramas de la medicina complementaria o alternativa tienen un organismo o un colegio regulador al que se pueden adherir los terapeutas. Si bien algunos son de carácter más oficioso que otros, todos exigen un nivel básico de conocimientos y estipulan un tiempo necesario de formación para aceptar a sus miembros.

Por desgracia, muchas artes curativas no están reguladas por asociación alguna, y en la actualidad no existen requisitos legales sobre el nivel de estudios que puede hacer valer el profesional. Esta situación cambiará pronto. Por el momento, no obstante, el mejor método es elegir un terapeuta por el sistema del boca a boca. Los diplomas no siempre garantizan que una persona posea capacidades curativas y, en cambio, si su labor ha sido de ayuda para otro, hay muchas posibilidades de que también lo sea para uno.

Si no conoce a nadie que pueda proporcionarle información, decídase por un profesional de una clínica de reconocido prestigio, ya que es improbable que allí acepten o mantengan a una persona poco capacitada.

El hecho de que haya una lista de espera suele ser buena señal. Debe preguntar cuántos días por semana trabaja la persona escogida. Conozco un terapeuta que goza de considerable fama debido a que su lista de espera es de seis meses, pero resulta que sólo trabaja un día por semana. Lo más normal es que tengan que esperar unos seis días.

Los buenos terapeutas están ocupados y en general no tienen necesidad de hacerse publicidad. Todo el mundo debe comenzar en algún momento y la publicidad es una manera de darse a conocer, pero un anuncio significa que se trata de un profesional inexperto. Los anuncios pueden ser una forma de atraer la atención hacia una nueva práctica o una técnica especial, pero no es muy aconsejable guiarse por ellos. Es mejor recurrir a artículos de revistas, ya que hay periodistas que tienen experiencia en este campo y suelen ser bastante escrupulosos. Conviene, no obstante, estar alerta sobre la motivación política subyacente a todo lo que se escribe con respecto a la medicina alternativa. Quizá sea exagerada mi convicción de que la medicina ortodoxa desea que la medicina complementaria no prospere, pero creo que muchos artículos sobre el tema son demasiado críticos y, cuando cargan contra una técnica alternativa, no tienen en cuenta los efectos secundarios de la medicina ortodoxa.

Es necesario sentirse cómodo y a gusto con el terapeuta. Si no le agrada la forma en que trabaja o su carácter, busque otro. Confíe en su instinto.

ACUPRESIÓN

La acupresión en un antiguo arte curativo basado en los mismos principios que la acupuntura, de la que se diferencia porque, en lugar de agujas, se emplea la presión de los dedos para armonizar el flujo de energía a través del cuerpo. Hay pruebas de que la acupresión se aplicó incluso antes que la acupuntura. Hay documentos hindúes con principios básicos de masaje que tienen unos 5.000 años de antigüedad. Los japoneses desarrollaron esta aplicación terapéutica del masaje, que dio origen a lo que hoy se conoce como shiatsu.

La aplicación de presión, ya sea suave o profunda, en ciertos puntos puede estimular los meridianos o canales de la misma forma que la acupuntura. A diferencia de ésta, puede aplicarse sobre uno mismo o sobre otras personas. Si se conocen los puntos de presión adecuados, constituye un primer remedio efectivo contra el dolor y las contracturas. El masaje de acupresión también tonifica el sistema inmunológico, alivia la tensión y la fatiga y es útil como tratamiento para muchas dolencias habituales. Es eficaz para los trastornos crónicos, incluidos el insomnio, el dolor y la rigidez articular, y para procesos agudos como la indigestión y las cefaleas. Asimismo, la acupresión elimina bloqueos linfáticos y alivia los agarrotamientos musculares.

La presión sobre los puntos y los meridianos, que se corresponden con los de la acupuntura, se aplica como mínimo durante veinte segundos con los dedos pulgar, medio o índice. La intensidad de la presión varía de acuerdo con la dolencia. Por ejemplo, para la fatiga o la falta de energía, se aplica una presión profunda en el sentido de las agujas del reloj sobre el punto específico. Para aliviar un dolor y para los trastornos relacionados con el estrés, se aplica sobre el punto una presión algo más ligera en el sentido contrario. Cuando la persona percibe un ligero malestar o sensibilidad a la presión, significa que se ha localizado el punto exacto. Los puntos del cuerpo suelen requerir una presión más firme y prolongada que los de la cara.

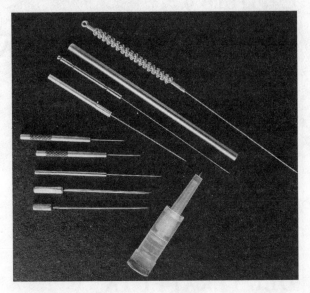

Existe una gran variedad de agujas de acupuntura (arriba). Una paciente recibe tratamiento para la rinitis alérgica (bajo estas líneas). Un acupuntor inserta agujas para tonificar los riñones (abajo).

ACUPUNTURA

La acupuntura forma parte de la medicina china y tibetana (*véase* **Medicina china y oriental**). Practicar la acupuntura sin tener en cuenta el enfoque global de estas filosofías médicas es comparable a utilizar la fisioterapia sin acompañarla de otros tratamientos en el marco de la medicina ortodoxa.

Se cree que la acupuntura surgió a partir de las observaciones de los médicos chinos en guerreros que habían sufrido heridas de espada y lanza en las batallas. Cada herida parecía generar cambios, según su posición superficial en el cuerpo.

Occidente ha adoptado el concepto de que al clavar unas finísimas agujas en puntos estratégicos del cuerpo, éste segrega endorfinas y encefalinas (los opiáceos naturales del cuerpo), que alivian el dolor y dan sensación de bienestar. Aunque existen pruebas irrefutables de la secreción de dichas sustancias, ésta ocurre sólo al estimular algunos puntos de acupuntura conocidos y constituye únicamente un aspecto de los principios de la acupuntura.

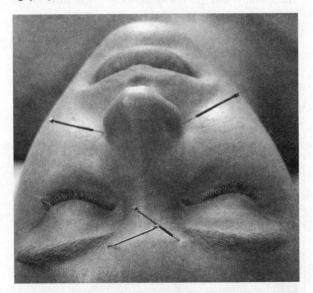

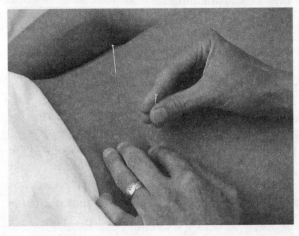

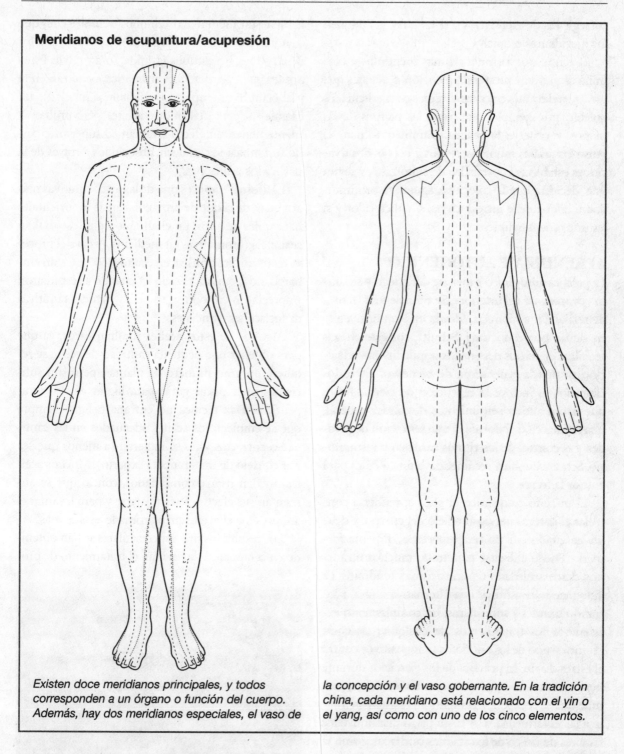

Meridianos de acupuntura/acupresión

Existen doce meridianos principales, y todos corresponden a un órgano o función del cuerpo. Además, hay dos meridianos especiales, el vaso de *la concepción y el vaso gobernante. En la tradición china, cada meridiano está relacionado con el yin o el yang, así como con uno de los cinco elementos.*

Puede comprobarse científicamente, mediante la observación, que los puntos de acupuntura son, en realidad, áreas de estimulación situadas a lo largo de unas líneas energéticas que los chinos denominan meridianos y los tibetanos canales. Los tibetanos tienen muchos puntos que coinciden con los circuitos nerviosos, mientras que los de los chi-nos guardan poca correlación con ellos. La estimu-lación de estos puntos aumenta, disminuye o modi-fica la energía de esas líneas. Estos canales o meri-dianos representan órganos o sistemas del cuerpo, la mente y el alma del ser humano.

El tratamiento mediante acupuntura consiste en la introducción de unas finas agujas en la piel para corregir los desequilibrios o la falta de armonía en los meridianos o canales.

El acupuntor formula algunas preguntas y examina al paciente prestando atención a detalles que serían irrelevantes en otros sistemas de medicina. Es posible, por ejemplo, que palpe las palmas de las manos y observe la lengua. También tomará el pulso en ambas muñecas. A partir de sus observaciones establecerá el «cuadro de síntomas», y según éste, decidirá dónde coloca las agujas, la profundidad a la que debe introducirlas, si aplica calor y si les imprime movimiento.

APRENDIZAJE AUTOGÉNICO

La palabra autogénico proviene del griego y significa «procedente del interior». Se trata de una técnica de relajación e hipnosis. Ideada en los años veinte en Berlín por el doctor J. Schultz, consiste en seis sencillos ejercicios destinados a inducir una relajación profunda generadora de bienestar. Entre los ejercicios se incluye la repetición de ciertas frases que hacen aflorar sentimientos de calidez general, una satisfacción abdominal, una sensación de pesadez y el control de los ritmos cardíaco y respiratorio. Schultz también recomendaba una técnica para enfriar la frente.

El método autogénico implica aprender a controlar el sistema nervioso reflejo del cuerpo, y debe ser enseñado por un terapeuta especialmente formado. Puede utilizarse para tratar muchos trastornos, desde ansiedad y tensión a asma y tendinitis. La autogénesis constituye una alternativa eficaz a los tranquilizantes y somníferos, un complemento excelente a los tratamientos de cualquier dolencia crónica y uno de los antídotos más positivos contra el estrés diario. La práctica de los ejercicios durante unos minutos libera al cuerpo de las tensiones, permite que se recupere y aumenta su resistencia frente a las enfermedades. A largo plazo disminuye los factores de riesgo de los ataques cardíacos, como la hipertensión y el colesterol elevado, y mejora el equilibrio emocional y la fuerza de voluntad.

AROMATERAPIA

La aromaterapia es la utilización terapéutica de extractos de plantas, denominados esencias o aceites esenciales, gracias a su efecto sobre las emociones y el bienestar mental. Existen unos treinta aceites que se utilizan de forma habitual, como por ejemplo los de albahaca, bergamota, lavanda, rosa y salvia. Estos aceites, de gran potencia aromática, penetran en la piel cuando se emplean en el baño o mediante un masaje (dispersados en otro aceite), pero probablemente tienen un efecto terapéutico superior cuando son inhalados, es decir, absorbidos a través de la nariz y los pulmones.

La aromaterapia es una de las artes curativas más antiguas, de la que dejaron constancia los orientales hace miles de años. En el antiguo Egipto se usaban sustancias aromáticas en medicina (y para el proceso de momificación) ya en el año 4.500 a.C. Sin embargo, no fue hasta el siglo XX cuando se estudiaron y apreciaron en todo su valor las virtudes curativas de los aceites esenciales.

Algunos de estos aceites resultan caros, ya que para obtener una pequeña cantidad de aceite se requiere un gran número de plantas, pero son suficientes unas pocas gotas para lograr efectos terapéuticos. Esta técnica no entraña peligro siempre que se empleen los aceites adecuados en las cantidades correctas y no se ingieran (a menos que sea por consejo de un terapeuta experto). Muchos aceites pueden usarse combinados, con lo que se aumentan sus efectos. Para relajarse y para levantar el ánimo, elija el aceite cuyo aroma le agrade más.

Los resultados más espectaculares se han obtenido en la curación de heridas, el tratamiento de pro-

Aceites esenciales para aromaterapia con plantas medicinales y otros ingredientes.

Una de las formas más eficaces de aprovechar las virtudes terapéuticas de los aceites esenciales consiste en echar unas gotas en el agua de un quemador de aceite. Al calentarse el agua, los vapores aromáticos se dispersan en el aire.

blemas cutáneos como el acné, el síndrome de tensión premenstrual, los trastornos de circulación y respiratorios, las cefaleas y otras alteraciones relacionadas con el estrés. Entre los aceites más útiles se cuentan los de eucalipto (para resfriados, gripe y reumatismo), pino o limón (para dolor de garganta, resfriados, gripe y bronquitis), lavanda (para eccemas, acné, pequeñas heridas, insomnio y cansancio) y geranio (para problemas de piel, neuralgias, dolor de garganta y amigdalitis). Existen muchos libros buenos en los que se detallan los principales aceites esenciales y sus aplicaciones.

ARTETERAPIA

La terapia artística es una rama de la psicoterapia (*véase* **Psicoterapia**) que se utiliza como método para comprender y solucionar los problemas emocionales y psicológicos. La gente sabe de forma intuitiva que la expresión creativa es una vía para hallar la curación. La expresión artística entra dentro de este terreno. Aunque uno no cuente con dotes artísticas, a través del proceso creativo es posible tratar muchos problemas, como la depresión, la inseguridad personal y las dificultades para relacionarse. La terapia artística es especialmente eficaz para las personas que sufren graves trastornos por no poder expresar verbalmente sus emociones.

Al interpretar el sentido del arte producido por el paciente, el especialista puede detectar problemas que se hallan muy enraizados y que con otras terapias llevaría años sacar a la luz. Su objetivo es entender al paciente para ayudarlo a que él mismo efectúe nuevos descubrimientos sobre sí mismo y sobre la vida. En el proceso de creación visual la persona puede tomar distancia con respecto a sentimientos o problemas que quizá no podría canalizar con palabras.

La terapia artística utiliza colores y formas, plasmados con lápices, pintura y otros materiales con el fin de hacer aflorar el inconsciente a la conciencia visual. Los colages, las esculturas, las pinturas y los dibujos pueden expresar angustias insospechadas de su autor de manera inmediata, pues estas técnicas suelen eludir el proceso de autocensura que a menudo bloquea las emociones y pensamientos.

La *British Association of Art Therapists* es un grupo en vías de expansión. En el Reino Unido, Estados Unidos y otros países existe este tipo de terapeutas. Según la tendencia a la que se adhieran (freudiana o jungiana, por ejemplo), su enfoque interpretativo puede ser distinto, prestando mayor o menor atención a las interpretaciones que el paciente da a sus propias obras.

AYURVEDA

Ayurveda es una palabra proveniente de una de las lenguas más antiguas que se conocen, el sánscrito, y significa el «conocimiento de la vida diaria». La mención del ayurveda en los Vedas, la obra escrita más antigua del mundo, indica que la práctica de

Los baños de vapor son una de las cinco terapias de purificación ayurvédicas, mediante las que se procura el estado de equilibrio de los tres doshas (vatta, pitta y kapha) que promueve el bienestar.

este sistema curativo tiene más de 5.000 años de antigüedad.

El ayurveda considera a los seres humanos como parte integrante del «todo», inseparable de todo lo demás. Los expertos definen el ayurveda de diversas maneras, pero en principio se trata más de una manera de vivir que de una doctrina médica y tiene en cuenta cuestiones de índole espiritual, emocional, social y física. Se concede igual importancia al período de sueño que de actividad, a la dieta que a las abluciones y la higiene, y al ejercicio que a la meditación.

La medicina ayurvédica no puede aislarse de la conciencia del estilo de vida individual. Sólo puede ponerse en práctica si la persona está dispuesta a modificar todas las actividades y los aspectos nocivos para la salud. La moda actual de emplear remedios ayurvédicos es comparable al consumo de analgésicos para tratar una pierna rota: es sólo una parte del tratamiento necesario para recuperar su función normal.

El ayurveda está basado en tres fuerzas principales, conocidas como los tres *doshas*: *vatta* representa el aire y el espacio, *pitta* el fuego y el agua, y *kapha*, el agua y la tierra. Los tres tienen zonas de intersección y no pueden sobrevivir sin los demás. El fuego, por ejemplo, no puede arder sin aire y sin sustancia (tierra) que quemar. El agua se estanca sin aire y el fuego no puede controlarse sin agua. Los distintos estados emocionales y actividades físicas entran dentro de estas categorías. Los movimientos y la respiración son vatta, la temperatura y la digestión son pitta, y la energía y la estabilidad son kapha. En el plano emocional, los sueños y las intenciones están representados por vatta («cabeza en las nubes»), la ambición y el empuje por pitta («está enardecido») y la alimentación y el perdón por kapha («nido y comida»).

Todas las personas están compuestas por los tres doshas, pero en general uno de ellos predomina sobre los otros dos. La mayoría de los libros sobre ayurveda ayudan a conocer el tipo constitucional propio y, por consiguiente, es posible hallar el equilibrio de los tres doshas. Para las personas con predomino de vatta/pitta, por ejemplo, sería tal vez positivo tener más kapha. Todos los alimentos tienen sus propios elementos. Las guindillas y las sopas calientes suelen ser pitta, mientras que la carne roja es sobre todo pitta y kapha. Conociendo los dosha constitucionales de uno, se puede establecer una dieta específica.

El ayurveda es una filosofía compleja, cuyo conocimiento es aún más difícil debido al uso de la terminología hindú, pero una vez que se ha captado su esencia, resulta sencillo poner en práctica su enfoque y actitudes, orientados por el sentido común, y obtener un profundo efecto de bienestar. Por desgracia, en Occidente no siempre se dispone del tiempo, la dedicación o la mentalidad necesarios para modificar todo el estilo de vida. Por esta razón, en mi opinión, el ayurveda es beneficioso sólo para quienes dedican un tiempo a su salud y no buscan un «apaño» rápido.

BIORRETROALIMENTACIÓN

La biorretroalimentación o *biofeedback* es una manera de tomar conciencia de los pequeños cambios que experimentan las funciones del organismo a través de diversos aparatos electrónicos. Estas máquinas se conectan a la persona por medio de electrodos y pueden utilizarse para medir el ritmo del corazón, el patrón de las ondas cerebrales, la temperatura del cuerpo o el ritmo de la respiración. Esta información sobre el sistema nervioso autónomo revela el grado de relajación o excitación del cuerpo y puede emplearse para influir de manera consciente en procesos corporales que antes se consideraban inaccesibles al control voluntario. La biorretroalimentación no es una terapia *per se*, pero se usa para la enseñanza de técnicas de relajación o meditación, que a menudo incluyen el control de la respiración y la visualización. Al ser capaz de conocer el propio nivel de relajación, es posible aprender a modificar las reacciones fisiológicas, y viceversa.

Los aparatos empleados reflejan ciertas actividades diarias por medio de un sonido agudo o en un dial. Como consecuencia de una reducción en la respuesta al estrés en el cuerpo, el dial reflejará un nivel más bajo o el sonido agudo sonará más grave. La técnica refuerza el éxito individual con el método de relajación que se ejercita. La biorretroalimentación puede practicarse en grupos o en clases individuales. Su finalidad es acelerar el proceso de aprendizaje de la relajación o la meditación, a fin de independizarse de los aparatos utilizando el conocimiento conseguido gracias a ellos.

La biorretroalimentación puede emplearse para tratar trastornos relacionados con el estrés, como insomnio, ansiedad, miedo, hipertensión y asma. Las migrañas y la tensión muscular pueden aliviarse con las técnicas de meditación, ayudadas por la biorretroalimentación. Se ha comprobado asimismo su eficacia para aliviar el dolor crónico y para recuperar el funcionamiento normal de los músculos después de una enfermedad o un accidente.

CHI KUNG

La palabra china que designa la fuerza o energía vital es *chi*. *Kung* significa «trabajar con». Toda terapia energética es, por lo tanto, chi kung. Esta expresión, no obstante, se usa sobre todo para designar diversos movimientos que permiten que la energía circule libremente por el cuerpo. Las filosofías orientales creen en la existencia de meridianos o canales provistos de energía que suministran la fuerza vital a los órganos y sistemas. El chi kung es una manera de mover esta energía realizando unas series determinadas de movimientos y ejercicios.

El sistema de ejercicios, posiciones y técnicas de respiración del chi kung es aún más antiguo que el yoga, puesto que se originó en China hace más de 5.000 años. Al igual que el yoga, el chi kung tiene como finalidad integrar la mente y el cuerpo para lograr un estado de armonía, pero, a diferencia de

aquél, se centra en mover la energía más en el interior del cuerpo que en el exterior. Los ejercicios guardan relación con los puntos de acupuntura o presión localizados en los meridianos del cuerpo, a través de los cuales circula la energía vital. Existen siete ejercicios básicos con cientos de variaciones, todos ellos propicios para la salud y la relajación. Las distintas series de movimientos se centran en diferentes órganos y sistemas del organismo y pueden aplicarse para aliviar trastornos concretos de salud como artritis y problemas digestivos o circulatorios. Los ejercicios de respiración pueden usarse para aliviar el asma y otras alteraciones respiratorias. Las lesiones deportivas y el dolor lumbar pueden curarse de forma suave con los ejercicios que fortalecen los músculos y aportan una mejoría general en la movilidad y la flexibilidad.

El chi kung terapéutico se enseña de manera individual en sesiones de noventa minutos, y los ejercicios se eligen según el problema que haya que tratar. Habitualmente se recomiendan diez sesiones, en las que se incluyen trabajo físico general y ejercicios de respiración y relajación. Entre una y otra sesión se debe practicar en casa. Las personas que practican con regularidad el chi kung experimentan rápidos progresos e invariablemente notan una mejoría en la salud, el vigor, el nivel de energía y atención mental, así como una sensación de potencia interior, bienestar y gozo vital.

CROMOTERAPIA

Los colores inciden en el estado de ánimo y las emociones y pueden, por lo tanto, influir en la salud. Muchos estudios han demostrado que el color tiene profundos efectos en la función de las ondas cerebrales y en los niveles de circulación de hormonas del estrés, como la adrenalina y el cortisol. Los especialistas en esta terapia utilizan el color o la luz coloreada para tratar enfermedades. En un nivel elemental, se ha comprobado que el verde es calmante, y de hecho se emplea como color principal en las paredes de la mayoría de los hospitales. La luz azul también es relajante y reduce la presión arterial, y la luz roja es estimulante y aumenta la presión.

En el uso de esta terapia para la curación intervienen todos los colores del espectro. Para saber el color que necesita una persona, el terapeuta tiene en

Pa fuan jin. Una modalidad de chi kung

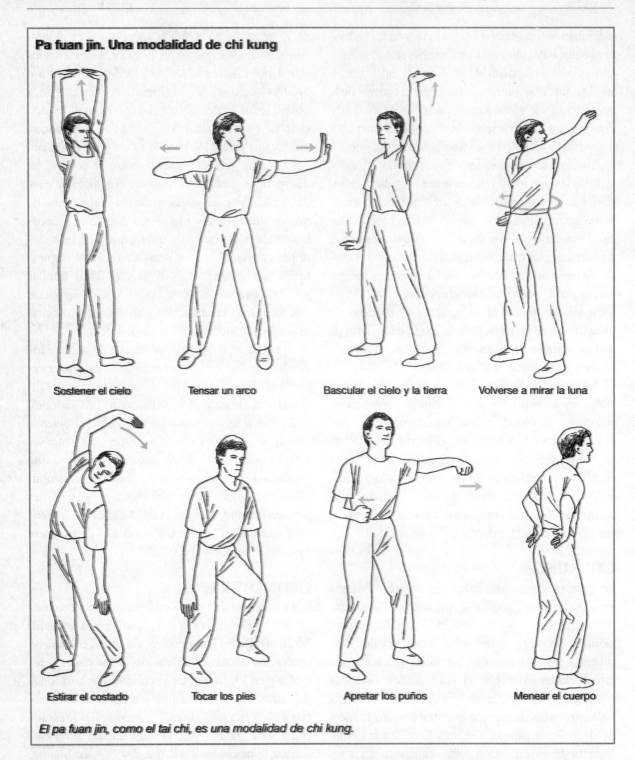

Sostener el cielo   Tensar un arco   Bascular el cielo y la tierra   Volverse a mirar la luna

Estirar el costado   Tocar los pies   Apretar los puños   Menear el cuerpo

El pa fuan jin, como el tai chi, es una modalidad de chi kung.

cuenta los colores que le gustan y le disgustan, observa su «aura» para establecer de qué color es y valora su historia médica. Una vez determinado el color que precisa el paciente, administra el tratamiento de diversas formas. Por ejemplo, puede inundar al paciente de luz coloreada o pedirle que coma alimentos de un color determinado. Algunos terapeutas aconsejan modificar los colores dominantes en el hogar o llevar ropa de un color específico.

Es difícil usar la terapia por el color como autoayuda, por lo que se aconseja consultar a un especialista o un libro sobre el tema. Vale la pena explorar esta terapia como complementaria de otros tratamientos.

DANZATERAPIA

Todos tenemos conciencia de que los movimientos del cuerpo pueden expresar conceptos y sentimientos. Cuando uno intenta comunicarse, por ejemplo, con una persona que habla otro idioma, el lenguaje de signos y gestos resulta de un valor inestimable. Las culturas orientales, en especial la hindú y la balinesa, integran en su estilo de vida el movimiento y la danza en una proporción mucho mayor que en Occidente. Casi todas las culturas tribales incluyen desde tiempos remotos la danza, no sólo para expresar los sentimientos sino como medio para alcanzar un nivel superior de conciencia. En esas culturas se conocen los efectos relajantes y transformadores de la danza no sólo para el que la ejecuta sino también para el que la presencia.

La terapia mediante la danza tiene por objeto liberar el flujo natural de expresión corporal de cada individuo, concentrándose en un tipo de movimientos naturales, espontáneos y desinhibidos más que en pautas establecidas de baile. Los terapeutas ayudan y motivan a los pacientes para que pongan en práctica este arte curativo como medio para establecer una conexión con su inconsciente; muchos integran la posibilidad de establecer una relación con los meridianos o canales de energía que permita desbloquear mejor el flujo de la fuerza vital.

Esta terapia es aplicable en una gran variedad de situaciones. A veces se utiliza música y otras no. En unos casos se hace hincapié en los aspectos creativos de la danza y, en otros, en los aspectos terapéuticos. Puede ser útil para personas que tienen dificultad para hablar de sus sentimientos y es eficaz para la mayoría de los trastornos psicológicos, sean leves o graves. En teoría, las dolencias físicas que afectan a la motricidad, como la enfermedad de Parkinson, pueden mejorar por el movimiento de chi. La terapia mediante la danza puede ayudar asimismo a aliviar los síntomas físicos relacionados con el estrés.

Existen formas y enfoques muy diversos de esta terapia. La eurritmia es un arte de movimiento junto con música y palabra desarrollado en los colegios de Rudolph Steiner para favorecer el sentido del ritmo en los niños. La danza libre de los cinco ritmos de Gabrielle Roth es otro ejemplo de terapia destinada a fomentar la expresión individual y la creatividad.

DESENSIBILIZACIÓN POTENCIADA POR ENZIMAS

Los médicos que practican la desensibilización potenciada por enzimas se sorprenderían de encontrar este tratamiento en un capítulo de terapias alternativas. El motivo es simplemente que en el momento de la redacción de este libro no es una terapia bien asentada, a pesar de que los primeros tratamientos se llevaran a cabo ya en 1966 en Oxford, en el Reino Unido.

El principio de la desensibilización se basa en la liberación de una enzima denominada betaglucuronidasa por parte de unos glóbulos blancos específicos como consecuencia de una reacción inmunológica. Esta betaglucuronidasa, unida a un alergeno conocido, se aplica junto a la piel durante varios días o bien se inyecta en el organismo. Así el cuerpo desarrolla tolerancia al alergeno y se reduce cualquier reacción de tipo alérgico.

En la actualidad, la desensibilización potenciada por enzimas sólo está permitida para tratar el asma, y los especialistas de Oxford insisten en que no debe utilizarse para ninguna otra cosa, porque no quieren intrusos que la apliquen mal y la desprestigien. Si se demuestra la eficacia de este tratamiento, las empresas farmacéuticas perderían miles de millones porque disminuiría la necesidad de consumir medicamentos contra el asma y otros trastornos de tipo alérgico. Los profesionales esperamos con interés la evolución de los hechos.

DETECCIÓN DE ENERGÍA

Mediante diversos instrumentos, como un péndulo o un palo acabado en horquilla, es posible detectar una energía que por el momento no puede medirse. A fines del siglo XIX se pensó que si los zahoríes eran capaces de localizar agua, metales y otras sustancias subterráneas, también podrían localizar la enfermedad en el cuerpo. Se llevaron a cabo pruebas, sobre todo en Francia, y se comprobó que así era. Aunque el mundo ortodoxo se mantiene todavía escéptico, no sería extraño que cuando aumenten los conocimientos de física cuántica, en un futuro cercano, se hallará una explicación a las vibraciones o los movimientos que se producen en un péndulo o una vara según la sustancia sobre la que se encuentran. Este método no parece funcionar si el instrumento está sujeto a un objeto inorgánico (no vivo), lo cual suscita aún más dudas entre los científicos.

En el empleo médico de este procedimiento parece producirse una interacción entre la energía del practicante y del paciente, o de una muestra del cabello o la sangre del paciente. El péndulo o el instrumento de adivinación simplemente refleja dicha interacción. Es como conectar un voltímetro a los polos de una batería: es necesario que haya dos energías opuestas o diferentes para que se genere un movimiento.

Esta técnica puede utilizarse también para establecer el tratamiento más efectivo frente a una enfermedad. Sus resultados dependen más de la habilidad y sensibilidad del practicante que del instrumento utilizado. Algunos de ellos no necesitan siquiera un péndulo, pues colocando las manos sobre el cuerpo del paciente son capaces de percibir un cambio de vibración o calor y detectar de esta forma la localización de una enfermedad. En este sentido, los sanadores son detectores de energía.

Esta técnica de diagnóstico puede ser útil empleada junto con otras técnicas más ortodoxas y no es recomendable aplicarla de forma aislada. No lo digo porque dude de su eficacia, sino porque la práctica es muy subjetiva y depende mucho de quién la aplique.

ECOLOGÍA CLÍNICA

La ecología clínica, también denominada medicina medioambiental, nació a partir de las investigaciones sobre alergias efectuadas a principios del siglo XX. Creo que fue Hipócrates, en el siglo V a.C., quien aconsejó «que la comida sea tu medicina y la medicina tu comida». La mayoría de los profesionales de la medicina holística convendrían en que gran parte de los trastornos de salud se deben a lo que se introduce en el cuerpo. En esto se incluye no sólo la comida, sino la persistente y casi inevitable ingestión de productos agroquímicos (como pesticidas, fungicidas y herbicidas), así como la polución del aire causada por la combustión de gasolina y gasoil y los productos de limpieza domésticos. Todos estos factores ambientales son perjudiciales para el bienestar, debilitan nuestro sistema inmunológico y aumentan la vulnerabilidad a alergias e intolerancias.

La ecología clínica tiene en cuenta todos estos factores, prestando especial atención a la probabilidad de sufrir intolerancias y alergias a sustancias tóxicas presentes en los alimentos consumidos de manera habitual. En la mayoría de los casos los síntomas se relacionan con el síndrome del intestino permeable, y los irritantes y alergias pueden ocasionar un gran número de dolencias, como problemas respiratorios, trastornos digestivos, infertilidad, cefaleas, migrañas e incluso cáncer.

Mediante diversas técnicas, como la kinesiología aplicada, la iridología, la biorresonancia y los análisis de sangre, el ecologista clínico intentará identificar los alimentos o tóxicos responsables del trastorno. Para solucionarlos, utilizará dietas de eliminación, técnicas de desensibilización y otros tratamientos naturópatas, como la fitoterapia o la homeopatía. También suelen aconsejarse cambios en el estilo de vida para evitar la exposición a los irritantes ambientales, como polvo, polen y sustancias químicas. Las formas leves de hipersensibilidad o intolerancia pueden mejorar tomando suplementos antioxidantes y bebiendo agua de grifo filtrada.

FENG SHUI

Las filosofías orientales, en especial la china y la japonesa, creen firmemente que el universo está conectado a través de una energía inmensurable. Este chi emana de todos los organismos vivos e impregna toda la materia. Las fuerzas del universo, el movimiento del agua, la luz, el viento y el resto del mundo natural..., todo posee una energía que ejerce una influencia sobre todo lo demás. El científico que recientemente sugirió que el aleteo de una mariposa en el Amazonas podría provocar una tormenta en América Central no hacía más que revalidar un concepto antiquísimo.

El feng shui, que significa «viento y agua», ha evolucionado a partir de estos principios ancestrales y se centra en el movimiento de la energía en el entorno inmediato de la persona. Es el arte de determinar la posición correcta para el cuerpo en los diferentes momentos del día, a fin de eludir la energía negativa e incrementar la positiva (esto es una simplificación flagrante, pero da una idea práctica de la técnica). La posición del escritorio en el trabajo, de la cama al dormir y la altura de los árboles que rodean la casa tienen una repercusión, al igual que los colores y las formas de los objetos domésticos. También es importante el agua, visible o subterránea, que haya en las proximidades. El agua está asociada con la dificultad y su circulación puede originar cambios iónicos (de partículas cargadas) que tienen una fuerte incidencia en el chi individual.

Si bien cada vez se publican más libros sobre el feng shui, es siempre mejor recabar consejos prácticos de un experto. Éste puede observar el espacio personal, dar su opinión sobre todos los aspectos de distribución que propicien una armonía óptima y determinar los espacios buenos y malos para las distintas actividades cotidianas en la casa o la oficina a fin de mejorar las relaciones personales, la salud, la situación económica, la profesión y la creatividad.

FITOTERAPIA

En la fitoterapia o terapia con hierbas deben tenerse en cuenta dos elementos: el primero es el aspecto farmacéutico y el segundo es la energía inherente a la propia planta. En Occidente, el uso terapéutico de las plantas se basa en gran medida en sus efectos químicos, y son muchas las investigaciones que indican que las plantas medicinales tienen mejores efectos farmacéuticos que los medicamentos ortodoxos. Al tratarse de sustancias producidas de forma natural, el cuerpo parece asimilarlas mejor y con menos efectos secundarios que los que presentan muchos medicamentos artificiales. Debido a que generan menos productos metabólicos tóxicos, el hígado y los riñones las metabolizan más fácilmente.

Los especialistas en fitoterapia pueden seguir la tradición occidental, utilizando plantas originarias de Europa, o bien las filosofías orientales, en cuyo caso administran plantas tradicionales de China o la India. Las tradiciones orientales tienen en cuenta los aspectos químicos de las plantas y también la energía que éstas poseen en sus células y su estructura, dando más importancia a los aspectos masculino-femenino, yin-yang y a su pertenencia a las categorías de tierra-agua-fuego-aire.

Estantes de un herbolario con una selección de píldoras, cápsulas, infusiones y preparados elaborados con hierbas.

Los extractos de plantas contienen esteroides y otras sustancias como el ácido acetilsalicílico, por lo que actúan exactamente igual que los preparados farmacéuticos. El uso inapropiado o excesivo puede ser tan perjudicial como la ingestión habitual de medicamentos y actuar suprimiendo los síntomas sin atacar la causa subyacente, que es el principio de la medicina holística. El notable éxito de las hierbas chinas en los eccemas constituye un ejemplo. La mayoría de los fitoterapeutas siguen de forma escrupulosa el concepto básico de la medicina natural, pero hay excepciones. En las filosofías orientales raras veces se receta una planta sin tener en cuenta el estilo de vida en su conjunto, pero yo he advertido que muchos de los que practican la fitoterapia se limitan a recetar remedios sin tener en cuenta a la persona como un todo. Este tipo de médicos no son aconsejables.

De vez en cuando la fitoterapia tiene «mala prensa». Hace muy poco un importante hospital de Londres informó de la muerte de seis personas que tomaban plantas chinas para tratar problemas cutáneos. Los medios de comunicación interpretaron que esas muertes estaban causadas por practicantes no titulados y que todas las medicinas alternativas o complementarias entrañaban un riesgo. En realidad, las seis muertes se debieron a una sobredosis de las sustancias ingeridas por esas personas, y no deberían haber creado más alboroto que la exigencia de una correcta especificación de lo que se receta. Vale la pena situar esta información en su contexto, aunque de hecho no existen estadísticas sobre el número de muertes provocadas por los medicamentos recetados que se consumen de manera incorrecta. Básicamente, la fitoterapia es segura cuando es recetada en las dosis adecuadas por un buen profesional.

FLORES DE BACH

Son remedios preparados con flores, que favorecen la curación reduciendo los estado mentales negativos, considerados como causa de la enfermedad, y estimulando las emociones positivas. Se considera que los problemas físicos provienen de un desequilibrio energético entre la mente y el cuerpo, que la naturaleza puede corregir a través de una combinación adecuada de plantas. Los remedios se extraen de flores y capullos de plantas corrientes mediante la acción de la luz del sol o del calor y se conservan en licor.

Este sistema fue ideado por el doctor Edward Bach (1886-1936), un anatomopatólogo y bacteriólogo que, a raíz de padecer una enfermedad, descubrió que las plantas contienen sustancias o energía que afectan a la psique. Observó que las distintas enfermedades parecían estar relacionadas con diferentes tipos temperamentales, que clasificó en siete grupos principales, caracterizados por un estado emocional negativo habitual. Dichos estados, que se designan por medio de una palabra o frase clave, son: soledad, miedo, inseguridad, falta de interés por el presente, hipersensibilidad, abatimiento y exceso de preocupación por los otros.

Guiado por su intuición, el doctor Bach identificó las plantas que transformaban estos estados negativos en positivos, obteniendo un total de 38 plantas desde *Agrimony* (agrimonia) hasta *Willow* (sauce). A efectos prácticos, subdividió cada estado mental, de forma que, por ejemplo, en la categoría «inseguridad», *Asper* (álamo temblón) actúa contra el miedo a lo desconocido, *Cherry Plum* (cerezo silvestre) contra el miedo a perder el control y *Rock Rose* (helianthemo) contra el terror o el abandono de sí mismo. En la categoría «hipersensibilidad», *Agrimony* (agrimonia) actúa contra la preocupación y la ansiedad ocultas bajo una supuesta impavidez, *Centaury* (centaura) contra la poca voluntad y la tendencia a infravalorarse y *Holly* (acebo) contra los celos y la rabia.

Así pues, los remedios deben seleccionarse de acuerdo con el estado mental y la personalidad. La experiencia de un terapeuta puede ser útil para identificar el remedio apropiado. Puesto que son totalmente inocuos a cualquier edad, estos remedios se usan como autoayuda en el hogar, sobre todo el «remedio de rescate», que es una combinación de cinco remedios florales, recomendada después de una desgracia o una crisis emocional.

FLOTACIÓN

El cuerpo y la mente están expuestos a un constante ataque sensorial. En Occidente, sobre todo, es muy difícil disfrutar de un estado de ausencia de excitación sensorial. Estamos rodeados de ruido, imá-

El agua de esta cámara de flotación contiene sales y minerales calentados a la temperatura del cuerpo. En general, aquí reina el silencio, aunque pueden hacerse llegar sonidos relajantes a través de altavoces sumergidos.

genes y olores, y siempre estamos tocando algo, aunque se trate sólo del suelo que pisamos o de la ropa que vestimos.

Una buena técnica de meditación puede sustraernos de la percepción sensorial, pero un método más fácil para conseguirlo es la cámara de flotación. Se trata de una bañera o estanque llena de una solución salina concentrada, de profundidad suficiente para que el cuerpo flote, encerrada en una cápsula o cubículo. La alta concentración de sal hace que la persona flote mejor y el cuerpo permanezca suspendido sin esfuerzo, lo cual propicia una completa relajación de todos los músculos. La uniformidad del agua que rodea al cuerpo reduce la sensación de contacto. La cámara suele estar a oscuras (aunque los que temen la claustrofobia pueden disponer de una luz suave), no deja pasar los ruidos y no debe tener un olor fuerte. El efecto global es el de un entorno cálido y acogedor, que genera una sensación de bienestar y seguridad. Al minimizar la estimulación de todos los sentidos, es fácil desprenderse de las tensiones y ansiedades. La sensación de profunda relajación que se produce suele durar un tiempo (hasta varios días) después de la flotación.

Diferentes estudios científicos han comprobado que esta terapia, carente de contraindicaciones, reduce la presión arterial y el nivel de sustancias relacionadas con el estrés en el cuerpo. También puede contribuir a aliviar el dolor, porque estimula la producción de endorfinas, las hormonas analgésicas que segrega el propio cuerpo. A quienes les cuesta practicar otros métodos de relajación, como la meditación, pueden encontrar una solución en la flotación, dado que es una técnica pasiva que no requiere esfuerzo alguno. Puede utilizarse como sustituto de la meditación o como una forma de estimular la capacidad para meditar.

FOTOGRAFÍA DE KIRLIAN

Es un tipo de fotografía de alta frecuencia que se emplea para plasmar en una fotografía el «aura» de energía que rodea a una persona. Semyon y Valentina Kirlian, que descubrieron y desarrollaron el método para su aplicación en el diagnóstico médico, observaron que las fotografías de individuos sanos y enfermos presentaban diferencias en el campo energético. Se dice que una persona sana emite una fuerte aura, mientras que la que padece una enfermedad, manifiesta o latente, emite un aura débil. El terapeuta interpreta el aura e identifica cualquier desequilibrio que requiera tratamiento.

Por lo general, se toma una fotografía de las dos manos. En la imagen obtenida se aprecia una franja deshilachada en el contorno de las manos, con zonas luminosas de energía y otras de bloqueo que se emplean para diagnosticar ciertas enfermedades (*véase* **Fotografía de Kirlian** en el capítulo 8).

FOTOTERAPIA

La luz tiene una influencia directa en el funcionamiento del organismo y en el estado de ánimo. Cuando sale el sol nos sentimos más animados y llenos de vigor, mientras que una insuficiencia de luz puede generar depresión y letargia. Se sabe que la luz estimula la hipófisis y la glándula pineal, que corresponden a los dos chakras (centros de energía) superiores de la medicina yóguica. Existen muchas pruebas científicas de que la luz del sol estimula o inhibe la producción de ciertas sustancias químicas, como la melatonina. La melatonina controla las pautas del sueño, pero si está presente en exceso puede ser causa de depresión y cansancio. El trastorno afectivo estacional (TAE), una forma de depresión que se da en invierno, puede aliviarse sometiendo a la persona a fogonazos de luz de amplio espectro. Ésta imita la luz natural del sol, que aumenta la cantidad de serotonina (la hormona del «bienestar») segregada por el cuerpo.

La terapia mediante la luz se utiliza para tratar una amplia gama de problemas relacionados con un desequilibrio hormonal. Los trastornos de la menopausia, los problemas premenstruales, la infertilidad y la pérdida de la libido responden bien a la terapia mediante la luz, que a través de los ojos estimula directamente la glándula pineal del cerebro.

El organismo necesita luz solar para producir vitamina D, esencial para el mantenimiento de la salud de los huesos y la piel. Las alteraciones cutáneas como el acné, los eccemas y la psoriasis, y la osteoporosis (falta de calcio en los huesos) pueden experimentar una mejoría con la terapia lumínica. En estos casos, la luz se enfoca en la piel además de dirigirse a los ojos. También se utiliza esta terapia para estimular el sistema inmunológico y mejorar la circulación sanguínea.

En las sesiones de terapia el paciente permanece tumbado en un diván bajo una luz cenital durante unos 45 minutos. Para los casos agudos se recomienda al principio una sesión semanal. La mejoría suele ser muy rápida y, después de unas pocas sesiones, sólo es necesario volver de vez en cuando como mantenimiento.

La terapia mediante la luz suele combinarse con la terapia con cristales (*véase* **Gemoterapia**).

GEMOTERAPIA

Muchas culturas antiguas atribuían propiedades curativas a ciertas piedras y cristales. Algunas tribus de indios americanos, por ejemplo, ofrecían unas piedras especiales, a las que adjudicaban poderes particulares, a los recién nacidos. Actualmente se sabe que todos los objetos tienen vibraciones: hasta en las sustancias más «muertas», los electrones vibran y mantienen un equilibrio entre sus moléculas. Se ha formulado la teoría de que las piedras preciosas y los cristales emiten una frecuencia que puede afectar a la resonancia del cuerpo humano y ser curativa. Esta terapia puede combinarse con la

terapia por el color (*véase* **Cromoterapia**) y es interesante como complemento de otros tratamientos más ortodoxos.

Hoy en día, muchos profesionales utilizan las energías emitidas por las piedras preciosas y semipreciosas para potenciar la capacidad de curación del organismo.

A las distintas piedras se les atribuyen propiedades terapéuticas diferentes. Una piedra verde como la esmeralda, por ejemplo, tendrá un efecto relajante, mientras que el jade se utiliza desde hace mucho en la medicina tradicional china para tratar problemas del riñón y la vejiga. Los cristales de cuarzo y la amatista se consideran especialmente potentes. El terapeuta colocará las piedras alrededor del paciente o bien se las dará para que las lleve. También se considera que los cristales dentro de una habitación tienen un efecto positivo en el ambiente.

Los cristales pueden utilizarse asimismo en la terapia por el color, mediante una caja de luz especial. La luz que pasa a través de diferentes cristales intensifica su energía curativa y produce una gama de colores que estimulan diferentes partes del cerebro. En la terapia mediante electrocristales se transmiten pulsaciones de energía electromagnética de alta frecuencia a través de cristales sobre la parte del cuerpo que hay que tratar. También se pueden tomar esencias o elixires de gemas, cuya energía curativa es absorbida de forma directa por el organismo.

GEOTERAPIA

La inmersión en barro con fines curativos es una variedad de hidroterapia (*véase* **Hidroterapia**). El barro tiene elevadas proporciones de vitaminas y minerales, que la piel absorbe en pequeñas cantidades. No hay duda de los beneficios externos que proporciona la terapia con barro, útil para tratar problemas de piel como acné, eccemas y psoriasis. Los beneficios internos no están bien demostrados, y cabe la posibilidad de que las pequeñas cantidades que se absorben sean eliminadas por el hígado y el riñón sin dar tiempo que a que se produzcan efectos terapéuticos. Es muy posible que los nervios de la piel desencadenen reacciones reflejas a través de la médula espinal.

La terapia con barro es un tratamiento excelente, sobre todo para afecciones dérmicas, pero no es fácil seguirla porque existen muy pocos balnearios que dispongan de barro. Uno de gran prestigio es el balneario Moor, en Austria, situado junto a un lago en una zona pantanosa en la que crecen cientos de plantas medicinales únicas en el mundo, cuyos lípidos, enzimas, minerales y vitaminas se disuelven en el agua y el barro del lago. Se han comprobado sus grandes virtudes terapéuticas y sus propiedades antiinflamatorias, particularmente indicadas para los reumatismos y la artritis. En la actualidad se están llevando a cabo prometedoras investigaciones sobre la terapia con barro.

Es cada vez más fácil encontrar productos de Moor y de otros balnearios. Lo ideal es aplicar el fango en forma de pasta sobre la piel, pero dado que esto resulta bastante engorroso quizá sea mejor utilizar un extracto de barro líquido en la bañera. Siga las instrucciones indicadas en el preparado y permanezca en la bañera unos veinte minutos. Después tome una ducha y métase en una cama caliente. Al sudar, eliminará las impurezas y toxinas del cuerpo.

HIDROTERAPIA

El agua posee muchas propiedades que la ciencia apenas puede explicar. Es la única sustancia natural que es más ligera en estado sólido que en líquido (por eso flota el hielo). Asimismo, el agua es considerada un disolvente universal, lo que significa que tiene la capacidad de deshacer toda sustancia que se mantenga sumergida en ella (ahora se empieza a encontrar una explicación científica de la homeopatía sobre la base del movimiento electrónico intrínseco que se produce entre las moléculas del agua).

La hidroterapia consiste en el empleo del agua para promover la salud. Puede utilizarse en forma de líquido o vapor, ingerirse caliente o fría o aplicarse externamente en forma de inmersión o por inhalación. El agua puede tener un elevado nivel de sales o ser extremadamente pura, según la finalidad de su uso.

Los efectos curativos del agua se conocen desde hace miles de años y están bien documentados en la literatura antigua, entre la que destacan los famosos baños romanos. Éstos se construían donde había manantiales naturales, de los que surgía agua caliente o con un alto contenido en minerales. La po-

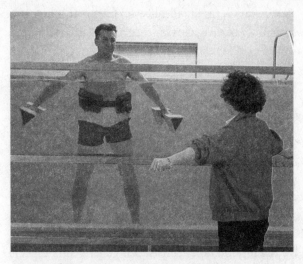

Un paciente practica ejercicios con pesas en una piscina de hidroterapia a fin de aumentar la fuerza y mejorar la movilidad de las articulaciones.

pularidad de los balnearios alcanzó su cenit en Europa durante los siglos XVIII y XIX y se contaban por centenares las ciudades que se hicieron famosas por sus aguas. El agua es ahora una terapia popular en casas de salud y hospitales de Europa, y el número creciente de baños de hidromasaje en hoteles y centros deportivos es una prueba de los efectos beneficiosos inmediatos del agua.

Entre las formas de terapia se incluyen baños, duchas, baños de asiento (donde sólo se mantiene sumergida la parte inferior del cuerpo) y baños turcos o de vapor. También se utilizan los baños con plantas y minerales y los baños con agua de mar (talasoterapia). Otras variedades de aplicación externa son la vaporización y el vapor. Las inhalaciones, con aceites esenciales o sin ellos, pueden dar buenos resultados (*véase* **Aromaterapia**). El agua caliente se utiliza para relajar, mientras que el agua fría tiene un efecto vigorizante. El uso alterno de agua fría y caliente estimula la circulación de la sangre y de la linfa, mejora el tono de los tejidos y alivia la congestión. Los baños de asiento se aplican para tratar trastornos en la región pélvica y abdominal, problemas de hígado y de riñón, estreñimiento y hemorroides. La hidroterapia es asimismo beneficiosa para personas con discapacidades físicas puesto que la flotación en el agua permite una gama más amplia de movimientos.

La hidroterapia es uno de los métodos más inocuos y baratos para aliviar las dolencias comunes y, por lo tanto, resulta ideal como forma de autotratamiento. Los ejercicios en el agua alivian los dolores, potencian la relajación y la flexibilidad y aumentan la forma física y la sensación de bienestar.

HIPNOTERAPIA

La palabra hipnosis proviene del griego *hypnos*, que significa «dormir», y fue incorporada al vocabulario por el cirujano escocés James Braid en 1840. Por entonces, cuando aún no existían los anestésicos, en las intervenciones quirúrgicas se utilizaban técnicas de hipnoterapia, desarrolladas a partir de las teorías del doctor Mesmer elaboradas sesenta años antes.

La hipnoterapia consiste en generar una especie de estado de trance, similar al de la ensoñación. La conciencia abandona el cuerpo, que es controlado y protegido por el subconsciente. Un ejemplo de ello sería pensar en una playa de Río de Janeiro mientras se conduce un coche. Aunque conducir exige una gran concentración y coordinación, se puede realizar sin pensar en ello. Si un niño pasara corriendo delante del coche, el subconsciente no tendría la capacidad para esquivarlo y reclamaría el regreso de la conciencia al cuerpo para hacer frente a la situación y, como resultado, uno se olvidaría de Río de Janeiro.

Existen en mi opinión dos técnicas de hipnoterapia: la hipnosis por sugestión y la hipnosis parcial. En ambas se induce un estado de profunda relajación haciendo que el individuo imagine un sitio acogedor y placentero. La hipnosis por sugestión introduce una idea en el inconsciente, como que una cebolla es una manzana o que el tabaco es nauseabundo. Cuando la persona vuelve al estado consciente, el subconsciente retiene la idea introducida, de modo que el individuo es capaz de comer a mordiscos y con fruición una cebolla o tener un fuerte deseo de dejar de fumar. El objetivo de la hipnosis parcial es propiciar un diálogo con el inconsciente para determinar qué parte del pasado de la persona ha desencadenado el problema psicológico. No es aconsejable iniciar esta forma de hipnoterapia si el individuo no puede o no está dispuesto a seguir con el apoyo psicológico que a menudo se necesita cuando sale a la luz algo profundamente enterrado y que puede tener una importante repercusión en la vida del individuo. La hipnoterapia de sugestión es

menos peligrosa pero también menos eficaz. Estas definiciones son de mi propia cosecha, y habría que escuchar las explicaciones de un hipnoterapeuta para saber qué clase de tratamiento pretende aplicar.

HOMEOPATÍA

El término homeopatía deriva de las palabras griegas *homo*, que significa «igual», y *pathos*, que significa «enfermedad». La homeopatía se basa en el concepto de que una enfermedad que produce determinados síntomas puede curarse mediante una sustancia que provoque los mismos síntomas en una persona sana.

El fundador de este sistema fue Christian Samuel Hahnemann, un respetado médico alemán que ejerció su profesión a fines del siglo XVIII. Hahnemann advirtió que las personas con síntomas agresivos de una enfermedad parecían recuperarse mejor que las que tenían sólo una reacción leve. Comenzó sus experimentos usando corteza de quina en personas aquejadas de lo que en la actualidad se conoce como malaria. La quina, que causaba los mismos síntomas que la malaria, administrada en cantidades infinitesimales parecía estimular las reacciones del cuerpo que vencían a la enfermedad. Hahnemann, aun ignorando la existencia de gérmenes, se ciñó a esta observación básica y, a partir de experimentos consigo mismo, con amigos y pacientes, elaboró lo que hoy en día se denomina *materia medica* de los extractos de plantas, minerales y animales que provocan síntomas similares a las enfermedades. Descubrió que utilizando cantidades masivas de una sustancia se provocaba una intoxicación del organismo, mientras que con cantidades pequeñísimas se estimulaban las propias defensas del cuerpo y se potenciaban reacciones curativas.

Para su propia sorpresa y la incredulidad de los científicos de hoy en día, descubrió que con la agitación vigorosa de la sustancia original en agua obtenía diluciones mucho mayores. Los modernos procedimientos científicos disponibles en la actualidad permiten medir la cantidad de sustancia contenida en una solución, y en la mayoría de los remedios homeopáticos por encima de la potencia veinte no quedan moléculas de la sustancia original. Dado que esto entra en contradicción con la ley de la acción de masas, la ciencia desdeña la homeopatía atribuyéndole sólo un efecto placebo. Se han publicado, no obstante, más de 160 artículos sobre homeopatía en prestigiosas publicaciones médicas, todos ellos con resultados favorables. De ellos, 22 cumplen los más estrictos criterios científicos, pero aun así la medicina ortodoxa no concede validez a sus efectos.

El profesor Benveniste de París ha señalado que el agua podría tener la capacidad para imprimir en su estructura electrónica la energía electrónica de otra sustancia. El profesor Benveniste, que es un científico y no un homeópata, ha sido condenado al ostracismo por la comunidad científica debido a este descubrimiento, aunque él se esfuerza por dejar claro que no tiene una inclinación especial por la homeopatía sino que sólo da cuenta de sus experimentos científicos. Aunque en la actualidad se le considera un inconformista, seguramente su trabajo es el estudio alternativo en curso más importante. Personalmente le deseo lo mejor y espero que encuentre financiación para proseguir con sus experimentos.

Los productos homeopáticos preparados por medio de una vigorosa agitación, denominada «sucusión», se diluyen de 10 a 100 veces antes de ser sometidos a una nueva sucusión. Con cada sucusión, la potencia aumenta. La mayoría de los preparados se presentan en potencias de 6, 7, 10, 12, 30, 200, 1.000 (que suele indicarse 1M), 50.000 (LM) o 100.000 (CM). Suelen añadirse las letras X o D después del número de la potencia, que indican una dilución de 1 sobre 10, mientras que la letra C indica una dilución de 1 sobre 100. No hay que confundir estas letras con LM y CM, que representan el número de veces que se diluye un preparado. En general hay poca diferencia entre una dilución X o C. Cuanto menor sea la potencia, más físico será el efecto. Las potencias más elevadas suelen reservarse para los aspectos psicológicos.

Los homeópatas seleccionan un preparado basándose en el cuadro de síntomas de la persona considerada en su totalidad. Existen, por ejemplo, más de 400 remedios para la fiebre, de los cuales 200 incluyen sudación, 50 sofocos, 25 temblores o espasmos, 10 sed, 7 diarrea, etc. Cuanto mayor es el número de síntomas presentes, mayores son las posibilidades de escoger el remedio más específico.

Los homeópatas también tienen en cuenta la constitución de la persona, que debe describir su temperamento y personalidad cuando está sano, porque necesita tener una noción del estado al que debe retornar el paciente por medio de la medicación. Si una persona es propensa a sudar, los preparados que son especialmente secos pueden apartarla de su tendencia y hacer más lento el proceso de curación.

La homeopatía es una forma de terapia compleja. Las farmacias modernas intentan simplificarla diciendo, por ejemplo, que *Arnica* es buena para las contusiones, *Belladonna* para la fiebre, *Pulsatilla* para el dolor de oído, etc. La homeopatía no puede prescribirse de esta forma porque debe tener en cuenta la totalidad de la persona y no sólo el síntoma. Cuando se emplea de este modo, a menudo no proporciona los resultados esperados, lo que determina un nivel de fallos mucho más elevado del que le corresponde.

La homeopatía puede utilizarse sin peligro en cualquier dolencia en que el individuo mantenga intacta o en buen estado su fuerza vital, ya que los remedios originan reacciones de curación internas. La homeopatía no debe utilizarse cuando el cuerpo está muy débil, porque es posible que no disponga de energía suficiente; en el mejor de los casos la homeopatía será inútil y, en el peor, empeorará la salud del paciente al consumir con mayor rapidez sus escasas energías.

IRRIGACIÓN DEL COLON Y ENEMAS

La irrigación del colon, también denominada hidroterapia colónica, se está convirtiendo en una técnica cada vez más popular para limpiar el intestino. Mediante un tubo insertado en el recto se introduce agua en el colon, que luego es eliminada. La mayoría de los que lo han probado aseguran que se sienten mucho mejor y con más energías después de este tratamiento. En el colon se acumulan muchas toxinas que pueden pudrirse o incluso ser absorbidas por el torrente sanguíneo. Entre las mejorías observadas con este procedimiento se incluyen el alivio del estreñimiento, la diarrea, la hinchazón, los gases, el dolor intestinal, los problemas cutáneos, el estrés y el cansancio general. Muchos profesionales ofrecen consejos sobre nutrición y otras terapias, como el masaje.

Yo tengo mis dudas con respecto a la irrigación del colon. Aunque con este procedimiento se elimina gran cantidad de desechos, éstos no se acumularían si la persona tuviera movimientos regulares de los intestinos. Es más, durante los años de práctica hospitalaria, he visto muchos intestinos preparados para colonoscopia o para una intervención quirúrgica que aparecían limpios e inmaculados. Los intestinos se limpian generalmente tomando agua en abundancia y un potente laxante doce horas antes. Un ayuno con un poco de fibra y un laxante natural pueden ser igualmente eficaces que esta técnica artificial de introducir un líquido en sentido contrario al normal.

La irrigación del colon y los enemas tienen utilidad, sobre todo si el intestino se mueve poco a causa de alguna dolencia y, siempre que se lleven a cabo bajo la atenta supervisión de un profesional experto, no revisten peligro alguno. Habitualmente se recomienda una serie de cuatro-ocho irrigaciones, de unos treinta minutos de duración. Se ha mencionado la posibilidad de rotura del intestino si la irrigación se practica en individuos con colon friable, pero su incidencia es mucho menor que la de la colonoscopia en un hospital ortodoxo.

KINESIOLOGÍA

La kinesiología es una terapia de manipulación, basada en el diagnóstico de desequilibrios o deficiencias en la nutrición o en el flujo de energía, que se establece comprobando la fuerza de los músculos. La kinesiología aplicada fue desarrollada en los años sesenta por el doctor George Goodheart, un quiropráctico norteamericano, que descubrió que la aplicación de masajes en el circuito neurolinfático fortalecía los músculos. Relacionó entonces estos hallazgos con el enfoque de las medicinas orientales con respecto al chi o fuerza vital que circula por el cuerpo y puede estimularse a través de puntos de presión. En este sentido la kinesiología no difiere mucho de la acupresión.

Goodheart creía que la eficacia de la técnica se basaba en los reflejos espinales, con independencia de cuál fuera la causa subyacente, y descubrió que la estimulación de un músculo puede tener repercusión en una parte distinta del cuerpo. Esta idea tuvo un fuerte arraigo desde entonces. Así, se ha com-

probado que la fuerza de un músculo puede variar en respuesta al contacto del cuerpo con un producto que provoca intolerancia o alergia. De la misma manera, el músculo presenta una reacción positiva frente al contacto con sustancias de las que el organismo es deficitario.

El terapeuta examina un grupo muscular mientras el paciente se introduce diversos alimentos, de uno en uno, en la boca. Para examinar los músculos el terapeuta estira la zona de la mano entre el índice y el pulgar o indica al paciente que mantenga el brazo extendido mientras lo presiona hacia abajo. Algunos kinesiólogos colocan simplemente una sustancia sobre el abdomen o utilizan incluso una forma homeopática. En teoría, la resonancia de una sustancia pasa a la solución acuosa cuando se prepara según los métodos homeopáticos. Aún va más allá la creencia de que una sustancia tiene una incidencia en la energía muscular. Algunos terapeutas piden sólo al paciente que lea una lista de sustancias, una por una, para examinar un grupo muscu-

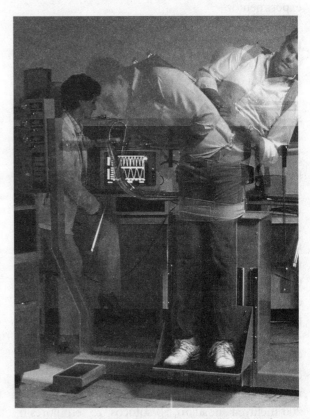

Un voluntario se somete a pruebas de kinesiología. A medida que éste realiza ejercicios de torsión, el ordenador refleja la flexión de la columna de izquierda a derecha.

lar. Incluso la palabra «sí» como oposición al «no» puede fortalecer o debilitar un grupo de músculos. Utilizada junto con otras técnicas de diagnóstico más ortodoxas, la kinesiología puede ser muy interesante como apoyo en la investigación diagnóstica. Sus efectos terapéuticos están basados en la acupuntura y la acupresión.

MASAJE

El masaje es la manipulación de los tejidos blandos del cuerpo, en especial los músculos, con objeto de promover la relajación y la curación. Existen numerosas técnicas de masaje, y muchos masajistas basan sus técnicas en una combinación de diversas terapias corporales, como el shiatsu, el rolfing o la fisioterapia, mientras que otros aplican un enfoque más intuitivo. Todas las variedades de masaje son efectivas, ya sea para eliminar agarrotamientos, dolores y tensiones de los músculos o para estimular los ganglios linfáticos (parte del sistema inmunológico) a fin de eliminar toxinas.

La sesión de masaje suele realizarse en un centro de salud o en la casa del terapeuta, pero en algunas circunstancias el masajista se traslada al hogar del paciente. Algunos profesionales trabajan con el paciente tumbado en el suelo, aunque la mayoría utiliza camillas de masaje. Se untan las manos con aceite para facilitar los movimientos sobre la piel. La manipulación puede realizarse de diferentes maneras, con masaje, frotación, golpes, presión en círculo, etc., utilizando las puntas de los dedos, el pulgar o toda la mano.

La elección de la técnica y del masajista es una cuestión bastante subjetiva. Vale la pena experimentar con distintas variedades para encontrar la técnica y el profesional más adecuados. Algunos terapeutas emplean técnicas más vigorosas que otros. Existe cierta preocupación acerca de que el masaje pueda ser perjudicial para el cáncer porque extienda el tumor, aunque no hay pruebas que avalen esta hipótesis. En mi opinión es mejor evitar las técnicas de drenaje linfático si se sabe que un cáncer se ha extendido al sistema linfático, pero no creo que el masaje que aplica acupresión, como el shiatsu, entrañe peligro.

El uso de aceites esenciales aromáticos para el masaje combina dos formas de terapia curativa, con lo que a los beneficios del masaje se añaden los del aceite, que actúa de manera directa sobre el torrente sanguíneo (*véase* **Aromaterapia**). Cualquiera que sea el tipo de masaje elegido, la experiencia siempre es agradable, porque calma y relaja y, a la vez, vigoriza. Los resultados persisten a menudo durante horas o días, sobre todo cuando el masaje forma parte de un programa para combatir el estrés.

MEDICINA ANTROPOSÓFICA

La antroposofía, derivada de las palabras griegas que significan hombre y sabiduría, es el producto de las enseñanzas espirituales y místicas del filósofo y científico austríaco Rudolf Steiner (1861-1925). Sus ideas tuvieron particular influencia en la educación, pero también inspiraron un nuevo enfoque de la curación. La medicina antroposófica se practica sobre todo en Europa, aunque existen médicos y clínicas en otras partes del mundo.

Steiner advirtió que el ser humano no era un mero organismo físico o bioquímico sino que contenía cuerpos «etéreos» y «astrales» en forma de energías que, aunque no pueden medirse, constituyen las emociones y la «fuerza vital». Steiner usó el término «ego» para definir la esencia espiritual. Sus conceptos están en sintonía con la filosofía oriental: él creía que el cuerpo está compuesto de tierra, agua, fuego y aire, que se conectan a través de los aparatos digestivo y motor, el sistema sensorial y el sistema rítmico. Las energías físicas y etéreas controlan la digestión y el movimiento; el ego y el cuerpo astral rigen los sentidos, y el sistema rítmico controla la circulación y la respiración.

Steiner sostenía que la salud dependía de un equilibrio entre todos estos elementos. Tenía una visión holística de la curación y era consciente de las limitaciones de la medicina científica. Consideraba la curación ante todo como un arte, y al paciente como un espíritu humano que buscaba su camino en sus relaciones con su cuerpo, con otras personas y con la naturaleza, y no sólo como un objeto separado del resto del universo. Steiner clasificaba las enfermedades en dos grandes grupos, inflamatorias y degenerativas, pero insistía en que el significado de cada enfermedad debía analizarse en el contexto de la biografía y el entorno del individuo.

El tratamiento consiste en modificar la conciencia espiritual y emocional a través de la dieta, el ejercicio y los remedios. Las posibilidades curativas se potencian con otras terapias, sobre todo artísticas, como la pintura, la eurritmia, la escultura y la música. La medicina antroposófica utiliza una combinación de remedios homeopáticos y preparados con hierbas y minerales.

MEDICINA CHINA Y ORIENTAL

Las antiguas escuelas de medicina de Oriente poseen una tradición de siglos. Pese a las diferencias concretas en los métodos de diagnóstico y tratamiento, todas comparten una misma filosofía básica, cimentada en la creencia de que el cuerpo está controlado por energía, y no por la anatomía o la fisiología como en la medicina occidental. El cuerpo humano se considera un microcosmos del universo, gobernado por la misma energía y los mismos cinco elementos. Esta energía o fuerza vital circula en el cuerpo por canales o meridianos, de forma que la mala salud es una alteración de este flujo de energía. El organismo, como el universo, está compuesto de cinco elementos a través de los cuales se manifiesta la energía cósmica: éter, tierra, agua, fuego y aire en la medicina ayurvédica, y tierra, madera, metal, fuego y agua en la medicina china.

Plantas medicinales chinas trituradas listas para ser pesadas y envasadas.

En la medicina china se hace hincapié en el equilibrio de la fuerza vital, conocida como *chi* o *qi*. La buena salud se mantiene cuando hay un equilibrio entre los principios opuestos del chi, llamados yin (negativo) y yang (positivo). La mala salud es una alteración de dicho equilibrio, o falta de armonía, que impide la circulación sin trabas de la fuerza vital por el cuerpo. El tratamiento procura fortalecer el yin o el yang o eliminar cualquier exceso. Esto se lleva a cabo por diversos métodos, que incluyen desde cambios en el estilo de vida a través de la nutrición, el ejercicio y la meditación, hasta remedios de plantas medicinales y actuaciones sobre el cuerpo como los masajes, la acupuntura o la acupresión.

La fitoterapia es una pequeña parte de la medicina oriental y varía según la flora de la zona. Las medicinas tailandesa y vietnamita, por ejemplo, difieren de la camboyana o la tibetana en las plantas empleadas, aunque el sistema de creencias subyacente es muy parecido. Los meridianos chinos difieren de los de la medicina tibetana, que se corresponden más con el trayecto de los nervios.

Las medicinas ayurvédica, china, tibetana y oriental sólo son opciones aconsejables si la persona puede o está dispuesta a imprimir un cambio global en su modo de vida, porque estas disciplinas no aportan «soluciones» rápidas.

MEDITACIÓN

La meditación es un modo de trascender el nivel de conciencia cotidiana vaciando la mente de pensamientos y preocupaciones conscientes. Para ello hay que entrenar la conciencia a fin de lograr un control consciente sobre los procesos mentales. Existen muchas variedades de meditación y todas tienen el mismo propósito: potenciar el bienestar físico y mental.

La meditación se practica desde hace 3.000 años como mínimo. Aunque muchas de las modalidades que se conocen hoy en día provienen de Oriente y están asociadas con prácticas de tipo espiritual, en Occidente la mayoría de la gente considera la meditación como una simple técnica de autoayuda para la que no se requiere ninguna creencia religiosa. La meditación tiene la ventaja de que puede practicarse en cualquier sitio cómodo, siempre que nadie

Cualquier posición cómoda que favorezca la relajación es indicada para la práctica de la meditación.

moleste durante unos veinte minutos, y en la posición en que uno se encuentre a gusto (sentado o acostado).

El proceso de meditación consta de dos fases: la primera se centra en la relajación física y la segunda en dejar la mente en blanco. La concentración en la respiración es una manera ideal de lograrlo, ya que uno piensa en algo tranquilizador y, al mismo tiempo, impide la entrada de otros pensamientos y apacigua la mente. Algunas personas encuentran más útil repetir una palabra o mantra o concentrarse en un objeto, como una flor o una vela. Cualquiera que sea el método empleado, la respiración debe ser lenta y tranquila y el estómago debe subir y bajar suavemente sin que se muevan los hombros. Cuando esté relajado, cierre los ojos y siga concentrado en cada inspiración y cada espiración, excluyendo todo pensamiento, hasta llegar poco a poco a un estado de relajación más profunda que dará paso a un estado de trascendencia. En ese punto la mente permanece calmada y alerta a la vez; el cerebro produce una alternancia regular de ondas alfa y theta que es la «respuesta de relajación». En ese punto se llega al estado más perfecto de equilibrio y armonía, en el que se eliminan todas las tensiones.

Las investigaciones han demostrado que la meditación regular, durante unos veinte minutos, una o dos veces al día, reduce la presión arterial y alivia la depresión y la ansiedad. Otros efectos son una mejoría en la concentración, la creatividad y la memoria y un aumento de la energía. La meditación también ha ayudado a mucha gente a superar adicciones a drogas como los sedantes y el alcohol.

Este tema se describe con mayor amplitud en otro apartado (*véase* **Meditación** en el capítulo 5).

MÉTODO FELDENKRAIS

Moshe Feldenkrais (1904-1984) fue un físico e ingeniero ruso que se instaló en Inglaterra en 1940. Elaboró la teoría de que nuestro cerebro desarrolla desde la infancia pautas de movimiento. De este modo, los padres podrían transmitir al hijo una mala postura, que puede tener una incidencia en los sistemas neurológico y muscular. Sus investigaciones sobre la dinámica del movimiento en el cuerpo humano lo llevaron a desarrollar su método de movimiento.

El método Feldenkrais enseña secuencias de movimientos suaves que tienen por objeto reorganizar las pautas anteriores de acción para utilizar el cuerpo con mayor efectividad. Feldenkrais creía que el cuerpo y la mente estaban conectados y tenían una profunda influencia mutua, por lo que al modificar los hábitos negativos de movimiento y postura se conseguía mejorar el bienestar no sólo físico sino también mental y emocional. Al igual que con la técnica de Alexander, los alumnos aprenden a alterar sus costumbres restrictivas mediante una conciencia activa, lo que produce una reducción de estrés y una sensación de relajación cada vez mayores, beneficiosas tanto para la mente como para el cuerpo.

El método se enseña de dos maneras: en una clase en grupo llamada «concienciación a través del movimiento», el profesor guía verbalmente a los estudiantes en la práctica de una serie de ejercicios lentos, que al principio realizan tumbados en el suelo a fin de reducir al mínimo la tensión en el cuerpo. Después, en una clase individual llamada «integración funcional», el profesor guía al alumno mediante el tacto, en combinación con suaves manipulaciones y masajes. Las clases individuales son especialmente beneficiosas para las personas que sufren discapacidades o lesiones dolorosas.

El método Feldenkrais es adecuado para todo el mundo. Es útil en casos de dolor crónico y ayuda en la recuperación de traumatismos físicos. Dado que es una terapia suave, está indicada para pacientes que han sufrido infartos y para niños con parálisis cerebral. El método es muy popular entre los deportistas y profesionales de las artes escénicas.

MÉTODOS BATES PARA LOS OJOS

El método Bates, que debe su nombre al doctor W.H. Bates, un oculista de Nueva York, es un procedimiento natural para mejorar y mantener la visión mediante unos ejercicios que corrigen los hábitos erróneos de visión. En 1919 el doctor Bates publicó un libro, *Better Eyesight without Glasses* (*La mejor visión sin gafas*), en el que describía dichos ejercicios. Bates sostenía que la visión perfecta era la consecuencia de unos ojos completamente relajados y que los defectos de visión eran el resultado de una mala utilización de los ojos.

El método Bates tuvo muchos partidarios, como el escritor Aldous Huxley, quien ya de joven casi no veía ni siquiera para leer. El libro de Huxley *The Art of Seeing* (*El arte de ver*) explica la ayuda que supuso para él este método. Sus seguidores, presentes en todo el mundo, aseguran que los ejercicios son beneficiosos para personas de todas las edades, por muy limitada que sea su visión. Muchos practicantes de otras terapias alternativas utilizan el método Bates durante sus tratamientos.

Son siete los ejercicios principales, que deben practicarse a diario. Se pueden aprender sin dificultad con un libro o consultando a un practicante del método Bates, que recomendará probablemente un curso de sesiones de aprendizaje semanal. Entre los ejercicios, cuyo objetivo es relajar la tensión en los músculos oculares, se incluyen taparse los ojos con las palmas de las manos durante diez minutos dos o tres veces al día; salpicarse repetidamente los ojos cerrados con agua caliente y luego fría, por la mañana y por la noche, y enfocar la mirada sucesiva y rápidamente en un objeto cercano y otro alejado. Bates también era partidario de parpadear con frecuencia, una o dos veces cada diez segundos. Asimismo, consideraba importante para el mantenimiento de la salud ocular la dieta, la toma de suplementos y la homeopatía.

MUSICOTERAPIA

La capacidad para apreciar y reaccionar ante la música es una cualidad innata en el ser humano que no requiere formación musical. En raras ocasiones esta capacidad es afectada por una discapacidad, lesión o enfermedad. Para las personas a las que les cuesta comunicarse verbalmente, sobre todo las que padecen una enfermedad mental o física, dificultades de aprendizaje o una discapacidad sensorial, la musicoterapia ofrece una manera segura e inocua de dar rienda suelta a sus sentimientos.

En la musicoterapia es fundamental la relación entre el terapeuta y el paciente, en la que la música ocupa el primer plano de la comunicación como una manera de fomentar el cambio y el crecimiento personal. Existen distintos enfoques, según las necesidades del paciente y las preferencias del terapeuta. Pero en todos se tocan instrumentos, se canta y se escucha música, en grupo o en sesiones individuales. El terapeuta no enseña al paciente a cantar ni a tocar, sino que alienta la improvisación mediante percusión, instrumentos accesibles y la voz, con el objetivo de explorar el mundo del sonido y crear un lenguaje musical individual. El paciente reacciona frente a la música, y el terapeuta apoya este proceso y fomenta los cambios positivos en el comportamiento y bienestar.

Los musicoterapeutas trabajan con adultos y niños de todas las edades, en hospitales, escuelas especiales, centros de día y consultas privadas. La implicación en la producción creativa de música es particularmente útil en el tratamiento psicológico de niños con problemas de conducta, dificultades de lenguaje y defectos de nacimiento, ya que promueve la conciencia física y desarrolla la atención, la concentración y la memoria. Para las personas con dificultades emocionales, la musicoterapia permite la expresión de sentimientos conflictivos reprimidos. Con su apoyo y aceptación, el terapeuta puede ayudar a que el paciente avance hacia una mayor fluidez en la expresión de sus emociones y la autoaceptación. Cada vez son más las personas que recurren a la musicoterapia, no porque tengan dificultades concretas, sino por un deseo de potenciar su creatividad y ahondar en el conocimiento de sí mismos y de su manera de relacionarse con los demás (*véase* **Sonoterapia**).

NATUROPATÍA

La naturopatía es un término global para hacer referencia a un enfoque multidisciplinario de la enfermedad y la salud. Sus practicantes poseen experiencia en diversas terapias médicas y siguen muchos principios coincidentes con el enfoque de la medicina oriental. Las filosofías de las medicinas ayurvédica, china, tibetana y otras comparten un punto de vista sobre la salud que tienen en cuenta a la persona en su totalidad y no sólo un conjunto de síntomas. La naturopatía es el equivalente occidental de este enfoque y se basa en la idea fundamental de que el cuerpo tiene la capacidad para curarse por sí mismo a través de su «fuerza vital» y que la enfermedad es una reacción ante una falta de armonía o desequilibrio en el organismo.

En lugar de centrarse en exclusiva en los síntomas específicos, el propósito de la naturopatía es contribuir a que el organismo recupere la salud restableciendo su equilibrio natural. Las modernas investigaciones científicas confirman la creencia de los naturópatas de que muchos síntomas, como la fiebre o la inflamación, tienen una función curativa. El naturópata enseña al paciente la manera de fomentar las propias defensas del organismo, sobre todo mediante la introducción de cambios en el estilo de vida y en la alimentación. Una dieta sana con alimentos integrales, aire puro, un entorno sin contaminantes, el ejercicio, un descanso y un sueño adecuados, la reducción del estrés y una actitud mental positiva fortalecerán el sistema inmunológico del organismo y aumentarán su poder de autocuración.

Los naturópatas se consideran a sí mismos más como profesores que como sanadores, ya que creen que cada persona debe hacerse responsable de su propia salud. El organismo se curará por sí solo y combatirá los organismos invasores cuando se restablezca su equilibrio homeostático. Los métodos empleados para ello consisten en una buena alimentación con suplementos vitamínicos, ejercicio físico, masajes u otro tipo de manipulación y técnicas de relajación y respiración, todo lo cual se une con la naturaleza en lugar de luchar contra ella. En naturopatía se utilizan también medicamentos naturales (hierbas o remedios homeopáticos). En teoría, el homeópata que dedica un tiempo a introducir cambios en el modo de vida de una personas

está practicando la naturopatía. Los naturópatas poseen formación en alguna forma de manipulación del cuerpo, entre las que es habitual la osteopatía. El ayuno, los masajes y la hidroterapia son una parte importante de la terapia naturópata.

La mayoría de los trastornos de salud, sean agudos o crónicos, pueden tratarse mediante naturopatía, y muchos estudios científicos han demostrado que sus métodos son una alternativa eficaz a los tratamientos médicos ortodoxos. Las modernas investigaciones confirman el valor terapéutico de un modo de vida sano, pilar fundamental de la naturopatía que cada vez goza de mayor aceptación.

NEUROTERAPIA

Esta modalidad de tratamiento es nueva en Occidente; se trata de una rama de la medicina ayurvédica que emplea todos los aspectos de la oración-meditación, la dieta y la nutrición, el ejercicio y las modificaciones en el estilo de vida, junto con una modalidad específica de terapia que incide en los meridianos del cuerpo.

Con el paciente tumbado en el suelo, el neuroterapeuta aplica presión sobre su espalda con los pies, apoyando la mayor parte del peso del cuerpo en dos sillas situadas junto al paciente. Con ciertas partes del pie aprieta determinados puntos de acupresión, estimulando reacciones reflejas y transmitiendo energía de los puntos de los meridianos de reflexología propios a puntos de meridianos de la espalda del paciente. Aunque este tratamiento todavía no está muy difundido, puede ser útil para una variedad de trastornos, por separado o junto con otras terapias más convencionales.

ONANI

El onani es una modalidad de medicina que se practica en el norte de la India y en Pakistán. Deriva de la medicina ayurvédica, pero también incluye ideas de origen griego y árabe. El onani difiere de la práctica ayurvédica en algunas de las plantas que se recetan, y también incorpora el uso terapéutico de los minerales.

OSTEOPATÍA

La osteopatía es una técnica de manipulación en la que se restablecen la alineación y el funcionamiento adecuados de huesos, músculos, ligamentos y nervios. Es probablemente la terapia alternativa más extendida, hasta el punto de que en algunos estados de Estados Unidos el osteópata tiene la misma categoría que un médico.

La osteopatía fue creada por un médico norteamericano, Andrew Taylor Still, a fines del siglo XIX. Still sostenía que las enfermedades se producían a causa de una mala alineación estructural. Postuló que cuando las vértebras abandonan su posición normal, los nervios que las atraviesan se vuelven hipersensibles y afectan al tejido circundante. Esto influye sobre la circulación sanguínea, y puesto que la sangre transporta sustancias que protegen contra la enfermedad, la obstrucción de la circulación conduce a un estado patológico. Sus teorías son acertadas porque una mala estructura puede entorpecer la circulación de la sangre, la conducción nerviosa y, desde la perspectiva oriental, el flujo de chi o energía.

En una sesión de tratamiento, que dura aproximadamente una hora, se aplican varias técnicas de manipulación según la dolencia específica. Es posible que uno haya de adoptar distintas posiciones mientras el osteópata aprieta, estira y aplica presión de diversas maneras sobre la espalda, la cabeza, los brazos o las piernas. Aunque no suele provocar dolor, a veces puede experimentarse un ligero malestar. El número de sesiones necesarias depende de la gravedad del problema.

Muchas personas consideran a los osteópatas como especialistas en poner los huesos en su sitio, pero esto es una simplificación errónea, ya que la osteopatía centra su trabajo en los tejidos blandos y en el estímulo de la circulación de la sangre por medio de la manipulación. A menudo se piensa en la osteopatía sólo cuando hay un problema estructural, como un dolor o una acumulación de tensión, sobre todo en la espalda y el cuello. La osteopatía es probablemente la mejor variedad de terapia de manipulación para este tipo de problemas estructurales, pero su utilidad no acaba aquí. Los osteópatas, a menudo aplicando otras modalidades de terapia alternativa, pueden tratar cualquier trastorno de salud, incluyendo cefaleas y migrañas, trastornos digestivos, problemas respiratorios como el asma, la otitis serosa y la sinusitis y problemas ginecológicos. La osteopatía puede incluso evitar la necesidad de cirugía en algunas lesiones.

OXIGENOTERAPIA (INCLUIDA LA TERAPIA CON PERÓXIDO DE OXÍGENO Y OZONO)

Existen muchos datos científicos que avalan la creencia de que la enfermedad puede derivar de un aporte insuficiente de oxígeno a las células. La oxigenoterapia incrementa la disponibilidad de oxígeno de los tejidos del cuerpo. Podría aducirse que las técnicas de respiración y la toma de suplementos orales con antioxidantes son tratamientos con oxígeno. La oxigenoterapia, no obstante, es el término que suele utilizarse para designar las terapias intravenosas. El ozono (que consiste en tres moléculas de oxígeno juntas) y el peróxido de hidrógeno (dos moléculas de oxígeno con dos moléculas de hidrógeno) pueden introducirse directamente en el torrente sanguíneo, aumentando de manera directa la disponibilidad de oxígeno.

El oxígeno tiene efectos positivos en las enfermedades cardíacas, los trastornos vasculares, incluido el ictus, y el cáncer. En la actualidad se investiga su aplicación en la infección por VIH y el sida. En teoría, el aumento del aporte de oxígeno puede ser beneficioso para cualquier dolencia.

Sin embargo, existen riesgos, y la administración intravenosa sólo deben llevarla a cabo médicos titulados o personas con experiencia en reanimación de emergencia. El peligro no reside en el oxígeno, sino en la posibilidad de que se introduzca cualquier sustancia química en el torrente sanguíneo que alteraría con gran rapidez su composición química.

PROGRAMACIÓN NEUROLINGÜÍSTICA

La programación neurolingüística (PNL) es una modalidad de psicoterapia que surgió en los años setenta a partir del trabajo de varios terapeutas de reconocido prestigio. Su propio nombre describe con precisión el principio en que se basa: los nervios (neuro) están afectados por el lenguaje (lingüística) y, a la manera de un ordenador, pueden reprogramar el proceso del pensamiento. Básicamente, la PNL reorganiza la manera de pensar de las personas y propicia una vía de salida de las emociones.

Los resultados de esta técnica dependen más de las pautas de comunicación que se establezcan en la relación entre el terapeuta y el paciente que de las teorías concretas de aquél sobre el cambio terapéutico. El terapeuta analiza a cada paciente como a una persona única, reparando en las mínimas manifestaciones de su comportamiento y su lenguaje corporal, con el fin de comprender sus mecanismos de percepción. Observando, por ejemplo, las alteraciones en la pupila, la dirección de la mirada, los movimientos de la cabeza y la respiración, el terapeuta puede identificar si utiliza un tipo de evocación visual o auditiva. Entonces puede comunicarse con él de la manera más adecuada, afianzando la relación.

La PNL puede utilizarse para modificar estados emocionales profundamente enraizados en el individuo y, por consiguiente, suelen practicarla psicoterapeutas expertos capaces de determinar qué cambios son necesarios. Los profesionales reciben a menudo formación en hipnoterapia, para poder acceder a las zonas más profundas del inconsciente. El paciente aprende algunos de los métodos utilizados por el terapeuta, como la técnica del espejo, la disociación o el anclaje.

El *anclaje* es la rememoración de experiencias agradables o positivas, que se utilizan como recurso para superponerlas a una situación futura que genere malas sensaciones, con el fin de disminuir su intensidad. De esta forma, el paciente adquiere mayor conciencia de la influencia que ejercen sus pensamientos, creencias y valores en su forma de percibir el mundo y puede incorporar nuevas tendencias de pensamiento para modificar maneras negativas de funcionar y aumentar así la felicidad personal. La PNL es un método de pensar y actuar con mayor eficacia a fin de mejorar cualquier faceta de la vida, ya sea el trabajo, las relaciones, la autoestima o la creatividad.

PSICONEUROINMUNOLOGÍA

Se ha demostrado que los componentes del sistema inmunológico de la sangre se alteran en respuesta a los cambios psicológicos o emocionales. La mayoría de las emociones se asocian a sustancias químicas que son segregadas dentro del cerebro. Estas sustancias desencadenan impulsos que recorren el sistema nervioso central y viajan luego por los nervios periféricos, influyendo en los tejidos del organismo. El sistema inmunológico funciona de la misma forma; el timo (que produce los linfocitos T) y la médula ósea (productora de otros glóbulos blancos) son especialmente sensibles a esta influencia.

El hecho de que la personalidad y las emociones influyan en el sistema nervioso, el cual a su vez incide en el sistema inmunológico, constituye la base de la psiconeuroinmunología. La poca capacidad para afrontar el estrés y las emociones negativas inhiben las defensas inmunológicas y predisponen a las infecciones y a una deficiente salud. Los estudios demuestran que las personas que mantienen la salud pese a sufrir experiencias estresantes tienen una actitud más positiva ante la vida que las que sucumben con frecuencia a enfermedades.

La psiconeuroinmunología es una terapia de diagnóstico que combina los modernos conocimientos científicos con la psicoterapia. Su objetivo es ayudar a recuperarse de las enfermedades y a prevenirlas por medio de un asesoramiento para adquirir una actitud emocional positiva, en el que se incluye técnicas de visualización e imaginación orientada. El objetivo es conseguir una sensación de control y felicidad, relajación y una actitud positiva. Esta terapia se ha demostrado eficiente para personas con cáncer y sida, pero suele dar también muy buenos resultados en personas con problemas de salud de menor gravedad.

El psiconeuroinmunólogo puede aplicar otras técnicas curativas, pero siempre trabaja basándose en el principio de que el estado mental carente de estrés es esencial para gozar de un buen funcionamiento inmunológico, ya que la psique, a través del sistema neurológico, tiene repercusiones en los mecanismos de defensa del cuerpo.

PSICOTERAPIA

El uso de la conversación y la discusión para ilustrar, comprender e identificar problemas psicológicos subyacentes es un tema muy amplio. El término psicoterapia designa una gran variedad de métodos para tratar problemas psicológicos. En él se incluyen desde el consejo o asesoramiento psicológico (escuchar y dar consejos básicos) hasta el psicoanálisis (terapia de indagación profunda para establecer las causas ocultas de desequilibrios psicológicos provenientes de la infancia). Existen cuatro tendencias principales de psicoterapia: psicoanalítica, humanística, cognitiva y conductista. Dentro de estas ramas hay muchos más tipos de «escuelas» de psicoterapia (algunas de las cuales se tratan con más detalle en este capítulo), pero todas ellas se basan en la conversación o la palabra para estimular y apoyar el proceso de consecución de la salud mental.

La psicoterapia no es sólo conveniente para personas en situaciones de crisis o conflicto, sino que también puede utilizarse como método para lograr un crecimiento personal y desarrollar el propio potencial. Para seguir esta terapia hay que estar dispuesto a asumir el protagonismo (en lugar de ser presionado por otra persona) y estar abierto al cambio y a nuevos sentimientos y experiencias. Una norma básica es tener confianza en el psicoterapeuta y dejar que él aplique la terapia que crea más conveniente. Algunos poseen formación en más de un tipo de psicoterapia, y quizá sean los ideales. Al margen de cuáles sean sus teorías o técnicas, todos los psicoterapeutas tienen un objetivo en común: conseguir que sus pacientes se comprendan a sí mismos y su forma de relacionarse con los demás y explorar nuevos modos de conducta y maneras de afrontar los conflictos y las dificultades.

QUIROPRAXIA

La quiropraxia, término derivado de las palabras griegas *kheir* (que significa «mano») y *praktikos* (que significa «práctico»), es una técnica de manipulación que corrige la alineación de los huesos de la columna para tratar una amplia gama de trastornos de salud. Al corregir la posición de los huesos y las articulaciones de la columna vertebral, y por consiguiente de los músculos y los nervios que llegan a ellos, se restablece la movilidad y se alivia el dolor.

Este sistema fue creado en Estados Unidos a principios de siglo por el doctor David Daniel Palmer (1845-1913). Palmer, que tenía grandes dotes para curar, descubrió el poder de la manipulación de la columna al curar la sordera en un paciente y tratar una enfermedad cardíaca en otro. Comprobó que el desplazamiento de las vértebras causaba enfermedad, y desarrolló la teoría de que las vértebras desplazadas o «subluxadas» comprimían los nervios espinales, lo que entorpecía el flujo de la energía nerviosa a través del cuerpo. Si bien algunas de las ideas de Palmer no se consideran correctas hoy en día, muchos estudios llevados a cabo en los últimos tiempos han confirmado la efectividad de la terapia. En particular, un ensayo clínico de ocho años de duración, cuyos resultados publicó el Medical Research Council en 1990, estableció con claridad la superioridad de la quiropraxia sobre los tratamientos hospitalarios para el dolor en la zona inferior de la espalda.

Los quiroprácticos suelen tratar problemas musculosqueléticos, como dolores en la espalda o en el cuello o síntomas ocasionados por una mala alineación estructural, como cefaleas, migrañas, ciática y lesiones deportivas. La quiropraxia no es muy eficaz para los dolores originados en articulaciones, músculos, ligamentos, discos y nervios de la espalda, pero se ha utilizado para aliviar el asma y otros trastornos respiratorios, alergias y alteraciones digestivas. Un quiropráctico ha publicado recientemente un breve estudio basado en nueve pacientes con acufenos (percepción de ruidos), en los que asegura haber obtenido buenos resultados. Es posible que la manipulación del cuello tenga efectos beneficiosos sobre numerosos trastornos internos.

La quiropraxia tiene mucho en común con la osteopatía (*véase* **Osteopatía**). Los osteópatas utilizan técnicas de manipulación similares, pero poseen una formación más amplia en fisiología y, además, del esqueleto, manipulan los tejidos blandos. En manos expertas, la quiropraxia constituye un tratamiento muy eficaz que no entraña peligro alguno.

RADIESTESIA

La radiestesia, que significa «percepción de las radiaciones», fue creada por un sacerdote suizo, el abad Alexis Mermet, a principios del siglo XX. Es una modalidad de detección de energía a distancia con fines terapéuticos, en la que el practicante reacciona a los cambios en el campo de energía producido por los pacientes utilizando un péndulo y diagramas. El éxito de la técnica depende más de la habilidad del terapeuta que del instrumento empleado. El practicante detecta y corrige los desequilibrios o distorsiones en los flujos energéticos, a menudo desde una gran distancia. Una de las ventajas de esta técnica es que puede descubrir y tratar causas ocultas de enfermedad que tal vez pasaría inadvertidas con otros métodos.

Si opta por un tratamiento con radiestesia, no tiene necesidad de ver nunca al practicante. Sólo tiene que rellenar un cuestionario médico con sus síntomas y su historial, junto con una muestra (llamada «testigo»), que puede ser un poco de sangre o una mecha de cabello. El terapeuta colocará la muestra en un instrumento de diagnóstico, entrará en sintonía mental con usted y planteará preguntas sobre su salud. Luego sostendrá el péndulo sobre el instrumento para recibir las respuestas. A continuación las energías curativas se enfocarán hacia usted desde la distancia (véase **Detección de energía**).

RADIÓNICA

La radiónica es una técnica de curación a distancia, igual que la radiestesia, con la que suele combinarse. El principio sobre el que se asientan ambas terapias es el de la existencia de un flujo universal de energía que conecta todos los seres vivientes. La radiónica surgió en California a principios de siglo, pero fue prohibida en Estados Unidos en los años sesenta. Desde los años cincuenta, el Reino Unido ha sido el centro mundial de esta terapia, pero existen pocas investigaciones científicas al respecto. No obstante, esta técnica parece ser especialmente efectiva para determinadas dolencias como el asma y las alergias, y muchos terapeutas que la practican gozan de gran popularidad, lo que lleva a pensar que obtienen buenos resultados. La radiónica, como la radiestesia, puede identificar y dispersar las toxinas del cuerpo que no son detectables a través de medios convencionales.

Esta terapia no entraña peligro alguno, aparte de las convicciones del practicante, que tal vez intente convencer al paciente para que deje o prescinda de otros tratamientos que podrían ser útiles. Aunque hay que ser prudente en este sentido, no hay nada desaconsejable en utilizar este tratamiento de curación a distancia junto con otras formas de terapia.

REFLEXOTERAPIA

El cuerpo está recorrido por muchas líneas energéticas denominadas meridianos o canales. En estos canales, que suministran energía a los órganos y sistemas, se reflejan distintas partes del cuerpo. En los pies está plasmada la totalidad del organismo. En reflexoterapia o reflexología, para llegar a un diagnóstico, se palpa la zona del pie (el «punto reflejo») que se corresponde con un órgano determinado y luego, como tratamiento, se aplica un masaje con objeto de estimular las energías curativas.

Los orígenes de la reflexología se remontan a los tiempos de los antiguos egipcios, y los sanadores de la antigua Grecia y China también practicaban este arte. En Occidente, esta terapia fue propagada a principios de siglo por dos norteamericanos, el doctor William Fitzgerald y Eunice Ingham. Fitzgerald propuso la teoría de que hay diez zonas de comunicación que recorren el cuerpo de la cabeza a los pies y que el estímulo en una zona del pie influye en otras partes del cuerpo de la misma zona. Eunice Ingham aplicó sus ideas e investigaciones en miles de pares de pies que confirmaron la certeza de sus hallazgos.

Para el tratamiento, el paciente se tumba o se sienta descalzo en un diván o un sillón reclinable. La sesión suele durar treinta-cuarenta minutos. El reflexólogo utiliza los dedos y manos para identificar los puntos que están particularmente vacíos (el dedo cae con facilidad en ellos) o llenos (generalmente una protuberancia sensible). De esta manera, establece un diagnóstico de la debilidad en la energía interna. Es importante no confundir un comentario del reflexólogo, por ejemplo, que el riñón está débil, con una indicación de que el paciente padece una enfermedad. Como en la detección de las vibraciones, el comentario se refiere a la energía del sistema y no a algo fisiológico. A continuación, el terapeuta localiza y trata todas las áreas doloridas con una técnica de compresión, que elimina la congestión en los órganos correspondientes mejorando la circulación linfática, sanguínea y nerviosa. Se cree que las protuberancias sensibles que se hallan bajo la piel son depósitos cristalinos, y no es infrecuente sentir un poco de dolor durante el masaje, mientras se dispersan dichos depósitos.

La reflexología puede ser útil en muchas enfermedades, sobre todo si se emplea junto con otros tratamientos más convencionales. Es una manera muy eficaz de desintoxicar el cuerpo y tratar una amplia gama de trastornos de salud, como alteraciones cutáneas, otitis serosa y cólicos en los niños, trastornos urinarios y de riñón, migraña y dolores crónicos. En un estudio reciente se comprobó que la reflexología contribuía a una curación más rápida de las operaciones de rodilla. Si bien aún deben realizarse más investigaciones, la reflexología es en principio una terapia segura y placentera que aporta indudables beneficios.

ROLFING

El rolfing es una terapia que tomó su nombre de su fundadora, la doctora Ida Rolf, una bioquímica norteamericana que postuló que muchos problemas de salud se debían a una mala postura. El principio de mejorar la alineación del cuerpo para potenciar el bienestar es similar al de la técnica de Alexander, pero la doctora Rolf ideó una compleja técnica de manipulación a fin de realinear la estructura del cuerpo a favor de la gravedad en lugar de luchar contra ella. Esta técnica, a la que denominó reintegración estructural, consiste en masajes profundos en los tejidos conectivos y músculos del cuerpo que, al realinear el sistema, promueven el flujo de energía, la circulación de la sangre y una mejor conducción nerviosa.

El rolfing es un masaje profundo en el que se emplean a veces los codos o los nudillos. Puede resultar incómodo o, incluso, doloroso, pero aporta indudables efectos positivos. Estira los tejidos conectivos flexibles o fascias del cuerpo que, si están contraídos, se hallan adheridos a las estructuras circundantes, entorpeciendo los movimientos y el adecuado funcionamiento de los órganos y otras estructuras del cuerpo.

El tratamiento suele consistir en una serie de diez sesiones de una hora distribuidas en un período que varía según la reacción del paciente. Cada sesión refuerza la anterior y prosigue con una parte distinta del cuerpo, comenzando en los músculos más superficiales para pasar a trabajar los tejidos más profundos en las sesiones ulteriores. El terapeuta toma a veces fotografías al principio y final del tratamiento para documentar los cambios producidos. Entre los efectos se incluyen un incremento en la vitalidad, una mayor amplitud de movimientos y una mejoría evidente en el equilibrio y la comodidad de la postura. También se consigue aliviar dolores crónicos causados por problemas estructurales. No se trata, no obstante, de una terapia para enfermedades concretas sino un sistema con fines preventivos.

SANACIÓN

Todas las formas de tratamiento son curativas, ya sean de tipo quirúrgico, químico u holístico, como la acupuntura o la quiropraxia. La sanación, una de las formas más antiguas de medicina, consiste en la «imposición de manos» por parte de sanadores que se consideran a sí mismos médiums que canalizan una energía curativa. Es, pues, una terapia energética basada en una fuerza inmensurable. Los sanadores atribuyen a esta fuerza diversos orígenes. Algunos creen en una energía psíquica universal que pasa directamente de ellos al paciente, y otros piensan que tiene una procedencia divina y que ellos actúan como conductores. Los que son creyentes, inmersos en una corriente cristiana de larga tradición, sostienen que el poder de Dios se manifiesta a través de ellos. La sanación puede ser efectiva con independencia de las creencias personales. Lo más importante es la calidad de la comunicación que se establezca entre el sanador y el paciente y la receptividad y el deseo de recuperación de éste.

La práctica varía: algunos sanadores ponen en contacto las manos con el cuerpo, mientras que otros las sitúan a cierta distancia. El sanador, que es capaz de percibir o intuir una falta de energía, se concentra a veces en los centros de energía o chakras. Algunos hacen vibrar sus manos, y otros entran en una especie de trance durante el cual se comunican con el «espíritu» o fuente que transmite la energía. La cura también puede llevarse a cabo o transmitirse sin contacto físico alguno, como lo demuestra la práctica de la radiónica.

Cada persona reacciona de manera distinta a las sesiones curativas, que suelen durar alrededor de treinta minutos. Algunas perciben un hormigueo o una sensación de calor o frío bajo las manos del sanador. A veces se manifiesta una mejoría inmediata, y otras requieren varias sesiones para notar un efecto.

Los sanadores afirman que experimentan cambios en su propio campo de energía mientras curan, y las investigaciones han mostrado que el efecto de las manos de un sanador es similar al de un potente campo electromagnético. Otro cambio detectable en los sanadores, por ejemplo, es un patrón común de ondas cerebrales durante el proceso de curación.

Todas las filosofías o terapias médicas emplean energía curativa y ninguna puede considerarse mejor que otra. No obstante, puede producirse un efecto acumulativo si el sanador receta a la vez productos de homeopatía o practica la osteopatía.

SHIATSU

El shiatsu es una combinación de masaje y acupresión que deriva de la aplicación japonesa de la filosofía médica china. La palabra shiatsu significa «presión con el dedo» en japonés. Al estirar los meridianos y manipular los puntos de acupresión se puede transmitir energía vital, o chi, a los órganos y sistemas del organismo para potenciar la salud. Esta terapia goza de una popularidad creciente en Occidente, debido a que la gente está tomando conciencia de la importancia de mantener la salud y reducir el estrés.

Ésta es mi modalidad predilecta de manipulación del cuerpo porque incorpora los conceptos de chi, acupresión y masaje. En una sesión, el practicante de shiatsu se interesa primero por la historia particular del problema y detecta las vibraciones. Luego efectúa un diagnóstico palpando el abdomen, procedimiento que se denomina diagnóstico *hara*. El abdomen se considera un mapa del organismo, una guía del estado energético de la persona y la fuerza o debilidad relativa de sus principales sistemas. Mediante esta inspección, que dura unos 5 minutos, el terapeuta sabe sobre qué meridianos debe actuar para reequilibrar el flujo de energía a través del cuerpo. El tratamiento se lleva a cabo con el paciente tumbado vestido en una estera extendida en el suelo. El practicante aplica una presión continuada, que varía de intensidad, en los puntos apropiados por medio de las manos, los codos, las rodillas y los pies. También puede aplicar una suave manipulación para distender las articulaciones y estirar los meridianos o caminos de la energía. Una sesión de shiatsu dura alrededor de una hora y tiene un profundo efecto relajante.

Empleado en combinación con otras formas de tratamiento alternativo u ortodoxo, el shiatsu aumenta el bienestar y acelera el proceso de curación. También ayuda a mantener la salud tonificando la

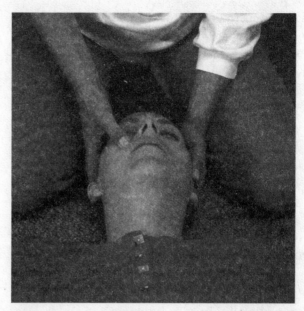
Masaje facial de shiatsu.

energía del cuerpo y potenciando la relajación. Puede utilizarse sin ningún peligro en todas las afecciones y dolencias, incluido el cáncer, porque el drenaje linfático es sólo una parte del tratamiento y puede prescindirse de él.

Si uno conoce los puntos de presión adecuados, puede utilizar el shiatsu en su casa sobre sí mismo o sobre otras personas para aliviar el dolor o los calambres.

SISTEMA HELLER

Este sistema fue fundado por el ingeniero Joseph Heller en los años setenta, basándose en las ideas de Ida Rolf, con quien había trabajado (*véase* **Rolfing**). Su objetivo es proporcionar a la persona unos sólidos cimientos para la salud mediante la realineación del cuerpo a través del movimiento y el masaje. Enseña los principios del movimiento que ayudan a mantener y mejorar el equilibrio una vez conseguido. El fin último no es sólo lograr resultados físicos, como en el rolfing, sino que concede gran importancia a los aspectos psicoemocionales e intenta potenciar el crecimiento del paciente, promoviendo cambios que mejoren su bienestar global.

La terapia se lleva a cabo por lo general en sesiones de noventa minutos en las que se trabajan a fondo los tejidos y se «reeduca» el movimiento. Es característico del sistema Heller el diálogo entre el profesional y el paciente, destinado a indagar la conexión cuerpo-mente con el fin de descubrir hábitos restrictivos en el cuerpo originados en pensamientos y sentimientos inconscientes. La manipulación que se aplica es una variedad de masaje profundo que se concentra en los tejidos intersticiales o conectivos, más que en los músculos o el esqueleto. Su fin es eliminar las toxinas y tensiones acumuladas, para suprimir el estrés y restablecer el equilibrio. Se dan asimismo consejos sobre cómo moverse para aumentar la conciencia del propio cuerpo y mejorar la postura, de modo que los movimientos cotidianos se vuelvan más fáciles, libres y suaves. Cada sesión se concentra en una parte diferente del cuerpo y las emociones relacionadas con ella, comenzando por las partes más periféricas, como los brazos y las piernas, hasta llegar a las zonas más profundas y centrales del cuerpo. En las últimas sesiones se tiene en cuenta la totalidad del cuerpo y se integra todo el trabajo previamente realizado.

Con el equilibrio de la mente y el cuerpo, el sistema Heller pretende prevenir los trastornos de salud más que tratarlos. Los que lo practican aseguran que alivia los dolores, aumenta la relajación y mejora la movilidad y flexibilidad general. Muchos problemas de salud responden bien a esta terapia, como las cefaleas y migrañas, la fatiga crónica, trastornos del sistema musculosquelético, problemas respiratorios como el asma y dolencias relacionadas con el estrés.

SONOTERAPIA

El sonido es una energía. Dado que el cuerpo humano está compuesto de energías, el sonido ejerce una influencia sobre él. Este principio se conoce desde hace miles de años y sus aspectos promotores de la salud se han aplicado en el canto, la salmodia y la producción de música con instrumentos. El sonido constituye la principal forma de comunicación y expresión del ser humano; incide de manera directa en el sistema nervioso cuyas ramificaciones llegan a todas las partes del cuerpo.

El sonido se utiliza a través de la salmodia para crear una vibración en los principales chakras o centros de energía del cuerpo, pero también se puede usar junto con el movimiento, como en la terapia mediante la danza. La teoría subyacente es que todo en el universo se halla en un estado de vibración, incluidos los seres humanos. Cada parte del cuerpo presenta una resonancia o frecuencia de vibración natural, de forma que dirigiendo determinadas ondas de sonido a áreas concretas se puede incidir en la frecuencia de dichas vibraciones y restablecer el equilibrio energético.

Los terapeutas que emplean la música y la salmodia como parte de su práctica pertenecen a tendencias muy variadas, e incluso en las salas de espera de los médicos puede oírse música como parte del enfoque holístico (*véase* **Musicoterapia**). En la terapia por el sonido pueden intervenir la voz, la música o diversos sonidos tonales, y en ocasiones una combinación de los tres. En esta terapia se pueden utilizar asimismo unas máquinas especiales que transmiten vibraciones curativas. Se ha inventado un sillón especial, denominado sillón acústico, que se está probando para tratar diversos trastornos. El sonido es aplicable a cualquier dolencia como terapia adjunta a otras o en forma de salmodia, como parte de la vida cotidiana para el mantenimiento de la salud. Es una terapia muy efectiva en las personas con discapacidades mentales o físicas de todas las edades.

TAI CHI CHUAN

Denominado con frecuencia con la abreviación tai chi, se trata de un grupo o serie de movimientos correspondientes al extenso número de series de ejercicios que componen el chi kung. El tai chi puede practicarse en todas las edades y potencia la libre circulación del chi a través de los meridianos y canales, muchos de los cuales se utilizan para la acupuntura.

El tai chi actúa sobre el cuerpo y la mente al mismo tiempo, relajando los músculos y calmando los nervios. Los ejercicios consisten en movimientos que se ejecutan de manera lenta y suave, y entre y uno y otro el ejecutante se mantiene inmóvil durante unos segundos. Al tai chi se lo ha denominado «meditación en movimiento». Lo importante no es la fuerza ni el esfuerzo sino el equilibrio, la gracia y la concentración. Con las rodillas flexionadas, se bascula lentamente el peso del cuerpo de un pie al otro, mientras con las manos se realizan suaves movimientos en círculo y de presión. También se presta atención a la respiración.

Aparte de sus virtudes para potenciar y mantener la salud y el bienestar, el tai chi suele recomendarse para las personas que padecen hipertensión arterial, estrés, ansiedad y problemas de corazón, por sus efectos relajantes sobre el cuerpo y la mente (*véase* **Chi kung**).

TÉCNICA DE ALEXANDER

Esta técnica fue desarrollada en la última década del siglo XIX por un actor australiano llamado Frederick M. Alexander, que descubrió que, cuando perdía la voz, podía recuperarla mediante la corrección de la postura. Advirtió que los hábitos erróneos de movimiento impedían el correcto funcionamiento de su organismo y que la corrección de dichos movimientos, con la cabeza y el cuello correctamente alineados, proporcionaba muchos efectos beneficiosos, no sólo en la voz sino en su salud en general. A partir de estas observaciones formuló la técnica de Alexander, que enseñó a otros actores y cantantes y luego a un público más amplio.

Hoy en día existen en todo el mundo profesores especializados en esta técnica, que ayudan a mejorar la salud y el bienestar modificando la forma de utilizar el cuerpo en las actividades cotidianas. Enseñan a mantener la postura y a respirar con mayor eficacia, aumentando la oxigenación del organismo. Todos necesitamos corregir la postura. A menos que ya practique alguna técnica física, es muy probable que en este momento su espalda esté encorvada. Si se endereza advertirá que aumenta varios centímetros su estatura. Este «encorvamiento» oprime el pecho y puede bloquear los canales energéticos que circulan por el cuerpo. El objetivo de la técnica es cambiar de modo permanente estos malos hábitos de postura, movimiento y pensamiento, sustituyendo las tensiones inconscientes por un movimiento reflexivo.

La práctica de la técnica de Alexander proporciona beneficios para la salud. Además de reducir el estrés y mejorar la voz y la respiración, puede tener efectos positivos sobre afecciones pulmonares como el asma y problemas persistentes relacionados con la mala postura, como el dolor de espalda en la zona lumbar. La práctica ha demostrado que reduce la presión arterial y que incluso es eficaz en problemas psicológicos como la depresión y el insomnio.

La técnica de Alexander se aprende en un curso de diez lecciones, seguidas de algunas sesiones complementarias. Las visitas regulares al profesor son similares a las clases de piano: ¡uno practica si sabe que alguien controlará sus progresos!

TERAPIA AURICULAR O AURICULOTERAPIA

Al igual que muchas otras partes del cuerpo, el oído refleja el resto del cuerpo. En el diagrama adjunto se muestran los múltiples puntos de acupuntura presentes en el oído externo (*véase* **Acupuntura**). La terapia auricular suele llevarse a cabo mediante la inserción de agujas de acupuntura en dichos puntos, pero con acupresión es posible solucionar la mayoría de los trastornos de salud (a menudo se aplica junto con los tratamientos de la medicina ortodoxa). Para localizar los puntos del oído se presiona con un instrumento delgado y romo o se usa un sensor eléctrico. En cada oreja existen más de 120 puntos, por lo que es importante su correcta localización para que el tratamiento sea eficaz.

A continuación se estimula el punto específico con acupresión o con finas agujas de acupuntura. Las agujas se dejan colocadas unos quince minutos, durante los cuales se manipulan de vez en cuando. Algunos terapeutas aplican estimulación eléctrica, que no es dolorosa, y hoy en día se están realizando pruebas experimentales con láser. En ciertos casos, el terapeuta sujeta con cinta adhesiva una aguja de presión o un pequeño dispositivo, que ejerce una acupresión continuada durante varios días. Es posible que durante el tratamiento se experimente una sensación de hormigueo o de adormecimiento en la oreja o en el mismo lado del cuerpo. La terapia auricular es particularmente útil para tratar las adicciones (por ejemplo, como ayuda para dejar de fumar) y para el control del dolor. Asimismo, se han comprobado sus resultados en los trastornos respiratorios y musculosqueléticos y en afecciones crónicas como la artritis y los problemas de piel.

TERAPIA BUTEYKO

El científico ruso K.P. Buteyko dedicó su vida a demostrar que la respiración puede alterar la proporción de ácidos y álcalis en la sangre modificando los niveles de oxígeno y anhídrido carbónico. En prin-

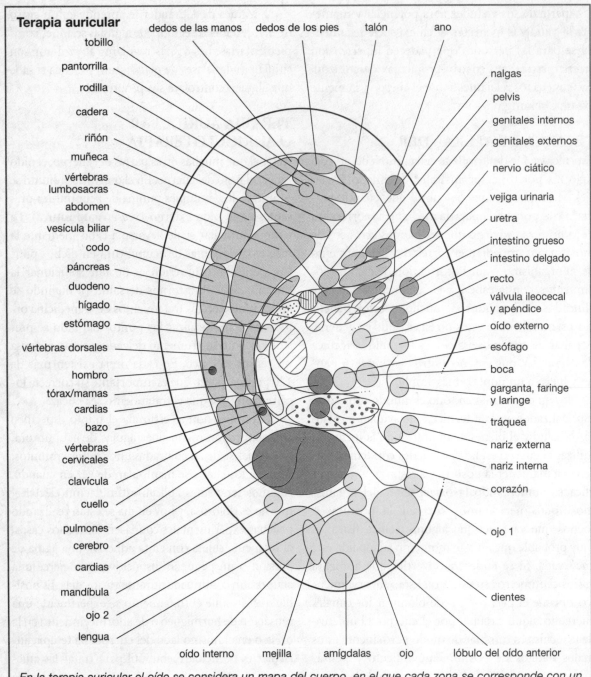

Terapia auricular

dedos de las manos — dedos de los pies — talón — ano

tobillo
pantorrilla
rodilla
cadera
riñón
muñeca
vértebras lumbosacras
abdomen
vesícula biliar
codo
páncreas
duodeno
hígado
estómago
vértebras dorsales
hombro
tórax/mamas
cardias
bazo
vértebras cervicales
clavícula
cuello
pulmones
cerebro
cardias
mandíbula
ojo 2
lengua

nalgas
pelvis
genitales internos
genitales externos
nervio ciático
vejiga urinaria
uretra
intestino grueso
intestino delgado
recto
válvula ileocecal y apéndice
oído externo
esófago
boca
garganta, faringe y laringe
tráquea
nariz externa
nariz interna
corazón
ojo 1
dientes

oído interno — mejilla — amígdalas — ojo — lóbulo del oído anterior

En la terapia auricular el oído se considera un mapa del cuerpo, en el que cada zona se corresponde con un órgano o estructura.

cipio, la hiperventilación (una respiración excesiva) disminuye los niveles de anhídrido carbónico (CO_2). Como consecuencia, los vasos sanguíneos se contraen y los tejidos se ven privados de oxígeno. En teoría, esto puede originar diversos procesos patológicos, desde artritis hasta colitis ulcerosa. El metabolismo del organismo se vuelve a menudo más lento como consecuencia de esta disminución del nivel de CO_2. Al contrarrestar esta carencia, la técnica respiratoria Buteyko puede ser muy útil para aumentar la energía y reducir peso.

El método Buteyko debe enseñarse en diversas sesiones, que habitualmente se imparten a diario. Los profesores a menudo aconsejan a sus pacientes desprenderse lo antes posible de sus «muletas» (incluidos los medicamentos prescritos). Es mejor seguir un método Buteyko bajo la orientación de un médico independiente o de un profesional de medicina alternativa.

La respiración del método Buteyko es menos profunda que la de las filosofías orientales, lo que determina una oposición frontal con ellas. Quizás el ideal consiste en seguir el consejo de los profesores de yoga, chi kung o meditación durante la relajación, los ejercicios o la meditación e incorporar el concepto Buteyko en las actividades normales de la vida.

TERAPIA CON AGUA
Véase **Hidroterapia**.

TRATAMIENTOS CON UN BAJO NIVEL DE OXÍGENO
Es sabido que los deportistas se trasladan a lugares elevados para entrenarse para competiciones importantes. Esto se debe a que la atmósfera se enrarece con la altitud. Al entrenarse en cotas donde hay menos oxígeno disponible en el aire, se consigue que el cuerpo produzca más glóbulos rojos para transportar más oxígeno. Cuando el deportista regresa al nivel del mar, tiene una gran abundancia de glóbulos rojos, lo que constituye una ventaja porque dispondrá de más oxígeno. Existen ciertas pruebas provenientes de la antigua Unión Soviética de que el aporte breve de un bajo nivel de oxígeno (administrado a través de una máquina) puede desencadenar un resultado similar.

Los niveles bajos de oxígeno en la sangre al aplicar radioterapia pueden potenciar los efectos de ésta. Al parecer las células cancerígenas son mucho más sensibles a la radiación en presencia de un nivel bajo de oxígeno, mientras que las células normales están más preparadas para combatir sus efectos. Esta teoría se ha formulado a partir de varios estudios realizados en Europa Oriental y en Francia, pero el tratamiento apenas está disponible.

TERAPIA CONDUCTISTA
Ésta es una de las cuatro ramas principales de la psicoterapia (las otras son la psicoanalítica, la humanística y la cognitiva). A veces denominada psicología del estímulo-reacción, el enfoque conductista se basa en la teoría del aprendizaje desarrollada a partir de las investigaciones con animales. Basándose en los estudios sobre los actos reflejos que Pavlov llevó a cabo con perros, el psicólogo americano B.F. Skinner, nacido en 1904, efectuó otros estudios sobre el comportamiento animal a partir de los cuales formuló sus «leyes de aprendizaje», la teoría del refuerzo sumado al condicionamiento.

Los conductistas hacen hincapié en el condicionamiento que el entorno ejerce en el comportamiento, afirmando que el individuo lo modifica para adaptarse al entorno. En principio, todo lo que uno hace tiene como resultado una recompensa o un castigo. Si contamos un chiste y la gente se ríe, volvemos a contarlo. Si hablamos en el cine y todos nos miran con mala cara, no volvemos a hacerlo. La terapia conductista se basa en este simple hecho para estimular los comportamientos correctos y desalentar los malos. Un buen ejemplo es el niño que consigue atraer la atención de sus padres portándose mal. Si los padres dejan de hacerle caso, su conducta no produce ninguna reacción (el equivalente a no ser recompensado), por lo que el niño la modificará.

Dado que todo comportamiento es aprendido, los conductistas sostienen que el comportamiento perjudicial puede «desaprenderse» y sustituirse por otro más deseable. La terapia conductista es particularmente útil para las fobias y para modificar hábitos, conductas obsesivo-compulsivas e incluso la enuresis. Las variedades terapéuticas que se utilizan con más éxito para las fobias son la desensibilización y la «inmersión». En la primera se induce un estado prehipnótico, de relajación profunda, y el paciente imagina las causas de miedo progresivamente crecientes. En la segunda el paciente se enfrenta a la causa de la fobia, ya sea en la realidad o en la imaginación, durante unos veinte minutos.

TERAPIA CRANEOSACRA
La terapia craneosacra es una rama de la osteopatía (parecida a la técnica de la osteopatía craneal) que se basa en el postulado de que los huesos del cráneo no están completamente soldados e inmóviles. Si bien la medicina ortodoxa considera que el cráneo sólo dispone de dos articulaciones móviles, en los puntos donde se une a la columna y a la mandíbula, la realidad es otra: en todo el cráneo se producen minúsculos movimientos que pueden medirse. Los

terapeutas craneosacros creen que estos movimientos son importantes porque la membrana que recubre el cerebro (la duramadre) se mueve junto con los huesos del cráneo y, por consiguiente, ejerce presión sobre el cerebro, que se transmite a todo el sistema nervioso.

Al aplicar una ligerísima presión en el cráneo el terapeuta trata todo el sistema craneosacro, en el que se incluyen las membranas y el líquido cefalorraquídeo que rodean el cerebro y la médula espinal. Primero se palpa el pulso craneal, para obtener información sobre el estado del sistema craneosacro, y luego se manipulan con suavidad los huesos del cráneo a fin de eliminar cualquier distorsión. Ésta puede tener su origen en una mala alineación de los huesos craneales, que pueden haberse unido demasiado después del nacimiento (por contusiones, por accidentes o incluso por tratamientos odontológicos). Como consecuencia, puede aparecer dolor en cualquier punto desde la cabeza hasta el extremo de la columna, que se aliviará, eliminando las tensiones internas, mediante la suave tracción de los huesos.

Todo problema neurólogico puede tener su origen en una mala alineación y, por lo tanto, ser tratado con éxito mediante esta terapia. En principio, la mayoría de los problemas de salud, si no todos, tienen alguna conexión neurológica, por lo que la terapia craneosacra puede ser eficaz en casi todas las enfermedades. Es particularmente eficaz en el tratamiento del dolor crónico, migrañas, sinusitis, determinados problemas oculares, desviaciones de columna y rigidez articular. La terapia craneosacra estimula la capacidad de autocuración del organismo y mejora el funcionamiento del sistema nervioso y del cerebro, lo que conduce a una mejoría general de la salud y del bienestar.

TERAPIA GESTALT

Es una terapia psicológica que propicia un mayor conocimiento de uno mismo. Se basa en la idea de que todo fenómeno debe experimentarse en los planos racional y emocional puesto que, de lo contrario, no es completo y puede causar un desequilibrio que conlleve problemas de conducta. Un ejemplo sencillo sería el de un niño que se ha criado en una familia con hábitos agresivos. La mente consciente puede elaborar explicaciones de por qué le

pegan, pero para ello debe dejar a un lado los sentimientos de dolor y desesperación. Si el pequeño lleva a cabo con éxito esta disociación, la extrapolará a otras experiencias emocionales, de forma que crecerá reprimiéndolas y se volverá incapaz de expresar las emociones.

El fundador de la terapia Gestalt fue Fritz Perls, un psicoanalista formado en la doctrina freudiana que quedó desencantado con el psicoanálisis. Su objetivo era que la gente aprendiera de su propia experiencia a fin de reconocer sentimientos que antes negaba o reprimía.

En lugar de centrarse en el *porqué* de los comportamientos de los pacientes, se interesaba en *cómo* se comportaban y cuál era el significado de estos comportamientos para ellos. Estaba más atento a las pistas no verbales que a las verbales e insistía en que los pacientes asumieran la responsabilidad de su conducta y sus sentimientos. También aspiraba a ayudarlos a analizar los efectos que su comportamiento tenía sobre los demás, motivo por el cual la terapia Gestalt se realiza en grupos, que a veces se denominan grupos de encuentro.

Una característica particular de esta terapia es la práctica de hablar al sillón vacío. Se pide al paciente que imagine que en el sillón está sentada la persona a la que desearían expresar determinados sentimientos, con lo que se les concede la oportunidad de dar rienda suelta a esa expresión. A veces se les indica que coloquen una parte de sí mismos, por ejemplo una emoción o un defecto que les desagrada, en el sillón y sostengan un diálogo con esa parte de sí mismo. Otras técnicas consisten en destacar los «mensajes» interiores negativos y hacer que el paciente hable siempre en presente y en primera persona, con objeto de aumentar el conocimiento sobre sí mismo. Se fomentan la interacción de los miembros del grupo y la eliminación de las inhibiciones, aunque el responsable del grupo intenta evitar que se produzcan agresiones o tensiones.

TERAPIA DE POLARIDAD

La terapia de polaridad es un sistema holístico de curación que incorpora elementos de las medicinas oriental y occidental para promover el bienestar. El cuerpo se considera formado por una energía universal o chi, que compone tanto el universo material como espiritual. El cuerpo es un sistema de campos energéticos que mantienen la energía vital en constante movimiento, y se cree que es la alteración o el estancamiento de esta energía lo que conduce a la enfermedad. Desarrollada a fines del siglo XIX por el doctor Randolph Stone, osteópata, quiropráctico y naturópata que ejerció su carrera en Estados Unidos, la terapia de polaridad combina diferentes técnicas curativas para promover el estado de equilibrio y salud en el cuerpo, la mente y las emociones.

La terapia de polaridad tiene cuatro aspectos básicos: la conciencia del cuerpo, la postura y el equilibrio, que se enseñan a corregir; las dietas de depuración y el asesoramiento nutricional; los consejos para promover el conocimiento de sí mismo y la autoestima, y los ejercicios de estiramiento con una manipulación del cuerpo basada en masajes superficiales y profundos. Se emplean el contacto y la manipulación para aliviar el estancamiento y fomentar la circulación de la energía por todo el cuerpo. Dado que una alimentación inadecuada y una mala digestión son con frecuencia factores decisivos en los problemas físicos, se recetan dietas de desintoxicación, seguidas de un régimen alimenticio que promueve la salud. Dado que el estado mental del paciente tiene una influencia directa en la salud física, el terapeuta proporciona consejo psicológico cuando nota que los pensamientos negativos impiden el flujo de la energía. Los ejercicios de estiramiento, o «yoga de polaridad», se prescriben para armonizar y liberar la energía.

La terapia de polaridad no está concebida para tratar síntomas específicos, sino para promover la curación restableciendo el equilibrio en el flujo de energía. El paciente debe asumir la responsabilidad de su propia salud modificando hábitos nocivos. La polaridad puede ser muy útil en muchas dolencias, como alergias, síndrome de la fatiga crónica, trastornos respiratorios, problemas cardiovasculares y molestias y dolores causados por el estrés. Puede utilizarse sola o en combinación con otras modalidades terapéuticas, como la fitoterapia o la homeopatía.

TERAPIA DE ZONA

El doctor W.H. Fitzgerald, fundador de la reflexología, dividió verticalmente el cuerpo en diez zonas e identificó los puntos de acupresión comprendidos en ellas (*véase* **Reflexoterapia**). La presión ejercida genera cambios en la totalidad del cuerpo. Mientras que la reflexología utiliza puntos del pie, el terapeuta zonal trabaja sobre las áreas reflejas de todo el cuerpo, aplicando presión en un punto que se corresponde con un órgano situado en otro lugar. Existe, por ejemplo, un punto de acupuntura en la cara interna del brazo, debajo de la muñeca, que se utiliza para las náuseas y los mareos (tiene una aplicación comercial en muñequeras que se colocan como preventivos en los viajes en barco). Los dedos de los pies y las manos tienen diversos puntos relacionados con la zona de la cabeza, de forma que la presión en el extremo del meñique alivia los dolores de cabeza y la rigidez en el cuello. Los reflejos de la mano son como un espejo de la posición de los pies y resultan muy prácticos para el autotratamiento.

TERAPIA GERSON

Esta terapia fue creada por Max Gerson, un alemán emigrado a Estados Unidos. Inicialmente trataba la tuberculosis con una dieta con poca sal y luego modificó sus recomendaciones para el tratamiento de otras afecciones crónicas, en especial el cáncer. Él creía que sus regímenes eliminaban las condiciones requeridas para el crecimiento de las células malignas. Fomentaba la eliminación de toxinas, protegía y reforzaba el hígado y prestaba especial atención a la proporción de sodio y potasio en el cuerpo. La terapia Gerson también aconseja el consumo de suplementos de yodo y potasio para el tiroides, pero es ante todo un régimen de alimentación.

La dieta propone el consumo regular de zumos de frutas y de verduras frescas, junto con una ingestión limitada de grasas y sal, una elevada proporción de hidratos de carbono complejos y escasos alimentos proteicos. Los enemas con café son una parte del tratamiento y, si se puede disponer de hígado biológico, se receta jugo de hígado. Se trata de una dieta estricta que exige un compromiso por parte del cliente.

Las pautas actuales de alimentación establecidas por los organismos oficiales para el mantenimiento óptimo de la salud siguen los principios de Gerson. Se ha comprobado, además, que la terapia levanta el ánimo, potencia el bienestar, promueve una curación más rápida de las heridas y alivia el dolor. Las investigaciones corroboran la eficacia de la terapia Gerson en el tratamiento del cáncer, pero como en ella no hay ningún elemento susceptible de generar beneficios a una empresa farmacéutica, se invierte poco en profundizar los estudios (*véase* el capítulo 7).

TERAPIA MAGNÉTICA

La tierra tiene su propio campo electromagnético (centrado en los polos) y las células del organismo humano poseen asimismo sutiles fuerzas magnéticas. La medicina convencional utiliza energía electromagnética en ciertos aparatos que canalizan esta fuerza (exploraciones mediante resonancia magnética) para realizar sus diagnósticos, y también para influir en las corrientes eléctricas del propio cuerpo a fin de promover la curación, en especial de las fracturas. Los profesionales de la medicina alternativa afirman que lo mismo puede hacerse con imanes normales, y muchos están comenzando a utilizarlos en sus prácticas curativas.

El cuerpo está recorrido por múltiples energías electromagnéticas, algunas de las cuales se pueden medir y otras no, como los canales y meridianos de los orientales. La terapia magnética tiene una particular difusión en Japón. Mediante potentes imanes colocados cerca del cuerpo durante un período breve o prolongado se puede influir en la circulación de la sangre, mejorar la disponibilidad de oxígeno del área tratada, estimular el metabolismo y acelerar el proceso de eliminación de productos residuales. La terapia magnética o magnetoterapia puede utilizarse en el hogar, para lo cual existen muchos productos magnéticos, como plantillas de zapato, colchones, almohadas y fundas de asientos de coche. El terapeuta recomendará el más adecuado para las necesidades individuales y le enseñará a utilizarlo. Hay unos superimanes especiales que se emplean para puntos concretos del cuerpo, a menudo sobre los ganglios linfáticos o los puntos de acupuntura.

En estos momentos se aguardan los resultados de algunos estudios sobre tratamientos con imanes. Considero que éstos no entrañan riesgos si el terapeuta posee cierta experiencia, pero yo evitaría esta terapia en enfermedades que pueden haber estado desencadenadas por energía electromagnética, como el cáncer.

TERAPIA MARMA

En la medicina ayurvédica, los puntos marma se definen como lugares del cuerpo donde confluyen carne, venas, arterias, tendones, articulaciones y huesos. En todo el cuerpo existen 107 de estos «puntos vitales», y se cree que la lesión de cualquiera de ellos (por herida punzante, quemadura o presión) provoca un daño permanente o incluso la muerte. La terapia marma es una antigua forma de masaje en la que se utilizan los dedos para estimular los puntos marma, con el fin de promover la curación y el bienestar físico y mental.

El sistema ayurvédico hace hincapié en los aspectos preventivos de la salud, para lo cual es esencial el masaje marma, que aumenta la circulación de la sangre hacia la confluencia neuromuscular de cada punto y tonifica los músculos circundantes. El masaje marma incrementa los niveles de energía, reduce el estrés y elimina la tensión y la ansiedad.

Son muchas las aplicaciones médicas de este tipo de masaje. Se ha comprobado que es particularmente beneficioso para las personas que han sufrido ictus, ya que puede eliminar las obstrucciones que retrasan el paso de la información entre los músculos, los nervios y el cerebro, ayudando así a reeducar el cerebro en la utilización de las partes del cuerpo paralizadas o debilitadas. El masaje marma también alivia otros síntomas, como dolores musculares, cefaleas leves, entumecimiento y hormigueos en las extremidades, sabor metálico en la boca y dolencias relacionadas con el estrés.

El especialista en marma mide también los niveles de acidez de la lengua mediante un papel de tornasol (un resultado saludable es un 60% alcalino y un 40% ácido) y los reflejos musculares y nerviosos. Para el restablecimiento pleno de la salud física y mental se recomienda un tratamiento de dos-seis sesiones semanales. Los que han sufrido apoplejías suelen necesitar más sesiones, con frecuencia durante varios meses.

TERAPIA QUELANTE

La quelación es la unión de una sustancia tóxica, generalmente un metal, con otra sustancia para formar otra molécula. En la naturaleza hay muchas sustancias que cumplen esta función, pero la terapia quelante utiliza el ácido etilendiaminotetraacético

(EDTA) con el fin de eliminar tóxicos y metales pesados del torrente sanguíneo.

El ámbito ortodoxo emplea esta sustancia, administrada por vía intravenosa, con el fin de que se una a metales como el mercurio y el plomo ingeridos o inhalados de forma accidental. La terapia quelante se aplicó por primera vez en la década de los años cuarenta para tratar la intoxicación por plomo. Los médicos observaron asimismo hace varias décadas que el tratamiento con EDTA era útil para abrir los vasos sanguíneos, seguramente por una acción reductora sobre los depósitos de calcio o de placas de arteriosclerosis (ateroma).

La terapia quelante puede ser útil para eliminar los tóxicos industriales que se introducen en el organismo a través de la alimentación y la polución ambiental. Una sesión de terapia dura unas tres horas y suele repetirse varias veces por semana durante dos o tres meses. La quelación se emplea hoy en día en combinación con oxigenoterapia y dosis elevadas de vitaminas para combatir el cáncer. Sólo están autorizados a aplicarla los profesionales titulados, puesto que el EDTA puede ser tóxico, por lo que deben regularse muy bien las cantidades según la función renal.

VISUALIZACIÓN

La mente ejerce una poderosa influencia sobre el cuerpo. Ya sea a través de la psiconeuroinmunología (*véase* **Psiconeuroinmunología**) o a través de la conexión directa entre la mente y el cuerpo que propugnan las filosofías orientales, lo cierto es que la mente puede utilizarse para curar enfermedades. La visualización, o formación de imágenes significativas en la mente, es un enfoque visual de la meditación que puede tener efectos terapéuticos de distinta índole, sobre todo combinado con la hipnoterapia.

La mayoría de las personas advierten que la intensidad de un dolor disminuye si uno está contento o hace algo agradable en lugar de permanecer inmóviles obsesionado con el dolor. Con las técnicas de visualización es posible emplear esta actitud mental positiva para superar el estrés y otros problemas. Imaginarse a sí mismo rodeado de un bello entorno (un bosque inundado por el sol o una extensa playa de arena) al tiempo que se aplican técnicas de relajación y respiración tiene el poder de contrarrestar los pensamientos negativos, la ansiedad, el miedo y la inseguridad personal. También puede utilizarse para quitar hierro a una situación estresante, como acudir al dentista: la imaginación positiva puede ayuda a superar el miedo y a afrontar un reto.

Al igual que la mente es capaz de superar problemas psicológicos, esta misma energía puede emplearse para curar trastornos físicos. La visualización es una técnica que se aprende con un profesor que enseña al cuerpo a visualizar la destrucción de un problema. Formarse una imagen nítida de la parte del cuerpo que debe curarse puede hacer que se produzca una mejoría real. Un ejemplo sería imaginar a un hombrecillo con un hacha que elimina una excrecencia tumorosa, una manguera que despeja los senos nasales o un sastre que cose una hernia. Se trata de visualizar que la parte del cuerpo que debe fortalecerse o curarse se encuentra fuerte e íntegra. En casos de infección, se pueden imaginar los glóbulos blancos que actúan en la sangre como guerreros que destruyen los organismos patógenos, y en su lugar se multiplican nuevas células sanas. Aunque como técnica aislada puede tener un valor limitado, en combinación con otras terapias puede acelerar la curación.

YOGA

El yoga es un sistema de movimiento que se practica en la India desde hace 5.000 años. El término yoga deriva de la palabra sánscrita que designa unión. Su propósito principal es, en efecto, la unión de los aspectos espirituales, mentales y físicos del ser. El yoga actúa sobre el cuerpo, la mente y el alma, y está integrado en un sistema filosófico de alcance global, cuyo objetivo último es la iluminación y unión con la divinidad. Las distintas ramas del yoga tienen diferentes nombres según la parte del «ser» sobre la que inciden.

- Hatha yoga: se centra en los aspectos físicos mediante el uso de posturas y ejercicios junto con técnicas de respiración. Es la rama más popular y la que en Occidente se considera equivalente a yoga.
- Raja yoga: consiste en una serie de técnicas que se centran en la comprensión de la mente y en la manera en que ejerce su control sobre el cuerpo.
- Jnana yoga: se centra en la vertiente intelectual y

académica y en la comprensión del todo por medio de técnicas de meditación.

- Karma yoga: se centra en el «motivo de la existencia» y los conceptos morales.
- Bhakti yoga: es la parte del yoga que se centra en los aspectos devocionales o religiosos.
- Tantra yoga: es una rama del hatha yoga que incorpora la unión sexual de común acuerdo entre dos individuos. Ciertas posturas sexuales se forman y mantienen en un estado de meditación espiritual.

El yoga puede utilizarse para relajarse y mantenerse en forma y como una técnica de meditación. En todas las variantes se aprenden técnicas de respiración y se adoptan y mantienen diferentes posturas, como la cobra, el pez y el puente. Estas posturas estiran y fortalecen los músculos y ligamentos, aumentando la flexibilidad al tiempo que estimulan los órganos internos. Se han comprobado los efectos beneficiosos del yoga sobre muchas enfermedades, en particular la artritis, el asma, los dolores de espalda, la hipertensión y los trastornos digestivos como el síndrome del colon irritable. También es muy eficaz para combatir el estrés. Lejos de reducirse al tópico de pasarse un rato con el cuerpo apo-

Postura del camello.

yado en la cabeza, el yoga es una actividad que integra la mente y el cuerpo y contacta lo material con lo etéreo. Existen libros y cintas para introducirse en el hatha yoga, pero para acceder a los verdaderos beneficios de otras modalidades de yoga hay que contar con un profesor experimentado.

ZEN

El zen es una escuela japonesa de budismo, fundada en el siglo XII en China, que sostiene que la contemplación de la propia naturaleza esencial, excluyendo todo lo demás, es la única vía para la iluminación. Se trata de una filosofía de vida que promueve la autodisciplina a través de la introspección y el conocimiento de sí mismo y de los demás. Simplificando, el budismo considera el cuerpo y la identidad personal como un «obstáculo» para la iluminación espiritual.

La meditación zen ayuda a comprender que el alma o espíritu es una entidad separada del cuerpo y que la enfermedad no es más que un proceso asociado al mundo material y no al ser. Fomenta una aceptación gozosa de la naturaleza temporal de la existencia, la búsqueda de la contemplación de la «realidad del vacío» y la completa libertad y trascendencia del sufrimiento. La preocupación por los demás y el desarrollo de la compasión son también aspectos cruciales de la filosofía budista. De las múltiples vertientes del budismo, el zen es antirracional: enseña la aceptación de la vida cotidiana y pone en un primer plano la experiencia directa. El zen influye en la vida diaria a través del *zazen* (meditación) y propugna una nutrición correcta, higiene y ejercicio.

Postura del loto.

MEDICAMENTOS

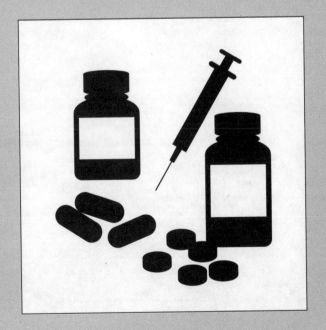

CAPÍTULO 10

MEDICAMENTOS

«Si ha de tomar medicamentos, debería saber que...»

Un artículo publicado en el *British Medical Journal* en noviembre de 1996 revelaba que las investigaciones patrocinadas por las compañías farmacéuticas no parecían generar unos hallazgos clínicamente relevantes o científicamente válidos. Un informe titulado *Lo que el médico no le dice*, aparecido en su revista *Proof*, afirma que el 80% de los medicamentos no han demostrado su seguridad. Dicho artículo señala asimismo que el 27% de los estudios financiados por las compañías farmacéuticas jamás se publican, lo que hace sospechar que los ensayos sin éxito no son difundidos en espera de que el siguiente estudio sobre el medicamento proporcione mejores resultados.

Muchas personas y numerosos médicos consideran que los tratamientos no ortodoxos pueden ser una *alternativa* al uso habitual de medicamentos. No es así. Los mejores tratamientos pueden ser ortodoxos o naturopáticos. El arte de la buena medicina consiste en saber qué usar y cuándo. A lo largo de este libro se han descrito numerosas situaciones que requieren el empleo de medicinas ortodoxas. La mayor dificultad estriba en responder dos preguntas.

- Si los medicamentos son peligrosos ¿por qué se prescriben?
- ¿Por qué mi médico no sabe esto?

Las respuestas son simples. La industria farmacéutica reconoce que los medicamentos son peligrosos, como lo demuestra la indicación de los efectos secundarios y las contraindicaciones en los prospecto de los medicamentos. La industria farmacéutica es un negocio, no una profesión asistencial, y por ello no presta atención a los peligros, sino sólo a los aspectos positivos. Los médicos son conscientes de los peligros, pero su capacidad de prescripción está limitada por sus conocimientos. Muy pocos médicos tienen conocimientos sobre medicina complementaria, y en general éstos se limitan a técnicas como la acupuntura o la homeopatía. Los médicos generales no pueden ser culpados por recetar antibióticos si piensan que están ante una infección, porque hay poco más que puedan recetar. En este capítulo se comentarán algunos de los principales grupos de medicamentos y se indicarán sus aspectos negativos.

Esto no significa que no deban emplearse en casos específicos, sino que pone de manifiesto la necesidad de buscar alternativas antes de precipitarse a usarlos.

Es importante recordar que muchos medicamentos se retiran del mercado tras realizar pruebas de seguridad. He intentado averiguar cuántos son los fármacos retirados pero, sorprendentemente, nadie tiene tal estadística. Me he puesto en contacto con varias compañías farmacéuticas para solicitar esta información con respecto a sus propios productos y mis peticiones nunca fueron contestadas. Mis comentarios, por consiguiente, se ajustan estrictamente a mis conocimientos en el momento de escribir este libro, pero se trata sólo de mi opinión.

ACEITE DE MENTA

La menta es muy beneficiosa empleada como aceite en aromaterapia. Desde el punto de vista ortodoxo se acepta que la menta puede ayudar a aliviar el espasmo intestinal, especialmente en el síndrome del colon irritable. También ocupa un lugar en los tratamientos holísticos y puede usarse sin preocupación, aunque sin olvidar que la menta puede anular el efecto de los remedios homeopáticos.

Por vía tópica, el aceite de menta alivia las hemorroides y las flebitis, pero debe diluirse antes de aplicarlo a la sensible zona anal.

ÁCIDO ACETILSALICÍLICO

Se está investigando el ácido acetilsalicílico (la popular Aspirina®) como tratamiento efectivo contra el cáncer intestinal, porque se ha comprobado una reducción de la incidencia de estos tumores en un grupo que tomaba este medicamento como anticoagulante para prevenir accidentes vasculares cerebrales. Esperamos los resultados de este estudio.

Véase también **Analgésicos**.

ADRENALINA

La adrenalina es una hormona producida por las glándulas suprarrenales. Se usa como medicamento para tratar reacciones alérgicas en casos de picaduras de insectos, reacciones a medicamentos e hipersensibilidad a ciertos alimentos, sobre todo huevos y cacahuetes. La forma más grave de reacción alérgica se denomina anafilaxia, y se caracteriza por la constricción del árbol bronquial, la disminución de la presión arterial y el aumento de los latidos cardíacos.

La adrenalina se administra mediante inyección a una dilución de una parte de adrenalina por 1.000 o 10.000 partes de agua. Si una persona ha presentado una reacción anafiláctica previa, debería disponer de adrenalina en su hogar para usarla en caso de emergencia. Su administración es muy sencilla y se realiza por vía subcutánea en cualquier músculo del cuerpo.

AGENTES ANTIFÚNGICOS

El cuerpo está cubierto externa e internamente por hongos. Aunque parezca horrible, al igual que las bacterias, los hongos son esenciales para el bienestar. Por medio de la inhibición competitiva, impiden el crecimiento de hongos extraños que pueden ser muy tóxicos para el organismo. Los hongos que se hallan presentes en los azúcares y otros nutrientes no son nocivos para el ser humano. Si son destruidos con agentes antifúngicos o una dieta deficiente, los hongos perjudiciales dispondrán de más alimentos y se multiplicarán más rápidamente, produciendo sus efectos tóxicos.

Las levaduras son hongos. La más conocida es una monilia, denominada *Candida*, que produce la candidiasis. Ésta se halla condicionada por el fenómeno de inhibición competitiva entre especies. Para exponerlo con más claridad, los antifúngicos y el estilo de vida no saludable destruyen los propios hongos beneficiosos y dejan más comida para otras variedades. *Candida* está presente en un alto por-

centaje de personas (más del 50% de las mujeres tienen *Candida* en su vagina) en las que no causan problemas, excepto que se destruya a sus competidores. Éste es el motivo por el que las personas con estados de inmunodepresión y las que toman antifúngicos pueden acabar con candidiasis.

Igual que ocurre con los agentes antibacterianos, debido a la sobreutilización de preparados antifúngicos y anti-*Candida* surgen cepas de levaduras y hongos resistentes y cada vez más virulentos, agresivos y de replicación rápida.

Véase también **Antibióticos**.

AGUA OXIGENADA (PERÓXIDO DE HIDRÓGENO)

Esta molécula contiene dos átomos de oxígeno y dos de hidrógeno y, aunque se utiliza sobre todo en soluciones tópicas contra el acné, también puede emplearse por vía intravenosa para aumentar los niveles de oxígeno en la sangre.

Las aplicaciones tópicas son seguras si están suficientemente diluidas, aunque sólo aliviarán los síntomas pero no la causa subyacente de las enfermedades cutáneas. La solución intravenosa puede ser administrada únicamente por médicos formados en este campo.

ANALGÉSICOS

Los analgésicos pueden clasificarse en dos grupos. El primero de ellos es el de los no opiáceos, que incluyen el ácido acetilsalicílico, y el paracetamol y los fármacos antiinflamatorios no esteroideos (AINE), que se describen más adelante. El control del dolor es uno de los ámbitos en los que mayor ha sido el desarrollo de la medicina moderna. Aunque todos estos fármacos tienen efectos colaterales, éstos son transitorios y están bien establecidos. El segundo grupo de analgésicos son los conocidos como opiáceos (*véase* su apartado específico).

ANALGÉSICOS OPIÁCEOS (INCLUIDO LA MORFINA)

El cuerpo produce analgésicos naturales, siendo los más efectivos las endorfinas y las encefalinas. Estos potentes analgésicos se producen cuando el cuerpo está sometido a un dolor intenso o ha sufrido un traumatismo, pero también cuando se ha realizado un intenso ejercicio muscular. Estas hormonas provocan una sensación de euforia.

Los opiáceos «sintéticos» se parecen mucho a los naturales y, por lo tanto, el organismo tiende a utilizarlos bien. Por desgracia, los opiáceos son adictivos y habitualmente sólo se indican para tratar dolores muy intensos de duración breve o para el dolor ocasionado por una enfermedad terminal en la que la adicción no importa.

El efecto euforizante de los opiáceos está bien demostrado, pero el efecto de la morfina en la fuerza de voluntad es menos conocido. Muy a menudo los opiáceos se utilizan en enfermedades terminales y he observado que la fuerza de voluntad consciente para combatir la enfermedad disminuye, al igual que la fuerza subconsciente, que es muy necesaria en este combate. Es como si la parte subconsciente del alma se encogiera de hombros y dijera: «Bueno, no está del todo mal, así que no hay que preocuparse por luchar».

Los opiáceos deben considerarse sólo cuando se hayan agotado todas las opciones médicas ortodoxas y complementarias.

ANESTÉSICOS

El desarrollo de los anestésicos ha recorrido un largo camino desde los tiempos en que para extraer una bala sólo se proporcionaba al sufrido paciente un vaso de whisky. El éter fue un regalo de Dios en comparación con el control del dolor que ofrecían los cirujanos-barberos. Ningún médico aconsejaría someterse a una anestesia si la cirugía pudiera evitarse, pero en conjunto los anestésicos son seguros y necesarios. La medicina ortodoxa acepta que son medicamentos peligrosos pero no puede ofrecer nada a fin de proteger a los pacientes de sus efectos adversos.

Al igual que todos los compuestos tóxicos, los anestésicos tienen potentes efectos sobre el hígado y el sistema nervioso (producen pérdida de conciencia). Antes de someterse a una anestesia debería considerarse el uso de compuestos naturopáticos para apoyar tanto al hígado como al sistema nervioso (*véase* **Cirugía**).

ANFETAMINAS

Las anfetaminas suelen prescribirse exclusivamente en el ámbito hospitalario y para ciertas enfermeda-

des específicas. Sin embargo, constituyen una causa habitual de drogadicción. El uso de los derivados de las anfetaminas como tratamiento para adelgazar era habitual en el pasado. De hecho, médicos imprudentes aún los prescriben en este sentido, lo cual entraña importantes riesgos para el paciente.

Las anfetaminas estimulan los receptores de la adrenalina, por lo que son excitantes y mantienen despierto al consumidor. Son medicamentos altamente peligrosos que pueden ocasionar ataques cardíacos, ictus y rotura de vasos sanguíneos debido al aumento de la presión arterial. El cuerpo no elimina estos estimulantes artificiales fácilmente y puede aparecer dependencia de forma muy rápida.

ANTIÁCIDOS

El estómago produce ácido para iniciar la fragmentación de los alimentos ingeridos. El estómago posee una cubierta que produce una mucosidad espesa de protección, la cual previene la lesión de la pared gástrica a causa del contenido altamente ácido del estómago. Ciertas enfermedades y estilos de vida perjudiciales pueden producir la destrucción de esta mucosa y provocar dolor y malestar. Muchas personas padecen además una hernia hiatal (*véase* **Hernia de hiato**), cuya consecuencia es el reflujo del ácido hacia el esófago, lo cual provoca una sensación de ardor.

Los antiácidos pueden ser de dos clases:

- Compuestos que neutralizan el ácido (álcalis): sales de calcio, magnesio y aluminio.
- Medicamentos que inhiben la producción de ácido: cimetidina, ranitidina y omeprazol.

ANTIBIÓTICOS

Los antibióticos son medicamentos que combaten las infecciones bacterianas. Pueden actuar a través de dos mecanismos: destruyendo las bacterias, en cuyo caso se denominan bactericidas, o impidiendo su multiplicación, en cuyo caso reciben el nombre de bacteriostáticos. Hay muchos compuestos antibacterianos naturales (ajo, jengibre y miel son tres de los más comunes). Los antibióticos manufacturados surgieron a partir del ya legendario descubrimiento casual de la penicilina por sir Alexander Fleming en el St. Mary's Hospital de Londres. Este sencillo medicamento obtenido de levaduras ha sido sin duda el pionero de un grupo de medicamentos que han salvado miles de vidas y aliviado molestias más allá de lo imaginable. Por desgracia, su mal uso ha generado peligros mucho mayores.

El problema radica en que las bacterias, como cualquier organismo del planeta, luchan tenazmente por sobrevivir. Las bacterias se multiplican con una rapidez asombrosa y, durante este proceso de multiplicación, se producen pequeños cambios en el material genético que utilizan para autocopiarse. Cuando una bacteria se divide en dos, ocurren pequeños cambios en la estructura genética, y dado que cada minuto suceden miles de millones de estas divisiones, puede surgir una bacteria cuya estructura sea resistente al antibiótico que mata el resto de la colonia.

En presencia de un antibiótico, esta cepa resistente dispone de más alimento, pues sus hermanos y hermanas muertos han dejado de consumirlo. Como el antibiótico no la afecta, dicha cepa se multiplica más rápidamente en un período de tiempo más breve, y esta cepa resistente se vuelve la predominante en la colonia. Al crear nuevos antibióticos para destruir esta nueva cepa, se producen nuevas mutaciones y aparecen nuevas resistencias. Actualmente nos enfrentamos a bacterias que son resistentes a la mayoría de los antibióticos, y en el caso de algunas cepas del bacilo de la tuberculosis y de los «estafilococos dorados» apenas se dispone de antibióticos para destruirlos.

Se ha llegado a esta situación a causa de la irresponsable prescripción de antibióticos por parte de los médicos que «adivinan» cuál es el germen responsable de una infección sin tomar muestras para realizar análisis bacteriológicos, y también a causa de la venta de antibióticos en el Tercer Mundo –y en algunos países del Primer Mundo– sin receta médica. Todos los estudiantes de medicina son advertidos por sus profesores de microbiología contra la prescripción de antibióticos si no se ha enviado previamente una muestra de la bacteria para su cultivo en el laboratorio, a fin de obtener información sobre su resistencia a diversos antibióticos. Desde el punto de vista individual, el uso de antibióticos en un paciente con una cepa bacteriana que es parcialmente resistente, puede ocasionar la aparición de una cepa resistente y, por consiguiente, generar una infección más difícil de tratar.

A pesar de estos comentarios, uno no debe dudar en tomar antibióticos siempre que su médico lo considere apropiado. Asegúrese de que su médico está seguro de que la infección que se va a tratar con antibióticos es bacteriana. Puede usted solicitar un cultivo y un antibiograma antes de usar un antibiótico y entonces, previa consulta con su médico sobre el peligro o no de aplazar el tratamiento, puede consultar con el profesional de medicina complementaria para utilizar alternativas. Se ha comprobado que la bromelaína aumenta la absorción de antibióticos, pero debería ser recetada por un médico complementario.

Un segundo malentendido con respecto a los antibióticos es la creencia de que no son nocivos aunque sean inefectivos. Esto es absolutamente falso. Un antibiótico actúa de forma indiscriminada. No dirige su atención hacia los microorganismos «malos». Afecta a todas las bacterias. El organismo humano depende de las bacterias para subsistir. Las bacterias de la piel son esenciales para defender al organismo de los invasores perjudiciales, así como para mantener la integridad de la piel. Los ojos, los oídos, la boca, las fosas nasales y el árbol bronquial están cubiertos y protegidos por unas bacterias denominadas «comensales». El tubo digestivo, desde los labios hasta el ano, está cubierto por bacterias (incluso en el contenido ácido del estómago), que ejercen un papel esencial en el bienestar.

Estas bacterias compiten con los gérmenes nocivos y previenen su multiplicación, matan muchas bacterias e incluso virus, fraccionan los alimentos para permitir una absorción adecuada y producen sustancias químicas que son a la vez nutrientes y protectores del organismo. Sin ellas moriríamos.

Quienes toman antibióticos experimentan algunos efectos adversos, que oscilan entre el cansancio y la somnolencia a la diarrea y candidiasis. Todos estos síntomas se deben a la destrucción no deseada de la flora corporal.

Un tratamiento antibiótico puede tener un efecto profundo en las bacterias intestinales. Su acción sobre un gran número de bacterias puede conducir a la pérdida del efecto protector y la disminución de la absorción de nutrientes (debido a la falta de desintegración de los alimentos o a la ausencia de producción a cargo de las mismas bacterias). Esto puede ocasionar una malnutrición leve, que a su vez aumenta aún más la depresión del sistema inmunológico que permitió que se instaurara la infección contra la cual se usa el antibiótico. Se inicia un círculo vicioso con la aparición de infecciones recurrentes, con consumo de antibióticos *ad infinitum*.

Recuerde que una infección implica un fallo del sistema inmunitario corporal. Si toma antibióticos, proteja la flora intestinal con altas dosis de *Lactobacillus acidophillus*. La pérdida de la flora intestinal permite el crecimiento de hongos como *Candida*; por lo tanto, si se administran antibióticos debería tomarse un tratamiento anti-*Candida*. Considere que su flora intestinal se halla afectada y no está absorbiendo de forma apropiada. Tome suplementos minerales y polivitamínicos a altas dosis.

ANTICOAGULANTES

El sistema sanguíneo tiene una compleja y fascinante cascada –reacción en cadena que incluye aproximadamente quince factores– que permite que la sangre coagule. Este proceso es esencial para evitar hemorragias en caso de lesión de algún vaso interno o externo, pero puede ser un inconveniente si se produce dentro de un vaso sanguíneo. Si ello ocurre, los anticoagulantes pueden salvar vidas.

La terapia anticoagulante puede ser indicada sólo por un médico y nunca debe interrumpirse sin la aprobación de un especialista. Los anticoagulantes más comunes son la heparina, que actúa rápidamente pero sólo se utiliza a corto plazo, y la warfarina y los dicumarínicos, que se usan en tratamientos a largo plazo.

ANTICONCEPTIVOS

Véase **Píldora anticonceptiva oral**.

ANTIDEPRESIVOS Y ANSIOLÍTICOS

Se han escrito libros acerca de los pros y contras de los antidepresivos y ansiolíticos. En el apartado sobre la depresión se explican las consecuencias del abuso continuo de estos medicamentos por parte de los pacientes y de los médicos que los recetan (*véase* **Depresión**). Los comentarios sobre cada tipo y grupo de antidepresivos y ansiolíticos requeriría

un libro del mismo tamaño que éste, por lo que los consumidores de estos medicamentos deberían consultar con un médico ortodoxo o alternativo cualificado para conocer todos los pros y contras. No hay ningún antidepresivo ni ansiolítico que no tenga una miríada de efectos colaterales. Cuando se introdujo el diazepam (cuyo preparado comercial más utilizado es el Valium®) en los años cincuenta y se lo consideró el «milagro del ama de casa», se informó a los médicos y al público que los efectos colaterales eran pocos y leves. Actualmente hay que emplear más de dos minutos para leer la lista de efectos colaterales registrados para este fármaco en los últimos cuarenta años.

Como ya se ha explicado en el apartado sobre la depresión, el uso de antidepresivos está indicado en la depresión endógena verdadera. Cuando una persona es incapaz de promover su propio estado de felicidad y han fracasado las medidas alternativas, estos fármacos pueden mejorar mucho la vida, quizá más que cualquier otra actuación médica.

ANTIDEPRESIVOS TRICÍCLICOS

Hasta hace poco eran los fármacos preferidos como antidepresivos. Los inhibidores selectivos de la recaptación de serotonina han ocupado su lugar en los últimos tiempos.

Los tricíclicos todavía pueden ser recetados por los psiquiatras que se aferran a los fármacos que conocen y que están suficientemente probados. Si funcionan y no hay alternativas, debe seguir usándolos.

ANTIEMÉTICOS (FÁRMACOS CONTRA EL VÓMITO)

Si una persona presenta náuseas, en general significa que ha ingerido algo que necesita arrojar o que su organismo está ocupado procesando una sustancia tóxica y necesita completar este proceso. Una vez establecida la causa, es mejor usar medicación homeopática para potenciar la curación antes que tomar un medicamento que detenga la sensación de náuseas. Cuando las náuseas son consecuencia del tratamiento, por ejemplo de la radioterapia o de los fármacos antineoplásicos, los antieméticos son esenciales para mantener el apetito. No comer durante las enfermedades graves impide que el cuerpo se recupere adecuadamente. El uso de antieméticos está indicado también en cortos períodos de tiempo, como es el caso del mareo del viajero.

ANTIEPILÉPTICOS

Los antiepilépticos actúan alterando la sensibilidad de las células cerebrales. Esto reduce su capacidad de descarga eléctrica cuando reciben la instrucción incorrecta desde el área cerebral que actúa de gatillo del proceso. Los fármacos antiepilépticos tienen efectos secundarios, como somnolencia y disminución de la concentración, y deben utilizarse durante al menos dos años después de la desaparición de las convulsiones. La administración y la retirada de estos fármacos requieren la supervisión médica, ya que la retirada súbita puede ocasionar ataques.

ANTIHISTAMÍNICOS

Cuando el cuerpo es invadido por una sustancia extraña, algunas células especializadas liberan histamina. Este producto químico provoca la vasodilatación de las arterias regionales a fin de que llegue más sangre a la parte dañada y, con ella, los leucocitos, vitaminas, minerales y otros factores necesarios para la curación. Por desgracia, este aumento del riego sanguíneo se manifiesta por inflamación, que irrita los nervios y causa enrojecimiento, erupciones, picor y dolor.

El punto de vista de la medicina complementaria es que si se potencia este proceso, el problema se solucionará rápidamente en un cuerpo sano. El punto de vista ortodoxo es que se debe eliminar la irritación y, por lo tanto, bloquear el efecto curativo de la liberación de histamina. Aunque los antihistamínicos son efectivos y no resultan particularmente nocivos si se toman en las dosis adecuadas, impiden el mecanismo de curación corporal normal. Tienen varios efectos colaterales, pero sobre todo causan somnolencia, por lo que no deben consumirse si se conduce o se utiliza maquinaria.

ANTIINFLAMATORIOS NO ESTEROIDEOS (AINE)

Estos fármacos, como su mismo nombre indica, son antiinflamatorios. Están un peldaño por encima de la aspirina y el paracetamol y un peldaño por debajo de los corticoides.

La inflamación es un proceso natural de curación del cuerpo que sólo debería suprimirse como último recurso. Debe intentarse primero el tratamiento alternativo y complementario, antes de usar un fármaco calmante del dolor.

El *British Medical Research Centre* ha afirmado recientemente que «el alto nivel de prescripción no está justificado» y que «el papel terapéutico de los AINE tópicos no está claro». Esto se basa en los resultados poco convincentes de los estudios realizados y en el hecho de que mostraron una «acusada respuesta de tipo placebo».

El paracetamol y la aspirina son a veces tan efectivos como los AINE y parecen tener menos efectos secundarios.

ANTIMALÁRICOS

Este grupo de productos químicos es beneficioso para las personas que viajan a regiones donde existe paludismo, pero en general no se recomienda su uso durante más de tres meses. Estos fármacos matan el parásito causante de la malaria en varios puntos de su ciclo vital, lo que incluye el tiempo que pasan en los glóbulos rojos así como en el torrente sanguíneo.

El tratamiento se realiza con quinina, por vía oral si la enfermedad es leve e intravenosa si es grave. Pueden ser necesarios otros fármacos, como la mefloquina, pero sólo deben utilizarse si están indicados.

La profilaxis se efectúa con mefloquina, cloroquina, pirimetamina o proguanil. La mefloquina ha tenido mala prensa últimamente y, en lo posible, su uso debe evitarse, pero muchas cepas de la malaria son resistentes a otros fármacos y es mejor escoger la mefloquina y efectuar controles regulares del estado general del paciente.

La profilaxis contra la malaria generalmente es segura. Según el fármaco empleado, se toma una vez al día o una vez a la semana, que es el tiempo que el organismo tarda en eliminarlo. Si no hay una respuesta negativa del organismo, es mejor afrontar el riesgo de la medicación que el de la malaria. Los remedios homeopáticos, específicamente *Natrum muriaticum*, se mencionan a menudo como alternativa. No hay pruebas definitivas que apoyen su eficacia, pero el uso de *Natrum muriaticum* y de vitamina B_6 (100 mg diarios para un adulto) puede ayudar al organismo contra la infestación malárica.

ANTIPIRÉTICOS

La medicina holística considera que la fiebre es, en términos generales, una amiga. La mayoría de las bacterias y los virus no se encuentran a gusto con temperaturas superiores a las habituales del cuerpo humano, mientras que éste generalmente puede sobrevivir, aunque no resulte muy agradable, con temperaturas próximas a los 40 °C. Los antipiréticos más conocidos son el ácido acetilsalicílico y el paracetamol. Su modo de acción es muy variable y comprende una acción directa sobre los vasos sanguíneos y efectos sobre los mediadores denominados prostaglandinas, así como sobre los leucocitos, que pueden liberar sustancias químicas que aumentan la temperatura corporal en presencia de infección.

La opinión holística sería evitar cualquier fármaco que actúe en contra de una reacción natural del organismo, excepto si éste va perdiendo el control. El alivio del dolor –y del malestar– debe sopesarse con la posibilidad de que los antipiréticos puedan enlentecer la respuesta curativa. No es probable que el uso esporádico de antipiréticos sea perjudicial, pero si es necesario emplearlos durante más de 48 horas o se sospecha que son ineficaces, se aconseja acudir al médico.

BARBITÚRICOS

Actualmente los barbitúricos se prescriben sólo para ciertas enfermedades pediátricas. Sin embargo, están presentes en algunos analgésicos, cuyo uso debería evitarse a cualquier precio. Los barbitúricos son muy efectivos como tranquilizantes, pero resultan tóxicos para el organismo. No hay necesidad de usarlos porque se dispone de medicamentos mucho más eficaces y menos peligrosos para todos sus usos potenciales.

BETABLOQUEANTES

El nombre de estos fármacos se debe a que bloquean los receptores beta de la adrenalina en determinadas células del organismo. Estos receptores beta responden a la adrenalina producida por las glándulas suprarrenales y el sistema nervioso en respuesta a la ansiedad, el shock y el miedo.

Los betabloqueantes están indicados habitualmente para los pacientes con problemas cardíacos (*véase* **Medicamentos para el corazón**), pero también los utilizan personas que tienen palpitaciones a causa de la ansiedad o enfermedades metabólicas como el hipertiroidismo. No son peligrosos *per se*, excepto en caso de sobredosis o si los consumen pacientes asmáticos. El uso de estos medicamentos está contraindicado si existe la mínima sospecha de asma.

Una vez más, estos fármacos se dirigen a aliviar los síntomas sin tratar la enfermedad causal. Aunque se dispone de tratamientos alternativos, los betabloqueantes deben interrumpirse sólo bajo control médico.

BIOSELENIUM®

Es un champú anticaspa que contiene gran cantidad de selenio. Es tóxico para algunos hongos de la piel y se usa por vía tópica. Es un tratamiento extremadamente efectivo y seguro.

CIMETIDINA

Es un medicamento que bloquea la producción de ácido en el estómago (*véase* **Antiácidos**).

CLORFENIRAMINA

La clorfeniramina merece una mención específica porque es uno de los antihistamínicos más populares para la rinitis alérgica y la urticaria. Como cualquier fármaco dirigido a aliviar los síntomas debe usarse como último recurso y no como tratamiento inicial.

Véase **Antihistamínicos**.

CORTICOIDES

El cuerpo humano sintetiza sus propios corticoides, que tiene efectos anabólicos (estimulantes del organismo) o catabólicos (inhibidores). El organismo mantiene un intrincado equilibrio entre estas sustancias y produce, con precisión y de forma rítmica, diferentes tipos de corticoides para distintas funciones. Los corticoides que estimulan los procesos de reparación se sintetizan por la noche durante el sueño, y los que estimulan la actividad se producen en grandes cantidades en las primeras horas de la mañana. Asimismo, los corticoides involucrados en la degradación y la eliminación de las sustancias no deseadas tienen momentos de alta y baja producción. Este delicado equilibrio está regulado por hormonas producidas por la hipófisis y, si se mantiene una buena salud, este equilibrio no se ve alterado. Los corticoides ejercen un efecto inmunosupresor. De la misma forma que regulan el equilibrio de la circulación de la sangre, también previenen la sobreestimulación del sistema inmunológico del organismo.

Los corticoides tienen muchos efectos, pero uno de sus principales mecanismos de acción es la constricción de los vasos sanguíneos, por lo que disminuyen el flujo sanguíneo. Si una parte del cuerpo se halla lesionada, el control nervioso y la liberación de histamina hacen que las arterias se dilaten para llevar más sangre a la zona, aportando vitaminas y otros nutrientes (leucocitos para combatir a los invasores y células formadoras del tejido cicatrizal para reparar los daños). La función de los corticoides es mantener este proceso en equilibrio.

El uso de corticoides tópicos o sistémicos (introducidos dentro del organismo) es dañino por cinco razones:

• Alteran el delicado equilibrio de la cicatrización.
• Bloquean los mecanismos de control.
• Inhiben el proceso natural de curación.
• Provocan efectos secundarios, algunos letales.
• Su acción inmunosupresora puede provocar infecciones persistentes o recurrentes.

Los corticoides más frecuentemente usados en Occidente son la hidrocortisona (una molécula similar a la cortisona producida de forma natural por el organismo, pero más potente) y la prednisolona. En Oriente, muchos extractos vegetales contienen corticoides que son igualmente potentes e inmunosupresores, hecho que desmiente la idea de que la medicina natural es segura aunque se utilice incorrectamente o se administre en dosis excesivas. La automedicación con hierbas a menudo es peligrosa a causa de este efecto corticoide.

La medicina ortodoxa se preocupa de eliminar el malestar, a menudo a cualquier precio, prestando poca atención a la causa subyacente. Por ejemplo, en el asma los corticoides eliminan la inflamación de los bronquios y, por consiguiente, abren las vías respiratorias. En una situación con riesgo vital esta acción es invalorable, pero no se trata de una curación. En casos menos graves, su uso proporciona alivio y es a menudo necesario. Sin embargo, sin una perspectiva complementaria, los corticoides pueden utilizarse a perpetuidad o hasta que el organismo se cure por sí mismo independientemente de la medicación.

Cuando un médico receta un corticoide, no debe interrumpirse el tratamiento excepto bajo control médico. La inhibición de los mecanismos de control originada por los corticoides puede interrumpir la producción natural de aquéllos. La retirada súbita de la medicación puede dejar al cuerpo sin corticoides, situación que puede tener consecuencias mortales. Cualquiera que los consuma o al que se le hayan recomendado debería consultar a un profesional de medicina complementaria y, bajo esta supervisión cualificada, intentar su retirada progresiva y comprobar sus efectos. La industria farmacéutica quiere hacernos creer que los corticoides tópicos se absorben poco a través de la piel y, por lo tanto, tienen poco o ningún efecto general. Si se usan de forma persistente, la piel se adelgaza, disminuye la inmunidad de la zona y, sin duda, se absorben en cantidades que afectan al organismo en su conjunto. Hay que ser especialmente cuidadosos si se aplica una pomada con corticoides en una zona cutánea que exuda o sangra.

CORTISONA
Véase **Corticoides**.

DESCONGESTIONANTES NASALES

La congestión de las fosas nasales y de los senos paranasales es una respuesta corporal normal ante la presencia de agentes irritantes o de infecciones. El objetivo de la hinchazón y la producción de moco es proteger el organismo frente a la invasión. Los descongestionantes suprimen esta respuesta curativa y, por consiguiente, deberían usarse sólo en casos extremos. Si la congestión de un paciente, especialmente un niño, impide dormir o respirar hasta un extremo peligroso, deben usarse estos fármacos.

Los descongestionantes se presentan en fórmulas orales, nebulizadores nasales o gotas, y todos ellos deben evitarse por igual. Los descongestionantes naturales ejercen el mismo efecto, pero son más fáciles de eliminar por el cuerpo a causa de su origen vegetal.

DESHIDROEPIANDROSTERONA (DHEA)

Esta hormona, presente en la mayoría de las células del cuerpo, es al parecer responsable de la capacidad de la célula para mantenerse íntegra y para repararse. Posiblemente ejerce su acción a través del control de la permeabilidad de la pared celular a la glucosa.

En la actualidad esta hormona se fabrica y se vende como un potencial elixir de la eterna juventud. Los médicos que la han investigado y los que ganan dinero con sus ventas están seguros de su seguridad y eficacia. ¡También lo estaban los que inventaron la talidomida! Hasta que se lleven a cabo más estudios, este medicamento sólo debería tomarse bajo control de un médico que realmente crea en los beneficios de la DHEA; esto no aumentará la seguridad del fármaco, pero es más probable que el médico esté informado de los últimos estudios. Estoy seguro de que la DHEA tiene sus indicaciones, pero por el momento éstas no son tan amplias como algunas personas quieren hacernos creer.

El tratamiento con estos fármacos se dirige primordialmente a eliminar los síntomas mediante la disminución del ácido, pero no actúan sobre la causa que lesiona la mucosa. No son perjudiciales si se toman durante períodos cortos, pero la necesidad de tomarlos de forma continuada implica que no se está tratando la causa del proceso, lo cual puede conducir a enfermedades difíciles y peligrosas.

DIAZEPAM (VALIUM®)

Valium® es la marca comercial más popular del tranquilizante diazepam (*véase* **Tranquilizantes**).

DICLOFENACO (VOLTAREN®)

Es un popular antiinflamatorio no esteroideo (*véase* **Antiinflamatorios no esteroideos**).

DIURÉTICOS

El riñón posee diversas partes diferenciadas dentro de su compleja estructura. Los diuréticos actúan por distintos mecanismos, pero sobre todo favorecen la excreción de potasio, lo que ocasiona pérdidas de agua desde la circulación que puede provocar deshidratación. No hay duda de que los diuréticos, junto con los antibióticos y los corticoides, han tenido un gran impacto en la supervivencia y bienestar de muchos tipos de pacientes con distintas enfermedades. Recetados por los profesionales adecuados y utilizados de forma correcta, los diuréticos pueden salvar la vida. Si se abusa de ellos, por ejemplo para perder peso, rápidamente pueden originar estados de salud muy peligrosos. El abuso de diuréticos es una causa importante de muerte y enfermedad en la lista de peligros derivados de fármacos.

Se utilizan sobre todo en pacientes con hipertensión (presión arterial elevada) y enfermedades cardíacas; aunque pueden considerarse medidas alternativas, esta medicación no debe retirarse sin la supervisión del médico de cabecera o el especialista.

EMOLIENTES

Los emolientes son calmantes, suavizantes e hidratantes de la piel y pueden utilizarse en todos los casos de sequedad o descamación. Los productos no medicados, como las cremas acuosas, y los de origen natural son beneficiosos y seguros. No son curativos, pero en general son muy calmantes, especialmente en casos de eccemas, y pueden aplicarse directamente o añadirlos al agua del baño.

ENJUAGUES

Los enjuagues se emplean sobre todo como soluciones antisépticas. Matan las bacterias, pero no diferencian entre las buenas y las malas. La boca está protegida por una variedad de bacterias útiles que los enjuagues pueden matar, dejando el campo libre a bacterias perjudiciales. La pérdida de bacterias también favorece el crecimiento de hongos y levaduras. Evite el uso de enjuagues excepto durante cortos períodos y bajo consejo médico o estomatológico.

ESTILBESTROL

Este medicamento se receta en unidades especializadas que tratan casos raros de cáncer de próstata. Tiene muchos efectos secundarios y se usa menos que otros estrógenos. Si se utiliza, su administración no debe interrumpirse, a menos que se observen efectos secundarios, en cuyo caso hay que consultar con el especialista correspondiente.

ESTREPTOCINASA

Es un fármaco inyectable que la mayoría de los médicos generales llevan consigo y que los médicos de urgencia utilizan en las primeras horas de un infarto de miocardio (ataque cardíaco). La estreptocinasa también se emplea para las trombosis venosas profundas y otros problemas de coagulación, como las embolias. Se cree que su administración aumenta las probabilidades de sobrevivir tras un ataque cardíaco. Aunque son necesarios más estudios, su administración es válida.

ESTRÓGENOS

Los estrógenos son un grupo de hormonas presentes tanto en el hombre como en la mujer, pero especialmente en ésta. Son producidas sobre todo en los ovarios (en los testículos en los hombres) y en las glándulas suprarrenales y afectan a muchas células del organismo. En las niñas los niveles son bajos hasta la pubertad, luego oscilan durante el ciclo menstrual y su producción desciende al llegar la menopausia.

Los estrógenos artificiales se utilizan en la píldora anticonceptiva y en la terapia hormonal sustitutiva (*véanse* **Píldora anticonceptiva oral** y **Terapia hormonal sustitutiva**). Los estrógenos artificiales son mucho más potentes que los naturales y pueden provocar importantes efectos adversos en las personas susceptibles. Entre ellos se incluyen síntomas menores, como cefalea, retención hídrica y cambios de humor, pero también problemas más graves, como alteraciones en la coagulación de la sangre y la presión arterial y cáncer.

Antes de emplear estrógenos consulte a un profesional de medicina complementaria con conocimientos en este campo. Existen opciones alternativas en forma de compuestos de aplicación oral y tópica, de origen vegetal, obtenidos de plantas que contienen fitoestroles, como el lúpulo, el hinojo, el ruibarbo y los productos de la soja.

FENITOÍNA

Es un fármaco anticonvulsivante o antiepiléptico. Actúa reduciendo la sensibilidad de las células nerviosas, lo que impide que los impulsos eléctricos en el cerebro puedan causar epilepsia. Es un fármaco muy efectivo aunque tiene algunos efectos adversos asociados.

Habitualmente, la fenitoína sólo es recetada por especialistas cuando no hay otras opciones disponibles. Una vez iniciado el tratamiento, éste debe continuarse hasta que el especialista o médico general así lo indique.

Es útil comentar el problema subyacente con un profesional de medicina alternativa, pero interrumpir el anticonvulsivante es una decisión sumamente arriesgada.

FENOBARBITAL

El fenobarbital es uno de los pocos barbitúricos que todavía se utilizan en ciertos casos. Por lo general este medicamento sólo es recetado por especialistas y únicamente si no se dispone de otros fármacos menos adictivos. Si está utilizando barbitúricos, probablemente necesitará y deberá continuar con este tratamiento, a menos que una terapia alternativa sea efectiva.

Véase **Barbitúricos**.

FILTROS SOLARES

Se ha encontrado un mercado cada vez más creciente para estas cremas que contienen sustancias que bloquean la luz ultravioleta. Sólo ejercen un efecto de barrera y la mayoría de las personas no se aplican una cantidad suficiente. Esto significa que sus efectos tienen menor duración que la descrita en el envase. La exposición limitada al sol y las recomendaciones indicadas en el apartado sobre las quemaduras solares (*véase* **Quemadura solar**) deben complementar el empleo de filtros solares.

FINASTERIDA

Este fármaco interfiere en el metabolismo de la testosterona y es una alternativa a los alfabloqueantes, utilizados comúnmente en el tratamiento de la hipertrofia prostática benigna. Estudios recientes han demostrado que reduce la necesidad de cirugía en un 55%, disminuye la obstrucción del flujo urinario, así como la retención urinaria, que es uno de los problemas principales de hipertrofia prostática benigna. Las investigaciones sugieren que no produce efectos adversos graves, pero se han descrito impotencia y disminución de la libido.

FLUNITRAZEPAM

Este potente hipnótico merece una mención aparte de los somníferos debido a su empleo en la drogadicción. Cuando se toma con alcohol, una vez que desaparece el sopor inicial, se nota un excitante zumbido junto con retraso del orgasmo durante el coito.

La cantidad de neurotransmisores que hay que producir para compensar el efecto soporífico del alcohol y de este poderoso fármaco es enorme. El drenaje desde el sistema nervioso es intenso y los efectos a largo plazo de este abuso son desconocidos, pero ciertamente no es muy probable que sean saludables.

Véase también **Somníferos**.

FLUOXETINA (PROZAC®)

Véase **Inhibidores selectivos de la recaptación de serotonina (ISRS)**.

GAMMAGLOBULINAS

Véase **Inmunoglobulinas**.

GOTAS ÓTICAS

Los compuestos utilizados para disolver la cera del oído son muy seguros. Las gotas antibacterianas, antifúngicas y esteroideas pueden usarse con bastante confianza si son recetadas por el médico. Consulte los apartados correspondientes de este libro según el tipo de fármaco prescrito y busque siempre una alternativa naturopática antes de emplearlos.

GOTAS Y CREMAS OCULARES

Los fármacos para administración ocular pueden ser antibióticos, antifúngicos, corticoides o medicamentos para reducir la presión intraocular como en el glaucoma. Los primeros tres tipos de fármacos pueden consultarse en los apartados correspondientes y, en principio, son evitables si así lo aconseja un profesional de medicina alternativa cualificado. Las gotas oculares para prevenir el glaucoma deben aplicarse aunque no combatan la causa de esta dolencia. Sin tratamiento, el glaucoma puede causar la ceguera.

HEPARINA
Véase **Anticoagulantes**.

HIDROCORTISONA
Véase **Corticoides**.

HIPNÓTICOS
Véase **Somníferos**.

INHIBIDORES SELECTIVOS DE LA RECAPTACIÓN DE SEROTONINA (ISRS)

Los fármacos ISRS son relativamente nuevos y actúan bloqueando la degradación del principal «fluido de la felicidad», el neurotransmisor conocido como serotonina. Este grupo de medicamentos requiere especialmente un enfoque holístico.

Los fármacos de este grupo son menos sedantes que sus rivales mejor conocidos, los antidepresivos tricíclicos, y tienen menos efectos secundarios. Menos no significa sin efectos secundarios, ya que pueden ocasionar algunos síntomas de consideración y han sido implicados como causantes de anorexia grave. Si hay que utilizar un antidepresivo, este grupo es un buen punto de partida, pero intente hallar tratamientos alternativos.

INMUNOGLOBULINAS

El organismo humano tiene un sistema de defensa muy eficiente. Parte de su función reside en la producción de moléculas especializadas, denominadas inmunoglobulinas, que se adhieren a las materias extrañas invasoras para formar una gran molécula en la sangre que se elimina de la circulación al quedar atrapada en los ganglios linfáticos o ser capturada por los leucocitos especializados en el reconocimiento de complejos inmunoglobulina-antígeno. A menudo a las inmunoglobulinas se las denomina anticuerpos.

La ciencia ha sido capaz de «copiar» muy pocas inmunoglobulinas, que pueden ser inyectadas en las personas y en general ofrecen protección contra enfermedades específicas, como la hepatitis A, incluso durante seis meses. Algunos protocolos complementarios para el sida incluyen el uso de inmunoglobulinas, que pueden también utilizarse en otros casos de inmunodepresión.

Las inmunoglobulinas ocupan un lugar en la moderna medicina. Si el organismo tiene cada vez menor capacidad para defenderse, estos componentes pueden salvar la vida.

Hay algunas pruebas de que las inmunoglobulinas administradas, al ser proteínas extrañas, pueden ocasionar una respuesta inmunológica por parte del organismo, así como también los compuestos utilizados durante su fabricación. Si una persona padece una enfermedad frente a la cual las inmunoglobulinas pueden proporcionar protección, puede seguirse este tratamiento durante un período corto de tiempo.

INSULINA

La insulina se prescribe cuando los estudios demuestran que es poco probable que el páncreas sea capaz de producir suficiente cantidad de insulina y/o la dieta y los antidiabéticos orales son ineficaces.

La mayoría de las insulinas se extraen del cerdo, aunque los tipos más recientes se obtienen de seres humanos. Estas últimas son más efectivas pero tienen más efectos colaterales. Los especialistas preferirán unos tipos a otros y los diabéticos que necesiten insulina deben seguir su consejo. Nunca he visto un caso de diabetes insulinodependiente que mejore hasta el punto de que no precise insulina. Las terapias alternativas pueden reducir las necesidades diarias, pero nunca hay que parar el tratamiento con insulina sin la autorización del médico.

Véase también **Medicamentos antidiabéticos**.

ISOTRETINOÍNA

Se trata de un potente y tóxico fármaco contra el acné derivado de la vitamina A. Se requieren dos minutos para leer los efectos secundarios de este medicamento. Pruebe todos los métodos para tratar el acné antes de usar este fármaco.

LAXANTES

Los laxantes son principalmente de cuatro tipos:

- Compuestos que aumentan el bolo fecal.
- Compuestos que absorben agua hacia el intestino.
- Medicamentos que estimulan el peristaltismo (contracciones) del intestino grueso.
- Ablandadores fecales.

Como se comenta en el apartado dedicado al estreñimiento (*véase* **Estreñimiento**), estos medicamentos deben ser evitados en lo posible. Si la dieta y el médico alternativo no pueden resolver el problema, deben usarse los laxantes más naturales y con la menor frecuencia posible. En particular hay que evitar los laxantes que ocasionan contracciones intestinales, puesto que rápidamente pueden alterar el hábito intestinal.

LEVODOPA

Véase **Medicamentos antiparkinsonianos**.

LIDOCAÍNA

Este medicamento de la familia de la cocaína se usa como anestésico local, con adrenalina o sin ella. Algunas personas son sensibles a la lidocaína pero la mayoría no tiene problemas.

Este fármaco se metaboliza en el hígado, lo que hace que la pequeña parte que se absorbe tras su utilización como anestésico local sea tolerable y aceptable. Si usted no tiene problemas específicos con la lidocaína, su uso esporádico no constituye un problema.

LITIO

El carbonato de litio es un fármaco usado específicamente en psiquiatría en personas con alteraciones psicóticas o esquizofrenia. En general es recetado por psiquiatras, y luego estos especialistas y los médicos generales monitorizan sus niveles sanguíneos cuidadosamente, porque muy bajos son inefectivos y demasiado altos pueden ser tóxicos y causar problemas hepáticos y de médula ósea.

Es un medicamento notablemente efectivo pero entraña riesgos y sólo debe usarse si otros medicamentos y medidas alternativas han fracasado. No es el más seguro de los fármacos y debe tomarse siempre bajo la guía de un especialista.

MEBENDAZOL

Véase **Medicamentos antiparasitarios y antihelmínticos**.

MEDICAMENTOS ANTIDIABÉTICOS

Los fármacos antidiabéticos sólo deben tomarse bajo el seguimiento de un médico e, incluso, tras la prescripción de un especialista. Estos fármacos estimulan por unas células pancreáticas, denominadas islotes de Langerhans, para que produzcan más insulina o favorezcan la entrada de glucosa en la célula.

Es aconsejable establecer si la diabetes puede controlarse mediante la dieta y otros métodos naturopáticos; si no resulta posible, es preferible el uso de estos fármacos a altos niveles de glucosa sanguínea descontrolados.

Véase también **Insulina**.

MEDICAMENTOS ANTIHIPERTENSIVOS (PARA LA PRESIÓN ARTERIAL ELEVADA)

El tratamiento de la hipertensión se describe ampliamente en el capítulo 5. Los diuréticos y los betabloqueantes deberían ser los tratamientos elegidos por los médicos de cabecera y los especialistas. Si los métodos complementarios y estos fármacos básicos no funcionan, las personas con hipertensión se tratarán con antagonistas del calcio o con inhibidores de la enzima de conversión de la angiotensina (ECA).

Los antagonistas del calcio bloquean el movimiento del calcio en los músculos que rodean los vasos sanguíneos. El calcio es responsable de la tensión en estos músculos y, por lo tanto, del grosor de las arterias. Cuanto más estrechas sean, más alta será la presión.

Los inhibidores de la ECA bloquean la producción de una sustancia química de origen renal que actúa directamente sobre los vasos sanguíneos, estrechando su luz. Al bloquear esta enzima, los vasos sanguíneos se dilatan, produciendo una disminución artificial de la presión arterial.

Ambos tipos de fármacos ocupan un lugar en la medicina moderna para el tratamiento de la hipertensión arterial no controlada, pero deben considerarse sólo si han fracasado otros tratamientos y siempre bajo el control de un especialista. Continuamente se descubren, estudian e introducen en el mercado nuevos fármacos antihipertensivos, a los cuales son aplicables estas mismas recomendaciones de utilizarlos como último recurso y bajo supervisión médica.

Excepto en casos de aumentos súbitos y agudos de la presión arterial, inicialmente pueden probarse los tratamientos alternativos, puesto que los fármacos ortodoxos disminuyen los niveles de la presión arterial pero no tratan la causa subyacente.

Véanse **Diuréticos** y **Betabloqueantes**.

MEDICAMENTOS ANTIPARASITARIOS Y ANTIHELMÍNTICOS

Las lombrices son muy frecuentes entre los escolares y se extienden a la familia con mucha facilidad. En general no son nocivas, pero si su número es excesivo puede provocar malabsorción y afectar al crecimiento y desarrollo de los niños. Los parásitos viajan por el intestino, habitualmente durante la noche, y ponen sus huevos en el ano. Esto produce un picor característico. Otros gusanos parásitos y las amebas pueden ocasionar enfermedades muy graves. La mayoría de ellos viven en el intestino, al menos al principio. Es aconsejable instaurar un tratamiento precoz, y los medicamentos recetados por los médicos ortodoxos permanecen en el intestino y se absorben poco. Esto hace que resulten muy efectivos y no sean tóxicos, aunque algunas personas pueden presentar malestar estomacal, náuseas y diarrea. Estos fármacos deberían usarse si se ha establecido el diagnóstico de infestación o ésta es probable, por ejemplo en grupos familiares o escuelas.

MEDICAMENTOS ANTIPARKINSONIANOS

La enfermedad de Parkinson está causada por la falta de un neurotransmisor denominado dopamina en el sistema nervioso central. El tratamiento consiste en suplir esta carencia con un compuesto llamado levodopa, el cual es seguro si se toma en cantidades adecuadas. Otro fármaco, denominado inhibidor de la dopa-descarboxilasa, impide la destrucción de la dopamina natural. La combinación de ambos ayuda a las personas con enfermedad de Parkinson y puede constituir un tratamiento muy efectivo.

El problema radica en que el organismo se habitúa a estos compuestos y, después de algunos años de uso, ya no responde. Constantemente aparecen nuevos fármacos, como la selegilina, la lisurida, la amantidina y la pergolida. Aunque todos son beneficiosos, debe evitarse su uso hasta que hayan fracasado todos los caminos alternativos. Así pues, estos medicamentos han de utilizarse como último recurso debido a la resistencia que generan, que llevará a un descenso de su valor terapéutico tras cinco o diez años.

MEDICAMENTOS ANTITUSÍGENOS

La tos es la respuesta natural del cuerpo para expulsar un objeto, un exceso de mucosidad o una infección respiratoria. Los antitusígenos inhiben este proceso mediante la desensibilización de los nervios que reconocen la causa irritante; aunque proporcionan alivio, estos medicamentos permiten que la causa persista en los pulmones.

Estos agentes inhibidores deberían utilizarse sólo si el paciente no puede dormir a causa de la tos o ésta es tan intensa que puede lesionar los pulmones. Pero incluso en estos casos, los antitusígenos deberían emplearse de forma restrictiva. Por otra parte, las preparaciones líquidas disponibles en las tiendas de productos naturales son, al parecer, más fáciles de eliminar por el organismo que la mayoría de los productos químicos farmacéuticos.

MEDICAMENTOS ANTIVÍRICOS

Hay muy pocos agentes antivíricos efectivos que los seres humanos puedan tomar. Matar un virus no es difícil, pero el problema es que los fármacos pueden matar a las personas con la misma eficacia. El aciclovir es el agente antivírico más utilizado contra el herpes. Sin duda, es un medicamento efectivo, pero probablemente mate otros virus que pueden ser de utilidad para el organismo. Por otra parte, no penetra en el sistema nervioso, por lo que es muy poco efectivo y de ningún modo curativo contra el virus del herpes asentado en centros nerviosos. La mejor defensa corporal contra los agentes víricos es la propia inmunidad del organismo, y la estimulación de ésta mediante técnicas complementarias es el procedimiento más seguro y posiblemente más efectivo de tratamiento antivírico (*véase* **Vacunaciones**).

Los fármacos antivíricos son efectivos sólo cuando se administran en dosis tan elevadas que resultan casi tóxicas. El propio concepto de sustancia antivírica apoya la creencia de que la mala salud está causada por gérmenes. En realidad, el sistema inmunitario humano es el mecanismo antivírico más efectivo, y su mantenimiento y estimulación adecuados sigue siendo más efectivo que los medicamentos.

MEDICAMENTOS CONTRA EL ASMA

No olvide que el asma es una enfermedad potencialmente mortal. La administración de medicamentos contra el asma no se recomienda sin supervisión médica.

No hay medicamentos antiasmáticos ortodoxos que sean curativos. La industria farmacéutica ha preferido centrar sus investigaciones en fármacos para controlar el asma, pero que no son curativos. Ésta es una situación perfectamente aceptable en una industria enfocada al lucro y no a la asistencia sanitaria. No hay que enfadarse con la industria farmacéutica por esto; su actitud al respecto es muy clara.

Los fármacos utilizados en el tratamiento del asma se dirigen a disminuir la formación de moco y a dilatar los conductos bronquiales estrechados. La mayoría de ellos son eficaces para aliviar los síntomas y, en muchos casos, salvar la vida. No subestime su importancia como tratamiento, pero no considere su uso para el mantenimiento de la salud. Casi cada rama de la medicina complementaria tiene un tratamiento para el asma. Antes de iniciar el tratamiento clásico o antes de continuarlo, consulte con el médico complementario. No interrumpa el tratamiento con fármacos antiasmáticos excepto bajo supervisión médica.

Véase también **Asma**.

MEDICAMENTOS CONTRA EL CÁNCER

No hay duda de que estos medicamentos pueden salvar vidas y ocupan un lugar en la medicina holística. Su modo de acción varía, pero en principio tienden a detener el crecimiento de las células de replicación rápida. Esto se lleva a cabo habitualmente interfiriendo en los procesos químicos o en los cromosomas de las células cancerosas. Por desgracia, ningún medicamento antineoplásico es tan específico y, por consiguiente, puede dañar a las demás células. Los más potentes pueden afectar a las células intestinales, de los folículos pilosos y de la médula ósea, ya que también son células de replicación rápida.

El principal problema de los fármacos antineoplásicos es que se utilizan en combinaciones y dosis muy diferentes según los distintos especialistas. Hay muy pocos protocolos claramente definidos y establecidos. Estamos todavía en un estadio muy inicial del desarrollo de los fármacos antineoplásicos y muchos pacientes en la actualidad son cobayas involuntarias.

Como la mayoría de los medicamentos, los fármacos antineoplásicos están dirigidos a destruir el cáncer y no a tratar la causa. Es imperativo que toda persona que utilice medicamentos antineoplásicos consulte a un especialista en medicina complementaria para recibir asesoramiento acerca de cómo evitar los efectos colaterales, mejorar la inmunidad corporal, acelerar la eliminación de los fármacos tóxicos una vez que hayan cumplido su misión y, sobre todo, identificar las posibles causas del cáncer y tratarlas (*véase* **Cáncer**).

MEDICAMENTOS CONTRA EL SIDA

La zidovudina, también conocida como azidotimidina o AZT, se fabricó hace muchos años como agente quimioterápico antineoplásico. Debido a su elevada toxicidad nunca se comercializó. El gigante farmacéutico Wellcome descubrió que el AZT era pernicioso para el virus de la inmunodeficiencia humana (VIH).

Los trabajos iniciales sugirieron, en efecto, que el AZT tenía un ligero efecto curativo y pronto salió al mercado. Se suponía que su administración precoz (tras la infección por el VIH y antes del desarrollo del sida) prolongaría la supervivencia y retrasaría el inicio del sida. Algunos datos apoyaban esta afirmación, pero un estudio más reciente y concluyente –el ensayo Concorde– ha demostrado que la situación no es ésta y que, de hecho, el uso precoz de AZT puede ser perjudicial a largo plazo.

En la actualidad, la industria farmacéutica está sugiriendo que el AZT en combinación con otros fármacos, como la didanosina (ddI) y la zalcitabina (ddC), consigue los resultados atribuidos al AZT hace diez años. Esta vez, la combinación retrasa definitivamente el inicio del sida. En este momento, nuevos fármacos, como los inhibidores de las proteasas y los nucleósidos, parecen ser tan efectivos como el AZT, si no más. Es muy difícil disponer de datos fiables con respecto a la efectividad de estos fármacos. Los informes oficiales varían de un hospital a otro, pero mi experiencia personal y la de los médicos holísticos con los que trabajo es que la mayoría de los pacientes que usan fármacos contra el sida debe interrumpirlos con frecuencia a causa de sus efectos adversos y, peor aún, la evolución de la mayoría de los consumidores de AZT es desfavorable y, con el tiempo, presentan problemas.

El AZT es altamente tóxico y es muy probable que dañe el sistema inmunológico, hecho que va contra el punto de vista holístico acerca del sida y su tratamiento.

MEDICAMENTOS CONTRA LA CISTITIS

El médico ortodoxo recetará rápidamente antibióticos para la cistitis, muy a menudo sin tomar una muestra de orina para su cultivo y antibiograma. Ello produce resistencias bacterianas, que son perjudiciales para el individuo y para la sociedad en su conjunto.

La cistitis puede tratarse alterando la acidez de la orina a fin de hacerla más alcalina. Las preparaciones de álcalis fuertes son efectivas, útiles y caras. Una alternativa es el empleo de bicarbonato sódico, como se describe en el apartado dedicado a la cistitis (*véase* **Cistitis**). El uso excesivo de compuestos alcalinos puede ocasionar otros problemas y, por lo tanto, no conviene abusar de ellos, aunque son preferibles a los antibióticos.

MEDICAMENTOS CONTRA LA FIEBRE
Véase **Antipiréticos**.

MEDICAMENTOS CONTRA LA GOTA

Los medicamentos utilizados para combatir la gota varían según que se utilicen para situaciones agudas o crónicas. Los tratamientos alternativos son a menudo muy efectivos en ambos, mientras que los fármacos ortodoxos se dirigen a aliviar el dolor o a disminuir los cristales de ácido úrico por medio de procedimientos artificiales, prestando poca atención al defecto metabólico subyacente o al equilibrio dietético. El tratamiento para la gota aguda a menudo incluye antiinflamatorios (*véase* **Antiinflamatorios no esteroideos**).

MEDICAMENTOS CONTRA LA IMPOTENCIA

Ciertas combinaciones de drogas pueden favorecer la erección, pero entrañan efectos secundarios peligrosos. Los fármacos más comúnmente utilizados se inyectan para provocar la constricción de los vasos sanguíneos. Esto permite que la sangre llegue al pene pero que no salga, lo que provoca la erección. Ésta dura unas pocas horas, no es reversible y suele ser dolorosa. Estos fármacos deben emplearse sólo bajo el control de un especialista y después de que hayan fracasado medidas alternativas.

MEDICAMENTOS CONTRA LA INCONTINENCIA URINARIA

Los medicamentos contra la incontinencia son recetados específicamente por especialistas y actúan bloqueando la contracción del músculo detrusor de la vejiga. Sólo deben usarse en pacientes con incontinencia intratable y como último recurso.

MEDICAMENTOS CONTRA LA INFERTILIDAD

Los fármacos utilizados contra la infertilidad, tanto para hombres como para mujeres, son fundamentalmente hormonales y estimulan la producción de espermatozoides en el hombre y de óvulos en la mujer. Estos medicamentos tienen considerables efectos secundarios y sólo son recetados por especialistas.

Intente tratamientos alternativos antes de recurrir a estos medicamentos y, si los emplea, siga tratamientos complementarios para contrarrestar sus efectos adversos.

MEDICAMENTOS CONTRA LA OSTEOPOROSIS

Recientemente ha resurgido el interés por los medicamentos que mantienen los niveles de calcio en los huesos. Estos fármacos no siempre son efectivos y deben consumirse continuamente para que su efecto sea persistente. A menudo se recetan junto con la terapia hormonal sustitutiva (THS). Antes de recurrir a cualquiera de estos fármacos deberían probarse medidas alternativas.

Recientemente ha salido al mercado un medicamento que, al parecer, modifica la densidad ósea. Se trata del ácido alendrónico, cuyos efectos a largo plazo se desconocen. Soy totalmente contrario a su uso, sobre todo porque existen alternativas.

MEDICAMENTOS CONTRA LA RINITIS ALÉRGICA

Véanse **Antihistamínicos** y **Descongestionantes nasales**.

MEDICAMENTOS EN EL PARTO

Una de las pocas cosas que el médico puede hacer es eliminar el dolor. Soy partidario del parto natural pero, dados los mínimos riesgos que entrañan los medicamentos para eliminar el dolor, en mi opinión éstos son una opción perfectamente segura.

El alivio del dolor que se necesita en la primera fase del parto es mínimo, para que la madre sea consciente de la progresión. A medida que las contracciones son más fuertes y frecuentes, el uso de óxido nitroso es seguro y efectivo.

Si deja de ser efectivo, puede ofrecerse a la madre una anestesia epidural (inyectada en la parte baja de la columna) o, más raramente en la actualidad, petidina (un derivado de la morfina). La petidina puede causar depresión respiratoria en el feto y, por lo tanto, no suele emplearse. La anestesia epidural es segura cuando se realiza correctamente y entraña un riesgo muy bajo de efectos colaterales.

El principal riesgo reside en la posibilidad de que el anestésico migre hacia arriba por la columna (las probabilidades se reducen manteniendo a la madre sentada), ya que si el anestésico llega a la parte inferior del tronco cerebral puede producirse un paro respiratorio. Este efecto es sólo temporal y puede resolverse con rapidez en una sala de partos convenientemente equipada.

Los anestésicos locales para reparar desgarros o la episiotomía, si ésta es necesaria, pueden también administrarse sin riesgos. Utilice en principio métodos alternativos, pero si el dolor le impide sentirse bien y segura, recurra a la medicación ortodoxa. Consulte al médico naturista sobre cómo limpiar de fármacos su cuerpo y el de su bebé.

MEDICAMENTOS PARA EL CORAZÓN

Los fármacos para el corazón sólo pueden ser recetados por médicos. En principio, si se los han recetado, tómelos. Pueden tener muchos efectos secundarios y ser innecesarios, pero la mayoría de las veces permiten salvar la vida. Puede solicitar explicaciones sobre el uso de estos fármacos a médicos ortodoxos o alternativos cualificados, si es posible conjuntamente. Existen muchas terapias y medicinas holísticas y naturopáticas eficaces para tratar las enfermedades del corazón, por lo que después de obtener una perspectiva holística segura y completa tal vez no necesite seguir utilizando estos fármacos.

MEDICAMENTOS PARA LA DISPEPSIA
Véase **Medicamentos para la indigestión**.

MEDICAMENTOS PARA LA INDIGESTIÓN

La indigestión es un término muy amplio que designa desde una sensación de plenitud y malestar leve hasta intensos dolores con sensación de ardor localizados en el epigastrio, es decir, el área situada por debajo del esternón. El malestar puede desplazarse hacia arriba hasta el pecho y la garganta y asociarse a enfermedades como la úlcera de estómago y duodeno, hernia de hiato y problemas de vesícula. La indigestión persistente debe ser cuidadosamente investigada por un médico general o un especialista. Una vez establecido el diagnóstico, consulte el apartado correspondiente de este libro.

Los medicamentos contra la indigestión son de dos tipos:

- Antiácidos (ya comentados; *véase* **Antiácidos**).
- Medicamentos que inhiben la producción de ácido.

Este último grupo, que comprende medicamentos habituales como la cimetidina, la ranitidina y el omeprazol, actúa inhibiendo la producción de ácido clorhídrico (el ácido que se encuentra habitualmente en el estómago) por parte de las células especializadas que recubren la pared gástrica. Estos fármacos combaten el dolor provocado por el ácido, pero no actúan sobre la causa de la pérdida de protección que el intestino ejerce en condiciones normales.

En muchos casos, un tratamiento de seis semanas es «curativo», pero si no se combate y resuelve

la causa que provoca la disminución de la protección por parte del intestino, el problema reaparecerá y muy a menudo los pacientes deberán tomar una dosis de antiácido diurna o nocturna.

Esta práctica médica no es buena. Los antiácidos de este tipo sólo deberían usarse si no funcionan los tratamientos alternativos o complementarios o si el paciente no realiza los necesarios cambios en su estilo de vida, como dejar de beber, fumar y comer alimentos picantes. Sospecho que en los próximos veinte años se producirá un aumento del cáncer de estómago porque la causa de la indigestión raras veces se combate y, por otra parte, aparecerán problemas como consecuencia de la insuficiente producción de ácido para fraccionar los alimentos.

Algunos de estos medicamentos se utilizan junto a antibióticos en las populares pautas doble y triple para combatir *Helicobacter pylori*. Esto nos lleva de nuevo al principio de la teoría del germen, según la cual todo lo que va mal está causado por un microorganismo antes que por un sistema inmunológico debilitado, lo que en mi opinión es erróneo. Use la terapia triple sólo tras el fracaso de los tratamientos alternativos.

MEDICAMENTOS PARA LA PIROSIS
Véase **Medicamentos para la indigestión**.

MEDROXIPROGESTERONA

Es una progesterona modificada usada por los especialistas en el tratamiento de la endometriosis y otros problemas ginecológicos. A veces se emplea para intentar inducir la menstruación si ésta se ha detenido. Tiene muchos efectos secundarios desagradables y debe usarse sólo cuando los tratamientos alternativos han fracasado.

METILFENIDATO

Este fármaco se utiliza en el tratamiento del trastorno por déficit de atención y para los cuadros de hiperactividad. Sus fabricantes insisten en que hay que utilizarlo como último recurso aunque cada vez se emplea más, especialmente en Estados Unidos.

Debe ser recetado por un especialista y aun así su seguridad es cuestionable. Se sabe que retrasa el crecimiento y no se dispone de estudios a largo plazo. El principio activo (cloruro metilfenídico, derivado de las anfetaminas) estimula el sistema nervioso central y mejora la atención. La paradoja del éxito de estimular a un niño sobreestimulado no es clara, pero de alguna forma estimula alguna parte del cerebro que compensa la causa de la hiperactividad. Se cree que la hiperactividad es un mecanismo compensador de una deficiente capacidad de concentración (*véase* **Hiperactividad**).

METOCLOPRAMIDA (PRIMPERAN®)

Primperan® es el nombre comercial de la metoclopramida y el más popular de los antieméticos (*véase* **Antieméticos**).

MINOXIDIL

Este medicamento de aplicación tópica ha ganado fama por su acción estimulante de los folículos pilosos en la calvicie de tipo masculino.

Inicialmente utilizado contra la hipertensión, algún investigador inteligente lo aplicó directamente sobre la piel y surgió así un nuevo uso del fármaco.

El minoxidil produce la aparición de cabellos finos en más del 7% de las personas, pero sólo menos del 15% del cabello tiene un aspecto aceptable y, para mantenerlo, es necesario utilizar el fármaco de forma continuada. El fármaco se absorbe y puede causar efectos secundarios, además de irritación local.

MORFINA

La morfina es el analgésico más potente. Es similar a los analgésicos propios del organismo, conocidos como endorfinas y encefalinas, y es semejante a la heroína en su estructura y eficacia.

La morfina es muy adictiva, tanto psicológica como físicamente. Esto significa que al interrumpir su administración, el cuerpo es, durante cierto período de tiempo, mucho más sensible al dolor. Se usa habitualmente cuando los dolores son resistentes a otros analgésicos.

Al igual que otros médicos holísticos, sospecho que la morfina suprime no sólo el dolor sino también las fuerzas vitales del cuerpo. Sólo debería emplearse cuando otros analgésicos no son efectivos.

NALOXONA

Este medicamento se utiliza para bloquear la acción de los opiáceos, principalmente las sobredosis de heroína, opio o morfina.

Un exceso de estos últimos compuestos puede causar depresión respiratoria y es, por lo tanto, potencialmente mortal. La naloxona cumple su papel en la medicina de urgencia.

NEBULIZADORES

Son dispositivos que permiten a los pacientes con problemas pulmonares tomar la medicación cuando tienen dificultades para usar inhaladores.

NICOTINA

La nicotina es un compuesto muy adictivo que se halla en el tabaco. Es concebible que algunas compañías tabaqueras incluyan una cantidad extra de nicotina en sus marcas para «enganchar» a los consumidores.

La industria farmacéutica ha producido parches y chicles de nicotina en un intento de eliminar la necesidad de obtener nicotina en forma de tabaco.

Esto simplemente transfiere la adicción de un método de administración a otro. Sin embargo, es mejor usar un parche o un chicle de nicotina que fumar, porque se evita el daño a los pulmones, pero la dependencia de estos productos mantiene la adicción y, por lo tanto, es menos probable que se reduzca el tabaquismo a largo plazo. Muchas personas son alérgicas a los parches y tienen náuseas al masticar nicotina.

NIFEDIPINO

El nifedipino es un medicamento cardiológico y, si el médico lo receta, debe usarse, excepto si una medida alternativa demuestra ser eficaz, pero incluso entonces la retirada debe hacerse bajo control médico.

El nifedipino tuvo mala prensa porque se asoció a suicidios y a un empeoramiento de los síntomas cardíacos en un número de pacientes mayor de lo aceptable. Pueden ser preferibles otros fármacos, pero esta decisión debe tomarla un especialista.

NISTATINA

La nistatina es un popular fármaco utilizado contra las infecciones por hongos, pero, como cualquier otro fármaco de este tipo, tiene la capacidad de generar cepas resistentes. Evite el uso de la nistatina siempre que sea posible.

Véanse **Candida y aftas** e **Infecciones fúngicas**.

NITRATOS

El nitrato más utilizado es la nitroglicerina. Es un potente dilatador arterial y tiene su efecto más beneficioso en las arterias que irrigan el músculo cardíaco. Se usa comúnmente en la angina de pecho y, como cualquier medicamento cardíaco, debe emplearse si el médico lo prescribe, excepto si se hallan alternativas. Como cualquier fármaco que afecta al sistema cardiovascular, tiene efectos colaterales, incluyendo mareos, dolores de cabeza y náuseas. Cualquiera de estos síntomas debe comunicarse al médico de cabecera.

NITRAZEPAM
Véase **Somníferos**.

NITROGLICERINA

Se utiliza en forma de tableta sublingual u oral, en aerosol y como parche transdérmico. Es un fármaco con acción cardíaca (*véase* **Medicamentos para el corazón**) que abre los vasos sanguíneos y reduce el dolor de la angina de pecho. Como cualquier fármaco cardíaco, debe usarse sólo por prescripción médica cualificada y retirarse con la aprobación de un experto. No cura las enfermedades cardíacas, por lo que debería consultarse a un profesional de medicina complementaria para intentar eliminar la necesidad de estos fármacos.

ÓXIDO NITROSO

El óxido nitroso, habitualmente conocido como gas de la risa, se utiliza como analgésico inhalado, con mayor frecuencia durante el parto. Su empleo es absolutamente seguro.

PARACETAMOL

El paracetamol es un suave pero potente analgésico similar en su efecto y eficacia a la Aspirina®, pero con un efecto antiinflamatorio mucho menor. Dado que desde el punto de vista holístico la inflamación es parte de los mecanismos de reparación del organismo, se prefiere el paraceta-

mol a la Aspirina® como analgésico de primera línea.

El paracetamol es, sin embargo, mucho más tóxico para el hígado que la aspirina (aunque ésta tiene muchas más posibilidades de producir gastritis o úlceras de estómago) y no debería tomarse con frecuencia o en exceso (*véase* **Analgésicos**).

PASTA LASSAR

Es un regalo de Dios para el eritema del pañal. Esta crema de cinc y cera de abeja sintética actúa como una barrera maravillosa para prevenir las infecciones causadas por la humedad del pañal y las llagas abiertas. Usada junto con árnica o caléndula en crema protege la piel mientras cicatrizan las lesiones cutáneas.

PENICILINA
Véase **Antibióticos**.

PETIDINA

La petidina es un analgésico opiáceo de uso común. Se empleaba casi de forma sistemática en el parto, aunque como cualquier derivado opiáceo puede provocar depresión respiratoria, por lo que ya no se recomienda a causa del riesgo para el feto.

Habitualmente se encuentra en los maletines de urgencia de los médicos y puede usarse como analgésico de emergencia con gran alivio y seguridad.

PÍLDORA ANTICONCEPTIVA ORAL

Cuando se introdujo la «píldora», a fines de los años cincuenta, se afirmó que su repercusión social sería enorme y que era médicamente segura. Casi cuarenta años más tarde, sus implicaciones sociales se han confirmado y la disminución de embarazos no deseados y las complicaciones que éstos acarrean –como los abortos– corroboran sus pretensiones beneficiosas.

Sin embargo, lleva más de dos minutos leer la lista de sus numerosos efectos colaterales y riesgos. Aunque los problemas relacionados con las píldoras anticonceptivas son menos numerosos y entrañan menos riesgos inmediatos que un aborto (y, desde una perspectiva social, no se pueden comparar a los ocasionados por los embarazos no deseados), los efectos colaterales son potencialmente letales.

El uso de píldoras anticonceptivas aumenta el riesgo de contraer diversos tipos de cáncer, aunque sus partidarios afirman que incluso tienen efectos protectores. No se difunden estudios que desaconsejan su uso debido a los enormes beneficios que su venta supone para la industria farmacéutica.

La opinión holística se opone al uso de hormonas artificiales para ocupar el lugar del ciclo natural del cuerpo. El efecto de las píldoras anticonceptivas es, en pocas palabras, convencer al organismo de que se ha producido el embarazo y, por lo tanto, no necesita producir las hormonas fertilizantes. No hay duda de que si se dispone de otro método, las píldoras anticonceptivas deben evitarse.

Si un médico general con un enfoque holístico o un profesional de medicina complementaria evalúa sus antecedentes familiares y personales, su estilo de vida y su salud general y no halla una predisposición especial a padecer los efectos adversos de las píldoras anticonceptivas, puede usarlas durante nueve meses (el tiempo medio de un embarazo normal) y luego descansar de tres a seis meses.

Asegúrese de leer la lista de efectos secundarios antes de tomar la píldora.

PIPERAZINA

La piperazina y el mebendazol son los fármacos antihelmínticos (contra los gusanos) usados con mayor frecuencia. Aunque existen numerosas plantas medicinales que se han empleado durante siglos para luchar contra la infestación por lombrices, estos dos medicamentos son seguros y efectivos.

Recomiendo el uso de estos fármacos porque su absorción es mínima o nula en el intestino y, por consiguiente, permanecen en éste y matan los parásitos. Raras veces causan efectos secundarios.

PODOFILINO

Es una loción tópica contra las verrugas genitales o condilomas. Es muy efectivo pero los condilomas pueden volver a aparecer. El podofilino es también tóxico si se usa demasiado tiempo pues puede lesionar la piel normal. Es importante preservar la zona alrededor de la verruga.

PREDNISOLONA
Véase **Corticoides**.

PREPARACIONES PARA LOS PIOJOS DE LA CABEZA

Los piojos causan una infestación irritante que puede tratarse a menudo con tratamientos complementarios. Algunos preparados tópicos medicados han sido incriminados como responsables de enfermedades, incluido el cáncer, y han sido retirados del mercado. Si un tratamiento alternativo no soluciona el problema rápidamente, el uso de estos compuestos puede considerarse aceptable y seguro.

PROGESTERONA

La progesterona no se usa con frecuencia porque las formas artificiales son cuarenta veces más potentes que la natural. En ciertas enfermedades está indicado su empleo, aunque para todas ellas, con excepción de las más graves, hay múltiples alternativas.

La progesterona natural está disponible como crema y puede ser mucho más efectiva que los estrógenos en muchas enfermedades relacionadas con las hormonas, como el síndrome premenstrual, el cáncer de mama, la osteoporosis y las enfermedades cardiovasculares.

Véanse también **Terapia hormonal sustitutiva** y **Osteoporosis**.

PROMETAZINA

La prometazina es uno de los antihistamínicos más comunes, que se usa en todo el mundo como primera elección frente a la rinitis alérgica y otras manifestaciones alérgicas. Merece especial atención porque se utiliza como sedante preoperatorio y en los niños que presentan patrones de sueño alterados. Este último empleo como sedante se basa en uno de los efectos secundarios de la prometazina, que es la somnolencia.

Este fármaco suprime los síntomas de alergia, pero no constituye un tratamiento ni una curación. Es mejor intentar combatir la causa de una alergia que suprimir sus síntomas. Si es necesario puede usarse con seguridad a corto plazo. Lo mismo puede decirse con respecto a sus efectos sedantes, aunque no se recomienda utilizarlo más de tres noches en los niños sin un lapso intermedio de una semana.

Véase también **Antihistamínicos**.

PROPRANOLOL

Véase **Betabloqueantes**.

PROSTAGLANDINAS Y OXITÓCICOS

Las prostaglandinas forman parte de numerosas vías bioquímicas del organismo, pero las prostaglandinas artificiales suelen reservarse para inducir el aborto o el trabajo de parto. Habitualmente son indicadas por el especialista y no suele haber otras alternativas.

QUININA

La quinina se usa en los casos graves de malaria como tratamiento y no como profilaxis (*véase* **Antimaláricos**).

La quinina es el fármaco más efectivo contra la malaria. Las terapias complementarias pueden reforzar sus efectos, realzados, pero se trata de un medicamento que puede salvar vidas y del que no se debe prescindir.

RANITIDINA

Es un antiácido que bloquea los receptores que estimulan la producción de ácido por el estómago. Es beneficiosa para aliviar los síntomas y, al parecer, da tiempo al estómago para reparar los daños de su membrana.

RIFAMPICINA

La rifampicina es un antibiótico de primera línea contra la tuberculosis. Aunque cada vez hay más cepas resistentes, se sigue utilizando como tratamiento inicial.

Véase también **Antibióticos**.

SALBUTAMOL (VENTOLIN®)

Véase **Medicamentos contra el asma**.

SALES DE ORO

Las sales de oro se utilizan como medicamento contra la artritis, habitualmente cuando han fracasado otros tratamientos, y son recetadas por especialistas. Son fármacos tóxicos que sólo deberían considerarse si todos los medicamentos ortodoxos o alternativos han fallado.

SEDACIÓN

Véase **Tranquilizantes**.

SEUDOEFEDRINA

Se utiliza como descongestionante tópico nasal y sólo debería considerarse tras el fracaso de tratamientos alternativos ante dolencias como el catarro y la rinitis alérgica.

SOMNÍFEROS

Hay varios compuestos que pueden utilizarse para inducir el sueño. No existe ninguna pastilla para dormir «segura» porque cualquiera de ellas tomada en exceso puede ocasionar lesiones cerebrales o incluso la muerte. Desde un punto de vista holístico, los somníferos son una solución rápida para un desequilibrio biológico profundo.

Las pastillas para dormir actúan generalmente «diciendo» al cerebro y al sistema nervioso que debe irse a dormir. Los somníferos superan la acción de los compuestos químicos del organismo producidos para mantenernos despiertos u ocupan el lugar de los «somníferos» naturales del organismo. En ambos casos los somníferos actúan contra los procesos naturales del organismo y, en general, están contraindicados.

Si consume pastillas para dormir durante cierto tiempo, la causa del insomnio se hará más profunda y difícil de tratar, de forma que el organismo se volverá rápidamente dependiente y le costará más volver a producir sus propias sustancias somníferas. Como las pastillas para dormir no interrumpen la producción de las sustancias que nos mantienen despiertos, el cerebro se ve sometido a los dos estímulos y supresiones a la vez y, como consecuencia, el sueño es más superficial y menos reconstituyente.

Los somníferos sólo deberían utilizarse bajo control médico ortodoxo u holístico. Pueden usarse hasta tres noches para romper patrones de sueño en raras ocasiones, sin excesivo riesgo de causar problemas a largo plazo.

Véase **Insomnio**.

SULFASALACINA

Este derivado del ácido acetilsalicílico es un potente antiinflamatorio que se usa sobre todo en la enfermedad inflamatoria intestinal. Puede reducir la inflamación y evitar intervenciones quirúrgicas tanto si se toma solo o en combinación con corticoides.

Si se prescribe, su retirada ha de ser muy cuidadosa, y ante la reaparición de cualquier síntoma de enfermedad intestinal debe consultarse rápidamente.

SUMATRIPTÁN

Es un medicamento usado en las crisis migrañosas graves. Inicialmente utilizado por vía inyectable, ahora está disponible por vía oral pero tiene muchos efectos secundarios y la experiencia aún es escasa. Debería utilizarse sólo tras probar los métodos alternativos y otros remedios ortodoxos.

SUPOSITORIOS DE GLICERINA

La glicerina es un ablandador de las heces que se utiliza mediante la inserción de un supositorio en el recto. No hay contraindicaciones para su empleo siempre que no sea demasiado frecuente. Las heces persistentemente duras se relacionan con un problema de hidratación o con una dieta defectuosa, por lo que se recomienda una visita al nutricionista.

TAMOXIFENO

El tamoxifeno bloquea los receptores estrogénicos y es el fármaco de primera línea en el tratamiento hormonal del cáncer de mama sensible a los estrógenos tanto antes como después de la menopausia.

TEOFILINA

Se trata de un fármaco antiasmático de segunda línea, que se encuentra en cantidades mínimas en el té. Puede usarse si el médico lo prescribe, pero conviene tener en cuenta las terapias complementarias que están dirigidas a curar el asma antes que a aliviar los síntomas, como hace este medicamento.

TERAPIA HORMONAL SUSTITUTIVA (THS)

Los fármacos utilizados en la THS son sobre todo anticonceptivos orales, cuyos pros y contras se describen en los apartados correspondientes (*véanse* **Píldora anticonceptiva oral** y **Terapia hormonal sustitutiva**).

Los efectos adversos son notables y la eficacia en el alivio de los síntomas de la menopausia es limitada. Sus efectos protectores frente a la osteoporosis y la enfermedad cardiovascular no se han evaluado con exactitud y, por otra parte, deben ser sopesados con el riesgo carcinogénico (causante del cáncer) que entrañan en la mama y el útero.

La industria farmacéutica ha insistido en que la falta de estrógenos es el principal factor responsable de los síntomas de la menopausia, aunque hay firmes indicios de que la progesterona se encuentra involucrada en el proceso. En el apartado sobre la menopausia se comenta extensamente la THS (*véase* **Menopausia**). Están en marcha numerosas investigaciones sobre la THS, una de las cuales es una nueva forma conocida como modulación del receptor estrogénico selectivo (MRES). Este tipo de THS actúa en tejidos como el hueso, pero aparentemente no afecta a otros receptores estrogénicos, como los del útero, lo que reduciría la incidencia y el riesgo de cáncer. Aparentemente, lo mismo puede ocurrir con los receptores estrogénicos mamarios. Por desgracia, la MRES no ejerce un gran efecto sobre los sofocos y sudores nocturnos, que son los principales síntomas por los que las mujeres consumen estos medicamentos.

TERFENADINA

Hasta hace poco era el antihistamínico más popular porque tenía un efecto sedante leve. Hoy se sabe que puede producir arritmias (latidos cardíacos irregulares) y que debe evitarse su empleo.

TESTOSTERONA

Sólo deben recetarla los especialistas y en determinados casos. Su uso es muy limitado y se aplica exclusivamente si fallan otros tratamientos.

TETRACICLINAS

Son potentes antibióticos que tienen muchos efectos colaterales y que sólo deben usarse después de establecer el diagnóstico de certeza y la sensibilidad del germen causante de la infección. Tristemente, esto no se hace y muchas cepas bacterianas se han vuelto resistentes a este antibiótico (*véase* **Antibióticos**).

TIAZIDAS

Véase **Diuréticos**.

TIBOLONA

Es un fármaco utilizado contra la osteoporosis a causa de su actividad estrogénica y progestágena. Inicialmente usado para combatir las sofocaciones de la menopausia posquirúrgica, la industria farmacéutica ha obtenido recientemente la licencia para su empleo en la osteoporosis.

Evite este medicamento hasta que transcurra un poco más de tiempo, por si aparecen efectos secundarios graves, y consulte el apartado sobre osteoporosis (*véase* **Osteoporosis**).

TIROXINA

No se trata propiamente de un medicamento, a pesar de que es obtenido por fabricación sintética. Es la combinación de un aminoácido con yodo y se emplea en la terapia sustitutiva para el hipotiroidismo.

Habitualmente la tiroxina es necesaria y segura si se toma en la dosis correcta.

TRANQUILIZANTES

Este término ha sido sustituido por el de hipnóticos (*véase* **Somníferos**) y ansiolíticos. Un tranquilizante es principalmente un medicamento que elimina la ansiedad y hoy es sinónimo de ansiolítico.

Estos fármacos pueden dividirse en benzodiazepinas y barbitúricos. Los últimos raras veces se utilizan hoy en día a causa de sus efectos secundarios y sus propiedades rápidamente adictivas. Los primeros son ligeramente menos adictivos. El diazepam es el medicamento más utilizado para el alivio de la ansiedad a corto plazo. Las benzodiazepinas pueden tener acción corta o prolongada, pero están siendo sustituidas por los inhibidores selectivos de la recaptación de serotonina (ISRS), principalmente la fluoxetina.

TRETINOÍNA

La tretinoína es la forma ácida de la vitamina A. Se utiliza de forma tópica en el acné por su efecto astringente, que alivia temporalmente el problema. Se usa con frecuencia asociada a la isotretinoína, también contra el acné. Se trata de un tratamiento tópico muy agresivo, pero en absoluto curativo. Evítelo si es posible.

TRIMETOPRIM-SULFAMETOXAZOL

Esta combinación de antibióticos se utiliza menos hoy en día a causa de sus efectos colaterales tóxicos. Con frecuencia se emplea en el tratamiento de las infecciones urinarias y actualmente se usa como profilaxis de la infección por *Pneumocystis carinii*, tan frecuente en los pacientes con sida. Utilice este medicamento sólo si se lo recomienda un especialista ya que existen otros igualmente efectivos pero menos tóxicos.

Véase **Antibióticos**.

TRIPTÓFANO

El triptófano es un aminoácido esencial que el cerebro necesita para producir la serotonina, que es uno de los principales calmantes y somníferos naturales. El L-triptófano fue el antidepresivo más popular y con mayor éxito. Está presente en los quesos frescos, derivados lácteos, pollo, carne, pescado, plátanos, dátiles y cacahuetes secos y en la mayoría de los alimentos ricos en proteínas.

Hoy sólo lo recetan especialistas porque su empleo se asoció a enfermedades sanguíneas potencialmente mortales. Esto ocurrió a causa de una remesa contaminada de un fabricante japonés. Aunque muchos otros estudios demostraron su seguridad (después de todo, lo consumimos constantemente), la industria farmacéutica aprovechó la oportunidad para retirar del mercado este suplemento barato y fácilmente disponible, potenciando así las ventas de otros fármacos más artificiales y caros.

UNGÜENTO MERCK®

Fabricado con parafina, aceites neutros y alcoholes, esta pomada ha sido brillantemente comercializada por el laboratorio Merck fuera de España. Es una barrera cremosa de uso seguro, preferiblemente con fórmulas naturopáticas a base de caléndula o árnica, que también pueden usarse en su lugar.

VACUNA ANTITETÁNICA

Está indicada si se produce una herida que pueda estar infectada. Es probable que se administre a cualquiera que tenga un corte o una herida que pueda contener el germen responsable del tétanos (*véase* **Tétanos**).

Su empleo en heridas graves es muy útil, aunque en abrasiones leves suelen administrarse las mismas dosis, lo cual aparentemente no entraña riesgos.

VACUNAS
Véase **Vacunaciones**.

VANCOMICINA
Es un antibiótico que merece especial atención. Sólo puede administrarse por vía intravenosa y se usa como último recurso contra bacterias multirresistentes. Cada vez es más necesaria a causa de las cepas resistentes que aparecen en los hospitales, especialmente las de estafilococo. Merece una mención especial porque es nuestro antibiótico de último recurso. Actualmente ya aparecen cepas resistentes a ella. ¡Estén atentos a la plaga que se avecina!

VASELINA
La vaselina es una crema lubricante de uso seguro.

VASOCONSTRICTORES
Estos fármacos se usan principalmente asociados a anestésicos locales cuando se inyectan, y como tratamiento de la migraña para producir vasoconstricción. Úselos sólo si es necesario.

VASODILATADORES
En general todo lo que abre los vasos sanguíneos es vasodilatador, lo que incluye al alcohol. Los vasodilatadores periféricos se utilizan en un intento de tratar la enfermedad de Raynaud, y otros que actúan sobre los vasos del cerebro se están utilizando sin éxito en la enfermedad de Alzheimer y otras demencias. Úselos sólo si las terapias alternativas no funcionan, porque estas medicaciones pueden causar una vasodilatación excesiva que provoca debilidad y mareos.

VIAGRA®
Este medicamento, comercializado en Estados Unidos a principios de 1998, favorece la producción de una sustancia (GMPc), que a su vez constriñe las venas del pene y, por el contrario, relaja la musculatura de sus arterias. Sus ventas durante las seis primeras semanas, mayores que las de cualquier otro medicamento fabricado hasta el momento, pusieron de relieve el gran número de hombres con problemas de erección.

Como todos los fármacos que salen al mercado, se han realizado pruebas muy estrictas para comprobar su seguridad. Sin embargo, en el momento de escribir este libro, el fármaco se ha asociado a muertes inesperadas en dos hombres en Brasil y en seis en Estados Unidos. Mi consejo, como en todos los casos de medicamentos nuevos, es evitarlo durante el mayor tiempo posible, a fin de poder estudiar e investigar sus efectos a largo plazo.

VICKS®
Marca de calmantes y descongestivos. Es preferible el uso de tratamientos naturopáticos.

WARFARINA
Es un fármaco que interfiere en los mecanismos de coagulación del organismo. Su acción requiere un tiempo, a diferencia de la heparina, y se administra para evitar la coagulación en casos de trombosis venosa o embolia.

El control cuidadoso de la coagulación es imprescindible, pero puede ser una sustancia que salve la vida. Se dispone de tratamientos naturopáticos, pero sólo deben ser recetados por médicos alternativos muy competentes y experimentados en fitoterapia.

ZIDOVUDINA
También conocida como azidotimidina y como AZT (*véase* **Medicamentos contra el sida**).

TERCERA PARTE

GLOSARIO

GLOSARIO

Agudo: término utilizado para describir una enfermedad súbita, de corta duración y relativamente grave.

Alergeno: sustancia capaz de inducir una respuesta inmunológica y producir una reacción de hipersensibilidad (alergia).

Anafilaxia: manifestación de hipersensibilidad inmediata en la que la exposición de un individuo sensibilizado al antígeno específico provoca una dificultad respiratoria que entraña un riesgo vital.

Analgesia: alivio del dolor sin pérdida de conciencia.

Antihelmíntico: agente que destruye los parásitos (gusanos).

Antioxidante: molécula de base vitamínica que neutraliza las partículas de carga negativa (radicales libres) en el torrente sanguíneo, con lo que retrasa o previene la degradación por oxidación.

Antipirético: agente que elimina o reduce la fiebre.

Arteriosclerosis: conjunto de enfermedades caracterizadas por el engrosamiento y la pérdida de elasticidad de las paredes arteriales.

Asintomático: que no produce o manifiesta síntomas.

Atopia: respuesta alérgica que se produce en un lugar distinto de la zona de contacto con el alergeno.

Aura: «halo» de energía alrededor del cuerpo que cambia de color y densidad según el grado de salud general.

Autoinmunidad: estado caracterizado por una respuesta inmunológica humoral o celular específica contra componentes de los tejidos del propio organismo.

Autónomo: autocontrolado o funcionalmente independiente.

Betabloqueante: fármaco que combate la hipertensión disminuyendo la frecuencia cardíaca o evitando la vasoconstricción arterial.

Bioflavonoide: compuesto presente en las plantas que mantienen las paredes de los capilares sanguíneos en su estado normal.

Biorresonancia: uso de energía electromagnética, combinada con técnicas informáticas, para el diagnóstico y tratamiento de enfermedades.

Bloqueante de los canales del calcio: fármaco que interfiere en el flujo de calcio intracelular y reduce la contracción del músculo arteriolar, actuando así como vasodilatadores.

Bociógeno: sustancia que inhibe la producción de tiroxina, conduciendo al aumento del tamaño de la glándula tiroidea, denominada bocio.

Cálculo: concreción anómala que se produce en el organismo, habitualmente compuesta por sales minerales.

Calentador triple: en la medicina oriental, línea de energía que controla el calor corporal mediante su influencia sobre las glándulas suprarrenales y el tiroides.

Calistenia: sistema de ejercicios físicos para promover la fortaleza y el bienestar cardiopulmonares.

Catecolamina: compuesto que actúa como neurotransmisor.

Chalazión: pequeño nódulo en el párpado debido a una inflamación crónica de una glándula sebácea.

Chancro: tumefacción dura que constituye la lesión primaria en la sífilis.

Chi: según la filosofía oriental, el chi (o fuerza vital) es una energía no medible que emana de todo organismo viviente y a través de toda la materia, conectando el conjunto del universo.

Clínico: basado en la observación y el tratamiento reales de un paciente más que en la teoría o ciencias básicas.

Comensal: organismo que se alimenta de un huésped pero sin causarle daño o perjuicio.

Contraindicado: término aplicado a cualquier condición que convierte en indeseable una línea de tratamiento.

Crónico: término utilizado para describir una enfermedad que persiste durante un tiempo prolongado.

Desensibilización: método que elimina la sensibilidad de una persona a un alergeno mediante la inyección de cantidades progresivas de éste.

Diurético: agente que favorece la eliminación de orina.

Ducha: uso de un chorro de agua para lavar una cavidad o un orificio corporal.

Ecografía: visualización de estructuras profundas del cuerpo mediante el registro de la reflexión (ecos) de los pulsos de ondas ultrasónicas (alta frecuencia) dirigidas a los tejidos. Esta técnica está ampliamente difundida para el diagnóstico de enfermedades del abdomen y corazón y para el control del embarazo.

Émbolo: coágulo formado en el torrente sanguíneo que se desplaza por éste e impacta en otra parte del sistema circulatorio.

Endémico: enfermedad establecida de forma permanente en un grado moderado o grave en un área determinada.

Endorfina: péptido sintetizado en la hipófisis que tiene propiedades analgésicas (eliminan el dolor) asociadas a su afinidad por los receptores opiáceos del cerebro.

Enfermedad iatrogénica: enfermedad inducida por el médico, habitualmente como resultado de un efecto colateral de un fármaco prescrito.

Epidémico: brote de una enfermedad infecciosa que se extiende ampliamente entre las personas al mismo tiempo en una región determinada.

Estimulación nerviosa eléctrica transcutánea: paso de corriente eléctrica a través de los nervios para estimular las sustancias analgésicas del organismo.

Etiología: causa u origen de una enfermedad o trastorno.

Expectoración: expulsión a través de la tos de moco o esputo procedente de las vías respiratorias.

Fisiología: estudio de las funciones del organismo vivo y sus partes, y de los factores físicos y químicos y procesos involucrados.

Fitoestrógeno: estrógeno natural procedente de plantas.

Fuerza vital: según la filosofía oriental, la fuerza vital es la inmensurable «energía de la vida» o chi.

Ginecología: especialidad de la medicina que trata sobre las funciones y enfermedades del tracto genital femenino.

Glándula endocrina: glándula de secreción interna cuya función consiste en segregar una sustancia (hormona) a la sangre o a la linfa, que tiene un efecto específico sobre otro órgano.

Glándula exocrina: glándula que segrega una sustancia en alguna cavidad del cuerpo o en la superficie externa del organismo a través de conductos.

Hematología: especialidad de la medicina que trata sobre el estudio de la sangre y los tejidos hemopoyéticos (formadores de células sanguíneas).

Holístico: concepto de una persona considerada como unidad funcionante en cuanto a cuerpo, mente y espíritu.

Inmune: protegido frente a una enfermedad infecciosa.

Inmunodeprimido: que tiene una respuesta inmunológica reducida por fármacos inmunosupresores, radiación, malnutrición o enfermedad.

Inmunoglobulina: proteína que actúa como anticuerpo y se combina con el antígeno.

Inmunosupresor: agente que inhibe las respuestas inmunológicas.

Invaginación: introducción, a modo de telescopio, de una porción del intestino en la zona inferior adyacente.

Jala Lota: técnica oriental de lavado nasal.

Karma: fuerza generada por las acciones de una persona que, según el hinduismo y el budismo, es la fuerza motriz para todas las reencarnaciones y muertes hasta que dicha persona alcanza la liberación espiritual y queda libre de los efectos de la citada fuerza.

Laparoscopia: inserción de un instrumento rígido o flexible para la inspección de la cavidad abdominal.

Lipoproteína: complejo de lípidos y proteínas que sirve para transportar los lípidos en la sangre.

Maniobra de Heimlich: procedimiento utilizado para forzar la expulsión de algo que obstruye las vías respiratorias en un individuo que se está ahogando.

Marca comercial: cualquier sustancia química, fármaco o preparado utilizado en el tratamiento de una enfermedad que está protegida frente a la libre competencia mediante marca registrada, patente o similares.

Medicina complementaria: sistemas de tratamiento que «complementan» los métodos ortodoxos, pero que no son totalmente aceptados por la ciencia médica ortodoxa.

Miasma: supuesta emanación nociva del suelo o la tierra, que en una época se consideró la causa de enfermedades endémicas en ciertas áreas, como la malaria.

Neti pot: pequeña regadera utilizada para el lavado nasal (Jala Lota).

Nirvana: estado de libertad del karma.

Obstetricia: especialidad de la medicina que trata sobre los problemas y la atención del embarazo y el parto.

Ósmosis inversa: purificación del agua forzándola bajo presión a través de una membrana no permeable a las impurezas que se pretende eliminar.

Paliativo: que permite un alivio temporal del dolor o malestar, pero no es curativo.

Palpación: exploración física por el tacto.

Palpitación: apreciación subjetiva de un latido cardíaco rápido o irregular en el tórax.

Parásito: organismo que vive en un huésped con perjuicio para éste.

Patógeno: microorganismo o sustancia que produce enfermedad.

Percusión: acto de golpear con un dedo, de forma suave y rápida, sobre otro dedo colocado sobre la superficie del cuerpo para determinar, mediante el ruido producido, el estado físico de la parte subyacente.

Placebo: sustancia farmacológicamente inactiva administrada como fármaco en el tratamiento de enfermedades psicológicas o en ensayos farmacológicos.

Profiláctico: que protege o previene una enfermedad, especialmente las infecciosas.

Protozoo: organismo microscópico más grande que las bacterias.

Psique: facultad humana de pensamiento, juicio y emoción.

Quimioterapia: tratamiento de una enfermedad mediante sustancias químicas dirigidas selectivamente contra microorganismos invasivos o células anómalas.

Radicales libres: partículas de carga negativa capaces de existir libres en condiciones especiales, habitualmente sólo durante cortos períodos.

Radiografía: registro fotográfico de las estructuras corporales internas mediante el paso de rayos X o rayos gamma a través del cuerpo sobre películas especialmente sensibilizadas.

Radioterapia: teoría y práctica del tratamiento médico de una enfermedad, en particular el cáncer, con dosis altas de rayos X u otras radiaciones ionizantes.

Remedio constitucional: remedio que afecta a todo el organismo.

Resonancia magnética: procedimiento que utiliza la resonancia magnética nuclear de los protones para producir mapas de densidad protónica o imágenes del cuerpo humano con fines diagnósticos.

Respuesta aprendida: respuesta biológica adquirida por asociación con un estímulo, por ejemplo, la respuesta condicionada.

Ritmo circadiano: variación cíclica, de aproximadamente 24 horas, en la intensidad de un proceso metabólico o fisiológico y de otras facetas de la conducta.

Secuela: toda alteración consiguiente o producida por una enfermedad.

Silente: término usado para describir una enfermedad que no produce signos ni síntomas detectables.

Simbiótico: organismo que vive junto a otro o en estrecha asociación con él para beneficio mutuo.

Sistémico: perteneciente o que afecta a todo el organismo.

Subclínica: sin manifestaciones clínicas; utilizada para describir una infección u otra enfermedad o anomalía antes de que los signos y síntomas sean evidentes o detectables por exploración clínica o pruebas de laboratorio.

Subluxación: luxación parcial o incompleta.

Técnica ortodoxa: técnica ensayada y probada de la medicina occidental para el tratamiento de los síntomas de una enfermedad o afección.

Terapia hormonal sustitutiva: tratamiento que consiste en la administración de hormonas, estrógenos y progesterona, como suplemento para aliviar los síntomas asociados a la menopausia.

Tetraciclinas: grupo de antibióticos biosintéticos de amplio espectro de actividad aislados de ciertas especies de *Streptomyces* o producidos de forma semisintética por hidrogenación catalítica de la clortetraciclina o la oxitetraciclina.

Tofu: preparación comestible japonesa de semilla de soja.

Tomografía axial computarizada: reconstrucción de imágenes de secciones transversales del cuerpo, obtenidas por una fuente de rayos X rotatoria y un detector que se mueve alrededor del cuerpo y registra las transmisiones de rayos X en una rotación de 360°.

Trascendental: más allá del conocimiento humano o independiente de la experiencia.

Tricología: estudio del cabello.

Urogenital: perteneciente al sistema urinario y genital.

Urología: especialidad de la medicina que trata sobre el tracto urinario, del hombre y de la mujer, y los órganos genitales del varón.

Vaso de la concepción: meridiano chino o línea de energía que fluye desde la coronilla hacia abajo a lo largo de la línea media del cuerpo, conectando la hipófisis, el tiroides, el páncreas y el útero.

Yang: principio masculino y positivo (como actividad, altura, luz, calor o sequedad) de la naturaleza que, según la cosmología china, se combina e interactúa con su contrario «yin» para producirlo todo.

Yin: principio femenino y negativo (como la pasividad, profundidad, oscuridad, frío o humedad) de la naturaleza que, según la cosmología china, se combina con su contrario «yang» para producirlo todo.

Yoga: disciplina mediante la que el individuo se prepara para la liberación del yo (mente y cuerpo) y la unión con el espíritu universal (alma). Esto se consigue mediante un sistema de ejercicios para alcanzar el control corporal o mental y el bienestar para que el yo pueda ser liberado de todo dolor y sufrimiento y unirse al espíritu universal.

BIBLIOGRAFÍA RECOMENDADA

BIBLIOGRAFÍA RECOMENDADA

Aramburu, F., *Guía de anatomía humana,* Ed. Integral, 1998

Balaskas, J., *Embarazo natural,* Ed. Integral, 1997

Berdonces, J. L., *El gran libro de la iridología,* Ed. Integral, 1997

Bertomeu, O., *Guía práctica de la sexualidad femenina,* Ed. Temas de hoy, 1996

Bohlmann, F., *Sin dietas,* Ed. Integral, 1997

Bös, K., *Caminando,* Ed. Integral, 1996

Buceta, J.M., Bueno, A.M. *Tratamiento psicológico de hábitos y enfermedades,* Ed. Pirámide, 1996

Burns, Y., Gunn, P., *El síndrome de Down,* Ed. Herder, 1995

Butiña Jiménez, C., *Puericultura. Embarazo, primera infancia y pubertad,* Ed. Ceac, 1994

Carrol, S. Smith, T., *Guía completa de la salud para toda la familia,* Ed. Blume, 1993 Castilla del Pino, C., *Un estudio sobre la depresión,* Ed. Península, 1991

Carter, R., *El nuevo mapa del cerebro,* Ed. Integral, 1998

Cervera, P., *Alimentación materno-infantil,* Ed. Masson, 1994

Chuen, L. K., *Tai chi,* Ed. Integral, 1998

Collier, R., *Cuerpo sano, intestino sano,* Ed. Integral, 1996

Font Quer, P., *Plantas medicinales. El Dioscórides renovado,* Ed. Labor, 1980

Furtmayer-Schuh, A., *La enfermedad de Alzheimer,* Ed. Herder, 1995

Gascoigne, S., *La medicina china,* Ed. Integral, 1998

Gillanders, A., *Reflejoterapia en casa,* Ed. Integral, 1998

Grotkasten, S., Kienzerle, H., *Gimnasia para la columna vertebral,* Ed. Paidotribo, 1994

Hastings, D., *Guía para el cuidado del enfermo en el hogar,* Ed. Diana, 1997

Hayman, S., *Guía de los métodos anticonceptivos,* Ed. Paidós, 1995

Herderson, J., *Guía médica de urgencia,* Ediciones B, 1991

Hobson, R.P., *El autismo y el desarrollo de la mente,* Ed. Alianza, 1995

Kenneth H. Cooper, *Control del colesterol,* Ed. Ceac, 1991

Kirsta, A., *Superar el estrés,* Ed. Integral, 1997

Kraan, C., *Cuando los hijos no llegan,* Ed. Espasa, 1996

Lundberg, P., *El libro del shiatsu,.* Ed. Integral, 1999

Martí Tusquets, J.L., Murcia Gran, M. *Conceptos fundamentales de drogodependencias,* Ed. Herder, 1988

Martín Zurro, A., Cano Pérez, J.F., *Atención primaria,* Ed. Doyma, 1995

Mckeown, T., *Los orígenes de las enfermedades humanas,* Ed. Crítica, 1990

McMinn, R.M.H., Hutchings, R.T., *Gran atlas de anatomía humana,* Ed. Océano, 1996

Moreiras, O., Carcajal, A., Cabrera, L., *Tablas de composición de los alimentos,* Ed. Pirámide, 1995

París, C., *Cuida tus ojos, mejora tu vida,* Ed. Integral, 1994

Peiffer, V., *Revitalizar,* Ed. Integral, 1996

Pelta, R., Vivas, E., *100 consejos médicos para vivir con salud,* Ed. Temas de hoy, 1998

Pemberton, C., *Manual de dietética de la Clínica Mayo,* Ed. Medici, 1993

Rojas, E., *Enciclopedia de la sexualidad de la pareja,* Ed. Espasa Calpe, 1991

Russell, S., K. Jürgen, *El tao del masaje sexual,* Ed. Integral, 1998

Schneider, S., *Reglas sin dolor,* Ed. Integral, 1996

Schutt, K., *Ayurveda,* Ed. Integral, 1996

Sheehy, K., *Fisioterapia para todos,* Ed. Integral, 1998

Shen, P., *Masaje para aliviar el dolor,* Ed. Integral, 1996

Vinyes, F., *Hidroterapia,* Ed. Integral, 1994

Vinyes, F., *La linfa y su drenaje manual,* Ed. Integral, 1998

Vinyes, F., *La respuesta está en los pies,* Ed. Integral, 1998

Vishnudevananda, S., *El libro del yoga,* Ed. Alianza, 1981

Vishnudevananda, S., *Meditación y mantras,* Ed. Alianza, 1981

Vogel, A., *El pequeño doctor,* Ed. Ars Médica, 1986

Von Plut, M., *Dientes sanos,* Ed. Integral, 1997

VVAA, *Las medicinas orientales,* Ed. Integral, 1998

VVAA, *Prevención y tratamiento de enfermedades infantiles,* Ed. Ceac, 1996

Walker, P. y F., *Padres felices, niños felices,* Ed. Integral, 1996

Werner, G. T., Nelles, M., *Espalda joven,* Ed. Integral, 1996

Zamora, P., *La alimentación infantil natural,* Ed. Integral, 1996

BIBLIOGRAFÍA RECOMENDADA

ÍNDICE
ANALÍTICO

ÍNDICE ANALÍTICO